Die deutsche Literatur
in der Weimarer Republik

Die deutsche Literatur in der Weimarer Republik

Herausgegeben von
Wolfgang Rothe

Philipp Reclam jun. Stuttgart

Alle Rechte vorbehalten. © Philipp Reclam jun. Stuttgart 1974
Schrift: Linotype Garamond-Antiqua. Printed in Germany 1974
Herstellung: Reclam Stuttgart
ISBN 3-15-010228-6

Inhalt

Vorwort

Die Weimarer Republik tritt neuerdings auch als literarische Epoche ins Blickfeld der Wissenschaft, ja sie wird vermutlich in den nächsten Jahren ein bevorzugtes Arbeitsgebiet der Philologen und Literatursoziologen werden. Das hängt zweifellos mit dem allgemeineren Interesse zusammen, das diese Periode unserer jüngeren Vergangenheit seit einiger Zeit findet. Es bekundet sich in ihm das Verlangen nach Einsicht in den Charakter dieses Staatswesens und die Ursachen seines Untergangs. Vor allem die heutige mittlere und junge Generation will wissen, warum dieser Versuch einer Demokratie auf deutschem Boden scheiterte. Die zeitgenössische Literatur, welche die äußeren Lebensbedingungen, die politischen Verhältnisse und die weltanschaulichen Positionen der Jahre 1918 bis 1932 weithin spiegelt, vermag auf eine solche Frage zumindest eine mittelbare Antwort zu geben. Auf jeden Fall steht eine derartige Erwartung unausgesprochen hinter jeder heutigen Beschäftigung mit der literarischen Produktion jener knapp fünfzehn Jahre; sie bestimmt das ›erkenntnisleitende Interesse‹ wohl der meisten Untersuchungen.

Daß die literarische Periode 1918–1932 als Ganzes genommen noch für weitgehend unerforscht gelten muß, hat relativ leicht einsehbare, quasi ›fachimmanente‹ Gründe. Für die damalige Germanistik, und erst recht für die des ›Dritten Reiches‹, existierte das meiste in diesem Zeitraum Geschriebene aus ideologischen und politischen Motiven nicht. Nach 1945 kam die Aufarbeitung nur zögernd in Gang. Es wurden zwar neue Olympier gekürt, Autoren wie Thomas Mann, Hermann Hesse, Franz Kafka, Robert Musil zogen jeweils einige Jahre hindurch verstärkt die Aufmerksamkeit auf sich. Demgegenüber wurde der gewaltige ›Rest‹ an Literatur von dem tonangebenden Teil der germanistischen Disziplin in den restaurativen fünfziger Jahren so gut wie völlig unberücksichtigt gelassen – als formgeschichtlich nicht sonderlich ergiebig, allzu ›vordergründig‹ zeitbezogen oder dem garstigen Liede der Politik zugetan. Ganze literarische Subkontinente sind versunken, die verbreiteten Literaturgeschichten und die Schullesebücher nehmen von ihnen kaum Notiz.

Der vorliegende Studienband verzichtet auf Einzelstudien über Autoren, die bereits vor 1933 hoch in der Publikumsgunst standen bzw. die nach dem Zweiten Weltkrieg als säkulare Gestalten gefeiert worden sind, gleichgültig ob zu Recht oder Unrecht. Ein neuer Kanon des Gültigen, Vorbildlichen wird ebensowenig angestrebt wie etwa der herkömmliche literarhistorische Überblick mit dem Ziel größtmöglicher Vollständigkeit. Wo ein umfangreiches Stoffgebiet zu purem Aufzählen verleiten könnte, beschränkt sich die Darstellung absichtlich auf eine Anzahl exemplarischer Schriftsteller und Werke. Infolgedessen begegnen in diesem Band manche ›Großschriftsteller‹ und Erfolgsautoren der zwanziger Jahre nur beiläufig oder sogar überhaupt nicht, während einige im Sinne traditioneller Philologie ›zweitklassige‹ Autoren mehrmals auftauchen. Der Leser wird, hoffen wir, darin keinen Mangel des Unternehmens erblicken, geschweige ein unerwartetes Resultat seiner themenbezogenen Anlage.

Ein Wort über das ihm zugrundeliegende ›Wissenschaftsverständnis‹ mag heute angebracht erscheinen. In methodischer Hinsicht wurde als Minimum eines Konsensus vereinbart, das jeweilige literarische Phänomen im sozialen, politischen und ideologischen Kontext zu sehen. Damit wird aber keineswegs schon behauptet, daß Literatur restlos in den ›Verhältnissen‹ ihrer Entstehungszeit aufgeht, also bloßer Reflex ihres materiellen und ideologischen Stratums ist. Über eine solche allgemeine Verpflichtung auf eine vorwiegend literarsoziologische Optik hinaus wurden die Mitarbeiter nicht festgelegt. Hinsichtlich des damit gegebenen Risikos divergierender Ansätze und Urteile sind sich die Beteiligten im klaren. Immerhin ist derzeit keine soziologisch orientierte literaturwissenschaftliche Methode schon so weit ausgebildet, daß sie für sich unbestritten einen methodischen Vorrang beanspruchen könnte. Die Entscheidung für eine primär geschichtliche und ideologiekritische Perspektive bedeutete im übrigen den Verzicht auf bloße Struktur- und Formanalysen sowie ›werkimmanente‹ Interpretationen.

Die gewählten Themen, damit Akzentsetzungen wie Vernachlässigungen, verraten bereits, welche Aspekte besonders berücksichtigt werden sollten. Im vorliegenden Sammelband wird die gesellschaftskritische und politisch engagierte Literatur, die zwischen dem Zusammenbruch des Kaiserreiches und dem der Weimarer Republik entstand, eingehender behandelt als die gleichzeitige bürgerliche ›Dichtung‹, obgleich diese nach Umfang, Verbreitung und vielleicht auch in ihrer formalen Qualität jene übertraf. Ein ›gerechter‹ Proporz wird, wie bereits angedeutet, nicht gesucht. Noch jede Generation deutscher Literaturhistoriker hat sich vornehmlich mit dem abgegeben, was ihr beschäftigenswert erschien, verständlicherweise; das sei möglichen Kritikern dieses Unternehmens in Erinnerung gerufen. Die vom späten Bürgertum favorisierte Unterhaltungsliteratur, wie ›gehoben‹ diese immer gewesen sein mochte, besitzt nun einmal sowenig Anziehungskraft auf die nachgeborenen Lesergenerationen wie eine – formalästhetisch häufig respektable – Dichtung einer privaten ›Innerlichkeit‹.

Der historisch scharf abgegrenzte Zeitraum 1918–1932 legte die Beschränkung auf das literarische Leben in den Grenzen des ehemaligen Deutschen Reiches nahe. Die zur selben Zeit im übrigen deutschen Sprachgebiet entstandene Literatur wird deshalb nur in wenigen im jeweiligen Untersuchungsgegenstand begründeten Fällen berücksichtigt.

Die derzeitige Forschungslage erlaubt vorerst nicht viel mehr als einen Aufriß des literarischen Geschehens jener Jahre. Daß der Band bereits alle lohnenden Themen behandelt, wird nicht behauptet. Jedoch meinen Herausgeber und Verlag, mit den hier vereinten 20 Studien, die übrigens sämtlich in den Jahren 1972/73 für dieses Unternehmen geschrieben wurden, die bisher umfassendste kritische Darstellung der deutschen Literatur zwischen der mißglückten Revolution und Hitlers ›Machtergreifung‹ vorlegen zu können.

Wolfgang Rothe

KURT SONTHEIMER

Weimar – ein deutsches Kaleidoskop

Vierzehn Jahre nur währte die Republik von Weimar, und doch gibt es meines Wissens keine Periode der deutschen Geschichte, die gleichzeitig so reich und so beschränkt, so kühn und so gedrückt, so schöpferisch und so primitiv, so befreiend und so regressiv war. Weimar bot in einer bisher nie dagewesenen Vielfalt ein Kaleidoskop deutscher Möglichkeiten. Daß die politisch schlimmste dieser Möglichkeiten zum traurigen und für die Nation so folgenschweren Ergebnis des Weimarer Experiments werden sollte, daß aus sich bekämpfender politischer Vielfalt die stramme Einheit einer ihrem Führer ergebenen Volksbewegung, aus kulturellem Reichtum die verordnete Primitivität wurden, dies alles macht deutlich, daß das Elend von Weimar weitaus mächtiger war als seine Größe. Das, was Weimar tatsächlich ausmachte, hat wenig zu tun mit dem Mythos der ›Goldenen Zwanziger Jahre‹, den man sich nach 1945 geschaffen hat, um wieder Anschluß zu gewinnen an eine abgebrochene oder unter anderen politischen Vorzeichen (in der Emigration) fortgesetzte Geschichte des deutschen Geistes und seiner literarischen und künstlerischen Hervorbringungen. Die These von der kulturellen und geistigen Blüte der Weimarer Jahre gehört zwar nicht in das Reich der Fabel, aber sie ist das Produkt einer rein selektiven Kulturgeschichte, die sich allein an dem orientiert, was Bestand und fortwirkende Kraft zu haben scheint, und alles dem Vergessen anheimfallen lassen möchte, was den Auswahlkriterien dieses kulturellen Selektionsprozesses nicht genügt, obgleich es in seiner Zeit nicht minder real, ja oft noch wirkungsmächtiger war.
Inzwischen hat man das halbwegs eingesehen. Man hat erkannt, daß der Mythos von den ›golden twenties‹ vor allem einem Rechtfertigungsbedürfnis zu danken war, das die auf sie folgenden zwölf Jahre nationalsozialistischer Barbarei am liebsten ungeschehen machen wollte und die notwendigen Anknüpfungspunkte für die Wiedergenesung des deutschen Geistes natürlicherweise am ehesten in den großen kulturellen Taten der Weimarer Ära fand. Man tut jedoch gut daran, sich klarzumachen, daß, wie Peter Gay es in seiner bedeutenden Untersuchung über Geist und Kultur der Weimarer Republik gesagt hat, die Kultur der Weimarer Republik eine Schöpfung von Außenseitern war, die von der Geschichte nur für einen kurzen, schwindelerregenden Augenblick in den Mittelpunkt gerückt worden waren.[1] Schon die ›Helden‹ selber, an denen sich Literatur- und Geistesgeschichte in ihren Gratwanderungen über die Höhen geistigen und künstlerischen Schaffens üblicherweise orientieren, haben die vermeintlich goldene Zeit der zwanziger Jahre selten als großartigen Zeitabschnitt erlebt. Sie hatten nicht das Bewußtsein, in einer schöpferischen, befruchtenden Zeit zu leben, und sie fanden es kaum rühmenswert, Zeitgenossen einer Epoche zu sein, in der ihre künstlerische und geistige Sensibilität nicht etwa die Größe, sondern überall die Krise, den Umbruch, den Verfall und die Brüchigkeit des Daseins witterte. Jaspers' berühmter Traktat von 1931 über »die geistige Situation der Zeit« ist von einem erschreckenden Pessimismus, ohne daß er ihn hätte politisch artikulieren müssen, denn alles, was er sah, war Abfall vom Selbst-

sein. Was als die lebendige Frucht der zwanziger Jahre in die Literatur- und Kunst-geschichten unserer Tage eingegangen ist, das wurde von vielen sensiblen Zeitgenossen gerade nicht als produktiv und schöpferisch empfunden, sondern als Ausdruck krisenhafter Zuspitzung, als Symptom des Zerfalls, als Verlust des Eigentlichen, des Maßes und der Mitte. Kein Zweifel also, daß die für die Weimarer Kultur so produktive geistige Spannung der Extreme in vieler Hinsicht ein Kind der Sorge, der Angst, des Zynismus und der Verzweiflung war, nicht ein Produkt fröhlich schaffender liberaler Konkurrenz des Geistes.

Schon immer bestand in der historischen Vergegenwärtigung des Lebens der Weimarer Republik ein auffallender Unterschied zwischen traditioneller politischer Geschichte und herkömmlicher Geistesgeschichte. Während die großen Untersuchungen über die Geschichte der Weimarer Republik Weimar als ein gescheitertes Experiment in Demokratie analysierten, als die mehr oder weniger zwingende Verlaufsgeschichte eines vorprogrammierten Unheils, konnten Geistes-, Literatur- und Kunstgeschichte in bewährter Manier von all den unerfreulicheren politischen und ökonomischen Umständen abstrahieren und sich mehr oder weniger sublimer Werk- und Autorenanalyse hingeben. Wo man nicht ganz umhinkonnte, die Zeitläufte, aus denen heraus ein Werk geboren war, einzubeziehen, half man sich mit einigen griffigen Floskeln von den politischen und sonstigen Wirren der Zeit und huschte schnellstens weiter zur üblichen Werkwiedergabe und den notwendigen biographischen Details. Dadurch entstand eine bemerkenswerte Diskrepanz zwischen einer fatalistischen, vom schmählichen Ende der Republik her gesehenen Geschichtsbetrachtung, die stets in Hitlers Machtergreifung mündete und konstant den ›Weg in die Diktatur‹ beschrieb, und einer davon zumeist abstrahierenden literarischen und geistesgeschichtlichen Betrachtung, die sich gern einer euphorischen Verherrlichung der schöpferischen Kraft der zwanziger Jahre hingab, ohne das eine mit dem anderen in eine plausible Verbindung bringen zu können.

Das Unternehmen, Literatur im Kontext des Politischen zu interpretieren, ist anerkanntermaßen schwierig, aber dies darf kein Grund sein, das Schwierige nicht zu unternehmen. Hier liegt eine der großen Aufgaben einer modernen Literatur- und Geschichtswissenschaft für die Weimarer Epoche.[2]

Eine Buchveröffentlichung der Referate und Diskussionsbeiträge eines im November 1960 in München abgehaltenen Kongresses über die zwanziger Jahre erschien unter dem Verlegenheitstitel *Die Zeit ohne Eigenschaften*.[3] Die Bezeichnung ist irreführend, denn die bloße Tatsache, daß die Weimarer Zeit nicht unter einem hervorstechenden Charakteristikum zu subsumieren ist, macht sie noch lange nicht zu einer Zeit ohne Eigenschaften, auch wenn man auf Robert Musils großen Roman anspielt. Das Besondere der Weimarer Zeit – politisch wie kulturell und sozial – liegt vielmehr darin, daß sie eine Ära mit sehr vielen sich widersprechenden Eigenschaften war, daß sie nicht auf ein beherrschendes Charakteristikum eingeebnet werden kann, sondern ihre Stärke (in kultureller Hinsicht) wie ihre Schwäche (in politischer Hinsicht) gerade in einer ungebändigten Vielfalt sich überkreuzender und nicht zur Deckung in einem gemeinsamen Konsens gelangender Eigenschaften lag. Die Weimarer Zeit läßt sich am besten aus ihren kaum versöhnbaren Widersprüchen, ihren Ungereimtheiten, ihren schroffen Gegensätzen erklären, einen verbindlichen Nenner wird man für sie vergeblich suchen. Wie war dieses Kaleidoskop von sich überkreuzenden Tendenzen, Ausdrucksformen, Interessen, das als Ganzes die Weimarer Republik erst ausmacht, im einzelnen zusammengesetzt? (Kaleidoskop scheint mir ein passendes Sinnbild zu sein für das Durchgeschütteltwerden einer Nation und für die Summe der Erschütterungen, welche die Weimarer Epoche in allen zentralen Lebensbereichen an sich erfuhr.)

Eine Nation ohne politischen Konsensus

Die politische Szenerie der Weimarer Republik war durch einen ungewöhnlich breiten Fächer politischer Kräfte bestimmt. Fertig werden mußte die deutsche Nation zunächst mit der Tatsache eines verlorenen Krieges, von dem allzu viele sich wider allen äußeren Anschein einredeten, daß er eigentlich nicht verlorengegangen sei. Fertig werden mußte sie mit dem Umstand, daß gerade diejenigen politischen Gruppen, die in der vorausgegangenen kaiserlichen Ära zur geächteten Opposition gehört hatten, bei der ersten Wahl zur Bildung der Nationalversammlung Anfang 1919 die Mehrheit der Stimmen für sich gewinnen konnten. Fertig werden mußten das deutsche Bürgertum und die früher herrschenden adelig-feudal-kapitalistischen Kräfte vor allem mit der Tatsache, daß die verhaßten Sozialdemokraten, die man als die ärgsten Feinde des Vaterlandes verleumdet hatte, nun die stärkste Partei des Volkes geworden waren, ja, daß einer der ihren, Friedrich Ebert, zum neuen Staatsoberhaupt aufrückte, daß Regierungen gebildet wurden, in denen die Kanzler und Minister Kreisen entstammten, denen im Kaiserreich jede aktive Mitgestaltung am politischen und sozialen Leben verwehrt geblieben war.

Doch die demokratische Mehrheit der ursprünglichen Weimarer Koalition aus Mehrheitssozialdemokraten, dem katholischen Zentrum und den fortschrittlichen Liberalen geriet bereits 1920 in die Minderheit. Die Gruppen an den Flanken, die, sofern sie rechts standen, die monarchistische Vergangenheit restaurieren oder einen zeitgenössischen Ersatz instaurieren wollten, sofern sie ganz links standen, die steckengebliebene Revolution zu vollenden trachteten, gewannen mehr politisches Gewicht und engten die ohnehin geringe parlamentarische Manövrierfähigkeit der mit wechselnden Mehrheiten regierenden Koalitionen weiter ein.

Es war die Eigentümlichkeit des politischen Lebens der Weimarer Republik, daß die demokratische Verfassung von der Mehrheit der politischen Kräfte als ein unzureichendes, schlechtes Kompromißprodukt angesehen wurde, das selbst jene nur ungern verteidigten und stützten, die es, wie die Sozialdemokraten, seinerzeit mit aus der Taufe gehoben hatten. Die politischen Institutionen der Weimarer Demokratie waren nur zu Anfang, als sie sich noch nicht hatten bewähren müssen, von einem ausreichenden Konsensus des Volkes und der seinen politischen Willen artikulierenden politischen Kräfte getragen. Für die Sozialisten, gar nicht zu reden von den Kommunisten, war die Republik viel zu bürgerlich und nur ein schlechter Abklatsch ihrer lange gehegten Vorstellungen von einer sozialistischen Gesellschaft. Für die Konservativen, und zwar sowohl die mehr liberalen Zuschnitts bei der Deutschen Volkspartei wie auch die reaktionären bei den Deutschnationalen, war die demokratische Republik ein bedauerlicher Abfall von den Höhen Bismarckscher Reichsherrlichkeit und Machtpolitik, und sie waren unfähig, die politischen Zeichen der

Zeit zu begreifen (mit Ausnahme Gustav Stresemanns, der als Außenminister einen Prozeß politischer Vernunftwerdung durchmachte und darum im Ausland zum Symbol einer friedlich orientierten bürgerlichen und demokratischen deutschen Politik werden konnte). Für die erst in den späten zwanziger Jahren aufkommenden Nationalsozialisten, welche die reaktionären Konservativen durch eine brisante Mischung aus perfekter Massenbeherrschung und Irrationalismus übertrumpften, war die ›November-Republik‹ das deutsche Schandmal schlechthin. Aus den ideologischen Hauptbewegungen der Epoche, dem Sozialismus und dem Nationalismus, destillierten sie unter Ausnutzung der institutionellen Schwächen und der Liberalität des Weimarer Regimes, unterstützt von einer weltweiten Katastrophe des kapitalistischen Systems, ein trübes, aber schäumendes Gebräu von massenwirksamen Parolen, dessen Ingredienzen sie nicht einmal selbst erfunden, sondern aus den Sudelküchen irrationaler völkischer Ideologen entlehnt hatten.

Mit politischen Gruppen, die ihren Staat entweder nicht recht mochten, ihn darum nur lau verteidigten und schützten, und mit oppositionellen Kräften, die ihn nicht nur verbal, sondern auch unter Einsatz von Mitteln der Gewalt, die zeitweilig den Bürgerkrieg als eine echte Bedrohung erscheinen ließen, bekämpften, war fürwahr ein Staat nicht zu machen. Schon die kurze Lebensdauer der Regierungen, die dem mangelnden Zusammenhalt der flüchtigen politischen Koalitionen und der Fluktuation der Wählermeinungen zu danken war, war wenig angetan, das Vertrauen des Volkes in die Effizienz und das politische Vermögen eines parlamentarischen Regierungssystems zu wecken. Die Politik schien zu einem absurden Spiel zwischen untereinander uneins gewordenen Kräften zu entarten, das letzten Endes allein den Akteuren selbst, nicht aber dem Staat und seinen Bürgern Nutzen brachte. So machte sich in einem großen Teil der politischen Parteien und vor allem im Volke selbst ein wachsender Zweifel an der Lebensfähigkeit und Brauchbarkeit dieser Art von Demokratie breit, die ohnehin kaum einer, der in ihr aktiv war, überzeugend genug zu verteidigen vermochte. Eine falsche Vorstellung von der politischen Betätigungsfreiheit aller Gruppen, auch derer, die dieser Freiheit an die Gurgel wollten, lähmte darüber hinaus die Verteidigungsbereitschaft des Systems angesichts seiner immer akuter werdenden Krise und Bedrohung.

Der breite Fächer des politischen Lebens der Weimarer Republik enthielt alles, was das 19. Jahrhundert an politischen Kräften entbunden hatte: Revolutionäre und Reaktionäre, demokratiefeindliche Altliberale und fortschrittlichere Neoliberale, vorwiegend an klerikaler Kulturpolitik interessierte Katholiken und in völkische Ideen verrannte Protestanten, gemäßigte Sozialdemokraten und nicht völlig reformunwillige Konservative, Verteidiger des unsozialsten Kapitalismus mit ungezügeltem Gewinn- und Ausbeutungsstreben und bescheidenere Anwälte des Kapitalismus, die ihn durch soziale und interventionistische Maßnahmen von seinen Auswüchsen und Ungerechtigkeiten befreien wollten, Fanatiker des Führerprinzips und Menschen, die allein auf die Automatik der Institutionen vertrauten, ohne darauf zu achten, daß auch Institutionen aus Menschen bestehen, Militaristen und Pazifisten usw., usw. Für alles, was im 19. und im bisherigen 20. Jahrhundert an politischer Artikulation und ideologischer Orientierung anzutreffen war, hält die Weimarer Republik Beispiele bereit; alle politischen Richtungen präsentierten insgesamt alle nur möglichen Schattierungen auf einer breiten Skala, die vom gewaltsamen Umsturz von rechts bis zur nicht minder gewaltsamen Revolution von links reichte. Zwar gab es auch schon unter Kaiser Wilhelm revolutionärgesinnte Sozialdemokraten neben imperialistischen Alldeutschen, konservative preußische Junker neben liberalen Gewerbetreibenden im deutschen Südwesten, aber die herrschende politische Kultur und die Politik selbst wurden im Wilhelminismus durch die konservativ-obrigkeitsstaatlichen Interessen bestimmt. Der politische Konsensus, von dem das kaiserliche Regime getragen war, stützte sich auf die Macht der herrschenden Klasse, die politische Opposition galt als undeutsch und vaterlandslos. Sie hatte nichts zu bestimmen.

In der Weimarer Epoche hingegen konnten sich kraft der Schwäche des revolutionären Anfangs und aufgrund der nicht bewältigten Neuordnung am Ende des verlorenen Krieges alle politischen Strömungen nebeneinander und gegeneinander tummeln und sich wild bekämpfen, so daß sich ein Konsensus nicht bildete. Auch die demokratischen Kräfte der Weimarer Koalition erwiesen sich als nicht stark und entschlossen genug, einen solchen Konsensus zu schaffen und dem Regime dadurch Stabilität zu verleihen. Was im Bereich rein ideologischer und geistiger Auseinandersetzung oft produktiv und fruchtbar sein kann, erweist sich in der Auseinandersetzung politischer Kräfte leicht als tödlich. Die Vielfalt der politischen Meinungen, Parteien, Strömungen, die Vielfalt der Ideologien und Parolen, die Vielfalt einander beständig ablösender Regierungen, all dies mußte den Staat fast zwangsläufig in eine Krise seiner Legitimität und seiner Regierungsfähigkeit treiben. Einen Ausweg aus der durch die unkontrollierte und unbeherrschte Vielfalt geborenen Krise des politischen Systems schien es nur zu geben, wenn sich in der Vielheit ein Element so stabilisieren konnte, daß es zur Durchsetzung einer einheitlichen Politik fähig war. Dies geschah 1933. Am Ende der Weimarer Republik war das deutsche Volk in weiten Teilen der ewigen Auseinandersetzungen, der Kämpfe und ausweglosen Debatten seiner Parlamente so überdrüssig, daß es sich dem in die Arme warf, der es aus dem unheilvoll gewordenen, kaum mehr entwirrbaren Knäuel des ›Systems‹ zu befreien versprach, auch wenn es dabei auf die bürgerlichen Freiheitsrechte und die Toleranz verzichten mußte, Tugenden, die es in der heftigen Auseinandersetzung der vorausgehenden Jahre und unter den autoritären Verhältnissen des Wilhelminismus ohnehin kaum hatte entwickeln können.

Die politische Krise der Weimarer Republik war eine Krise der Autorität, verursacht durch einen Mangel an Konsensus. Die demokratischen Kräfte, ihrer Intention nach antiautoritär, hatten nicht genügend Spielraum und Zeit, durch eigene Erfolge Autorität zu gewinnen und Legitimität zu erringen; die Gegner der Weimarer Republik, vor allem die von rechts, taten alles, um dem verhaßten ›System‹ zu schaden und es nicht Wurzeln schlagen zu lassen. Sie wurden darin vielfach durch den im obrigkeitsstaatlichen Geist verharrenden Beamten- und Justizapparat unterstützt, der den neuen Machthabern der Republik nur mit Vorbehalt diente und sich auf ein undemokratisches Staatsethos berief, das die Unterminierung der demokratischen Staatsidee förderte.

Politische Attitüden

Die politische Literatur der Weimarer Zeit war nur ein Reflex dieser organisatorischen politischen Zerrissenheit und Zersplitterung. Auch sie ließ jede Orientierung an gemeinsamen Grundwerten und Grundüberzeugungen vermissen. Am Anfang der Republik hatte es eine kleine Gruppe von linken Intellektuellen gegeben – für die Heinrich Mann als Figur stehen möge –, die bei der Ausrufung der Republik gleichsam die Fülle der Zeiten anbrechen sah und dementsprechend enthusiastisch reagierte. Kein Wunder, daß diese Begeisterung nur kurzlebig war und der resignierten Ernüchterung wich, als die Republik sich gar nicht als so neu erwies, wie diese linken Intellektuellen gehofft hatten, als vieles von dem, was sie zum Aufbau eines demokratischen Lebens für notwendig gehalten hatten, nicht realisiert wurde. So wurden die meisten von ihnen zu enttäuschten Kritikern des Systems, das sie stets von neuem an ihren hehren demokratischen, aber darum auch utopischen Idealen maßen, ohne eine wirklich positive Einstellung zu dem finden zu können, was wirklich war. Die kritischsten und respektlosesten unter ihnen wurden, wie ein Kurt Tucholsky, zu den großen Satirikern der Republik, amüsant zu lesen, geistvoll und witzig und doch zumeist unfähig, eine konstruktive Politik zu ersinnen, die das Unheil, das sie auf Deutschland herabziehen sahen, besser hätte wenden können.

Neben ihnen standen – schwach an Zahl auch sie – die eigentlichen Liberalen, für welche die Republik an und für sich schon das richtige war, die nach ihrer Meinung nur nicht richtig funktionierte, weil allzu viele die Spielregeln nicht beachteten, ohne die es nun einmal eine geordnete Freiheit nicht geben könne. Sie sahen in Hitler einen Scharlatan und Rattenfänger, der nicht weit kommen würde, wenn er seine großen Sprüche einmal politisch einzulösen haben würde. Sie sahen etwas angewidert dem wilden politischen Treiben zu, das die letzten Jahre der Republik so unsicher und bedrohlich machte, aber das Beste, was sie am Schluß zu sagen wußten, war nur, daß das Volk noch nicht reif genug gewesen sei für die demokratische Ordnung, die es sich in Weimar gegeben hatte. Diese Liberalen, Vernünftigen, Besonnenen saßen vorzugsweise in den Redaktionsstuben der großen bürgerlichen Zeitungen, bei der *Vossischen*, dem *Berliner Tageblatt* oder der *Frankfurter Zeitung*. Theodor Heuss ist vielleicht ihr (wenn auch nicht damals) berühmtester Repräsentant. Was den Liberalen abging, wofür sie kein Organ und erst recht kein Rezept hatten, das war die Macht des Irrationalen, die sich gerade im geistigen und politischen Leben der Republik so wuchernd ausbreitete. Sie waren aufgeklärte Bürgerliche, durch und durch, aber die Stimme ihrer Vernunft tönte schwach und hilflos. Militanz, auch für die Demokratie, paßte nicht in ihre Welt.

Direkt neben ihnen fand sich eine Spezies von Bürgern, die man treffend als ›Vernunftrepublikaner‹ bezeichnet hat. Der Historiker Friedrich Meinecke ist der bekannteste Vertreter dieser eher zahlreichen Gruppe deutscher Bildungsbürger. Sie hatten zwar ihren Frieden mit der Republik gemacht, weil sie hatten einsehen müssen, daß das Kaiserreich, in dem sie sich nicht unwohl gefühlt hatten, sich nicht halten ließ, aber sie besaßen wenig Gespür für die elementaren, durch die wirtschaftlichen Verhältnisse und den Klassenkampf bedingten Auseinandersetzungen ihrer Zeit. Peter Gay hat diesen Typus treffend beschrieben: »In der Weimarer Zeit gab es Tausende – Professoren, Industrielle, Politiker, die zwar die Nazis haßten, aber die Republik nicht liebten. Hochgebildete, intelligent und wenig geneigt, die Werte des Kaiserreiches gegen die zweifelhaften Segnungen der Demokratie einzutauschen, wurden viele dieser Männer durch innere Konflikte gelähmt [. . .]. Sie lernten es, mit der Republik zu leben und deren Kommen als historische Notwendigkeit anzusehen. Sie achteten auch manche Führer der Republik, doch lernten sie es nie, die Republik zu lieben und an ihre Zukunft zu glauben.«⁴

Diese Vernunftrepublikaner waren mehr oder weniger konservative Liberale, zu sehr ihrer national-bürgerlichen Herkunft verhaftet, um den Weg zur Sozialdemokratie zu finden. Insofern ist Thomas Mann, der 1930 in seinem berühmten »Appell an die Vernunft« (»Deutsche Ansprache«) dem deutschen Bildungsbürger die Sozialdemokratie empfahl, in seiner bewußten Identifikation mit einer in schwierigen Verhältnissen sich abplagenden Republik ein Stück weiter gelangt als jene. Aber auch Thomas Manns forcierter Republikanismus blieb ohne weitreichendes Echo.

Denn es gab im gebildeten deutschen Bürgertum eine noch größere Gruppe von Menschen, die entweder nicht willens oder aufgrund mangelnder Einsicht nicht in der Lage war, ihren Frieden mit der Republik überhaupt zu machen. Zu ihr gehörte die Mehrzahl der deutschen Professoren, fast die gesamte akademische Jugend, die Mehrheit der protestantischen Pfarrer, die Masse der Gymnasiallehrer, nicht zu reden von den verstockten Altkonservativen, für die nur die Restauration der Monarchie oder etwas Gleichwertiges die Erfüllung ihrer politischen Wunschträume sein konnte, oder von den nur scheinbar modernen Jungkonservativen, die sich für eine ›konservative Revolution‹ begeisterten. In den deutschen Universitäten herrschte – hier mehr, dort weniger – ein konservatives, zumeist deutschnational orientiertes Establishment, das politische Abweichler, selbst von der Klasse der Vernunftrepublikaner, nur ungern duldete und sich geistig von den Grundlagen des Wilhelminismus nur so weit entfernte, wie es aufgrund der neuen Realität unabweisbar schien. Anstatt zu Realitätssinn und rationaler Nüchternheit anzuhalten, begeisterten sich viele von ihnen für die Kräfte des Dunklen, Mythischen, Irrationalen. Tiefsinn, was immer das im einzelnen sein mochte, war ihnen wichtiger als Scharfsinn, Seele galt ihnen mehr als Geist und Intellekt. Sie waren im wesentlichen die Träger eines modischen Irrationalismus, der den geistigen Hintergrund abgab für den politischen Irrationalismus, auf dem auch der Nationalsozialismus gedieh. Das deutsche Geistesleben dieser und auch vorausgehender Jahre hat in der Tat seltsame Blüten hervorgebracht: Es gab Professoren, die den völkischen Irrationalismus guthießen und ihn durch ihre ›Forschungen‹ untermauerten, es gab Philosophen wie Klages und Bäumler, für welche die Tiefe zur entscheidenden Kategorie der Erkenntnis wurde, es gab fanatische Apostel der Ganzheit wie Othmar Spann, der Tausende von Studenten mit seinen obskuren, antiliberalen und antimarxistischen Volkswirtschaftslehren und seinen ständestaatlichen Theorien in den Bann schlug, es gab die unreflektierte Sehnsucht nach dem einfachen Leben, das Verlangen nach Wärme und Gemeinschaft und die Abwehr einer Zivilisation, die angeblich auf dem bloßen Kalkül, der puren Berechnung und dem Gesetz seelenloser Mechanik beruhte. Thomas Mann, der einen besonders feinen Instinkt für diese Zeittendenzen hatte, beschrieb sie in seiner oben erwähnten »Deutschen Ansprache« von 1930 mit den Worten: »Mit dem wirtschaftlichen Niedergang der Mittelklasse verband sich eine Empfindung, die ihm als intellektuelle Propheterie und Zeitkritik vorausgegangen war: die Empfindung einer

Zeitwende, welche das Ende der von der Französischen Revolution datierenden bürgerlichen Epoche und ihrer Ideenwelt ankündigte. Eine neue Seelenlage der Menschheit, die mit der bürgerlichen und ihren Prinzipien: Freiheit, Gerechtigkeit, Bildung, Optimismus, Fortschrittsglaube, nichts mehr zu schaffen haben sollte, wurde proklamiert und drückte sich künstlerisch im expressionistischen Seelenschrei, philosophisch als Abkehr vom Vernunftglauben, von der zugleich mechanistischen und ideologischen Weltanschauung abgelaufener Jahrzehnte aus, als ein irrationalistischer, den Lebensbegriff in den Mittelpunkt des Denkens stellender Rückschlag, der die allein lebensspendenden Kräfte des Unbewußten, Dynamischen, Dunkelschöpferischen auf den Schild hob, den Geist, unter dem man schlechthin das Intellektuelle verstand, als lebensmörderisch verpönte und gegen ihn das Seelendunkel, das Mütterlich-Chthonische, die heilig gebärerische Unterwelt, als Lebenswahrheit feierte.«

Eine Kultur der Widersprüche

Der Vielfalt der politischen Gruppierungen stand also die Vielfältigkeit, Widersprüchlichkeit der Artikulationen des geistigen und kulturellen Lebens in nichts nach, eher im Gegenteil. Auch hier gab es alles, was das 19. und 20. Jahrhundert an denkerischen und schöpferischen Möglichkeiten entfaltet hatte, und drängte sich in einem kurzen Zeitraum auf dem Boden einer wenig friedlichen Koexistenz zusammen. Bestimmend für die Neuartigkeit der Weimarer Situation war auch in diesem Bereich, daß die beherrschende Wilhelminische Kultur ihren Führungsanspruch hatte preisgeben müssen, ohne daß es den neuen Kräften des Liberalismus, der Aufklärung und des Rationalismus gelungen wäre, ihrerseits herrschend zu werden. So gab es mythisches Philosophieren neben positivistischem Rationalismus, Marxismus neben Organizismus, juristischen Positivismus neben politisch orientierter Jurisprudenz usw. Hinzu kam, daß dank der mythisch-irrationalen Fluchtwege des Geisteslebens die pessimistischen, zivilisationsfeindlichen Tendenzen gerade unter der Weimarer Republik besonders stark wurden, deren System als mechanistisch und starr denunziert wurde, während man von irgendwelchen völkischen Ganzheiten und blutvollen organischen Lösungen träumte, die mit der sozialökonomischen Realität der sich voll zur Wirkung bringenden modernen Industriegesellschaft reichlich wenig gemein hatten. Zweifellos war die Fülle, der Reichtum, die schöpferische Breite des geistigen Lebens der Weimarer Jahre ein Ausfluß der Vielfalt an Meinungen, Strömungen, Richtungen und Tendenzen. Zweifellos hat der Zusammenbruch der Wilhelminisch-bürgerlich-feudalen Kultur jene zeitweilig so produktive Situation der Krise und des Umbruchs geschaffen, die allein die schöpferische Vielfalt und den Reichtum des geistigen Lebens dieser Zeit erklären kann. Zwar läßt sich nachweisen, daß fast alle neuen Stilelemente in Literatur und Kunst schon vor Beginn der Weimarer Republik auftauchen, aber erst die Kriegszeit und die Republik konnte ihnen dank des freien Raums, den sie allen geistigen Bestrebungen gab, zu voller Entfaltung verhelfen. Die Vielseitigkeit und Vielfalt des geistigen und kulturellen Lebens schuf eine Atmosphäre gesteigerter Sensibilität; der Eindruck des Ungebändigten, des Chaos, der eben durch diese Vielfalt hervorgerufen wurde, förderte andererseits die Empfindung und Vorahnung eines Endes, eines Niedergangs und mobilisierte wiederum neue Energien zur Überwindung des scheinbar lähmenden Zustandes, die sich, da sie völlig entgegengesetzte Ziele anvisierten, erst recht zum Chaos potenzierten.

So erklären sich die Lebendigkeit, der Reichtum und das überdurchschnittliche Niveau des kulturellen Lebens der Weimarer Republik vornehmlich aus der Spannung, die aus unvereinbaren, vorübergehend gleichwohl produktiven Gegensätzen herrührt. Woran die Politik notwendig scheitern mußte, weil man zum Regieren einer Nation die Zustimmung, den Konsensus ihrer wichtigen politischen und sozialen Gruppen braucht, davon profitierte eine Zeitlang die Kultur, die es sich leisten kann, elitär zu sein, und auch da noch zu leben und zu wirken vermag, wo sie nur geringen oder gar keinen allgemeinen Konsensus findet.

Der Irrationalismus als Signum der Weimarer Epoche

Und doch vermittelt die Vorstellung einer an produktiven Gegensätzen reichen und darum blühenden Weimarer Kultur ein etwas einseitiges, trügerisches Bild. Gewiß, es gab die Vielfalt, die Konfrontation, die Spannung der Gegensätzlichkeit, aber am Grunde der Weimarer Kultur verbreitete sich mehr und mehr jener Strom, der auch die Kultur mit der Politik verband und schließlich zu ihrer eigenen Zerstörung führen mußte.

Die Weimarer Kultur ist bemerkenswerterweise selten heiter und so gut wie nie beschwingt. Wo sie mehr zu sein beanspruchte als Kitt und Unterhaltung für eine Zivilisation – und das gilt für ihre wichtigsten Hervorbringungen –, da ist sie schwerblütig, kämpferisch-verbissen, intolerant. Die Spannung der Gegensätze, die ihre Produktivität ausmacht, ließ sich nicht unbegrenzt schöpferisch verwerten, das Chaos, dessen Zeugen die Zeitgenossen zu sein wähnten, konnte nicht für immer dauern. Immer mächtiger wurde der Strom, der nach einer neuen Weltanschauung der Ganzheit und des heilen Lebens verlangte und der sich, meist ohne es zu wollen und zu wissen, mit dem politischen Verlangen nach Ordnung, nach dem Helden und Führer verschmolz, dem Retter, der das Volk aus seiner Not, die angeblich die unausbleibliche Folge der Demokratie und des Liberalismus war, wieder herausführen würde. So, wie im Politischen die gefährlichsten Gegner der Republik rechts standen, so war auch die konservative Strömung des Irrationalismus, trotz aller Scheinbeweise des Gegenteils, die wir den gängigen Kulturgeschichten entnehmen, die geistig bestimmende Macht der Republik, die ihren Untergang vorbereitete und beschleunigte. Hatte nicht sogar Hofmannsthal 1927 die Heraufkunft einer konservativen Revolution von einem Umfang vorausgesagt, wie ihn die europäische Geschichte noch nicht gekannt habe? Hatte nicht auch er der Vision von der geistigen Einheit angehangen, welche alle »Zweiteilungen des Lebens durch den Geist« wieder überwinden sollte?

In solchen Erwartungen sprach sich der eigentlich mächtige Zeitgeist, wenn auch in mancherlei Varianten aufgefächert, aus. Leidtragende dieser machtvollen Geistesströmung, welche die Weimarer Republik mehr und mehr überschwemmte und sowohl ihrer schwierigen Politik wie ihrer reich differenzierten Kultur schließlich das Ende bereitete, war die Vernunft. Ihr und ihrer politischen Tochter, dem Liberalismus, galten der Haß und die Verachtung all der vielen, die nach Ganzheit, Gemeinschaft und Tiefe dürsteten. Ursache dieses ungeordneten Verlangens nach Ganzheit und nach Seele, in dem die mächtigste Strömung des Weimarer Geisteslebens und das politische Begehren des unsicher gewordenen Bürgertums nach einer neuen Ordnung jenseits von Demokratie, Liberalismus und Toleranz ihr gemeinsames, alle Vernunft überschwemmendes Bett fanden, war eine diffuse Angst vor der Modernität, die man sich gleichwohl nicht eingestand. Sie war am Ursprung der Jugendbewegung, sie steckte hinter der Verteufelung der Großstädte, sie bestimmte den oberflächlich geführten Kampf gegen Materialismus und Kapitalismus, sie war Ausdruck der objektiven Wachstums- und Integrationsprobleme der kapitalistisch organisierten industriellen Massengesellschaft unserer Ära. In dieser Situation fehlte es zwar nicht an Stimmen, die zur Vernunft anhielten – Thomas Mann war eine ihrer wohltönendsten –, aber sie blieben letztlich ohnmächtig. So wurde das, was das geistige, literarische und künstlerische Leben der Weimarer Republik für uns Nachfahren noch interessant macht, was wir mit dem Geist der zwanziger Jahre verbinden und was uns Heutigen in kultureller Aneignung davon noch erhalten geblieben ist, oder zumindest bleiben sollte, zu einer Schöpfung von Außenseitern. Die Weimarer Kultur ist, so paradox es klingt, nicht eigentlich das Werk von Weimar, sie war, wie Peter Gay es formuliert hat, ein Tanz am Rande eines Vulkans. Ein sehr kurzer Tanz übrigens, doch seine Kunstfiguren entzücken und faszinieren noch heute. Sie überdauerten den Vulkan, der sie für immer auszulöschen trachtete.

Was uns von Weimar bleibt, ist das Erbe dieser Außenseiter. So mag die politische Geschichte weiterhin das Brodeln und die Eruptionen des Vulkans analysieren, doch es wird auch in Zukunft gute Gründe dafür geben, allein den Tanz zu studieren. In ihm zeigt sich zwar nur ein Fragment der brüchigen Welt von Weimar, aber dieses ist vielleicht reicher und bleibender als das Ganze der Weimarer Epoche, gar nicht zu reden von der verwüsteten Landschaft, die nach dem Ausbruch des Vulkans schließlich von Weimar-Deutschland übrigblieb.

Anmerkungen

1. Peter Gay: *Die Republik der Außenseiter*. Frankfurt a. M. 1970. S. 14.
2. Vgl. zu diesem Thema die Ausführungen des Verfassers in der *Neuen Rundschau*, 83 (1972), S. 402 ff.
3. *Die Zeit ohne Eigenschaften*. Hrsg. von Leonhard Reinisch. Stuttgart 1961.
4. Peter Gay: *Die Republik der Außenseiter*. S. 44.

THOMAS KOEBNER

Das Drama der Neuen Sachlichkeit und die Krise des Liberalismus

Dramatik in der Liberalismuskrise

»Was ist sachliche Kunst? Ich bitte um Auskunft.«[1] Bernhard Diebold, der Theaterkritiker, fragte in seiner »Kritischen Rhapsodie 1928«, ob nicht der Begriff Neue Sachlichkeit für ein Drama, ein Theater verwendet werde, die Sachlichkeit nur vortäuschen. Julius Bab stellte in seiner »Bilanz des Dramas« (1930) das Programm der Neuen Sachlichkeit gleichfalls als modisches Produkt hin – denn bei dem neusachlichen Drama handle es sich um die »ganz simple Rückkehr zum alten Naturalismus«.[2] Von fast allen politischen Richtungen, die die zeitgenössische Theatertheorie und Theaterpraxis bestimmt haben, wurden diese Zweifel geäußert: Trifft der Begriff Neue Sachlichkeit überhaupt die tatsächlich zu beobachtenden Erscheinungen, oder gibt er eine Art Idealvorstellung von neuer Kunst als bereits Erreichtes aus? Entsprechend der Unsicherheit der Antworten auf diese Fragen tauchte der Begriff Neue Sachlichkeit seinerzeit fast immer nur in Anführungszeichen auf.[3]
Die Skepsis der historischen Zeugen hat sich auf die Geschichtsschreibung der Literatur übertragen. Aus dieser Zeit scheint sie von Dramatikern nur Bertolt Brecht, Ernst Toller, Friedrich Wolf und vielleicht noch Georg Kaiser näher zu kennen, von den Theaterleuten fast ausschließlich den Regisseur Erwin Piscator. Diese Auswahl der Namen wird aber der historischen Situation jener Neuen Sachlichkeit besonders von 1926 bis 1929 nicht gerecht. Brechts Sonderstellung und Originalität bleiben so lange überschätzt, wie seine Abhängigkeit von mehr oder weniger bekannten Vorgängern (z. B. Lion Feuchtwanger) und die zeitgenössischen Elemente seines Dramas nicht genügend beachtet werden. Dieser Aufsatz will die Gewichte der Darstellung den einst wirksamen Tendenzen anpassen – durch eine vor allem typologische Einordnung der historischen Anstöße, programmatischen Kontroversen und dramaturgischen Probleme neusachlicher Dramatik.[4]
Die neusachliche Dramatik ist der Niederschlag einer kulturellen und politischen *Krise des Liberalismus* in der Weimarer Republik. Zur Situation liberalen Denkens in den zwanziger Jahren, soweit es in der Dramatik Spuren hinterlassen hat, ist folgendes zu bemerken: Auf der liberalen Überzeugung, daß im Zusammenwirken der Egoismen aller Bürger der beste, friedliche Zustand in Politik und Ökonomie zu erreichen sei, beruhte nicht zuletzt die Wertschätzung von Stresemanns Außenpolitik, die mit der Rehabilitation Deutschlands zugleich eine europäische Einigung anstrebte. Allerdings bewies der Verzicht auf legale Taktiken bei den Nationalisten und Kommunisten (provisorische Zweckbündnisse und Attentate wurden zu politischen Instrumenten), daß dieses liberale Staatsmodell in der Weimarer Republik ein Wunschsystem bleiben mußte. Die Öffentlichkeit zersplitterte in antagonistische Fraktionen – hier die Widerstände des monarchischen Staatskultes, der Adel und die Unternehmer, die das Klassenprinzip erhalten wollten, dort die sozialistischen Anstrengungen um einen ganz neuen Staat, in dem die Arbeiterklasse souverän über

das Volk bestimmt; beide Extreme zerrieben eine immer schwächer werdende Mitte, die die Gewalt des Staates vergeblich möglichst gering zu halten wünschte. Dieser Parteienkampf gab zumal gegen Beginn der dreißiger Jahre, in einer Phase wirtschaftlicher Unsicherheit und Depression, den vom Liberalismus gepredigten Kompromiß- und Toleranzverträgen keine Chance mehr. Die Parteien drohten einander vielmehr gegenseitigen Ausschluß an.

Der liberale Glaube, daß die Welt nach dem Willen des Einzelnen formbar sei, verlor bereits in der Wilhelminischen Ära an Kraft. Der Riß zwischen ›Geist‹ und ›Tat‹ – als Tradition des deutschen liberalen Bürgertums von Heinrich Mann 1910 beschrieben[5] – wurde diesem gebildeten Bürgertum schon vor dem Kriege deutlich, da es sich von politischer Macht fast völlig ferngehalten sah. Der Krieg selbst mit seinen Materialschlachten demonstrierte die Ersetzbarkeit und Hilflosigkeit des Einzelnen, der nur auf sich selbst gestellt ist. Der Verfall der Währung und ersparter Mittel in der Inflation der frühen zwanziger Jahre verdarb jeden Optimismus. Die liberale Hoffnung, Zukunft gestalten zu können, brach zusammen. Die Erfahrung allgemeiner Abhängigkeit von größeren und selten begriffenen Mächten äußerte sich in der blinden Faszination des Bürgertums von Industriewelt und politischen Massenbewegungen – eine Faszination, die jederzeit in Furcht umschlagen konnte und auch umschlug.

Die Weimarer Republik hat durch den Weg, den sie genommen hat, vielleicht nicht über den Liberalismus, aber über die verspätete Anwendung seines viel früher formulierten Konzepts gerichtet. Die Krise des Liberalismus begann zwar vor dem Ersten Weltkrieg, als die Opposition gegen das Kaiserreich die Überholtheit eines starr behaupteten individualistischen Prinzips noch nicht sogleich erkennen ließ, brach aber erst voll in der Phase wirklicher Konkurrenz mit anderen Systemen aus. Der Liberale der Weimarer Republik – hilflos, solange ihm historische Distanz zu seinem Tun fehlte – verteidigte die alten Positionen und verwarf sie wieder, da es ihm kaum gelingen wollte, von ihnen aus wirksam in das politische Getriebe einzugreifen. Dieser Zwiespalt fand sich besonders im gebildeten Großstadtbürgertum, das sich aufgeklärt von religiösen Dogmen abgewandt hatte, das erfolgreiche Erwerbsleben als Selbstverständlichkeit betrachtete und sogar den Bereich der Kultur nicht mehr für ganz zweckfrei hielt. Dem Glauben an eine grundsätzliche Erneuerung mißtraute es ebenso wie den Folgen der russischen Oktoberrevolution. Es wehrte sich als Theaterpublikum lange Zeit gegen sozialistische wie nationalistische Appelle von der Bühne, bis sich schließlich der Konflikt zwischen rechten und linken Parteien am Beginn der dreißiger Jahre zu einem offenen ›Klassenkampf‹ steigerte, der zur Stellungnahme auch im Theater zwang. Die neusachliche Dramatik war für dieses liberale Großstadtbürgertum bestimmt. Ihre hoffnungsvolle Einstellung zum Liberalismus verrät nicht zuletzt der Umstand, daß sie ihre Spielfiguren meist als wohlhabend oder geschäftstüchtig vorstellt. Selbst das vom Liberalismus enttäuschte neusachliche Drama beweist noch die Fixierung an das verlorene Ideal, indem es gerade das bestreitet, was der Liberalismus für wünschenswert und erreichbar hielt: die freie Selbstentfaltung des Einzelnen, den zu Buche schlagenden Erfolg des gegenseitigen Sich-Geltenlassens, das neue Heiligtum der Verträge.

Der Wunsch des liberalen Denkens, Geist ohne Einbußen in Tat umzusetzen, ließ die neusachliche Dramatik auf der Bühne wiederholt die Tatkraft verherrlichen.

Diese Illusion unerschrockener Handlungsbereitschaft wurde szenisch gestützt durch ein Modellverhalten der neusachlichen Helden, das gleichermaßen als vorurteilslos und als unsentimental-gefühllos gelten wollte. Die erfahrungs-, vielmehr enttäuschungsgesättigte Weltsicht: Wir wissen, wie die Dinge laufen . . ., und eine selbstherrliche Rationalität, die jede Gefühlseinmischung als Relikt alter, falscher Bildung verdrängte, führte konsequent zur Verzweiflung — sobald nämlich die oft eitel wirkende Fassade nüchternen Selbstbewußtseins in der Begegnung mit einer nicht zu beherrschenden Wirklichkeit zerbrach. Als gegen Ende der zwanziger Jahre Republikzweifel und lähmende Staatsverdrossenheit unter den Liberalen um sich griffen, verwehrten auch auf der Szene die Umstände, Gesellschaft, Schicksal — wie immer man die überlegene Macht auch nennen will — den Helden das liberale Grundrecht der Selbstverwirklichung als Einzelne. Zwar wurde die Kultur von der Neuen Sachlichkeit als in den Bereich des Lebens eingemeindet erklärt, aber mit dieser scheinbaren Synthese von Geist und Tat erlag der Liberalismus der Weimarer Republik einer weiteren *Selbsttäuschung.* Er nahm — nach Bloch — »den Teil fürs Ganze, das Schaufenster fürs Geschäft. Das erklärt die aufdringliche Heiterkeit (in einem durchaus öden Leben), die aufdringliche Klarheit und Nüchternheit (vor einem durchaus zweideutigen Hintergrund)«.[6] Manche Autoren merkten früher als ihr Publikum, daß der Friede sich in eine »Fratze« verwandelte, so Ernst Toller in einem Aufsatz zum Nachkriegsdrama[7] und in seinem Stück *Hoppla, wir leben!* (1927). Das immer hohler erscheinende liberale Ideal der Sachlichkeit als politische Maßregel und bürgerliches Verhaltensprinzip zerbrach schließlich in den ersten dreißiger Jahren. Das neusachliche Drama im besonderen hinterließ mit seinem Verschwinden einen Leerraum, in den ungehindert sozialistische Kunstpolitik und reaktionäre Kunstweihe einströmten. Das Individuum auf der Bühne warf den Stolz auf seine Besonderheit ab, ging im Kollektiv der Klasse oder in der Bindung an sogenannte Ur- und Blutstriebe auf.

Die Krise des Liberalismus lieferte der neusachlichen Dramatik vor allem zwei Denkfiguren: Die Erfahrung der Relativität aller Bezugssysteme äußert sich im Spiel als Gegen- oder Nebeneinander verschiedener Protagonisten und der von ihnen vertretenen Weltordnungen — ein Abglanz des liberalen Toleranzedikts. Das alte Normen abstreifende Sich-über-die-Dinge-Erheben des scheinbar selbstbestimmten Einzelmenschen äußert sich in freischwebender Ironie, die oft genug mit Wirklichkeitssinn verwechselt wird. Die Denkfiguren des Nebeneinander der Ordnungen und des ironischen Sich-Erhebens über angeblich ›überholte‹ Vorurteile entsprechen in der Kunsttheorie, also auch der dramatischen Theorie, der vielfach besetzten Polarität von alter Zeit und neuer Zeit, altem Zwang und neuer Ungebundenheit. Jhering feierte 1924, anläßlich eines Besuches von Bertolt Brechts *Im Dickicht (der Städte),* das in diesem Stück wirksame »Anfangsgefühl nach einer erlebnisarmen, bildungsreichen, nach einer seelisch laschen, technisch angespannten Zeit«[8] und konfrontierte diese »Barbarei«[9] erleichtert dem verachteten »zivilisatorischen Theater«.[10]

Kenner des Vorkriegstheaters wie Alfred Kerr hielten solche Versuche, eine *Zeitenwende* zu markieren, für modischen Aufputz längst bekannter Alternativen: Kerr unterschied 1923 und später zwischen straffer, linearer Propter-hoc-Form des Dramas (Spanien, Frankreich, Ibsen fügt er als Stichworte hinzu) und der bequemen, schraffierten Post-hoc-Form (England, Sturm und Drang, Büchner, Hauptmann, Strindberg). Er sah in (wohl übertriebenem) Protest gegen die ›Epochenmacher‹ das gleiche in defekter werdender Gestalt wiederkehren.[11] Brechts bekanntgewordene Gegenüberstellung von alter dramatischer und neuer epischer Form des Theaters (in den Anmerkungen zu *Aufstieg und Fall der Stadt Mahagonny*, 1928/29) schleppte dieses Polaritäts- und Zeitenwende-Denken noch in die Schlußphase der neusachlichen Dramatik hinein.[12] Obwohl er seine Systematik zu vorsichtigem Gebrauch empfahl, konnte er in ihr nicht immer Ungereimtheiten vermeiden – vielleicht wegen ihrer epigonalen Verspätung. Kerr spürte die überspitzten Behauptungen des Schemas auf und machte Eigenschaften, die Brecht dem epischen Theater reserviert hatte, ebenso für Ibsen und andere ›dramatische‹ Autoren geltend.[13] Sollte sich bei Brecht das Bewußtsein einer Zeitenüberschneidung zur Rede von einer Zeitenwende verengt haben? Brecht, Friedrich Wolf und Walter Hasenclever verlachten die sentimentale ›Romantik‹, die Vergängliches, Mechanisches durch gefühlsmäßige Deutung überbewertet. Ironie fertigte die leicht mobilisierbare Bereitschaft zur Verehrung ganz einfach zu erklärender Dinge und die als lebensfremd geltenden Treueverhältnisse (z. B. die bürgerliche Dauerehe) mit manchmal guten Gründen ab. Allerdings ist oft schwer zu sagen, wie ernsthaft hier mit dem Alten gebrochen wird. (Der Mond, der in Brechts Dramen von *Baal* [1919] bis *Mahagonny* immer wieder aufgeht oder angesprochen wird, ist einerseits Teil und Zeichen der verspotteten nichtsachlichen Gefühlskultur, andererseits aber auch ein beharrlich und umfänglich ausgenütztes Motiv.)

Versuch einer Chronologie der Dramentypen

Versuche, das Drama aus dem strengen Korsett der drei oder fünf Akte herauszuschälen, begannen vor dem Krieg (Strindberg). Im Expressionismus setzte sich die offene, reihende Form durch. Im neusachlichen Drama der zwanziger Jahre mehren sich dann die für ›episch‹ erklärten Züge, der Handlungsablauf wird durch berichtende und erläuternde Einschlüsse ergänzt – wenn die abgebildete Wirklichkeit dies zu verlangen scheint. Der Tendenz, das Stück in einen gleichsam historischen Abstand zu rücken, damit es als Zeugnis einer Zeit betrachtet werden könne, steht das konkurrierende Interesse gegenüber, die geschlossene Form zu bewahren, da sie, weniger ablenkbar als die epische Form des Dramas, bestimmte Lösungen appellhaft anbieten kann – die Zwangsläufigkeit der Handlungsführung wird dann zur Schlüssigkeit einer Beweisführung umgedeutet. Das neusachliche Drama greift also zwei Traditionen, die der offenen und der geschlossenen Darstellung, zugleich auf.
Von 1922 bis 1925 setzte sich das neusachliche Drama zunächst als neue Form gegenüber den Spielformen des Expressionismus durch. In der *Historie als Zeitstück* wurde nicht die Vergangenheit idolisiert, sondern zwischen Damals und Heute eine Parallele gezogen. Die Historie als Zeitstück – mit Georg Büchners Dramen als Vorbild – zeigt den Helden als Opfer seiner Zeit, ihr an Einsicht jedoch überlegen: Ernst Tollers *Maschinenstürmer* (1922) oder Wolfgang Goetz' *Gneisenau* (1922). Er wird in vielen Bewährungsproben – relativ kurzen Auftritten, die meist nach dem gleichen Muster gebildet sind – zu einer Figur gehärtet, die man als unverstandenen Prophe-

ten bezeichnen könnte. Für den Zuschauer ergab sich der Rückschluß auf eine Zeit des Übergangs, selbst erlebt »auf den Trümmern unserer Bildung, unserer Traditionen«.[14] Dieser Dramentyp entsprach jenem von Diebold 1923 formulierten »Harren auf Geschichte«,[15] konnte aber die Hoffnung auf Gleichnisse mit den oft leeren Korrespondenzen zwischen den Zeiten nicht erfüllen. Je deutlicher die Historie als Zeitstück zur Form des Thesenstücks tendierte, desto mehr Eigenschaften der epischen Struktur nahm sie an: Der informierende Dialog wurde beschränkt oder ersetzt durch Spruchtafeln, Bild- und Filmprojektion, die den Kommentar des Zuschauers in gewisser Weise vorauszubestimmen suchten. Monologe und Gefühlsäußerungen nahmen ab zugunsten epigrammatischer Verkürzung von Aussagen. Vor allem aber wurden historische Personen bewußt als Rollen aus dem Fundus der Geschichte gegriffen: Das historische Kostüm sollte mehr enthüllen als verbergen, daß sich in ihm ein ›heutiger‹ Mensch bewegte. Das Motiv des Bauernkrieges in der Reformationszeit als Parallele zur gescheiterten Novemberrevolution in Deutschland war ein bezeichnendes Sujet dieser thesenhaften Version der Historie als Zeitstück. Berta Lask (1925) und Ernst Lissauer (1928) nahmen Partei für Thomas Münzer oder Martin Luther, Friedrich Wolf entwarf das Bild eines zu früh gekommenen Propheten im *Armen Konrad* (1924).

Sollten Dokumente aus der dargestellten Zeit die These des Stücks als geschichtlich verbürgte Wahrheit erhärten, empfal es sich, anstelle der Reformationszeit die dokumentenreichere jüngste Vergangenheit zu wählen. Erwin Piscator inszenierte diese Logik der eigenen Vorgeschichte, in deren Schatten noch die Gegenwart steht, am Beispiel von Arbeiteraufständen und Revolutionen. Er veranschaulichte von Inszenierung zu Inszenierung immer umfänglicher und technisch aufwendiger die Identität der auf der Szene gezeigten und der die Zuschauer beschäftigenden Probleme. Alfons Paquets *Fahnen* (1924) spielt Ende des vorigen Jahrhunderts unter Industriearbeitern in Chikago, Paquets *Sturmflut* (1926) zeigt den Sieg der russischen Revolution zugleich als Lösung persönlicher Konflikte zwischen den Hauptfiguren. Verkannte Propheten ließ Piscator noch einmal in der Gestalt fiktiver Revolutionäre auftreten, die als Systematiker der Umwälzung Anarchisten gegenüberstehen: Spiegelberg in Schillers *Räubern* (von Piscator 1926 aufgeführt) oder Asmus in Ehm Welks *Gewitter über Gottland* (1927) werden als zwei erfolglose Vorgänger Lenins porträtiert. Aber gerade durch diese Parallelisierung wird ihnen zuerkannt, daß sie als Propheten von der Geschichte recht erhalten haben.

Zum Anwalt der historischen Einkleidung eines dramatischen Konflikts wurde Lion Feuchtwanger, einer der wichtigsten Anreger Brechts in den zwanziger Jahren (bei ihrer engen Zusammenarbeit an den Münchner Kammerspielen). Er begrüßte das historische Drama als ein Mittel zur Distanzierung, um »aus der widerwärtigen Sticluft platter Einzelinteressen« herauszukommen, die großen Zusammenhänge betrachten und »politische Dinge ohne Schmutz und unflätigen Lärm öffentlich darstellen« zu können.[16] Feuchtwanger wollte den Zuschauer zu möglichst vorurteilsfreiem Abwägen der einzelnen Handlungen der Stückpersonen einladen – was auch Brecht anstrebte, indem er wiederholt »externe Milieus«[17] wählte (Amerika, Afrika, Rußland, Indien als weitgehend allegorisch gemeinte Schauplätze, künstliche Niemandsländer). Die bei Feuchtwanger versteckt anklingende Überlegung, politische

Dinge durch den historischen Schleier der Zensur zu entziehen, hatte um die Wende des Jahrzehnts wieder hinreichende Gründe.

Unter dem von Feuchtwanger beschriebenen Aspekt nahm die Historie als Zeitstück schon frühzeitig eine andere Kontur an: die der *Chronik-Legende*. Sie verfolgt einen unalltäglichen Lebenslauf, weicht dabei aber jeder Situation aus, die eine pathetische Beschwörung edler Manen herausfordern könnte. Vielmehr verrutscht die Chronik-Legende gerne ins Ironische, ins witzig distanzierende Ausmalen eines beschwerlichen Alltags, der mit seinen Mühen und Tücken durchaus dem der Gegenwart zu vergleichen ist. Schule machte hier Shaws Dramatisierung der *Heiligen Johanna* (1923 entstanden, 1924 übersetzt). Die Kolportage der Prophetenstücke, ums Detail im Leben der Berühmten wissend, fand sich persifliert. Der Anspruch jedoch bleibt bestehen, Persönlichkeiten szenisch zu gestalten, die ihre Zeit um Haupteslänge überragen, die mit Verstand und überlegener Gleichmütigkeit gegenüber den Widerständen des Gefühls Probleme lösen, die der gläubigen Umwelt bis dahin nicht bewältigbar schienen: sachliche Zeitgenossen, durch den Autor in die Vergangenheit zurückgeworfen – so Mortimer in Brechts Bearbeitung von Christopher Marlowes *Leben Eduards des Zweiten von England* (1923) oder Warren Hastings in Feuchtwanger/Brechts *Kalkutta, 4. Mai* (1925).

Nachdem die Visionen des expressionistischen Dramas und Theaters um 1922/23 am Widerspruch der Erfahrung im neuen Staat vergangen waren, griffen viele Autoren wieder nach den längst abgelegt geglaubten Mustern der Pièce bien faite, der Salondramen und Konversationsstücke in französischer und englischer Manier, schließlich des bürgerlichen Theaters. 1925 beobachtete Kerr verärgert bei zwei der bekanntesten Dramatiker seiner Zeit, Arnolt Bronnen und Georg Kaiser, eine epigonale Spannungsdramatik, die er in Erinnerung an einen ihrer virtuosen Meister, Victorien Sardou, als »Sardoualismus« abtat.[18] Die neusachliche Dramatik benutzte jedoch die vertraute Verwicklung-Lösung-Dramaturgie nicht nur dazu, die Ermüdung des Publikums durch Spannung und Anschaulichkeit aufzuhalten, also das mit dem Kauf der Eintrittskarte begonnene Geschäft zufriedenstellend für beide Seiten zu Ende zu führen.[19] Sie kehrte auch die traditionell mit dieser Dramaturgie verbundenen Aussagen teilweise um, setzte sich parodistisch von alten Denkkonventionen ab.

Zunächst fiel nach dem Expressionismus der frühen zwanziger Jahre der Wandel auf: Die Szene schrumpfte vom Übermaß der symbolischen Weltbühne wieder auf das Maß realer Umgebung zusammen, die Figuren trugen bürgerliche Namen, der Motivkomplex des bürgerlichen Theaters (die Bereiche Familie, Ehe, Liebe und soziale Treue) wurde neu gewichtet. Doch nicht das Einverständnis mit dieser auf dem bürgerlichen Theater meist wiederhergestellten Ordnung beschließt die Stücke, sondern der Ausbruch des Helden aus ihr, die geschleift zurückbleibt. Mit der Entscheidung einer Person zu sich selber wird der Bann der alten Welt durchbrochen. Eine anarcholiberale Freiheit verschafft sich Raum und schüttelt das Joch vorgeblicher Gesetze der Vererbung, der Triebe oder des Milieus ab. Solche *Umkehrung des bürgerlichen Theaters* als Umkehrung oder Verwerfung seiner historischen Komponenten führt Kaisers *Kolportage* (1923) vor – ein Salonstück, das die Vorrechte und Vorzüge des Salons, wie Adel, Erziehung, Diskretion und edles Handeln, als äußerlichen Tand und Fassade enthüllt. Der Untergang der Familie bestätigt den Lebenstriumph der Söhne, den Triumph, überlebt zu haben – so in Brechts *Trommeln in der Nacht* (entstanden 1919) oder *Im Dickicht der Städte* (entstanden 1921–24). Die Freiheit, in die diese Helden aufbrechen, bleibt jedoch – Tücke der abgeschlossenen Form des gutgebauten Stückes! – völlig unbestimmt, wie die Zukunft des Liberalismus in dieser Zeit. Das epische Drama war hier zu weiterführender Auskunft gezwungen.

Die Religion der Liebe und Ehe, die das bürgerliche Theater des 19. Jahrhunderts geschaffen hatte, verlor sich nun in der *Analyse des Egoismus*, z. B. in Georg Kaisers *Nebeneinander* (1922). Carl Sternheims Nebbich (im gleichnamigen Stück 1922), ein sogenannter Kleinbürger, Konservativer, Schmetterlingssammler, wird dank der unbegreiflichen Leidenschaft einer männermordenden Kammersängerin von dieser zum Geliebten erwählt und muß sich à tempo als bedeutender Mann gebärden – ein Zerrbild jenes Liebespaares Marschallin – Oktavian aus dem *Rosenkavalier* (1911) von Hugo von Hofmannsthal und Richard Strauss, den die weibliche Hauptfigur melodisch zu zitieren nicht unterläßt. Die Beziehungen zwischen Mann und Frau sind zerrissen oder verworren. Ferdinand Bruckner zeigt in *Krankheit der Jugend* (1924) eine Jugend, der Hilfe fehlt, die in wechselnden Geschlechtsbeziehungen und sogenannter Perversion als Vorspiel zu Mord und Selbstmord verkommt. Verlust der alten ›Zucht‹ und lesbische Liebe sind wiederholt aufgegriffene Motive der neusachlichen Dramatik, wobei die Behandlung oft recht konservativen Abscheu verrät – man versteht die Emanzipation der Jugend, der Frau, der Sexualität weniger als Befreiung aus einem Zustand der Unterwerfung, denn als Schauerbild, als Abweichung vom alten ›Normalen‹. Die Kritik hätte anderswo ansetzen müssen: Die rasch erlernte Illusionslosigkeit der Nachkriegsjugend verfiel nämlich bald zu einer Zufriedenheit, die sich obendrein rühmte, frei von Heuchelei zu sein. »Mangel an aufrührerischer Gebärde, das reibungslose Eintreten in die Gesellschaft ist sicherlich kein Mangel, sondern eine Stärke dieser Generation.«[20] Ist dies ein Zeichen der Enttäuschung darüber, daß der ›neue Mensch‹, seit langem erwartet, nicht eingetroffen war? Heinrich Mann beklagte die politische Trägheit der neusachlichen Jugend.[21] Die modische Zier der schockierenden Verlotterung, als die sich neue Sachlichkeit in der Umkehrung bürgerlichen Theaters darstellte, mußte sich schließlich von den älteren Kritikern verspotten lassen. Robert Musils Parodie auf das Salonstück, *Vinzenz und die Freundin bedeutender Männer* (1923), versammelte ein zeittypisches Personal auf der Bühne, das Alfred Kerr zur Aufzählung anregte: »Sexualtrottel. Hochstapler. Gründer. Zuhälter. Feiglinge. Cocain. Entgötterung.«[22] Lion Feuchtwangers 1927 veröffentlichtes Drama *Die Petroleuminseln* macht sich über die Schrecken pervertierter bürgerlicher Lebenswerte lustig. Die zwei Protagonisten übertrumpfen einander an Egoismus, der selbst wiederum zu einer neuen menschlichen Qualität erklärt wird, wenn er eine gewisse Übergröße angenommen hat. Die von Menschen gemachte Welt ersetzt die natürliche: Petroleumgestank verpestet die Luft auf den ursprünglich paradiesischen Inseln, Schönheit weicht dem Geschäft, Neigung dem zweckbewußten Interesse, Liebe ist nur ein Störfaktor, der im Stück verlacht und ausgeräumt wird. Auch andere Dramen verlegen die Enthemmung der Helden aus der Umwelt der Weimarer Republik hinaus, als müsse man sich auf der Szene ein einfacheres Modell dieser verwirrenden Wirklichkeit schaffen. 1923/24 war z. B. das Motiv der zivilisationsfernen Südsee bei den neusachlichen Dramatikern beliebt (Bernhard Blume, Alfred Brust, Wilhelm Speyer). Klabunds Dramatisierung der chinesischen Erzählung vom *Kreidekreis* (1925) bestätigte schließlich, daß diese Ausquartierung der Probleme von einem starr behaupteten Liberalismus befohlen war, der Toleranz, Gemeinsinn und die Würde des Einzelmenschen nicht durch Beispiele aus der eigenen Erfahrung angefochten oder gerettet wissen wollte. Als Wendepunkt im Spielplan der Theater wurde daher Carl Zuckmayers *Fröhlicher Weinberg* (1925) angesehen, der dieses Blickabwenden vor einer beängstigenden ›menschengemachten‹ Wirklichkeit geschickter zu verbergen wußte – hinter dem Trugbild einer ›natürlichen‹ Wirklichkeit im eigenen Lande, in der heimischen Provinz. Sein Stück wurde weithin als Muster neusachlicher Dramatik anerkannt, wenn auch die »Ausschaltung der ›Moderne‹« hier scharfblickenden Beobachtern wie Bernhard Diebold auf die Ausschaltung von weit mehr als nur der Formprobleme zu deuten schien.[23]

1925 bis 1930 nahmen im politischen Leben der Weimarer Republik Spaltung, Unversöhnlichkeit und Aggressivität zu. Deren Rückwirkung auf das literarische Leben kehrte die Krise des Liberalismus um so stärker in den Dramen hervor: Nach einem Jahrzehnt erinnerte man sich wieder des vergangenen Krieges, der über sachlicher Lebensmeisterung allzu schnell vergessen worden war. Der Frieden erschien als Ruhe vor dem Sturm. Bürger und Proletarier machten sich in zahlreichen Veröffentlichungen ihren Gegensatz bewußt. Die Dramatiker lernten die Ablehnung – Ablehnung jener Vergangenheit, Kunst und Öffentlichkeit, in denen der liberale Einfluß nicht durchgedrungen war. Das Schlagwort von der *Tendenz* der Dramen drängte sich vor. Wer die Werte des Liberalismus weniger unbeirrbar verteidigte als prüfend abwog, hielt diesen Begriff für überflüssig, da er etwas Selbstverständliches meine. Nach Hans J. Rehfisch vertreten Dramen ohne Tendenz die »Tendenz, daß alles so, wie es sei, gut und bejahenswürdig sei und keiner Erneuerung bedürfe«.[24] Georg Lukács, der 1932 im Streit mit (seiner Meinung nach) vulgär-marxistischen Schriftstellern die bürgerliche Literatur als unveräußerliches, dem Proletariat hinterlassenes Erbe verteidigte, warf der Tendenzliteratur vor, sie lege von außen ein Ideal an die Wirklichkeit an.[25] Es kennzeichnet die neusachliche Dramatik 1925–30, daß dieses Ideal äußerst diffus blieb.

Die Historie als Zeitstück spaltete einen neuen Formtyp ab. Dessen Dramaturgie verfolgte den Weg einer Figur durch die Geschichte, zumal die jüngste Geschichte, die sich nach dem *Prinzip des Panoptikums* als Vielzahl von Ansichten und Bildern entfaltet. Die Zeit wird im Längs- und Querschnitt, revueartig, in Momenten eingefangen – schwankende Erscheinungen, die sich immer wieder in Partnern der einen durchgehenden Gestalt verfestigen. Für die Verbindung von Stationenfolge und Biographie sei der Gattungsbegriff *Zeitrevue* vorgeschlagen. Um die Konsequenz einer Bilderbogen-Erzählung als historisch notwendig oder zumindest als in sich schlüssig zu erweisen, bedarf es zusätzlicher Deutung. Dem Regisseur Erwin Piscator dienten dazu etwa Bild- und Filmprojektionen, die durch dokumentarische oder gestellte Aufnahmen dem Zuschauer einen vollständigeren Eindruck vom komplexen Weltgeschehen geben, in das der einzelne Held auf der Bühne verspannt ist: Die Aufführungen von Tollers *Hoppla, wir leben!* oder Walter Mehrings *Der Kaufmann von Berlin* (1929) sind Beispiele solcher Bild, Film und Theater kombinierenden Konstruktionen, die der Wirklichkeit vom Allgemeinen bis zum Besonderen, vom weltgeschichtlichen bis zum privaten Ereignis einen gemeinsamen Charakter geben wollen. Nachwirkungen dieser Montagen, die den Eindruck einer Totalität erwecken, obwohl oder gerade weil sie so viele Einzelansichten der Wirklichkeit zusammentragen, machen sich in Ferdinand Bruckners *Die Verbrecher* (1927/28) oder in Alfred Döblins *Die Ehe* (1929) bemerkbar.

Brecht, der mehrfach an Piscators erstem Bühnenunternehmen 1927/28 mitgearbeitet hatte, führte seine ersten Versuche mit der Chronik-Legende fort, indem er sie der Zeitrevue in Form der *Moritat* anglich: Die Moritat verfährt weniger dokumentarisch als die Zeitrevue, verzichtet auf technischen Aufwand, da sie bewußt eine provisorische, nicht-institutionalisierte Bühne anstrebt, ersetzt den Kommentar des Films durch den des Songs und ahmt ironisch die hohe Kunst in niederem Stil und Sujet nach. Brecht läßt etwa seine Imitationen des Opern- oder Schillerpathos nie ganz gelingen und seine Stücke streckenweise ins Komödiantische umbiegen, ohne daß es die Handlung verlangt – so in der *Dreigroschenoper* (1928), in *Aufstieg und Fall der Stadt Mahagonny* (1928/29) und der seinerzeit nicht aufgeführten *Heiligen Johanna der Schlachthöfe* (1929/30). Die Zeigestruktur der Zeitrevue – die durchgehende Figur reagiert demonstrativ auf die verschiedenen Reize der Umwelt, der Geschichte – vertieft sich bei der Moritat. Songs an der Rampe und andere Publikumsadressen erläutern die vorgeführten Schaubilder. Brechts Anmerkung zur *Dreigroschenoper*, dieses Stück sei eine »Art Referat über das, was der Zuschauer im Theater vom Leben zu sehen wünscht«, und zugleich die Kritik dieser Wünsche,[26] verdeutlicht die Zweiheit von Bild und Bildbeschreibung. Zudem entschlüsselt sich die *Dreigroschenoper* unter diesem Aspekt gelesen, auch als Referat über eine Theaterideologie, die ihr Geschäft mit dem geheuchelten, verlogenen Gefühl macht. Denn nichts anderes macht Peachum, der Bettlerkönig im Stück, ein anderer Theaterdirektor, als in das leicht erregbare Mitleid des Publikums zu investieren, wenn er seine Bettler als erbarmenswürdig anzuschauende Elende ausstaffiert.

Die Umkehrung überkommener Werte des bürgerlichen Theaters verschärfte oder entschärfte sich in der *Enthüllungskomödie*: Sie zeigt im Experiment, daß der Mensch aus einer Vielheit besteht, seine Identität labil, spaltbar oder vertauschbar ist. Die Enthüllungskomödien widerlegen die liberale Sehgewohnheit, derzufolge auf dem Theater wie im Leben gewisse Handlungen erst nach den Menschen zu beurteilen seien, die sie begehen. Die neusachliche Dramatik in diesem Stadium, in der Tradition der geschlossenen Form, zwingt vielmehr dazu, die Menschen auf der Bühne nach ihren Handlungen zu beurteilen. Genauer: der einzelne Mensch verschwindet hinter seinen Handlungen, da sie auch von anderen ausgeführt sein könnten – und überdies dem Zuschauer die erste Information über die Vorgänge auf der Bühne liefern. Folgerichtig wird in diesen Stücken privates Verhalten an öffentlichem gemessen. Walter Hasenclevers Komödien *Ein besserer Herr* (1926), *Ehen werden im Himmel geschlossen* (1928) und *Napoleon greift ein* (1929) lassen den Einzelnen hinter der Schablone seiner Rolle verschwinden und vergessen. Wie sehr das öffentliche Image die wirkliche Person überwuchern kann, demonstriert Feuchtwangers Komödie *Wird Hill amnestiert?* (1927). Der Held Hill, viel beredet, ist bei seinem ersten Auftritt gegen Schluß des Stückes kaum ›wiederzuerkennen‹: Sein Nimbus hat ihn überstrahlt und unkenntlich werden lassen. Heinrich Manns Eintänzer Bibi (im gleichnamigen Stück 1928) gelingt das Fortkommen in der Gesellschaft dank einer naiven Gabe, für jedes Gegenüber eine reizvolle Physiognomie anzunehmen. In allen diesen Stücken enthüllen sich die Handlungen als Instrumente des Scheins, Elemente eines Rollenspiels, Demonstration eines Täuschungsmanövers, ohne daß auch nur angedeutet wird, wo das wahre Sein zu suchen sei. Die radikale Version dieser Enthüllungskomödien bietet Brechts *Mann ist Mann* (entstanden 1924–26): Die Verwandlung des Packers Galy Gay in einen Soldaten der indischen Kolonialarmee wird durchprobiert – der Versuch des Umbaus der Person gelingt, als handle es sich um ein Auto. Georg Kaisers Experiment mit den vielen Erscheinungsmöglichkeiten einer Person in *Zweimal Oliver* (1926), der Bewußtseinskrise eines Verwandlungskünstlers, der seine Identitäten so lange tauscht, bis er im Wahnsinn endet, ist ein Drama voller hinweisender, deutender Zeichen, Symbole und Sätze – doch zu sehr mit einer schematisch-konventionellen Schein-Sein-Problematik belastet. Die Enthüllungskomödie kennt gewöhnlich nicht die von Kaiser gestaltete laute Verzweiflung über die verlorengegangene Identität. Sie polemisiert vor allem gegen den liberalen Glauben an den Einzelnen, einen Glauben, den sie als haltlos beweisen will.

Viele Zeitgenossen der neusachlichen Dramatik sahen den Naturalismus vor allem im sogenannten *Zeitstück* wiederkehren. Zwischen 1928 und 1930 wurde dieses Genre zu einer Modeerscheinung, unterstützt oder gar provoziert von einer Schwemme angelsächsischer Kriminalstücke. Nach Verlaufsform und Anspruch sollte man besser von einem *Debatten- und Reportagestück* sprechen. Die Prozeß- und Gerichtssituation gibt meist den Anlaß zu erregter Wechselrede. Der Anspruch, über tatsächlich vorgefallene Ereignisse zu berichten, bemüht sich um eine detailgenaue Ausschmückung der Lokalität – die jedoch in der Gestalt eines staatlichen Tribunals oft selbst wieder zum Klischee-Schauplatz erstarrt. Das Reißerische dieser Stücke gewährt dem Zuschauer wenig Distanz zur ganzen Theateraufführung: Er soll im Schauspiel das Leben, ›wie es wirklich ist‹, wiedererkennen. Das Debatten- und Reportagestück setzt bestimmte Urteilsmuster voraus, ohne sie ausdrücklich anzufechten – wie dies Zeitrevue und Enthüllungskomödie tun. Proteste in diesen Dramen verweisen das Urteil meist in die Revision oder verwerfen den gefällten Richterspruch, was auf die Dauer nicht darüber hinwegtäuschen kann, daß die Denkgewohnheiten der Zuschauer keiner ähnlichen Revision unterworfen werden. Anders als beim Naturalismus werden seltener die persönliche Vorgeschichte, der Zwang schlechter Verhältnisse, die unverleugbare ›Natur‹ zum Unheil der Personen, sondern vor allem die angeblichen Partner in der demokratischen Gesellschaft, die Reichen, die Richter, die Streber, die diese Partnerschaft verleugnen und sich als Herren gebärden. Sehen sich die Unterlegenen ausgeliefert, wie die Jugend in Peter Martin Lampels *Revolte im Erziehungsheim* (1928) oder in Brückners *Die Verbrecher*, so folgt das Debattenstück gelegentlich den alten Bahnen des Rührstücks, das seine Helden in der Welt nur Schaden nehmen läßt und auf Erden keine Gerechtigkeit erwartet, wie der Dramaturg Carl Werckshagen im Überblick über die reiche Produktion erkannte.[27]

Das Debatten- und Reportagestück teilte die Geister: Die einen Autoren sahen in der Vernichtung ihrer Helden einen allgemeinen Untergang – und wußten danach keinen Rat mehr. Manchmal idealisierten sie ihre Helden zu unbeugsamen, einsamen und offenbar begnadeten Außenseitern. Mit diesen zerbricht dann der liberale Optimismus, am Staatswohl mitwirken zu können. Die Autoren dieser Stücke verstehen sich als Zeugen einer großen Krise, von der nur wenige dank ihrer politischen Untauglichkeit auserwählte Figuren verschont bleiben. Andere Autoren eröffnen nach dem Untergang ihrer Helden den Ausblick auf die Zukunft. Das sozialistische Konzept löst das liberale ab. Diese Autoren wenden sich gegen einen Staat, der zu Unrecht glaubt, das Recht auf seiner Seite zu haben. Vor dem Gesetz können nicht alle gleich sein, bevor sie nicht vor dem Leben gleich sind, heißt es in den Schlußworten von Bruckners *Verbrechern*. Zum sozialistischen Motto wurde diese Einsicht in den Stücken Friedrich Wolfs. Statt an das Mitleid appelliert sein Stück *Cyankali* (1928) an den Zorn des Publikums. Das Motiv des heute noch umstrittenen § 218, des Verbots der Schwangerschaftsunterbrechung, wurde von zwei weiteren Autoren, Credé und Rehfisch, im Sinne des Rührstücks aufgegriffen: Das Motiv erlaubt, die Hilflosigkeit jener armen sogenannten kleinen Leute in scharfes Licht zu rücken, denen oft, gerade vor einem lebensfern und höhnisch urteilenden Gericht, die Worte fehlen, mit denen der Autor sie verteidigt. Ähnlich dem Starrsinn des Geschicks preisgegeben oder den Mächten, die sich mit ihm zu verbünden scheinen, sind die Soldaten im Krieg. Im Anschluß an englische und französische Vorbilder errangen auch deutsche Kriegsstücke Aufmerksamkeit, die den Krieg als ein ›Muß‹ verstanden, das durch den eigenen Willen oder Widerstand nicht zu beeinflussen ist, als den »ungeheuerlichsten Widerspruch gegen alles Private« – so *Die endlose Straße* (1926 geschrieben) von Sigmund Graff und Carl Ernst Hintze (aus dem Vorwort zu diesem Stück stammt das Zitat) oder *Toboggan* (1928) von Gerhard Menzel. Anders erscheint der Krieg in den Matrosenstücken von Toller (*Feuer aus den Kesseln*, 1928), Wolf (*Die Matrosen von Cattaro*, 1930) und Theodor Plivier (*Des Kaisers Kulis*, 1930). Zumal die ersten beiden Stücke verweisen auf Matrosenaufstände gegen Ende des Weltkrieges, die zwar niedergeschlagen wurden, aber den Auftrag zur Revolution in die Gegenwart hinein weiterreichten. Hier werden anstelle ausgelieferter Menschen aufbegehrende Personen gezeigt, die ausdrücklich sagen, in welch anderer Weise, als der gegenwärtige Staat zeigt, sie Gerechtigkeit verwirklicht sehen wollen – nämlich frei von Unterdrückung. Im Gegensatz zu den Infanteriestücken heben die Matrosenstücke die Verantwortung des Einzelnen heraus. Um eines Heldenkonzepts willen ist hier die Zerstückelung der Individualität – weit vorangetrieben etwa in der Enthüllungskomödie – teilweise rückgängig gemacht.

1930 bis 1932 zerfällt die neusachliche Dramatik in dem Maße, in dem sich ihr Adressatenkreis in Gruppen unterschiedlicher politischer Überzeugung aufteilt, das liberale Großstadtbürgertum seine einigende Kraft verliert, die rechten und linken Kräfte jeweils ihrer Staatsidee zur Alleinherrschaft verhelfen wollen. Der Einzelne als Charakter wird wieder aufgewertet, doch gilt er oft ausdrücklich als Produkt dichterischer Erfindungskraft – und trägt dann schwer an der Last ideologischer Steuerung. Szenenort und Szenenzeit werden wieder, wie in der ersten Phase der neusachlichen Dramatik 1922 bis 1925, exterritorialisiert. Neues Pathos kündigt sich an. Die *Historie* lebt wieder auf als *Figurenstück* mit einem interessanten Charakter im Mittelpunkt der szenischen Geschehnisse. Die reiche Persönlichkeit bestimmt wieder den Gang der Geschichte wie in Bruckners mit viel Erfolg aufgeführtem Stück *Elisabeth von England* (1930): Anerkennung unlängst noch verdammter Ideale von einer Kunst, die sich aus dem Dunstkreis des Aktuellen erhebt. Es fällt nicht schwer, diese Selbsterhöhung der Bühne als Ausweichen vor der bedrängenden Gegenwart zu durchschauen. Von der Wirklichkeit nicht knebeln oder verschrecken ließen sich dagegen die sogenannten *Volksstücke*, die die Entleerung aller liberalen Wertvorstellungen am Ende der Weimarer Republik illustrieren. Ihnen gemeinsam ist die Abkehr von der Großstadt- und Intellektuellenproblematik, ohne daß ihre Autoren dabei den Beobachterstandpunkt des großstädtischen Intellektuellen völlig aufgeben. Dieser Standpunkt galt allerdings nicht länger als bevorzugt – das liberal-bürgerliche Selbstbewußtsein schien gebrochen. Dafür wurde das Milieu der Volksstücke zum symbolischen Schauplatz erhöht, auf dem sich das irregeleitete, verführte, getäuschte Bewußtsein einer ganzen Zeit – der nachinflationären Ära – oder einer ganzen Tradition – der Staatshörigkeit des deutschen Bürgertums – selbst darstellen sollte. Ironische Überhebung und zugleich Entsetzen wie Trauer provozieren Ödön von Horváths Stücke beim Zuschauer. Die persönlichen Regungen seiner Figuren sind fast völlig überformt vom sozialen Reglement. Nach dem Prinzip des Panoptikums hängen Marieluise Fleißer in *Pioniere in Ingolstadt* (1929), Horváth in *Italienische Nacht* (1930), *Geschichten aus dem Wiener Wald* (1931), *Kasimir und Karoline* (1932) und *Glaube Liebe Hoffnung* (1932) oder Carl Zuckmayer im *Hauptmann von Köpenick* (1930) Szenen kettenartig aneinander, um stets das eine zu zeigen: wie der Einzelne auf seiner Suche nach sich selbst scheitert, allenfalls in der sozialen Uniform, die beim *Hauptmann von Köpenick* zur anschaubaren Sache gerät, von der Gesellschaft angenommen wird, zu der er von außen betrachtet gehört; wie defekt seine Sprache ist, die den Angesprochenen nicht erreicht; und wie unzuverlässig die Gefühle sind, denen er zu lange vertraut. Horváth, der bedeutendste Autor in der letzten Phase der neusachlichen Dramatik, macht den Dialekt als Außenseite einer verkrüppelten Menschlichkeit erkennbar; er schert aus dem neusachlichen Naturalismus aus und kehrt zu der österreichischen Tradition sprachskeptischer Literatur zurück. In hoffnungslosem Abstand strebt dabei der Dialekt seiner Figuren dem falschen Ideal der gebildeten Ausdrucksweise nach, die angeblich formulieren kann, was der Mensch fühlt. Horváth gelingt es zudem, die Ansichten über die Antriebe des Menschen zu desillusionieren und das ›Tierische‹ als das allen Innewohnende aufzudecken. Besonders den Egoismus der Männer und der von Männern regierten Welt trifft sein Verdikt. Seine unglücklichen Frauen und Mädchen nimmt er von solchem vernichtenden Urteil über den heuchlerischen Kult ichsüchtiger Individuen aus. Horváth geht weit radikaler vor, streift weit mehr vom unüberprüften liberalen Glauben an den guten Willen der Menschen ab als etwa Zuckmayer, dessen »deutschem Märchen« vom Schuster als Hauptmann jedoch der größere Publikumserfolg beschieden war.

In gefährlicher Nähe zum irrationalen, ›entfesselten‹ oder pseudoarchaischen Theater, das im Schatten der neusachlichen Dramatik zu leblosen utopischen Modellen gefror (z. B. bei Felix Emmel) und vom Nationalsozialismus zunächst begünstigt wurde, versinkt in Richard Billingers *Rauhnacht* (1931) die Individualität im Dumpf-Triebhaften, dessen Ausbrüche ein mythisches Ritual nur teilweise zähmt. So endet die Entwicklung des epischen Stranges der neusachlichen Dramatik vor dieser Alternative: einerseits betont antiliberales Drama im Sinne Horváths, das mit jeder Negation der liberalen Wertvorstellungen diese doch noch vergegenwärtigt; andererseits Volkstheater, das triebhaftes Leben bei einem ideologisch gesehenen Volk wiederzufinden meint und weiterempfiehlt. Die strukturbildende Kraft der Zeitrevue, der einflußreichsten Ausbildung unter diesen offenen Formen, war Anfang der dreißiger Jahre bereits erschöpft. Von ihrer Ästhetik zehren nur noch die Agitpropaufführungen der kommunistischen Spielgruppen 1931 bis 1933.

Aus der Krise des Liberalismus fand in der Nachfolge des mit neuer Aussage beauftragten bürgerlichen Theaters und der Enthüllungskomödie das sogenannte *Lehrstück*. Da es fast durchweg sozialistischer Aufklärung dient, war es auf ein Publikum angewiesen, das zu parteilichen Entscheidungen gegen den bestehenden Staat bewegt werden konnte. Brechts Theorie, das Lehrstück werde nur für Spieler, nicht für Zuschauer geschrieben, formuliert überspitzt die Forderung, daß Spieler und Zuschauer durch das Durchspielen verschiedener vom Autor vorgeschlagener Situationen etwas über ihre eigene Lage lernen sollen. Brechts Lehrstücke erteilen daher einigen Figuren auf der Szene selbst immer wieder die Funktion, kommentierende Zuschauer des Spiels zu sein. Im übrigen verleugnen sie nicht des Autors früheren Umgang mit der Oper und Opernparodie, so z. B. das *Badener Lehrstück vom Einverständnis* (1929), *Die Maßnahme* (1930) oder *Die Mutter* (1930–32). Die kunstbetonte Stilisierung der Handlung zeigt sich in der Gruppenregie von Spielern und Chor (Zuschauerfunktion), in dem Aufbrechen des Spielablaufs durch Ansprachen ans Publikum und Reflexionsreden im Sinne von Arien und Ensemblenummern. Ziel der Lehrstücke ist das Erlernen von Klassenbewußtsein – der Held oder die Helden sollen beispielhaft den individuellen Konflikt als allgemeinen durchschauen lernen. Angesprochen ist insbesondere der Bürger, der von liberaler Selbstüberschätzung seiner Person und seiner Sorgen nicht lassen kann. Wangenheims *Mausefalle* (1931), Wolfs *Tai Yang erwacht* (1930), *Die Jungens von Mons* (1932) oder Brechts *Mutter* versprechen diesem Adressaten, daß die Bekehrung, der Meinungswandel der Helden zugleich ihre Selbstverwirklichung in der aufsteigenden Arbeiterklasse bedeutet.

Beraubt der meisten individuellen ›Trübungen‹, drohte das Lehrstück mitunter zur doktrinär ausgeschnittenen Paßform zu erstarren. »Daß Mitgefühl die Erkenntnis und Lehrwirkung ausschließen, behauptet ein im Grunde kunstfeindlicher Puritanismus [...]«.[28] Die solcherart nachwirkende neue Sachlichkeit im Lehrstück stellte den am Einzelmenschen interessierten Liberalismus auf den Kopf und opferte kaltblütig jeden Helden, der vom falschen Weg nicht rechtzeitig abwich – wie in Brechts *Maßnahme* zu sehen. Die Partei, aufgedonnert zum sachlichen Überhelden, konnte diese kolossalische Schreckensgröße wiederum nur von einem noch liberalen Gesichtspunkt aus gewinnen – die zeitgenössische marxistische Kritik gerade dieses Stückes bemerkte eine bürgerliche Fasziniertheit Brechts von der Massenbewegung, die dem Einzelwillen gegenüber immer recht behält.

Wirklichkeit ohne Form

Die Ideologie des krisenhaften Liberalismus prägt weitgehend die Dramaturgie der neusachlichen Dramatik. Letztere hat nur im einzelnen Besonderheiten aufzuweisen, die auf eine autonome technische Veränderung der dramatischen Kunst selbst zu-

rückzuführen sind. Diese technische Veränderung wiederum ist vor allem der Unter-
stützung durch Fotografie und Film und der Anlehnung an deren Abbildungs- und
Darstellungsweisen zu verdanken. Im wesentlichen ist die Dramaturgie der neusach-
lichen Dramatik negativ zu beschreiben, da sie sich an einem früheren Zustand des
Dramas mißt, von dem sie sich abstößt. Die Hauptzüge dieses Abbaus liberaler Auf-
fassungen im Dramaturgischen seien unter folgenden Stichworten zusammengefaßt:
Wirklichkeit ohne Form, Konflikt ohne Legitimität, Held ohne Pathos, Rede ohne
Ausdruck und Antwort.

»Unsere Gegenwart ist ohne Ruhe, ohne Mitte, ohne Substanz«, meinte Bernhard
Diebold 1923 und fuhr fort: »wir stehen nicht auf hartem Boden; wir spüren nicht
ein sicheres Gehäuse, das uns schützt und wärmt. Wir schweben. Schweben auf un-
sicherem Gewölk, geballt aus Trümmerstaub, der über politischen, sozialen, literarischen Ruinen aufwogt.« Die »Anarchie im Drama« hat vor allem eine Ursache:
»Der Stoff widerstrebt der Form«.[29] Mit ähnlichen Worten formulierte Musil, zeitweise auch Theaterkritiker, in seiner Studie zum »›Untergang‹ des Theaters« (1924),
gegenwärtig überwiege die Bedeutung des Wirklichen die des Erdachten.[30] Julius
Bab sieht gleichfalls die dramatische Form durch den Stoff überwältigt, »wenn nämlich das Interesse am Menschen überhaupt erlischt, wenn man die toten Dinge als
allmächtig in der Welt fühlt«.[31] Hermann von Wedderkop, Redakteur der mondän-
intellektuellen Zeitschrift *Der Querschnitt*, erklärt 1926 in hymnischem Ton: »Es ist
das Zeitalter des Stoffs und nicht der Form [...].«[32] Ähnlich wie Bab beschreibt er
den Punkt, auf den es nun der Literatur, also auch dem Drama, ankommen müsse:
»Der große deutsche Stoff der Gegenwart [...] ist neben den allgemeinen Inhalten
der neuen Zeit der Gegensatz zwischen dem Wollen des einzelnen und den Tatsachen, Gegensatz, der an Tiefe und Komik gewinnt, je weniger sich der einzelne
um die Tatsachen kümmert, je schärfer er folgeweise von ihnen mitgenommen
wird.«[33] Der Mensch soll auf ein Leben im Geiste, auf Illusionen oder erträumte
Gedankenwelten verzichten, er soll sich den Tatsachen unterwerfen, um ihnen nicht
zum Opfer zu fallen.

Brecht lernte in seiner ausführlichen Beschäftigung mit dem Marxismus (von 1926
an), diesen Einfluß der »toten Dinge« auf den Menschen in größerem Zusammenhang erklären: Er sieht seine Helden als Werkzeuge ihrer Umwelt, gerade wenn sie
tätig werden. Indes bleiben ihm lange Zeit die Beziehungen zwischen den Menschen unklar[34] – die überscharfen Wertungen der Lehrstücke verraten, daß das li-
beral geduldete Nebeneinander der Ordnungen jedenfalls nicht länger gelten darf.
Auch wenn den Autor nicht mehr die private Substanz, sondern die gesellschaftliche
Funktion einer Figur interessiert, kann diesem Vorsatz nicht sogleich die Tat folgen:
»Der eifersüchtige Flieger ist ungleich schwerer zu gestalten als der fliegende Eifersüchtige.«[35] In seinem Aufsatz »Über Stoffe und Formen« (1929) faßte Brecht dramaturgische Empfehlungen dahingehend zusammen, diesem Überhang des Stoffs
grundsätzlich mit neuen Instrumenten zu begegnen. Denn: »Das Petroleum sträubt
sich gegen die fünf Akte.«[36]

In den ausgehenden zwanziger Jahren ergeht an die neusachlichen Dramatiker der
Aufruf, in die Wirklichkeit einzugreifen und sich nicht durch Rücksicht auf irgend-
welche alten Kunstregeln davon abhalten zu lassen. Dichter, so verlangt Herbert
Becker 1928, sollten die Tätigkeit des Reporters nachahmen. Noch »sind sie z. B.

schon völlig außerstande, eine alltägliche Büroscene sachgemäß wiederzugeben. Sie wissen nicht, wie der Arbeiter und wie der Generaldirektor, wie die Dirne und wie der Staatsanwalt, wie die Massen rechts und links leben, denken und sprechen«.[37] Dieser Forderung suchten in den nächsten zwei, drei Jahren die Debatten- und Reportagestücke zu genügen. Aber schon wieder 1930 konnte der Kritiker Arthur Eloesser seinen Ärger über die Wirklichkeitsfremdheit auch politisch gemeinter Dramen nicht verhehlen: »Den Nordpol und den Südpol haben sie noch einmal auf der Bühne entdeckt. Wo wohnen die deutschen Autoren? Ihre Verbrecherstücke spielen in Chikago, ihre Entdeckerstücke auf noch namenlosen Guanoinseln der Südsee, ihre politischen Tragödien in Rußland, ihre Gesellschaftskomödien in Frankreich und England.«[38] Das ist zweifellos einseitig; es gab auch die Dramen über Berliner Armeleuteviertel. Hinter Eloessers Forderung nach dem deutschen Schauplatz auf der Bühne, die sich Wedderkops Verlangen nach Darstellung gegenwärtiger deutscher Probleme anschließt, steckt der Wunsch nach einer Art ›Gebrauchskunst‹, die eher publizistischen als literarischen Interessen dient. Kerr z. B. kehrt 1930 die »Nichtsalssachlichkeit«[39] des Frontstücks *Die endlose Straße* von Graff/Hintze als Darstellung einer allen gemeinsamen, kaum verflüchtigten Erfahrung heraus: »Ohne Imperativ. Nur durch Wiedergabe. Nur durch Abbild. Nur durch Feststellung. Mit dem Ergebnis: das ist kein Theater mehr.«[40] Kerr setzt dabei voraus, daß die beobachtete Wirklichkeit durch die Beobachtung nicht verändert wird – also auch ohne den Eingriff des Autors sich selbst augenscheinlich machen kann. Dieses Pochen auf Sachlichkeit muß nicht Abkehr von Kunst grundsätzlich bedeuten, es kann die Abkehr von einer Kunst beabsichtigt sein, die sich der Logik der Erfahrung, der Forderung von zuverlässigen Tatsachenbehauptungen entzieht oder ihnen nicht standhält.

Eine Dramaturgie der wirklichkeitsverpflichteten, dabei der Wirklichkeit zugleich unterlegenen, also von vornherein unzulänglichen Abbildung war sich bewußt, auf der Bühne immer nur einen Ausschnitt des komplexen, die Form überwuchernden Lebens darstellen zu können. In der Zeitrevue drang als Erkenntnis durch, daß es gelte, die *Gleichzeitigkeit* vieler Lebensprozesse wiederzugeben. Die Außenwelt wurde mittels Projektionen, Kommentaren, Referaten ins Spiel eingefügt, um das Zusammenwirken nur scheinbar unverbundener Kräfte zu verdeutlichen. Eine Handlung hat, so zeigt sich, viele Ursachen, Motive und Folgen – sie ist auf keinen Fall nur von der Entscheidung des Einzelnen abhängig, die ja selbst nur in einem bestimmten Spielraum Platz hat. Die Simultan- oder Etagenbühne, die mehrere Spielorte nebeneinanderstellt oder übereinanderschichtet, wiederholt im Gleichnis das Nebeneinander und Übereinander der gesellschaftlichen Kraftzentren, die aufeinander Einfluß nehmen.[41] »Aufenthaltslos können sich disparate Vorgänge in den schärfsten Kontrasten, sinngebenden Kontrasten, abspielen.«[42] Als Beispiele dafür seien der letzte Aufzug von Tollers *Hoppla, wir leben!*, der 2. Aufzug von Bruckners *Verbrechern* oder der 1. Aufzug von Mehrings *Kaufmann von Berlin* genannt.

Die kaum zu bewältigende Unordnung des wirklichen Geschehens drückt sich, ins Dramatische übersetzt, in einer Serie oft unverbunden aneinanderhängender *Kurzszenen* aus. »Der heutige Dramatiker zersprengt die Aktklötze, zerspaltet sie in eine lange Scenenfolge, die raschen Milieu- und Personenwechsel gestattet. Jeder Durch-

schnittsmensch ist durch den konzentrierten Verkehr, durch das rationalisierte Geschäftsleben, durch Presse und Reklameformeln so zu fixen geistigen Assoziationen erzogen worden, daß ihm auch auf der Bühne knappste sprachliche und scenische Formulierung zum Verständnis schwieriger Vorgänge genügt.«[43] Die Nummern- und Bilderserie, die sich oft zur Revue zusammenfügt, erinnert von ferne an den expressionistischen »Weg der Prüfungen«[44] – allerdings fehlte im Expressionismus die ausgeprägte Abwehr jeder Vergewaltigung des Lebens durch ein überliefertes Gebot der einheitlichen Handlung und der Konzentration auf ein Einzelschicksal. Das Prinzip des schillernden Panoptikums war nur durch »Kleinhandlungen«[45], durch die Verkettung sogenannter Momente zu erfüllen. Um die »frisch geschehene, unverfälschte, unverklärte Wirklichkeit, mit großem Stadtausschnitt, Bäumerauschen, Brandung, Eleganz, Technik, Sport, bekannten und anonymen Gesichtern und dem ganzen wunderbaren Durcheinander«[46] auf der Szene zu rechtfertigen, diente manchmal die Kino-Wochenschau, allgemein der Film, als Vorbild. Friedrich Wolf forderte um der politischen Wirkung der Stücke willen, mittels der Kurzszene das Verstehen zu erleichtern – »her drum mit Kurzszenen, die ein Schlosser, eine Ausläuferin, ein Trambahnschaffner, eine Waschfrau begreifen!«[47]
Die Lebensgeschichte der Helden wird in der Revueform aufgebrochen, der Moment erscheint bei Toller oder später bei Horváth als Glückswende, als ›Schicksalsschlag‹: Ausdruck eines mechanisch zuschlagenden Lebens. Die äußere Wahrscheinlichkeit verliert sich in der Nummernserie über der Darstellung demonstrativ gezeigter sozialer Reflexe (sehr zum Verdruß der Anwälte einer ›Gebrauchskunst‹) – so in Brechts *Mann ist Mann*. Zersplittert in Szenen, die das Vorher und das Nachher kontrastieren, erinnert die ruckhafte, über wenige Stufen gehende Wandlung des Galy Gay an ein kaum glaubhaftes Gesagt-Getan, bei dem mit keinem unüberwindlichen Widerstand abgelagerter Gefühle oder eingeschliffener Einstellungen gerechnet wird. Der Held erscheint hier bereits, um so viel mehr dann in der Zeitrevue, von persönlicher Vergangenheit abgeschnitten oder zumindest ohne weiteres abtrennbar. Der Zuschauer übernimmt die *Außensicht des Autors,* die Piscator als »unpersönliche, sachliche Beziehung zwischen dem Autor und seinen Figuren« charakterisiert.[48] Dem Autor fallen dabei besonders die sozial verfestigten, stereotyp gewordenen Verhaltensmuster seiner Figuren auf. Der Adressat seiner Dramatik soll sie distanziert verfolgen. Dieser Sinn für Verfremdung des für selbstverständlich gehaltenen Verhaltensrepertoires bestimmt viele Autoren dieser Zeit, u. a. Feuchtwanger und Hasenclever, von denen nur Brecht seine Auffassung später zur Theorie ausgebaut hat.
Auch Brecht lernte in der Periode der neusachlichen Dramatik erst allmählich die Gefahren der Außensicht erkennen und vermeiden. Sich über die Wirklichkeit ironisch zu erheben, indem man sie möglichst strikt, oft provozierend ausschließlich von außen betrachtet, schafft zwar Abstand, läßt sie aber dennoch gelten. Der Phantasie, sich eine andere Wirklichkeit zu denken, wird auf diese Weise keine Chance gegeben. Der Maßstab der alten Wirklichkeit wird bei ironischer Distanzierung zwar nicht ernst genommen, aber stillschweigend immer noch bereitgehalten und angelegt. In der ersten Fassung von *Mann ist Mann* sollte die Verwandlung des Packers in einen Soldaten den liberalen Glauben an die unveräußerliche Individualität ad absurdum führen. Erst fünf Jahre später gab Brecht die Kehrseite der Glei-

chung ›Mann ist Mann‹ zu erkennen: Wenn jeder zu allem zu bewegen ist, kann aus einem Galy Gay auch ein Nationalsozialist hervorgehen. Brechts antiliberales Lob der Wandelbarkeit wich seinem Mißtrauen gegenüber einem schrankenlosen Opportunismus. In der Außensicht-Perspektive nahm der Autor den Kommentar aus dem Spiel heraus. Er behalf sich dabei wie Piscator mit Projektionen oder wie Brecht mit *Beschreibungen des Spiels* oder szenischen Bildes als einer Vorstufe zum Spiel im Spiel. In *Trommeln in der Nacht* berichtet und kommentiert ein Kellner den Streit der zwei Männer um Anna für ein unsichtbar bleibendes Publikum im Nebenzimmer. In der *Heiligen Johanna der Schlachthöfe* verkünden Zeitungsjungen, der Philanthrop Mauler eröffne ein Krankenhaus, das er gestiftet habe. Dann sieht man Mauler, von Männern begleitet, stumm vorübergehen. Der Dialog zweier ›Zuschauer‹ verrät, daß es sich bei diesen Männern um Detektive handelt, die Mauler bezahlt, da er sich vor Überfällen fürchtet. Die Bildbeschreibung eines Gangsterchefs mit Leibgarde stellt die vorhergegangene Anpreisung eines karitativ tätigen Menschenfreundes und Krankenhausstifters in Frage. Die Ankündigung künftigen Verhaltens – wie in der *Maßnahme* –, die Planung und Durchführung vortäuschenden Verhaltens – wie bei dem Besuch Pelageas im Gefängnis in der *Mutter* – schärfen den Blick diesseits der Rampe für die Reaktionen und Gesten der Personen. Vom Zuschauer erwartet sich Brecht die Haltung eines Lesers, der vergleichend umblättern könne (Anmerkungen zu *Mann ist Mann*[49]). Publikumsadressen wie Songs, Choransprachen oder Referate unterbrechen die Spielhandlung, damit das Publikum nicht in den Fluß der Zeit als Prinzip einer Dramaturgie hineingezogen wird, die eine Katastrophe oder endgültige Lösung ansteuert. Schlüsse gelten für die Mehrzahl der neusachlichen Dramen als beiläufig oder vorläufig. Dies trifft natürlich insbesondere bei den epischen Formen Historie und Zeitrevue zu.

Konflikt ohne Legitimität

Die neusachliche Dramaturgie verhehlte bis zum Schluß nicht die von ihr aufgenommene *Krise öffentlicher Normen*. Die Außensicht erlegt dem Adressaten des Dramas auf, die ›Fehler‹ der Spielfiguren zu entschuldigen, das Nebeneinander von alter und neuer Wertung als Lebensproblem zu sehen. In Tollers *Hoppla, wir leben!* entpuppt sich ein Psychiater im Gespräch mit dem Helden als Menschenverächter. Sein Begriff von Normalität wird in grotesk wirkenden Kurzszenen, die sich auf der Etagenbühne verteilen, widerlegt: Ein Bankier kann sich wegen eines verzögerten Telefongesprächs nicht vor dem Ruin retten; er bricht zusammen und stottert »grinsend«: »Normal ... normal.« Ein Hausdiener ersticht sich, nachdem er sein Geld verwettet hat: »Normal ... normal ...« In Brückners *Verbrechern* erscheinen alle Personen mehr oder weniger als schuldig – nur die Frauen leiden eher Unrecht, als daß sie es üben. Die Vorrede vieler neusachlicher Dramen – zumal von Debatten- und Reportagestücken – behauptet, es würden auf der Bühne nur Tatsachen nachgestellt. Dem Publikum fällt dadurch die Funktion von Geschworenen zu, indes die Richter auf der Szene ihr menschliches Amt verfehlen, von vaterländischer Gesinnung schwärmen, wie es nur ökonomisch geborgenen Untertanen möglich ist, und die Tat der Angeklagten aus moralischer Schwäche oder bösem Willen erklären. Das Publikum erkennt dagegen, daß Armut und Abhängigkeit die Täter zwingen, daß Rechtsprechung und Rechtswirklichkeit das ›Naturrecht‹ der einzelnen Person auf Selbstverwirklichung verletzen. Die liberale Perspektive dieser Stücke sieht durch die Zustände und die öffentlich gültigen Normen vor allem die Würde des benachteiligten oder unterlegenen Individuums angetastet – etwa der hungernden Mutter, des schwangeren Mädchens, des arbeitslosen Mannes. Wo und wie dieses wünschenswerte Recht des Einzelnen zu verwirklichen ist, kann die szenische Rekonstruktion der Wohnküchen, obskuren Arztzimmer oder kalten Dachstuben, die ›Fotografie‹ jenes Lebens im Dunkeln, allerdings nicht schildern. Der Abscheu des Zuschauers droht, je mehr seine Erfahrung die Spielwelt als lückenloses Abbild bestätigt, sich in Verzweiflung und Hilflosigkeit aufzulösen. Dies offenbart einen Liberalismus, der mit seiner Weisheit am Ende ist. Eine Alternative schien seinerzeit nur die sozialistische Umwertung der hergebrachten öffentlichen Normen anzubieten – die Ersetzung des Einzelnen, des entrechteten Objekts der geschichtlich wirksamen Mächte dieser Zeit, durch die Masse als das sich selbst bestimmende Subjekt der künftigen Geschichte.

Die Rechts- und Orientierungsunsicherheit wird aber erst auf der Stufe der Debatten- und Reportagestücke zum Thema, das auf der Bühne besprochen wird. Zuvor schon in der neusachlichen Dramatik hat diese Unsicherheit die Konflikte ihrer gewohnten Legitimität beraubt. Früh weicht der Konflikt Schuld–Unschuld, der Konflikt der Rechtspositionen, dem ›reinen‹ Konflikt des zweckfreien Kampfes. Der Sport diktiert die neuen Lebensregeln und wird Mitte der zwanziger Jahre als *Wett- und Ringkampf* zum Vorbild des Dramas. »Fair oder Nichtfair! ist wirklicher als irgendein literarisches Jenseits von Gut und Böse. Fair und Nichtfair sind Grundformeln einer neuen Tugend.«[50] Im Sportsmann entdecken die Autoren den neuen Helden von eigengesetzter Disziplin, der den staatshörigen, schicksalsgläubigen Untertan ablöst: Nach Frank Thiess ist es »noch nicht vorgekommen, daß ein völkischer Beamter Boxen oder Leichtathletik getrieben hat«.[51] Im Sportpalast wurde das neue Publikum gesucht. Während Kaiser in seinem von den neusachlichen Dramatikern vielgelesenen Stück *Von morgens bis mitternachts* (1912) noch eine ziemlich grauenvolle Vision dieser erregten Masse zeichnete, fand Herbert Jhering 1925 ihren Anblick durchaus nicht nur abstoßend: »Die Masse in den Sportpalästen ist roh, grausam, vielleicht ungerecht. Aber ungerecht nur aus Hingebung an die Sache. Grausam aus leidenschaftlicher Mitgenommenheit. Roh aus Übermaß an Beteiligung.«[52] Von diesem Eindruck stach wiederum Brechts Interpretation des Sportpalast-Publikums ab: Gleich vielen seiner Zeitgenossen glaubte er im Sportpalast das gesamte Volk, in bunter Mischung der Schichten, versammelt. Zudem aber fand er dort eine neue Qualität des prüfenden Zuschauens vor – nämlich »trainierte Leute mit feinstem Verantwortungsgefühl«.[53]

Ein sportlicher Ringkampf gleichsam, bei dem sich der Sieg der Kämpfer nicht als Sieg des Geschäftsgeistes auszahlt, findet in Brechts Stück *Im Dickicht* (1921–24) statt (später *Im Dickicht der Städte* betitelt). Die Motivation der beiden Protagonisten bleibt unausgesprochen oder nur angedeutet – vielleicht Überwindung der Einsamkeit im hautnahen Kampf? Der Zuschauer solle sich – so empfiehlt der Vorspruch – auf den Fortgang des Kampfes und das Finish konzentrieren, nicht nach

Gründen fragen. Allein nach dem Vokabular zu urteilen, spricht diese Empfehlung ein Sportpalast-Publikum Brechtscher Vorstellung an. Gleichnishaft wird in Feuchtwangers *Petroleuminseln* von einem Rattenexperiment berichtet, dessen Ergebnis auch auf das Verhalten der meisten Menschen zutreffen soll: Die Männchen suchen das Futter, die Weibchen das Männchen. Das Stück führt die große Ausnahme vor: Die Heldin löst sich im Kampf mit ihren Gegnern vom Bann der Gesetze, die den natürlichen Kampf ums Überleben bei den Ratten bestimmen. Furcht vor dem Alleinsein und Suche nach dem Mitmenschen, auch auf die Gefahr hin, ihm nur im Kampf begegnen zu können, lenkten die Figuren in Arnolt Bronnens Stücken *Anarchie in Sillian* (1924), *Katalaunische Schlacht* (1924) oder *Rheinische Rebellen* (1925), Dramen, die den Ruf des Autors, neben Brecht die bedeutendste Nachwuchsbegabung zu sein, verbreiteten und ihn zugleich in den Augen der älteren Kritik (vor allem Kerrs) erschütterten. In den ersten Jahren neusachlicher Dramatik bringt der Versuch des Zusammen- und Überlebens für die betreffenden Helden Konflikte mit sich, die beschreibbar sind als Revierstreit oder Wettkampf zwischen konkurrierenden Personen – *Im Dickicht, Die Petroleuminseln* –, als Erpressung und Nötigung, um andere Personen zu einem gewünschten Verhalten zu zwingen – *Kalkutta, 4. Mai, Mann ist Mann* –, als Erproben des gegnerischen Widerstands oder Kräftemessen im Ringkampf – *Anarchie in Sillian*, Friedrich Wolfs *Kolonne Hund* (1927). In den Umkehrungen des bürgerlichen Theaters und den Enthüllungskomödien entstehen solche Kampfsituationen häufig aus Antrieben, die sich auch bei Tieren finden: Die geistige Besonderheit des Menschen in der Skala der Lebewesen wird ausdrücklich geleugnet. Das Drama wird zu einer Art Tierversuch. Nicht von ungefähr konnte in derselben Zeit der Behaviorismus als eine ähnlich antiliberale Wissenschaft vom berechenbaren Verhalten der Gattung Mensch international beachtet werden.

Der Wett- oder Ringkampf verlangt der Sache nach ein *Protagonistenpaar*, über dessen situationsgerechtes oder die Situation verfehlendes Verhalten der Zuschauer möglichst unparteiisch – Außensicht bleibt gewahrt! – richten soll. In den später auftretenden Genres der geschlossenen Form, z. B. bei Wolfs Debatten- und Reportagestücken *Cyankali* oder *Die Matrosen von Cattaro*, werden die Positionen der Kämpfer nicht allein mit Personen, sondern auch mit den Qualitäten Macht und Ohnmacht besetzt: Auf der Szene findet sich die Position der Ohnmacht, der unerträgliche proletarische oder der Kriegsalltag; hinter der raumbegrenzenden Kulisse ist die Position der gesellschaftlichen Mächte anzunehmen, die ihre Vertreter immer wieder auf die Szene schicken. Auf der Szene scheint die Entscheidung nur der Subjektivität des einzelnen Helden überlassen, von außen wird diese Entscheidung durch die objektiv ›herrschende‹ Wirklichkeit übergangen oder zunichte gemacht – wenn auch nicht für immer. Diese Struktur eines Kampfes, dessen Ausgang in der Praxis schon vorentschieden ist, ist in den letzten Jahren der neusachlichen Dramatik verbreitet. Sie findet sich sowohl bei Wolf als auch bei Brecht – etwa in *Die Ausnahme und die Regel* (1930) –, ebenso bei Horváth, hier als Kampf zwischen dem korrumpierten Bewußtsein, gegenwärtig im hilflos-unscharfen, unzulänglichen Sprachausdruck des Dialekts, und dem übermächtigen animalischen Unterbewußtsein, das die Redeabsicht steuert. Nicht mehr besteht bei diesen Dramen aus den Jahren 1929 bis 1932, wie noch beim frühen Brecht oder Bronnen, das Interesse am

Ausgang des Kampfes – der parteiisch werdende Zuschauer sieht ›seine‹ Helden untergehen. Die Legitimität der herrschenden Wirklichkeit, die Legitimität des triebhaften Unbewußten scheinen zwar fest verankert zu sein, werden aber dennoch angefochten.

Die neusachliche Dramatik lehnte ursprünglich alle Konfliktmotive ab, die der literarische Kanon als bewährt empfahl. In ihrer programmatischen Selbstversicherung kanzelte sie zudem oft die Klassiker des Theaterspielplans ab, denen solche Konfliktmotive noch heilig waren. Schon 1923 schlug Diebold den dann lang ausschwingenden Ton dieser Klassikerverachtung an und persiflierte ihn zugleich überlegen: »Wir sind zu klug zur Borniertheit dramatischer Helden [...]. Wer wüßte nicht jedem tragischen Helden unserer Klassiker das leichteste Rezept, um seinen Untergang zu meiden? Wir sind so klug, substanzlos, erdenleicht geworden, daß Tragik nur noch Dummheit heißen kann.«[54] Als altes, vom Wissen der Gegenwart überholtes Spiel schätzten 1923 auch Kerr und Musil die tragischen Werke der Klassiker ein.[55] Im Vergleich zu ihrer Begründung wirkt Brechts Bekenntnis naiv, er habe Schillers *Don Carlos* nach der Lektüre von Upton Sinclairs *Der Sumpf* nicht mehr ganz ernst nehmen können, wirkt es als platte Abkürzung der Dieboldschen Überlegungen, wenn Brecht die Tragik der *Gespenster* Ibsens oder der *Rose Bernd* Hauptmanns mit etwas Aufklärung und »zivilisatorischen Maßnahmen« (z. B. Salvarsan) beseitigt glaubt.[56] Friedrich Wolf[57] und Herbert Jhering[58] messen gleichfalls die klassischen Konflikte an heute möglichen Lösungen, geben aber der Übersetzung alter Konstellationen in Kategorien unserer Anschauung eine Chance und verteidigen damit die modernen Klassikeraufführungen der Regisseure Leopold Jessner, Erwin Piscator oder Erich Engel.

Die Verbannung der Tragik überließ den neusachlichen Dramatikern immerhin die Komödie. In ihr dienen Aushandeln und Übervorteilen als typisches Geschäftsgebaren dazu, kurzfristige und unerwartet vorzeitige Lösungen der behandelten Konflikte herbeizuführen. Die feine Erpressung, Nötigung des Geschäftsmannes im Umgang mit seinen Partnern, sorgt für ein rasches, scheinbar problemloses Ende des Kampfes, der dafür auch zuvor nur schwach aufgeflackert ist – so in Rehfischs *Duell am Lido* (1926) oder Hasenclevers *Ein besserer Herr* (1926). Die Verehrung der neuen Sachlichkeit für die neue Welt Amerika erstreckte sich auch auf dessen angebliche Fähigkeit, Konflikte untragisch, geschäftsmäßig zu regeln – wobei die beteiligten Parteien nicht einmal sehr zum Verzicht gezwungen seien. Wird dieses *konfliktverdrängende Geschäftsgebaren* in der neusachlichen Komödie übertrieben – gleichgültig, ob es der Autor nun ironisch bloßstellen will oder nicht –, so prangert diese Übertreibung Sachlichkeit im Verhalten als Mißbrauch der Rationalität an, da deren Geltung als absolut, die Möglichkeit gefühlsmäßig getroffener Entscheidungen hingegen als verhängnisvoll angenommen wird.

Ist im Geschäft, das die Personen einer Enthüllungskomödie untereinander abmachen, Legitimität bis auf wenige Reste von Verhandlungsregeln verdunstet, so bezweifeln die Debatten- und Reportagestücke ausdrücklich die Legitimität der Legalität. Dieser Zweifel wird zur Aussage in der wichtigen, vielbenutzten dramatischen Form des *Verhörs*. Das Verhör entlarvt die rechtsanmaßenden Frager um so mehr, je zielbewußter sie die Opfer der Justiz, die sogenannten ›kleinen Leute‹, durch ihre Rede, ihre Fragen unterwerfen und zum Verstummen zwingen wollen, das zugleich als Schuldgeständnis gilt – so in *Hoppla, wir leben!* und *Die Verbrecher*, in *Mahagonny* oder *Affäre Dreyfus* (1929) von Rehfisch/Herzog, in *Cyankali* oder *Die Ausnahme und die Regel.* In den Verhören dieser Dramen erkennt der Zuschauer die feindlichen Kräfte, gegen die er Partei ergreifen soll, daran, daß sie sich auf das geschriebene Gesetz oder die öffentliche Norm berufen: Mißbrauchte Rede im Verhör entspricht der mißbrauchten Rationalität im geschäftsmäßigen Aushandeln einer Lösung. Nur wird der Mißbrauch der Rede leichter noch als der der Rationalität vom neusachlichen Autor geduldet – da das Verhör als eine Bühnenkonvention unvermeidlich scheint. Appelle ersetzen die Argumente in den Debatten dieser Stücke, Prozesse der Überzeugung fehlen im Verhör. Dieser Mangel an ›parlamentarischer‹ Auseinandersetzung in der Dramatik mag erhellen, wie brüchig bereits das liberale Vertrauen auf parlamentarische Konfliktlösungen geworden war, zumindest in der Sicht der Autoren von Debatten- und Reportagestücken. Der Vorwurf, die Verhöre würden nicht in ausreichendem Maße als Klassenkampfsituation durchsichtig, ließ manchem dem Sozialismus zuneigenden Schriftsteller neue Sujets wählen und die dramatische Form verändern: Im Lehrstück verwandelt sich das Verhör zu einem zeremoniell wirkenden Responsorium, oft zwischen Chor und Spieler, zu einem weitgehend vorgeschriebenen Frage-Antwort-Spiel, das den Gefragten, nicht mehr Angeklagten sich ausführlich rechtfertigen läßt.

Vordringlich mit der Entlarvung des Unrechts, das sich mit Paragraphen bemäntelt, beschäftigen sich schließlich die Volksstücke. Da sie den ›kleinen Mann‹ weniger nach seinem sozialen Ort – wie die Marxisten – als nach seiner Existenzweise bestimmen, können sie ihm nicht die Solidarität in der Klasse als Gegengewicht zum feindlichen Staat versprechen. Der Staat als Staat erfüllt ihre Helden mit Sorge, die Gesellschaft als Gesellschaft mit Schrecken. In den Volksstücken verharrt der Autor auch nicht länger starr in der Außensicht, er riskiert ›unsachliche‹ Einmischung in das Leben seiner Personen – und bahnt damit der gefühlsmäßigen Zuneigung oder Abneigung des Publikums einen Weg zu seinen Helden. Vorbereitet wurde diese Suche nach dem Recht, das nur auf der Seite des Einzelmenschen zu finden sei, in Stücken wie *Karl und Anna* (1929) von Leonhard Frank, *Oktobertag* (1927) oder *Mississippi* (1928/29) von Georg Kaiser. In ihnen wendet sich die kleine soziale Ordnung der Vertrauten, der Liebenden gegen die große soziale Ordnung der Gemeinde, der Massenpartei oder des Staates. Keine der alten Sicherheiten schützt vor der meist unverhofft störenden Wirklichkeit. Also muß sich das Gefühl seine eigene Weltordnung geben, die der äußeren Rechtswirklichkeit entgegengehalten wird. Der Ehebruch in *Karl und Anna*, die Ermordung des besser legitimierten Nebenbuhlers im *Oktobertag* werden zur richtigen Handlung, wenn das Gefühl es den Liebenden so gebietet.

Held ohne Pathos

Der liberale Glaubensartikel von der Unverletzlichkeit und Selbständigkeit der Person wurde im Rollen-, Doppel- und Maskenspiel der neusachlichen Dramen einer harten Prüfung unterworfen. Entweder opfern die Helden ihr Streben nach Selbstverwirklichung, falls es je vorhanden war, leichthin der Anpassung an eine neue

Situation auf – als Opportunisten, Hochstapler, Schwindler –, oder sie verändern im Laufe der Handlung ihren Charakterumriß vor den Augen der Zuschauer – so etwa die Brechtschen Bücherleser Garga und Mortimer, die zu entschlossenen Tätern werden, was weder sie sich noch andere ihnen zugetraut hätten. Die typischen Rollenfächer dieser Zeit werden meist karikaturistisch aufgefaßt, um dem Verdacht inneren Einverständnisses zwischen Autor und Person, Darsteller und Rolle vorzubeugen: Den Schieber der vorsachlichen und frühen neusachlichen Dramatik analysierte der rollenfachkundige Diebold als Nachfolger des altbekannten Chevalier-Bonvivant.[59] In seiner Nachbarschaft gedieh der Hochstapler, umgeben von abgewirtschafteten Adligen, Girls, Emanzipierten. Die Agitpropgruppen stellten für ihren Gebrauch feste Rollenfächer zusammen, um dem Laienspieler die Darstellung und dem Zuschauer das Wiedererkennen zu erleichtern. Aber Friedrich Wolf verwarf wieder die Typen des Fabrikanten, Bonzen, Faschisten, Sozialdemokraten und Proletariers, da die Bühnenrepräsentanten die wirkliche Erscheinung dieser Konfliktpartner grell verzeichneten.[60]

Ein Rollentyp des neusachlichen Dramas, den das Theater nicht sogleich zur karikaturistischen Schablone verschliff, sei als *sachlich-praktischer Held* bezeichnet. In ihm fängt eine Art Über-Ich den Identitätszerfall auf. Er streift allgemeinmenschliche Schwächen ab, setzt sachliche gegen emotionale Entscheidungen durch. Treue und Vertrauensbindungen, wie sie in Liebe, Familie, Freundschaft vorwalten, duldet er nur noch in eingeschränktem Maße. Die bei diesem Helden auffällige Trennung von Verstand und Gefühl läßt ihn bisweilen als Grenzfall möglichen Verhaltens erscheinen – oder auch als Wunschbild eines neuen perfekt handelnden Menschen. Als historische Figur zieht er die Heldenverehrung des Autors auf sich und wächst zur Dimension des ›großen Mannes‹ auf. Warren Hastings, die Hauptfigur in Feuchtwanger/Brechts *Kalkutta, 4. Mai*, hat erfahren, »daß kleines Zittern einer Hand, verursacht durch Menschlichkeit, ganze Landstriche verwüstet hat«; er bewährt sich also als raffiniert taktierender und tatkräftiger Zyniker übergroßen Formates, der vor die Wahl zwischen seiner Arbeit und seinem Privatleben, seiner Geliebten, seinem persönlichen Glück gestellt, sich selbstverständlich für die Arbeit entscheidet. Die Reihe dieser bedenklich ›großen‹ Männer, die intelligentes Zweckdenken auszeichnet, ist im neusachlichen Dramenkatalog ziemlich lang: Sie reicht vom Heiratsschwindler in Hasenclevers *Ein besserer Herr,* der seine Tätigkeit bis zur Unfehlbarkeit berechnet und in beinahe industriellem Ausmaß betreibt, zu Deborah Gray und Ingram, den Cäsaren des Geschäfts aus Feuchtwangers *Petroleuminseln,* vom Räuber Macheath in der *Dreigroschenoper* zum Ausbeuter und König der Fleischfabriken Pierpont Mauler in der *Heiligen Johanna der Schlachthöfe* oder zum Herrn der Filmfirma Phaea in Fritz von Unruhs gleichnamigem Stück *Phaea* (1930), der mit den Initialen seines Namens als S. M. (Seine Majestät) oder gar als Gott angesprochen wird. Als gottgleiche Heroen rechtfertigen diese Helden ihr Tun durch den Erfolg – der in den Stücken meist nicht ausbleibt. Ihre äußerst kasuistische Ethik ist in der Regel nur sehr allgemein abgesichert, im Falle von Hastings in *Kalkutta, 4. Mai* etwa durch die Sorge um das Land. Solcherart gedeckt, wird Hastings zum Mörder und Helfershelfer von Kriegstreibern. Tatkraft, so scheint es, wird in etlichen neusachlichen Dramen schon um ihrer selbst willen zu einer Tugend erklärt. Zum andern erfüllt dieses Tun, das jeden Zufall zu parieren versteht und den sachlich-praktischen Helden zum Herrn über die Geschichte macht, eine liberale Vorstellung – die nämlich, Zukunft zuverlässig vorausplanen zu können. Die Napoleon-Mode – Napoleon als der Intellektuelle an der Macht – machte ebenfalls an dieser historischen Figur liberale Ideale fest. Die Übersteigerung seiner Hoffnungen ins Gigantische und Vage ist bezeichnend für die Krise des Liberalismus in den zwanziger Jahren: Die antidemokratische Suche nach Führerfiguren nutzte den Wunsch des Liberalismus nach einer gegenseitigen Ergänzung von Geist und Tat aus und kränkelte damit auch die neusachliche Dramatik an. Diese konnte sich mit ihren Übermenschen zum Lobredner einer Zweckrationalität machen, die unter Umständen auch Machtgier siegen läßt.

In der Gegenliteratur, die die neusachliche Dramatik herausforderte, behauptete sich meist auch ein Gegenheld: der oft nur gefühlsmäßig handelnde Idealist. Carl Sternheim – in der metaphernfeindlichen Sprache, der Kritik bürgerlicher Illusionen, der Klassikerparodie ein wichtiger Vorläufer der neusachlichen Dramatik – verrannte sich mit seinen späten Werken in eine oft unerklärliche Gegnerschaft zur Zeit, zu deren Produkten er auch das neusachliche Drama zählte. Er gab seinem Stück *Die Schule von Uznach* (1926) den Zusatztitel *oder Neue Sachlichkeit*: In ihm attackierte er die verwöhnte, amoralische Jugend, die das Recht auf ihren Körper dem Vernehmen nach ganz sachlich und freizügiger ausnutzt, als Sternheim dies zu tolerieren bereit ist. Sein Held folgt asketischen Idealen, die puritanischster Jugendbewegung vertraut sind, und gewinnt schließlich die reine, geistige Liebe einer Jungfrau, also eines ähnlich unzeitgemäßen, altmodischen Mädchens. Sternheims früheres Drama *Der entfesselte Zeitgenosse* (1920) umspielte vergleichsweise noch mit Witz und tieferen Einsichten die Schere zwischen menschlicher Güte hier und quasi-sachlicher Ichsucht dort. Wie bei Sternheim wird auch in Tollers *Masse Mensch* (1919) zugunsten der Güte entschieden. Die späteren idealistischen Helden dieses Autors kommen mit ihrer ›sachlich‹ egoistischen Zielen nachstrebenden Umwelt, mit ihren ›sachlich‹ sich mit den Gegebenheiten arrangierenden Mitmenschen nicht zurecht, lehnen sich auf, verzweifeln und gehen unter; einer von Tollers Selbstmördern ist auch der Held von *Hoppla, wir leben!*. Vor solchen gütigen Idealisten warnt Alfons Paquet im Vorspruch zu seinem *William Penn* (1927), denn: »Unbegrenzter Optimismus ist seine [Penns] Hybris.«[61] Bereits satirisch gestaltet Brecht die folgenlose Güte in der *Heiligen Johanna der Schlachthöfe*. Die Heilsarmee und andere karitative Vereinigungen werden für Brecht wie für Friedrich Wolf angesichts dieser Welt zum Anlaß heiterster Überlegenheitskomik: Ihre kleine Güte sticht lächerlich gegen die große Ungerechtigkeit ab.

Diebold erkannte schärfer als seine Kollegen Kerr und Jhering die Mode des sachlich-praktischen Figurentyps als Wunschprojektion des liberalen Großstadtbürgertums (wenn er es auch nicht mit diesem Begriff ausdrückt). Die Verketzerung des Gefühls, die auch Pathos nur entschuldigt, wenn ein Witz nachfolgt, und der so gerne beschworene Genußmaterialismus der sachlich-praktischen Helden erschienen Diebold – in seinem Aufsatz »Kritische Rhapsodie 1928« – als Manier und leere Gebärde: »Außer Gas hat alles Unsichtbare keine Sachlichkeit. Was am Menschen nicht Leib ist, kann nur Schwindel sein. Hörst du, o Mensch, das allerjüngste Deutschland? Es gibt kein Herz, es gibt keinen Schmerz. Es gibt kein Erinnern, es gibt keinen Tod. Es gibt – es gibt nur Herren und Damen.«[62] Das Motiv der Gefühlsvermarktung in einigen Enthüllungskomödien scheint die Pseudosachlichkeit der Gefühlsfeindschaft einzugestehen. Gefühl als käufliche Ware dient in diesen Stücken als ebenso schwacher Trost in chaotischer Zeit wie Gefühlsfeindschaft, ›Sachlichkeit‹ als Krücke der »seelisch Kriegsbeschädigten«.[63] Die Machtlosigkeit, Wirkungslosigkeit des Gefühls bleibt in beiden Fällen unbestritten. Hasenclevers Heiratsschwindler aus *Ein besserer Herr* ist so erfolgreich, weil er es versteht, allen Frauen Glück und Liebe zu versprechen, die sie in der heutigen Welt entbehren müssen. Fred A. Angermayers *Kirschwasser* (1926) schildert eine Verkaufsorganisation, die Freude als Artikel feilzubieten hat. Glück, Liebe, Freude werden allerdings, da Betrug und Selbstbetrug, auf die Dauer versagt. Das zweckbewußt erworbene Gefühl scheint seine (nicht näher definierte) Aufgabe jedenfalls nie zu erfüllen. Rehfischs Held in *Wer weint um Juckenack?* (1924) will es ungeachtet aller Spenden und Bestechungsversuche nicht gelingen, bei anderen uneigennützige Gefühle für sich zu erwecken – er bleibt für seine Umwelt das Interessenobjekt, das jene zuvor für ihn gewesen ist. Gleich ihm konnte die neusachliche Dramatik das Gefühl, wenn sein Verlust bemerkt wurde, oft nicht wieder aus seiner Verborgenheit hervorlocken. Erst in den Dramen, die die Krise des Liberalismus nicht weiter leugneten und den Schein seines Selbstbewußtseins zusammenstürzen ließen, also in einigen Debatten- und Reportagestücken sowie Volksstücken, gewann es wieder szenische Verkörperung und Aussagekraft zurück – besonders im Bereich des Leidens, der kurz zuvor noch so verfemt war.

Rede ohne Ausdruck und Antwort

Die Sprache im neusachlichen Drama ist von der Theaterkritik der Weimarer Republik meist nicht wahrgenommen worden – als Ausnahme sei Jherings Verständnis für die Sprache Brechts genannt. Jhering machte bei Brecht und Bronnen die Beobachtung, daß die neusachliche Dramensprache auffällig zwischen *Mitteilung* und *Ausdruck* unterscheidet.[64] Der Zuschauer sollte nicht durch den Mund der Dramenfiguren den Gang der Handlung erfahren, was unnötig viele erklärende Dialoge erfordern würde. Brecht setzte also die Mitteilungsfunktion der Rede frei, indem er durch Schriftstücke und abgehobene Kommentartexte die Orts-, Zeit- und Handlungskoordinaten des Stücks verdeutlichte. Der Ausdruck der Rede wurde damit zu einer studierbaren Eigentümlichkeit des Verhaltens, dem körperlichen Gestus als Charakteristikum gleichgeordnet. Die Außensicht des Autors auf seine Personen half, den sprachlichen Ausdruck persönlicher Empfindungen zurückzudrängen – die Gefühlssprache verknöcherte zu wenigen Formeln, die oft ironisch verwendet wurden. Versammlungsreden und Publikumsansprachen häuften sich dagegen und boten die Möglichkeit, ein relativ bewußt kontrolliertes Rollenspiel zu entfalten, das auch im sprachlichen Gestus für ein bestimmtes Gegenüber gedacht ist. Im 1. Auftritt von *Kalkutta, 4. Mai* machen die Personen einander heftige Vorwürfe, lesen diese aber, in Kommuniquésprache vorformuliert, in Gegenwart der Opponenten vom Blatt ab. Der noch verbliebene Ausdruck wird so auf den Emphasegrad einer Mitteilung herabgedrückt. Die Verkürzung der Mitteilung zum Schlagwort, wie sie Diebold den jungen Dramatikern 1928 empfahl, hätte die Sprache wieder mehr Ausdrucksgehalt aufsaugen lassen – doch wurde dieser Empfehlung in der Periode des Debatten- und Reportagestücks wenig Gehör geschenkt.[65] Eine starke Tendenz der neusachlichen Dramenrede, sich mit *Feststellungen* von Tatsachen gegen mögliche Einwürfe zu panzern, verbürgt weder das Verständnis des Redners für die Dinge, über die er spricht, noch die Fähigkeit der Rede, den Zuhörer überhaupt zu erreichen oder gar ihn zum Verständnis zu überreden. Die Personen auf der neusachlichen Szene hören einander selten aufmerksam zu. Ihre Reaktionen aufeinander sind eher durch den Schlagabtausch der Wechselrede bedingt, die sich oft als Konkurrenz von Monologen anhört. Mit diesem auffälligen Abschirmen gegen Zuhörer geht die Ablösung der Rede von der dramatischen Situation einher. Die Rede macht sich selbständig, zerfällt entweder in stereotyp wiederkehrende Floskeln und Jargonausdrücke oder hebt sich als schier ins Endlose weiterreichende Dialogkette vom Boden der dramatischen Fabel ab. Hasenclevers auf brillante Pointen schielende Dialoge fördern nicht durchweg die Handlung. Die Aufsplitterung der Reden in einzelne Sätze, die stichomythisch klappern, soll in Ferdinand Bruckners frühen Dramen, zumal in *Krankheit der Jugend,* zum Teil noch in *Die Verbrecher,* den Eindruck erwecken, diese freischwebende Dialogkette sei aus einer Gesprächssituation natürlich entstanden – ein Beispiel für die (mißlungene) Vortäuschung einander zugeordneter Gegenreden.

Die neusachliche Dramenrede rechnet oft mit einer bestimmten traditionellen Wertung beim Zuschauer, die sie zugleich mit überliefertem Sprachverhalten *parodiert,* durch Montagen von Ausdrücken hoher und niederer Stillage oder durch die Verwendung bekannter Ausdrücke in unvertrauten Situationen. So dienen etwa betont sachliche Mitteilungen in der Geschäftssprache zum Ausdruck von Gefühlsangeboten. Oder ›heilige‹, tabuierte Wörter werden in einem disqualifizierenden Zusammenhang entwertet. Feuchtwangers Heldin in den *Petroleuminseln* zählt Autoritäten auf, die für sie hohl sind: »Im Begriff, einen kostbaren Namen zu kaufen, sehr häßlich, vom Öle lebend, Überfluß schöpfend aus den Mängeln des Staates, kalt vor den Genüssen des Klassenkampfes, ohne Interesse an Gott, frage ich: Wie weiter?« Eine andere Chance der Parodie sieht die neusachliche Rede im Übertreiben der romantischen Gefühlssprache zu unsinnigen Beteuerungsformeln, in der Art etwa des Liebesgeständnisses in der *Dreigroschenoper:* »Wenn du wohin gehst, geh ich auch wohin.«

Rede findet erst bei manchen Lehrstücken und den meisten Volksstücken wieder zur dramatischen Situation zurück, verändert sie und drückt sie aus. Sie wird dann zu einem besonderen, aufschlußreichen Verhalten, wie es Brecht vorschwebte, wie es Horváth in seinen Stücken verwirklichte. Dialekt will Horváth, laut seiner Vorrede zum Drama *Revolte auf Côte 3018* (1927), als ein »psychologisches Problem« betrachtet wissen. Der von Horváth belauschte Bildungsjargon erlaubt seinen Personen nicht, sich selbst auszudrücken, sondern erhärtet nur deren Unselbständigkeit. Die abstrakte Sprache der liberalen Bildung verfehlt ihr Ziel: dem Einzelnen zum Ausdruck seiner selbst zu verhelfen. Die beim jungen Brecht überwiegende Unzulänglichkeitskomik der falsch gebrauchten Sprichwörter, Lebenserkenntnisse, Bilanzen vorgeblicher Erfahrungen – sicherlich gefördert durch die Sprachkomik Karl Valentins – weicht bei Horváth einem neuen Ernst. Hier können Menschen unter ihrer Redeunfähigkeit leiden, da die vorgefertigte Kunstsprache, derer sie sich bedienen müssen, sie weder zu sich noch zu anderen kommen läßt. Karoline in *Kasimir und Karoline* äußert diese Verzweiflung über eine Rede ohne Zuhörer: »Ich denke ja gar nichts, ich sage es ja nur.«

Anmerkungen

1. Bernhard Diebold: »Kritische Rhapsodie 1928«. In: *Die Neue Rundschau*, 39 (1928). Bd. 2. S. 550 bis 561. Das Zitat S. 557.
2. Julius Bab: »Bilanz des Dramas«. In: *Die Volksbühne*, 5 (1930). H. 3. S. 97–108. Das Zitat S. 100. – Siehe ferner Max Freyhan: »Das neue Drama – seine Ergebnisse, seine Krise«. In: *Die vierte Wand*, Jg. 1926. H. 2. S. 1–3. – Ders.: »Neue Klassizität«. In: *Die Volksbühne*, 3 (1928). H. 4. S. 16–21.
3. Hans Tasiemka veranstaltete eine Rundfrage, ob besonders die epische Dichtung von der »neuen sachlichen Reportage entscheidend beeinflußt« werde. In: *Die Literarische Welt*, 25. Mai 1926. S. 2.
4. Literatur zum Drama und zur Geschichte der Neuen Sachlichkeit: Horst Denkler: »Die Literaturtheorie der zwanziger Jahre: Zum Selbstverständnis des literarischen Nachexpressionismus in Deutschland«. In: *Monatshefte für den deutschen Unterricht*, 59 (1967). H. 4. S. 305–319. – Ders.: »Sache und Stil. Die Theorie der ›Neuen Sachlichkeit‹ und ihre Auswirkungen auf Kunst und Dichtung«. In: *Wirkendes Wort*, 18 (1968). S. 167–185. – Reinhold Grimm: »Zwischen Expressionismus und Faschismus«. In: *Die sogenannten zwanziger Jahre*. Hrsg. von Reinhold Grimm und Jost Hermand. Bad Homburg 1970. S. 15–45. – Werner Hecht: *Brechts Weg zum epischen Theater (1918–1933)*. Berlin [Ost] 1962. – Helmut Lethen: *Neue Sachlichkeit 1924–1932*. Stuttgart 1970. – Ernst Schumacher: *Die dramatischen Versuche Bertolt Brechts 1918–1933*. Berlin [Ost] 1955.
5. Heinrich Mann: »Geist und Tat« (1910). Wiederabdruck in: *Geist und Tat*. München 1963.
6. Ernst Bloch: *Erbschaft dieser Zeit* (1935). Erweiterte Ausgabe: Frankfurt a. M. 1962. S. 216.
7. Ernst Toller: »Bemerkungen zum deutschen Nachkriegsdrama«. In: *Die Literarische Welt*, 5 (1929). H. 16. S. 9 f.
8. Herbert Jhering: *Von Reinhardt bis Brecht*. Bd. 2: 1924–1929. Berlin [Ost] 1959. S. 57.
9. ebd., S. 58.
10. ebd., S. 95, S. 134.
11. Alfred Kerr: »Die Komik des Übergangs«. In: *Die Neue Rundschau*, 34 (1923). H. 10. S. 910 bis 924. Das Zitat S. 916 f.
12. Bertolt Brecht: *Schriften zum Theater*. Bd. 2: 1918–1933. Frankfurt a. M. 1963. S. 116 f.
13. Alfred Kerr: »Dramaturgie der späten Zeit«. In: *Die Neue Rundschau*, 43 (1932). Bd. 2. S. 389 bis 401. Siehe bes. S. 398 f.
14. Bernhard Diebold: »Bilanz der jungen Dramatik«. In: *Die Neue Rundschau*, 34 (1923). S. 734 bis 754. Das Zitat S. 754.
15. ebd., S. 738.
16. Lion Feuchtwanger: »Gegenwartsprobleme im historischen Gewand«. In: *Die Scene*, 21 (1931). S. 136 f.
17. Klaus Kändler: *Drama und Klassenkampf*. Berlin und Weimar 1970. S. 365.
18. Alfred Kerr: »Sechzig Millionen suchen einen Autor«. In: *Die Neue Rundschau*, 36 (1925). S. 186 bis 195. Bes. S. 187.
19. Robert Musil: *Theater*. Hrsg. von Marie-Louise Roth. Reinbek 1965. S. 184.
20. W. E. Süskind: »Jugend als Lebensform«. In: *Die Neue Rundschau*, 40 (1929). S. 816–828. Das Zitat S. 827.
21. Heinrich Mann: *Essays*. Bd. 2. In: *Werke*. Hrsg. von Alfred Kantorowicz. Berlin [Ost] 1956.
22. zitiert nach Günther Rühle: *Theater für die Republik*. Frankfurt a. M. 1967. S. 494.
23. Bernhard Diebold in: Rühle, ebd., S. 673.
24. Antwort auf eine Rundfrage der Essener Theaterzeitschrift *Der Scheinwerfer*: »Soll das Drama eine Tendenz haben?« Wiederabdruck (Auszug) in: *Die Scene*, 18 (1928). S. 324–330. Das Zitat S. 328.

25. Georg Lukács: »Tendenz oder Parteilichkeit?« (1932). Wiederabdruck in: G. L., *Schriften zur Literatursoziologie*. Hrsg. von Peter Ludz. Neuwied 1963. S. 113.
26. Bertolt Brecht: *Schriften zum Theater*. Bd. 2. S. 89.
27. Carl Werckshagen: »Vom Rührstück zum Lehrstück«. In: *Die Scene*, 21 (1931). S. 148–152.
28. Rudolf Arnheim: »Theater ohne Bühne«. In: *Die Weltbühne*, 27 (1932). S. 900. – Ferner: Durus: »Schlußwort« (zur Programmkrise der Agitpropgruppen). In: *Arbeiterbühne und Film*, Jg. 1931. H. 5. S. 28 f.
29. Bernhard Diebold: »Bilanz der jungen Dramatik«. S. 738.
30. Robert Musil: *Theater*. S. 189.
31. Julius Bab: »›Episches Drama‹?« In: *Die Volksbühne*, 4 (1929). S. 113–118. Das Zitat S. 116.
32. Hermann von Wedderkop: »Wandlungen des Geschmacks«. In: *Der Querschnitt*, 6 (1926). S. 497 bis 502. Das Zitat S. 498.
33. Hermann von Wedderkop: »En avant, die Literaten«. In: *Der Querschnitt*, 7 (1927). S. 247–251. Das Zitat S. 251.
34. Bertolt Brecht: *Schriften zum Theater*. Bd. 1: 1918–1933. Frankfurt a. M. 1963. S. 257.
35. ebd., S. 182 f.
36. ebd., S. 226.
37. Herbert Becker: »Dichter! – In die Gegenwart«. In: *Die Scene*, 18 (1928). S. 354–357. Das Zitat S. 355.
38. Arthur Eloesser: »Wo bleiben die deutschen Autoren«. In: *Der Querschnitt*, 10 (1930). S. 673 bis 676. Das Zitat S. 676.
39. zitiert nach Günther Rühle: *Theater für die Republik*. S. 1050.
40. ebd., S. 1051.
41. Béla Balázs: »Vom politischen Sinn des Bühnengerüstes«. In: *Arbeiter-Bühne*, Jg. 1929. H. 7. S. 5 f.
42. Erwin Kalser: »Regie und Technik«. Auszug eines Referates in: *Die Scene*, 18 (1928). S. 198–204. Das Zitat S. 201. – Siehe ferner: Walter Tappe: »Regie und Technik«. In: *Der neue Weg*, Jg. 1928. H. 13. S. 242.
43. Herbert Becker: »Dichter! – In die Gegenwart«. S. 356.
44. Klaus Kändler: *Drama und Klassenkampf*. S. 51.
45. Wilhelm Bernhard: »Der Untergang des Abendstücks oder das kommende Theater«. In: *Der Querschnitt*, 6 (1926). S. 55–58. Das Zitat S. 57.
46. Hermann von Wedderkop: »Wandlungen des Geschmacks«. S. 498.
47. Friedrich Wolf: »Kunst ist Waffe« (1928). In: F. W., *Aufsätze über Theater*. Ausgewählte Werke, Bd. 13. Berlin [Ost] 1957. S. 147–168. Das Zitat S. 164.
48. Erwin Piscator: *Das politische Theater*. Neu bearbeitet von Felix Gasbarra. Reinbek 1963. S. 147.
49. Bertolt Brecht: *Schriften zum Theater*. Bd. 2. S. 79.
50. Bernhard Diebold: »Kritische Rhapsodie 1928«. S. 557.
51. Frank Thiess: »Die Geistigen und der Sport«. In: *Die Neue Rundschau*, 38 (1927). S. 293–305. Das Zitat S. 297.
52. Herbert Jhering: *Von Reinhardt bis Brecht*. Bd. 2. S. 93.
53. Bertolt Brecht: *Schriften zum Theater*. Bd. 1. S. 61.
54. Bernhard Diebold: »Bilanz der jungen Dramatik«. S. 737.
55. Alfred Kerr: »Die Komik des Übergangs«. S. 911. – Robert Musil: *Theater*. S. 141.
56. Bertolt Brecht: *Schriften zum Theater*. Bd. 1. S. 15 und 156. – Siehe ferner Wolfgang Schumann: »Vom ›Veralten‹ älterer Dichtung«. In: *Die Volksbühne*, 6 (1931). S. 13–17.
57. Friedrich Wolf: »Bühne und Leben«. In: *Arbeiterbühne*, Jg. 1929. H. 1. S. 7 f.
58. Herbert Jhering: »Für die Kunst des Theaters«. In: *Melos*, Jg. 1932. H. 3. S. 87 f.
59. Bernhard Diebold: »Das Rollenfach«. In: *Die Scene*, 16 (1926). S. 82–85. Bes. S. 284 f.
60. Friedrich Wolf: »Schöpferische Probleme des Agitprophtheaters« (1933). In: F. W., *Aufsätze über Theater*. S. 12–54. Bes. S. 24 f.
61. Alfons Paquet: »Über ›William Penn‹«. In: *Die Scene*, 17 (1927). S. 335.
62. Bernhard Diebold: »Kritische Rhapsodie 1928«. S. 552 f.
63. Béla Balázs: »Männlich oder kriegsblind?«. In: *Die Weltbühne*, 24 (1929). Bd. 1. S. 969–971. Das Zitat S. 969.
64. Herbert Jhering: *Aktuelle Dramaturgie*. Berlin 1924. S. 106.
65. Bernhard Diebold: »Das Piscator-Drama«. In: *Die Scene*, 18 (1928). S. 33–40. Bes. S. 37.

Literaturhinweise

Rudolf Arnheim: »Theater ohne Bühne«. In: *Die Weltbühne*, 27 (1932). Bd. 1. S. 900.

Julius Bab: *Chronik des deutschen Theaters*. Berlin 1926.

– »›Episches Drama‹?«. In: *Die Volksbühne*, 4 (1929). S. 113–118.

– »Bilanz des Dramas«. In: *Die Volksbühne*, 5 (1930). S. 97–108.

Herbert Becker: »Dichter! – In die Gegenwart«. In: *Die Scene*, 18 (1928). S. 354–357.

Walter Benjamin: »Der Autor als Produzent« (1934). Wiederabdruck in: W. B., *Versuche über Brecht*. Frankfurt a. M. 1966. S. 95–116.

Wilhelm Bernhard: »Der Untergang des Abendstücks oder das kommende Theater«. In: *Der Querschnitt*, 6 (1926). S. 55–58.

Ernst Bloch: *Erbschaft dieser Zeit* (1935). Erweiterte Neuausgabe: Frankfurt a. M. 1962.

Bertolt Brecht: *Schriften zum Theater*. Bd. 1 und 2. Frankfurt a. M. 1963.

Bernhard Diebold: *Anarchie im Drama*. Frankfurt a. M. 1921. Berlin ²1928.

– »Bilanz der jungen Dramatik«. In: *Die Neue Rundschau*, 34 (1923). S. 734–754.

– »Das Piscator-Drama«. In: *Die Scene*, 18 (1928). S. 33–40.

– »Kritische Rhapsodie 1928«. In: *Die Neue Rundschau*, 39 (1928). Bd. 2. S. 550–561.

– »Film und Drama«. In: *Die Neue Rundschau*, 43 (1932). S. 402–410.

»Die dramatische Produktion«. Umfrage in: *Die Scene*, 21 (1931) S. 133–152.

Lion Feuchtwanger: »Bertolt Brecht, dargestellt für Engländer«. In: *Die Weltbühne*, 23 (1928). Bd. 2. S. 372–376.

Peter Flamm: »Alte Sachlichkeit«. In: *Die Weltbühne*, 24 (1929). Bd. 2. S. 363–366.

»Der heutige Darstellungsstil«. Umfrage in: *Die Scene*, 21 (1931). S. 68–90.

Ödön von Horváth: »Gebrauchsanweisung« (1932). In: *Materialien zu Ödön von Horváth*. Hrsg. von Traugott Krischke. Frankfurt a. M. 1970. S. 51–56.

Leopold Jessner: »Das Theater«. In: *Die Scene*, 18 (1928). S. 66–74.

Herbert Jhering: *Der Kampf ums Theater*. Dresden 1922.

– *Aktuelle Dramaturgie*. Berlin 1924.

– *Von Reinhardt bis Brecht*. Bd. 2: 1924–1929. Berlin [Ost] 1959.

Erwin Kalser: »Regie und Technik«. Auszugsweise in: *Die Scene*, 18 (1928). S. 198–204.

Alfred Kerr: »Die Komik des Übergangs«. In: *Die Neue Rundschau*, 34 (1923). S. 910–924.

– »Sechzig Millionen suchen einen Autor«. In: *Die Neue Rundschau*, 36 (1925). S. 186–195.

– »Dramaturgie der späten Zeit«. In: *Die Neue Rundschau*, 43 (1932). Bd. 2. S. 389–401.

»Die Lebensbedingungen der Schaubühne im Jahre 1927«. Umfrage in: *Die Scene*, 17 (1927). S. 1–13. 33–43. 77–79.

Wilhelm Michel: »Das weltlose Drama«. In: *Die Neue Rundschau*, 38 (1927). Bd. 2. S. 419–422.

– »Dichtung und Gegenwart«. In: *Die Neue Rundschau*, 42 (1931). Bd. 2. S. 120–127.

Robert Musil: *Theater*. Kritisches und Theoretisches. Hrsg. von Marie-Louise Roth. Reinbek 1965.

Erwin Piscator: *Das politische Theater*. Berlin 1929. – Neu bearbeitet von Felix Gasbarra: Reinbek 1963.

– »Rechenschaft«. In: *Die Scene*, 19 (1929). S. 111–114.

»Soll das Drama eine Tendenz haben?« Umfrage in: *Der Scheinwerfer*. Auszugsweise wiederabgedruckt in: *Die Scene*, 18 (1928). S. 324–330.

Ernst Toller: »Bemerkungen zum deutschen Nachkriegsdrama«. In: *Die Literarische Welt*, 5 (1929). H. 16. S. 9 f.

Kurt Weill: »Aktuelles Theater«. In: *Die Scene*, 20 (1930). S. 4–7.

Friedrich Wolf: »Kunst ist Waffe« (1928). Wiederabdruck in: F. W., *Aufsätze über Theater*. Ausgewählte Werke, Bd. 13. Berlin [Ost] 1957 S. 147–168.

– »Schöpferische Probleme des Agitproptheaters. Von der Kurzszene zum Bühnenstück« (1933). Wiederabdruck in: F. W., *Aufsätze über Theater*. S. 12–54.

ERNST SCHÜRER

Die nachexpressionistische Komödie

»Nach einem unglücklichen Krieg müssen Komödien geschrieben werden.«[1] Hugo
von Hofmannsthal hatte diese Bemerkung des Novalis schon vor dem Ersten Weltkrieg gelesen, aber er verstand sie erst nach der Niederlage, als er die Ironie sah, »die
über allen Dingen dieser Erde waltet«. Er erkannte die soziologischen Gründe, die
in der Nachkriegszeit die Tragödie unmöglich zu machen schienen, denn jetzt war
»alles in ein Verhältnis zu allem« getreten, die Grenzen zwischen Bedingtem und
Unbedingtem, zwischen Realem und Idealem waren aufgehoben, der Bürger durchschaute den schönen Schein, die Täuschung, die in jeder Gesellschaft über die Dinge
gebreitet ist, und konnte darüber lachen oder wenigstens lächeln. »Daß es aber die
Unterliegenden sind, denen diese ironische Macht des Geschehens aufgeht, ist ja ganz
klar. Wer an das bittere Ende einer Sache gelangt ist, dem fällt die Binde von den
Augen, er gewinnt einen klaren Geist und kommt hinter die Dinge, beinahe wie ein
Gestorbener«, bemerkt Hofmannsthal.
Auf die geistige Situation der Schriftsteller in Deutschland trafen diese Worte Hofmannsthals jedoch unmittelbar nach Ende des Weltkriegs nicht ganz zu. Zwar hatten sie nach anfänglicher Begeisterung in den ersten zwei Kriegsjahren den Glauben
an die gerechte Sache des Vaterlands verloren, als sie vom Grauen der Materialschlachten an der Somme und vor Verdun hörten oder es gar persönlich erlebten.
Auch die Not, die 1917/18 in Deutschland herrschte, öffnete ihnen die Augen, aber
noch hatten sie nicht die kritische Distanz, um die Verhältnisse ironisch, mit unge-
trübtem Blick, zu sehen, denn eine neue Hoffnung und ein neues Ideal versperrten
ihnen die freie Sicht: der utopische Glaube an Frieden, Menschheitsverbrüderung
und innere Erneuerung, der sie zur hohen, pathetischen Dichtung und Dramatik des
Expressionismus beflügelte, die Humor und Komik geradezu ausschlossen.
Die Expressionisten fühlten sich als Missionare und waren ganz durchdrungen vom
Ernst ihrer Aufgabe, ihnen war gar nicht zum Lachen zumute. Deshalb sind ihnen
oft Humorlosigkeit und zu große Feierlichkeit vorgeworfen worden. Dies trifft
allerdings nicht auf alle Autoren zu; einige nahmen schon früh eine ironische Haltung ein, und ihre Werke weisen komische Züge auf. Der Waffenstillstand von
1918 und die Revolution erfüllten die Expressionisten mit großer Hoffnung, aus
der ein Großteil ihrer Werke geboren wurde. Erst als ihre Visionen und Träume von
der Wirklichkeit zur Seite geschoben wurden, erkannten sie, daß auch der Frieden
verloren war. In den Krisen der Zeit verloren die Dichter ihren fanatischen Glauben
und gewannen dadurch die Unbefangenheit, Freiheit und Überlegenheit zurück, die
sie zur Komödie befähigten.
Ihre hohen Forderungen an das Theater als Plattform für die Verkündigung ethi-
scher und sozialer Ideen, Parolen und Forderungen, als Ort für dialektische Auseinandersetzungen und Debatten, als Kanzel für pathetische Monologe und für die
Expression metaphysischer Einsichten, als »Vermittlerin der ersten und heiligen
Ekstasen«, wie Walter Hasenclever es vom »Theater von morgen« verlangte, er-

schienen ihnen plötzlich suspekt. Ihr naiver Glaube an die Macht der Überredung und der menschlichen Vernunft wurde langsam untergraben. Levy läßt das ›Ich‹ in einer Debatte mit dem Dichter und Schauspieler bekennen: »[...] ich sehe meine Welt des vormaligen Leidens [in der Tragödie] aufgelöst in Schein. Sein ist plötzlich nicht mehr schmerzlich, sondern lustig. Meine ehemaligen Schmerzen, Wutanfälle, Begierden, Freuden, Jubel, Siege, Triumphe sind schmerzlos, gegenstandslos geworden. War ich das je, Bruder Zuschauer, was aus mir spielt und spricht? Oder dünkt es den Göttern so? Oh, das Lachen, das endlose Lachen hat Gott überrumpelt und das Publikum kichert mit.«[2] Robert Müller rät schon 1920 dem Theater, die »Kirchturmkunst« und »Rettungsgesellschaftsdramatik« zu meiden, und plädiert für eine »Wiedergeburt des Theaters aus dem Geiste der Komödie«: »In der Komödie wird ja! gesagt, der amor fati gelehrt, das Bekenntnis zu den Trieben, die in der geistigen Spiegelung geläutert sind. Die Komödie erlaubt allein die uns unentbehrliche Synthese von Natur und Reflexion, ohne eines zu stören.«[3] Und Yvan Goll beteuert, daß es »kein Drama mehr« gebe, und kommt zu der Feststellung: »Was bleibt übrig? Die Zeit lächerlich machen. Die salzige, harte, böse Ironie. Die Peitsche. Die Unerbittlichkeit. Das Seziermesser bis auf die Knochen. Die Hosen runtergerissen. Die Schande offen ausgelacht. Die gesunde Rache der Kinder, die mit Steinen nachwerfen. À bas le bourgeois! Zerfetzt ihm seinen Regenschirm! Das ist bei Gott nicht dramatisch. Aber man lacht sich selbst ein bisserl tot, und der Tod ist der letzte Kitzel, der unsere Langeweile noch bemeistern kann.«[4] Neben diesem Ruf nach objektiver und subjektiver, satirischer Komödie fordern die Dramatiker jetzt eine natürlichere, sachlichere, zugleich vernünftigere und humorvollere Behandlung der menschlichen und gesellschaftlichen Probleme.

Die Haltung der einzelnen Dramatiker war auch während der zwanziger Jahre genauso unterschiedlich, wie sie es während der Hochblüte des Expressionismus gewesen war, denn jeder entwickelte seine eigene Protest- oder Ausweichtechnik. Enttäuschung konnte sich in bitterer Satire und Kritik des Bürgertums niederschlagen; der Schriftsteller verwandelte dann »eine Welt, in der einem das Lachen vergeht, in eine Bühnenwelt, über die er lacht – oft allein«, wie Dürrenmatt es in seiner Schiller-Preis-Rede ausdrückt. Oder er befaßte sich nicht mehr mit zeitgenössischen Gesellschaftsproblemen und schrieb heitere Lustspiele nach alten, bewährten Mustern. Dazu muß natürlich auch festgestellt werden, daß durchaus nicht alle Schriftsteller sich der expressionistischen Richtung angeschlossen hatten und andere, wie Carl Zuckmayer, nur Mitläufer gewesen waren, weil sie ihren eigenen Stil noch nicht entwickelt hatten. Viele, die ihre literarische Karriere erst zu dieser Zeit begannen, schrieben aus Protest gegen den Expressionismus, dessen philosophische Grundeinstellung sie ablehnten. Aus dieser Reaktion entwickelte sich der schwarze Expressionismus eines Brecht und Bronnen. Die Mehrzahl der Bühnenschriftsteller gehörte außerdem zum Mittelstand und war finanziell durch Krieg und Inflation ruiniert worden. Sie war deshalb auf ihre Tantiemen angewiesen und versuchte Stücke zu schreiben, die sofort angenommen und aufgeführt wurden. Das waren 1923/24 Komödien, denn das Publikum verlangte aus Gründen, die dargestellt werden sollen, diese Kost. Und die Theater, zum größten Teil privat und auf ihre Einnahmen angewiesen, suchten die Wünsche des zahlenden Publikums zu befriedigen. Alfred Kerr wies sogar in seinen Rezensionen auf den Zusammenhang zwischen der wirtschaftlichen Not der Autoren und der nicht immer hohen Qualität ihrer in Eile geschriebenen Werke hin. Zwar konnte der Direktor Heinz Saltenburg schon 1921 das Lustspielhaus Berlin als Theater für die »gute Komödie«[5] anpreisen, aber es stellte sich bald heraus, daß es gar nicht so einfach war, gute zeitgenössische Lustspiele zu finden, denn in der Komödie konnte Ethik nicht so leicht wie im expressionistischen Drama strukturelle Fehler und schlechten Dialog verdecken.

Auch vom Publikum her bot das deutsche Theater um 1923 einen fruchtbaren Boden für die Komödie. Gewiß hatten Komödien immer im Repertoire gestanden. Gerade während des Krieges waren Schwänke, Possen, Lustspiele der Zensur angenehm; sie wurden problematischen und deshalb verbotenen Stücken wie Sternheims *1913* oder Kaisers *Die Bürger von Calais* vorgezogen. Gegen Ende des Krieges, ab 1917, und in den folgenden Jahren, besonders nach Aufhebung der Zensur, wurden hauptsächlich die idealistischen Stücke der Expressionisten neben klassischen Dramen gespielt. Das ganz Neue auf der Bühne waren die ekstatischen Szenarien der jungen Dramatiker, die zur geistigen Erneuerung des Menschen aufriefen. Sie wurden vom Publikum und von der Kritik besonders beachtet. Die Zuschauer glaubten an die Umformung der Welt; nichts schien unmöglich, die Parolen der Menschheitserneuerung und Verbrüderung fanden nach der Zerstörung und dem Haß des Krieges willige Ohren. Man sehnte sich nach einer neuen Gesellschaft in einer neuen Welt. Das Theater setzte sich mit den Problemen der Zeit auseinander, und das Publikum nahm an der Diskussion teil. Die russische Revolution, Wilsons 14 Punkte und die Gründung der deutschen Republik nährten die Hoffnung und den Optimismus des Volkes, der aber dann durch die Bedingungen des Friedensvertrages von Versailles, die Besetzung des Ruhrgebiets, durch die Kämpfe in Oberschlesien und durch die andauernden Streiks, inneren Unruhen und Putsche einen harten Stoß erhielt. Die fortschreitende Geldentwertung, die auch Hofmannsthal als eine »unerschöpfliche Quelle der Ironie«[6] ansieht, da durch sie plötzlich alle Werte auf den Kopf gestellt wurden, führte zunächst zu immer vollen Theatern, da man das Geld sofort loswerden wollte, ehe es seine Kaufkraft verlor. Unter diesen Umständen konnten auch künstlerisch hochstehende oder heftig umstrittene Stücke aufgeführt werden, denn das Publikum blieb nicht aus.

Die Währungsreform im November 1923 änderte diese Situation mit einem Schlag: Nicht nur bewirkte sie eine Geldknappheit, sondern sie führte auch zur Verarmung und Verbitterung der bürgerlichen Mittelklasse, die sich häufige Theaterbesuche nun nicht mehr leisten konnte. Da aber gerade diese Klasse soziologisch gesehen die tragende Kulturschicht gewesen war und den Hauptteil des Stammpublikums gestellt hatte, war es nicht weiter verwunderlich, daß die Einnahmen der Theater rapide fielen. Dazu kam noch, daß Film und Operette dem Kunsttheater immer mehr Konkurrenz machten und daß dieses alle Mittel anwenden mußte, um die alten Besucher zu halten und neue zu werben. Selbst die früheren Besucherschichten, die nach den harten Kriegsjahren durch die Inflation vom Regen in die Traufe gekommen waren, nahmen jetzt das expressionistische Theater weniger ernst und lehnten es zuletzt ab. Die menschlichen und politischen Ziele, die in den ersten Jahren nach dem Weltkrieg noch erreichbar schienen, waren in immer größere Ferne gerückt. Man wollte auch nicht mehr an die Leiden und Opfer des Krieges, an die menschlichen und politischen Enttäuschungen der Nachkriegszeit erinnert werden, und man fürchtete sich vor weiteren Revolutionen. Kurz gesagt: Man hatte es satt, dauernd in einem Ausnahmezustand, in der Krise zu leben. Die Hochspannung wich einer großen Ernüchterung, und die Revolution, die auf der Straße nicht geglückt war, wurde auch auf der Bühne abgesetzt. Die Stabilisierung der Währung und der innenpolitischen Lage, die Anlage von amerikanischem Kapital durch den Dawesplan und die damit verbundene Sanierung von Wirtschaft und Industrie trugen ebenfalls zur Beruhigung, zum Abbau der Ekstase bei.

Die Periode der ›Neuen Sachlichkeit‹ begann. Das alte, gebildete Publikum, verarmt und verbittert, versuchte sich von dieser Gegenwart zu distanzieren und verlangte die altbekannten naturalistischen, klassischen und historischen Stücke oder, zur Entspannung, komische. Für dieses Publikum waren die zwanziger Jahre nicht ›golden‹, sondern »recht eigentlich die große Phase der enttäuschten Hoffnungen, der Desillusionierung im politischen wie im geistigen Sinne«.[7] Die Komödie hatte für sie die Funktion, sie ihre materiellen wie psychologischen Sorgen und Nöte vergessen zu machen und wenigstens im Lustspiel eine heile Welt zu zeigen. So wurden einerseits die Lustspiele von Anzengruber, Bahr, Freytag, Grabbe, Grillparzer, Hauptmann, Nestroy, Thoma, ja selbst Eichendorff, Sudermann und Kotzebue neu inszeniert, während andererseits die ausländischen Klassiker der Komödie von Shakespeare und Shaw über Gogol und Goldoni bis zu Tirso de Molina wieder zu Wort kamen. Besonders französische Lustspiele von Scribe, Sardou, Louis Verneuil, Edmond Rostand und Paul Gavault wurden so viel gegeben, daß sie trotz aller englischen und amerikanischen Konkurrenz das Feld beherrschten. Von Verneuil waren in den ersten drei Monaten des Jahres 1922 allein in Berlin nicht weniger als sechs Stücke aufgeführt worden. Erst die Besetzung des Ruhrgebiets durch französische Truppen und die Ruhrkämpfe von 1923 bereiteten durch den damit verbundenen Boykott der Vorherrschaft des französischen Lustspiels ein politisches Ende; jedoch nur auf kurze Zeit, denn schon 1924 wurde Verneuil wieder gespielt. Von den deutschen Autoren wurden besonders die in schneller Folge geschriebenen, geschickt gebauten, aber vom Thema her oberflächlichen Lustspiele Ludwig Fuldas oft aufgeführt, aber ohne nennenswerten Erfolg. Ähnlich erging es neuen Komödien von Hanns Johst, Hans Müller, Paul Schirmer, Wilhelm Speyer und Alexander Zinn, die sich auf den Bühnen nicht halten konnten.

Die neuen Besucherschichten lehnten den Idealismus und die Abstraktion des Expressionismus von vornherein ab. Sie wollten größere Wirklichkeit und größere Illusionen. Die Theater versuchten, ihnen diese zu bieten und sie mit Schwänken, Revuen und Operetten zu ködern. Die Theater, und von den über vierzig Theatern in Berlin allein war die Mehrzahl Privattheater, suchten und boten »sichere Erfolgsstücke – das exotisch-parfümierte französische Lustspiel, den ungarischen Sex-Reißer und die amerikanische Volksposse«,[8] um den immer drohenden Bankrott abzuwenden. Schon 1923 wurden in Berlin Melodramen und Trivialstücke wie *Die Luxusfrau, Die Frühlingsfee, Tugendprinzessin, Liebesstreik, Die Dame mit dem Monokel, Mädi* und *Süße Susi* gegeben;[9] die kitschig-romantischen Operetten der Brüder Rotter und Revuen mit großer Aufmachung nahmen überhand. Direktoren, die das Theater als Kunst noch zu retten, der Trivialisierung durch Operetten und Schwänke zu wehren suchten, sahen sich verzweifelt nach guten deutschen Komödien um. Und die Dramatiker, die von der Hand in den Mund lebten, waren gezwungen, sich diesen Wünschen anzupassen. Sie begannen auch, sich mit der neuen, ›sachlichen‹ Wirklichkeit abzufinden, die Verbindung zum Publikum wiederherzustellen und mit Humor auf die neue, veränderte Situation zu blicken. Alle diese Gründe trugen dazu bei, daß die zwanziger Jahre eine verhältnismäßig fruchtbare Periode für die Komödiendichtung wurden. Bruno Werner bemerkt zur Literatur der Weimarer Republik: »Es ist auffallend, daß dieses tolle Feuerwerk an brillanter Satire im Vordergrund steht, wenn die Menschen heute an die Zwanziger Jahre denken. Humor und Witz scheinen also doch mehr Lebensdauer zu haben, als man gemeinhin in Deutschland annimmt.«[10]

Der folgende Überblick beschränkt sich auf die Darstellung einiger Typen der zwischen 1918 und 1933 geschriebenen und aufgeführten Lustspiele. Die großen Vorbilder für die Bürgerkomödie und Bürgersatire der zwanziger Jahre waren Frank Wedekind und Carl Sternheim. Die Stücke Wedekinds wurden erst nach dem Weltkrieg von Leopold Jessner und anderen Regisseuren nicht mehr naturalistisch, sondern auf expressionistische, verfremdete Art inszeniert und wirkten als Vorbild für spätere Regieleistungen. Ein gutes Beispiel ist die Behandlung, die das Sittengemälde *Musik* (1906) erfuhr, das vom Thema her sowohl als balladeske Moritat, auf naturalistische Art oder als grotesk-bittere Satire aufgeführt werden kann. Auch vom Theatralischen her gab Wedekind der Komödie wichtige Anregungen durch seinen Schwank *Der Liebestrank* (1891/92), durch die vielen komischen, vom Kabarett und Zirkus inspirierten Szenen in seinen Stücken, selbst durch die Überbrettllieder. Auf dem Gebiet der Parodie und der Groteske, wie sie Wedekind in der letzten Szene von *Frühlings Erwachen* (1891) und in *Musik* verwendet, wo Komik durch Tragik aufgehoben wird, inspirierte er ganze Generationen moderner Dramatiker. Wedekinds groteske Satirisierung der Bürger, der Protest gegen ihre auf Unterdrückung der menschlichen Triebe und Instinkte bedachte heuchlerische Moral in *Frühlings Erwachen* und in den tragikomischen Lulu-Dramen waren für die Komödie genauso bedeutsam wie sein Angriff auf die Gesellschaft und ihre Tabus in Stücken wie *König Nicolo oder So ist das Leben* (1901), *Hidalla* (1904) und besonders im *Marquis von Keith* (1901). Der deutsche Bürger, der vorher diesen Dramen mit nicht zu großem Verständnis gegenübergestanden hatte, war durch die Inflation zur Genüge darüber aufgeklärt worden, daß das Leben in der Tat eine ›Rutschbahn‹ ist, denn seine ideellen und materiellen Werte hatten sich als nicht beständig herausgestellt. Und durch den Krieg waren die Worte des Marquis von Keith tausendfach bestätigt worden: »Der Mensch wird abgerichtet oder er wird hingerichtet.« Selbst in der Republik war ein Ausgleich von Sollen und Wollen nicht erreicht. Durch seinen Tod im Jahre 1918 war es Wedekind selbst verwehrt, Komödien oder Tragikomödien für die zwanziger Jahre zu schreiben.

Carl Sternheims vor dem Krieg geschriebenen Lustspiele »aus dem bürgerlichen Heldenleben« wurden bald nach 1918 wieder aufgeführt. Erst jetzt erreichten sie ihre größte Wirkung, denn trotz der Revolution waren die alten Gesellschaftsstrukturen erhalten geblieben. Stücke wie das bis 1919 von der Zensur verbotene *1913, Die Kassette* und *Bürger Schippel* waren von der Wirklichkeit eingeholt worden, und die Gesellschaft war reif für Einsichten, die, wie Sternheim in seinem Aufsatz »Gegen die Metapher« feststellt, die Kunst vermitteln soll: »Anstelle der uns angewiesenen Erde soll kein Paradies sie ›dichten‹. Sichtbar Vorhandenes soll sie nur am

rechten Ende packen, krüde, daß nichts Wesentliches fehlt, und es zu Formen verdichten, die der Epoche Essentielles späteren Geschlechtern festhalten.« Paul Rilla
bemerkt: »Carl Sternheim ist zwischen 1920 und 1930 am lebhaftesten diskutiert
worden.«[11] Und mit Recht, denn ihm war es gelungen, die Mentalität der Bourgeoisie und der Intellektuellen darzustellen, der Gesellschaft einen Spiegel vorzuhalten.
Die mit Pathos geladenen Schauspiele der Nietzsche-Anhänger, durch den Dichter
Scarron in der *Hose* repräsentiert, konnte man jetzt auf den Bühnen sehen, und wie
Mandelstam berauschten sich die Nationalgesinnten an den romantischen Opern
Wagners. Aber auch die Darstellung anderer Gesellschaftstypen der Republik war
ihm schon meisterhaft vor deren Gründung gelungen: Den nationalsozialistischen
Agitator und Demagogen hatte er schon mit Wilhelm Krey in *1913* vorgezeichnet
und karikiert, den unsozialen Sozialisten und verkappten Kapitalisten Ständer in
Tabula rasa aufs Korn genommen, den sozialen Aufstieg und die Verbürgerlichung
des Proletariers witzig-satirisch in *Bürger Schippel* geschildert, die Apotheose des
Mammons, der sich am Ende in Nichts auflöst, in der *Kassette* gestaltet.
Sternheims Stücke waren nicht nur eine mit Bewunderung gemischte, aber trotzdem
recht zynische Satire auf die mit allen Kräften aufstrebende, aber sonst pedantisch
auf Ruhe, Regelmäßigkeit und hierarchische Ordnung achtende Bourgeoisie und auf
den heruntergekommenen Adel, sie waren auch schon eine Berichtigung der Ideen
des Expressionismus. Seine gut gebauten Lustspiele gipfeln in immer neuen komischen Enthüllungen, und die pointierte, oft formelhafte Sprache entlarvt durch ihre
Konzentration und Verkürzung die Phrasenhaftigkeit und Verlogenheit der bürgerlichen Alltagssprache.[12] Diese Sprachverkürzung war dem Erfolg von Sternheims
Dramen vor dem Weltkrieg noch hinderlich gewesen, da das im Naturalismus be-
fangene Publikum nicht mit dieser dialektisch undifferenzierten, knappen Sprech-
weise vertraut war, die sich dann aber durch die expressionistische Dramatik immer
mehr auf den Bühnen einbürgerte. Und hatte man an seinen Gestalten gerügt, daß
sie zu abstrakt, nicht mit Liebe und Menschlichkeit gezeichnet seien, so wurde man
durch die typenhaften Figuren der expressionistischen Stücke auch an sie gewöhnt.
Selbst in der Gesellschaft verschwand der sogenannte Charakter immer mehr; sein
Platz wurde von Typen eingenommen, die nicht auffallen wollten und mit allen
Kräften versuchten, ihre Individualität in einer alles nivellierenden Gesellschaft zu
wahren, wie Theobald Maske in der *Hose*. Er nimmt die Haltung des typischen
Kleinbürgers ein, der auf jedes gesellschaftliche oder politische öffentliche Wirken
verzichtet, um desto ungehemmter ein gegen jede Störung von außen abgesichertes
Privatleben führen zu können.
Vor dem Krieg hatte Sternheim die schon teilweise derangierte Familie Maske in
1913 auf dem Gipfel ihrer Macht dargestellt. Im letzten Stück des Zyklus, *Das Fossil*, 1923 geschrieben, folgt das Ende: Der letzte der Familie, der adlige Kavallerie-
general a. D. von Beeskow, als Ultrarechter ein Fossil der Kaiserzeit, nimmt den
Kampf auf gegen den aus russischer Gefangenschaft heimkehrenden Ago von Bohna.
Dieser ist Kommunist geworden und will in Deutschland Anhänger für seine Ideologie werben. Beeskow gebraucht seine Tochter, um ihn umzustimmen und von seinen Plänen abzubringen. Als sie sich jedoch ernstlich in Ago verliebt, schießt er das
Paar nieder. Eine Flucht lehnt Beeskow ab, denn von den konservativen deutschen
Richtern hat er nichts zu fürchten. Er darf weiterhin auf seinem hölzernen Schaukel-

pferd unter den Klängen von Militärmärschen säbelklirrend gegen den Feind reiten. Obgleich Sternheims Satire sich erneut gegen Zeiterscheinungen wie die von rechts drohende Gefahr richtet, trifft er nicht mehr wie in den Vorkriegsstücken ins Schwarze, sondern wendet sich eher Randerscheinungen, wie hier dem Feudaladel, zu.

Auch die beiden Lustspiele in drei Aufzügen *Der entfesselte Zeitgenosse* (1921) und *Der Nebbich* (1922) haben nicht mehr die Frische seiner Vorkriegsdramen. In ihnen wird jedoch das typische Sternheim-Thema der Selbstverwirklichung mit positivem und negativem Ergebnis abgehandelt. Klette, dem Zeitkind, gelingt es, die reiche und von den hervorragendsten Vertretern des Adels, der Armee, Politik und Presse umworbene Erbin Klara Cassati durch seine Persönlichkeit und Tatkraft zu überzeugen, die Konkurrenz aus dem Felde zu schlagen und ihre Liebe zu gewinnen. Der Nebbich Fritz Tritz dagegen erweist sich als Prototyp des Spießbürgers, dem die ›eigene Nuance‹ fehlt. Mit Hilfe der Kammersängerin Rita Marchetti und ihrer Verehrer, ähnlichen Vertretern der Gesellschaft wie im *Entfesselten Zeitgenossen*, gelingt ihm zwar der Aufstieg, aber da er nicht aus eigener Kraft Karriere macht, kann er nicht die Rolle ausfüllen, die ihm die Kammersängerin zugedacht hat. Er fällt zurück in die kleine Welt der Mittelmäßigen, aus der er gekommen war. 1926 folgte noch *Die Schule von Uznach oder Neue Sachlichkeit*, eine Satire auf die moderne Erziehung in Landschulheimen und auf die Frauenemanzipation. Nach Sternheim sind es jedoch nicht Schule und Erziehung, die das Schicksal des Einzelnen entscheiden, sondern der Wille zur Individualität. Der Untertitel ist auf Tendenzen der Neuen Sachlichkeit gemünzt, die Sternheim verspottet: Die Verbindung von Versachlichung und Technikkult mit südlichem Vitalismus und romantischer Schwärmerei, von Primitivismus mit größter Bildung und Belesenheit. Auch diese Komödie hatte nicht den Erfolg seiner früheren Stücke, da er die Sphäre des Bürgertums ausspart und die Zeiterscheinungen nicht mehr so sicher wie früher in den Griff bekommt.

Wedekind und Sternheim waren Vorläufer, nicht repräsentative Lustspieldichter der Republik. An ihren Stücken hatte sich ein Autor wie Georg Kaiser geschult, dessen Lage um 1923 ein Paradebeispiel für die allgemeine Situation unter den deutschen Autoren ist. Er hatte sein ganzes Vermögen in und nach dem Kriege verloren und saß trotz des Erfolges seiner expressionistischen Stücke bei der Kritik finanziell auf dem trocknen. Er mußte produzieren, um den Lebensunterhalt für seine Familie zu verdienen. Kaiser hatte ein gutes Gespür; er wußte, was die Theater verlangten, und warf Komödien auf den Markt, die zum größten Teil wie *Der mutige Seefahrer*, *Die jüdische Witwe* und *Der Zentaur* schon vor dem Krieg geschrieben worden waren. Kurz vor der Währungsreform am 15. November 1923 brachte er jedoch ein »Volksstück 1923« *Nebeneinander* heraus. Das Drama zeigt Ansätze zu drei Typen der Komödie, die in den folgenden Jahren immer wieder auf Deutschlands Bühnen zu sehen waren.

Kaisers *Nebeneinander* ist ein Simultanstück: Drei Dramen laufen in gleicher Reihenfolge nebeneinander ab, verbunden sind sie nur durch einen Brief, der den Aufbruch des Pfandleihers verursacht und der in jeder Handlung vorgelesen wird. Es wäre durchaus möglich, die drei Parallelszenen jedes Aktes auf einer dreigeteilten Bühne simultan aufzuführen. Die drei Stücke können sich auf verschiedene dramatische Vorbilder berufen und wenden sich an verschiedene Gesellschaftsschichten: Auf den ersten Blick scheint die Pfandleiher-Handlung ein expressionistisches Stationendrama zu sein, aber der Autor entwickelt es anders als seine früheren Dramen.[13] Die Neumann-Handlung ist eine Gesellschaftssatire nach Sternheimschen Muster, die Luise-Handlung ein melodramatisches Volksstück.

Zunächst einige Worte über das Stationendrama, das in der Pfandleiher-Handlung abläuft. Der Protagonist erinnert sehr an den Kassierer aus Kaisers »Stück in zwei Teilen« *Von morgens bis mitternachts* (1916) und an den Kanzlisten Krehler in der »Tragikomödie in drei Akten« gleichen Namens (1922). Karl S. Guthke hat in seiner Untersuchung über die deutsche Tragikomödie schon auf die »übersteigerte positive Charaktereigenschaft«[14] der Protagonisten hingewiesen. Früher hatte Kaiser schon ähnliche in eine fixe Idee vernarrte Charaktere in *Der Zentaur* (1906)[15] und in *Der Geist der Antike* (1905) gestaltet. Der Pfandleiher ist rein äußerlich aus dem gleichen Holz geschnitzt wie seine Vorläufer, jedoch unterscheidet er sich innerlich sehr von ihnen, denn er handelt nicht aus egoistischen Motiven, sondern weil er wirklich die Vision einer Menschheitsverbrüderung hat und ein Menschenkind retten will. Er macht fast den gleichen Rundlauf wie der Kassierer, erkennt jedoch am Ende die Zwecklosigkeit seines Unternehmens und bezeichnet sich selbst als »halben Narrenhans«. Im Gegensatz zum Kassierer und zu Krehler stirbt der Pfandleiher auch nicht ekstatisch, sondern eher nüchtern. Sein Ende ist wie das des Eustache de Saint-Pierre in *Die Bürger von Calais* jedoch zwiespältig, und man kann sowohl eine Kritik Kaisers an seinen expressionistischen Stücken als auch eine Absage an das geistige Führertum des Dichters daraus ablesen. Einerseits schließt sich der Pfandleiher vom Leben ab und begeht Selbstmord, weil er seine Konzession, die Grundlage seiner bürgerlichen Existenz, verloren hat und die »maßlosen Rohheiten« des weiteren Lebens nicht ertragen zu können glaubt. Andererseits behauptet er aber, daß Tausende und Abertausende ein Erlebnis wie er haben und sich für den Mitmenschen einsetzen werden. In Wirklichkeit wird die utopische Philosophie des Pfandleihers durch seine Handlungsweise und durch die Darstellung der Charaktere in den zwei anderen Handlungssträngen ad absurdum geführt. Die von ihm postulierte Öffentlichkeit, in der seine Ideen wirksam werden könnten, existiert gar nicht. Den Zuschauern wird die Möglichkeit einer Rettung suggeriert, die pure Illusion ist. Trotz aller Situations- und Sprachkomik ist die Pfandleiher-Handlung kaum als Komödie zu bezeichnen, aber sie wird in ein ironisches Licht getaucht. Die Ironie ergibt sich gerade aus dem Nebeneinander der Handlungen, die den Pfandleiher und seine Handlungsweise nicht mehr eindeutig wie im expressionistischen Drama, wo die Gegenwelt *nur* aus seiner Perspektive gesehen worden wäre, sondern zwiespältig erscheinen lassen. Insofern parodiert Kaiser durch die Pfandleiher-Handlung seine expressionistischen Stücke.

Während der ›neue Mensch‹ des Expressionismus thematisch im Selbstmord und stilistisch in der Parodie sein Ende findet, wird in Neumann der Menschentyp der Neuen Sachlichkeit geboren und auch gleich satirisiert. Er erinnert an den Snob des Sternheimschen Lustspiels. In der Welt der Sachlichkeit kann nur der skrupel- und gewissenlose Opportunist überleben. Die Brutalität der Gesellschaftsformen, nach denen die Geschäfte abgewickelt werden, wird vom Kommissar kurz und präzise formuliert: »jeder gegen jeden – knock-out!« Arnolt Bronnen, der um diese Zeit in seinem Drama eine jugendliche Supervitalität proklamierte, formulierte sogar für die Kunst eine »Philosophie des Knockouts«,[16] während Yvan Goll der modernen Lyrik die Reklame als Vorbild empfahl und bemerkte: »Weg mit allem Pathos, aller Rhetorik, allem Singsang und Liralei: dafür ein direkter Uppercut auf die linke Schläfe des Lesers oder ein blitzschneller Schlag in die Herzgegend. Rapides Bild. Überzeugender Ausdruck.«[17] Neumann ist, wie sein Name sagt, ein neuer Mensch, aber nicht im Sinne der Expressionisten: Er ist ein rücksichtsloser und zynischer Hochstapler, ein Vertreter des Nachtklubzeitalters, vor dem selbst Elsasser, der fette Börsianer, den Hut abnimmt: »Das hat Ellbogen – dieser Neumann. Wie sich das unter dem Frack spannt – phänomenal. Das ist der Typ, der durchkommt. Wenn wir alle in Dreck und Speck verrecken, pfeift das noch die Wacht am Rhein mit vollen Backen.« Neumann exemplifiziert charakteristische Merkmale des sachlichen Menschentyps: Er ist ein Spekulant, der sich im Grunde nur für seine dunklen Geschäfte interessiert und nirgendwo zu Hause ist. Falls es geschäftlich oder politisch brenzlig wird, flieht er sofort, nur seinen schmutzigen Frack bei seinem übereilten Aufbruch zurücklassend. Menschen hält er für manipulierbar, alle Frauen für Huren, und für Ideologien hat er grundsätzlich keine Verwendung. Bar jeder politischen Vorstellung, wendet er sich zynisch der Partei zu, die ihm die größten finanziellen Vorteile verspricht. Die Wahl der Filmindustrie als Lebensraum Neumanns war besonders glücklich, da in diesem aufstrebenden Geschäftszweig die Anarchie der kapitalistischen Profitwirtschaft besonders kraß dargestellt werden konnte.[18] Die Zeichnung dieser Geschäftswelt und ihrer Typen war Kaiser gelungen und verschaffte seinem Stück auch den Erfolg. In der Neumann-Handlung finden sich die meisten Lustspielelemente, und das Berliner Publikum applaudierte der Darstellung seiner Welt.

Die dritte, die Luise-Handlung, verdient noch am ehesten den Untertitel »Volksstück«, da sie auf dem Lande spielt und eine rührselige Liebesaffäre im Mittelpunkt steht. In dieser Handlung wird die ländliche Idylle, die Kaiser in Werken wie der *Gas*-Trilogie oder *Gats* diskutiert und abgelehnt hatte, nun plötzlich rehabilitiert. Luises Schwester lebt mit ihrem Mann zufrieden in bescheidenen Verhältnissen. Sie gibt gleich zu Anfang das Stichwort, als sie zu Luise sagt: »Hier hat sich nichts verändert.« Die Blumenstöcke vor den weißen Gardinen des Schleusenhauses sind bestimmt Geranien wie beim Kassierer in *Von morgens bis mitternachts*. Der Einzelne lebt noch in der Natur; die ferne Großstadt Berlin wird als glaubenslose und menschenmordende Hure Babylon dargestellt, in der der vereinsamte Mensch verrückt wird. Auf dem Lande dagegen kutschiert der Mann vergnügt mit seinem schnittigen Motorboot herum, er interessiert sich für Motoren und Benzintabellen, für die sachliche Seite der Technik. Daneben hängt er seiner alten Burschenschaft in Treue an, dem Korpsbruder schüttelt er »die deutsche Rechte«. Die Frau ist nur für Kinder, Küche und Kirche zuständig; guter alter Streuselkuchen und die überlieferte Religion werden der »modernen Welt« und dem »hartgesottensten Großstädter« als Vorbild hingestellt. Höhepunkt der Idylle ist eine romantische, sentimentale Liebesgeschichte, in welcher der deutsche Jüngling sich überwindet und das gefallene Mädchen, das es nicht über sich bringt, ihm eine Lüge zu erzählen, aller Tradition und Hebbel zum Trotz doch heiratet; nach der kirchlichen Trauung wird mit Orgelspiel und Myrtenkranz Hochzeit gefeiert, während draußen die »Wanderjugend mit

Lauten und Geigen« die Musik dazu macht. Die Idylle wird hier verherrlicht, denn nur auf dem Lande soll man noch Herzlichkeit, Wärme, Wahrheit und eine wirkliche Gemeinschaft finden. Die Verbindung von Naturromantik und Technikkult ist ein Merkmal der Neuen Sachlichkeit: Die Flucht aus ›grauer Städte Mauern‹ ist Kritik an der Großstadtzivilisation, aber auch Flucht vor den wirklichen Problemen der Gesellschaft. Sie führt zu einem ideologiefeindlichen Nonkonformismus.

Mit *Nebeneinander* versuchte Kaiser ein möglichst großes Publikum anzusprechen: die übriggebliebenen Idealisten und Expressionisten – und vielleicht auch ihre Gegner – mit der Pfandleiher-Handlung, die Bürgerschicht mit dem Luise-Melodrama, die Großstädter und einen Teil des Filmpublikums mit dem kaltschnäuzigen Neumann. Da gerade die Popularität des Films (fast jeden Monat wurde in Berlin ein neuer Filmpalast eröffnet) den Theatern in diesen Jahren viel zu schaffen machte, versuchte Kaiser dieser Konkurrenz etwas entgegenzusetzen. Die Kritik erkannte Kaisers Taktik und schrieb: »Sein neues Spiel *Nebeneinander* wird von ihm als Volksstück 1923 gekennzeichnet, und vielleicht hat die für breitestes Verständnis berechnete Thematik der günstigen Aufnahme Voraussetzungen geschaffen.«[19] Alle Rezensenten zollten ihm jedoch großes Lob für die angeblich photographisch getreue Wiedergabe der Wirklichkeit und bescheinigten ihm, daß er keine Konzessionen gemacht habe und nur »aus der Wolke, die ihn bisher umnebelte, mit beiden Füßen auf die Erde gestiegen« sei.[20] Einzig der Regisseur des Stückes, Berthold Viertel, ließ sich nicht hinters Licht führen. Er erkannte Kaisers Ausweichmanöver in die Unverbindlichkeit und brachte es noch 1938 in der *Neuen Weltbühne* mit der damaligen politischen Situation in Verbindung.[21] Man kann darüber streiten, inwieweit Viertels Beurteilung des Stückes der Wahrheit entspricht, jedoch wird aus den Rezensionen ersichtlich, daß Kaiser den Nerv der Zeit getroffen und die weitere Entwicklung der Komödie beeinflußt hatte.

Wie Kaiser unterzogen auch andere Dramatiker ihre expressionistischen Werke einer indirekten Kritik durch die Komödie. Hier soll nur noch als zweites Beispiel Paul Kornfeld angeführt werden, der einer der radikalsten Expressionisten gewesen war. Kornfeld hatte sich gegen die Veränderung der Welt durch Politik und Revolution ausgesprochen, dagegen den Einzelnen zur »Einkehr in sich selbst«, zur eigenen Verantwortung für die Menschheit aufgerufen. Der zu sehr vom Materiellen beherrschte Mensch müsse wieder beseelt werden. In seinen expressionistischen Tragödien leben überempfindliche, aber gleichzeitig brutal handelnde und vom Haß verzehrte Unglückliche in einer wahren Hölle, denn die Welt wird vom Teufel regiert. Sie begehen unmenschliche Verbrechen aller Art, um am Ende erlöst zu werden. In visionären und ekstatischen Szenen beklagen sie mit großem Pathos oder in lyrischer Verzückung ihr Schicksal, aber der Weg zur Erlösung, besonders auf Erden, wird nicht sehr überzeugend gezeigt. Kornfeld verstummte dann auch bald und trat erst vier Jahre später, 1922, mit der Komödie *Der ewige Traum* wieder hervor. In ihr satirisiert Kornfeld an einem Beispiel – dem Streit um Monogamie oder Polygamie – die Weltverbesserungs- und Weltbeglückungspläne der Expressionisten. Die Rahmenhandlung ist eine Parodie auf die vielen Aufrufe und Proklamationen dieser Zeit: Auf einer Versammlung wird mit allen modernen Parolen die Abschaffung der Familie gefordert. Sie leitet über in die Binnenhandlung, deren 14 Bilder in einem Staat spielen, in dem diese Forderung Wirklichkeit geworden ist, Polygamie gesetzlich vorgeschrieben und praktiziert wird. Aber ein Liebespaar weigert sich, den gesetzlich festgelegten vierteljährlichen Partnerwechsel vorzunehmen. Es wird verurteilt und ins Gefängnis geworfen; das Vorbild dieser zwei Märtyrer beeinflußt jedoch andere junge Liebende. Bald bemächtigen sich Parteien und Massenmedien der ›neuen‹ Idee und demonstrieren für Einehe und individuelle Geschlechtsmoral. Das Resultat ist voraussehbar: Verbot der Polygamie und gesetzliche Monogamie. In der abschließenden Rahmenhandlung wird nun noch einmal die Verhöhnung des monogamen Paars gezeigt. Kornfelds Botschaft ist klar: Liebe als private Erfahrung läßt sich überhaupt nicht gesetzlich regeln, und es gibt kein politisches Allheilmittel für persönliche Probleme.

Kornfelds nächste Komödie, *Palme oder Der Gekränkte* (1924), beginnt mit den vielzitierten Worten Claras gegen politische Dramatik – die auch der Autor selbst nie postuliert hatte – und für die Charakterkomödie: »Nichts mehr von Krieg und Revolution und Welterlösung! Laßt uns bescheiden sein und uns anderen, kleineren Dingen zuwenden –: einen Menschen betrachten, einen Narren, laßt uns ein wenig spielen, ein wenig schauen, und wenn wir können, ein wenig lachen oder lächeln!« Der »Narr« dieser Komödie ist Palme, ein maßlos empfindlicher Mensch, der jedes an sich gerichtete Wort mißversteht und als Kränkung auslegt. Er ist der Bruder Bitterlichs aus der *Verführung* (1913), und an Kornfeld bewahrheiten sich die Worte des Sokrates aus dem *Symposion*, »es sei Sache eines und desselben, des Komödien- und Tragödienschreibens kundig zu sein, und der kunstgerechte Tragödiendichter müsse auch zugleich Komödiendichter sein«. Beim Lesen der Komödie entsteht der Eindruck, Kornfeld habe plötzlich die Komik in vielen Reden Bitterlichs gesehen und beschlossen, das Umschlagen des Tragischen ins Komische zu demonstrieren. Palme, der ewig Gekränkte, ist genau so bitter in seinen Reaktionen wie Bitterlich, und beide sind ausgesprochene Narren, nur daß bei Palme seine närrischen Handlungen als solche gesehen werden. Er dreht und wendet jedes Wort, um die darin auf jeden Fall für ihn enthaltene Beleidigung aufzuspüren, und gerät mit seinen Partnern dann in erregte Debatten, die in Schimpfkanonaden ausarten. Kornfelds Parodie auf seine eigene Dichtung steht und fällt mit der Darstellung des Palme, dessen lange Reden, die oft in Monologe ausarten, durch Handlung und Gestus unterstützt werden müssen.

In seiner letzten Komödie *Kilian oder Die gelbe Rose* (1926) hat Kornfeld den Redefluß seiner Charaktere schon etwas beschnitten. Die gelbe Rose des Titels ist aus Samt, schon ganz grau vom Staub der Jahre, sie ist nicht der Natur entsprossen wie die blühenden Rosen, die das Liebespaar am Ende im Garten findet. »Nicht wahr, wenn wir wählen müßten, wir wählten eher Natur ohne Geist als Geist ohne Natur?« fragt der Raisonneur des Stücks, der alte Herr Vierfuß, am Ende Kilian. Gerichtet sind diese Worte gegen die Schwärmerinnen und Jünglinge eines Kreises, die ihren Meister Jakob Natterer erwarten und irregeführt werden, als sie den Buchbinder Kilian, der die Bücher des Meisters abliefert, für diesen halten und ihn mit der Verehrung überschütten, die dem Meister zugedacht war. Und Kilian wächst so in seine Rolle hinein, daß es ihm am Ende gelingt, den wirklichen Philosophen aus dem Felde zu schlagen. Er erliegt aber dadurch beinahe der Gefahr, ein Narr wie Natterer zu werden, bis ihm die Augen geöffnet werden.

Die einzelnen Charaktere der Komödie sind gut gezeichnet: Frau Samson, eine mit ihrem Mann unzufriedene Schwärmerin, die ihre Sinnlichkeit mit Phrasen über den Geist bekämpft und sie vor dem Meister doch schlecht verbergen kann, genau wie die Gräfin Ziegeltrum vom Kuß der Geister und Umarmungen der Astralleiber seufzt, aber den suchenden, verwirrten Jüngling Julius verführen möchte. Schiroga, der saufende und bramarbasierende Abenteurer, will auch auf seine Kosten kommen, während der unermüdlich allen Unsinn lesende und jedes Wort des Meisters notierende Schumpeter genauso wirkt wie der Professor Kummer, der wissenschaftlich die Unhaltbarkeit der Thesen und Experimente beweisen will, sich durch seinen Fanatismus jedoch nur lächerlich macht. Als Gegensatz wirken das Liebespaar und der nüchterne Herr Samson. Das Stück ist eine Satire auf die gewollt und gekünstelt tiefsinnige – auch die expressionistische – Literatur sowie auf deren Jünger und Verehrer.

Eine Kritik anderer Art übten die jungen Autoren, die sich von Anfang gegen den Expressionismus stellten. Der Erfolg, den die Werke dieser gegen die Philosophie und Ideologie gerichteten, aber immerhin noch mit den Mitteln des expressionistischen Dramas arbeitenden Schriftsteller errangen, zeigt 1923 das Ende des idealistischen Expressionismus an. Provokation war das Ziel dieser jungen Aufrührer, die statt Menschheitsliebe und Verbrüderung nun Haß, Mord und Greuel in ihren Werken zur Schau stellten. Titel wie *Vatermord*, *Überteufel* und *Exzesse* sind kennzeichnend. Der erste Titel, von Arnolt Bronnen, wurde im Mai 1922 von Moritz Seeler auf der ›Jungen Bühne‹ aufgeführt, die dann auch im September 1923 das Stück *Überteufel* (1912) des inzwischen verstorbenen Hermann Essig, eine Sammlung von Verbrechen und Perversitäten, folgen ließ. Diese »Tragödie« kippt durch ihre Übertreibungen um ins Unfreiwillig-Komische, und Paul Wiegler bemerkte mit Recht, daß es eine »Groteskkomödie« hätte werden müssen.[22] In Alfred Kerrs Zusammenfassung des Inhalts kommt diese Komik klar zum Ausdruck.[23]

Auch zu Brechts *Baal* bemerkte Kerr anläßlich der Leipziger Aufführung, der Autor habe das Stück in ein »halb spaßiges Licht« gesetzt.[24] Baal ist nicht mehr der tragisch untergehende Held, sondern ein »Viechskerl«, der sich ohne Skrupel voll auslebt, sich mit der Natur verbinden und in sie eingehen möchte. Das amoralische Genie, als Gegenbild zu dem mit expressionistischem Pathos gestalteten Grabbe in Johsts *Der Einsame* (1917) entworfen, kann zärtlich und zynisch sein, seine unterkühlte Ausdrucksweise und Erlebnisse, z. B. wenn er »zwei junge Schwestern gemeinsam übers Lager« (Kerr) rafft, erzeugen Sprach- und Situationskomik. Ähnliches kann auch von Brechts *Trommeln in der Nacht* behauptet werden, das für die Erstaufführung in Berlin 1922 im ›Deutschen Theater‹ mit dem balladesken Nebentitel »Anna, die Soldatenbraut« angepriesen wurde. Die verwirrten Kritiker sprachen von einem »spiritualisierten Volksstück« und vom »volksmäßigen Zug«,[25] aber nach den ethischen und moralischen Parolen der Dramen der vorangegangenen Jahre mußte ihnen die Haltung Kraglers suspekt erscheinen. Brecht wurde von den Filmen Charly Chaplins, dessen Gestus ihn interessierte, und besonders stark von der Sprach- und Körpertechnik des Münchner Volkskomikers Karl Valentin beeinflußt. Den letzteren kannte er persönlich und wirkte auf seiner Bühne mit. Der Einfluß zeigt sich in Brechts frühen Einaktern, von denen das derb-burleske Volksstück *Die Kleinbürgerhochzeit* 1926 in Frankfurt zur Aufführung kam. Diese Hochzeit, die ganz konventionell mit einer Tischgesellschaft beginnt, steigert sich bald zu einer

Freß- und Sauforgie. Die Paare werden vertauscht, und bei dem wilden Treiben brechen die vom Bräutigam angefertigten Möbel zusammen, was selbst auf der Bühne große Heiterkeit auslöst. Nach Abzug der Gäste kracht als Auftakt zur Hochzeitsnacht auch noch das Bett zusammen, nachdem der Bräutigam die Lampe mit der Türklinke zerschmettert hat. Brecht verbindet in dieser Posse Volkshumor mit Situations- und Sprachkomik.

Brechts Freund in diesen frühen Berliner Jahren war Arnolt Bronnen. Er verfaßte nach seinen frühen, dem schwarzen Expressionismus zugehörigen Stücken *Vatermord* und *Die Geburt der Jugend* (1922), die barbarische, wüst-aggressive und blutrünstige Ausfälle gegen die Welt der Erwachsenen gewesen waren, auch zwei Lustspiele. Das erste, *Die Exzesse,* verursachte am 7. Juni 1925 bei der Uraufführung auf der ›Jungen Bühne‹ des Berliner ›Lessing-Theaters‹ den größten Theaterskandal des Jahrzehnts. In dieser wie die früheren Stücke triebbesessenen und oft obszönen Komödie wird in 16 Bildern die Brunst gezeigt, mit der sich zwei Menschen nacheinander sehnen, die sich nur einmal kurz auf dem Bahnhof gesehen haben. Von Liebe ist nicht die Rede, sondern alles dreht sich fast monoton um das rein Sexuelle. Um die zwei Hauptcharaktere kreist ein wilder Reigen von Gestalten, die ähnliche Probleme wie diese haben. Die oft grotesk verzeichneten Charaktere und der freche Dialog verirren sich bis ins Geschmacklose, die Situationskomik ist von solcher Drastik, daß sie anstatt Humor Ekel erregt. Der sexuelle Konflikt ist, wie fast immer in den Dramen Bronnens, die Grundsubstanz des Lustspiels, jedoch reichert sie der Autor, ebenfalls auf exzessive Weise, mit den Themen der Zeit an: Es werden Frontkameradschaft und Revanchismus beschworen, Antisemitismus und Schiebergeschäfte satirisch dargestellt, proletarische und sozialistische Phrasen eingemengt, selbst Wandervogelromantik und Stadtfeindschaft fehlen nicht. Auch stilistisch ist das Werk uneinheitlich, denn naturalistische, dialektische, expressionistische und satirische Sprechweisen und Szenen stehen nebeneinander, eine unverdauliche, wirre und rohe Mischung, die bis in die Metaphorik reicht. Das rein Animalische wird nie naiv-ursprünglich, sondern immer auf verlogen-intellektuelle Art beschworen und entwickelt keine Überzeugungskraft. Gefühl und Darstellung dieses Gefühls, die sich in Brechts *Baal* entsprechen, decken sich in Bronnens Stück nie. Eine wirkliche Heiterkeit kann in der rasenden Folge der Szenen nicht aufkommen, höchstens entringt sich dem Zuschauer ein satirisches oder verlegenes Lachen, hauptsächlich über das Unvermögen des Autors.

Bronnens zweites Lustspiel von 1926, *Reparationen,* ist eine mißlungene Allegorie auf Kriegsschulden, Reparationsleistungen, Inflation und Ruhrbesetzung. Wie in *Exzesse,* wenn auch nicht in so übertriebenem Maße, bietet das Stück eine Mischung von Politik, Gesellschaftskritik, Erotik, Brutalität und Slapstick. Im Gegensatz zum voraufgegangenen Lustspiel ist die Handlung allzu abstrakt, das Milieu zu dünn, die Charaktere sind Karikaturen, und die Symbolik ist zu bemüht.

Im Zusammenhang mit diesen Stücken ist mehrmals das Wort ›grotesk‹ gefallen. Groteske Züge finden sich in vielen Lustspielen dieser Zeit und sind künstlerischer Ausdruck der Desorientierung, Ratlosigkeit und Entfremdung des modernen Menschen. Zunächst durch Technisierung und Industrialisierung hervorgerufen, dann durch Krieg, Inflation und Revolution verstärkt, verursachen sie den Zerfall der Persönlichkeit und der bis dahin für ewig gültig gehaltenen philosophischen und materialistischen Werte. Für viele Menschen hatte das Leben seinen Sinn verloren, und der sensitive, beunruhigte Dramatiker reagierte auf diese Wahrnehmung mit der grotesken Darstellung der Unordnung, Dissonanzen und Gegensätze, die sich in seinem Werk als Verzerrung der äußeren Wirklichkeit niederschlugen. Das Groteske enthält auch eine komische Komponente, und in Verbindung mit dem Satirischen ergibt sich eine Mischform, die im Zuschauer zwiespältige Gefühle hervorruft: Er weiß nicht, ob er weinen oder lachen soll.

Auf das Groteske bei Wedekind wurde hingewiesen, groteske Züge lassen sich ebenfalls in großer Zahl in den Dramen der Expressionisten finden. Brecht zeigt in seinem Lustspiel *Mann ist Mann* (1927) die auf groteske Weise durchgeführte Verwandlung eines Menschen in einen anderen. Der Soldat Kragler in *Trommeln in der Nacht* besinnt sich noch auf seine ganz kreatürliche, unheldenhafte Individualität, er verteidigt seine Haut gegen den Anspruch der Idealisten und der Revolution: »Mein Fleisch soll im Rinnstein verwesen, daß eure Idee in den Himmel kommt. Seid ihr besoffen?« Und er zieht ein »frisches Hemd« an, nimmt die ihm untreu gewordene und gefallene Braut wieder mit nach Hause und beginnt ein bürgerliches Leben. Der Packer Galy Gay in *Mann ist Mann* dagegen verliert seine Identität; in grotesk-komischen Szenen zeigt Brecht, wie dieser friedliche Zivilist in einen blutrünstigen Soldaten verwandelt wird. In einer sinnlosen, von Technik beherrschten Welt kann auch der Mensch ummontiert werden wie ein Auto, und es ist unsinnig, Individuum und Welt als etwas Gegebenes, Unveränderliches zu betrachten. Die Mechanisierung des Menschen im Stück erzeugt ein mit Komik vermischtes Entsetzen, der Zerfall der Persönlichkeit wirkt bedrohlich und belustigend zugleich. Das Stück wird aber durch ein Spiel im Spiel noch weiter verfremdet, und zwar durch ein »Zwischenspiel für das Foyer«, genannt »Das Elefantenkalb«, »in dem die Figuren des Lustspiels in einer farcenhaften Handlung zu Karikaturen ihrer selbst und die logischen Voraussetzungen der Spiel-Welt ins Absurde entfremdet werden«.[26]

Die Aufhebung der Illusion hat Brecht auch in der Endszene von *Mann ist Mann* durch Handlung und Dialog bewirkt. In der Berliner Inszenierung von 1931 wurde das Stück noch weiter verfremdet, indem die Soldaten durch Stelzen, Drahtbügel, Teilmasken und Riesenhände in Ungeheuer vergrößert wurden. Auch Galy Gays Verwandlung und Entpersönlichung wurde durch das Tragen einer Maske angezeigt. Helmut Arntzen schreibt über Brechts Technik: »Die verfremdenden Mittel dienen in diesem Stück Brechts durchaus den Intentionen der Komödie, das ›Lächerliche‹ an den Menschen und ihren Verhältnissen darzustellen. Sie werden um so bedeutsamer und notwendiger, je weniger die Komödie – entsprechend der historischen Situation – einzelne Fehler oder das Fehlerhafte einzelner, je mehr sie das Lächerliche der ganzen Gesellschaft exemplarisch darzustellen sucht. Der Realismus, der der Komödie als Darstellungsverfahren schon darum besonders ansteht, weil sie es so oft mit den konkreten Menschen zu tun hat, wird dort weniger tauglich oder gar untauglich sein, wo es nicht mehr um Kontraste und Konflikte innerhalb einer gesellschaftlichen Realität geht, die diese nicht in Frage stellen, sondern um die ganze oder doch sich als Ganzes gerierende Gesellschaft, die durch die realistischen Mittel nur als etwas Bekanntes reproduziert würde und also unauffällig und unerkannt bliebe.«[27] Wie *Mann ist Mann* als Parodie auf die Literatur des bürgerlichen Individualismus angesehen werden kann, so ist Brechts großer Erfolg *Die Dreigroschen-*

oper (1928) eine zeitgenössische Parodie auf die Parodie einer Oper, nämlich Gays *Beggar's Opera,* aber gleichzeitig eine Zeitsatire und eine Kritik gesellschaftlicher Zustände. Das glückliche Ende der *Dreigroschenoper* wird von der Dramaturgie der Komödie diktiert, denn in Wirklichkeit hat sich die Lage am Ende des Stückes nicht verbessert. Der kritische Zuschauer muß sich schon, wie im *Guten Menschen von Sezuan,* seinen eigenen positiven Schluß suchen.

Die vollständige Aufgabe der Bühnenillusion und der Gebrauch der Groteske waren schon vor Brecht in Yvan Golls Kinodichtung *Die Chapliniade* (1920), den Possen *Die Unsterblichen* (1920) und besonders in seinem satirischen Drama *Methusalem oder Der ewige Bürger* (1922) vorgezeichnet worden. Goll nannte es die Aufgabe der Kunst, »den Menschen wieder zum Kind« zu machen, und das »einfachste Mittel« dazu sei »die Groteske, aber ohne daß sie zum Lachen reize«.[28] Es gelang ihm auch, das Groteske in den Figuren, in Handlung und Sprache seines Dramas herauszuarbeiten, aber die im Nebensatz des Zitats gestellte Forderung wird in seinen Satiren keineswegs erfüllt: Ein Kind mit seinem begrenzten Horizont wird sicherlich über Figuren lachen, die so weit von seiner Wirklichkeitsnorm abweichen. Die Figuren oder Marionetten des Stücks sind eindimensionale Karikaturen von Gesellschaftstypen, sie sind nur im Hinblick auf ihre Funktion gesehen. Um zwiespältige Gedankengänge auszudrücken, stellt Goll den Studenten in drei Figuren auf die Bühne. Der Sohn Methusalems, Felix, »der moderne Zahlenmensch«, wird so beschrieben: »Statt des Mundes trägt er ein kupfernes Schallrohr, statt der Nase einen Telephonhörer, statt Stirn und Hut eine Schreibmaschine, und darüber Antennen, die jedesmal funken, wenn er spricht.« Goll betrachtete diesen Aufzug als Maske des modernen Menschen.[29] Die Handlung ist nicht realistisch, denn weder ein zeitlicher Zusammenhang noch eine strukturelle Gliederung lassen sich feststellen. Die Folge von fast revuehaften Nummern zeigt die Wiederkehr des immer Gleichen: Sogar erschossene Personen erscheinen wieder auf der Bühne und spielen munter weiter mit. Die Sprache schließlich ist alogisch, um, wie Goll im Vorwort zu *Methusalem* schreibt, »das zehnfache Schillern eines menschlichen Gehirns zu zeigen, das das eine denkt und das andere spricht und sprunghaft von Gedanke zu Gedanke schweift, ohne den geringsten scheinbar-logischen Zusammenhang«.[30] Goll verwendet keinen realistischen Dialog, sondern eine Montagetechnik, mit der Gedanken, Werbesprüche, konventionelle Phrasen, lyrisches Geschwätz und literarische Reminiszenzen in parodistischer Absicht aneinandergereiht werden. Die 6. Szene bietet eine Parodie der bürgerlichen Konversation, wie sie schon in Georg Kaisers *Von morgens bis mitternachts* vorgebildet ist. Dazu bemerkt Goll: »Alogik ist heute der geistigste Humor, also die beste Waffe gegen die Phrasen, die das ganze Leben beherrschen. Der Mensch redet in seinem Alltag fast immer nur, um die Zunge, nicht um den Geist in Bewegung zu setzen.«[31] Ida besingt ihre Liebe in einem lyrisch-hymnischen Stil, der sich auch bei ihrer Namensgenossin[32] in Kaisers *Kanzlist Krehler* aus dem gleichen Jahr, 1922, findet. Er wirkt kitschig und klischeehaft wie die expressionistische Rhetorik des Studenten. Goll persifliert hier die Sprache literarischer Strömungen, die er ablehnt. Felix dagegen spricht nur Geschäftsjargon und beurteilt alles aus der Sicht der Firma. Der Dialog wird in der 1. und 2. Szene noch unterstrichen durch einen Film, der die Träume Methusalems zeigt, durch einen sprechenden Roboter und durch eine Tiersatire, in der sich die Haustiere wie ihre menschlichen Partner auf der Bühne benehmen und wie diese mit unzusammenhängenden Phrasen und Schlagworten auf gesellschaftliche, religiöse, politische und literarische Zeiterscheinungen anspielen. In der 8. Szene wird das Spiel im Spiel verwendet, um wichtige Stationen des bürgerlichen Lebens wie Hochzeiten und Begräbnisse zu zeigen, die laut Regieanweisung grotesk und komisch dargestellt werden sollen.

Golls Satire ist von Sternheim und Kaiser beeinflußt, jedoch weist seine Verwendung von Masken, Bühnenrequisiten und modernen technischen Mitteln wie Film und Grammophon auf die Theaterpraxis Brechts und Piscators voraus. Kritik der Gesellschaft und Diagnose ihrer Zeit ist das Ziel dieser drei Dramatiker.[33] Doch wie wird Sozialkritik in der Handlung verwirklicht? Vom Plüschsalon des durch die kurzlebige Revolution nur leicht angeschlagenen Bürgers Methusalem aus zeigt Goll die Welt um 1920. Der Bürger beherrscht diese Welt wieder total, er manipuliert Polizei wie Massen und sieht die Gesellschaft nur unter geschäftlichen Aspekten; selbst der Krieg wird als Gelegenheit zu erhöhtem Absatz begrüßt. Der Kassenschrank ist Methusalems Gott, denn »für Geld kauft man sich Witze, Liebe, Frühling und Revolutionen«. Auch Methusalems filmisch als Träume gezeigte erotische, kulturelle und nationalistische Erlebnisse enden stets als Reklame für seine Produkte. Als Kleinbürger ist Methusalem mit seiner ihn umsorgenden Amalie hauptsächlich darauf bedacht, daß er seinen Gulasch zur rechten Zeit erhält, daß seine schwärmende Tochter Ida korrekt heiratet und sein Sohn Felix, der totale Kaufmann, hohe Gewinne erzielt und die Firma weiter ausbaut. Der Gegner Methusalems ist der Student, scheinbar ein Revolutionär und Anarchist, der die Arbeiter durch seine demagogischen Reden aufreizt, es in Wirklichkeit aber auf Methusalems Besitz, seine Villa oder sein Geld, abgesehen hat. Im Grunde ist er ein Zyniker und Nihilist. Durch Verführung von Methusalems Tochter Ida scheint er sein Ziel zu erreichen, aber da sie von der Familie verstoßen und enterbt wird, sieht man ihn im letzten Bild völlig heruntergekommen mit Frau und Kind auf einer Bank im Park. Ida jedoch schwärmt schon jetzt davon, daß ihr Baby Fürchtegott ein Versicherungsagent oder vielleicht sogar Direktor einer Konservenfabrik werden wird, ein Bürger wie sein Großvater Methusalem. Während im expressionistischen Drama durch den Helden und seine Vision eine Gegenwelt zur bürgerlichen Welt gezeigt wurde, erweisen sich hier die Welt und der Typ des Philisters am Ende als allmächtig und allgegenwärtig, obgleich sie im Stück selbst ad absurdum geführt wurden. Golls Groteske auf den ewigen Bürger war seiner Zeit weit voraus und fand 1922 nicht die Anerkennung, die ihr gebührt. In der Folgezeit übte sie jedoch eine große Wirkung auf die absurde Dramatik der Moderne aus. Grimm und Žmegač haben Golls Drama kritisch gewürdigt.[34]

Die Gesellschaftssatire nimmt in den zwanziger Jahren einen breiten Raum ein, jedoch finden sich neben dem Gollschen Extremfall Gesellschafts- und Sittenkomödien konventioneller Art, die sich nicht gegen die Gesellschaft als solche richten, und Satiren auf diesen Typ der Komödie. Beispiele für beide Arten des Lustspiels sollen angeführt werden.

Hugo von Hofmannsthals nach dem Krieg spielende Charakterkomödien *Der Schwierige* (1921) und *Der Unbestechliche* (1923) sind aus dem Geist dieser Zeit geboren, jedoch noch mehr der Vorkriegswelt der österreichischen Aristokratie und der alten Komödientradition verhaftet. Für Hofmannsthal, der die Lustspiele Molières bewunderte und die Komödie einmal als »das erreichte Soziale« charakterisierte, ist die Struktur der österreichischen Gesellschaft und ihre Bedrohung das Fundament seiner Komödiendichtung. In diesem Sinne ist sie zugleich rückwärts und vorwärts gewandt, denn er versuchte in ihr, was er auch der Sprache als »wahre Aufgabe« zuweist: »das Dahingegangene zu vergegenwärtigen«, um es doch noch zu bewahren. *Der Unbestechliche*, der aus den uralten Elementen des Charakterlustspiels lebt, und die problematische Komödie *Der Schwierige*[35] sind ohne die Wiener Theatertradition und ohne das Theaterpublikum der Donaustadt undenkbar. Bei der Konzeption der Rolle des »Unbestechlichen« hatte Hofmannsthal sogar an den berühmtesten Komiker und Komödianten der zwanziger Jahre, Max Pallenberg, gedacht, der den ›servo padrone‹ dann auch verkörperte. Obgleich *Der Schwierige* kurz nach der Wiener Uraufführung 1921 in Berlin gespielt wurde, wo *Der Unbestechliche* zwei Jahre später ebenfalls zur Aufführung gelangte, kann man diese Stücke kaum als zur Literatur der Weimarer Republik gehörig betrachten.

Das gleiche gilt für Ferdinand Bruckners zweiteilige »Komödie vom Untergang der Welt« *Harry* und *Annette* (1920), die ebenfalls den Niedergang der Gesellschaft der Donaumonarchie zum Thema hat, sich aber an Sternheimschen Mustern orientiert. Glänzende Konversationsstücke schrieb in Österreich auch Alexander Lernet-Holenia. Im Einakter *Ollapotrida*, 1926 in Frankfurt uraufgeführt, werden die amourösen Verwicklungen von drei Paaren zu immer neuen Höhepunkten geführt. Ein ähnliches Durcheinander herrscht in der dreiaktigen *Österreichischen Komödie* (1927), in der auf dem Schloß Sarau Herrschaft und Besucher Liebeslust und -leid erleben, während der Diener wie in Hofmannsthals *Unbestechlichem* den guten Ruf des Hauses und die Moral zu retten sucht.

In Deutschland wandte sich Walter Hasenclever, berühmt durch sein Erstlingswerk *Der Sohn* (1916), nach einer mystischen Phase der Gesellschafts- und Salonkomödie zu.[36] Die zunächst als »Gaunerkomödie in zwei Teilen« deklarierte Heiratsschwindlersatire *Ein besserer Herr* war 1927 ein Erfolg, der sich im folgenden Jahr mit *Ehen werden im Himmel geschlossen* in noch größerem Maße wiederholte. Nach der Uraufführung des *Besseren Herrn* schrieb Franz Servaes: »Die ›neue Sachlichkeit‹, sonst ein Vorrecht unserer modernsten Malerei, hält hier seinen Einzug in das deutsche Lustspiel. Man kann nur sagen: mit recht viel Glück. Denn hier spricht kein Gläubiger, sondern ein Ironiker.«[37] Es ist eine Satire auf die Hektik der Zeit und die Versachlichung der Gefühle, in knappem Sprachstil dargeboten. Das zweite Stück, von Shaw beeinflußt, betrachtet die Schwächen der Ehe aus der himmlischen Perspektive. Die Ehen klappen jedoch weder im Himmel noch auf Erden, weder unter Fabrikbesitzern noch Proletariern. Da Gott, Petrus und Maria Magdalena in moderner Kleidung auf der Bühne auftraten, regnete es Proteste, die aber als Reklame für das Stück wirkten. In *Kommt ein Vogel geflogen* (1931) gebrauchte Hasenclever ein altes Motiv des Boulevardtheaters in etwas abgewandelter Form, nämlich den Mann zwischen Mutter und Tochter, die beide um ihn werben. Er aber wendet sich zuletzt der Zofe zu. Sowohl dieses Stück als auch die Komödie *Christoph Kolumbus oder Die Entdeckung Amerikas* (1932), gemeinsam mit Kurt Tucholsky geschrieben, konnten sich nicht durchsetzen.

Curt Goetz, selber ein bekannter Schauspieler, hatte großen Erfolg mit seinen leichten Sittenkomödien, die er für die eigene Truppe schrieb und inszenierte. In *Ingeborg* (1921) behandelt er das Thema der verwöhnten Frau zwischen zwei Männern, in *Hokuspokus* (1926) geht es um die Aufklärung eines Mordes, und in *Dr. med. Hiob Prätorius* (1932) wird der tödliche Unfall des beliebten und humorvollen Arztes untersucht. *Der Lügner und die Nonne* (1929) bringt sogar einen Kardinal auf die Bühne, dessen Sohn eine in falschen Verdacht geratene Klosternovizin rettet und heiratet. Goetz baute seine Komödien geschickt in Rahmenhandlungen ein und bot immer eine spannende Handlung mit vielen komischen Höhepunkten. Wie Goetz schrieb auch Bruno Frank erfolgreiche Sittenkomödien. In der *Perlenkomödie* (1929) stiftet ein auffallender Halsschmuck heillose Verwirrungen, während *Sturm im Wasserglas* (1930) kleinbürgerliche Liebesaffären, Kommunalpolitik und den Journalismus auf die Bühne bringt. Hans Chlumberg stellt in *Das Blaue vom Himmel* (1929) Ehekonflikte humorvoll dar.

Im Gegensatz zu diesen Autoren schrieben Georg Kaiser und Robert Musil Gesellschaftskomödien gegen den Strich. Sie griffen damit auch die immer mehr ins Kraut schießende Trivialdramatik an, die sich der Themen der Gesellschaftskomödie bemächtigte und sie für ihre Zwecke benutzte. Mit einem tüchtigen Schuß Ironie bemerkt Kaiser 1924 zu seiner »Komödie in einem Vorspiel und drei Akten nach zwanzig Jahren« *Kolportage*, sie sei »Geschrieben zur Förderung der Kinderfürsorge und des zeitgenössischen Theaters«. Obwohl die Kritiker auf Vorbilder – den Kitschfilm, den ›Klassiker‹ des modernen deutschen Lustspiels, Ludwig Fulda, ja selbst auf Sudermann – hinwiesen, waren sie begeistert.[38] Herbert Jhering meinte: »So wird Georg Kaiser zu einem fruchtbaren Komödiendichter, indem er – gegen die Possen – und gegen das Tränenklischee schreibt. So würde er der größte Revuedichter Deutschlands werden.«[39] In der Handlung des strukturell konservativen Stückes bringt Kaiser geschickt den schwedischen Hochadel, das Bürgertum und eine Mutter aus dem Lumpenproletariat zusammen. Alle Gesellschaftsschichten werden verspottet: Der Adel wird als erzkonservativ und dekadent entlarvt; er kann sich wie in Zuckmayers *Hauptmann von Köpenick* nur durch Anschluß an die Bourgeoisie retten. Die Bürgerschicht ist durch die schwerreiche schwedisch-amerikanische Familie Bratt vertreten, die nur aus »Self-made men« besteht und wiederum ihren gesellschaftlichen Ruf durch Heirat mit dem Adel aufzubessern sucht. Der vitale Erik Bratt, in Kansas aufgewachsen, fühlt sich im Schloß seines Vaters gar nicht wohl, und die Garage ist für ihn »das einzig erfreuliche« am ganzen Bau. Am liebsten tanzt er wild wie ein Indianer und singt Gassenhauer und »Niggersongs« zur Musik des Grammophons, ohne das er »Löcher in den Horizont« stiert. Die Proletarier werden, wenigstens im letzten Akt, durch Frau Appeblom noch am sympathischsten dargestellt, aber diese ist inzwischen auch schon eine Kleinbürgerin geworden.

Ein Erfolg wurde das Stück aus ganz entgegengesetzten Gründen: Kritiker und Intellektuelle bejahten es, weil sie die satirische Seite des Stückes sahen, während Kleinbürger und Spießer diesen doppelten Boden gar nicht bemerkten und ihr Vergnügen am reinen Kitsch hatten, an der Trivialität der Fiktion, die ihnen die Möglichkeit besserer Welten und Menschen vorspiegelte. Direkte Zeitkritik übte das Stück nicht, es zeigte die bürgerlichen Zustände als die bestmöglichen. Über die noch in *Von morgens bis mitternachts* so scharf kritisierte Bank heißt es jetzt: »Die Bank

war mir Kirche und der Kassierer der Pastor.« Aus dieser Welt der Rentabilität und des Profitdenkens erwächst nicht nur der Frau Appeblom, sondern auch der übrigen Gesellschaft das Heil in Gestalt von monatlichen Renten. Alle Klassen sind vom Geld abhängig, und mit genügend Kapital kann jeder etwas aus sich machen. »Der Weg zur Bank am bestimmten Tag wurde mir die Straße in geordnete Verhältnisse«, beteuert Frau Appeblom. Das expressionistische Erlösungspathos wird durch die Sentenz verspottet, die als Fazit des Stückes angeboten wird: »Füttert die Kreatur und hätschelt sie ein bißchen – dann habt ihr das Paradies auf Erden.« Wenn jeder finanziell unabhängig ist, dann ist der wahre »Bolschewismus« erreicht. Das Stück wurde schon 1925 vom Ufa-Regisseur Joe May als *Der Farmer aus Texas* verfilmt; 1938 folgte eine zweite Verfilmung als *Familienparade*. Kaisers Erfolg als Komödienautor wurde noch durch Aufführungen seiner vor dem Krieg geschriebenen Stücke wie *Margarine* (1925), *Der mutige Seefahrer* (1927)[40] und *Der Präsident* (1928) gefestigt. Kolportagehaft ist auch Robert Musils Posse *Vinzenz und die Freundin bedeutender Männer* (1923). Die Anklänge an Wedekinds Lulu-Stücke und Sternheims späte Dramatik sind auffallend, aber die Ereignisse, die in den Werken der Vorbilder wirklich geschehen, werden in Musils Posse nur zum Schein durchgeführt. Helmut Arntzen hat sie überzeugend interpretiert.[41]
Die Stunde des Volksstücks schlug mit der Premiere von Carl Zuckmayers »Lustspiel in drei Akten« *Der fröhliche Weinberg* im Dezember 1925. Diese Aufführung signalisierte für viele Theaterbegeisterte das endgültige Ende des Expressionismus. Zuckmayers erstes Drama mit dem symbolischen Titel *Kreuzweg*, mit allegorischen Figuren und in einem lyrischen Stil geschrieben, war 1920 ein Mißerfolg, und noch im Februar 1925 ereilte das spätexpressionistische, exotisch-romantische »Stück aus dem fernen Westen« *Pankraz erwacht oder Die Hinterwäldler* das gleiche Schicksal. Aber trotz der Mißerfolge war Zuckmayers Talent, und besonders sein »Komödientalent«, erkannt worden.[42] Er trat auf dem Gebiet des Lustspiels das Erbe Hauptmanns an, obgleich seine Dramen, wie der *Hauptmann von Köpenick*, strukturell auch vom Stationendrama beeinflußt sind.
Zuckmayers vielgespieltes, auf einigen Bühnen auch heftig umstrittenes rheinisches Volksstück *Der fröhliche Weinberg* war erfolgreich, weil es einerseits auf alte, bewährte Klischees der Komödie zurückgriff, sie andererseits aber mit ursprünglicher Natur füllte und in die Gegenwart, das Jahr 1921, verlegte. Durch den Bezug auf die Gegenwart war es Zuckmayer möglich, auch zeitgenössische Probleme zu behandeln und im Lustspiel mehr oder weniger Kritik an den bürgerlichen Vorurteilen und Zuständen zu üben. Der Erfolg des Stückes ergab sich aber nicht aus diesen sekundären Zügen, sondern beruhte auf dem derben, rheinischen Humor und der gelungenen Darstellung von typischen Lustspielfiguren. Charakterkomik wird von Situationskomik, die wie der Dialog oft recht derb ist, unterstützt. Der urwüchsige Dialekt des Stückes und Zuckmayers lyrische Sprache erzielten nach den Verrenkungen des Expressionismus einen besonderen Erfolg. Daß hier nichts grundsätzlich Neues auf dem Gebiet der Komödie geboten wurde, war allen Kritikern und auch dem Autor klar. Zuckmayers Stück bedeutete aber keine Rückkehr zum Naturalismus oder zur Heimatkunst, sondern es war erfolgreich, weil es einerseits die alten Mittel der Komödie und des Theaters voll ausschöpfte, andererseits aber auch die naturhaften Vorgänge auf der Bühne mit Ironie und Sachlichkeit, mit einer gewis-

sen Frechheit, wie Jhering es ausdrückte,[43] betrachtete. Diese Ironie ist aber nie bösartig, sie verletzte niemanden, und sie tat der Lebensfreude und dem grundsätzlichen Optimismus des Lustspiels keinen Abbruch. Gerade dieser Optimismus muß nach dem Pessimismus der vorangegangenen Jahre dem Publikum wohlgetan haben. Die Tatsache, daß man seit langer Zeit nicht mehr ein solches Lustspiel auf der Bühne gesehen hatte, trug zum Erfolg bei, und der – nach Alfred Kerr – »bekehrte Zuckmayer« wurde stürmisch gefeiert.

Während diese erste Komödie Zuckmayers nur sehr wenige kritische Untertöne hatte, ist sein erfolgreichstes Stück, das »deutsche Märchen« von 1931 *Der Hauptmann von Köpenick*, ein Lustspiel, das Militarismus und Kadavergehorsam gerade zu einer Zeit angriff, als sie wieder stark aufzuleben begannen und in der Literatur, auf der Bühne, und von den Nationalsozialisten sogar auf der Straße verkündet wurden. Jedoch steht diese Komödie auf dem Boden des alten Militärlustspiels und des Volksstücks, obgleich sie das Schicksal eines von der Gesellschaft ausgestoßenen Menschen zeigt, des heimat- und paßlosen Wilhelm Voigt. Der Gegenspieler Voigts ist die Gesellschaft, die durch die Uniform repräsentiert wird. Die Faszination, die die Uniform auf das Publikum der Militärlustspiele ausübte, beruhte auf einem unkritischen Patriotismus und dem Ansehen, das die Offiziere und selbst die Soldaten im Vorkriegsdeutschland und langsam auch wieder 1930 genossen. Zuckmayer greift die Soldaten jedoch nicht als Individuen an – sie werden mit Sympathie dargestellt –, was er in der Uniform zu treffen sucht, ist der Staatsapparat als solcher. Der Bürger ist als Soldat nur noch ein Werkzeug des Staates und repräsentiert ihn daher besser als der Zivilist, der eigene Interessen hat und sie verficht. In 21 Bildern wird gezeigt, wie der Protagonist verzweifelt versucht, einen Platz in der Gesellschaft zu finden, und wie ihm dieser Platz immer wieder verweigert wird. Da er nicht in die gängige Schablone paßt und auch nicht die Papiere hat, die ihn zu seiner Existenz überhaupt berechtigen würden, wird er trotz aller naiven Ehrlichkeit dazu getrieben, sich sein Recht selbst zu verschaffen und dadurch mit dem Gesetz in Konflikt zu geraten. Voigt ist jedoch nicht wie der Berliner Zeck im gleichen Drama ein Anarchist oder Revolutionär, er will den Staat nicht verändern, sondern sucht nur die Möglichkeit, als Mensch in der Heimat zu leben. Dadurch stößt er aber immer wieder mit Bürgern – auch gutgesinnten – zusammen, denen ihre Funktion im Staat wichtiger ist als ihr Menschentum. Erst mit Hilfe der Uniform gelingt es ihm, die Vertreter des Staates zu überlisten und sein Selbstvertrauen zurückzugewinnen. Das erkennende Lachen Voigts über die Uniform, mit dem das Stück endet, beweist, daß er ihr nicht wie die anderen verfallen ist, sondern sie bewußt als Tarnung gebrauchte, um sein Ziel zu erreichen.

Wie im *Fröhlichen Weinberg* gelingt es Zuckmayer auch in diesem Stück, unvergeßliche Charaktere auf die Bühne zu stellen. Der Humor erwächst aus dem Gegensatz von Schein und Sein, dem Anspruch, der von den Personen in Uniform erhoben wird, und der Wirklichkeit, die sie umgibt und die sie vertreten. In den einzelnen Bildern wird gezeigt, wie Kaufleute, Beamte, Stadträte, Inspektoren vor Uniformen aller Art in Ehrfurcht erstarren und wie jeder forsch aus dem Munde eines Uniformierten kommende Befehl ohne weiteres ausgeführt wird, während der echte, auch innerlich ehrliche Hauptmann in Zivil für seine Aufforderung zum Gehorsam nur eine Ohrfeige erhält und den Dienst quittieren muß. Bei der Behandlung der jüdischen Typen geht Zuckmayer vorsichtiger als im *Fröhlichen Weinberg* vor, wo sie noch den Klischeevorstellungen entsprechen: Der königlich-preußische Hoflieferant und Kommerzienrat mit dem sprechenden Namen Wormser ist – teilweise aus Geschäftsgründen – ein geradezu chauvinistisch-nationaler Mann, der die Parolen des Staates verkündet und durch Heirat mit dem preußischen Adel sozial aufsteigen möchte. (Diese Szene wurde schon bei der Berliner Aufführung 1931 gestrichen.) Während Wormser durch seine Uniformen die Macht der Diener des Staates untermauert, verramscht der Kleiderjude Krakauer, eine »sagenhafte Ghettogestalt«, die Uniformen vergangener Zeiten für Maskenbälle und entlarvt dadurch ihren Anspruch. Bei ihm treffen sich auch der alte Voigt und die zerschlissene Uniform, hier beginnen sie ihre Zusammenarbeit, die ein ganzes System dem scharfen Licht der Satire aussetzt. Aber nicht nur die Rollen Voigts und der Uniform, auch die Nebenrollen sind für diesen Zweck geschaffen und weisen in immer neuen komischen Situationen auf das zentrale Thema des Stückes hin. Und wenn Humor und Komik ins Tragische umzukippen drohen, wie in Voigts Begegnung mit dem kranken Mädchen, läßt Zuckmayer eine seiner gelungenen Festszenen folgen, die die Komödie wieder ins rechte Gleis bringen. Aber gerade die Möglichkeit der Tragik bestätigt den Rang der Komödie. Obgleich die Fabel historisch belegt ist und zu einem bestimmten Zeitpunkt der deutschen Geschichte spielt, ist sie doch universal gültig. In diesem Sinne betrachtete Zuckmayer, der den *Hauptmann von Köpenick* als sein gelungenstes Werk ansieht, Voigt als den »Till Eulenspiegel unserer Zeit, in dessen Schicksal ich gleichzeitig ein zeitklärendes Bild Deutschlands schaffen kann, womit nicht nur Deutschland gemeint ist, sondern jedes Land und jedes Volk, in dem Bürokratie über den Menschen siegt, der Mensch aber durch Humor und Witz und Geist und Mut trotzdem triumphiert.«[44] Thomas Mann schrieb spontan an den Autor: »Seit Gogols *Revisor* die beste Komödie der Weltliteratur.«[45]

Ödön von Horváth stellt die Bürger in seinen Anti-Volksstücken nicht wie Zuckmayer in positiv-humorvoller Art dar, sondern übt schärfste Kritik an den Philistern. Die Verkommenheit der Gesellschaft, deren Milieu Horváth mit großer Überzeugungskraft gestaltet, spiegelt er in ihren Vertretern wider, die sich für gefühlvoll halten, aber bei jeder Gelegenheit ihre Verlogenheit, Roheit und Dummheit beweisen. Die Menschen verstehen sich nicht und suchen ihr Alleinsein durch Phrasen zu verdecken. Horváths Stücke enden im Grunde alle tragisch, das Publikum jedoch empfindet sie als »komisch, weil sie unheimlich sind«, wie der Autor es ausdrückte. Seine ersten Versuche sind politisch inspiriert und zeigen die Gefahr, die durch den Faschismus droht. *Sladek*, die Titelfigur des ersten Dramas, ist ein »schwarzer Reichswehrmann«, der sich zum Fememord verleiten läßt. 1929 wurde das Stück in Berlin aufgeführt. 1931 folgte *Italienische Nacht*, in der die Vereinsmeierei und Krähwinkelei der Sozialisten und Faschisten kritisiert wird. In *Geschichten aus dem Wiener Wald* (1931) wird unter dem Firnis der Wiener Romantik und den Klängen seiner Lieder ein Wiener Mädel von Bürgern der Stadt bis aufs Blut gequält und gefoltert. *Kasimir und Karoline* (1932) zeigt die Hoffnungslosigkeit des Lebens während der Wirtschaftskrise unter Arbeitslosen, Proletariern und Angestellten, für die nur das nackte Überleben gilt. Obgleich Horváth 1931 auf Vorschlag Zuckmayers der Kleist-Preis verliehen wurde, konnten sich seine aggressiven Stücke im politischen Klima der letzten Jahre der Republik nicht durchsetzen. Ähnlich erging es Marieluise Fleißer, deren *Fegefeuer in Ingolstadt* (1926) und *Pioniere in Ingol-stadt* (1929) die Idylle des Volksstückes auf den Kopf stellen, und Friedrich Wolf mit seiner antifaschistischen Komödie *Die Jungen von Mons* (1931), die die Bühnen zunächst nicht annehmen wollten. Erst in den sechziger Jahren wurden die Dramen Horváths und der Fleißer wiederentdeckt.

Die politische Komödie soll an Beispielen von drei Autoren untersucht werden. Ernst Toller erkannte die komischen Aspekte der Zeitsatire, nachdem er durch die Niederschlagung der Räterepublik und die politische Entwicklung in Deutschland ernüchtert, skeptisch und pessimistisch geworden war. Schon im *Hinkemann* (1923), Tollers bestem Drama, das sich thematisch, strukturell und stilistisch stark an Büch-ners *Woyzeck* anlehnt, sieht der Protagonist sich als tragikomische Gestalt: »Ich bin lächerlich wie diese Zeit, so traurig lächerlich wie diese Zeit. Diese Zeit hat keine Seele. Ich hab kein Geschlecht. Ist da ein Unterschied?« Toller selbst schrieb über die Mischung der komischen und tragischen Elemente: »Ich glaube, daß gerade durch die Mischung von Lächerlichkeit und Tragik den Hörer eine Ahnung von der Anti-nomie lebendigen Geschehens überkommt.«[46] Der Budenbesitzer versucht, als Reprä-sentant der Gesellschaft dieser Zeit, dem verzweifelten Hinkemann den Weg zum Erfolg zu weisen: »Machen Sie nur Augen auf. Man muß was leisten! Leistung! Das ist Schlüssel zu unserer Zeit! Gleichgültig was! Weltboxer! Volksführer! Valuta-schieber! Weltbankdirektor! Sechstagerenner! Borgeschgeneral! Shimmytänzer! Fachminister! Revancheagitator! Sektfabrikant! Prophet! Meistertenor! Völkischer Wotanidenhäuptling! Judenfresser! Geschäft blüht! Man muß Konjunktur ausnüt-zen! Selbst mit schwarzer Schmach kann man sich heute gesund machen! Nötige Quantum Ethos bekommt man gratis geliefert.« Es sind die rücksichtslosen, oppor-tunistischen und brutalen Erfolgsmenschen, die Führergestalten, welche er dem Pro-letarier als Vorbild vor Augen stellt.

In seiner Komödie *Der entfesselte Wotan* (1923) satirisiert Toller eine solche Gestalt und die reaktionären Tendenzen in der Weimarer Republik, die ihren Aufstieg er-möglichen. Dieses Stück unterscheidet sich sehr von Tollers übrigen Dramen, in denen gerade progressive und sozialistische Gestalten im Mittelpunkt stehen. Wie im letz-ten Stück Kornfelds ist es die unkritische Verehrung des großen Mannes, die Toller aufs Korn nimmt. Im Vorspiel heißt es:

> »Was einst Tragödie, werd zur Posse,
> Was einst gekrümmtes Leid, werd zum Gelächter,
> Spiel du, ein Epigone deiner selbst,
> Dein majestätisch Spiel.«

Aus heutiger Sicht wirkt das Stück prophetisch. Es überrascht, mit welch geradezu hellseherischer Klarheit Toller schon 1923 die politischen und gesellschaftlichen Ent-wicklungen der nächsten zwanzig Jahre dargestellt hat. Der Name des Helden der Komödie, Wilhelm Dietrich Wotan, erinnert an Wilhelm II., an den »Untertan« Dietrich in Heinrich Manns Roman *Der Untertan* und an den Germanenkult und die Deutschtümelei der Nationalsozialisten. Toller interpretierte für den Schauspie-ler Max Pallenberg das Stück: »Auf wen haue ich mit Keulen los? Auf jene Typen, die nach meiner tiefsten Überzeugung uns in den jammervollsten Dreck geführt haben und die das Volk, befreit es sich nicht von ihrem Einfluß, weiter und weiter hineinstoßen. Das Deutsche an Goethe, an Hölderlin, an Büchner (um nur ein paar aus der Schar der Großen zu nennen), was hat es gemeinsam mit dem Teutschen an Ruge etwa, an Theodor Fritsch, an Adolf Hitler?«[47] Toller, der die Entwicklung der nationalsozialistischen Partei genau verfolgte, wendet sich hier besonders gegen die Hakenkreuzler und Antisemiten; daß er aber ganze Gesellschaftskreise angreift, geht aus einer weiteren Briefnotiz hervor: »Reaktion und Kleinbürgertum rufen heute mit der gleichen Inbrunst nach der Diktatur und meinen: einen Diktator mit unbeschränkter Machtfülle. Dieser Ruf ist Ausdruck einer seelischen Stimmung, die erschreckt, weil sie auch die Massen ergreift. Der Wille zum Diktator ist der Wille zur Selbstentmannung, zur Knechtschaft, oder, wie man es heute gern nennt, der Wille zur Gefolgschaft.«[48]

Wotan ist ein typischer Kleinbürger, der sich verkannt fühlt und die Juden für seinen Zustand verantwortlich macht. In Wirklichkeit hat er im Beruf keinen Erfolg und flieht in die Welt expressiv-exotischer Trivialromane und erotischer Phantasien. Seine Frau Mariechen, die er wie eine Sklavin behandelt, verehrt und verhätschelt ihn trotzdem. Von einem Kunden auf die Idee gebracht, eine Auswanderer-Genossenschaft zu gründen, berauscht er sich an seinen utopischen Plänen, daß er sie schließlich selber glaubt. Er wird unterstützt von einem Opportunisten, Schleim, der sich für alles einsetzt, sei es Revolution, Antisemitismus oder völkische Wiedergeburt, wenn es nur Profit abwirft, und von Leutnant von Wolfblitz, der zusammen mit seinem Korpskommandeur, General von Stahlfaust, die konservativen Kräfte und reaktionären Verbände vertritt. Sie fordern unbedingten Gehorsam und harte, soldatische Zucht. Schleim und Wolfblitz bringen Wotan als eine Mischung von Diktator und Erlöser, von Politiker und Dichter à la Mussolini und Rabindranath Tagore heraus. Diese Kombination übt eine besondere Anziehungskraft aus auf das Kleinbürgertum und auf Personen wie das religiöse, schwärmerische Hoffräulein Gräfin Gallig; und selbst der auf Anlage seiner Gelder bedachte jüdische Bankier Karausche bietet ihm seine Dienste an. Als einziger positiver Typ erscheint ein junger Arbeiter, der sich nicht beirren läßt: »Was liegt an Eurem Europa! Jedes Leichenfeld wird Brachfeld. Zum Brachfeld kommt der Pflüger!« Den »Pflügern«, den wirklichen Arbeitern, hat Toller auch diese Komödie gewidmet. Ihnen stehen Leute gegenüber, die nur mit leeren Worten und nichtssagenden Parolen agieren wie der Schaumschläger und völkische Demagoge Wotan. Er verspricht jedem das Blaue vom Himmel, ohne die geringste Möglichkeit zu haben, seine großspurigen Versprechungen in Wirklichkeit umsetzen zu können. Die Komik entsteht so aus dem Gegensatz von rhetorischem Geschwätz und schonungsloser Wirklichkeit, von vorgetäuschtem Heldenpathos und tatsächlicher Feigheit. Toller gelingt es, das Wesen der einzelnen Charaktere durch ihren Jargon und ihre Rhetorik auszudrücken. Wotan hat zwar zunächst mit seinen Worten Erfolg, aber am Ende wird er entlarvt. Hitler war Tollers Vorbild für den Wotan, denn der vom Volk durchschaute und ausgepfiffene Wotan wird von der Polizei zwar verhaftet, aber als »Bürger von staatserhaltender Gesinnung« mit Samthandschuhen behandelt. Er darf sich als Märtyrer fühlen und will im Gefängnis seine Memoiren »Der Dolchstoß kurz vorm Ziel« schreiben. In einem Brief vom 2. Januar 1924 bezeichnete Toller »Hitler und Genossen« als »Hätschelkinder des Münchner Polizeipräsidenten Pöhner«[49] und beklagte sich darüber, daß die Republik diesen Gegner nicht ernst nehme.

Nach seiner Entlassung aus der Festungshaft wollte Toller zusammen mit Erwin Piscator eine »Komödie über das Scheunenviertel« schreiben, deren Titel er auch als »Berlin 1919« angab, aber es gelang ihm nicht, sie zu beenden. 1927 wurde jedoch sein Zeitstück *Hoppla, wir leben!* aufgeführt, in dem sich komische Züge und Figuren wie Gottlieb Pickel finden. Wieder versuchte Toller die Republik auf Gefahren aufmerksam zu machen, die sie bedrohten, aber sein Stück wurde vom Publikum mißverstanden.

Walter Hasenclever verhöhnte schon 1919 in seiner einaktigen Komödie *Die Entscheidung* bitter die Revolution. Im Mittelpunkt der Handlung steht der »Mensch«, der zunächst durch die Revolution gerettet, dann aber ihr Opfer wird, weil er seine Ideale nicht aufgeben will und weiterhin gegen Mord und Gewalt protestiert. Um ihn herum die Führer, Mitläufer, Schieber, Spekulanten und Indifferenten, die jeweils auf ihre Weise von Bürgerkrieg und Revolution profitieren. Nur der »große Mann«, eine Personifizierung des Kapitals, von dem »jede Regierung abhängig« ist, schläft während aller Vorgänge, selbst als er zum Präsidenten ernannt wird. Zum Schluß nimmt ihm das Freudenmädchen die Brieftasche ab und verläßt ihn mit den Worten »Es lebe die Republik«, – eine Büchner-Persiflage.

Einen historischen ›großen Mann‹, Napoleon, stellte Hasenclever 1930 in seinem »Abenteuer in sieben Bildern« *Napoleon greift ein* vor. Dieses Stück gehört nicht in die Reihe von Dramen, die Gegenwartsprobleme, seien sie politischer oder sozialer Natur, durch historische Personen oder Ereignisse zu erläutern versuchen. Diese Dramen wurden um 1930 immer beliebter. Von rechts wurden Führernaturen wie Napoleon und Friedrich der Große auf die Bühne gestellt, während von links Arbeiter- und Bauernrevolten sowie soziale Rebellen gegen Staat und Kirche dramatisiert wurden. Der Zuschauer sollte dann den Bezug zur Gegenwart herstellen. Hasenclever jedoch zeigt Napoleon weder als ›großen Mann‹ noch in seiner Zeit, denn die Handlung findet in der Gegenwart statt. Napoleon steht in Gesellschaft mit Mussolini und dem Frauenmörder Landru in einem Wachsfigurenkabinett. Als er von den chaotischen Zuständen in Europa hört, beschließt er, ins politische Leben der Gegenwart einzugreifen. Nach allerlei Abenteuern, die sich zum Teil wie in den Stücken Kaisers und Unruhs im Filmmilieu abspielen, muß er jedoch erkennen, daß die Menschen nicht zu retten sind; er zieht sich enttäuscht wieder in den Museumssaal zurück.

Tatkräftiger als Toller und Hasenclever stellte Erwin Piscator die Komödie in den Dienst seines politischen Theaters. Anfang 1928 inszenierte er in Berlin auf seiner Bühne am Nollendorfplatz eine dramatisierte Version von Jaroslav Hašeks Roman *Die Abenteuer des braven Soldaten Schwejk* (1926). Die Dramatisierung des Romans war von Max Brod und Hans Reimann vorgenommen worden; was jedoch in dieser Fassung vorlag, war nicht, wie Piscator in seinem Buch *Das politische Theater* schreibt, der Gehalt des Romans von Hašek: der Kampf des kleinen Mannes gegen den Bürokratismus und Militarismus des Staates, die er durch naive Anerkennung und bedingungslosen Gehorsam sabotiert, sondern ein dreiaktiger »pseudo-komischer Offiziersburschen-Schwank, in dem ›komischer‹ Wirkungen zuliebe und im Bestreben, ein richtiges ›Theaterstück‹ zu zimmern, die Satire Hašeks vollkommen unter den Tisch gefallen war«.[50] Piscator wollte sich dagegen so weit wie möglich an den Roman halten und »im *Schwejk* den ganzen Komplex des Krieges im Scheinwerfer der Satire zeigen und die revolutionäre Kraft des Humors veranschaulichen«.[51] Zu diesem Zweck arbeitete er zusammen mit Bertolt Brecht, Felix Gasbarra und Leo Lania die Brodsche Fassung vollkommen um, indem er aus dem Roman eine Reihe von dramatisch wirksamen Szenen auswählte, die in schneller Folge gezeigt wurden. Dadurch erhielt die Komödie einen Revuecharakter, denn Piscator betrachtete die Revue als besonders geeignet für die Darstellung gesellschaftlicher Zusammenhänge und Phänomene; er hatte schon 1924 die *Revue Roter Rummel* und 1925 *Trotz alledem* inszeniert. Der epische Gang des Romans wurde durch zwei laufende Bänder auf die Bühne gebracht. Auf dem vorderen Band wanderte Schwejk und erlebte seine Abenteuer, während auf dem hinteren, gegenläufigen die Welt vorbeizog. Diese Welt wurde weiterhin durch dreihundert satirische Zeichnungen von George Grosz verdeutlicht, die auch den Bezug zur Gegenwart herstellten, während Filmstreifen weiteren Anschauungsunterricht gaben. Piscator schrieb, daß sowohl die Bühne als auch die Requisiten eine komische Funktion im Stück hatten: »Ein besonderes Moment in dieser Bühnenapparatur erschien mir die ihr innewohnende *Komik.* Alles, was technisch auf dieser Bühne geschah, reizte unwillkürlich zum Lachen. Eine vollendete Übereinstimmung zwischen Stoff und Apparat schien geschaffen. Mir schwebte ja auch für das Ganze so etwas wie ein Knock-about-Stil vor, etwas, das an Variete und Chaplin erinnerte.«[52] Die Schauspieler gebrauchten wie in Golls *Methusalem* und Brechts *Mann ist Mann* Masken und Kostüme; sie wurden teilweise überhaupt durch Marionetten, Puppen ersetzt, die wie die maskierten Schauspieler auf clownhaft-symbolische Weise die »erstarrten Typen des politischen und gesellschaftlichen Lebens im alten Österreich«[53] darstellten. Der Erfolg des Stückes hing von der Besetzung der Hauptrolle ab: Max Pallenberg war der perfekte Darsteller und zeigte eine glänzende, von allen Kritikern gewürdigte[54] schauspielerische Leistung. Schwejk selber ist ebenfalls kein Revolutionär, sondern ein Anarchist, der durch seine Handlungen die Dekadenz und Unmenschlichkeit der Umwelt aufdeckt und untergräbt.

Piscator hatte mit seiner Komödienidee ins Schwarze getroffen, durch den phantasievollen Gebrauch der Bühne und seiner Mittel etwas Neues geschaffen. Im Anschluß an den *Schwejk* versuchte er, eine aktuelle »Komödie der Wirtschaft« *Konjunktur* zu inszenieren. Dieses Stück von Leo Lania sollte sowohl die politischen und wirtschaftlichen Hintergründe der Petroleumgewinnung und -produktion, als auch ihre internationale und weltpolitische Bedeutung aufdecken, damit der deutsche Bürger und Arbeiter einen Einblick in die Weltwirtschaftspolitik erhalte. Zur Verdeutlichung wurde wieder der Film eingesetzt. Held der Komödie sollte nach Piscator das Petroleum sein. Leider gelang das Experiment nicht, denn das Stück entwickelte sich zu einer Gesellschaftskomödie, einem Intrigenspiel, und die Sachdarstellung rückte in den Hintergrund.[55] Es ist der gleiche Bruch, den man in diesen Jahren oft in Stücken über technische, gesellschaftliche und politische Fragen findet, die gewöhnlich von sentimentalen, melodramatischen Liebeshandlungen überwuchert werden, wie etwa in Otto Alfred Palitzschs Komödie über die Technik *Kurve links* (1925). Im Film ist dies noch öfter der Fall; ein typisches Beispiel ist Fritz Langs *Metropolis* von 1926.

Auf dem Gebiet des ›niederen‹ Lustspiels, des Schwanks und der Posse, der Farce und Burleske, erwuchs dem Theater der zwanziger Jahre im Film ein mächtiger

Gegner. Zwar wurden altbewährte Schwänke von Oscar Blumenthal und Gustav Kadelburg, von Franz Arnold und Ernst Bach sowie die Possen von David Kalisch weiterhin aufgeführt, die Produktion neuer Schwänke jedoch hatte seit Kriegsbeginn erheblich nachgelassen und sank auch weiterhin. Der Grund lag in der Konkurrenz des Tonfilms, der sich der Themen bemächtigte und die Autoren veranlaßte, Drehbücher statt Bühnenmanuskripte zu schreiben.[56] Dem Tonfilm gelang es noch besser als dem Vergnügungstheater, den Geschmack der Schwankkonsumenten zu treffen und die eskapistischen Reize vorzuspiegeln, die das Publikum suchte. Darüberhinaus war der Film wegen des billigen Eintritts für ein größeres Publikum erschwinglich, brachte aber trotzdem einen höheren Gewinn, da die im immer gleichen Milieu spielenden, mit denselben Schauspielern gedrehten, auf dieselben Effekte bedachten und deshalb nicht auf Originalität angewiesenen Streifen mit verhältnismäßig geringen Kosten hergestellt werden konnten. Die Unterhaltungstheater versuchten der Konkurrenz des Films entgegenzuwirken, indem sie dem im Grunde stereotypen Schwank mit den ewig gleichen wirkungsvollen Motiven und seiner durch Verwechslungen und Mißverständnisse hervorgerufenen Situationskomik zeitbezogene Aspekte aufpfropften, für die sich das Bürgertum interessierte. Einige Beispiele: Gustav Kadelburgs und Heinz Gordons *Der ehemalige Leutnant* (1919), Carl Matherns und Otto Schwarz' *Der Meisterboxer* (1923), Max Reimanns und Otto Schwarz' *Der Fußballkönig* (1926) und Curt Kraatz' und Max Neals *Hurra ... wir treiben Sport* (1930), Schwänke, die die Popularität des Box- und Fußballsports sowie des Ringkampfs ausnutzten, Max Neals und Rudolf Franks Inflationsschwank *Die wertbeständige Tante* (1924), Max Reimanns und Otto Schwarz' *Durch den Rundfunk* (1925), wo das starke Interesse der Bevölkerung für das Radio seinen Niederschlag fand, und Toni Impekovens und Carl Matherns Schwank *Die neue Sachlichkeit* (1930), der auf die vorherrschende Kunstrichtung der zwanziger Jahre anspielt. Natürlich werden aber in den Schwänken nicht die Probleme der Heimkehrer, der Inflation oder des Sports behandelt, sondern der Zeitbezug ist nur schmückendes Beiwerk.

Neben den Schwänken wurde viel Trivialdramatik anderer Art geschrieben und aufgeführt. Das Theater brauchte auch aus geschäftlichen Gründen, etwa während der Sommerpause, diese Gebrauchsstücke, die nach bewährten Mustern geschrieben und auf den Kassenerfolg zugeschnitten waren. Zu ihnen gehören Lustspiele wie *Das verlorene Amulett* (1923) und *Der Glückspilz* (1925) von Gustav Rickelt, Friedrich Mellingers *Gernegroß* (1924) und Fritz Schwieferts *Marguerite:3* (1930), auf modern getrimmte Stücke wie Julius Berstls *Dover–Calais* (1927), Felix Joachimsons *Fünf von der Jazzband* (1927) und Hermann Richters *Wetten, daß ...* (1930). Es fehlen auch nicht Possen und Schnurren wie Robert Overwegs *Kümmelblättchen* (1924), Roda Rodas und Carl Rößlers *Der Feldherrnhügel* (1919), Hans E. Zerletts *Die erste Nacht* (1922) und Theo Haltons und Emil Fierings *Der Raub der Europa*. In der zweiten Hälfte des Jahrzehnts verfehlten immer mehr und aufwendiger ausgestattete Revuen, oft mit eingelegten Tänzen, wie Fritz Grünbaums *Total Manoli*, Marcellus Schiffers *Es liegt in der Luft* (1928) und Georg Kaisers *Zwei Krawatten* (1929) den Publikumserfolg nicht. Dieser hatte aber negative Folgen für das Kunsttheater, dessen Besucherschwund zunahm. Die Weltwirtschaftskrise und die wachsende Arbeitslosenzahl wirkten sich auch auf das Theaterleben in

Deutschland aus. Für die Mehrzahl der Bühnen wurde es immer schwieriger, sich über Wasser zu halten.

Zusammenfassend läßt sich sagen, daß kein bestimmter Typ der Komödie in der nachexpressionistischen Periode die Bühne beherrschte, sondern daß Lustspiele verschiedenster Art geschrieben wurden und zur Aufführung kamen. Man kann also weder ein Muster des Lustspiels mit bestimmten einheitlichen und charakteristischen Merkmalen herauskristallisieren, noch lassen sich seine unterschiedlichen Erscheinungsformen strukturell und stilistisch genau voneinander abgrenzen. Als verbindendes Merkmal kann allenfalls der Gebrauch der Satire gelten, der sich besonders in der antibürgerlichen Komödie nach dem Vorbild Wedekinds und Sternheims richtet und gewöhnlich politische Zwecke verfolgt. Zukunftsträchtig erweist sich der Gebrauch von groteske Wirkungen erzeugenden Figuren, Requisiten und Bühnenapparaturen bei Goll, Brecht und Piscator, dessen didaktischer Gebrauch des Films ebenfalls bahnbrechend war. In der Satire versuchten die Autoren auch das Zeitgemäße und Lustspielhafte zu verbinden und neue Formen des Lustspiels zu finden. Eine strukturelle Neuerung ist der zwar vom expressionistischen Stationendrama übernommene, aber abgewandelte Gebrauch einer Szenen- oder Bilderfolge, deren einzelne Glieder wie in Brechts epischem Drama *ein* Thema von verschiedenen Blickpunkten anvisieren und nicht – wie beim Dramenaufbau nach Freytagschen Mustern – einem Höhepunkt zustreben. Zuckmayers *Hauptmann von Köpenick*, als erfolgreichste Komödie der Weimarer Republik, bietet ein gutes Beispiel dieser Strukturform. Schließlich seien als immer wieder auftretende Komödienfiguren der Narr in den verschiedensten Ausprägungen und der Außenseiter der Gesellschaft genannt, die um das Recht auf ihre – oft absonderliche, aus dem Rahmen des Gewöhnlichen fallende – Individualität kämpfen und mit der Welt, die ihre Exzentrizität nicht schätzt, nicht fertig werden können.

Neben der modernen satirischen Komödie spielte das konventionelle Lustspiel eine wichtige Rolle im Theaterleben der Weimarer Republik. Vielleicht erklärt sich dieses Phänomen auch aus dem inneren Konservatismus der Komödie, über den Hofmannsthal 1922 schrieb: »Das Theater postuliert jeden, der sich mit ihm einläßt, als gesellige Person, aber es achtet nur gering auf die Unterschiede der Zeiten und Sitten, die dem Historiker des zwanzigsten Jahrhunderts so ungemein scheinen, indes der Dichter wie der naive Mensch sie niedrig schätzt.«[57] Unter den konventionellen Lustspielen überwog das unproblematische, und Komödien, die auf des Messers Schneide zwischen Komik und Tragik balancierten, gab es nur wenige. Die Trivialdramatik eroberte sich trotz der scharfen Konkurrenz des Films eine beachtliche Anzahl von Bühnen, auf denen vorher Kunsttheater gespielt worden war.

Anmerkungen

1. Hugo von Hofmannsthal: »Die Ironie der Dinge«. In: *Ausgewählte Werke in zwei Bänden.* Hrsg. von Rudolf Hirsch. Frankfurt a. M. 1957. Bd. 2. S. 633–636.
2. Paul Pörtner: *Literatur-Revolution 1910–1925.* Darmstadt u. a. O. 1960/61. Bd. 1. S. 376.
3. ebd., Bd. 1. S. 384.
4. ebd., Bd. 1. S. 392.

5. Günther Rühle: *Theater für die Republik 1917–1933*. Frankfurt a. M. 1967. S. 283.
6. Hugo von Hofmannsthal: »Die Ironie der Dinge«. S. 635.
7. Bruno E. Werner: *Die Zwanziger Jahre*. München 1962. S. 7.
8. Bernhard Reich: *Im Wettlauf mit der Zeit*. Erinnerungen aus fünf Jahrzehnten deutscher Theatergeschichte. Berlin 1970. S. 91.
9. Günther Rühle: *Theater für die Republik*. S. 480.
10. Bruno E. Werner: *Die Zwanziger Jahre*. S. 51.
11. Paul Rilla: *Essays*. Berlin 1955. S. 202.
12. Vgl. dazu Wolfgang Wendler: »Carl Sternheim«. In: *Expressionismus als Literatur*. Hrsg. von Wolfgang Rothe. Bern und München 1969. S. 467.
13. Vgl. Günther Rühle: *Theater für die Republik*. S. 481.
14. Karl S. Guthke: *Geschichte und Poetik der deutschen Tragikomödie*. Göttingen 1961. S. 343 ff.
15. Das Stück wurde auch 1925 unter dem Titel *Margarine* in Berlin aufgeführt.
16. Arnolt Bronnen: »Bronnens zehn Finger«. In: *Die Literarische Welt*, 2. Jg. (1926). Nr. 4. S. 2.
17. Ebenfalls in: *Die Literarische Welt*, 2. Jg. (1926). Nr. 48. S. 3.
18. Fritz von Unruhs Komödie *Phaea* (1930), die von Max Reinhardt inszeniert wurde und in der auch der Betrieb in der Filmindustrie dargestellt wird, zeigt ebenfalls das Nebeneinander von Neuromantik, Expressionismus und Neuer Sachlichkeit, das dem Publikum auf der Drehbühne in schneller Folge dargeboten wird: »Auf dem tobenden Karussell schwirrt optisch all das Leben, das Unruh nicht ins Wort bezwingen konnte«, schreibt Diebold in der *Frankfurter Zeitung* (s. bei Günther Rühle S. 1022). Und Herbert Jhering kritisiert im *Berliner Börsen-Courier* scharf die Mischung der Stile und Themen: »Hier kehrt noch einmal die deklamatorische ›Oh-Mensch‹-Dramatik wieder, kontrastiert mit dem – Tonfilm. ›Lache Bajazzo‹ auf expressionistisch. Durcheinandermischung von Spiel und Leben, also Motive Schnitzlers, Hofmannsthals im Filmatelier. Weltbeglückerphrasen und harte Filmwirklichkeit. Politisches Allerweltstheater, durchsetzt mit Reinhardts Schauspielerpsychologie. ›Phaea‹: eine Filmgesellschaft. ›Phaea‹: ein Menschenmoloch. Kauderwelsch des Geistes. Kauderwelsch des Theaterjargons. Scheinweites Menschentum und Inzucht der Bühne« (s. Günther Rühle S. 1024).
    Über dieses Drama vgl. auch Reinhold Grimm: »Zwischen Expressionismus und Faschismus«. In: *Die sogenannten Zwanziger Jahre*. Hrsg. von Reinhold Grimm und Jost Hermand. Bad Homburg u. a. O. 1970. S. 25.
19. Emil Faktor im *Berliner Börsen-Courier* vom 5. November 1923. Zitiert in: Günther Rühle, S. 481.
20. Siegfried Jacobsohn in *Die Weltbühne*. Zitiert in: Günther Rühle, S. 485.
21. Berthold Viertel: *Schriften zum Theater*. München 1970. S. 108.
22. In der *Berliner Zeitung* vom 24. September 1923.
23. Im *Berliner Tageblatt* vom 25. September 1923.
24. Im *Berliner Tageblatt* vom 11. Dezember 1923.
25. Emil Faktor im *Berliner Börsen-Courier* vom 21. Dezember 1922 und Max Osborn in der *Berliner Morgenpost* vom 22. Dezember 1922.
26. Walter Hinck: »Bertolt Brecht«. In: *Deutsche Literatur im 20. Jahrhundert*. Hrsg. von Otto Mann und Wolfgang Rothe. Bern und München ⁵1967. Bd. 2. S. 366.
27. Helmut Arntzen: »Komödie und episches Theater«. In: H. A., *Literatur im Zeitalter der Information*. Frankfurt a. M. 1971. S. 274. – Vgl. auch Reinhold Grimm: »Komik und Verfremdung«. In: Reinhold Grimm, *Strukturen*. Göttingen 1963. S. 226–247.
28. Yvan Goll: *Dichtungen*. Hrsg. von Claire Goll. Darmstadt u. a. O. 1960. S. 66.
29. ebd.
30. Iwan Goll: *Methusalem oder Der Ewige Bürger*. Ein satirisches Drama. Text und Materialien zur Interpretation besorgt von Reinhold Grimm und Viktor Žmegač. Berlin 1966. S. 7.
31. ebd.
32. Idas Bräutigam in Kaisers *Kanzlist Krehler* (1922) heißt ebenfalls Max, wie der von ihren Eltern Ida Methusalem zugedachte Mann. Kaiser war eng mit Goll befreundet, hatte sein Drama schon vor der Aufführung gelesen und eine Vorbemerkung zur Buchausgabe beigesteuert.
33. Reinhold Grimm und Viktor Žmegač in ihrer Interpretation zu Iwan Goll: *Methusalem oder Der ewige Bürger*. Berlin 1966. S. 61. – Ich bin dieser ausführlichen und instruktiven Interpretation dankbar verpflichtet.
34. ebd., S. 80.

35. Zu *Der Schwierige* vgl. Franz Norbert Mennemeier: »Hofmannsthal: *Der Schwierige«.* In: *Das deutsche Drama.* Vom Barock bis zur Gegenwart. Hrsg. von Benno von Wiese. Düsseldorf 1964. Bd. 2. S. 246–266.
36. Vgl. dazu Walter Hasenclever: *Gedichte Dramen Prosa.* Unter Benutzung des Nachlasses herausgegeben und eingeleitet von Kurt Pinthus. Reinbek 1963. S. 37.
37. Im *Berliner Lokal-Anzeiger* vom 18. März 1924.
38. Siehe z. B. *Berliner Lokal-Anzeiger* vom 28. März 1924.
39. Im *Berliner Börsen-Courier* vom 28. März 1924.
40. Vgl. *Berliner Börsen-Courier* vom 2. März 1927. 1929 versuchte Kaiser sich noch auf dem Gebiet der Revue und produzierte ein traditionelles und kitschiges »Revuestück in neun Bildern« *Zwei Krawatten.* Mit dem *Silbersee* wandte er sich wieder aktuellen Problemen zu und versuchte mit Kurt Weill ein Zeitstück im Stil der Brechtschen *Dreigroschenoper* zu schreiben. Als das Stück am 18. Februar 1933 im ›Alten Theater‹ in Leipzig uraufgeführt wurde, inszenierte die SA einen Skandal. Diese Störung war nur ein Vorwand, um Kaiser kaltzustellen, und am nächsten Tag wurde die Aufführung seiner Stücke in ganz Deutschland verboten.
41. Helmut Arntzen: »Wirklichkeit als Kolportage«. In: H. A., *Literatur im Zeitalter der Information.* S. 305–322.
42. Vgl. dazu Herbert Jhering im *Berliner Börsen-Courier* vom 16. Februar 1925.
43. ebd.
44. Hannes Reinhardt [Hrsg.]: *Das bin ich.* Ernst Deutsch, Tilla Durieux, Willy Haas, Daniel-Henry Kahnweiler, Joseph Keilberth, Oskar Kokoschka, Heinz Tietjen, Carl Zuckmayer erzählen ihr Leben. München 1970. S. 246 f.
45. Carl Zuckmayer: *Als wär's ein Stück von mir.* Wien 1966. S. 444.
46. Ernst Toller: *Briefe aus dem Gefängnis.* Amsterdam 1935. S. 205.
47. ebd., S. 207.
48. ebd., S. 209.
49. ebd., S. 233.
50. Erwin Piscator: *Das politische Theater.* Berlin 1929. S. 188.
51. ebd., S. 187 f.
52. ebd., S. 194.
53. ebd., S. 198.
54. Vgl. dazu Günther Rühle: *Theater für die Republik.* S. 848.
55. Vgl. dazu Herbert Jhering: *Von Reinhardt bis Brecht.* Berlin 1958–60. Bd. 2. S. 325.
56. Siehe Bernd Wilms: *Der Schwank. Dramaturgie und Theatereffekt.* Diss. FU Berlin 1969.
57. Hugo von Hofmannsthal: »Komödie«. In: *Ausgewählte Werke in zwei Bänden.* Bd. 2. S. 646.

Literaturhinweise

Ernst Josef Aufricht: *Erzähle, damit du dein Recht erweist.* Berlin 1966.
Julius Bab: *Die Chronik des deutschen Dramas.* Teil V: Deutschlands dramatische Produktion 1919 bis 1926. Berlin 1926.
Arnolt Bronnen: *arnolt bronnen gibt zu protokoll.* beiträge zur geschichte des modernen schriftstellers. Hamburg 1954.
Bernhard Diebold: *Anarchie im Drama.* Kritik und Darstellung der modernen Dramatik. Berlin-Wilmersdorf ⁴1928.
Margret Dietrich: *Das moderne Drama.* Strömungen Gestalten Motive. Stuttgart 1963.
Otto Falckenberg: *Mein Leben – Mein Theater.* Nach Gesprächen und Dokumenten aufgezeichnet von Wolfgang Petzet. München u. a. O. 1944.
Hugh Frederic Garten: *Modern German Drama.* New York 1962.
Herbert Günther: *Drehbühne der Zeit.* Freundschaften Begegnungen Schicksale. Hamburg 1957.
Karl S. Guthke: *Geschichte und Poetik der deutschen Tragikomödie.* Göttingen 1961.
Die moderne Tragikomödie. Theorie und Gestalt. Göttingen 1968.
Ludwig Hoffmann und Daniel Hoffmann-Ostwald: *Deutsches Arbeitertheater 1918–1933.* Eine Dokumentation. Berlin 1961.

Karl Holl: *Geschichte des deutschen Lustspiels.* Leipzig 1923.

Friedrich Hollaender: *Von Kopf bis Fuß.* Mein Leben mit Text und Musik. München 1965.

Siegfried Jacobsohn: *Jahre der Bühne.* Theaterkritische Schriften. Hrsg. von Walther Karsch unter Mitarbeit von Gerhart Göhler. Hamburg 1965.

Herbert Jhering: *Von Reinhardt bis Brecht.* Vier Jahrzehnte Theater und Film. 3 Bde. Berlin 1960/61.

Alfred Kerr: *Die Welt im Drama.* Hrsg. von Gerhard F. Hering. Köln 1954.

Fritz Kortner: *Aller Tage Abend.* München 1959.

Max Krell: *Das alles gab es einmal.* Frankfurt a. M. 1961.

Erwin Piscator: *Das politische Theater.* Berlin 1929. – Neudruck: Schriften 1. Berlin 1968.

Helmut Prang: *Geschichte des Lustspiels.* Von der Antike bis zur Gegenwart. Stuttgart 1968.

Bernhard Reich: *Im Wettlauf mit der Zeit.* Erinnerungen aus fünf Jahrzehnten deutscher Theatergeschichte. Berlin 1970.

Günther Rühle: *Theater für die Republik 1917–1933.* Im Spiegel der Kritik. Frankfurt a. M. 1967.

Sinn oder Unsinn? Das Groteske im modernen Drama. Fünf Essays von Martin Esslin, Reinhold Grimm, H. B. Harder und Klaus Völker. Stuttgart 1962.

Hans Steffen [Hrsg.]: *Das deutsche Lustspiel.* 2 Bde. Göttingen 1968/69.

Berthold Viertel: *Schriften zum Theater.* München 1970.

Harry Erw. Weinschenk: *Schauspieler erzählen.* Berlin 1938.

Bruno E. Werner: *Die Zwanziger Jahre.* München 1962.

Bernd Wilms: *Der Schwank.* Dramaturgie und Theatereffekt. Deutsches Trivialtheater 1880–1930. Diss. FU Berlin 1969.

Eduard von Winterstein: *Mein Leben und meine Zeit.* Ein halbes Jahrhundert deutscher Theatergeschichte. Berlin 1951.

Friedrich Wolf: *Aufsätze über Theater.* Berlin 1957.

FRANK TROMMLER

Das politisch-revolutionäre Theater

Voraussetzungen

Über die Niederlage der deutschen Revolution 1918/19 ist genügend gesagt und geschrieben worden. Man hat ihre Versäumnisse und ihren Verrat als Ergebnisse einer verhängnisvollen deutschen Tradition gewertet: des Mangels an revolutionärer Tradition. Worüber weniger gesagt und geschrieben wurde, ist die Tatsache, daß diese Revolution, auch wenn sie scheiterte, spezifische revolutionäre Konsequenzen zeitigte, die für das politische und geistige Leben in der Weimarer Republik besondere Bedeutung erlangten. Mit anderen Worten, von der Revolution 1918/19 blieb mehr als nur die Feststellung ihrer Niederlage, von ihr blieb das Verlangen nach der Revolution. Die Revolution scheiterte, aber sie öffnete die Augen für das Revolutionäre.

Ohne diesen Anstoß läßt sich das politisch-revolutionäre Theater dieser Periode weder als Begriff noch als historisches Faktum erfassen. In Verbindung mit dem Sieg der russischen Revolution, der die Unabdingbarkeit und das Gelingen der eigenen Revolution vorausprojizierte, erwirkte dieser Anstoß zunächst breiten Widerhall nicht nur im Proletariat. In unverkennbarer Weise profilierte und prägte er, was immer vom Arbeitertheater aus der Zeit vor dem Ersten Weltkrieg übernommen wurde und was an expressionistischer Dramatik Eingang fand. Er prägte die revolutionären Massenveranstaltungen Anfang der zwanziger Jahre, die auf theatralischen Formen aufbauten oder Theaterelemente verwendeten, bestimmte die Sprechchor- und Agitpropbewegung, die verschiedenen Erscheinungsformen des proletarischen Theaters und ersten Versuche eines Lehrtheaters. Er wurde Grundlage für die neuartige Theaterarbeit Erwin Piscators sowie für spätere Ansätze eines politisch-revolutionären Theaters während der Weltwirtschaftskrise.

Um dieses Phänomen in seiner politischen und ästhetischen Bedingtheit darzustellen, sind vor allem zwei Hindernisse zu berücksichtigen: zum einen die bisher noch unzureichende Aufarbeitung der ästhetisch-künstlerischen Vorgänge der zwanziger Jahre von seiten der Literaturgeschichtsschreibung, die sich zu einseitig am Expressionismus orientierte, zum anderen die Verknüpfung der politischen und gesellschaftlichen Analyse mit apologetischen Tendenzen, wodurch vor allem die revolutionäre Phase bis 1923 ungleichmäßig erschlossen ist. Damit ergibt sich für jeden Überblick der Charakter der Vorläufigkeit. Unter diesen Umständen ist der Interpret angehalten, die allgemeinen ästhetisch-künstlerischen Zusammenhänge ebenso wie die Aspekte der revolutionären Arbeiterbewegung in groben Zügen mitzuprojizieren, was mit der Forderung von Marx und Lenin nach Erfassung der Wechselbeziehung *aller* Klassen und Strömungen der Gesellschaft korrespondiert. Das politisch-revolutionäre Theater stellt nur einen Teil einer Gesamtentwicklung dar; es dürfte sich zeigen, daß es nicht der unbedeutendste ist, weder für die Geschichte der Arbeiterbewegung noch für die Geschichte des modernen Theaters.

Was die Orientierung am Expressionismus betrifft, so sei eine wichtige Beobachtung vorausgeschickt. Man hat den Expressionismus bereits 1919/20 mit der mißglückten Revolution zusammengesehen. Man hat konstatiert, daß sein chaotischer Idealismus gut zu dieser unstrukturierten, unvorbereiteten Revolution passe. Mehr noch, man hat das Theater häufig als eine Art Ersatzritual für die Revolution verstanden, mit dem Hinweis auf die Inszenierungen der Stücke von Georg Kaiser, Reinhard Goering, Ernst Toller und anderen. Reimte nicht Kurt Tucholsky im Hinblick auf die Inszenierung von Romain Rollands *Dantons Tod*, mit der Max Reinhardt 1920 das Berliner ›Große Schauspielhaus‹ zum Rasen brachte, die Zeilen:

> »Es tost ein Volk: Die Revolution!
> Wir wollen die Freiheit gewinnen!
> Wir wollten es seit Jahrhunderten schon –
> laßt Herzblut strömen und rinnen!
> Es dröhnt die Szene. Es dröhnt das Haus.
> Um Neune ist alles aus.
>
> Und ernüchtert seh ich den grauen Tag.
> Wo ist der November geblieben?
> Wo ist das Volk, das einst unten lag,
> von Sehnsucht nach oben getrieben?
> Stille. Vorbei. Es war nicht viel.
> Ein Spiel. Ein Spiel.«[1]

Wer genau und im Kontext liest, wird jedoch nicht übersehen, wie eng Tucholskys Kritik an der Theatralik verbunden war mit der Melancholie über die niedergeschlagene politische Revolution. Vielen entging dieser Zusammenhang. Für sie wurde alle Revolutionsdramatik zum Ersatzritual. Das verschloß ihnen den Zugang zu einem Theater, das gerade auf die niedergeschlagene Revolution Antwort suchte.

Schon Georg Büchner hatte sich in *Dantons Tod* nicht mit der Darstellung der revolutionären Aktion aufgehalten, sondern die Diskussion über die Fortführung der Revolution als das alles entscheidende Problem in den Mittelpunkt gerückt. Wie Georg Lukács in Erinnerung rief, waren dem jungen Schriftsteller, der ablehnte, »die Gesellschaft mittelst der Idee, von der gebildeten Klasse aus [zu] reformieren«,[2] die Positionen des Danton und des Robespierre gleichermaßen wesentlich erschienen, mit starken Argumenten auf der Seite dessen, der die Revolution vollenden will, weil sie nur dann die wirkliche Befreiung des Menschen garantieren kann. Was dann im politisch-revolutionären Theater der zwanziger Jahre entwickelt wurde, von Franz Jungs *Die Kanaker* über Piscators Massenrevue *Trotz alledem!* bis zu Brechts Lehrstücken und Friedrich Wolfs *Die Matrosen von Cattaro*, nahm diese praktisch-politische Perspektive wieder auf. Gewiß, auch hier machte sich oft eine Art Ersatzritual bemerkbar. Allzu bedeutsam waren Max Reinhardts Masseninszenierungen für den Zeitgeschmack, als daß man auf solche Wirkungsmöglichkeiten verzichtet hätte, zumal auch der russische Proletkulteinfluß und einige Traditionen der Arbeiterbewegung in diese Richtung wiesen. Aber gerade bei diesen Effekten der Solidarisierung von Bühne und Publikum zeigte sich der Unterschied zu den Vorführungen Max Reinhardts – es ist der Unterschied, der die adäquate Erörterung des politisch-revolutionären Theaters in dieser Phase erst ermöglicht: der Unterschied im Publikum und damit in der Bedeutung und Wirkung der jeweiligen Veranstaltung. Wo sich das Proletariat organisierte, wo es – neben anderem – Theater organisierte, entfernte es sich vom kommerziellen ›Revolutionstheater‹, für das die Worte galten, die Siegfried Jacobsohn 1919/20 in der *Weltbühne* schrieb: »Alles, was auch noch so unberechtigt als Revolution abgestempelt werden kann, ist heute ein gutes Geschäft.« Wenn die Revolution weiterzutragen war, so konnte das, wie um 1920 häufig ausgesprochen, nur durch die Solidarisierung des Proletariats, seine Aufrüttelung und Bewußtmachung geschehen. Es ging nicht darum – das war schon in den Theaterdiskussionen während der Pariser Kommune zum Ausdruck gekommen –, die Revolution zu wirkungsvollem Theater aufzulösen, sondern darum, sie davor zu bewahren, wirkungsvolles Theater zu werden.

Im Zusammenhang mit dem Bestreben, das proletarische Theater weitgehend aus dem System des kommerziellen Theaters herauszunehmen bzw. herauszuhalten, spielt die politische Einschätzung der Revolution 1918/19 eine entscheidende Rolle. Anders als in der umfangreichen *Geschichte der deutschen Arbeiterbewegung* (1966), die die SED erarbeiten ließ, galt diese Revolution den Mitkämpfern und Zeitgenossen als eine gescheiterte proletarische Revolution. Erst später, in Verbindung mit der Volksfrontpolitik in den dreißiger Jahren, ging man in der KPD daran, der Revolution diesen Charakter abzusprechen und sie als eine bürgerlich-demokratische Revolution zu bezeichnen, die in gewissem Umfang mit proletarischen Mitteln und Methoden durchgeführt worden sei. Es kann hier weder erörtert werden, welche Erleichterung sich damit für das Selbstverständnis der späteren KPD und SED ergab, noch welche historische Begründung in dieser These zum Ausdruck kommt. Es muß bei der Feststellung bleiben, daß der wirksame Antrieb zur Vollendung bzw. Wiederaufnahme der Revolution längere Zeit aus der Erkenntnis und Verarbeitung der proletarischen Niederlage herrührte. Diese Erkenntnis und Verarbeitung mögen unzulänglich gewesen sein. Unbezweifelbar aber bildeten sie das Fundament des revolutionären Selbstverständnisses in Deutschland, bei dem vom Erfolg der Oktoberrevolution auf die bald mögliche zweite Etappe der deutschen Revolution geschlossen wurde.

Für diese Haltung berief man sich immer wieder auf die beiden großen Gestalten des revolutionären deutschen Sozialismus, Karl Liebknecht und Rosa Luxemburg. Ihnen war die vorläufige Niederlage des Proletariats realistisches Kalkül gewesen. Daß ihre Ermordung zum bewegenden Symbol dieser Niederlage wurde – und zugleich dem Zorn gegen den Verrat der SPD Gestalt gab –, gehört zu den tragischen Eigenheiten der deutschen Revolutionsgeschichte. Das von ihnen verschiedentlich gebrauchte Wort vom Golgathaweg des Proletariats war mehr als eine Metapher. Auf dem kommunistischen Parteitag an der Jahreswende 1918/19 sagte Rosa Luxemburg: »Die proletarische Revolution kann sich nur stufenweise, Schritt für Schritt, auf dem Golgathaweg eigener bitterer Erfahrungen, durch Niederlagen und Siege, zur vollen Klarheit und Reife durchringen. Der Sieg des Spartakusbundes steht nicht am Anfang, sondern am Ende der Revolution. Er ist identisch mit dem Siege der großen Millionenmassen des sozialistischen Proletariats.« Sie fügte in der Diskussion über die Beteiligung der Kommunisten an der Wahl zur Nationalversammlung hinzu: »Das russische Proletariat hatte eine lange Epoche revolutionärer Kämpfe hinter sich. Wir stehen am Anfang der Revolution. Wir haben nichts hinter uns als die elende halbe Revolution des 9. November. Da müssen wir uns fragen, welcher Weg der sicherste ist, um die Massen zu erziehen.«[3] Rosa Luxemburg visierte einen langen Erziehungsprozeß an. Sie wußte, wie schwer die Masse in diese Richtung zu lenken sei. Doch vertraute sie darauf, daß auch aus dem Rückschlag weitere Kräfte kommen würden. Noch einen Tag vor ihrer Ermordung wies sie auf die »niederschmetternde Niederlage« 1848 hin, um hinzuzufügen, daß aus der heldenmütigen Aktion des Pariser Proletariats »der lebendige Quell der Klassenenergie für das ganze internationale Proletariat geworden« sei.[4]

Die folgende Entwicklung der sozialistischen Bewegung in Deutschland läßt sich ohne Verständnis für diese Haltung nicht erschließen. Das nach Freiligrath zitierte ›Trotz alledem!‹ wurde bei Karl Liebknecht zu einem Vermächtnis, das man in den zwanziger Jahren unzählige Male berief, um die Aktualität der Revolution anzuzeigen. Am Tage von Liebknechts Ermordung war sein letzter Artikel mit der Überschrift *Trotz alledem!* erschienen, in dem er – gewiß nicht in voller Übereinstimmung mit den eingeleiteten Aktionen auf den Straßen von Berlin – von den revolutionären Arbeitern sagte: »Jawohl, sie wurden geschlagen. Und es war historisches Gebot, daß sie geschlagen wurden. Denn die Zeit war noch nicht reif. Und dennoch – der Kampf war unvermeidlich.« Am Ende standen die Worte: »Noch ist der Golgathaweg der deutschen Arbeiterklasse nicht beendet – aber der Tag der Erlösung naht. [...] Unter dem Dröhnen des herangrollenden wirtschaftlichen Zusammenbruchs werden die noch schlafenden Scharen der Proletarier erwachen wie von den Posaunen des Jüngsten Gerichts, und die Leichen der hingemordeten Kämpfer werden auferstehen und Rechenschaft heischen von den Fluchbeladenen. Heute noch das unterirdische Grollen des Vulkans – morgen wird er ausbrechen und sie alle in glühende Asche und Lavaströmen begraben.«[5] Diese Sprache einer fast religiösen Verheißung fand ein breites Echo. Es hallte in den vielen Bemühungen um Solidarisierung, um Aufrüttelung und Bewußtmachung der Arbeiter nach, Bemühungen, die in der folgenden Zeit oftmals die Parteigrenzen übersprangen und sich an ›das‹ Proletariat wandten. Von diesem Echo ist im proletarischen Theater bis 1923/24 besonders viel zu spüren.

Proletarisches Theater in revolutionärer Situation

Wie der Proletkult in Rußland nicht von heute auf morgen entstand, sondern an Entwicklungen vor der Oktoberrevolution anknüpfte, stützte sich das politisch-revolutionäre Theater in Deutschland teilweise auf die Traditionen des Arbeitertheaters. In Rußland hatten proletarische Theaterzirkel trotz scharfer Polizeiüberwachung seit Ende des 19. Jahrhunderts existiert. Petersburg besaß sogar eine Koordinationszentrale für die Zirkel der Stadt. Die Diskussion über den politischen Charakter von Kunst führte kurz vor dem Ersten Weltkrieg zu einer Spaltung der russischen Arbeitertheaterbewegung, bei der die Minderheit für die Kunst als eine Waffe im sozialen Kampf plädierte.[6] Von dieser Bewegung wurde nach 1917 manches mit dem Begriff Proletkult erfaßt und in eine breite Organisation überführt.

Auch das russische Berufstheater hatte vor 1917 den spezifischen Stil herausgearbeitet, mit welchem Meyerhold den Ruhm des revolutionären Sowjettheaters begründete.
In Deutschland bedeutete die Kulturarbeit der Sozialdemokratie, sosehr sie sich auch – etwa mit der Volksbühnenbewegung – seit Ende des 19. Jahrhunderts entpolitisiert hatte, für viele proletarische Gemeinschafts- und Theateraktionen ein nicht zu unterschätzendes Fundament.[7] Von Festspielen und naturalistischen Dramen bis zu satirisch-aggressiven Kabarettszenen war ein Repertoire von Formen vorhanden, auf das man, da über Nacht keine Revolutionsstücke entstanden, in vielen Fällen zurückgriff. Wie stark sich Traditionen halten konnten, zeigte sich beispielhaft an der ›Roten Truppe B. Strzelewicz‹, die bereits vor der Jahrhundertwende politisch-satirische Szenen in Arbeiterorganisationen vorgeführt hatte und häufig Polizeischikanen ausgesetzt gewesen war. Noch 1926 lobte eine russische Publizistin, die die Berliner Theater besichtigte, die Arbeit der ›Roten Truppe‹ als »den einzigen, wirklich starken Eindruck« der deutschen Kunst.[8] Die Programmfolge knüpfte mit dramatischen Szenen, Rezitationen, proletarischen Liedern und Grotesken an die überlieferten proletarischen Veranstaltungen an, wobei die Truppe, die aus Berufsschauspielern bestand, von der kommunistischen *Arbeiter-Illustrierten* mit den russischen ›Blauen Blusen‹ verglichen und in ihrer politischen Tendenz herausgestellt wurde. – In der Entwicklung des ›Proletkult Cassel‹, der unter den Proletkultgründungen in Berlin, Leipzig, Mannheim, Nürnberg und anderen deutschen Städten nach 1919 die längste Lebensdauer erreichte, spielte die SPD-Veranstaltungstradition zunächst auch eine große Rolle.[9] Nach und nach lernte man, die ideologischen Ziele mit neuen Chorwerken, Songs und Szenen anzugehen.
Bei aller Tradition aber machte sich spätestens seit 1919 der revolutionäre Impuls bemerkbar, ›revolutionär‹ gemäß der Situation in jenen Jahren. Dabei spielte bis etwa 1925, als der X. Kommunistische Parteitag die Weichen für die Agitpropbewegung stellte, die Parteizugehörigkeit noch keine so entscheidende Rolle wie später; bis zu diesem Zeitpunkt ordneten sich viele Theaterunternehmungen, bei denen Sozialdemokraten, Kommunisten und Anarchisten zusammenfanden, zuallererst dem Begriff ›Proletariat‹ und ›proletarisch‹ unter (wobei die SPD über das Hauptreservoir an Geldern, Materialien und ›Fachleuten‹ verfügte). Der Begriff Proletariat besaß vor allem in den ersten Jahren der Weimarer Republik nicht nur politische Stoßkraft, sondern vermochte unmittelbar zu emotionalisieren, besonders im Zusammenhang mit der Revolution. Grundlage bildete in den meisten Fällen die Parole der Einheitsfront, die der KPD im Jahre 1923 während der rapide fortschreitenden Inflation und Verarmung eine relativ breite Massenbasis verschaffte, mit der ein neuer revolutionärer Vorstoß möglich erschien. Allerdings hatte Lenin selbst auf dem III. Weltkongreß der Kommunistischen Internationale die vieldiskutierte und vielkritisierte taktische Wendung gegen die »Offensivtheorie« vorgebracht, d. h. gegen die entschlossene Gewaltanwendung zur Errichtung der Diktatur des Proletariats, so daß die von ihm selbst einst vertretene revolutionäre Linie längere Zeit in der deutschen Politik keine entscheidende Rolle mehr spielen konnte.[10]
Die KPD trat – gegen Sinowjews Kritik – nach der Ermordung Rathenaus zusammen mit der SPD und USP in Demonstrationen für die Republik ein und ging 1923 einige Bündnisse mit der SPD ein. »Ziel der Taktik sollte sein, Arbeiter und Arbei-

terführer jeglicher politischen Richtung bei gleichzeitiger Wahrung des Kritikrechts der Kommunisten zu jedweder ›ernsten Massenaktion‹ zu verbünden, ›auch wenn sie nur von Teilforderungen ausgeht‹; wobei impliziert wurde, daß derartige Massenaktionen ›unvermeidlich allgemeinere und grundlegendere Fragen der Revolution auf die Tagesordnung stellen‹ und eine Steigerung der Teilforderungen ermöglichen können.«[11] Alles in allem vertraute man also, mit wechselnder Taktik, zunächst dem langen revolutionären Erziehungsprozeß, den Rosa Luxemburg anvisiert hatte. Das Pathos proletarischer Solidarität und Bewußtwerdung blieb in der Abgrenzung vom Bürgertum – und seinem Theater – nicht an die Parteigrenzen gebunden.

Unter diesen Voraussetzungen der proletarischen Bewußtwerdung und Abgrenzung vom Bürgertum verloren Gattungs- und Traditionspostulate normative Gültigkeit. Darstellungsformen erhielten ihren Wert aus der Wirksamkeit im politischen Prozeß, der zugleich als ein kultureller Emanzipationsprozeß verstanden wurde. Mochten dabei noch Bildungselemente der früheren SPD-Kulturpolitik eine große Rolle spielen, so war doch mit den Revolutionsversuchen – und ihrem Erfolg in Rußland – die entscheidende Tat-Dimension in Reichweite gerückt. Hierin lag zugleich die Anziehungskraft für Intellektuelle, die für manche der kulturellen Aufbruchs- und Revolutionierungsprogramme seit 1900 die langersehnte Morgenröte kommen sahen. Die Wirksamkeit des 1919 in Berlin gegründeten Bundes für proletarische Kultur, des Theaters ›Die Tribüne‹ und des ›Proletarischen Theaters des Bundes für proletarische Kultur‹ geben darüber genaueren Aufschluß.[12] Im Zentrum stand immer wieder die Diskussion des Klassencharakters der kulturellen Emanzipation. Das Individualschicksal lehnte man als nichtrepräsentativ, als bürgerliche Fiktion ab. Tollers *Wandlung*, mit deren denkwürdiger Inszenierung 1919 Karl-Heinz Martin in die Geschichte des Expressionismus einging, fand von hier aus Kritik; noch schärfer wandte man sich gegen Herbert Kranz' Drama *Freiheit*, das ebenfalls 1919 von Martin in Szene gesetzt wurde.

Wie noch an Piscators Reaktion zu zeigen sein wird, traf das expressionistische Verkündigungsdrama mit seinem Einzelhelden, in dem sich zumeist die Probleme des Intellektuellen gegenüber der Revolution manifestieren, auf Widerstand. Andererseits läßt sich nicht übersehen, daß auch vom Expressionismus fruchtbare Elemente ins proletarische Theater jener Jahre hinüberwirkten. Dazu gehörte – was sich mit dem Proletkulteinfluß kreuzte – die Darstellung der Masse als großer, selbständiger Einheit. Nur das Vorzeichen änderte sich: Anders als in expressionistischen Stücken bedeutete Masse nun nicht mehr das den Einzelnen zerstörende Wesen,[13] sondern wurde zum Subjekt der Erlösung. Dazu kam weiterhin der gestische, symbolisch gestraffte und rhythmisierte Stil, der sich gegen Illusionismus und Dekorationsfülle durchsetzte und dessen Exponent Leopold Jessner war. Und nicht zuletzt formte das expressionistische Wortoratorium als lyrisch-dramatische Mischgattung mit seiner tragischen Abwärtsbewegung und ins Utopisch-Erlösende zielenden Aufwärtsbewegung das Grundmuster vieler Sprechchorwerke und Masseninszenierungen vor, die von proletarischen Organisationen aufgeführt wurden (Gewerkschaften, Arbeiterjugend, Kommunistischer Jugendverband, Internationale Arbeiterhilfe, Rote Hilfe, Freidenkerorganisationen, Parteien u. a.). Das alles trug zur Überwindung des Arbeitertheaters als Liebhabertheater für Unterhaltungs- und Elendsstücke bei. Es erweiterte die Möglichkeiten revolutionärer Solidarisierung.

Es verwundert nicht, daß man Majakowski mit dem *Mysterium buffo* verschiedentlich als Expressionisten wertete. Das Theaterpoem *Mysterium buffo*, das zuerst 1918 unter Meyerhold und dann auf dem III. Weltkongreß der Komintern 1921 in Moskau in deutscher Sprache zur Darstellung kam, wurde mit seiner »plakathaftagitatorischen, volkstümlich-publizistischen Bilderbogendramaturgie« zu einer Art Urbild des massenwirksamen Revolutionstheaters.[14] Was man in Deutschland allerdings oft übersah: die sehr wesentlichen satirischen Züge, das Großkabarett sozusagen. Diese Bühnenelemente, die der russischen Theaterkunst mit Meyerhold besonders viel Glanz verliehen, wollten weniger behagen in einem Land, in dem die Revolution erst noch zu vollenden war. Der Regisseur, der sich Kabarettformen zunutze machte, Erwin Piscator, fand zunächst wenig Unterstützung. Man hielt es in Deutschland eher mit dem Hymnus der Revolution. Als das erschienen die Massenaufführungen des Proletkult, die hier durch die Reiseberichte von Arthur Holitscher, Alfons Paquet, Max Barthel und anderen publik wurden und die Kerschenzew in der *Russischen Korrespondenz* und in seinem Buch *Das schöpferische Theater* (dt. 1922) detailliert belegte.[15] Auch in Deutschland versuchte man sich an solchen Unternehmungen, wobei die Federführung bei USP oder SPD lag. Immerhin läßt sich aus Proletkult-Veröffentlichungen wie Kerschenzews Buch und Bogdanows an der Lyrik orientierter Schrift *Was ist proletarische Dichtung?* (1920)[16] ersehen, daß manche Aktivitäten diesseits und jenseits der Grenzen gemeinsame Wurzeln besaßen. Für die Leipziger Arbeiter mit ihrer langen proletarischen Theatertradition wurden die alljährlichen Massenfestspiele »jedesmal ein Höhepunkt, ein festlicher Akt und eine machtvolle Demonstration«:[17] mit zumeist über tausend Akteuren kamen vor etwa 50 000 Zuschauern[18] 1920 der Spartakusaufstand, 1921 der Bauernkrieg *(Der arme Konrad)* und 1922 *Bilder aus der Französischen Revolution* zur Darstellung. Letztere basierten auf einem Entwurf von Ernst Toller, der sich zu dieser Zeit in Haft befand und der in Zusammenarbeit mit dem Leipziger Arbeiter-Bildungs-Institut auch die Grundlage für die Spiele *Krieg und Frieden* (1923) und *Erwachen* (1924) lieferte, in denen – abgesehen von der Musik – Sprechchöre eine wichtige Funktion übernahmen.
Mit Ernst Toller ist der Name des Mannes genannt, der in dieser Periode als populärster revolutionärer deutscher Dichter galt und dessen Ruhm auch im Ausland, vor allem in der Sowjetunion, breite Schichten erreichte. Das Moskauer ›Theater der Revolution‹ führte – neben anderen Bühnen – seine Stücke *Masse Mensch* und *Die Maschinenstürmer* auf.[19] Hatte an diesem Ruhm auch Tollers Schicksal als Rätevorsitzender und Festungsgefangener Anteil, so läßt sich doch nach übereinstimmenden Zeugnissen feststellen, daß seine die Massen einbegreifenden Szenen, besonders die Chorwerke *Der Tag des Proletariats* und das Requiem *Den gemordeten Brüdern*, die dem Andenken Karl Liebknechts und Gustav Landauers gewidmet waren, in der Arbeiterschaft sofort aufgeführt und abgewandelt wurden. Die politischen Einwände der KPD gegen Tollers Position verdecken die Tatsache nicht, die sich immer wieder aus Befragungen von Arbeiterveteranen ergibt, daß Toller eine gewisse Zeitlang den ›richtigen‹ Ton getroffen hatte (wobei die Resignation der KPD nach der gescheiterten Märzaktion 1921 nicht vergessen sei).
Unter den Gedanken von Marx und Engels, die man in dieser Zeit am häufigsten zitierte, war derjenige vom Befreiungskampf der Arbeiter, welcher »nicht nur ein

Emanzipationskampf ihrer Klasse, sondern der Menschheit ist«. Sie finden sich auch bei Hermann Schüller, der 1919 mit Piscator das bedeutendste politisch-revolutionäre Theater dieser Zeit gründete, das ›Proletarische Theater. Bühne der revolutionären Arbeiter Groß-Berlins«. Schüller und Piscator folgten Proletkult-Tendenzen, wenn sie entgegen der damals vorherrschenden KPD-Auffassung Kunst und Politik unlösbar verbunden sahen.[20] Schüller erklärte sich ausdrücklich gegen die Ansicht, die Sozialisten müßten alle Kraft allein der organisatorischen Arbeit zugute kommen lassen.[21]

Das erste Programm des ›Proletarischen Theaters‹, aus den Szenen *Der Krüppel* von Carl Julius Haidvogel, *Vor dem Tore* von Andor Gábor und *Rußlands Tag* von Lajos Barta zusammengestellt, gab einem kabarettnahen, auf Agitation gerichteten Stil Raum und repräsentierte mit der Darstellung des aktuellen Kampfes zwischen kapitalistischem Bürgertum und Arbeiterklasse die Intention nach proletarischer Solidarisierung. Auch die Wahl des nächsten Programms, Gorkis Stück *Die Feinde*, war mit der Konfrontation von Kapitalisten und Arbeitern zur Zeit des russischen Revolutionsversuchs 1905 dieser Intention verpflichtet.

Piscator und Schüller entfernten sich mit ihrer Darstellungstechnik und der Ausrichtung auf das Arbeiterpublikum nach Arbeitsschluß von den geläufigen Formen des bürgerlichen Theaters. Bei seiner Attacke gegen Naturalismus und Expressionismus distanzierte sich Piscator auch vom Protest der Dadaisten, von dem er zunächst Anregungen für die satirische Demonstration der bürgerlichen Gesellschaft erhalten hatte. Außerdem wandte er sich gegen Berufsdarsteller zugunsten kämpferisch bewußter Laien, für die Piscator den später von Brecht ausgearbeiteten Verfremdungseffekt als schauspielerische Technik vorzeichnete: »Voraussetzung hierbei ist eine völlig neue Einstellung der Darsteller zum Thema des darzustellenden Stückes. Er darf nicht mehr wie bisher indifferent über seiner jeweiligen Rolle stehen, noch darin ›aufgehen‹. [...] Der Schauspieler [muß] jede seiner Rollen, jedes Wort, jede Bewegung zum Ausdruck der proletarischen, der kommunistischen Idee werden lassen.« Gemäß seiner Konzeption der proletarischen »Gemeinschaft, in der das Publikum eine ebensogroße Rolle spielt wie die Bühne«, ergänzte Piscator diese Feststellung mit dem Hinweis: »Derart muß jeder Zuschauer lernen, wo immer er ist, was immer er spricht und tut, ihm den Ausdruck zu verleihen, der ihn unverkennbar zum Kommunisten stempelt. Geschicklichkeit und Talent bringen das nicht zustande.«[22]

Mit diesem allseitigen gemeinschaftlichen Lernprozeß mit Hilfe des Theaters umriß Piscator die in den zwanziger Jahren von verschiedenen Gruppen erprobte und später von Brecht theoretisierte Form des Lern- bzw. Lehrtheaters. Unter Einschluß der Proletkult-Tendenzen, die aus der proletarischen Theaterbewegung dieser Zeit nicht wegzudenken sind, läßt sich von hier bis zu den Theaterkollektiven während der Weltwirtschaftskrise eine direkte Linie verfolgen, die sich in der Praxis der sozialistischen Aufklärungsarbeit, besonders stark in Jugendzirkeln, manifestierte. Nicht vergessen werden dürfen die Anregungen der gemeinschafts- und stilbildenden Techniken, die die umfassende Erneuerung des Laienspiels vor und nach dem Ersten Weltkrieg, teilweise in Verbindung mit der bürgerlichen und dann der proletarischen Jugendbewegung, mit sich gebracht hatte.[23] Wie die heutigen Theaterexperimente bestätigen, lassen sich wichtige Neuerungen der Darstellungstechnik und des Gesamterlebnisses Theater ohne die Basis gemeinsamer Weltanschauung kaum denken, in vielen Fällen ist Herstellung bzw. Bestätigung von Gemeinschaft als gesellschaftliche Praxis konstitutiv. Die Grenzen dieser Unternehmungen liegen in ihrer Abhängigkeit von gesellschaftlichen und historischen Faktoren: Was in der revolutionären Situation 1919 emanzipatorisch wirkte, verlor in der Stabilisierungszeit um 1926 seine Beweiskraft, konnte sie aber während der großen Krise um 1930 wiedergewinnen. Piscator ließ auch später keinen Zweifel an der Praxisgebundenheit seiner Neuerungen, wenn er 1958 feststellte: »Der Begriff des Epischen ist wirklich aus der Arbeiterschaft, aus der damaligen, sehr agilen, sehr kräftigen, sehr revolutionären Arbeiterschaft entstanden, die lebendig an diesen Themen Anteil nahm. Ich nehme gar nicht für mich in Anspruch, episches Theater erfunden zu haben. Es wurde damals geboren.«[24]

In diesem Kontext wirkt die mangelnde Unterstützung der KPD für Piscators ›Proletarisches Theater‹ wenig sensationell. Der unsignierte Bericht »Das proletarische Drama in Deutschland«, der im Herbst 1922, als das ›Proletarische Theater‹ nicht mehr existierte, die Werke von Franz Jung, Karl August Wittfogel, Xaver, Felix Gasbarra und Erich Mühsam – also die Stücke der im Malik-Verlag publizierten ›Sammlung revolutionärer Bühnenwerke‹ – in der *Roten Fahne* zusammenfassend würdigte, ließ nur die dramatische Bedeutung von Wittfogels Einakter *Die Mutter* gelten: »Hier wird niemand weiter vorgeführt als einer der unzähligen kleinen Helden der Revolution, die Gewähr sind für den endgültigen Sieg der Arbeiterschaft.«[25] Wittfogel hatte mit diesem »Massenstück in einem Aufzuge« an Gorkis *Mutter* angeknüpft, hatte der Psychologisierung der Gestalten entsagt und das langsame Entstehen der Massenrevolte, an deren Spitze sich die Mutter stellt, wie die Verlebendigung einer Kollwitz-Graphik behandelt: eine suggestiv-theatralische Vision, in der Stilisierung den Sprechchoraufführungen dieser Jahre benachbart. Das Lob des Rezensenten, der zuvor die »Rückeroberung der Bühne« durch das Bürgertum kritisierte und die expressionistische Dramatik als kleinbürgerlich verdammte, führt zu der angedeuteten Ästhetik des Massenspiels zurück.

Mit gewisser Konsequenz wandte sich die Aufmerksamkeit dem Sprechchor zu, als die erste Reichskonferenz der KPD-Bildungsobleute 1922 dazu aufforderte, das Bühnenspiel stärker in die Propaganda zu integrieren.[26] Die führende marxistische Kritikerin Gertrud Alexander, die sich gegen das ›Proletarische Theater‹ als Unkunst ausgesprochen hatte, begeisterte sich für diese Aussageform, in der sich die neuentstehende proletarische Kultur manifestiere: »Die individuelle Leistung eines Künstlers kann stark als künstlerische Manipulation wirken und künstlerisch vollendet sein. Aber die Wirkung der kollektiven Leistung beruht auf den aus der Masse selbst quellenden wuchtigen Kräften, die den Einzelnen fortreißen, stark machen und ihn doch verschmelzen mit allem Anderen. Der Sprechchor das sind: ich, Du, wir, Alle, Genossen, Proletarier. Wir haben *einen* Glauben, *eine* Gewißheit und *einen* Willen: Revolution.«[27] Als wenig später das sprachlich und dramaturgisch eindrucksvolle Chorwerk *Großstadt* von Bruno Schönlank im Rahmen der ›Proletarischen Feierstunden‹ im Berliner ›Großen Schauspielhaus‹ unter Albert Florath aufgeführt wurde, zeigte die *Rote Fahne* besonders großes Interesse. Der Berichterstatter fragte: »Hat nun Schönlank mit seinem neuesten Chorwerk die Aufgabe gelöst, den proletarischen Sprechchören das revolutionäre Stück zu schaffen?«, und antwortete: »Abgesehen von einigen, einer pazifistischen Einstellung entspringenden Wendungen und dem Fehlen der letzten Konsequenz am Schluß des Werkes, nämlich aufzuzeigen, was das Proletariat zu tun hat, wenn der ›Zeiger auf 12‹ steht, ist diese Frage zu bejahen.«[28] Einige Zeit später stellte allerdings ein anderer Beobachter fest: »Eine USPD-Regie hat es fertig gebracht, den Namen Karl Liebknechts aus dem Stück zu streichen, obwohl, wie Schönlank richtig fühlte, Liebknechts Name am schärfsten die revolutionäre Seite des November 1918 zum Ausdruck bringt.«[29] Damit war in der Tat mehr als nur der Name eines Revolutionärs gestrichen. Es deutete sich hierin bereits etwas vom Schicksal der Sprechchorentwicklung nach der Ära der in diesem Stück anvisierten Inflation an. Schönlank, der 1918 auf der »äußersten Linken« aktiv gewesen und der USP beigetreten war,[30] hatte in *Großstadt* das ›Trotz alledem!‹ aus der historisch konkret genannten Situation aufgebaut und mit der abstoßenden, von Ausbeutung und Inflation beherrschten Nachkriegsentwicklung verknüpft. Das Stück verlor die dramatisch wirksame Basis seiner anklägerischen Tendenz, wenn jene historische Verankerung fortfiel. In den folgenden Werken und folgenden Jahren wich die pathetische Dennoch-Struktur noch mehr der beschwörend-beschreibenden Lyrik, die weitgehend statisch wirkte, wenn sie auch viele Inhalte der Arbeits- und Maschinenwelt eindrucksvoll erfaßte. Es ist hier nicht der Ort, diesen Prozeß weiter zu verfolgen. Der Einschnitt, der sich aus der Beendigung der Inflation und der nachfolgenden Konsolidierung des Kapitalismus ergab, bedeutete auch für diese theatralische Form eine Wasserscheide: Das revolutionäre Gefühl, das sie getragen hatte und das Schönlank in den Sprechchorwerken *Crimmitschau. Erinnerung an Sachsens bedeutendsten Arbeitskampf 1903* und *Matrosen von 1917* wieder heraufholte, ließ sich nicht von selbst auf die neue Situation übertragen. Man suchte den Ausweg in Bewegungschoreographie und Dramatisierung, in Tanz und szenischem Dialog. Man choreographierte Massenarrangements, die vor allem bei den Reichstreffen der großen Jugendorganisationen tiefen Eindruck machten. Jedoch: »Der abstrakte Charakter der Bewegung, der wie Oratorien an Kontrapunktik gebunden war, ließ eine Klarheit des Gedankens nicht zu. Aufruhr war Aufruhr, Unterdrückung – Unterdrückung, Elend – Elend, Sieg – Sieg. Welcher Aufruhr? Welcher Sieg? Das blieb ungesagt und unerkannt.«[31] Nach den Beobachtungen über die Bindung von Theaterformen an historische und gesellschaftliche Faktoren überrascht es nicht, daß Chöre und Oratorienformen um 1930 wieder ins Zentrum rückten; die Situation der Wirtschaftskrise mit ihrer erneuten Polarisierung der deutschen Gesellschaft lieferte eine höchst aktuelle Kontrapunktik und verschaffte vielen dieser Unternehmungen neue Relevanz.

Die kommunistische Kultur- und Agitationspolitik zog Mitte der zwanziger Jahre ihre Unterstützung wieder zurück und begann sich mehr und mehr auf jene zunächst beiseitegeschobenen Revue- und Kabarettformen zu stützen, mit denen die aktuelle Propaganda präziser im Sinne der Partei vorgetragen werden konnte. Auch dabei benutzte man den Sprechchor noch ausgiebig, doch im funktionalen Sinne als Chorersatz, Kommentator und Agitator.[32] Die Praxis des 1922 gegründeten ›Zentralen Sprechchors der KPD Groß-Berlin‹, den Gustav von Wangenheim übernahm, fiel weitgehend in die Zeit der verstärkten Inflation. Wangenheims Sprechchorwerk *Chor der Arbeit*, das die führende Rolle der von Thalheimer und Brandler geleiteten KPD in der proletarischen Einheitsfront demonstrierte, vermochte 1923 den

Schwund an Interesse für Mitarbeit nicht aufzuhalten.[33] Es wurde später als das erste Chorwerk herausgestellt, das Revue- und Kabarettelemente im Agitpropsinne für die KPD-Werbung nutzbar gemacht habe.
Bevor auf diese für die weitere Entwicklung des politisch-revolutionären Theaters wesentliche Strömung eingegangen wird, sei noch kurz bei der Tatsache verweilt, daß in den zwanziger Jahren die Faszination durch Massenspiele und Massentheater nie ganz verschwand. Einige der Expressionisten wie Johannes R. Becher und Friedrich Wolf brachten sie beim Übertritt zum Kommunismus mit ein; in Wolfs Schauspiel *Der arme Konrad* (1923), das zahlreiche Freilichtaufführungen erlebte, hallten noch die Eindrücke des Ruhrkampfes 1920 nach, den der Dichter als »Volksaufstand« bezeichnete. Becher erwartete Mitte der zwanziger Jahre die politisch-revolutionäre Dramatik eine Zeitlang von der Sprechchorbewegung. Anknüpfend an die Wirkungsmöglichkeiten von Dichtung in proletarischen Veranstaltungen, schrieb Becher in einem Brief an Oskar Maria Graf: »Ich glaube, unser Drama wird aus dem Sprechchor hervorgehen. Das ist ein ganz anderes Gebiet als Mühsam und (Brecht) und hat seine bestimmte und meiner Ansicht nach größere Wirkung [. .].«[34] Seinem »Entwurf zu einem revolutionären Kampfdrama« *Arbeiter. Bauern. Soldaten* (1924) war fünf Jahre zuvor eine Fassung mit dem Untertitel »Der Aufbruch eines Volkes zu Gott« vorausgegangen, expressionistisch und utopisch wie viele seiner Gedichte, und nicht ohne Resignation angesichts des Revolutionsverlaufs – ganz abgesehen von deutlichen Bezügen zu Tolstoi. In der Zwischenzeit war Becher bei der proletarischen Sprechchorbewegung prominent geworden, neben Oskar Kanehl wohl der meist ›gesprochene‹ Gedichtautor. Und nun leitete er die Umarbeitung seines revolutionären Kampfdramas mit den Hinweisen ein: »Der Autor lehnt es mit aller Entschiedenheit ab, mit dieser Arbeit auch nur den Versuch gemacht zu haben, ein Drama im herkömmlichen Sinne zu schreiben. Die vorliegende Arbeit ist nur der eine Teil einer Gesamtschöpfung (und der Meinung des Autors nach der bei weitem geringste), den anderen Teil haben die mitwirkenden Massen selbst mit ihrer Phantasie, mit ihrem Darstellungsvermögen, mit ihrer Spannkraft auszufüllen. Es gehört mit zum Stück, daß z. B. revolutionäre Flugblätter vor Beginn verteilt werden, daß sich Gruppen bilden, die diskutieren, daß eine Ansprache gehalten wird, daß die Teilnehmer in Zügen geordnet durch die Stadt anmarschieren, mit Musik, roten Fahnen usw. Handzeichnungen, Plakate, Tafeln usw. Das müßte sich womöglich alles von selbst organisieren. [...] Das Wichtigste: Die Schauspieler und das Publikum arbeiten sich während des Stückes zu einer klassenbewußten organischen Einheit zusammen.«[35]
Es wäre reizvoll, diese Mischung aus spontanem Engagement, Expressionismus und Proletkult-Elementen näher zu erläutern. Sie mag als Zeugnis für die Faszination durch die Massen stehen, die auch in späteren Jahren noch Literatur- und Theaterauffassung prägte, bis man Spontaneität, Expressionismus und Proletkult abzulehnen lernte. Diese Faszination läßt sich wiedererkennen in Gustav von Wangenheims Planungen zu der (schließlich verbotenen) Massenpantomime mit Sprechchören im Zentrum, die den Höhepunkt der Antikriegskundgebung im August 1924 bilden sollte, ebenso bei den Massenfestspielen des kommunistischen Jugendverbandes, etwa der Treptower Veranstaltung 1924, sowie bei den mit Verboten belegten Massendramen von Berta Lask, dem Leunastück von Rudolf Fuchs *Aufruhr im*

Mansfelder Land. Massendrama in 26 Szenen und Béla Balázs' revolutionärer Szenenfolge *1871. Die Mauer von Père la Chaise* (1928). 1929 schloß die Diskussion in der Zeitschrift *Arbeiter-Bühne* das Massendrama neben der Kurzszene noch ein.[36] Über allem steht in der zweiten Hälfte der zwanziger Jahre der unauslöschliche Eindruck, den Eisenstein neben Pudowkin mit seinen Filmwerken machte, besonders dem *Panzerkreuzer Potemkin*, der 1926 gegen die Zensur in Deutschland durchgesetzt wurde. Eisenstein, der vom Proletkult herkam und bei Meyerhold gelernt hatte, war 1923/24 vom Theater zum Film übergewechselt und hatte hier das geeignete Medium für seine Masseninszenierungen gefunden.

Zurück zu den Revue- und Kabarettelementen, die Wangenheim 1923 in sein Chorwerk integrierte. Sie wurden 1922 von Karl August Wittfogel in seinen »Leitsätzen für eine revolutionäre Dramaturgie« *Grenzen und Aufgaben der revolutionären Bühnenkunst* als wesentlich für das künftige politisch-revolutionäre Theater hingestellt. Wittfogel war bei den Leipziger Massenfestspielen mit dabeigewesen. Als bedeutender Jugendführer kannte er die organisatorischen und kulturellen Probleme des Proletariats genau. Er warnte vor der Illusion, die von Dilettanten betriebene Laienbühne und »die Erweckung der schöpferischen Kräfte in den Massen« könnten dem gewünschten Theater von selbst auf die Beine verhelfen. Er plädierte für die kritisch-satirische Puppenbühne, die keinen großen Aufwand erfordere, für den Sketch und den personenarmen Einakter, wofür er selbst im Telefonspiel *Der Flüchtling* ein wirkungsvolles, oft aufgeführtes Beispiel gab. Sein Vorschlag lautete: »Mehrere derartige knappe Einakter, unterbrochen durch Rezitationen und Musik, wären übrigens als Programm für ein wirklich gutes und wirklich revolutionäres Kabarett sozusagen das Naturgegebene.«[37] Damit verwies Wittfogel bereits auf den Ansatz der späteren Agitproptruppen. In seinen eigenen Dramen verwendete er verschiedene Modelle, die zunächst noch stark dem Expressionismus verpflichtet waren. In *Rote Soldaten* (1921) und *Der Mann, der eine Idee hat* (1922) dominierte eine dramatische Grundstruktur, welche Kommunismus und Revolution weniger als Handlungsträger denn als eine – wie im Titel ausgesprochen – »Idee« erscheinen ließ. Gegenüber dieser expressionistisch-›idealistischen‹ Form fand er mit dem kabarettnahen, auf Improvisation und Verfremdung gegründeten Werk *Wer ist der Dümmste?* (1923) zu einer Form des Lernspiels, wie sie Piscator und Schüller angebahnt hatten. Das Stück errang speziell bei proletarischen Spielgruppen großen Erfolg (Upton Sinclair erreichte sogar in New York seine Aufführung); noch 1932 griff Wangenheim darauf zurück und erarbeitete mit dem Schauspielerkollektiv ›Truppe 1931‹ eine neue Fassung, die im Februar 1933 zur Aufführung kam.

Wittfogel hatte mit Piscator zusammengearbeitet. Seine Leitsätze erschienen, als das ›Proletarische Theater‹ bereits eingegangen war. Sie faßten manches zusammen, was Piscator, Xaver (*Freie Bahn dem Tüchtigen*, 1921) und Felix Gasbarra (*Preußische Walpurgisnacht*, 1922) gewollt hatten. Piscator selbst äußerte später, er sei durch die Publikumsreaktion auf die Inszenierung von kleinen Revuen gewiesen worden.[38] Das implizierte Kritik an den Stücken von Mühsam, Rolland, Toller und anderen, die mit ihrem Zuschnitt auf die Selbstabrechnung des Individuums angelegt waren. Nicht die tragische Dimension wurde kritisiert, sondern deren ausschließliche Verkörperung im Individuum, wie es etwa bei Mühsams von proletarischen Bühnen vielgespieltem *Judas* (1921) der Fall war. Anläßlich der Studioaufführung dieses Stückes auf der ›Piscator-Bühne‹ 1928 machte Piscator noch einmal klar, was er daran ablehnte: »Hier handelt es sich um die Übertragung eines individuellen psychologischen Problems, eines Seelenkonflikts, wenn auch aus politischen Motiven, in die Atmosphäre der Bewegung. Also ein Drama im herkömmlichen Sinne, das den Einzelfall abwandelte.«[39] Sein eigenes Konzept dagegen war: Das Allgemeine soll nicht durch das Schicksal des Individuums verdeckt werden, sondern das Individuum soll – als Teil des Allgemeinen – das Schicksal des Allgemeinen sichtbar machen.

Diese Auseinandersetzung mit Konflikt und Tragik in den zeitgenössischen Dramen dürfte für Piscators dramaturgische Praxis Anfang der zwanziger Jahre von höchster Bedeutung gewesen sein. Mit ihr blieb er nicht an die bloße Montage von Revue- und Kabarettelementen gebunden. Wenn er später nur die dramatischen Arbeiten von Franz Jung aus den Stücken der ersten Nachkriegsjahre hervorhob und feststellte, daß sie »am weitesten politisch vorstießen und auch in ihrem Aufbau eine neue Linie zeigten«,[40] so hat das viel mit der Herausbildung seiner Dramaturgie zu tun. Im Schauspiel *Die Kanaker* – im Gefängnis während des Winters 1920 geschrieben – hatte Jung Revolte und Niederlage des Proletariats vergegenwärtigt, ohne von dieser tragischen Situation durch heldisch herausgestellte Individuen abzulenken. Die aktuellen Bezüge ergaben sich durch eine Zwischenszene mit den Figuren von Lenin und H. G. Wells, die Lenins Weg zur Überwindung dieser Situation diskutieren. Der Autor hielt sich nicht bei einer expressionistischen Revolutionsprophetie auf. Er gab einen schonungslosen Situationsbericht von der Niederlage der Arbeiter, an der sie durch ihre Uneinigkeit, Führungs- und Konzeptionslosigkeit mitschuldig waren. Er machte die Stärke der Konterrevolution klar, die Stärke des Kapitalismus, dem sich auch die technische Intelligenz im Kampf gegen die Arbeiter anschließt. Revolte, Niederlage, Tragik: das war kein ›Seelenkonflikt‹, sondern die Situation des deutschen Proletariats. Der Eindruck war so stark, daß die *Rote Fahne* den Moment, da der Vorhang schließt, unmittelbar auf die Gegenwart bezog: »Wir sind wieder im Leben und merken jetzt, daß wir eigentlich gar nicht weit vom Leben weg waren, die ganze Zeit über. Das ist das grundlegend Neue an diesem Theater, daß Spiel und Wirklichkeit in einer ganz sonderbaren Weise ineinander übergehen. Du weißt oft nicht, ob du im Theater oder in einer Versammlung bist, du meinst, du müßtest eingreifen und helfen, du müßtest Zwischenrufe machen.«[41]

Hier verband Emotion sich mit Erkenntnis, wie es Schüller gefordert hatte. Den Tatimpuls, der aus historischer Einsicht und nicht aus dumpfem Gefühl hervorgeht, entwickelte Jung aus der Dramaturgie dieser geschichtlichen Situation. Basis war die Kritik des bisherigen Revolutionsverlaufs, getragen von der Haltung des ›Trotz alledem!‹. Damit hob sich die politische Dokumentation – mochte auch die Gestalt Lenins, der Zeit entsprechend, romantisiert sein – über die expressionistische, tolstoianische Tragödienform hinaus.[42] Im Aufsatz *Trotz alledem!* hatte Karl Liebknecht geschrieben: »Die Geschlagenen von heute werden die Sieger von morgen sein. Denn die Niederlage ist ihre Lehre. Noch entbehrt ja das deutsche Proletariat der revolutionären Überlieferung und Erfahrung. Und nicht anders als in tastenden Versuchen, in jugendhaften Irrtümern, in schmerzlichen Rückschlägen und Mißerfolgen kann es die praktische Schulung gewinnen, die den künftigen Erfolg gewährleistet.«[43]

Revue und Agitprop

Die Bedeutung der Revue- und Kabarettelemente muß für das Theater der zwanziger Jahre nicht eigens hervorgehoben werden. Wichtiger ist ihr tatsächlicher Gebrauch: wann, wo, wie und wozu. Die Frage nach dem Wann läßt sich nach den bisherigen Beobachtungen schnell beantworten. Die Inflationszeit, die 1922/23 das Geld sprunghaft entwertete und der Bühnenkunst eine Scheinblüte verschaffte, wirkte wie ein Generator, der die zwischen Moskau, Paris und New York entwickelten Revueformen in den Berliner Unterhaltungsbetrieb hineinpumpte. Mit der Inflation etablierte sich die Revue endgültig auf der deutschen Bühne. Während das Verkündigungspathos expressionistischer Dramatiker vom Rollen der Geldpresse erfaßt und kleingewalzt wurde, erwies sich von Mal zu Mal mehr die Standfestigkeit einer Theaterform, die ihren Sinn ganz in der Bindung ans Hier und Heute entfaltete. Diese Bindung wurde zu etwas Selbstverständlichem, als mit der Stabilisierung der Währung und den Regierungsaktionen gegen Kommunisten und Nationalsozialisten Ende 1923 die revolutionäre Nachkriegsperiode zu Ende ging. Diese Bindung versprach, mit Veränderungen bei der Theaterarbeit über die Flaute in der Dramenproduktion hinwegzuhelfen, die sich allenthalben bemerkbar machte. Zeigte nicht Alexander Tairow, dessen Moskauer Kammertheater 1923 und 1925 vielbeachtete Europatourneen unternahm, wie man aus einem häufig unbedeutenden Stoff unter Einsatz von Musik, Tanz, Harlekinade, Gesang, Akrobatik und Lichteffekten neue Triumphe des Theaters hervorzaubern konnte?
Die Zustimmung zur Revue blieb partiell. Für viele wurde diese Form des Theaters, für welche sich Berlin als neues Zentrum entpuppte, zum Inbegriff des bürgerlichen Niedergangs: Der Geist verschwand, wo ›Girlkultur‹ und Kommerz herrschten. Wenn man später davon sprach, daß die Agitproptruppen ihre Arbeit mit Revue- und Kabarettelementen ausbauten, übersah man allzu schnell diesen historischen Hintergrund. Man übersah sowohl die Ausdehnung dieser (bürgerlichen) Theaterpraxis mit all ihren stimulierenden Formen als auch den Widerstand dagegen in all seiner Intensität. Im Widerstand trafen sich zumal viele der Laienspielgruppen, und unter ihnen nahmen die proletarischen eine wichtige Rolle ein. Wie erwähnt, waren die meisten an der Aktivierung der spezifischen Gemeinschaft orientiert.[44] Erst langsam – vor allem seitdem die Impulse der Jugendbewegung nach 1923 endgültig versiegten – gewöhnte man sich an die Verwendung von Kabarett- und Revueelementen.
Wenn die kommunistische Kulturpolitik nach dem für ihren weiteren Kurs grundlegenden X. Parteitag 1925 dem Begriff des Kollektivs eine zentrale Rolle zuwies, so bedeutete das jedoch keinen Ausbau des kollektiven Lerntheaters. Erst nach 1930, bei zunehmender Erstarrung des parteilich institutionalisierten Agitproptheaters galt ihm wieder einiges Interesse. Wie eng der Begriff des Kollektivs, den man gegen die Massenaktion und ihre Spontaneität ausspielte, mit der Umwandlung der KPD zur straff geführten leninistischen Partei in der zweiten Hälfte der zwanziger Jahre zusammenhängt, kann hier nur angedeutet werden.[45] Im Sinne der parteilich vorbildlichen Aktivität lobte man die Kollektivtheaterarbeit nachdrücklich bei der sowjetischen Agitproptruppe ›Blaue Bluse‹, der die Internationale Arbeiterhilfe 1927 eine Tournee durch Deutschland organisierte. Ähnliches folgte für die nach

1928 dominierenden deutschen Agitproptruppen wie ›Das Rote Sprachrohr‹, ›Die Nieter‹ oder ›Kolonne Links‹. Im vorbildlichen Bühnenkollektiv sah man Methode und Führungsanspruch der Parteiarbeit bestätigt. Abgesehen von den Wirkungen des sowjetischen Agitationstheaters (›Lebende Zeitungen‹ usw.) kamen wichtige Impulse für das politisch-revolutionäre Theater von Piscators und Gasbarras Inszenierungen der *Revue Roter Rummel* (1924) und der Revue *Trotz alledem!* (1925). Piscator hatte auf den Erfahrungen des proletarischen Laientheaters aufgebaut, als er diese Revuen in Szene setzte; andererseits stand er als Regisseur in Berlin in enger Verbindung mit allem, was das professionelle Theater zu jener Zeit an Neuerungen ausprobierte. Das war, wie gesagt, nicht wenig. Dazu gehörte neben den Inszenierungen von Jessner, Fehling, Reinhardt, Karl-Heinz Martin und anderen auch das Kabarett russischer Emigranten ›Der blaue Vogel‹, von dem Alfred Polgar meinte: »Von dem, was in deutschen Landen ›Cabaret‹ heißt, ist ›Der blaue Vogel‹ ein paar tausend Werst entfernt: durch Buntheit, Geschmack, Bizarrerie, Einfall, Laune. Durch den Dreiklang der Talente seiner Maler, Musiker, Darsteller. Durch die ästhetische Wertigkeit seiner feinen, kleinen Künste.«[46] Kurt Tucholsky suchte dieses Theater, in dem den Zuschauern das Rauchen gestattet war, vor Polgars Vorwurf, es sei schließlich doch etwas »lackiert«, in Schutz zu nehmen, wenn er auch einige politische Vorbehalte anmeldete.[47] Ihm erschien die künstlerische Arbeit so bedeutend, daß es nicht überrascht, bei Kritiken der ›Blauen Bluse‹ den Hinweis auf eine Verwandtschaft zum ›Blauen Vogel‹ zu finden.[48] Neben diesem Kabarett gehörten viele andere Unternehmungen erwähnt, die in jenen Jahren eine kurze Blüte erreichten (und für die der ›Blaue Vogel‹ mit seiner aus der russischen Theaterentwicklung kommenden Technik wichtige Anregungen gab).[49] Es sei nur eine Nachtvorstellung der Schauspieler Curt Bois, Else Eckersberg und Wilhelm Bendow herausgegriffen, in der das Theater sich so radikal selbst parodierte und verfremdete, daß der Kritiker beglückt-betroffen konstatierte: »Niemand, der diese konzentrierte Verhöhnung unserer gesammelten Theaterausdrucksmittel gesehen hat, [kann] jemals mehr mit Ernst die Urbilder betrachten.«[50] Geht man den Wurzeln des epischen Theaters in den zwanziger Jahren nach, dürfen solche Unternehmungen nicht übersehen werden.
Dasselbe gilt für die Revue, die vielgeschmähte, von der Walther von Hollander 1925 eine Erneuerung der Schaubühne erwartete. Er berief sich auf etliche Theaterkritiker mit der Feststellung: »Hier allein – sagt man –, finden wir Tempo und Atem der Gegenwart, hier allein wird uns das Gesicht der Großstadt gezeichnet, hier allein kommt der Gegenwartsmensch, ausgehungert nach Farbe, Bewegung, Sinnlichkeit, mit allen seinen fünf Sinnen auf seine Kosten. Hier allein wird Leistung verlangt und gegeben, eine meßbare, erkennbare, unstreitig und unmittelbar wirkende Leistung.« Hollander verwies auf Tairow, der dem Theater durch Revueelemente und spezielle Körperschulung zu neuem Leben verholfen habe. Der Revue selbst, die vor allem das ›Gesicht der Zeit‹ sichtbar zu machen habe, fehle es allerdings noch an zusammenhängender Handlung, an Witz, Schlagfertigkeit und Satire. »Den richtigen Revuedichter, auf den alle warten, kann man zwar nicht aus dem Boden stampfen, aber man kann ruhig die witzigen Köpfe Deutschlands bemühen (die Mynona, Mehring, Peter Panter, Weinert, meinetwegen auch Roda Roda, Meyrink, Rößler), um den prächtigen Revuerahmen mit Zeitgeist und Zeitenergie

zu füllen.«[51] Große Möglichkeiten also, aber (noch) keine adäquate Realisierung. Theatralische Mittel, aber (noch) keine überzeugende Anwendung. Anders ausgedrückt: »Allen Revuen fehlt das eine Einzige, was das Genre unbedingt haben muß: der Einfall, die Meinung, die kritische Distanz. Eine Gesinnung.«[52] Nur durch Bühneneinfälle, durch Musik- und Bewegungsarrangements allein war ›das Gesicht der Zeit‹ nicht sichtbar zu machen. So resümierte Axel Eggebrecht in der *Literarischen Welt*, daß um 1927 eine Belebung der Bühne nicht durch die (große) Revue, sondern die (kleine) Revueparodie eingetreten sei: »Reinhardtsche Inszenierungen, Kurfürstendamm-Erfolge waren vielleicht weniger an dieser Wende beteiligt, als jene kleinen Berliner Revueparodien, als die merkbare Steigerung der Regieleistungen in Operetten, Lustspielen, Klassikererneuerungen.«[53] Wenn nun ein halbes Jahr später Brecht, Weill und Engel mit der *Dreigroschenoper* eine große Revueparodie herausbrachten, traf das genau die Stimmung und Erwartung des Publikums, führte zu allgemeinem Jubel und wurde nicht trotz, sondern wegen der sozial aggressiven Texte als Repräsentation des ›Gesichts der Zeit‹ konsumiert. Andererseits verwundert nicht, was Herbert Jhering seinem Lob der *Dreigroschenoper* anfügte: »Brecht und Weill hatten vor, für die Stadt Essen eine Ruhrrevue zu schreiben. Die Form liegt hier bereitet. Diese Revue für die Ruhr, eine andere für Berlin muß kommen. Eine Revue der Arbeitenden, nicht der Nichtstuer.«[54]

Damit rückt wieder ins Bild, wofür Piscator die Zeichen setzte und was 1927 von den neugebildeten Agitproptruppen zum verbindlichen Stil kommunistischer Agitation gemacht wurde: die Verwendung von Revue und Kabarett für die kritische Distanzierung von der Gesellschaft, d. h. für die Attacke gegen sie. Zugleich wird deutlich, daß man Piscator und mit ihm die Bühnenkonzeption der Agitpropbewegung von der generellen Theaterbewegung 1924–28 nicht trennen kann. Wenn kommunistische Interpreten die Deutschlandtournee der sowjetischen ›Blauen Bluse‹ zur Geburtsstunde des deutschen Agitpropteaters stilisierten, so bedarf das eines Kommentars. Das Gastspiel, für das man in Berlin einen Conferencier (!) engagiert hatte, hob sich durch seine »Frische« und »Natürlichkeit« heraus, zweigte aber nicht entscheidend von den Gewohnheiten der Revue- und Kabarettbühne ab. Gerade darüber geriet man in der *Weltbühne* in Zorn und hielt den bürgerlichen Zuschauern, die sich zu nächtlicher Stunde im ›Theater am Nollendorfplatz‹ zum Applaus versammelt hatten, vor, es sei lächerlich, diese vom ›Blauen Vogel‹ her bekannte Bühnentechnik als neue Kunst auszugeben.[55] Adam Kuckhoff ließ keinen Zweifel daran, daß es weniger auf die Bühnentechnik als auf Inhalt und Publikum ankomme, wenn man hier von wirksamem politischen (proletarischen) Theater sprechen wolle – und das war nach den Erfahrungen der Nachkriegsentwicklung gewiß nichts Neues.[56] Was die ›Blauen Blusen‹ brachten, war Ermunterung, es nachzutun – auf vorbereitetem Boden. Für die bald zentralisierte Agitpropbewegung lag die Bedeutung dieser Tournee nicht in der ›Stilwende‹, sondern in der Tatsache, daß sie die seit längerem angestrebte und teilweise verwirklichte ›Stilwende‹ parteioffiziell legitimierte.

In diesem Sinne förderte man in der anschließenden Zeit die Abkehr vieler Spielgruppen vom Sprechchor und der Idee des Massentheaters sowie von der Aufführung konventioneller Ehe-, Familien- und proletarischer Rührstücke. Besonders die letzteren spielten eine große Rolle bei der Übernahme des Deutschen Arbeiter-Theater-Bundes 1928 durch Kommunisten (Arthur Pieck), die den 10. Bundestag vom 1. Bezirk Groß-Berlin mit einem eindrucksvollen Programm hatten abhalten lassen, das eine Arbeitertheater-Ausstellung ebenso umfaßte wie Vorträge prominenter Redner. Was viele der zumeist sozialdemokratischen Delegierten beeindruckte, war die Tatsache, daß sich nach dem langen Schlaf dieser Institution wieder Organisatoren um das Arbeitertheater und die Hebung seines Standards bemühten. Viele Gruppen waren bereit, vom Liebhabertheater alten Stils abzurücken, fanden aber keine geeigneten neuen Stücke. Die Anleitung zur proletarischen Kurzszene bedeutete einen Fortschritt. Es ergab sich einerseits eine wachsende sozialdemokratische Opposition, die sich nach dem 11. Bundestag des inzwischen umbenannten Arbeiter-Theater-Bundes Deutschlands abspaltete (Erich Mühlenweg wehrte sich gegen die kommunistische Sozialfaschismus-Theorie als Thema vieler Agitproptruppen[57]); andererseits folgten auch einige sozialdemokratische Spieltruppen der Agitpropkonzeption, vor allem in Sachsen und Thüringen.[58]

Der Aufstieg der Agitproptruppen geschah in enger Verbindung zur KPD, in deren Organisationsstruktur sich seit Mitte der zwanziger Jahre der Bereich Agitprop konstituierte – allerdings im allgemeinen eher stiefmütterlich behandelt. Neben dem Aufbau eigener Truppen der Einzelsektionen entwickelte sich ein Tourneesystem der bekannten Agitpropkollektive, das Ende der zwanziger Jahre schnell einen Platz in der politischen Szenerie Deutschlands errang, dementsprechend von Regierung und Polizei intensiv überwacht und mit Verboten oder Verhaftungen eingedeckt wurde.[59] Die wichtigste der Truppen, ›Das Rote Sprachrohr‹, übernahm unter der Leitung von Maxim Vallentin von Berlin aus mit der gleichnamigen Zeitschrift (gedruckt ab 1929) die zentrale Schulung; außerdem erfaßte auch die Parteischulung einen Teil der Agitpropschauspieler. In der Zeitschrift *Das Rote Sprachrohr*, welche Aufführungsmaterial für aktuelle Anlässe vermittelte, setzten sich nach anfänglicher Unsicherheit die Kurzszene und der kurze Sprechchor als zentrale Gattungen durch, deren parolenhafter Schlagkraft man die Stellungnahmen der KPD zu den politischen Verhältnissen anvertraute. Die Tabelle der ›dringenden‹ Themen wurde ständig ergänzt, wobei man an die Mitarbeit aller Truppen appellierte. In Heft 2, 1929, nannte man unter den Themen, die »wir in der nächsten Zeit (also ziemlich eilig!) brauchen«: »1. Szenen über Wirtschaftskämpfe. Szenen zu den Betriebsrätewahlen. Szenen auf Arbeitslosennachweisen. Massenchöre für Arbeitslose (auch für Landtage, Reichstag, Stadtparlamente und für Demonstrationen geeignet). Dann: gute Maiszenen – Gedichte – Sprechchöre, Szenen zum Konkordat, zum Wehrprogramm, zur Pressekampagne, zum neuen Strafgesetzentwurf, Angriffe auf die katholische Kirche, SPD.-Bonzen, Lehrlingskampagnen usw.« (S. 3) Unter den Beiträgern der Zeitschrift befanden sich u. a. Johannes R. Becher, Berta Lask, Hans Marchwitza, Hans Lorbeer, Slang, Erich Weinert, Georg Pijet, Harry Wilde, abgesehen von Maxim Vallentin und Franz Jahnke vom ›Roten Sprachrohr‹.

Es wird von den Schwächen dieser Bewegung noch die Rede sein; sie fand scharfe Kritiker, vor allem 1931/32 unter Kommunisten selbst. Wie immer man die Politik der KPD zwischen 1928 und 1933 einschätzt, die Bedeutung der Agitproptruppen ist nicht zu verkennen, wobei angemerkt sei, daß diese Bewegung lange Zeit nicht ohne Rote Hilfe und Internationale Arbeiterhilfe denkbar gewesen wäre. Letzteres ist ein noch aufzuarbeitendes Kapitel, an dem Willi Münzenberg mit seinen weitverzweigten Propagandaaktivitäten großen Anteil hat, Aktivitäten, die häufig wesentlich flexibler und resonanzkräftiger waren als das, was die Partei selbst lieferte. Zudem bedeutete es eine nicht geringe Belastung für viele KPD-Redner bis zu den höchsten Spitzen hinauf, wenn bei kommunistischen Veranstaltungen das Publikum durch eine Agitproptruppe oder das Auftreten von Erich Weinert, Ernst Busch und anderen in ›Fahrt‹ gebracht wurde, wie man damals sagte, – in eine ›Fahrt‹, bei der das in offizieller Terminologie gehaltene, die Beschlüsse gründlich berücksichtigende Hauptreferat häufig nur Bremswirkung erzielte.

Piscator

Das politisch-revolutionäre Theater der zwanziger Jahre ist ohne Zweifel am stärksten von Erwin Piscator geprägt worden. Es mag sich um einen Zufall gehandelt haben, der Piscator 1924 an der Berliner ›Volksbühne‹ die Regie von Alfons Paquets »Dramatischem Roman« *Fahnen* eintrug. Es war seine erste weithin kommentierte Inszenierung, nach welcher der Regisseur bis zu seiner Emigration 1931 nach Moskau das Rampenlicht der deutschen Öffentlichkeit nicht mehr verließ. Doch ging er mit den Erfahrungen des ›Proletarischen Theaters‹ und der folgenden Theaterarbeit nicht unvorbereitet an diese Aufgabe heran. Es zeigte sich an dieser Inszenierung sowie an den von ihm und Gasbarra einstudierten proletarischen Revuen 1924/25 und den anschließenden Produktionen, daß Piscator die revolutionäre Situation um 1919/20 nicht nur nicht vergessen hatte, sondern zu einem Wegweiser seiner Theatertätigkeit hatte werden lassen. Da seine Tätigkeit zumindest für die zwanziger Jahre inzwischen gut erschlossen ist, erübrigt sich hier die Rekapitulation von Inszenierungsgeschichten. Statt dessen seien einige Hinweise auf eine historische Einordnung seiner Theaterpraxis gegeben, bei der jener Wegweiser keine geringe Rolle spielt.
Die Bedeutung von Paquets um 1918 entstandenen *Fahnen* als dramatischer Roman bzw. episches Drama über den Arbeiteraufstand 1886 in Chikago, der blutig niedergeworfen wurde, ist nicht nur im Hinblick auf Piscators Aufstieg ein Faktum der Theatergeschichte. Der Zug zum Epischen, von Döblin begrüßt und von Brecht, der bei Feuchtwanger gelernt hatte, verarbeitet, scheint mit der Aneinanderreihung historischer Szenen ohne zentralen Helden und mit der Verwendung dokumentarischer Projektionen Piscators Dramaturgie schon hier zu prägen. Man schlug später die Brücke zu Inszenierungen wie die von Paquets *Sturmflut* (1926), Ehm Welks *Gewitter über Gottland* (die 1927 besonders viel Aufruhr verursachte und Piscators Bruch mit der ›Volksbühne‹ herbeiführte), Tollers *Hoppla, wir leben!* und Alexej Tolstois *Rasputin* (beide 1927) sowie der erfolgreichen Schwejk-Bearbeitung 1928 (an der Brecht den Hauptanteil hatte), Leo Lanias *Konjunktur* (1928) und Walter Mehrings *Der Kaufmann von Berlin* (1929), alle vielbeachtete Großproduktionen, denen man mit dem Terminus Piscator-Stil gerecht zu werden versuchte. Piscator-Stil: das umschloß die tiefgehende Umarbeitung, ja Umstrukturierung der Stücke, die Einbeziehung von dokumentarischem Material (mittels Projektor und Film), die Simultanbühne, die Einblendung von Statistiken und Geschichtszahlen als Teil der dramaturgischen Didaktik, das umschloß konstruktivistische Bühnenbauten und eine schwerfällige Apparatur, den Einsatz vieler Statisten, die Heraufbeschwörung von Skandalen und nicht zuletzt den Verschleiß großer Geldsummen (bis hin zum Bank-

rott). Nicht zu vergessen der starke Eindruck auf das – zum Teil bürgerliche – Publikum und die Herausforderung seiner Emotionen, sei es in Zustimmung oder Ablehnung.

Piscator hatte in Jungs *Kanakern* das revolutionäre ›Trotz alledem!‹ höchst wirksam entwickelt. Auch in den *Fahnen* wird eine Niederlage der Arbeiterschaft aufgerollt. Hier stilisierte der Regisseur die Aufführung am Ende in die Nähe eines proletarischen Requiems, doch wies er im Schlußmonolog darüber hinaus. Die stärkste Wirkung erzielte er zweifellos mit der Revue, die jenes *Trotz alledem!* im Titel führte. Mit Gasbarra ursprünglich für das Arbeiter-Kultur-Kartell entworfen, entfachte sie anläßlich des KPD-Parteitages im Berliner ›Großen Schauspielhaus‹ die Begeisterung des proletarischen Publikums. Piscator nahm – wie zuvor in *Revue Roter Rummel* – das Arrangement historischer und revolutionärer Szenen früherer proletarischer Massenveranstaltungen auf, arbeitete nun aber mit Hilfe des Films eine Dokumentation der Jahre 1914–19 bis hin zur Revolution und zum Mord an Karl Liebknecht und Rosa Luxemburg dergestalt heraus, daß das revolutionäre Dennoch nicht mehr als symbolisches Finale aufgesetzt war, sondern in der Dramaturgie der Massenrevue als Dramaturgie des historischen Moments wirksam wurde. Die revolutionäre Aussage blieb an die Analyse der Revolutionsniederlage gebunden. Die Einsicht in die Tragik des Geschehens blockierte nicht wie in expressionistischen Stücken die Handlungsfreiheit der Massen, sondern gab ihr Richtung und Verantwortung. Zweifellos steigerte Piscator die revolutionäre Einsicht durch den Appell an die Emotionen, aber entscheidend war, daß es sich um Einsicht in die Mechanismen von Geschichte und Gegenwart handelte und nicht um Einsicht in die Mechanismen des Theaters und seiner Heldenlandschaft.

Gewiß ging Piscator später kaum mehr so weit in der direkten revolutionären Proklamation wie bei der auch von der *Roten Fahne* vielgerühmten Aufführung von *Trotz alledem!*, bei der er Liebknecht und Rosa Luxemburg auf die Bühne brachte. Der dramaturgische Impuls jedoch, mit dem er die historische Szenenfolge zu einer Argumentationskette über den Zustand der Gesellschaft und die Notwendigkeit der Revolution werden ließ, blieb erhalten, auch als er seine Inszenierungen innerhalb des bürgerlichen Theaterbetriebs vorführte. Wenn ihm später vorgeworfen wurde, er habe über der Manipulation der Bühnentechnik die Aussage vernachlässigt, so trifft das nur Auswüchse seines Bestrebens, die Argumentation möglichst umfassend und wissenschaftlich zu machen, jedoch nicht seine Dramaturgie, mit der er die jeweiligen Stücke insgesamt zu Argumenten im revolutionären Kampf zu machen versuchte. Der Vorwurf richtet sich vor allem auf die Phase Ende der zwanziger Jahre, in der kollektiv *Das politische Theater* zusammengestellt wurde. Es ist dies die Phase, in der der Einbezug der Technik tatsächlich begann, weniger eine funktionale als eine kompensatorische Rolle im Hinblick auf die Dramaturgie zu spielen (wofür man den Mißerfolg des *Kaufmann von Berlin* 1929 anführte). Aber auch in dieser Zeit ließ Piscator keinen Zweifel daran, daß er als »Hauptresultate« seines Theaters Bühnengestaltung *und* Dramaturgie wertete.[60] Asja Lacis bemerkte dazu: »Später behandelt Piscator die Endszene als den ideellen Schlußpunkt der Aufführung, die Aufzeigung der historischen Perspektiven. Deshalb wird für ihn die Gestaltung der Idee wichtig, daß die kommende sozialistische Revolution auf den Schultern der früheren revolutionären Prozesse und Kämpfer steht. Diese Idee durchzieht die meisten seiner Inszenierungen, so die *Räuber, Gewitter über Gottland, Des Kaisers Kuli* u. a. m.«[61] Es lag zugleich an dieser Dramaturgie, wenn es Piscator gelang, Revue- und Kabarettformen in einen neuen Kontext zu stellen und damit, wie er bereits 1920 formuliert hatte, »am Seienden das Sein-sollende aufzuzeigen«. Piscators besondere Leistung war es, in einer Zeit der Entleerung der originär ›theatralischen‹ Dramatik die dramatischen Qualitäten der Geschichte in Bühnenwirkung überzuführen und zugleich am bühnenmäßig Vorgegebenen die historischen Qualitäten aufzuzeigen. In diesem Doppelvorgang liegt das Wesentliche seiner Bühnenarbeit, die die vorgegebenen Theaterstücke funktionalisiert, um die noch zu vollendende wirkliche Dramatik der Geschichte sichtbar zu machen. Bernhard Reich, der später mit Piscator zusammenarbeitete und wohl die beste Analyse von dessen Dramatik geliefert hat, hat diese Leistung im Kontext der Theatergeschichte gewürdigt.[62]

In der historisch-politisch begründeten Ausrichtung Piscators an der Totale liegt zugleich ein wesentlicher Unterschied zu Meyerholds Theaterarbeit in jenem Land, in dem die Revolution siegreich verlaufen war. Piscator dürfte, worauf verschiedentlich hingewiesen wurde,[63] von Meyerholds und Foreggers Vorgehen bei der revolutionären Umarbeitung vorgegebener Werke genauere Kenntnis gehabt haben, wie er wohl auch von Eisensteins Experimenten im ›Theater der Revolution‹ gehört haben mag, vor allem der Integration des Films ins Bühnenspiel.[64] Lange vor Piscator hatte Meyerhold in seiner *Mysterium buffo*-Inszenierung die Segment-Globus-Bühne benutzt, die die Welttotalität symbolisierte. Doch blieb der Konstruktivismus des Russen im folgenden grundsätzlich an der Totalität des Theatralischen orientiert, in einer bis dahin ungekannt-virtuosen Kombination statischer und dynamischer Bühnen- und Spielelemente. Meyerholds Totalität löste sich kaum vom theatralischen Vollzug (und fand deshalb selten eine adäquate Interpretation), während Piscators Totalperspektive die wissenschaftliche, außerästhetische Grundlage immer erkennen ließ, mit der sich stets auch zugleich die Entbehrlichkeit des Theaters andeutete. Überspitzt gesagt: Meyerholds Theater machte die gelungene Revolution als Voraussetzung sichtbar, indem es sich als das durch die Revolution befreite Theater darstellte; Piscators Theater machte die niedergeschlagene Revolution als Voraussetzung sichtbar, indem es sich als ihrer künftigen Vollendung dienstbar darstellte.

Über die Schwächen seiner Dramaturgie dürfte sich Piscator mit zunehmendem Abstand von der Revolution klargeworden sein – wenn es auch schmerzhaft gewesen sein mag. Der Gefahr, daß sich die Einzelelemente verselbständigten und der Zuschauer den (in jedem Sinne) roten Faden verlor, suchte er, wie erwähnt, durch visuell-konstruktive Bezüge zu begegnen. Wie stark er diese Gefahr einkalkulierte, geht daraus hervor, daß er zur Eröffnung der ›Piscator-Bühne‹ 1927 nicht die Revolutionsrevue *Rings um den Staatsanwalt* annahm, die er Wilhelm Herzog in Auftrag gegeben hatte, sondern Tollers *Hoppla, wir leben!*, in dem die dramatische Einheit, abgesehen von der aufwendigen Simultanbühne, durch einen Einzelhelden, den geschlagenen Revolutionär, hergestellt wird.[65] Piscator scheute die Nähe zur Tragödie nicht, solange damit politische Einsicht zu wecken war. Wenn seine Dramaturgie um diese Zeit zunehmend Dramatiker zur Darstellung der Gegenwartsprobleme animierte, so ist dieser tragische Grundzug nicht wegzudenken. Er blieb über die

Jahrzehnte erhalten und hat noch einmal im Zusammenhang mit Rolf Hochhuths Tragödie *Der Stellvertreter* kritisch-dokumentarisches Zeittheater in Deutschland durchgesetzt.

So fiel Piscators Wirkung auf Schriftsteller nicht von ungefähr mit der nachlassenden Wirkung seines Theaters auf den Zuschauer zusammen. Man spürte allgemein, daß eine politisch-revolutionäre Dramaturgie mit zunehmendem Abstand von der Revolution nicht zu erzwingen war, wo ihre Grundlage im Stück selbst fehlte. In seinem Artikel »Kunst ist Waffe!« machte Friedrich Wolf 1928 darauf aufmerksam, daß es ohne den »Dichter« nicht gehe. Andererseits mußte Wolf 1931 bei der Inszenierung seines Stückes *Tai Yang erwacht* – der letzten Inszenierung, die Piscator vor seiner Emigration aus Deutschland lieferte – erkennen, daß auch die Stellung des Dramatikers erschüttert war.

Es zeigte sich an Piscators Arbeit beispielhaft, wie schwer es fiel, Lösungen für die neue gesellschaftliche und politische Situation zu finden. Nach dem finanziellen Zusammenbruch seiner Bühne am Nollendorfplatz 1928 mißlang der Versuch, im folgenden Jahr eine zweite Piscator-Bühne im selben Theater zu etablieren. Die Unterstützung von seiten der Sonderabteilungen der ›Volksbühne‹, die sich Piscators revolutionärem Spielplan gegen den Volksbühnenvorstand angeschlossen hatten, war nicht stark genug. Auch ihre Abspaltung als ›Junge Volksbühne‹ 1930 erbrachte keine breite Publikumsbasis in der Arbeiterschaft. Zwischen 1928 und 1931 schien Piscator in einem ständigen Aufbruch begriffen. In diesem Lernprozeß, wie es Jhering bezeichnete, gab Piscator jedoch seine revolutionsorientierte Totalperspektive nicht auf. Zunächst knüpfte er mit der Tournee der ›Piscator-Bühne (Kollektiv)‹ und Carl Credés Stück § 218 an die Erfahrungen des ›Proletarischen Theaters‹ an, indem er mit großem Geschick den jeweiligen Theaterabend zu einer Volksversammlung gegen das Abtreibungsverbot umfunktionierte. Als er 1930 Theodor Pliviers Dokumentarbuch *Des Kaisers Kulis* inszenierte, zeigte sich Jhering erneut fasziniert von der Dramaturgie.[66] Piscator hatte das Pathos zurückgeschraubt, hatte mit epischen Mitteln die Revolutionierung dem historischen Erkenntnisprozeß zugeordnet, jener Erkenntnis, »daß die kommende sozialistische Revolution auf den Schultern der früheren revolutionären Prozesse und Kämpfer steht«, um Asja Lacis' Wort noch einmal aufzunehmen. Bei dieser Form der Revolutionsorientierung verwundert es nicht, wenn die Spannungen zwischen Piscator einerseits, dem Bund proletarisch-revolutionärer Schriftsteller mit der *Linkskurve* andererseits schon vor 1930 recht groß geworden waren. Mit dieser Konzeption hatte sich Piscators Weg nach 1926 von dem der Agitpropbewegung geschieden, die ebendiese Revolutionserfahrung und -projektion weitgehend aufgab zugunsten direkt polemischer und kabarettmäßiger Kritik der Gesellschaft. Im Bund proletarisch-revolutionärer Schriftsteller war Ähnliches eingetreten, vor allem nachdem dieser sich dem 1928/29 in der KPD intensivierten revolutionären Aktivismus unterordnete, der zugleich Abgrenzung von allem vermeintlich Bürgerlichen, einschließlich Kunst und Ästhetik, bedeutete.

Es gehört erwähnt, daß sich Piscator mit der Inszenierung von *Des Kaisers Kulis* in einem Übergangsstadium zu einem neuen Darstellungsstil befand und noch, wie Jhering feststellte, »zwischen Apparatbühne und Gestenbühne, zwischen Dekorationstheater und Sprechbühne« steckenblieb. Daß er die Mittel des epischen Lehrtheaters nur unvollkommen beherrschte, mag darauf zurückzuführen sein, daß er die in seinem Theater 1928 eröffnete ›Studio-Bühne‹ mit ihren epischen Distanzierungen durch chinesische Schauspieler, Pantomime usw. nicht genügend ernst genommen hatte. Ihm war deren Betriebsamkeit zu unpolitisch gewesen; anläßlich von Franz Jungs *Heimweh* (1928) traf er das Urteil:»Gerade an *Heimweh* sah ich deutlich, wie verfehlt alle reformatorischen Versuche sein mußten, die nicht von einem Zentralpunkt, von einer Weltanschauung, von einem politischen Willen her vorstießen.«[67]

Als er Friedrich Wolfs *Tai Yang erwacht* inszenierte, standen nun chinesische Schauspieler, Pantomime usw. im Zentrum der Regie. Wenn die Verbindung von episch-demonstrierenden und dramatisch-konzentrierenden Theaterelementen bei dieser Aufführung auch erst unvollkommen gelang, so wies sie doch einen für die Wirkungsmöglichkeiten des politisch-revolutionären Theaters in der gesellschaftlichen Krisensituation brauchbaren Weg. Das politische Lehrtheater präsentierte keine abstrakte Lehre. Vielmehr galt die Demonstration der Theaterformen der Demonstration gesellschaftlicher Realität, und Jhering, der dieser Aufführung nicht vorbehaltlos gegenüberstand, war von der Offenheit beeindruckt, mit der sich der Regisseur der aktuellen gesellschaftlichen Problematik stellte.[68]

Für Piscator war dies die letzte große Inszenierung in Deutschland. Wenn er in der Folge eine Einladung der IAH (Internationale Arbeiterhilfe) akzeptierte, in der Sowjetunion für die Filmgesellschaft ›Meshrabpom‹ einen Film zu drehen, so mögen dabei die ständigen Überwachungs- und Verbotsmaßnahmen der Polizei den Ausschlag gegeben haben. Was ihn im einzelnen bewog, seinen Plänen um diese Zeit anderswo Raum zu geben, bedürfte genauerer Untersuchung. Jedenfalls verschaffte er seiner Revolutionskonzeption bei der Arbeit an dem Film erneute Aussagekraft: er verfilmte die Geschichte einer gescheiterten Revolte, deren erschütternden Verlauf und pessimistischen Ausgang er zu einem monumentalen ›Trotz alledem!‹ veränderte, das in einigen Massenszenen an die Wucht Eisensteinscher Bildwirkungen heranreicht (und vom Text vollkommen abweicht). Der Text: Anna Seghers' *Aufstand der Fischer von St. Barbara*. Als nächste Verfilmung hatte er sich *Des Kaisers Kulis* vorgenommen. Das Projekt gelangte nicht mehr zur Ausführung.

Brecht und das Lehrtheater während der Wirtschaftskrise

»Nach mir ist Piscator der größte lebende deutsche Dramatiker [...].«[69] Es erübrigt sich fast zu sagen, wer diesen seltsamen Satz geschrieben hat: Bertolt Brecht. Es erübrigt sich jedoch nicht, darauf hinzuweisen, wie stark Brechts Konzeption des epischen Lehrtheaters von der Auseinandersetzung mit Piscators Dramaturgie geprägt ist. Brecht hatte bereits Anfang der zwanziger Jahre in den *Trommeln in der Nacht* mit der Revolution abgerechnet. Sein Revolutionsbegriff, überhaupt sein Engagement als Schriftsteller und sein Verhältnis zum Proletariat blieben davon bestimmt. Mit anderen Worten: Brecht hatte die Revolution 1918/19 nicht mitverloren. Er entwickelte sein politisch-revolutionäres Theater um 1930 nicht aus der politischen Erfahrung des ›Trotz alledem!‹, sondern aus Theaterexperimenten und dem Studium der marxistischen Klassiker. Seine Ablehnung der Tragödienform gerade um diese Zeit, ja sein Kampf gegen sie erhalten hier ihren Hintergrund. Sein Aufführungsverbot für die *Maßnahme*, die mit dem chorisch begleiteten Sterben des jungen Genossen von Zuschauern als Oratorium, als chorische Tragödie mißverstanden werden kann, ist ein Zeugnis für die Striktheit seiner antitragischen Lehrkonzeption.

Mit ihr trennte er sich von Piscator. Er hatte ihm mit der Schwejk-Bearbeitung die erfolgreichste Komödie der ›Piscator-Bühne‹ geliefert. Bei der Arbeit an *Mann ist Mann* waren erste Anfänge seines epischen Theaters sichtbar geworden, als er am Verhalten von Komödienfiguren gesellschaftliche und ökonomische Aktualität aufzuweisen lernte. Bereits 1922, bei der Kleist-Preis-Verleihung, hatte Jhering im Hinblick auf *Trommeln in der Nacht* Brechts Begabung adäquat umrissen: »Brecht ist Dramatiker, weil seine Sprache zugleich körperlich und räumlich empfunden ist. Brecht gestaltet den Menschen in der Wirkung auf andere Menschen und vermeidet deshalb auf der einen Seite die lyrische Deklamation, auf der anderen die isolierende Einzelcharakteristik. Brecht gewinnt die geistigen Hintergründe und Perspektiven allein aus der szenischen Gestaltung.« Was das bedeutete, wurde um 1929/30 offenbar, als es Brecht gelang, die zu dieser Zeit virulenten Konzepte eines demonstrierenden Theaters, das sich den Problemen der Gegenwart öffnet, mit der materialistischen Dialektik zu verbinden.

Anders als Piscator dürfte Brecht die erwähnte Studioarbeit mit Jungs *Heimweh* interessiert beobachtet haben, die »eine Lockerung der traditionellen starren Übertragung des dramatisch dargestellten Gefühlsinhalts auf den Zuschauer«[70] anstrebte. Zu dieser Zeit ließ er sich von der Begegnung mit dem japanischen Theater und der Zusammenarbeit mit Komponisten wie Kurt Weill und Paul Hindemith zu intensiver Beschäftigung mit einem stark kantatenhaften Lehrtheater inspirieren. Die Erfahrungen aus der Mitarbeit am Piscator-Theater mochten ihn darin bestärkt haben, die Selbstreflexion der Kunst gegenüber der gesellschaftlichen Wirklichkeit in abstrakten Modellen voranzutreiben, bei denen sich die Lehre zunächst als dieser Prozeß der Selbstreflexion darstellte. Daran hatte Kurt Weill besonderen Anteil, der die Schuloper *Der Jasager* zum Muster einer Einübung in die Operndarstellung erklärte. Nicht von ungefähr besaß die erstaunliche musikalische und chorische Erneuerungsbewegung Ende der zwanziger Jahre – vielleicht die weitestgehende unter den Künsten in diesen Jahren – für Brecht und seine Erprobung darstellerischer Grundformen große Anziehungskraft. Weill übertrug die Formen des Lernspiels auf die Musik, von der sie Brecht ins Theater holte. Weill stellte fest: »Gerade im Studium besteht der praktische Wert der Schuloper, und die Aufführung eines solchen Werkes ist weit weniger wichtig als die Schulung, die für die Ausführenden damit verbunden ist.«[71]

Hier ist nicht der Raum, die Experimentalsituation dieser Unternehmungen innerhalb der immer neuen Selbstreflexion der modernen Kunst genauer zu lokalisieren (wofür die moderne Lyrik die meisten Beispiele bietet). Es sei nur, um diese Verbindung zu charakterisieren, eine generelle Feststellung aus einer theoretischen Schrift über den Reflexionscharakter moderner experimenteller Kunst angeführt. In ihr heißt es: »Das moderne Werk hat jedoch sich selbst zum Thema. Es will zeigen, auf welche Weise es zustande kam, seine Genese durch sich selbst mit zum Vorschein bringen. Dadurch wird es zugleich zum Programm. Es vermittelt keine Idealität, ohne zugleich die Darstellung der Idealität für das Wesentlichere zu erklären. Nicht in der Ordnung der Dinge, sondern im Hervortreten der Ordnung und in ihrem Zusammenhang offenbart sich sein Sinn.«[72] Diese Sinngebung der Darstellung vor dem Darzustellenden läßt der inhaltlichen Thematik weiten Spielraum. Beim musikalischen Experiment der Schuloper entschieden sich, wie Weill berichtet, Brecht und er dafür, zu dem japanischen Stück *Tanikô* zumindest den Begriff »Einverständnis« hinzuzunehmen, damit der Knabe zeigen kann, »daß er gelernt hat, für eine Gemeinschaft oder für eine Idee, der er sich angeschlossen hat, alle Konsequenzen auf sich zu nehmen«.[73] Damit war ein ›Inhalt‹ gegeben, und zwar das Lernen des Einverständnisses, für Inhalte einzutreten, was im Hinblick auf Brechts folgende Lehrstücke einen Moment lang ihren Marxismus im Embryonalzustand zeigt. Vorausschauend kommentierte Walter Dirks in seiner vieldiskutierten Rezension: »Es wird sicherlich auch einmal möglich sein, dieselbe ethische Forderung mit derselben durchschlagenden Kraft an einem anderen als einem legendarischen Stoff aufzuweisen: den Situationen unserer Zeit.«[74] Wenn auch Brecht auf diesem Wege den Marxismus als Erkenntnis- und Handlungsmaxime lehrhaft auf die Welt brachte, auf die Welt der Bühne, so zögerte er doch, dies an den »Situationen unserer Zeit«, also den aktuellen gesellschaftlichen Ereignissen, geschehen zu lassen, als könnte er – um das Bild zu strapazieren – das Kind nur in dieser Modellanordnung aufziehen. Das bedeutet keineswegs, daß er nicht auf die aktuelle Situation einwirken wollte. Aber selbst bei der *Maßnahme* mit ihren revolutionären Vorgängen in China hielt er an dieser Modellanordnung fest, ja er fixierte sie besonders nachdrücklich als Reflexions- und Lehrform der Darstellenden unter Auslassung der Zuschauer. Auch diese Haltung korrespondiert mit der generellen Praxis des modernen künstlerischen Experiments. Diese Experimentierarbeit in ihrer Modellhaftigkeit und Allgemeinverbindlichkeit zu sehen bedeutet keineswegs eine Unterschätzung von Brechts klassenkämpferischem Engagement.[75] Nicht von ungefähr entwickelte Walter Benjamin, mit dem Brecht viel Austausch pflegte, seine Konzeption vom »Autor als Produzent« in diesen Jahren und bestimmte auf neue Weise den Stellenwert der künstlerischen Produktion innerhalb der Gesamtproduktion der Gesellschaft. Es ist inzwischen erkannt worden, wie intensiv Brecht, Benjamin, Tretjakow, Eisler und andere nach 1930 an den Grundlagen einer marxistischen Ästhetik arbeiteten, die mit der Reflexion der künstlerischen Produktionsverhältnisse hinausweist über die Schablone vom Bewußtsein als Ausdruck der Klassenlage, und wie intensiv gerade der politische Künstler zur grundsätzlichen Überprüfung seiner Techniken angehalten ist, will er nicht hinter den Stand der Produktionsverhältnisse zurückfallen (wobei künstlerische ›Technik‹ als Begriff höchst vage ist). Mit dieser Grundsatzreflexion bemißt sich das klassenkämpferische Engagement ebensowenig nach der Schablone. Andererseits aber scheint es notwendig, die Modellhaftigkeit und Allgemeinverbindlichkeit auch als das darzustellen, was sie ist, und ihr nicht von vornherein einen marxistischen Charakter zuzusprechen, wie es aus Reaktion auf die Ankläger Brechts verschiedentlich geschah. Der von Brecht in der Theaterpraxis verfolgte und später theoretisch niedergelegte und verfeinerte Impuls knüpfte an die Erneuerungsbemühungen der zwanziger Jahre an und traf sich mit einer allgemeinen Inventur der künstlerischen Tätigkeit, für welche viele Praktiker und Theoretiker in der gesellschaftlichen Krisensituation notwendigen Anlaß sahen. Brechts Stellung innerhalb dieser Vorgänge wurde von Zeitgenossen erkannt und gewürdigt. Rudolf Arnheim faßte die Gesamtbewegung zusammen: »So bedeuten die immer häufiger werdenden ›Oratorien‹, Lehrstücke und Revuen eine radikale Rückkehr zu dem, was eigentlich Theater ist. Da hier eine auch in den anderen Künsten beobachtbare Rückkehr zur Urform vorliegt, kann man nicht behaupten, diese Entwicklung erkläre sich beim Theater daraus, daß für politische Inhalte, nämlich die kollektivistische Weltanschauung, passende Formen geschaffen werden müßten. Es handelt sich vielmehr um einen allgemeinen Selbstbesinnungs- und Reinigungsprozeß im Formalen, der allerdings erst durch gewisse politische Voraussetzungen möglich geworden sein mag und dem ein ähnlicher Prozeß in bezug auf den Inhalt, das heißt: auf die Gesinnung parallel geht.«[76]

Wenn sich Brecht gegenüber Piscator einen eigenständigen Ansatz zum politischen Theater zu erarbeiten vermochte, so geschah es aufgrund dieses »allgemeinen Selbstbesinnungs- und Reinigungsprozesses im Formalen« (R. Arnheim). In seiner Abrechnung mit Piscator machte Brecht 1928 klar, daß sein Begriff der Revolution vom Theater und nicht vom Klassenkampf her konzipiert sei.[77]

Brechts Verdikt von Piscators Vorgehen war zu dieser Zeit tastender eigener Versuche besonders scharf. Er traf vor allem die meisten der 1927–30 – indirekt – von Piscator angeregten Zeitstücke, die sich der sozialen Probleme der Gegenwart mit wechselnden ideologischen und politischen Schlußfolgerungen annahmen. Die Dramaturgie dieser Werke brachte im allgemeinen eine Materialaufbereitung mit flammendem Schlußresümee, sofern sie nicht älteren naturalistischen Mustern folgte. Mit Piscators eigener Produktion aber verhielt es sich nicht so einfach. Brecht machte die reproduzierende Tendenz von dessen Theater hinlänglich deutlich, mißverstand sie aber als – nach Maßstäben seines Experiments – »antirevolutionär«. Der Grund war seine willentlich antihistorische Perspektive der gesellschaftlichen Wirklichkeit in jenen Jahren. Da er, wie erläutert, die Revolution von 1918/19 nicht ›mitverloren‹ hatte und ihre Nachwirkung auf die Arbeiterbewegung und die Politik der KPD nur unzureichend wahrnahm, schoß seine Feststellung, Piscators Theater müsse »auf die politische Revolution warten, um die Vorbilder zu bekommen«, an dessen Konzeption vorbei. Piscator hatte seine in der revolutionären Phase 1918/19 ausgeformte Version eines Lehr- und Lerntheaters, die manches vorausnahm, was Brecht und andere um 1930 entwickelten, aufgehen lassen in eine Dramaturgie des ›Trotz alledem!‹, die das Künftige aus der historischen Erfahrung heraus anvisiert. Damit war er gewiß den »Formen des bürgerlich-naturalistischen Theaters« wieder nähergekommen, hatte aber gerade mit dessen Umfunktionierung dem politisch-revolutionären Theater der zwanziger Jahre auf die Beine geholfen und in der Zeit der sogenannten Stabilisierung die Revolution als notwendigen politischen Akt sichtbar gemacht. Bezeichnenderweise gab Piscator, als er sich um 1930 wieder in die Richtung seines ursprünglichen Lehrtheaters bewegte, diese historisch orientierte Dramaturgie nicht auf. Seine Revolutionskonzeption blieb vor allem anderen an der geschichtlich-realen Situation orientiert. Wenn Friedrich Wolf und Gustav von Wangenheim dem politisch-revolutionären Theater 1931/32 einen Weg wiesen, der dem Gedanken einer breiten Einheitsfront gegen die Nationalsozialisten kurz vor deren

Machtergreifung von der Bühne her noch gewisse Wirkung verschaffte, so läßt sich das nicht ohne Piscator denken. Damit ist der historische Zusammenhang wiederhergestellt, ohne den sich Brechts Lehrtheater so wenig wie Piscators Arbeit würdigen läßt. Es sei rekapituliert, daß sich die kommunistische Kulturpolitik nach Ausschaltung der Rechtsopposition 1928 verstärkt einem revolutionären Aktivismus verpflichtete und – was keineswegs nur auf den sowjetischen *RAPP*-Einfluß zurückgeht – das Konzept einer proletarisch-revolutionären Kunst vornehmlich aus der Konfrontation mit ›bürgerlich‹ bzw. ›revisionistisch‹ verstandenen gesellschaftlichen Kräften herausbildete. Organisationen wie der 1928 gegründete Bund proletarisch-revolutionärer Schriftsteller folgten der von der KPD seit 1924/25 eingeschlagenen linken Programmatik. Für sie wurden Konfrontation und Mobilisierung zum Mittelpunkt der Revolutionspolitik. Als sich die Krise des Kapitalismus immer mehr ausdehnte, fühlte man sich allgemein in dieser Politik bestätigt. Natürlich ist die Frage, ob um 1930 in Deutschland eine revolutionäre Situation bestand, wie sie unzählige Male behauptet wurde, nicht in wenigen Sätzen zu erledigen. Dennoch geht es nach den bisherigen Ergebnissen der historischen Forschung nicht mehr an, die damalige Revolutionsprogrammatik der KPD-Leitung mit ihren kulturpolitischen Aktionen von vornherein ideologisch zu sanktionieren. Allzu viele Schriftsteller, Publizisten und Theaterleute – wenn man nur diesen Bereich nehmen will – blieben der Erfahrungen von 1918/19 eingedenk und warnten vor einem abstrakten Revolutionskult, über welchem der Kampf gegen den Faschismus vernachlässigt werde.

Bei der Behauptung, es habe zu dieser Zeit eine echte revolutionäre Situation bestanden, beruft man sich gern auf Ernst Thälmann, etwa auf seine Rede vom 1. Mai 1931, in der es hieß: »Die Berliner Maibarrikaden [des Jahres 1929] signalisierten den revolutionären Aufschwung, der inzwischen neue, höhere Formen des Klassenkampfes auf allen Gebieten gezeigt hat. Schon zeigen sich in Deutschland die Tendenzen einer revolutionären Krise, deren weiteres Ausreifen durch den Massenkampf des Proletariats beschleunigt und gesteigert werden kann.«[78] Es ist belegt, daß die radikale sowjetische Innenpolitik und die Kominternpropaganda in Verbindung mit der großen Wirtschaftskrise viele KPD-Funktionäre zu dem Schluß führten, eine Revolution stehe bevor. Es ist jedoch ebenso belegt, daß dies keineswegs die einzige Beurteilung unter Kommunisten war, ja daß die Kominternführung unter realistischerer Einschätzung der politischen Lage auf dem XI. EKKI-Plenum im Frühjahr 1931 eine objektive revolutionäre Krise in Deutschland nicht als gegeben ansah und die KPD – deren Vorsitzender Thälmann war – ausdrücklich wegen »revolutionärer Ungeduld« rügte. Hinzu kam die hier nur anzudeutende Theorie vom Faschismus als Wegbereiter der proletarischen Revolution, die Ende 1930 den Optimismus zu rechtfertigen schien, den Nationalsozialismus als Förderer der Zersetzung des kapitalistischen Bürgertums in die kommunistische Revolutionsstrategie einbeziehen zu können, indem dieser der im »revolutionären Aufschwung« begriffenen KPD mit der Radikalisierung kleinbürgerlicher Massen ein weiteres revolutionäres Potential zuführe. Auch daran übte Manuilski in seinem Schlußwort auf dem XI. EKKI-Plenum Kritik.[79] Gewiß wurde die Neumann-Remmele-Richtung, die diese Politik besonders engagiert vertreten hatte, 1931/32 zur Revision ihrer Ansichten gezwungen. Und gewiß war auch die Kommunistische Internationale zu dieser Zeit, da die Sowjetunion wegen der Erfüllung ihres Fünfjahrplanes internationale Verwicklungen scheute, keineswegs geradlinig in ihrer Politik, wenn sie eine linke Propaganda förderte, die mit der sowjetischen Außenpolitik nicht in Einklang stand. Aber es steht fest, daß die kommunistische Parteiführung, so stark sie mit Revolutionsparolen Massen erreichen (und von der SPD abspalten) konnte, im Laufe der Zeit dieser Massen nicht sicherer wurde: anstatt an einer konstruktiven politischen Programmatik zu arbeiten, blieb sie bei der propagandistisch überhöhten Konfrontation stehen, was den Nationalsozialisten über Gebühr viel Spielraum verschaffte.

Mit der Stagnation bei den Wahlen und den Mißerfolgen im Gewerkschaftsbereich kam es erst bei der Plenartagung des ZK der KPD im Februar 1932 zu Andeutungen einer längst notwendig gewordenen Selbstkritik, die die Gefahr der Isolation von den Massen bestätigten. Ihr Sprecher war nicht Thälmann, der am »revolutionären Ausweg«[80] festhielt und die Kritiker scharf zurückwies, sondern Wilhelm Pieck, der Vertreter der KPD in der Komintern, der dann auf der Brüsseler Parteikonferenz und dem VIII. Weltkongreß der Kommunistischen Internationale 1935 die Revision der kommunistischen Politik unter dem Vorzeichen der Volksfront vortrug.[81] Im Jahre 1932 gab man schließlich zu, daß die bisherige Einheitsfronttaktik mit dem scharf formulierten Führungsanspruch der KPD der Revision bedürfe: »Die Einheitsfrontpolitik darf nicht bloß politisch-agitatorisch, sondern muß unter klarer Voranstellung der proletarischen Klassenforderungen als eine Waffe der Mobilisierung der Massen zum Kampf angewandt werden.«[82] Im Hinblick auf die starre Konfrontation mit der SPD-Führung hieß es später über das Plenum: »In manchen Vorschlägen wurde das Bestreben sichtbar, die Einengung der Einheitsfrontpolitik auf eine Einheitsfront nur ›von unten‹ zu überwinden.«[83] Es ergab sich eine etwas flexiblere Taktik, die aber in der zweiten Hälfte des Jahres 1932 anscheinend wieder zurückgenommen wurde.[84]

So weit die Revolutionspolitik der KPD. Es braucht nicht betont zu werden, daß Durchsetzung und Zurücknahme dieser Politik für das politisch-revolutionäre Theater besonders folgenreich waren.[85] Was vielen als Gewinn der Agitpropbewegung erschien: die Nähe zur jeweiligen Politik und politischen Kampagne, wurde zum Handikap, wenn die Partei nicht mehr die der Situation adäquaten Kampagnen, vor allem hinsichtlich der proletarischen Einheitsfront gegen den Faschismus, ausrief. Ende der zwanziger Jahre war der Aufbau der deutschen Agitpropbewegung voller Dynamik gewesen, während die Agitproptheater in der Sowjetunion stagnierten und man dort versuchte, mit Hilfe einer neuen künstlerischen Dramaturgie von den parolenhaften Stereotypen wegzukommen.[86] Auf der Charkower Konferenz der Internationalen Büros für Revolutionäre Literatur 1930 beurteilte man die deutschen Agitproptruppen als besonders aktiv, und im Bericht hieß es stolz: »Mehrfach wurden die Probleme des Theaters erwähnt. Auf diesem Gebiet ist eine besondere Verschiedenheit in den einzelnen Ländersektionen festzustellen. Während in der Sowjetunion die Bewegung der Blauen Blusen stagniert, haben die Agitproptruppen in Deutschland einen mächtigen Aufschwung genommen und wollen jetzt auch andere Länder, wie Amerika, an die Organisierung solcher Truppen herangehen.«[87] Daß dieser Aufschwung eng mit dem »revolutionären Aufschwung« zusammenhing, den die Propaganda der Komintern auch für andere kapitalistische

Staaten projizierte, die von der Wirtschaftskrise betroffen waren, manifestierte sich noch einmal deutlich auf dem 1. erweiterten Plenum des im August 1929 gegründeten Internationalen Arbeiter-Theater-Bundes in Moskau. Aber das Hochgefühl konnte nicht über die Tatsache hinwegtäuschen, daß die – großenteils von Erwerbslosen unterstützte – KPD die Agitation sowohl in den Betrieben wie auf dem Land vernachlässigte. Man erreichte nur einen kleinen Teil der Bevölkerung. In seinem warnenden Aufruf »Vergeßt das Land nicht, Genossen!« ließ Kurt Kläber etwas davon spüren, wenn er erläuterte, »daß allein die katholischen Agitationstruppen mindestens 50 bis 60 Prozent aller deutschen Dörfer bearbeiten, die Nazis und die Stahlhelmgruppen zusammen mindestens 85 bis 90 Prozent, und nicht etwa nur ein- oder zweimal im Jahr, die Nazis kommen wenigstens im Vierteljahr einmal in jedes Dorf, und in Bezirken wie Pommern, Thüringen, West- und Ostpreußen zwei- bis dreimal im Vierteljahr.«[88]
Während die kommunistischen Agitproptruppen die Parole ›Hinein in die KPD!‹ hauptsächlich gegen die SPD richteten, die sie als »sozial-faschistische« Partei brandmarkten, und sich gegenseitig in Wettbewerben die für die KPD geworbenen Mitglieder aufrechneten, eroberten die Nationalsozialisten breite Schichten des Volkes und brachen sogar in das Wählerreservoir der Arbeiterparteien ein. Selbst dem *Roten Sprachrohr* fiel im April 1932 auf, daß der revolutionäre Anspruch der kommunistischen Agitpropbewegung zu kurzatmig sei, wenn sich ihre Texte und Parolen mit denen der anderen Parteien austauschen ließen – wo es ebensogut ›Hinein in die NSDAP! Heil Hitler!‹ heißen konnte: »Es ist klar, – diejenigen Szenen, die von SPD- oder Nazitruppen mit kleinen Änderungen übernommen werden können, sind schlechte Szenen. In solchen Szenen ist nicht die revolutionäre Betrachtungsweise, die Denk- und Kampfmethode des revolutionären Proletariats ausgedrückt worden, sondern ist unsere kommunistische Ideologie unorganisch aufgepfropft worden. Solche Szenen sind darum auch nicht geeignet, die Massen der Werktätigen für den Kommunismus zu gewinnen.«[89] Um diese Zeit hatte nicht nur in der Parteiführung ein gewisser Ernüchterungsprozeß eingesetzt. Aber es war zu spät, die Mittelschichten der Gesellschaft, zumeist Angestellte, Kleinbürger und Kleinbauern, zu gewinnen.[90]
Es überrascht nicht, daß die wenigen erfolgreichen Versuche, sich von der Bühne aus an diese Schichten zu wenden und kommunistische Aufklärung statt Parolen zu bieten, zumeist von Theaterleuten stammten, die sich, wie Friedrich Wolf, gegenüber der Agitpropbewegung einen gewissen Spielraum bewahrt hatten. Während Wolf vorwiegend Laiendarsteller im ›Spieltrupp Südwest‹ versammelte, gingen die Schauspielerkollektive von Piscator, Wangenheim und einigen anderen aus dem Berufstheater hervor (und hielten dessen Beziehung zum bürgerlichen Publikum). In ihrer Arbeit kamen die Erfahrungen der Studio- und Experimentierbühnen zum Tragen, die ab Mitte der zwanziger Jahre die Erstarrung und Zeitentfremdung des bürgerlichen Illusionstheaters hatten durchbrechen wollen. Der ›Gruppe junger Schauspieler‹ war 1928 mit Peter Martin Lampels *Revolte im Erziehungshaus* ein besonderer Erfolg gelungen, der zugleich Signal wurde für das sozialkritische Zeitstück. Als die Massenarbeitslosigkeit auch die Schauspieler erreichte, bot sich das Kollektiv – zumeist als selbständiges Wirtschaftsgebilde mit Gewinnbeteiligung – als rettender Hafen an. Ohne diese Kollektive, die nicht immer politisch ausgerichtet

waren,[91] läßt sich die Tätigkeit sozialistischer Schriftsteller während der großen Krise nicht denken; sie blieben aktiv, als viele Agitproptruppen durch öffentliche Verbote in ihrer Beweglichkeit eingeschränkt wurden und sich ein Teil des deutschen Theaters bereits dem Einfluß des Nationalsozialismus zu beugen begann. Wenn sich Friedrich Wolfs Drama *Die Matrosen von Cattaro* auch bei der Aufführung in der ›Berliner Volksbühne‹ 1930 sofort durchsetzte, so rührte doch sein Massenerfolg von den Tourneen einiger Schauspielerkollektive her.[92]

Die Aufführungsgeschichte von Wolfs Drama zeigt, wie sehr man sich auch mit einem konventionell gebauten Stück vom etablierten – und zu dieser Zeit wieder besonders heftig befehdeten – bürgerlichen Theater entfernen konnte. Wolf nahm erneut die Dramaturgie des ›Trotz alledem!‹ auf, die er aus der Analyse einer 1918 niedergeschlagenen Matrosenrevolte entwickelte. Sie gipfelt in den Worten: »Kameraden, das nächste Mal besser!« und: »Das ist nicht das Ende, Leutnant, das ist erst der Anfang!« Die Zustimmung des Publikums machte sich sehr bald Luft, so daß Wolf, um eine Absetzung des Werkes zu vermeiden, bei der dritten Aufführung vor den Vorhang trat und sagte: »Das Ende des Stückes ist erst der Anfang der wirklichen Diskussion; und die sollt ihr nicht hier im Theater führen, sondern auf dem Heimweg, in euren Betrieben, auf den Stempelstellen, in allen Arbeiterorganisationen! Da erzwingt die klare Entscheidung.«[93] Friedrich Wolf erwarb sich mit dem ›Spieltrupp Südwest‹ und den aus dem Agitproptheater entwickelten Stücken *Bauer Baetz, Wie stehen die Fronten* und *Von New York bis Shanghai* 1932/33 noch einmal besondere Anerkennung (und Verfolgung) in und um Stuttgart; dabei wandte er sich an die Bauern und behandelte ihre Misere. Doch mußte auch er kurz nach der Emigration aus Deutschland feststellen: »Wir hätten hundert solcher Spieltrupps haben müssen, die in gleicher Richtung vorstießen! Wir hätten zwei Jahre früher damit beginnen müssen! Wir hätten . . .«[94]

Zum erfolgreichsten Schauspielerkollektiv avancierte 1931/32 die ›Truppe 1931‹ unter Gustav von Wangenheim. Mit den kollektiv erarbeiteten Stücken *Die Mausefalle* (1931), *Da liegt der Hund begraben* (1932) und *Wer ist der Dümmste?* (1932, nach Wittfogel) bot die Truppe ein Lehrtheater, in dem sich eine Bewußtwerdung vollzieht, die Bewußtwerdung der proletarisch-klassenkämpferischen Position. Die ›Truppe 1931‹ erläuterte die Bühnenvorgänge, brachte eine Mischung aus Kabarett, Chor, filmischen Elementen, Allegorien und handfest politischen Dialogen, in unschwer zu erkennender Weiterentwicklung der vor 1930 so beliebten Revueparodie. Wenn sich in der *Mausefalle* der Angestellte Fleißig vom bürgerlichen Individualismus zum proletarischen Kollektivismus bekehrt, leistet die nach Shakespeares *Hamlet* montierte Theaterszene und nicht eine politische Parole Aufklärungshilfe. Diese bewußte Verwendung des Spiels im Spiel wird im Stück selbst reflektiert und Teil von Fleißigs Bewußtwerdungsprozeß.

An Hamlets ›Mausefalle‹ hat Ernst Bloch die Verfremdung als Mittel zur Herstellung richtiger Einsicht und richtigen Verhaltens erläutert. Was er auf Brecht zuschnitt, läßt sich nicht weniger genau auf Wangenheims Lehrstück anwenden: »Verfremdung, um der Sache näher zu kommen, geschieht vor allem über das Exotische oder über ein Modell aus historisch gemachtem Heute oder heutig gemachter Historie, woran sich der in Rede stehende Sonderfall mit dem *Problem* seiner richtigen Erledigung besonders störungsfrei erkennen lassen soll.«[95] Wie stark Brecht mit sei-

nen Experimenten diese Theaterform herausbilden half, bedarf keines erneuten
Hinweises. Wangenheim nahm von ihm Anregungen auf, zu denen nicht zuletzt die
besondere Form der Parodierung klassischen Bildungstheaters gehörte (bei Wangenheim Goethes *Faust*, bei Brecht in der *Heiligen Johanna* die Schiller-Tragödie).
Etwas aber unterscheidet Wangenheims Werk von dem Lehrtheater Brechts, vor
allem der *Maßnahme*: daß Wangenheim das Modell wirklich als Modell behandelte,
nämlich sichtbar auf die aktuelle gesellschaftliche Problematik und das diese Problematik erfahrende Publikum bezog. Brecht hingegen hielt am homogenen (Arbei-
ter-)Publikum fest, d. h. integrierte das Publikum bewußtseinsmäßig so eindeutig in
das Modell, daß dieses den Zeigecharakter zugunsten des Ritualcharakters verlor.
Im Prinzip bedeutete das nicht »Verfremdung, um der Sache näher zu kommen«, wie
Bloch sagte, sondern ein Näherkommen an eine fremde Sache im rituellen Vollzug.
Fremd war die Sache im Hinblick auf die Welt außerhalb des Theatermodells,
fremd als eine nur im theatralischen Vollzug, genauer: im theatralisch reflektieren-
den Vollzug zu erfahrende Lehre. Vereinfacht formuliert: Während Brecht in seinem Lehrtheater das Menschliche verfremdete, um die Lehre deutlich werden zu
lassen, verfremdete Wangenheim im Sinne von Shakespeare die Lehre, um sie
menschlich werden zu lassen. Die Praxis erwies, daß die Verfremdung des Menschlichen in der *Maßnahme* der Phantasie von Zuschauern (die Brecht lieber draußen
halten wollte) zu viel Raum läßt, so daß, wo die Vernichtung des Einzelnen vollzogen wird, Tragödienassoziationen um so ungehinderter einströmen können. Schon
bei der Bearbeitung von Gorkis Roman *Die Mutter*, noch mehr aber bei den späteren Stücken zielte Brecht – gemäß der Ausrichtung auf ein gemischtes Publikum –
auf eine davon unterschiedene Balance zwischen Menschlichkeit und Lehre, wenngleich er – etwa in *Mutter Courage* – mit seiner Dramaturgie des Nicht-Sondern
später ebenfalls noch gegen ungerechtfertigte Tragödienassoziationen zu kämpfen
hatte. Auch auf diesen Prozeß mag zutreffen, was er als Emigrant 1938 äußerte und
Walter Benjamin überliefert hat: »›Es ist gut, wenn man in einer extremen Position
von einer Reaktionsperiode ereilt wird. Man kommt dann zu einem mittleren
Standort.‹ So sei es ihm ergangen; er sei milde geworden.«[96]
Von dieser Position, die im Rückblick als extrem erschien, läßt sich die spezifische
Behandlung des Problems der Revolution nicht ablösen. Dazu gehören, wie erwähnt, weitreichende Grundsatzüberlegungen zur Revolutionierung der Ästhetik,
für welche Tretjakow und Benjamin wichtige Anregungen gaben. Wenn diese
Grundsatzüberlegungen zur Ästhetik im technischen und industriellen Zeitalter, die
erst seit kurzem wieder mit solcher Intensität aufgenommen werden, im nachhinein
kaum etwas von den politischen Spannungen in Deutschland während des nationalsozialistischen Vormarsches erkennen lassen, so ist damit neben der Leistung auch
ihre Grenze bezeichnet. Das gilt besonders für Brecht, während Benjamin die Drohung des Faschismus und dessen Eroberung der Kleinbürgerschichten in seine Forschungen einzuarbeiten wußte. Brecht hielt, gemäß seiner immer neu antihistorisch
aufgeladenen Experimentierlust, an einem abstrakten Revolutionsmodell für die
politische Wirklichkeit fest, wie es die KPD-Politik in jenen Jahren ermöglichte.
Dem entsprach, daß er zu diesem Zeitpunkt in der Auseinandersetzung mit dem
Nationalsozialismus, etwa bei der Arbeit an *Die Rundköpfe und die Spitzköpfe*,
mit seinem Klassenmodell kaum über die offiziellen Erklärungen hinausging. Wie

stark er sich der Kritik der Partei an seinem Revolutionsmodell verpflichtet fühlte, zeigte die schnelle und intensive Umarbeitung der *Maßnahme* nach der Kritik von Durus, Kurella u. a. Immerhin hatte Brecht in der ersten Fassung Ende 1930 die revolutionäre Ungeduld des jungen Genossen mit Hilfe von Argumenten der Klassiker des Marxismus kritisiert; Kurella suchte diese Kritik unter Hinweis auf die revolutionäre Aktion 1923 zu revidieren, bei der die KPD-Führer Thalheimer und Brandler mit ihrer Unentschlossenheit den Erfolg verspielt hätten. Von der Kritik der revolutionären Ungeduld zum heroisierenden Porträt der Revolution: damit könnte man den Weg Brechts von der *Maßnahme* zu dem zunächst von Günther Weisenborn bearbeiteten Gorki-Werk *Die Mutter* umschreiben. Es läßt sich mutmaßen, daß Brecht Ende 1930, als die revolutionäre Ungeduld besonders hohe Wellen schlug, zur gründlicheren Vorbereitung riet, während er ein Jahr später, als sich vieler Kommunisten eine gewisse Resignation über die eigene Stärke bemächtigt hatte, die revolutionäre Gesinnung hochzuhalten suchte. Aber das muß genaueren Forschungen vorbehalten bleiben, ebenso wie die Einstufung der *Mutter* als repräsentatives Stück des politisch-revolutionären Theaters: während der Krisensituation 1932 machte es in Berlin großen Eindruck, spätere Aufführungen unter anderen politischen Bedingungen erzielten jedoch nicht solche Wirkung.
Wenn von einem zeitweiligen Ernüchterungsprozeß in der KPD während des Jahres 1932 gesprochen wurde, bei dem man u. a. die Agitproptruppen scharf kritisierte und statt dessen eine politisch und ästhetisch weniger der bloßen Konfrontation verpflichtete Kunstform forderte, so dürfte damit auch die Kritik an Brechts Experimentalästhetik historisch besser einzustufen sein. Was Georg Lukács, von Andor Gábor sekundiert, vorbrachte und was teilweise als Renaissance der bürgerlichen Ästhetik des 19. Jahrhunderts erscheint, kann nicht von vornherein nach den Maßstäben des späteren Stalinismus gewertet werden. So viel sei hier gesagt, daß es zu jener Zeit eine politisch opportune, ästhetisch extreme Gegenposition bezeichnete und auf die Darstellungsformen des politischen Theaters vor 1933 kaum mehr Einfluß hatte. Die erwähnten Leistungen der Schauspielerkollektive im Kampf gegen den Nationalsozialismus wurden im wesentlichen mit der von Piscator geprägten Kollektivdramaturgie erarbeitet, die das vorgeführte Modell politisch und historisch konkretisiert; für den mimisch-demonstrativen Stil war allgemein Brechts Vorbild unbestritten, was man anläßlich seiner *Mann ist Mann*-Inszenierung 1931 noch einmal bestätigte.[97] Daß Gábor in der *Linkskurve* Ende 1932 Brechts Darstellungsstil in den von Wangenheim und Hillers inszenierten Aufführungen kritisierte, ist als Symptom bestimmt wichtig, zumal Gábor fast dieselben Kriterien gebrauchte wie rechte Kritiker Brechts. Historisch (und wenn man will ästhetisch) bedeutsamer dürfte die Tatsache sein, daß es Hillers war, der Johannes R. Bechers von Gábor hochgelobtes Chorwerk *Der große Plan* 1932 in den Berliner Tennishallen vor Tausenden von Zuschauern – mit mäßigem Erfolg – aufführte. Hillers hatte aus seinem nahen Verhältnis zu Brechts Darstellungsstil keinen Hehl gemacht, 1931 veröffentlichte er seine *Thesen über einen dialektischen Realismus*[98] unter eindeutiger Bezugnahme auf Brecht.
Es muß nicht eigens hervorgehoben werden, daß das Jahr 1933 die in diesem Überblick skizzierten Aktivitäten in Deutschland endgültig unmöglich machte. Die Literaturgeschichtsschreibung wertet diesen Einschnitt ohnehin als grundlegend. Wie die

Ereignisse zeigen, wird man jedoch der Entwicklung des politisch-revolutionären Theaters nicht gerecht, wenn man im Hinblick auf Hitlers Machtübernahme ihr Ende als plötzlich hinstellt. Es dürfte deutlich geworden sein, daß die Krisensituation vor 1933 mit dem Anwachsen des Nationalsozialismus und den zunehmenden Verboten sowie die Revolutionspolitik der KPD das politisch-revolutionäre Theater längst vor diesem Datum in eine kaum zu meisternde Krise führten. Die Tatsache, daß die Konfrontationspolitik der KPD keinen Ersatz bot für die fehlende Revolutionskonzeption, drängt den Schluß auf, daß das der politischen Revolution verpflichtete Theater nicht von der historischen Orientierung abgehen kann, will es nicht zu einer Kompensation für fehlende revolutionäre Vorbereitung herabsinken. Das gilt auch für das von Brecht weiterentwickelte Lehrtheater, das für eine revolutionäre Situation bestimmt ist: solange diese revolutionäre Situation nicht in Reichweite ist, bleibt es ohne historisch-politische Bezugnahme ein – möglicherweise eindrucksvolles – Formexperiment gemäß dem Reflexionscharakter der modernen Kunst.

Bertolt Brecht hat 1953 von der »ungeheuren Niederlage der deutschen Arbeiterschaft von 1933« gesprochen.[99] Wenn hier die kommunistische Seite zentral behandelt wurde, soll das nicht bedeuten, daß vor 1933 die Versäumnisse der SPD geringer gewesen seien. Beide Parteien versagten angesichts der Notwendigkeit, eine proletarische Einheitsfront gegen den Nationalsozialismus zu bilden, als große Teile der Arbeitermassen darauf warteten. Mit Recht fügte Brecht die Bemerkung an, daß es »auch heroische Beispiele eines zähen Kampfes« gegen den Faschismus gab, und das gilt auch für viele der kommunistischen Vertreter des politisch-revolutionären Theaters. Der Schauspieler Hans Otto, der an führender Stelle dieses Theaters und seiner Organisation stand und 1933 sofort in den Widerstand ging, wurde als erster Künstler in Deutschland von der Gestapo bestialisch ermordet.

Anfang der dreißiger Jahre fand die Dramaturgie des ›Trotz alledem!‹ noch einmal Resonanz. Daß Piscator sie mit in die Sowjetunion nahm, wurde gesagt. Über ihn, vor allem über Friedrich Wolf, mit dem er eng zusammengearbeitet hatte, lassen sich ihre Spuren auch ins Sowjettheater verfolgen, von dem das politisch-revolutionäre Theater in Deutschland zuvor so viele Anregungen erhalten hatte. Wolf, der im *Bauer Baetz* die Tragödie eines Kleinbauern als Modell des sozialen Kampfes verwendet und auf der Bühne hatte diskutieren lassen, fand damit bei Wsewolod Wischnewski besonderes Interesse. Es ist belegt, daß ihre freundschaftliche Zusammenarbeit ab 1932 für dessen Revolutionsstück *Optimistische Tragödie* konstitutiv wurde; Wischnewski überarbeitete in diesem Jahr die erste Übersetzung der *Matrosen von Cattaro* und fügte eine neue Schlußvariante an.[100] Seine eigene Darstellung einer Marinerevolte, die angesichts des tragischen Einzelfalles den Triumph der Revolution entwickelt, führte Wischnewski zu einem besonders heiteren Finale – zumindest in der ersten Fassung. Das war dem Deutschen verwehrt. Eine optimistische Tragödie, eine wirklich optimistische Tragödie entstand nicht in Deutschland. Allerdings hatte dann Wischnewski in einer zweiten Fassung den bunten, menschlichen Zauber des Finale einzuschränken – in der Sowjetunion.[101]

Anmerkungen

1. Kaspar Hauser [Kurt Tucholsky]: »Dantons Tod«. In: *Die Weltbühne*, H. 10. 1920. S. 311. – Für die Hilfe bei der Materialbeschaffung bin ich dankbar verpflichtet dem Archiv für Arbeiterdichtung und Soziale Literatur, Dortmund, dem Institut für Theaterwissenschaft, Universität Köln, und der Akademie der Künste (Erwin-Piscator-Center), Berlin.
2. Büchner an Gutzkow, Straßburg (1836). In: Georg Büchner: *Sämtliche Werke und Briefe.* Hrsg. von Werner R. Lehmann. Bd. II. Hamburg 1971. S. 455. – Vgl. Georg Lukács: »Der faschistisch verfälschte und der wirkliche Büchner«. In: G. L., *Werke.* Bd. 7. Neuwied und Berlin 1964. S. 258–265.
3. zitiert nach Arthur Rosenberg: *Geschichte der Weimarer Republik.* Hrsg. von Kurt Kersten. Frankfurt a. M. 1961. S. 51.
4. *Die Rote Fahne,* Nr. 14. 14. Januar 1919.
5. *Die Rote Fahne,* Nr. 15. 15. Januar 1919. Auch in: Karl Liebknecht, *Gesammelte Reden und Schriften.* Bd. 9. Berlin [Ost] 1968. S. 675–679.
6. Vgl. Anatoli Glebov: »Yesterday. Workers Theatre of Old Russia«. In: *New Theatre* (New York), 2 (1935). Nr. 1. S. 4 f.
7. Ausführliche Hinweise in: *Frühes deutsches Arbeitertheater 1847–1918.* Eine Dokumentation von Friedrich Knilli und Ursula Münchow. München 1970.
8. »Rote Truppe«. In: *Arbeiter-Illustrierte-Zeitung,* Nr. 22. 1926.
9. Friedrich Wolfgang Knellessen: *Agitation auf der Bühne.* Emsdetten 1970. S. 266 f.
10. zu diesem Komplex Arnold Reisberg: *An den Quellen der Einheitsfrontpolitik.* Der Kampf der KPD um die Aktionseinheit in Deutschland 1921–22. Ein Beitrag zur Erforschung der Hilfe W. I. Lenins und der Komintern für die KPD. 2 Bde. Berlin [Ost] 1971.
11. K. H. Tjaden: *Struktur und Funktion der ›KPD-Opposition‹ (KPO).* Meisenheim 1964. S. 17 f.
12. Vgl. *Literatur im Klassenkampf.* Hrsg. von Walter Fähnders und Martin Rector. Einleitung und S. 155–157.
13. Peter Uwe Hohendahl: *Das Bild der bürgerlichen Welt im expressionistischen Drama.* Heidelberg 1967. S. 123–131. – Vgl. Egon Menz: »Der Chor im Theater des 20. Jahrhunderts«. In: *Der Dichter und seine Zeit.* Politik im Spiegel der Literatur. Hrsg. von Wolfgang Paulsen. Heidelberg 1970. S. 53–80.
14. Hugo Huppert: *Erinnerungen an Majakowskij.* Frankfurt a. M. 1966. S. 71–75.
15. Auf die Unterschiede in den Theaterkonzeptionen von Jewrejmow und Kerschenzew sowie Meyerhold kann hier nicht eingegangen werden, siehe dazu Klaus-Dieter Seemann: »Der Versuch einer proletarischen Kulturrevolution in Rußland 1917–1922«. In: *Jahrbücher für Geschichte Osteuropas,* 9 (1961). H. 2. S. 204–208.
16. jetzt zugänglich in: *Ästhetik und Kommunikation,* 5/6 (1972). S. 76–84. Vgl. die Proletkult-Diskussion im selben Heft.
17. Klaus Pfützner: *Die Massenfestspiele der Arbeiter in Leipzig (1920–1924).* Leipzig 1960. S. 5. – »Tatsache ist, daß sich eine Anzahl technischer und künstlerisch-formaler Elemente der Leipziger und Petrograder Spiele ähnelte; so die riesenhafte Spielfläche, die Art der Spielorte (Stufenbauten, Podeste), die Massenmitwirkung von Spielern (die auffallendste Gemeinsamkeit), die dramaturgische Einbeziehung des (Scheinwerfer-)Lichts, der Einsatz bewegungschorischer und musikalischer Mittel« (S. 10).
18. E. R. Müller: *Bühnenkunst und Jugendspiel.* Berlin 1922. S. 24.
19. O. D. Kamenewa: »Das Theater der Revolution«. In: *Das neue Rußland,* H. 7/8 (1926). S. 15. – Zu Tollers Wirkung John M. Spalek: »Ernst Toller: The need for a new estimate«. In: *The German Quarterly,* H. 4. 1966. S. 581–598.
20. Hans-Joachim Fiebach: *Die Darstellung kapitalistischer Widersprüche und revolutionärer Prozesse in Erwin Piscators Inszenierungen von 1920–1931.* Diss. Berlin [Ost] 1965. S. 73.
21. Hermann Schüller: »Proletarische Weltanschauung und ihre Propaganda«. In: *Arbeiter-Bildung,* Juli 1921. S. 157 f.
22. »Über Grundlagen und Aufgaben des Proletarischen Theaters«. In: Erwin Piscator. *Schriften 2.* S. 11 f.
23. Ludwig Hoffmann und D. Hoffmann-Ostwald: *Deutsches Arbeitertheater 1918–1933.* Berlin [Ost] 1961. S. 25–28.
24. »Gespräch mit Gert Semmer«. In: Erwin Piscator, *Schriften 2.* S. 227.

25. *Die Rote Fahne*, Nr. 457, 14. Oktober 1922.
26. G. G. L.: »Die erste Reichskonferenz der Bildungsobleute«. In: *Die Rote Fahne*, Nr. 358. 8. August 1922.
27. G. G. L.: »Proletarischer Sprechchor«. In: *Die Rote Fahne*, Nr. 436. 2. Oktober 1922.
28. E. Th.: »Großstadt!«. In: *Die Rote Fahne*, Nr. 503. 14. November 1922. Vgl. Bruno Schönlank: *Großstadt*. Chorwerk. Berlin 1923.
29. Fritz Rück: »Proletarisches Drama«. In: *Die Rote Fahne*, Nr. 21. 21. Januar 1923.
30. Schönlank in der Einleitung zu seinem Gedichtband *Sei uns, du Erde!* Berlin 1925. S. 5.
31. Kurt Bork: »Sprech-Kor-Dichtungen«. In: *Die Neue Bücherschau*, H. 2. 1929. S. 105.
32. Vgl. H. Konrad Hoerning: *Sprechchor*. Leipzig 1960. S. 12–17.
33. *Auf der roten Rampe*, S. 19 f.
34. undatierter Brief aus der Graf Collection der University of New Hampshire, Durham, N. H., in den dankenswerterweise Einsicht gewährt wurde.
35. Johannes R. Becher: *Arbeiter. Bauern. Soldaten*. Entwurf zu einem revolutionären Kampfdrama. Frankfurt 1924. S. 9 f.
36. Franz Krey: »Massendrama und Kurzszene«. In: *Arbeiter-Bühne*, H. 2. 1929. S. 9. – Georg W. Pijet: »Rotes Kabarett oder proletarisches Drama«. Ebd., H. 3. S. 1 f.; ders.: »Massendrama und Kurzszene«. Ebd., H. 5. S. 3 f.
37. Karl August Wittfogel: *Die Mutter / Der Flüchtling*. Berlin 1922. S. 46. Auch in: *Der Gegner*, Jg. 3 (1922). H. 2. S. 44.
38. »Paquets *Sturmflut* in der Berliner Volksbühne«. In: Erwin Piscator, *Schriften* 2. S. 18.
39. Erwin Piscator: *Das politische Theater*. Berlin 1968. S. 224 f.
40. ebd., S. 39.
41. *Die Rote Fahne*, Nr. 163. 13. April 1921. Auch in: *Literatur im Klassenkampf*. S. 205.
42. Klaus Kändlers Aussage (*Drama und Klassenkampf*, S. 108) läßt sich demnach nicht zustimmen: »Die thesenhafte Szenenfolge, die Zustände und Ansichten zeigt, bietet keinen Ansatzpunkt für einen echten dramatischen Konflikt.« Kennzeichen der von Piscator aus der jeweiligen historischen Situation konsequent entwickelten Dramaturgie, die sich in diesem Stück ankündigt, ist gerade, daß sie keiner (scheinbar) ›echten‹, d. h. künstlichen dramatischen Konflikte bedarf.
43. Karl Liebknecht: *»Trotz alledem!«*
44. Vgl. das Theatersonderheft 1925 der wohl bedeutendsten Jugendzeitschrift der zwanziger Jahre, *Junge Menschen*, und die darin enthaltenen Plädoyers für das Gemeinschaftstheater. Besonders weit ging Oskar Herbst mit seinem Entwurf eines proletarischen Lerntheaters, in dem vieles aus der Praxis von Brecht, Weill und anderen um 1930 vorweggenommen ist. (Oskar Herbst: »Das Bühnenspiel der proletarischen Jugend«. In: *Junge Menschen*, H. 2. 1925. S. 39 f.) Ebenso sei auf die Experimente mit dem proletarischen Kindertheater hingewiesen, über welche Asja Lacis berichtet (*Revolutionär im Beruf*, S. 20–31) und für welche Walter Benjamin das »Programm eines proletarischen Kindertheaters« formulierte.
45. Vgl. Daniel Hoffmann-Ostwald und Ursula Behse: *Agitprop 1924–1933*.
46. Alfred Polgar: »Der blaue Vogel«. In: *Die Weltbühne*, H. 2. 1923. S. 44; ders.: »Der blaue und die grauen Vögel«. In: *Die Weltbühne*, H. 35. 1923. S. 217.
47. Peter Panter [Kurt Tucholsky]: »Im Blauen Vogel«. In: *Die Weltbühne*, H. 13. 1924. S. 420.
48. *Die Scene*, H. 12. 1927. S. 364. – Bernhard Diebold: »Dramatische Zwischenstufen«. In: *Der Scheinwerfer*, H. 14. 1932. S. 15: »Aus dem russischen ›Blauen Vogel‹ (auch hier die Russen!) gewann man die Vertiefung der seelischen und der politischen Satire.« Vgl. Anm. 55, 56.
49. Frank Warschauer: »Berliner Revue«. In: *Die Weltbühne*, H. 51. 1924. S. 921.
50. Kurt Pinthus: »Die Losgelassenen«. In: *Die Weltbühne*, H. 51. 1925. S. 963.
51. Walther von Hollander: »Erziehung durch Revue«. In: *Die Premiere*, H. 3. 1925. S. 11 f.
52. Axel Eggebrecht: »Revueparodien«. In: *Die Weltbühne*, H. 28. 1926. S. 75.
53. Axel Eggebrecht: »Herbert Jhering. Die vereinsamte Theaterkritik«. In: *Die Literarische Welt*, Nr. 8. 24. Februar 1928. – Ähnlich Adam Kuckhoff: »Größe und Niedergang der Revue«. In: *Die Volksbühne*, H. 1. 1928. S. 4–6.
54. *Berliner Börsen-Courier*, 1. September 1928. Auch in: Günther Rühle, *Theater für die Republik*, S. 882.
55. Harry Kahn: »Blaue Bluse«. In: *Die Weltbühne*, H. 41. 1927. S. 569.
56. Adam Kuckhoff: »Von roten und blauen Blusen«. In: *Die Volksbühne*, H. 20. 1927. Auch in: Adam Kuckhoff, *Eine Auswahl*. Hrsg. von Gerald Wiemers. Berlin 1970. S. 353.

57. »Die ›Arbeiterbühne‹ propagiert den Klassenkampf. Wir wollen ihn auf der Bühne zeigen gegen das Bürgertum, aber nicht Arbeiter gegen Arbeiter. In der letzten Nummer der ›Arbeiterbühne‹ kommt deutlich zum Ausdruck: Und willst Du nicht mein Bruder sein, so schlag ich Dir den Schädel ein.« Erich Mühlenweg im Diskussionsbeitrag. In: *Kampfkongreß der Arbeiterschauspieler!* 11. Bundestag des ATBD vom 18. bis 21. April in Dortmund. 1930. S. 17.

58. Herbert Krauß: »Die Roten Ratten. Ein Erlebnisbericht«. In: *Auf der roten Rampe*, S. 119–177.

59. Traudl Kühn: »Über die Teilnahme der revolutionären Arbeiterkulturbewegung an den Klassenkämpfen des Proletariats in Deutschland 1928–1933 unter besonderer Berücksichtigung der Agitproptruppe ›Rotes Sprachrohr‹, Berlin«. In: *Beiträge zur Geschichte der deutschen Arbeiterbewegung*, H. 3. 1960. S. 508–531.

60. »Rechenschaft (I)«. In: Erwin Piscator, *Schriften* 2. S. 51.

61. Anna Lazis: »Das Theater Piscators«. In: *Das Internationale Theater*, H. 5. 1933. S. 13.

62. Bernhard Reich: *Im Wettlauf mit der Zeit*. Berlin 1970. S. 221.

63. Joachim Fiebach: »Beziehungen zwischen dem sowjetischen und dem proletarisch-revolutionären Theater der Weimarer Republik«. In: *Deutschland – Sowjetunion*. Aus fünf Jahrzehnten kultureller Zusammenarbeit. Berlin 1966. S. 427 f. – Ulrich Weisstein: »Soziologische Dramaturgie und politisches Theater«. In: *Deutsche Dramentheorien*. Bd. 2. Hrsg. von Reinhold Grimm. Frankfurt a. M. 1971. S. 518 f.

64. Paul Pörtner: »Piscator und der russische Theater-Oktober«. In: *Neue Zürcher Zeitung*, Fernausgabe Nr. 303. 4. November 1967.

65. Diese Entscheidung bestätigte die spätere (schwache) Aufführung von Herzogs Revue. Siehe Axel Eggebrecht u. Wilhelm Herzog: »Rund um den Staatsanwalt. Matinée der Arbeiterbühne.« In: *Die Literarische Welt*, Nr. 20. 18. Mai 1928.

66. Herbert Jhering: »Des Kaisers Kulis«. In: *Berliner Börsen-Courier*. Zitiert nach Herbert Jhering: *Von Reinhardt bis Brecht*. Bd. 3. Berlin 1961. S. 86.

67. Erwin Piscator: *Das politische Theater*. S. 220.

68. Herbert Jhering: »Tai Yang erwacht«. In: *Berliner Börsen-Courier*, 16. Januar 1931. Zitiert nach: *Von Reinhardt bis Brecht*. S. 134.

69. zitiert nach Bernhard Reich (*Im Wettlauf mit der Zeit*, S. 294), der den Satz in Brechts Aufzeichnungen fand.

70. »Franz Jung«. In: Erwin Piscator, *Das politische Theater*. S. 220. – John Willett (*Das Theater Bertolt Brechts*, Reinbek 1964, S. 105) bemerkte dazu: »Brecht selbst hatte seine theoretischen Ansichten noch nicht formuliert, aber diese distanzierte, quasi-orientalische Einstellung schien seinen nächsten Schritt vorwegzunehmen.«

71. Kurt Weill: »Über meine Schuloper ›Der Jasager‹«. In: *Die Scene*, H. 8. 1930. S. 232.

72. Dieter Henrich: »Kunst und Kunstphilosophie der Gegenwart« (Überlegungen mit Rücksicht auf Hegel). In: *Immanente Ästhetik – Ästhetische Reflexion*. Hrsg. von Wolfgang Iser. München 1966. S. 28 f.

73. Kurt Weill: »Über meine Schuloper ›Der Jasager‹«. S. 233.

74. Walter Dirks: »Die Oper als Predigt. Zu Brechts *Lehrstück* und zu seiner Schuloper«. In: *Rhein-Mainische Volkszeitung*, 30. Dezember 1930. Zitiert nach: *Bertolt Brecht, Der Jasager und der Neinsager*. Vorlagen, Fassungen und Materialien. Hrsg. von Peter Szondi. Frankfurt a. M. 1966. S. 79.

75. Vgl. László Illés: »Sozialistische Literatur und Avantgarde«. In: *Acta Litteraria Academiae Scientiarum Hungaricae*, 12 (1970). S. 53–64.

76. Rudolf Arnheim: »Theater ohne Bühne«. In: *Die Weltbühne*, H. 23. 1932. S. 863.

77. »Über eine neue Dramatik«. In: Bertolt Brecht, *Gesammelte Werke*. Bd. 15. Frankfurt a. M. 1967. S. 175.

78. Ernst Thälmann: *Kampfreden und Aufsätze*. Berlin 1932. S. 51. Zitiert nach Werner Mittenzwei: *Bertolt Brecht*. Von der ›Maßnahme‹ zu ›Leben des Galilei‹. Berlin 1962. S. 10.

79. Thomas Weingartner: *Stalin und der Aufstieg Hitlers*. Die Deutschlandpolitik der Sowjetunion und der Kommunistischen Internationale 1929–1934. Berlin 1970. S. 57 f.

80. Ernst Thälmann: *Der revolutionäre Ausweg und die KPD*. Rede auf der Plenartagung des ZK der KPD am 19. 2. 1932 in Berlin. Hrsg. von der KPD. O. J.

81. Vgl. Thomas Weingartner: *Stalin und der Aufstieg Hitlers*. S. 131.

82. »Mitteilungen der KPD«. Februar 1932. S. 22. Zitiert nach: *Geschichte der deutschen Arbeiterbewegung*. Bd. 4. Berlin [Ost] 1966. S. 326.

83. ebd.
84. Vgl. K. H. Tjaden: *Struktur und Funktion der ›KPD‹-Opposition (KPO)*. S. 297.
85. Über den umfassenden Aufbau der kommunistischen Kulturpolitik s. Hans Mrowetz: »Einige Probleme der kulturpolitischen Führungstätigkeit der KPD im Massenkampf gegen Kriegsgefahr und Faschismus 1927–1932«. In: *Kultur und Arbeiterklasse*. Fünf Aufsätze. Hrsg. vom Institut für Gesellschaftswissenschaften beim ZK der SED. Berlin 1959. S. 5–52.
86. Nina Gourfinkel: *Theatre russe contemporain*. Paris 1931. S. 156. Vgl. Asja Lacis: »Sowjetdramaturgie«. In: *Die Scene*, H. 5. 1929. S. 144–150.
87. Ernst Glaeser, Jan Matheika, Ludwig Renn: »Die II. Konferenz des Internationalen Büros für Revolutionäre Literatur«. In: *Informationsmaterial*. Hrsg. vom Internationalen Arbeiter-Theater-Bund. Nr. 5. Dezember 1930. S. 2.
88. Kurt Kläber: »Vergeßt das Land nicht, Genossen!« In: *Arbeiterbühne und Film*, H. 7. 1930. S. 6 und 8.
89. »Lernt vom Gegner!« In: *Das rote Sprachrohr*, Sondernummer 2. April 1932. S. 39.
90. Für die scharfen Abrechnungen mit dem Agitproptheater spielten der Kurswechsel der sowjetischen Kulturpolitik und die Ausschaltung der RAPP eine wichtige Rolle. Margarethe Lode, die selbst im Präsidium des ATBD gewesen war, faßte 1934 die Vorwürfe zusammen: Ohne revolutionäre Theorie keine revolutionäre Praxis. In: *Das Internationale Theater*, H. 2. 1934. S. 40–42.
91. Heinz Greif: »Theaterkrise und Schauspielerkollektive«. In: *Information* (Zürich), H. 5. 1932. S. 21–26.
92. Klaus Kändler: *Drama und Klassenkampf*. S. 318.
93. Walther Pollatschek: *Friedrich Wolf*. Eine Biographie. Berlin 1963. S. 137.
94. Friedrich Wolf: »Schöpferische Probleme des Agitptheaters«. In: F. W., *Aufsätze 1919–1944*. S. 294.
95. Ernst Bloch: »Entfremdung, Verfremdung«. In: E. B., *Verfremdungen I*. Frankfurt a. M. 1962. S. 89.
96. »Gespräche mit Brecht«. In: Walter Benjamin, *Versuche über Brecht*. Frankfurt a. M. 1966. S. 129 f.
97. Vgl. Jacob Geis zur Umfrage der *Scene* über den Darstellungsstil: *Die Scene*, H. 3. 1931. – Zu Brecht, Piscator und Wangenheim s. Bernhard Diebold: »Dramatische Zwischenstufen«. In: *Der Scheinwerfer*, H. 14. April 1932. S. 12–15.
98. In: *Der Scheinwerfer*, September 1931. S. 22 f.
99. »Kulturpolitik und Akademie der Künste«. In: Bertolt Brecht, *Gesammelte Werke*. Bd. 19. Frankfurt a. M. 1967. S. 543.
100. *Friedrich Wolf – Wsewolod Wischnewskij*. Eine Auswahl aus ihrem Briefwechsel. Hrsg. von Gudrun Düwel. Berlin 1965. Einleitung.
101. Lee Baxandall: »The Revolutionary Moment«. In: *The Drama Review*, 13 (1968). Nr. 2. S. 104.

Literaturhinweise

Friedrich Albrecht: *Deutsche Schriftsteller in der Entscheidung. Wege zur Arbeiterklasse 1918–1933.* Berlin und Weimar 1970.
Auf der roten Rampe. Erlebnisberichte und Texte aus der Arbeit der Agitproptruppen vor 1931. Hrsg. von Daniel Hoffmann-Ostwald. Berlin [Ost] 1963.
Hans-Joachim Fiebach: *Die Darstellung kapitalistischer Widersprüche und revolutionärer Prozesse in Erwin Piscators Inszenierungen von 1920–1931.* Untersuchungen zur theaterhistorischen Rolle Erwin Piscators in der Weimarer Republik. Diss. Humboldt Universität Berlin 1965.
– »Die Herausbildung von Erwin Piscators ›politischem Theater‹ 1924/25«. In: *Weimarer Beiträge*, H. 2 (1967). S. 179–227.
Helga Gallas: *Marxistische Literaturtheorie*. Kontroversen im Bund proletarisch-revolutionärer Schriftsteller. Neuwied 1971.
Reinhold Grimm: »Spiel und Wirklichkeit in einigen Revolutionsdramen«. In: *Basis 1*. Jahrbuch für deutsche Gegenwartsliteratur. Hrsg. von Reinhold Grimm und Jost Hermand. Frankfurt a. M. 1970. S. 49–93.

Ludwig Hoffmann und Daniel Hoffmann-Ostwald: *Deutsches Arbeitertheater 1918–1933*. Eine Dokumentation. Berlin [Ost] 1961.

Daniel Hoffmann-Ostwald und Ursula Behse: *Agitprop 1924–1933*. Leipzig 1960.

Christopher D. Innes: *Erwin Piscator's Political Theatre*. The Development of Modern German Drama. Cambridge University Press 1972.

Klaus Kändler: *Drama und Klassenkampf*. Beziehungen zwischen Epochenproblematik und dramatischem Konflikt in der sozialistischen Dramatik der Weimarer Republik. Berlin und Weimar 1970.

Friedrich Wolfgang Knellessen: *Agitation auf der Bühne*. Das politische Theater der Weimarer Republik. Emsdetten 1970.

Asja Lacis: *Revolutionär im Beruf*. Berichte über proletarisches Theater, über Meyerhold, Brecht, Benjamin und Piscator. Hrsg. von Hildegard Brenner. München 1971.

Literatur der Arbeiterklasse. Aufsätze über die Herausbildung der deutschen sozialistischen Literatur (1918–1933). Berlin und Weimar 1971.

Literatur im Klassenkampf. Zur proletarisch-revolutionären Literaturtheorie 1919–1923. Eine Dokumentation von Walter Fähnders und Martin Rector. München 1971.

Siegfried Melchinger: *Geschichte des politischen Theaters*. Velber 1971.

Klaus Pfützner: »Das revolutionäre Arbeitertheater in Deutschland 1918–1933«. In: *Schriften zur Theaterwissenschaft*. Bd. 1. Leipzig 1959. S. 375–493.

– »Ensembles und Aufführungen des sozialistischen Berufstheaters in Berlin (1929–1933)«. In: *Schriften zur Theaterwissenschaft*. Bd. 4. Berlin [Ost] 1966. S. 11–244.

Erwin Piscator: *Das politische Theater*. Berlin 1929. – Neudruck: *Schriften 1*. Berlin 1968.

– *Aufsätze Reden Gespräche*. Berlin 1968. *(Schriften 2.)*

Bernhard Reich: *Im Wettlauf mit der Zeit*. Erinnerungen aus fünf Jahrzehnten deutscher Theatergeschichte. Berlin 1970.

Revolution und Literatur. Zum Verhältnis von Erbe, Revolution und Literatur. Hrsg. von Werner Mittenzwei und Reinhard Weisbach. Leipzig 1971.

Günther Rühle: *Theater für die Republik 1917–1933 im Spiegel der Kritik*. Frankfurt a. M. 1967.

Jürgen Rühle: *Das gefesselte Theater*. Vom Revolutionstheater zum Sozialistischen Realismus. Köln und Berlin 1957.

Ernst Schumacher: *Die dramatischen Versuche Bertolt Brechts 1918–1933*. Berlin [Ost] 1955.

Rainer Steinweg: *Das Lehrstück*. Brechts Theorie einer politisch-ästhetischen Erziehung. Stuttgart 1972.

Ulrich Weisstein: »Soziologische Dramaturgie und politisches Theater. Erwin Piscators Beitrag zum Drama der zwanziger Jahre«. In: *Deutsche Dramentheorien*. Bd. 2. Hrsg. von Reinhold Grimm. Frankfurt a. M. 1971. S. 516–547.

Zur Tradition der sozialistischen Literatur in Deutschland. Eine Auswahl von Dokumenten. Berlin und Weimar ²1967.

FRANZ SCHONAUER

Die Partei und die Schöne Literatur.
Kommunistische Literaturpolitik in der Weimarer Republik

> Auf dem Gebiet der Kunst ist die Partei nicht berufen zu
> kommandieren. Sie kann und soll schützen, fördern und ledig-
> lich indirekt lenken.
>
> L. D. Trotzki: *Literatur und Revolution* (1924)
>
> Die Partei, die Partei, die hat immer recht.
>
> Louis Fürnberg: »Die Partei«. Gedicht (1950)

I

Das Thema ist ebenso weitläufig wie kompliziert. Die Quellen: Tageszeitungen und
Zeitschriften der KPD sind in den Bibliotheken und Archiven der Bundesrepublik
nicht immer vorhanden. Das Vorhandene ist oft nicht komplett. Der größte Teil des
Materials befindet sich in der DDR, wo die Forschungsarbeit zur »Geschichte der
deutschen sozialistischen Literatur im 20. Jahrhundert« seit mehr als einem Jahrzehnt intensiv betrieben wird.[1] Für Wissenschaftler und Schriftsteller aus der Bundesrepublik und West-Berlin war die Benutzung dieses Materials bisher nahezu
ausgeschlossen. Die Beschaffung von wissenschaftlichen Arbeiten aus der DDR – Dis-
sertationen, Diplomarbeiten u. a. m. –, sofern diese nicht im Druck vorliegen, stößt
auf Schwierigkeiten. Die Gründe liegen auf der Hand. Einerseits gilt die Bundesrepublik als Klassenfeind; andererseits ist die SED an einer möglichst widerspruchs-
freien Darstellung der Rolle der KPD in der Geschichte der deutschen Arbeiterbewegung interessiert. Im Vorwort der achtbändigen parteioffiziellen *Geschichte
der deutschen Arbeiterbewegung* heißt es:
»Unter dem Einfluß der Großen Sozialistischen Oktoberrevolution entstand in der
Novemberrevolution 1918/1919 die Kommunistische Partei Deutschlands. Damit
wurde der Grundstein für die marxistisch-leninistische Kampfpartei der deutschen
Arbeiterklasse gelegt. Der Marxismus-Leninismus hatte nun auch eine feste Heim-
statt in Deutschland. Von Anfang an kämpfte die Kommunistische Partei Deutsch-
lands gegen Imperialismus und Militarismus, Ausbeutung und Krieg, für Frieden,
Demokratie und Sozialismus, für die Freundschaft des deutschen Volkes mit der
Sowjetunion. Sie erstarkte in ständiger Auseinandersetzung mit Opportunismus
und Sektierertum zur großen antiimperialistischen, demokratischen und sozialistischen Kraft der deutschen Arbeiterpartei und der deutschen Nation [...].«[2] Und:
»Die revolutionäre Partei der deutschen Arbeiterklasse ist die älteste Partei in
Deutschland. Ihre Geschichte reicht vom Vorabend der Revolution von 1848/49 bis
in die Gegenwart, vom Bund der Kommunisten bis zur Sozialistischen Einheits-
partei Deutschlands und zur Kommunistischen Partei Deutschlands in Westdeutschland. Die Arbeiterklasse und ihre revolutionäre Partei sind die berufenen Erben, die
Bewahrer und Fortsetzer alles Fortschrittlichen, das unser deutsches Volk in seiner
jahrhundertelangen, wechselvollen Geschichte hervorgebracht hat.«[3]

Doch steht außer jedem Zweifel, daß dieses Geschichtsbild mit den tatsächlichen Vorgängen nicht immer übereinstimmt. Ein Offenlegen aller Quellen würde zu erheblichen Korrekturen führen. Das trifft auch für den Bereich zu, der uns hier beschäftigt: Partei und Schöne Literatur.

In dem Buch von Friedrich Albrecht *Deutsche Schriftsteller in der Entscheidung* wird auf rund 700 Seiten der Weg einiger deutscher Schriftsteller zum Kommunismus geschildert – J. R. Becher, Erich Weinert, Anna Seghers u. a. –, doch für die Darstellung der Beziehungen, die es zwischen Partei und Autoren während der Jahre von 1919 bis 1924 gab, reicht dem Verfasser ein kurzes Kapitel von 28 Seiten aus.[4] Albrecht schreibt dort: »Trotz der zahlreichen Enttäuschungen, die die KPD während der revolutionären Nachkriegskrise mit den Geistesschaffenden erlebt hatte, gab sie ihre Bemühungen um diese Schicht nicht auf. Gewiß blieben die innerparteilichen Auseinandersetzungen der Jahre bis 1925 und der zeitweilig bestimmende Einfluß revisionistischer bzw. ultralinker Kräfte in der Zentrale auf die Haltung der KPD zur Intellektuellenfrage nicht ohne Auswirkung. Jedoch gab es selbst in den kritischen Phasen der Parteientwicklung einen Stamm prinzipienfester Kader, die um die Durchsetzung einer klaren marxistisch-leninistischen Politik auch auf diesem Gebiet kämpften. Zudem standen die deutschen Kommunisten nicht allein; gerade in schwierigen Situationen konnten sie sich auf den Rat und die tatkräftige Hilfe der in der Komintern vereinten Bruderparteien verlassen.«[5]

An der Darstellung Albrechts ist richtig: Die Partei, wie sie sich auf ihrem Gründungsparteitag in Berlin (30. Dezember 1918–1. Januar 1919) darstellte, war alles andere als eine politisch homogene Gruppe.[6] Um eine Kader-Partei, eine »Partei neuen Typs« (Lenin) zu werden, brauchte sie fast zehn Jahre. Ferner trifft zu, daß im Zuge dieser Umstrukturierung, die ja bereits mit der Ausmerzung der anarchosyndikalistischen und linksradikalen Tendenzen – im Oktober 1919 bzw. im Februar 1920 – begann, der Anteil der Intellektuellen unter den Mitgliedern der KPD erheblich zurückging. Und in Anbetracht der Schwierigkeiten der ersten Jahre, die zudem überschattet waren vom Tod Rosa Luxemburgs, Karl Liebknechts, Leo Jogiches' und Eugen Levinés, von den Folgen der Niederlagen in den Aufständen von 1920, 1921 und 1923, ist die Inaktivität der Partei auf dem Gebiet der Kultur- und Literaturpolitik kein besonders schwerwiegendes Indiz.

Anders hingegen dürfte die Tatsache einzuschätzen sein, daß der 1928 gegründete Bund proletarisch-revolutionärer Schriftsteller (BPRS) in Deutschland seine Existenz weit mehr der Initiative der Internationalen Vereinigung revolutionärer Schriftsteller (IVRS) in Moskau verdankt als der der KPD.[7] Die Partei stand dem Bund und seinen Unternehmungen skeptisch, wenn nicht gar ablehnend gegenüber. So konstatiert Helga Gallas: »Der Rechenschaftsbericht, den der Bund proletarisch-revolutionärer Schriftsteller nach einjähriger Tätigkeit an das ZK der KPD schickte, macht deutlich, daß der Widerstand gegen die vom Bund verfolgten Ziele aus den Reihen der KPD selbst kam. Unter der Überschrift ›Unsere Schwierigkeiten‹ ist ausschließlich von Schwierigkeiten mit der Partei die Rede.«[8]

Dieser Widerstand erscheint zunächst als etwas völlig Unmotiviertes. Denn erstens muß die Gründung des Bundes auch im Zusammenhang mit den organisatorischen Veränderungen gesehen werden, die sich in der Partei seit der Mitte der zwanziger Jahre vollzogen. Und zweitens sind seine Anfänge eng verknüpft mit der Arbeits-

gemeinschaft kommunistischer Schriftsteller, d. h. mit der kommunistischen Parteizelle im Schutzverband deutscher Schriftsteller (SDS), die 1925 im Anschluß an den
X. Parteitag sich konstituiert hatte. Johannes R. Becher, Gertrud Alexander, Hermann Duncker und Frida Rubiner waren daran maßgeblich beteiligt. Die Arbeitsgemeinschaft verstand ihre Tätigkeit als Gewerkschaftsarbeit im Sinne der Forderungen, wie sie Thälmann auf dem X. Parteitag formuliert hatte.[9] Sie blieb aber auf
die Berliner Ortsgruppe des SDS beschränkt.

Eine ähnliche Vorläuferrolle im Hinblick auf den Bund hatte der *Proletarische
Feuilleton-Dienst*, den Becher im Auftrag der Abteilung für Agitation und Propaganda beim ZK der KPD von 1927 bis 1929 herausgab. Auch er stellte einen Versuch der Partei dar, auf dem Gebiet der Literatur aktive Politik zu betreiben.

Daß trotz dieser und anderer Ansätze die Tätigkeit des BPRS sich als wenig erfolgreich erwies und der Aufbau einer proletarisch-revolutionären Literatur nicht überzeugend gelang, macht auf die grundsätzliche Problematik aller Literatur aufmerksam, die, unter Wahrung ihres Kunstanspruchs, Agitation leisten soll. Die inkonsequente, widersprüchliche Haltung der Partei bleibt von dieser Feststellung unberührt.
Allerdings wird man sagen müssen, daß ihr die Voraussetzungen für eine sinnvolle
Literaturpolitik fehlten; nicht zuletzt die personellen Voraussetzungen. Unter den
leitenden Funktionären der KPD gab es weder einen Trotzki noch einen Lunatscharski, Bucharin oder Radek. Auch war die Lage in Deutschland grundsätzlich von der
in Rußland verschieden.

II

Ob der Zusammenbruch des kaiserlichen Deutschland im Herbst 1918 identisch war
mit einer revolutionären Situation, bleibt strittig. Daran ändern auch die Meutereien und Streiks nichts. Die Begeisterung für die russische Revolution war weder
allgemein, noch reichte sie als Initialzündung aus. Arbeiter und Soldaten, die Massen also, waren erschöpft, die Linke, Mehrheitssozialisten und Unabhängige, der
Lage nicht gewachsen. Allein der Spartakusbund hatte sich ausdrücklich für die Revolution entschieden und kämpfte für sie. Er war aber eine kleine Minderheit, ohne
homogene politische Struktur. Dieses Handikap vergrößerte sich zudem noch durch
den Tod Rosa Luxemburgs und Karl Liebknechts. Revolutionär und radikal umstürzlerisch gaben sich eigentlich nur die Intellektuellen, die jungen Dichter und
Schriftsteller in ihren Appellen, Aufrufen, Manifesten und Programmen, Gedichten
und Bühnenstücken. Ludwig Rubiners Aufsatz »Der Dichter greift in die Politik«,
im Frühjahr 1912 in Pfemferts *Aktion* erschienen, dieser wütende Ausbruch gegen
die »Civilisation«, gegen die Gesellschaft im Namen der Moral, galt jetzt als beispielhaft und nachahmenswert.
Es kam zu kurzlebigen organisatorischen Zusammenschlüssen unter den radikalen
Schriftstellern. Zwei von ihnen, die Antinationale Sozialistenpartei (ASP) und Kurt
Hillers Politischer Rat geistiger Arbeiter, machten vor allem durch ihre programmatische Verstiegenheit von sich reden. So hieß es in einem Manifest der ASP, an
die »Brüder, Sozialisten im Ausland« gerichtet: »Jetzt aber, Brüder in Frankreich,
Italien, England, jetzt ist sie da, *eure* Stunde der Erhebung! Wir wissen, ihr werdet

mit euren Kriegshetzern und Ausbeutern abrechnen. Zögert nicht eine Stunde! Das werktätige Volk deutscher Sprache wird nur dann restlos siegen können gegen jeden Kompromiß, wenn ihr sofort euren Kampf aufnehmt! Nieder mit den Vaterländern! Nieder mit der völkerschlachtenden völkerexpropriierenden Diktatur des Kapitalismus! Es lebe der revolutionäre, antinationale Sozialismus! Es lebe das grenzpfahllose Land der arbeitenden Menschheit! Hoch die sozialistische Weltrevolution.«[10] Wie keine andere Gruppe waren diese Schriftsteller und Intellektuellen bereit, sich mit der Revolution und den werktätigen Massen zu solidarisieren. Bewiesen aber mit jedem Artikel, den sie schrieben, mit jeder Aktion, die sie unternahmen, daß sie eben dazu nicht in der Lage waren, der Sinn für politisches Handeln ihnen fehlte. Mit gutem Willen allein ließ sich die Kluft zwischen Intelligenz und Proletariat nicht überbrücken. Und die für Deutschland traditionelle Trennung von Literatur und Politik hat an dieser Misere kaum weniger Schuld als die Intellektuellenfeindlichkeit in der deutschen Arbeiterbewegung. »Kommt ein Bürgerlicher zu euch, seht ihn euch genau an; ist es ein Intellektueller, doppelt genau« (August Bebel).[11]

Als die deutsche Revolution scheiterte, schlugen die hochgespannten idealistischen Erwartungen in krasse Enttäuschung um; in Wut auch, weil das Proletariat seiner Messias-Rolle, die ihm die Schriftsteller angedichtet hatten, nicht gerecht geworden war. Erbittert schrieb Karl Otten, Mitglied der ASP, unter diesem Eindruck: »Von meinem Leben kann ich nur sagen, daß es dem Kampf um Glück und Sieg der Armen, des Proletariats geweiht war. Und jetzt verhüllt ist von Trauer über die Schmach, der das deutsche Proletariat durch eigene Schuld unterworfen ist: Das stärkste Hindernis auf dem Wege der Weltrevolution, ja, der erbittertste Saboteur der kommunistischen Idee zu sein.«[12] Selbst Franz Jung, als hoher Funktionär der KAPD an den politischen Kämpfen der Zeit aktiv beteiligt, urteilte noch vierzig Jahre später in seiner Autobiographie: »Die Arbeiter, sofern sie als Klasse angesprochen werden, sind gegen jede soziale Entwicklung. Das erklärt das völlige Versagen in den Revolutionsjahren. Die Arbeiterschicht beginnt sich bereits als Klasse abzugrenzen in der Gewerkschaftsbewegung, die in den westlichen Ländern und Amerika dabei ist, die gesellschaftliche Struktur zu bestimmen nach Beruf, Vordermann und Führungsanspruch, nach dem Bargeld, was jeder aus der Gesellschaft herauspressen kann, und der Lohntüte.«[13] Bei den Enttäuschten handelte es sich vor allem um Vertreter des literarischen Expressionismus. Das heißt: um Vertreter einer besonders prononcierten Stilbewegung, mit der es in diesen Jahren zu Ende ging. Was im übrigen durch die oberflächliche Politisierung der literarischen Produktion nur noch deutlicher zutage trat.

Revolutionäre Energien gingen nicht vom Expressionismus, sondern allenfalls vom Dadaismus aus: von jungen Malern, Schriftstellern und Theaterleuten, deren Programm ähnlich radikal war wie das des sowjetischen Proletkult oder der linken Kunstfront (LEF). DADA handelt sich sehr bald den Vorwurf des »Kulturbolschewismus« ein.

III

Die Dadaisten traten als Bilderstürmer auf und waren es zeitweilig auch. Der bisherigen nur schönen und affirmativen Kunst sollte der Garaus gemacht, das Publikum verunsichert und schließlich aktiviert werden. In der alten Kunst, einschließlich der des Expressionismus, sahen die Dadaisten musealen Plunder, »Ausdruck eines sentimentalen Widerstandes gegen die Zeit, die nicht besser und nicht schlechter, nicht reaktionärer und revolutionärer als alle anderen Zeiten ist«.[14] Die Manifeste des Dadaismus waren radikal oder wirkten wenigstens so. Das hing damit zusammen, daß sie Verwirrung stifteten, den »blutigen Ernst« des etablierten Kulturbetriebs der Lächerlichkeit preisgaben, daß sie für Unernst und Unsinn plädierten, die Revolution forderten, aber auch, daß es dabei lustig zugehe. Die Methoden späterer Happenings wurden hier bereits vorweggenommen. 1919 forderte die Zeitschrift Der DADA in ihrem ersten Heft:

»1. die internationale revolutionäre Vereinigung aller schöpferischen und geistigen Menschen der ganzen Welt auf dem Boden des radikalen Kommunismus.

2. die Einführung der progressiven Arbeitslosigkeit durch umfassende Mechanisierung jeder Tätigkeit. Nur durch die Arbeitslosigkeit gewinnt der Einzelne die Möglichkeit, über die Wahrheit des Lebens sich zu vergewissern und endlich an das Erleben sich zu gewöhnen.

3. die sofortige Expropriation des Besitzes (Sozialisierung) und kommunistische Ernährung aller, sowie die Errichtung der Allgemeinheit gehörender Licht- und Gartenstädte, die den Menschen zur Freiheit entwickeln. Der Zentralrat tritt ein für:

a) die öffentliche tägliche Speisung aller schöpferischen und geistigen Menschen auf dem Potsdamer Platz (Berlin)

b) die öffentliche Verpflichtung der Geistlichen und Lehrer auf die dadaistischen Glaubenssätze

c) den brutalsten Kampf gegen alle Richtungen sogenannter geistiger Arbeiter (Hiller, Adler), gegen deren versteckte Bürgerlichkeit und gegen den Expressionismus und die nachklassische Bildung, wie sie vom Sturm vertreten wird

d) die sofortige Errichtung eines Staats-Kunsthauses und für die Aufhebung der Besitzbegriffe in der neuen Kunst (Expressionismus), der Besitzbegriff wird vollkommen ausgeschaltet in der überindividuellen Bewegung des Dadaismus, der alle Menschen befreit

e) Einführung des simultanistischen Gedichtes als kommunistisches Staatsgebet

f) Freigabe der Kirchen zur Aufführung bruitistischer, simultanistischer und dadaistischer Gedichte

g) Errichtung eines dadaistischen Beirats in jeder Stadt über 50 000 Einwohner zur Neugestaltung des Lebens

h) sofortige Durchführung einer großdadaistischen Propaganda mit 150 Cirkussen zur Aufklärung des Proletariats

i) Kontrolle aller Gesetze und Verordnungen durch den dadaistischen Zentralrat der Weltrevolution

k) sofortige Regelung aller Sexualbeziehungen im international dadaistischen Sinne durch Errichtung einer dadaistischen Geschlechtszentrale.«[15]

Politisch tendierten die Dadaisten nach ultralinks. Anarchistische, putschistische, antiautoritäre und kollektivistische Vorstellungen bestimmten Theorie und Praxis. Die kommunistische Gesellschaft, die sie errichten wollten, war identisch mit der des Rätesystems. Nicht wenige unter ihnen sympathisierten mit der KAPD und der AAU (Allgemeine Arbeiter-Union), linkskommunistischen Organisationen, die die KPD bekämpften, oder waren Mitglied dieser Vereinigungen. Berlin bildete das deutsche Zentrum der Dada-Bewegung, und dort war es vor allem der Malik-Verlag, der sich der dadaistischen Aktivitäten, der politischen wie der künstlerischen, annahm. Der Malik-Verlag, 1917 von den Brüdern Wieland Herzfelde und John Heartfield in Berlin gegründet, machte bald von sich reden. Er publizierte das graphische Werk von George Grosz, gab die Zeitschriften *Die Pleite, Jeder sein eigener Fußball* und *Der Gegner* heraus, politisch-satirische Blätter, in denen die Dadaisten gegen alles zu Felde zogen, was nicht ihres Sinnes war. Eine der ersten Buchreihen des Verlages nannte sich »Sammlung revolutionärer Bühnenwerke«; sie enthielt u. a. Stücke von Franz Jung, Erich Mühsam und Karl August Wittfogel.

Anläßlich der Ausstellung »Der Malik-Verlag« schrieb Wieland Herzfelde 1966 zum Thema Dadaismus und Politik: »Bezeichnend für die Berliner Dadaisten war der Satz auf dem Messe-Katalog: ›Der dadaistische Mensch ist der radikale Gegner der Ausbeutung‹ und ebenso das ›quer durch die drei Ausstellungsräume gespannte Transparent mit der Aufschrift ›Dada kämpft auf Seiten des revolutionären Proletariats‹. Das Proletariat indessen stand – soweit es überhaupt davon gehört hatte – ebenso wie die *Rote Fahne* nicht auf Seiten der Dadaisten. Im Gegenteil: ›dadaistische Erzeugnisse‹ stießen gleich den Verlautbarungen ihrer Hersteller auf Ablehnung – ausgenommen jene, die als soziale und politische Anklage erkennbar waren, wie etwa die auf der ›Messe‹ ausgestellte Mappe ›Gott mit uns‹ und das Gemälde ›Deutschland – ein Wintermärchen‹ von George Grosz oder das Ölbild ›Der Schützengraben‹ von Otto Dix. Aber das waren eben nicht ›dadaistische Erzeugnisse‹, wenngleich die beiden Künstler mehr oder minder Anteil an dieser ›Bewegung‹ hatten, deren einziger Sinn der des Übergangs von romantischer Ekstase oder Elegie zu kalter Verachtung der Bourgeoisie war, ihrer Kultur, ihrer verlogenen Moral und Räuberpolitik.«[16]

Wieland Herzfelde und John Heartfield gehörten nicht der KAPD an, sondern der KPD – Eintrittsjahr 1919 –; der Malik-Verlag war aber zu keiner Zeit ein Parteiverlag oder ein von der Kommunistischen Internationalen abhängiges Unternehmen. Der Konzeption nach sollte er als »geistiges Sammelbecken« dienen »für alle revolutionären Kräfte, die von der bürgerlichen Weltanschauung weg dem Ideal einer klassenlosen Gesellschaft zustreben«.[17] Von den 266 Titeln, die der Verlag bis Ende 1932 herausbrachte, zählte strenggenommen keiner zur ›Parteiliteratur‹. Das Schwergewicht der Produktion lag auf Autoren wie Ilja Ehrenburg, Maxim Gorki, Franz Jung, Upton Sinclair, Leo Tolstoi, Karl August Wittfogel, Lydia Seifullina, Isaak Babel, Wera Figner. Die Autobiographie des Anarchisten Max Hoelz, *Vom Weißen Kreuz zur Roten Fahne*, erschien bei Malik, Georg Lukács' *Geschichte und Klassenbewußtsein*, Ludwig Tureks Lebensgeschichte *Ein Prolet erzählt, Stimmen aus dem Leunawerk*, eine der ersten Veröffentlichungen des jungen Arbeiterschriftstellers Walter Bauer, zwei Gedichtbände von Johannes R. Becher und literarische Arbeiten der Dadaisten (Raoul Hausmann, Richard Huelsenbeck u. a.). 1929 veranstaltete die Zeitschrift *Die Neue Bücherschau* eine Umfrage bei einigen

»wenigen Verlagen [...], die sich tatsächlich für die revolutionäre und fortschrittliche junge Literatur eingesetzt« hatten. Gefragt wurde nach den Erfahrungen mit Büchern junger deutscher Autoren. Darauf antwortete der Malik-Verlag folgendermaßen: »Unsere Erfahrungen mit den Büchern junger deutscher Autoren sind je nach Talent der Autoren und Glück des betreffenden Buches ganz verschieden. Eins ist generell zu sagen: die Auswahl deutscher Autoren ist außerordentlich schwierig, weil man nicht wie bei ausländischen schon eine stark gesiebte Menge von Büchern durchzusehen hat, sondern Tausende von absolut wertlosen Manuskripten, was wiederum eine bestimmte Flüchtigkeit bedingt, bei der natürlich auch sehr leicht einmal ein wertvolles Werk, dem man es nicht leicht ansieht, verloren gehen kann. Das ist wohl der größte Nachteil, mit dem die deutschen Autoren zu kämpfen haben. Dieser Nachteil wird nur wenig dadurch ausgeglichen, daß ihre Werke ohne Belastung mit Übersetzungskosten herausgebracht werden können.«[18]

Die Neue Bücherschau hatte am Schluß ihrer Umfrage ausdrücklich betont, es gehe ihr darum, die Position des fortschrittlichen deutschen Schriftstellers weiter zu stärken, um ein Gegengewicht zur Übersetzungsliteratur herzustellen. Sie, die Zeitschrift, vertrete nämlich die ketzerische Ansicht, daß mindestens die Hälfte aller ausländischen Übersetzungen unnötig sei. Diese Ansicht vertrat der Malik-Verlag offenkundig nicht. »Wir haben keine bestimmten Verlagspläne in dieser Richtung, sondern jedes Manuskript, das uns gefällt, werden wir, soweit es unsere Mittel zulassen, veröffentlichen. Geplant sind zur Zeit neue Bücher von Richard Huelsenbeck, George Grosz und F. C. Weiskopf. Mit noch nicht bekannten Autoren schweben natürlich Verhandlungen verschiedenster Art, es ist aber noch nicht feststehend, ob sie zu einem positiven Ende führen werden.«[19]

IV

War die Produktion des Malik-Verlages, bei aller Orientierung auf eine linke, fortschrittliche Literatur hin, breit gefächert und durchaus auch für ein Publikum bestimmt, das keiner sozialistischen oder kommunistischen Partei angehörte, so entwickelte sich Franz Pfemferts Zeitschrift *Die Aktion* und die der Zeitschrift angeschlossene »Aktions-Bücherei« völlig anders.[20]

Bis zum Ersten Weltkrieg war die *Aktion*, neben Herwarth Waldens *Sturm*, die wichtigste expressionistische Zeitschrift und wahrscheinlich die einzige, in der Literatur *und* Politik zur Sprache kamen. Diese Synthese gab Pfemfert nach 1918 auf; Politik bestimmte mehr und mehr den Inhalt der *Aktion* und verdrängte die Literatur schließlich ganz. Die Sache der Revolution und des Klassenkampfes wurde hier am entschiedensten vertreten; von Schriftstellern und Intellektuellen, die als Linkskommunisten die politische Linie der KPD ablehnten.

Pfemfert, der mit Rosa Luxemburg und Karl Liebknecht in Verbindung stand, gehörte dem Spartakusbund, später der ›linken‹ Kommunistischen Arbeiterpartei Deutschlands (KAPD) an. Beeinflußt vom ›Luxemburgismus‹ und den Ansichten Anton Pannekoeks und Herman Gorters, kam er zu einer kritischen Beurteilung der sowjetischen Entwicklung, die er dann nach dem Kronstädter Aufstand scharf verurteilte. Der weitere politische Weg Pfemferts führte, nach dem Austritt aus der KAPD, über den »Spartakusbund linkskommunistischer Organisationen« zur offenen Parteinahme für Trotzki. Die Stadien dieses Weges lassen sich am Inhalt der einzelnen *Aktion*-Hefte zwischen 1920 und 1932 deutlich ablesen, an den Aufsätzen über Proletkult und Rätekommunismus sowie an den zahlreichen Beiträgen von und über Trotzki. Kaum weniger aufschlußreich ist die Liste der festen Mitarbeiter der *Aktion:* James Broh, Max Herrmann-Neiße, Franz Jung, Oskar Kanehl, Erich Mühsam und Otto Rühle, die alle, wenigstens zeitweilig, im Lager der linkskommunistischen Opposition standen.

Bevor die Zeitschrift 1932 ihr Erscheinen einstellte, hatte sie, infolge der einseitigen politischen Orientierung, kaum noch Einfluß. Die proletarisch-revolutionäre Literatur, deren Belange bis in die Mitte der zwanziger Jahre nicht unwesentlich von der *Aktion* vertreten wurden, geriet damit ganz unter das Patronat des BPRS und seiner Zeitschrift *Linkskurve.* Oskar Kanehl, der einzige deutsche Schriftsteller bürgerlicher Herkunft, der konsequent mit seiner Klasse brach und sich zum Proletariat nicht nur verbal bekannte, der einzige auch, dessen klassenkämpferische Agitationslyrik literarische Qualität besaß, beging 1929 Selbstmord. Franz Jung, Max Herrmann-Neiße u. a. wandten sich von der aktiven Politik ab und schieden bereits Mitte der zwanziger Jahre aus dem Kreis der *Aktion* aus.

V

Die Diskussion um eine klassengebundene, proletarische und revolutionäre Literatur setzte mit dem Artikel »Der Kunstlump« von George Grosz und John Heartfield ein. Er erschien im ersten Heft der Malik-Zeitschrift *Der Gegner* (1919/20). Grosz und Heartfield polemisierten hier in ungewöhnlich scharfer und rüder Form gegen Oskar Kokoschka und dessen Appell an die Öffentlichkeit, Straßenkämpfe in Zukunft dort auszutragen, wo kulturelle Werte nicht gefährdet würden. (Als es in Dresden während des Kapp-Putsches zu Schießereien in der Nähe des Zwingers kam, war ein Gemälde von Rubens durch eine Kugel beschädigt worden.) Doch gingen die Autoren des »Kunstlump« über diesen Anlaß weit hinaus. Ihr Angriff meinte nicht nur Kokoschka und seinen zynischen Appell, sondern den gesamten bürgerlichen Kunstbetrieb; und er meinte die Kunst selbst, die dort Kurswert hatte. Er war aber vor allem gegen eine Ideologie gerichtet, die der Kunst einen Platz über und außerhalb der Klassen zuwies und sie damit – wie die Autoren meinten – in ein brauchbares Instrument zur Unterdrückung der Arbeiterklasse verwandelte. »Oschka Kokoschka«, so schrieben Grosz und Heartfield, »der wie die Zofe mit der Herrschaft bangt und zittert, daß ihm der Arsch mit Grundeis geht, ist uns nur der Anlaß, um die bürgerliche Kunst entlarven zu können, [...] ist eine symptomatische Person, mit deren Anschauungen über Kunst das ganze Kunstbeamtentum, der Kunstmarkt, die öffentliche Meinung über Kunst sich decken, und indem wir ihn angreifen, wollen wir alles treffen, was sich hinter ihm an Kunstdummheit und -gemeinheit und -arroganz versteckt. Den ganzen unverschämten Kunst- und Kulturschwindel unserer Zeit. Kokoschkas Äußerungen sind ein typischer Ausdruck der Gesinnung des gesamten Bürgertums. Das Bürgertum stellt seine Kultur und seine Kunst höher als das Leben der Arbeiterklasse. Auch hier ergibt sich wiederum die

Folgerung, daß es keine Versöhnung geben kann zwischen der Bourgeoisie, ihrer Lebenseinstellung und Kultur, und dem Proletariat.«[21] Der Artikel schloß mit den Sätzen: »Von Euch, Arbeiter, wissen wir, daß ihr Eure Arbeiterkultur ganz allein schaffen werdet, ebenso wie ihr Eure Klassenkampforganisation aus eigener Kraft geschaffen habt.«[22]

Auch der Vortrag »Die bürgerliche Literaturgeschichte und das Proletariat«, den Max Herrmann-Neiße auf einer Veranstaltung der AAU (Allgemeine Arbeiter-Union) hielt und den Pfemfert 1922 als Broschüre in seinem Aktionsverlag herausbrachte, nannte als Ziel eine autonome Arbeiterkultur. Gegenüber der Polemik von Grosz und Heartfield waren die Ausführungen Herrmann-Neißes aber differenzierter und gründlicher. Die Forderung nach einer selbständigen proletarischen Literatur wurde hier nämlich mit der Frage nach dem kulturellen Erbe in Verbindung gebracht, d. h., welche literarischen Werke der Vergangenheit für das Proletariat und seine eigene Literatur nützlich seien und welche schädlich. Ferner ging der Vortrag auf die Relation von Form und Inhalt ein. Zu diesem Problem meinte Herrmann-Neiße: Proletarische Kultur und Literatur könne es erst geben, wenn das Proletariat eine geistige Einheit bilde. Es genüge nicht, bürgerliche Kunsterzeugnisse in leichter Umstellung zu übernehmen und bürgerliche Stoffe unter Proletariern spielen zu lassen. »Erst muß die proletarische Klasse sich als Gemeinschaft erleben und eine eigene Lebensanschauung aus sich heraus schaffen, erst müssen die Unterdrückten alle sich als zusammengeschweißte, für einander verantwortliche, in Denken und Gefühl einhellige Schar empfinden, ehe es eine wirkliche proletarische Kunst geben kann. Aus dem proletarischen Bewußtsein, aus dem bewußten Zusammenhalt der Klassengenossen, wird eine proletarische Kunst erwachsen, wie die bürgerliche erst entstand, als die Bürgerklasse sich als solche begriff. Nicht von oben herab oder von außen her wird sie kommen, nur das Eingehen auf die proletarische Existenz, das Erleben der proletarischen Gedankenwelt kann sie schaffen. Etwas Neues, aus ihren eigenen Bedingungen Geschöpftes muß das Kunstprodukt der bis jetzt verleugneten Klasse sein, [...].«[23] Diese Gedanken waren zweifellos an Rosa Luxemburg und ihrer Einschätzung des Proletariats orientiert und nicht an Lenins elitären Parteivorstellungen, die dann, im Zuge der Bolschewisierung, die Struktur der KPD seit der Mitte der zwanziger Jahre bestimmen sollten.

VI

Zu den Problemen einer proletarischen Kunst und Literatur wurde in der Presse der KPD zunächst nur beiläufig Stellung genommen. Während der Jahre 1919, 1920, 1921 handelte z. B. *Die Rote Fahne*, das Zentralorgan der Kommunistischen Partei Deutschlands, die Kulturberichterstattung unregelmäßig und ›unter dem Strich‹ ab. Das erste ganzseitige Feuilleton – mit der Titelleiste »Feuilleton der Roten Fahne« – erschien in der Sonntagsausgabe vom 10. September 1922. Später kamen, im Rahmen des Feuilletons, Sonderseiten hinzu: »Literatur-Rundschau«, »Bücher zu Weihnachten« und »Woche des proletarischen Buches«. Diese erschienen aber, wie die Überschriften bereits zu erkennen geben, nicht regelmäßig, sondern nur zu bestimmten Anlässen. Die *Internationale*, eine »Zeitschrift für Praxis und Theorie des Marxismus«, begründet von Rosa Luxemburg und Franz Mehring, veröffentlichte in den ersten drei Jahrgängen insgesamt nur fünf Artikel zu Fragen der Kunst und Literatur.[24] 1923 war eine Zunahme festzustellen; in diesem Jahr allein kamen vier Kulturbeiträge zum Abdruck.[25] In den späteren Jahrgängen fielen sie, bis auf einige Literaturhinweise, ganz fort.

Angesichts dieses quantitativ dürftigen Ergebnisses fällt auf, daß die Kulturberichterstattung der *Roten Fahne* ihr besonderes Augenmerk auf die Theateraufführungen der Berliner Bühnen richtete – Kleines und Großes Schauspielhaus, Deutsches Theater, Kammerspiele, Staatstheater, Neues Volkstheater und Volksbühne –, auf Stücke und Inszenierungen des sogenannten bürgerlichen Theaters. 1920 z. B. wurden Aufführungen von Calderón, Shakespeare, Oscar Wilde, Henrik Ibsen, Hofmannsthal, Gerhart Hauptmann, Schiller *(Kabale und Liebe, Don Carlos, Wallensteins Tod)*, Goethe *(Faust)* und Schnitzler ausführlich rezensiert. Besonders hervorgehoben wurden die klassischen Stücke; ein Hinweis auf ihre Beispielhaftigkeit, vor allem für das Proletariat, fehlte so gut wie nie. Die meisten Kritiken schrieb Gertrud Alexander, die in den ersten Jahren für das Feuilleton der *Roten Fahne* verantwortlich war.[26] Die hohe Einschätzung der bürgerlichen Literatur und des bürgerlichen Theaters, der Kunst des 18. und 19. Jahrhunderts, korrespondierte bei Gertrud Alexander mit einer negativen Bewertung moderner oder zeitgenössischer Werke. Nannte sie die ersteren meisterliche Zeugnisse einer fortschrittlichen Klasse, so waren die letzteren für sie nichts als Produkte des Verfalls, Beweise für den unwiderruflichen Abstieg der Bourgeoisie. Dieses Schema lag fast allen ihren Kritiken und Aufsätzen zugrunde; gleichgültig, ob darin von Menuett und Foxtrott,[27] proletarischem Theater, dadaistischer Kunst oder expressionistischer Lyrik[28] die Rede war.

Es macht auch verständlich, warum ein Pamphlet wie der »Kunstlump«-Artikel von George Grosz und John Heartfield Gertrud Alexander zu einer scharfen Erwiderung in der *Roten Fahne* herausforderte.[29] Den Angriff auf Kokoschka billigend, verwarf sie die eigentliche Zielsetzung der Polemik und nannte sie »eine Lanze brechen für den wahren Vandalismus«.[30] »So sicher als die Bourgeois-Kultur ihrem Ende entgegengeht, wird eine neue, eine Arbeiterkultur geschaffen werden. Sicherlich ist diese letzte Epoche bürgerlicher Kunst, in deren Zeichen wir jetzt stehen, kläglich und ohne Größe, so revolutionär sich auch alle modernen Richtungen gebärden möchten. Von diesen Bildern geht die Revolutionierung und Neuschöpfung der Kunst und Kultur nicht aus. Der Arbeiter aber wäre ein Vandale oder ein Narr, wenn er sich, um mit dieser Kunstrevolution zu beginnen, zur Aufgabe machen wollte, Museen und Sammlungen als Reste der Bourgeois-Kultur zu zerstören. Immerhin wird nicht zu bestreiten sein, daß in jenen Sammlungen, neben vielem Nebensächlichen und Irrtümlichen, auch Meisterwerke konserviert werden, die auch für den Arbeiter immer schön und bewundernswert sein werden, trotz solcher Leute, wie Kokoschka, John Heartfield und George Grosz. Abgesehn von ihrem Kunstwert haben diese Werke auch ihren historischen Wert. Der Arbeiter braucht keine Historie mehr, meinen Sie? Nun, auch fernerhin wird Wissen immer noch Macht sein, insofern es allein befähigt, zu erkennen und aufzubauen.«[31] Ebenso entschieden wurde die Aktivität des Bundes für proletarische Kultur und der 1920 daraus hervorgehenden ›Bühne der revolutionären Arbeiter Groß-Berlins‹ in der *Roten Fahne* abgelehnt. Die Argumente waren einerseits politisch formuliert, andererseits gingen sie davon aus, daß Propaganda nicht Kunst sein könne. Der politische Vorbehalt gegen das proletarische Theater hob darauf ab: revolutionäre Kunst sei zwar gut und nützlich und durchaus in der Lage, den revolutionären Willen der Massen zu stärken; sie sei aber nicht imstande, diesen Willen zu erzeugen. Wenn der Bund für proletarische Kultur sich auf Lunatscharski und den Proletkult berufe, so übersehe er, daß der Proletkult ein Ergebnis der proletarischen Revolution, das »Kind der zweiten Epoche der Revolution« sei, kein Mittel aber, um sie vorzubereiten. Der Aufbau einer neuen Kultur nach der Eroberung der Macht durch die Arbeiterklasse müsse ganz anders bewertet werden als »der Versuch, innerhalb der alten, im Verfall begriffenen, der gewaltsamen Zerstörung geweihten kapitalistischen Ordnung eine embryonale neue Kultur realisieren zu wollen«. (In Parenthese: Der Proletkult war vor der Oktoberrevolution entstanden und betonte der Partei gegenüber seine völlige Autonomie. Daß er 1920, eben wegen dieser Selbständigkeit, gemaßregelt und dem Volkskommissariat für Volksbildung unterstellt worden war, hatte sich wohl noch nicht bis in die Redaktion der *Roten Fahne* herumgesprochen.) Den künstlerischen Vorbehalt gegen das proletarische Theater formulierte Gertrud Alexander anläßlich der Aufführung von Wittfogels Stück *Der Krüppel*: »Gegen die Idee eines proletarischen Theaters ist nichts einzuwenden, und es ist zuzugeben, daß ein Verlangen nach einer proletarischen Bühne bestehen darf. [...] Die Forderung des Tages sei also ›proletarische Kultur‹, proletarisches Theater! Gut! Ich gehe mit der wohlwollenden Absicht zu dieser ›proletarischen‹ Veranstaltung. [...] Damit ich meine Erwartungen gleich dämpfe, wird mir schon im Voraus gesagt, man wolle die proletarische, kommunistische Idee auf der Bühne zum Ausdruck bringen, um propagandistisch und erzieherisch zu wirken. Man will nicht ›Kunst‹ genießen. Dazu ist zu sagen: dann wähle man nicht den Namen *Theater*, sondern nenne das Kind bei seinem rechten Namen: *Propaganda*. Der Name Theater aber verpflichtet zu Kunst, zu künstlerischer Leistung [...] Kunst sei eine zu heilige Sache, als daß sie ihren Namen für plattestes Propagandamachwerk hergeben dürfte. Und wieder, Genossen, sei der Kommunismus eine zu ernste und heilige Sache, als daß er auf eine so platte und erbärmliche Weise, nicht künstlerisch verarbeitet in leuchtendem Kunstwerk, sondern im bunten Plakatstil auf der Bühne vorgeführt und ausgeschrien werden dürfte; denn anders kann man das, was heute geboten wurde, nicht nennen, schlechte Karikatur.«[32]

VII

Das Ende der selbständigen russischen Proletkult-Bewegung hatte Auswirkungen auf die Kulturpolitik der KPD. Ein erster Beweis ist in dem Artikel zu sehen, den Reuter-Friesland über »Kommunistische Bildungsarbeit« schrieb und den die *Rote Fahne* am 4. Februar 1921 als wichtigen Diskussionsbeitrag abdruckte. Reuter-Friesland (d. i. Ernst Reuter) vertrat darin die Ansicht, proletarische Kultur könne sich vor der Eroberung der politischen und wirtschaftlichen Macht nicht entwickeln. Mit anderen Worten: Lenins Auffassung, die den Proletkult strikt ablehnte (nicht zuletzt wegen der kulturellen Rückständigkeit Rußlands), begann sich auch unter den

deutschen Genossen durchzusetzen. In diesem Zusammenhang muß man auch die Mitarbeit Lukács' im Feuilleton der *Roten Fahne* 1922/23 sehen. Lukács veröffentlichte dort Beiträge über Tagore, Balzac, Schnitzler, G. B. Shaw, Lessing, Strindberg, Feuerbach und Karl Kraus.
Die Diskussion um proletarische Kultur war von seiten der KPD halbherzig und ohne innere Linie geführt worden. Brauchbare Ergebnisse hatte sie keine geliefert – weder im Hinblick auf die Revolutionierung der Massen noch im Hinblick auf ein Agitationsprogramm. Zu umfangreicheren und auch gezielteren Maßnahmen auch auf diesem Gebiet sollte es erst im Rahmen der ›Bolschewisierung‹ kommen, d. h. im Rahmen jener personellen und organisatorischen Veränderungen, zu denen sich die Partei, unter dem Druck der Moskauer Zentrale, in den Jahren 1924/26 gezwungen sah. Zweck der ›Bolschewisierung‹ war es, die KPD zu einer straff organisierten Kaderpartei zu machen, sie stärker als bisher an die Interessen der sowjetischen Politik und die der Komintern zu binden.[33] Da 1924 von einer revolutionären Situation im Ernst nicht mehr gesprochen werden konnte, war nun die Rede von der »Periode der relativen Stabilisierung des Kapitalismus«. Die politische Perspektive der Partei hieß nun nicht mehr kurzfristig: Revolution und Eroberung der Macht durch das Proletariat, sondern verstärkte Massenarbeit in den Betrieben und gewerkschaftlichen Organisationen. Zu diesem Zweck wurde der Propagandaapparat ausgebaut und effektiver gemacht; auch die Einrichtung einer Arbeiterkorrespondentenbewegung geschah unter diesem Aspekt.
Wie fast alles, was im Zuge der Bolschewisierung der Partei an Neuerungen und organisatorischen Veränderungen beschlossen und verwirklicht wurde, ging auch die Arbeiterkorrespondentenbewegung auf russische Vorbilder zurück. Den Arbeiterkorrespondenten gab es bereits in der Presse der russischen Sozialdemokratie, die, entweder illegal oder im Ausland erscheinend, auf ein besonderes Informationssystem angewiesen war. 1901 schrieb Lenin über das Grundprinzip der Arbeiterpresse: »Die Zeitung ist nicht nur ein kollektiver Propagandist und kollektiver Agitator, sondern auch ein kollektiver Organisator.«[34] Drei Jahre später äußerte er sich über die Chancen einer Arbeiterzeitung: »Das Blatt wird erst dann lebendig und lebensfähig sein, wenn auf fünf führende und ständig mitarbeitende Literaten fünfhundert und fünftausend Mitarbeiter kommen, die keine Literaten sind. [...] Gebt den Arbeitern jede Möglichkeit, für unsere Zeitungen zu schreiben, entschieden über alles zu schreiben, möglichst viel über ihren Alltag, ihre Interessen und ihre Arbeit zu schreiben, denn ohne dieses Material wird das sozialdemokratische Blatt keinen Pfifferling wert sein. [...]«[35] Sinowjew schrieb 1921 in seiner Eigenschaft als Vorsitzender des EKKI (Exekutivkomitee der Kommunistischen Internationale): »Eine kommunistische Tageszeitung darf keinesfalls sich nur mit der sogenannten ›hohen Politik‹ befassen, im Gegenteil, dreiviertel derselben müssen dem Leben und Treiben der Arbeiter gewidmet sein, gerade jenem täglichen Treiben, aus dem das Leben der Arbeiter sich zusammensetzt. [...] Unsere Tageszeitungen müssen die wahren Schulen des Kommunismus sein, sie sollen nicht nur den politischen Kampf der Arbeiter, sondern auch ihren wirtschaftlichen Kampf bedienen.«
Die *Rote Fahne* druckte Sinowjews Artikel am 27. Oktober 1921 mit der redaktionellen Anmerkung ab, die Anregung der Exekutive müsse unverzüglich befolgt werden. Dennoch änderte sich nichts. Seine erneute Veröffentlichung im Dezember

1924[36] hatte unmittelbar mit der sich bildenden Arbeiterkorrespondenten-Bewegung in Deutschland zu tun. Am 28. Dezember 1924 fand in Berlin die erste Konferenz der Arbeiterkorrespondenten der *Roten Fahne* statt. Kurz zuvor waren in der Zeitung mehrere Artikel von Arbeiterkorrespondenten erschienen, u. a. über »proletarische Journalistik« und den »Siegeslauf der proletarischen Presse in Sowjetrußland«. Die Sonntagsausgabe der *Roten Fahne* vom 28. Dezember 1924 widmete der Konferenz eine ganze Seite. Ebenfalls eine ganze Seite nahm der Tagungsbericht ein.[37] Auch die auf der Konferenz verabschiedete Resolution über die Aufgaben der Arbeiterkorrespondenten wurde bei dieser Gelegenheit veröffentlicht. Sie hatte folgenden Wortlaut: »Der Arbeiterkorrespondent, der mit der Arbeiterklasse lebt und arbeitet, dessen Stimme aus dem tiefsten Innern der Arbeitermasse ertönt, ist das beste Verbindungsglied zwischen der Zeitung und der Masse der Werktätigen. [...] Die Tätigkeit der AK besteht vorwiegend in der Berichterstattung über die Zustände im Betrieb, im Arbeiterleben und im bürgerlichen Staat. [...] Die Tätigkeit der AK ist eine Parteiarbeit. Der proletarische Berichterstatter schreibt nicht aus Dilettantismus und Spielerei, sondern als klassenbewußter Kämpfer, der auch mit seiner Feder sich in den Dienst des Befreiungskampfes des Proletariats stellt. Dies ist von besonderer Wichtigkeit in den Zeiten der Illegalität unserer Parteipresse. [...] Die AK haben dahin zu wirken, daß jeder Arbeiter und jede Arbeiterin sich als Arbeiterkorrespondent betätigt. [...] Eine der wichtigsten Aufgaben der AK ist neben der Mitarbeit an der *Roten Fahne* die Mitarbeit an den Zellen- und Betriebszeitungen. Der AK, der auch mit seiner Feder den Kampf gegen den Kapitalismus aufnimmt, tut das also nicht allein in den Spalten der *Roten Fahne*, sondern auch in allen Organen, die dem Proletariat dienstbar sind.«[38]

Dem Beispiel der *Roten Fahne* folgten Anfang 1925 eine Reihe kommunistischer Bezirkszeitungen,[39] AK-Berichte standen von jetzt an in der *Roten Fahne* auf einer Sonderseite unter dem Titel »Der Kampf in den Betrieben«. Diese Seite war eine feste redaktionelle Einrichtung, erschien aber nicht in jeder Ausgabe der Zeitung.

Inwieweit die Arbeiterkorrespondenten die in sie gesetzten Erwartungen erfüllten, kann hier nicht untersucht werden. Sicher ist, daß die Schwierigkeiten, die sich zwangsläufig aus der Verwendung von Laienjournalisten ergeben, nie überwunden wurden und man auf beiden Seiten die Zusammenarbeit als unbefriedigend ansah. Sicher ist auch, daß die AK-Berichte die Parteipresse für die Arbeiter nicht lesbarer machten. Die für uns interessante Frage ist ausschließlich die nach der Bedeutung der Arbeiterkorrespondentenbewegung für die Entwicklung der proletarisch-revolutionären Literatur in Deutschland. Auch dieser Komplex hängt mit der ›Bolschewisierung‹ der Partei zusammen; vor allem aber kann er nicht isoliert von der sowjetischen Literaturpolitik betrachtet werden, die 1924 – im Zuge der Auseinandersetzung mit Trotzki – sich grundlegend zu wandeln begann.[40]

VIII

Am 18. Juni 1925 legte das ZK der RKP (Russischen Kommunistischen Partei) die Richtlinien der Politik im Bereich der schönen Literatur fest. Diesen Richtlinien ging eine grundsätzliche Erklärung voraus, die folgenden Wortlaut hatte: »Die wechselseitige Beziehung zwischen verschiedenen Schriftstellergruppierungen wird gemäß ihrer sozial-klassenmäßigen Zusammensetzung durch unsere allgemeine Politik bestimmt. Jedoch muß hier beachtet werden, daß die Führung im Bereich der Literatur überhaupt ganz der Arbeiterklasse gehört, mit allen ihren materiellen und ideologischen Hilfsquellen. Eine Hegemonie proletarischer Schriftsteller besteht noch nicht, und die Partei muß diesen Schriftstellern helfen, sich das historische Recht auf diese Hegemonie *zu verdienen.*«[41]

Dieser neue literarpolitische Kurs in der Sowjetunion, der auf den »Aufbau des Sozialismus in *einem* Land« und den ersten Fünfjahresplan abgestimmt war und zu diesem Zweck den proletarischen Schriftstellerorganisationen einen bisher nicht gekannten Einfluß verschaffte, wurde selbstverständlich auch von der KPD als richtungweisend anerkannt. So erklärte Wittfogel, einer der führenden Literaturtheoretiker der Partei, im Mai 1925: »Die proletarische Kultur innerhalb der bürgerlichen Gesellschaft [...] ist eine reine Kampfkultur. Dies ist ihr Grundcharakter, den man sich klarmachen muß, wenn man überhaupt das Wesen der proletarischen Kultur begreifen will. Das Proletariat gestaltet jetzt noch nicht den Produktionsprozeß, dieser ist vielmehr noch in den Händen der Bourgeoisie. Nur im sozialen, politischen und geistigen Leben – im ökonomischen lediglich durch Organisation in Betrieb und Gewerkschaft, durch organisierten Kampf um die Besserung der (im ganzen unbedingt kapitalistischen, d. h. ausbeuterischen) Arbeitsbedingungen – vermag das Proletariat eigene Lebensformen neben diejenigen der herrschenden Klasse zu setzen. Doch kann es, als planmäßig unterdrückte Klasse, dies nicht nur nicht über seine Klassengrenzen hinaus, sondern das Proletariat kann es auch innerhalb der eigenen Klasse nur unter den ungeheuersten Anstrengungen und Opfern, und zwar so, daß nur ein Teil, der mehr oder weniger klassenbewußte Kern (der natürlich verschieden groß ist, und der in Krisenzeiten sich reißend vergrößert) von der proletarischen Kampfkultur erfaßt wird.«[42]

Damit hatte Wittfogel eine für die Partei sehr brauchbare Definition geliefert; brauchbar zumal in der »Periode der relativen Stabilisierung des Kapitalismus«.[43] Denn einerseits unterstrich sie die Führungsrolle der Partei auch auf dem Gebiet der Kultur, gab aber andererseits durch den Begriff ›Kampfkultur‹ deren Vorläufigkeit zu erkennen. Freilich blieb die Praxis auch jetzt noch erheblich hinter der Theorie zurück. Und obwohl die Bedeutung der Literatur als Instrument der Agitation und Propaganda im Hinblick auf die ›Bolschewisierung‹ der Partei klar erkannt war, geschah organisatorisch so gut wie nichts. Der noch andauernde Machtkampf zwischen der Fischer-Maslow- und der Thälmann-Gruppe trug daran ebenso Schuld wie die Schwerfälligkeit des Parteiapparates generell. Hinzu kam, daß die Normalisierung der politischen und wirtschaftlichen Verhältnisse in Deutschland einem Zusammenschluß linker Schriftsteller auf breiterer ideologischer Basis nicht gerade förderlich war und die autoritäre Struktur der KPD auf sympathisierende Intellektuelle abstoßend wirkte.

IX

Dennoch gab es einzelne Autoren, die den Versuch unternahmen, Schriftsteller, die für das Proletariat und die Revolution sich engagierten, organisatorisch zusammenzufassen. Bereits 1921 hatte Wieland Herzfelde eine Organisation kommunistischer Schriftsteller und Künstler gefordert und das mangelnde Interesse weiter Parteikreise in diesem Punkt heftig kritisiert.[44] Johannes R. Bechers Appelle »Deutsche Intellektuelle« und »Bürgerlicher Sumpf/Revolutionärer Kampf«, im November 1924 bzw. im Februar 1925 veröffentlicht, zielten in die gleiche Richtung, gaben sich aber bereits programmatisch wesentlich enger. So schlossen Bechers Agitpropvorstellungen ein Bündnis mit linksbürgerlichen Schriftstellern aus. Außerdem strotzte der Artikel »Bürgerlicher Sumpf/Revolutionärer Kampf« von Polemik gegen »linke Sympathisierende«. Er enthielt aber – und das ist das eigentlich Bemerkenswerte – bereits Vorstellungen und Zielsetzungen, die Becher später im BPRS zu realisieren versuchte: »Die ›Rote Gruppe‹, eine straffe Zusammenfassung aller Künstler-Genossen, wäre sehr zu begrüßen. Es muß endlich in unsere Produktion Zug hineinkommen! So und so viel laufen immer noch ziel- und planlos herum, man braucht sich aber gegenseitig, bis jetzt produziert noch jeder zu sehr am anderen vorbei. Wir könnten auch heute schon zu einem kollektiven Arbeitsstil kommen. Auch das Problem der Arbeitsteilung könnte hier glücklich gelöst werden. – Heran an die Massen. – Entweder müssen wir Künstler-Kommunisten in die Betriebe hinein (durch Angliederung jedes Kommunisten an eine Betriebszelle wäre das zum Teil schon verwirklicht) oder der Betrieb selbst erweist sich als Rekrutierungsfeld neuer proletarischer Künstlerbegabungen. Auch: Instruktionen aus den Betrieben heraus an die ›Rote Gruppe‹. Anforderung dessen, was gebraucht wird, also engster Kontakt, schöpferische Wechselwirkung zwischen Produzenten und Konsumenten.«[45]

Ob die von Becher erwähnte Rote Gruppe nur geplant war oder tatsächlich existiert hat, – eine Gruppe solchen Namens als Vorläuferin des Bundes revolutionärer bildender Künstler gab es –, war nicht festzustellen. Ebensowenig, ob es sich dabei möglicherweise um die Gruppe 1925 gehandelt hat, eine Berliner Vereinigung linksstehender Schriftsteller, der u. a. Becher, Brecht, Döblin, Ehrenstein, Leonhard Frank, Kisch, Leonhard und Tucholsky angehörten. Im Gegensatz zum später gegründeten BPRS handelte es sich bei der Gruppe 1925 um einen Zusammenschluß auf breiter ideologischer Basis, die den Beitritt von Linksbürgerlichen ebenso möglich machte wie den von Parteikommunisten. Nach Angaben Bechers wurde in der Gruppe vor allem über bürgerliche und proletarisch-revolutionäre Kunst diskutiert. »Das Ergebnis der Arbeit unter den Sympathisierenden war nicht sonderlich groß. Es fehlte uns an eigenen, zum Erfolg führenden Methoden, um eine enge Zusammenarbeit mit den Sympathisierenden zu erreichen.« Die Gruppe zerfiel, als Alfred Döblin in die Preußische Akademie der Künste gewählt wurde – Anfang 1928.[46]

Über weitere Versuche und Unternehmungen auf dem Gebiet der »Literaturfront« informiert ein Referat, das Becher im November 1927 auf der I. Internationalen Konferenz proletarisch-revolutionärer Schriftsteller in Moskau hielt.[47] Der Text des Referats wurde veröffentlicht in der Zeitschrift der RAPP (Russische Assoziation proletarischer Schriftsteller), *Na literaturnom postu*. (RAPP bzw. WAPP – Allrussische Assoziation proletarischer Schriftsteller – bestimmten zu dem Zeitpunkt weitgehend, was in der UdSSR unter proletarischer Literatur verstanden wurde. Diese Vorstellungen von Literatur übernahm dann auch der BPRS.) Becher nannte in seinem Referat die Zeitschriften *Die Neue Bücherschau* und *Kulturwille,* die »Universumbücherei für Alle« (eine von Willi Münzenberg 1926 gegründete Buchgemeinschaft für Arbeiter),[48] die *Arbeiter-Illustrierte-Zeitung* (AIZ), ebenfalls ein Münzenberg-Organ, den Malik-Verlag und den Verlag für Literatur und Politik. Als proletarisch-revolutionäre Schriftsteller bezeichnete Becher Berta Lask, Kurt Kläber, Emil Ginkel, Hans Lorbeer, Oskar Maria Graf, Albert Daudistel und Egon Erwin Kisch.

Nicht unwesentlich gefördert wurden die Bestrebungen Bechers von der *Neuen Bücherschau.* Seit der Mitte der zwanziger Jahre trat die Zeitschrift unter ihrem Herausgeber Gerhart Pohl für linke Literatur ein und veröffentlichte Beiträge über proletarische Kultur, Kunst und Klassenkampf. Diese Tendenz verstärkte sich, als Becher und Kisch dem Redaktionskomitee beitraten und das Blatt mehr und mehr zum Sprachrohr ihrer literarischen und kulturpolitischen Vorstellungen machten. Sowohl Texte von Becher, Brecht, Kisch, Weiskopf und Andersen Nexö als auch von jungen, aus dem Proletariat kommenden Autoren wie Ginkel, Lorbeer, Kläber, Tkaczyk und Vogts erschienen in der Zeitschrift, die sich zu einer Art Vorläuferin der *Linkskurve* entwickelte. Wegen der forcierten Politisierung kam es 1929 zu erheblichen Auseinandersetzungen innerhalb des Redaktionskomitees, die Becher und Kisch veranlaßten, sich von der *Neuen Bücherschau* zu trennen. Den Streit ausgelöst hatte ein Aufsatz von Max Herrmann-Neiße über Gottfried Benns Prosa,[49] der mit den Sätzen begann: »Es gibt auch in dieser Zeit des vielseitigen, wandlungsfähigen Machers, des literarischen Lieferanten politischer Propagandamaterialien, des schnellfertigen Gebrauchspoeten, in ein paar seltenen Exemplaren das Beispiel des unabhängigen und überlegenen Welt-Dichters. [...] Es gibt Gottfried Benn.«[50] Einige Monate vor dem Bruch war der Bund proletarisch-revolutionärer Schriftsteller gegründet worden. Er gab vom August 1929 an eine eigene Zeitschrift heraus: *Die Linkskurve.*[51] Die Initiatoren, vor allem Becher, betrachteten die Gründung des Bundes als den Anfang einer großen Literaturbewegung ›von unten‹. Die Massen sollten nicht nur als Konsumenten, sondern auch als Produzenten an die Literatur herangebracht werden. Die Aufgabe dieser Literatur war es, das Proletariat, im besonderen das unorganisierte, zu agitieren. »Unsere Literatur kann«, so formulierte es Becher einmal, »wenn sie die Massen ergreift, zur materiellen Gewalt werden und ein bedeutendes Teil dazu beitragen, die Welt zu verändern.«[52]

X

Die Gründungsversammlung des BPRS fand am 19. Oktober 1928 in den Berliner Sophiensälen statt.[53] Anwesend waren, nach dem Bericht der *Roten Fahne*, »Schriftsteller, Arbeiterkorrespondenten und interessierte Arbeiter«. Becher ging in seinem Referat über »proletarisch-revolutionäre Literatur« von der These aus: Die Existenz des Bundes beweise, daß es eine proletarisch-revolutionäre Literatur gebe, eine »Literatur von unten«, die sich zu einer brauchbaren und scharfen Waffe im Klassenkampf entwickeln werde.[54] Sie habe noch große Mängel, aber sie sei vorhanden und müsse mit allen Mitteln unterstützt und gefördert werden. »Man kann auf unsere Literatur nicht warten, mit verschränkten Armen dasitzen und jammern, daß sie noch nicht in der Glorie eines Meisterwerks sich präsentiert. [...] ›Die Literatur von unten‹ muß nicht erwartet werden, sie muß angeregt und sorgfältig gepflegt werden. Wir müssen mit all unseren Kräften uns einsetzen dafür, daß wir einen kräftigen literarischen Nachwuchs heranziehen [...] dem es gelingt, einen eindeutigen klassenkämpferischen Inhalt in einer einfachen, klaren, überzeugenden Form zu gestalten.«[55] Handwerkliche Fragen, so betonte Becher, sollten im Bund kameradschaftlich erörtert werden. Doch gehe es in erster Linie darum, die marxistische Theorie auf die literarische Arbeit selbst anwendbar zu machen.

Für die Tätigkeit des Bundes und seiner Mitglieder legte der Entwurf eines Aktionsprogramms Richtlinien vor, in denen u. a. die klassenkämpferische Aufgabe der proletarisch-revolutionären Literatur herausgestellt wurde, ihr unüberbrückbarer Gegensatz zur bürgerlichen Literatur und der Vorrang des Inhalts vor der Form. »Die Aufgaben des BPRS sind«, so hieß es zum Abschluß des Aktionsprogramms, »1. durch Zusammenfassung derjenigen Schriftsteller, die bereits in proletarisch-revolutionärem Sinne schaffen, sie zu stärken und vorwärts zu bringen; 2. das Arbeitsgebiet dieser Literatur mit allen zur Verfügung stehenden und noch zu schaffenden Mitteln zu verbreitern und ihre bis jetzt lückenhafte Theorie auf dialektisch-materialistischer Grundlage auszuarbeiten; 3. den Kampf gegen die bürgerliche Kunst theoretisch und praktisch, also durch Kritik und Schaffen wachzuhalten und zu verschärfen; 4. diejenigen Elemente der Arbeiterklasse, von denen eine fruchtbare Weiterentwicklung der proletarisch-revolutionären Literatur zu erwarten ist, vor allem die Arbeiterjugend und Arbeiterkorrespondenten heranzuziehen, sie zu schulen und zu fördern; 5. an der Verteidigung der Sowjetunion als des Staates des schon zur Macht gelangten Proletariats aktiv teilzunehmen, aus der Praxis und Theorie der proletarisch-revolutionären Literatur der Sowjetunion zu schöpfen und die eigenen praktischen und theoretischen Ergebnisse ihr zur Verfügung zu stellen.«[56] Wie man inzwischen nachgewiesen hat, entsprach dieses ›Aktionsprogramm‹, zum Teil wörtlich, der »ideologischen und künstlerischen Plattform« der WAPP von 1924.[57]

In dem ebenfalls auf der Gründungsversammlung vorgelegten »Organisationsstatut (Entwurf) des Bundes proletarisch-revolutionärer Schriftsteller« wurden, in Ergänzung des Aktionsprogramms, u. a. noch folgende Ausführungen gemacht:

»Der Bund bezweckt durch Zusammenschluß aller proletarisch-revolutionärer Schriftsteller die Förderung und Ausbreitung des proletarisch-revolutionären Schrifttums gemäß den Richtlinien eines besonderen Aktionsprogramms. Ohne auf die Einwirkung auf wirtschaftliche Fragen der Schriftsteller zu verzichten, betont der Bund proletarisch-revolutionärer Schriftsteller Deutschlands vornehmlich seine literarischen und kulturpolitischen Ziele. Er lehnt es ab, als ›Gewerkschaftsersatz‹ aufgefaßt zu werden, erwartet vielmehr von allen seinen Mitgliedern, daß sie sich gewerkschaftlich wie politisch organisieren.

Besonders zu ergreifende Maßnahmen

1. Einleitung von und Beteiligung an allen Aktionen, die geeignet erscheinen, die proletarisch-revolutionäre Literatur und Kunst zu fördern; 2. Veranstaltungen von

Schulungs- und Diskutierabenden; 3. Veranstaltung von Autorenabenden, Vorlesungen und dergleichen; 4. Erwirkung von Rundfunkvorträgen; 5. Herausgabe und Ausbau eines Organs (›Die Front‹ und ›Proletarische Feuilleton-Korrespondenz‹); 6. Unterstützung aller Organisationen, die dem proletarisch-revolutionären Schrifttum sympathisch gegenüberstehen, vornehmlich der Arbeiter-Theater-, Arbeiter-Radio- und Arbeiterkorrespondentenbewegung; 7. Beschaffung von Propagandamaterial bei bestimmten Kampagnen; 8. Vermittlung von Referenten, Lehrern und Spezialaufträgen für proletarisch-revolutionäre Veranstaltungen; 9. Wahrnehmung der wirtschaftlichen Interessen der proletarisch-revolutionären Schriftsteller, insbesondere durch Einwirkung auf Zeitungen, Verleger und andere als Auftraggeber in Erscheinung tretende Körperschaften; Vermittlung diesen gegenüber bei Streitigkeiten; 10. Aufnahme und Ausbau der Verbindungen mit dem proletarisch-revolutionären Schrifttum des Auslandes, besonders Sowjetrußland gegenüber.

Mitglied können haupt- oder nebenberuflich produzierende Schriftsteller beziehungsweise Schriftstellerinnen sowie Arbeiterkorrespondenten werden, die das proletarisch-revolutionäre Schrifttum im Sinne des Aktionsprogramms bejahen. Über Aufnahme entscheidet der zuständige Bezirksvorstand, dessen Entscheidung der nächsten Bezirksmitgliederversammlung zur Genehmigung vorzulegen ist. Alle Aufnahmen respektive Ablehnungen unterliegen dem Einspruchsrecht des Hauptvorstandes. [...]«[58]

Der Bund verstand sich als deutsche Sektion der IVRS. Von ihr erhielt er Weisungen und finanzielle Unterstützung. Auch die weitgehende Übereinstimmung des literarischen Konzepts mit dem der RAPP bzw. der WAPP erklärt sich aus diesem organisatorischen Zusammenhang. Becher, der von der Gründung des Bundes bis zu seiner Auflösung den Posten des 1. Vorsitzenden innehatte, gehörte ebenfalls zur zentralen Leitung der IVRS.

1932 zählte der BPRS rund 500 Mitglieder, die sich auf 23 Ortsgruppen verteilten. Der Sitz des Bundes war Berlin, wo er auch die meisten Mitglieder zählte. Über die soziale Zusammensetzung liegen keine exakten Angaben vor. Angeblich waren etwa fünfzig Prozent der Mitglieder des Bundes Arbeiter, die andere Hälfte in Redaktionen tätig. Der Anteil der ›freien Schriftsteller‹ an der gesamten Mitgliederzahl soll ein Prozent nicht überschritten haben. Dem widerspricht teilweise die Feststellung Bechers, der im Mai 1932 in der *Linkskurve* schrieb: »Wenn wir z. B. die soziale Zusammensetzung der Ortsgruppe Frankfurt a. M. betrachten und feststellen müssen, daß von den Genossen nur 20 Prozent Arbeiterschriftsteller sind, so ist das ein ganz verheerendes Ergebnis.«[59] Auch über die Auflagenhöhe der Zeitschrift liegen genaue Zahlen nicht vor. Von den ersten Nummern der *Linkskurve* wurden, nach den Angaben Kläbers, je Heft 15 000 Exemplare »unter den Massen verbreitet«. Später betrug die Auflage 5000, 1932 sogar nur noch 3500 Exemplare.[60]

Die Leitung des BPRS oblag dem 1. Vorsitzenden und dem Bundesvorstand; zum Bundesvorstand gehörten, neben Becher, u. a. Andor Gábor, Georg Lukács, Alfred Kurella, Karl August Wittfogel, Ludwig Renn. Sie alle waren aktive Parteikommunisten, zugleich aber Intellektuelle bürgerlicher Herkunft. Überhaupt war der Anteil der Intellektuellen in der Funktionärsschicht des Bundes hoch, wenn man die Redakteure und Hauptmitarbeiter der *Linkskurve* noch hinzuzählt: Otto Biha, Theodor Balk, Hans Günther, Trude Richter und Erich Weinert. Ihnen gegenüber befand sich die Gruppe der Arbeiterschriftsteller, Karl Grünberg, Kurt Kläber, Paul Körner, Hans Marchwitza und Klaus Neukrantz, nicht nur zahlenmäßig in der Minderheit. Der BPRS existierte knapp fünf Jahre. Seine illegale Arbeit während des ›Dritten Reiches‹ war weder relevant, noch gehört sie zu unserem Thema. Die Zeitschrift *Die Linkskurve* stellte ihr Erscheinen bereits mit dem Dezember-Heft 1932 ein. Angeblich aus Geldmangel. Doch gehen darüber die Meinungen auseinander.[61]

XI

Das Programm des Bundes verfolgte ehrgeizige und hochgesteckte Ziele, die auch unter günstigeren Bedingungen insgesamt nicht durchzusetzen gewesen wären. Die Frage ist hier, was unter den tatsächlichen Verhältnissen und innerhalb der kurzen Zeitspanne von fünf Jahren erreicht wurde.

Bechers Artikel »Unsere Front«, mit dem die *Linkskurve* ihre erste Nummer begann, gab sich, dem Temperament des Verfassers entsprechend, mehr als optimistisch: »Aus den Reihen der proletarisch-revolutionären Literatur kommen sie: ganze, tolle Kerle, die vor Unruhe brodeln und ihre Sätze hinhauen, daß die Sprache platzt, und die wiederum so diszipliniert sein können und sachlich bis ans Herz hinan, daß sie nüchterne Berechnungen aufstellen und ihre Wortträume durchkonstruieren wie Maschinenbauer. Das wichtigste Ereignis auf dem Gebiet der Literatur ist die Entstehung einer proletarisch-revolutionären Literatur, einer Literatur, die die Welt vom Standpunkt des revolutionären Proletariats aus sieht und sie gestaltet. Sie ist der Aufstand gegen die Welt, so wie sie heute ist, der Ruf nach durchbluteten Gehirnen und nach dem Breitschultrigen. Der bürgerliche Dichter von heute: er degradiert die Kunst zu einem harmlosen Gesellschaftsspiel, er liegt faul und verspielt an der großen Heerstraße, er kann nicht Schritt halten. Er hat darauf verzichtet, Geschichte mitzuschaffen.«[62]

Die Behauptungen Bechers wurden zu keinem Zeitpunkt vom Inhalt der *Linkskurve* bestätigt. Die proletarische Literatur, die in ihr zu Wort kam – in einem weit geringeren Umfange, als nach dem Programm des Bundes zu erwarten stand –, war weder von ›ganzen, tollen Kerlen‹ geschrieben noch von sonderlich beeindruckender Vitalität. (Das gilt im übrigen auch für die Romane, Erzählungen und Gedichte, die der BPRS protegierte.) Eine weite Verbreitung dürfte die Zeitschrift unter Arbeitern nicht gefunden haben. Sie bot sich als Lektüre für das Proletariat nicht an.

Erfolgreicher operierte der BPRS auf dem Gebiet der Buchproduktion. Bechers Einfluß vor allem mag es zuzuschreiben sein, wenn Ende der zwanziger Jahre kommunistische Verlage mehr proletarische Literatur veröffentlichten als bisher. 1927 hatten sowohl der parteieigene Internationale Arbeiter-Verlag (IAV) als auch Herzfeldes Malik-Verlag den Roman *Brennende Ruhr* von Karl Grünberg abgelehnt, obwohl das Manuskript von der Feuilletonredaktion einer Parteizeitung zum Druck empfohlen worden war. Der Malik-Verlag begründete die Ablehnung folgendermaßen: »Dein Roman ist sehr gut gemeint und sicher auch für den Zeitungsabdruck brauchbar. Aber an ein Buch werden andre Ansprüche gestellt, denn leider ist es bei uns nun mal so, daß das geistige Leben von der Intelligenz vorangetrieben wird, die auch in erster Linie als Buchkäufer in Frage kommt.«[63] Grünbergs Roman kam 1929, mit einem Vorwort Bechers, in dem eher linksbürgerlichen als kommunistischen Greifenverlag in Rudolstadt heraus und wurde kurz danach vom IAV (Internationaler Arbeiter-Verlag) übernommen.[64]

Die Aktivität des BPRS galt aber nicht nur der Durchsetzung einzelner Romane wie dem Grünbergs oder *Vaterlandslose Gesellen* von Adam Scharrer, *Fischkutter H. F.* von Albert Hotopp und *Ein Prolet erzählt* von Ludwig Turek, um einige Titel zu nennen, die 1929/30 erschienen. Ebenso oder mehr noch war der Bund an der »Schaffung einer proletarischen Massenliteratur« interessiert. Auf dem II. Weltkongreß proletarisch-revolutionärer Schriftsteller im November 1930 in Charkow sagte Becher: »Wenn wir von den Spitzen der bürgerlichen Literatur ein wenig abwärts steigen und das ganze unübersehbare Plateau des sogenannten Mittelmaßes und des sogenannten Durchschnitts betrachten, die Millionen und Abermillionen von Unterhaltungs- und Abenteuerromanen, die nichts weniger als tendenziös und politisch sind und die sogar in einer sehr geschickten, dem ungeübten Leser kaum spürbaren Form die politische Tendenz vermitteln, dann müssen wir erschrecken, wir stehen vor einem Abgrund: dieser Literatur haben wir noch beinahe so gut wie nichts entgegenzusetzen. Gerade die drohende Kriegsgefahr fordert von uns gebieterisch die Entwicklung einer solchen Literatur heraus. Wir müssen neue Leserschichten erschließen, wir müssen mit der Literatur Gebiete besetzen, die bisher zu einem großen Teil noch unbesetzt waren oder vom Klassenfeind gehalten wurden, trotzdem diese Gebiete ihrer ganzen sozialen Zusammensetzung nach zu uns gehören. Wir wollen uns natürlich in diesem Punkt keine Illusionen machen über die Wirkungs- und Verbreitungsmöglichkeiten revolutionärer Literatur vor Eroberung der Macht, aber schädlicher noch als solche Illusionen sind im Augenblick und im Hinblick auf die drohende Kriegsgefahr die freiwillige Gefangenschaft, in die wir uns mit unserem Werke begeben. Die Wendung zur Massenliteratur ist zum Beispiel in Deutschland auf dem literarischen Gebiet bestimmt das entscheidende Glied in der Kette.«[65]

Diese Forderungen waren insofern realistisch, als es Ansätze zu einer solchen Massenliteratur bereits gab. Denn im gleichen Jahr und noch vor dem Kongreß begann im Internationalen Arbeiter-Verlag die Serie »Der Rote Eine-Mark-Roman« zu erscheinen. Verantwortlich für diese Serie war Kurt Kläber, Mitherausgeber der *Linkskurve* und zur Führungsgruppe des BPRS gehörend. Kläber hatte proletarische Schriftsteller und Arbeiterkorrespondenten aufgefordert, den »Betriebsroman und den Roman, der zeitlich nicht weiter als acht bis zehn Jahre hinter den augenblicklichen Ereignissen zurückliegt«, zu schreiben.

Es handelte sich um Broschüren von acht bis zehn Bogen Umfang, auf billigem, stark holzhaltigem Papier gedruckt. Die erste Auflage betrug 20 000 bzw. 25 000 Exemplare; ein geringer Teil der Auflage wurde, in Halbleinen gebunden, zum doppelten Preis angeboten. In Ausstattung und Preis sollte die Reihe mit den billigen Roman-Serien der Verlage Ullstein und Scherl konkurrieren, machte aber äußerlich einen weit primitiveren Eindruck als diese. Sie begann mit Hans Marchwitzas Roman *Sturm auf Essen*; dann folgten Willi Bredels *Maschinenfabrik N & K*, B. Orschanskys *Zwischen den Fronten*, Franz Kreys *Maria und der Paragraph*, Klaus Neukrantz' *Barrikaden am Wedding*, Walter Schönstedts *Kämpfende Jugend*, Bredels *Rosenhofstraße*, Marchwitzas *Schlacht vor Kohle* und Mike Bells

S. S. Utah. Mit Ausnahme von Marchwitzas *Sturm auf Essen* und Orschanskys *Zwischen den Fronten* behandelten die Autoren in ihren Romanen aktuelle Themen. Das heißt: in der Hauptsache solche, die auch bei der Parteiagitation den Vorrang hatten. Weitere Titel des »Roten Eine-Mark-Romans« kamen Anfang 1933 entweder nicht mehr zum Druck oder konnten, wie Otto Gotsches Roman *Märzstürme*, nicht mehr ausgeliefert werden.[66]

Der BPRS knüpfte große Erwartungen an den »Roten Eine-Mark-Roman«. Möglicherweise waren auch die Partei oder wenigstens einige Gruppen in ihr zuversichtlich. So veröffentlichte z. B. die *Rote Fahne* am 2. August 1930 einen Artikel von Otto Biha über die Reihe unter dem Titel »Der proletarische Massenroman«. Biha stellte seinen Ausführungen das Lenin-Wort voran: »Das Literaturwesen muß zu einem Bestandteil der organisierten, planmäßig vereinheitlichten Partei-Arbeit werden.« Er schrieb dann, derart autorisiert: »Die Partei muß in ihren Kämpfen um die Masse diese Literatur [die bürgerliche Trivial-Literatur, F. S.] zurückdrängen. *Der rote Massenroman* wird ihr dabei zur Hilfe kommen. Der Roman, der an Stelle von Persönlichkeitskonflikten und Privatleidenschaften die Konflikte der Zeit und die *Kämpfe der Massen* gestaltet, indem er die Schicksalsschilderungen des einzelnen in ihren tatsächlichen Wechselbeziehungen innerhalb der Klassenkräfte der Gesellschaft aufzeigt. Nicht minder fesselnd und unterhaltend, aber *durchglüht vom Kampfeswillen der Klasse*, muß dieser Roman tief hinein in alle Schichten der Unterdrückten die Ideologie des revolutionären Bewußtseins tragen.«[67]

Wir wissen nicht, welche Wirkung der »Rote Eine-Mark-Roman« auf seine Leser hatte. Ebensowenig, ob es sich dabei überwiegend um Angehörige des Proletariats handelte. Auch über die Verbreitung der Bücher – Anzahl der Leser pro Exemplar z. B. – fehlen Angaben. Zwar rief der BPRS im Zusammenhang mit der Roman-Reihe zu sogenannten Massenkritik-Veranstaltungen auf, auf denen – nach sowjetischem Vorbild – die Massen sich über diese Literatur äußern sollten, doch veröffentlichte die *Linkskurve* nie einen Bericht über sie. Man ist also weitgehend auf Hinweise angewiesen, auf Bemerkungen in Rezensionen und Aufsätzen, die sich mit dem »Roten Eine-Mark-Roman« beschäftigen. So war in der Zwischenbilanz Kläbers, des Lektors und Herausgebers dieser Reihe, ausdrücklich die Rede von Schwierigkeiten und Vorurteilen, die der Aufnahme dieser Literatur im Wege standen. »Als was betrachtet«, schrieb Kläber, »nun ein großer Teil dieser 1 bis 2 Millionen (die als Käufer in Frage kommen) den proletarischen Roman? Aus alten Vorurteilen als nichts besonders Wichtiges. Nur als eine vom Bürgerlichen ins Proletarische übertragene Art von Unterhaltungsliteratur. Sie sind also nicht davon unterrichtet, wie wir den proletarischen Roman betrachten, auch betrachtet haben wollen, als eine proletarische Kampf- und Agitationsliteratur. Gerade dieses bedingt aber, daß diese Arbeiter den proletarischen Roman ablehnen, wie sie alles ablehnen, was mit dem Odium der Unterhaltung behaftet ist. Ein zweiter und gar nicht so unwichtiger Teil dieser übriggebliebenen Käuferschichten sieht den proletarischen Roman wieder viel zu stark als ein Sammel- und Besitzobjekt. Kleinbürgerliche Anhängsel und Erbschaften, deren äußerliche Zeichen Bücherschränke aus imitierter Eiche mit geschliffenen Glasfenstern sind. [. . .] Unser Kampf muß also, wenn wir wirklich eine breite Käufermasse für den proletarischen Roman finden wollen, in der Hauptsache gegen diese ebengenannten Vorurteile und Ansichten geführt werden.«[68] Ob dieser

Kampf stattfand und zu positiven Resultaten führte, darüber gibt das vorliegende Material keine Auskunft. Mit Sicherheit läßt sich nur sagen: In der *Linkskurve* und der *Roten Fahne* wurde er nicht ausgetragen. Die eigentliche Problematik dieser Massenliteratur steckte auch nicht in dem mangelnden Absatz, den sie möglicherweise fand. Sie war von weitaus grundsätzlicherer Natur. Als Instrument des politischen Kampfes mußte die Literatur mit dem Agitationsprogramm der Partei Schritt halten. Das heißt: sie hatte die verschiedenen, rasch wechselnden Kampagnen mit einer entsprechend thematisierten Produktion zu unterstützen. Wie die Praxis zeigte, waren die proletarisch-revolutionären Schriftsteller dazu nicht in der Lage. Der Bund konnte sich weder auf eine Massenbewegung stützen, noch verfügte er, von einigen Funktionären der Bundesleitung abgesehen, über politisch und literarisch qualifizierte Kader. Das Gros seiner Mitglieder kam aus dem Amateurstatus nie heraus. In der *Linkskurve* wurde diesem Sachverhalt insoweit Beachtung geschenkt, als fast alle Grundsatzreferate, die dort zwischen 1930 und 1932 erschienen, ihn scharf kritisierten. Der Literatur wurde »Tempoverlust« und »Zurückbleiben« vorgeworfen. Die seltsamen Vokabeln stammten aus der Sowjetunion und spielten in der Literaturpolitik der RAPP eine wichtige Rolle. Mit anderen Worten, was seine Ursache einerseits in den deutschen Verhältnissen, andererseits in den organisatorischen und personellen Mängeln des BPRS hatte, wurde, sowjetischem Vorbild nacheifernd, auf ideologische Fehler zurückgeführt.

XII

Im November 1931 druckte die *Linkskurve* unter der Überschrift »Zur Programmdiskussion« einen kurzen Text von Leopold Awerbach ab. Awerbach war der einflußreichste sowjetische Literaturpolitiker dieser Jahre und außerdem der Vorsitzende der RAPP und WAPP. An der Verbindlichkeit seiner Äußerungen – auch für die Literaturdiskussion im Bund – ist kaum zu zweifeln. Awerbachs Text hatte folgenden Wortlaut: »[...] Wir stoßen heute sehr häufig auf die Gegenüberstellung von Tempo und Qualität. Mit dieser Gegenüberstellung hausieren die Rechten ebenso wie die ›Linken‹. Sie erklären, daß bei dem gegenwärtigen Tempo die Qualitätsarbeit gar nicht möglich sei, daß das Zurückbleiben der Literatur aus der Natur des künstlerischen Schaffens folge, und die Beherrschung der neuen Thematik ebenso unmöglich sei, wie gegenwärtig die große bolschewistische Kunst zu schaffen. Die anderen erklären, das Zurückbleiben sei sehr leicht zu überwinden, wenn man der Qualität nicht besonders nachjagen würde; angeblich wäre es gar nicht so schrecklich, diese oder jene schöne Zeile wegzulassen und es sei verbrecherisch, an einem großen Roman lange herumzuschreiben. [...] Die Umgestaltung der proletarischen Schriftsteller verlangt vor allem die Hebung des Niveaus ihrer marxistischen Weltanschauung, ohne dessen tatkräftige Hebung der Schriftsteller sein Material künstlerisch nicht beherrschen kann. Das immer noch andauernde Zurückbleiben der proletarischen Literatur bewies früher und beweist auch jetzt das ungenügende bolschewistische Kulturniveau der Mehrheit unserer Schriftsteller. Daraus entsteht auch die so oft betonte Schwäche vieler ihrer Werke. Wir erklärten schon oft, daß

die Unzulänglichkeit der Form nur der Ausdruck der Unzulänglichkeit des Inhalts ist.«[69]
Awerbachs Text, der, wenn auch nicht wörtlich, so doch dem Inhalt nach, mit dem übereinstimmte, was derselbe Verfasser in seiner umfangreichen Stellungnahme »Für die Hegemonie der proletarischen Literatur in der UdSSR« formuliert hatte,[70] leitete in der *Linkskurve* eine Reihe von Artikeln ein, die sich kritisch mit dem proletarischen Roman – im besonderen mit dem »Roten Eine-Mark-Roman« – beschäftigten.
Den Anfang machte Lukács' Kritik an Willi Bredels *Maschinenfabrik N. & K.* und *Rosenhofstraße*.[71] Lukács bescheinigte den Romanen des Schlossers und Arbeiterkorrespondenten Bredel eine bedeutende Stellung innerhalb der Entwicklung der proletarisch-revolutionären Literatur Deutschlands. Der Autor habe sowohl »mit dem glücklichen Griff der wirklichen Begabung« als auch vom richtigen Klassenstandpunkt aus seine Themen gewählt. Nach einigen weiteren lobenden Worten kam Lukács dann auf die Mängel der Bücher zu sprechen. Keineswegs kameradschaftlich, sondern massiv und autoritär kritisierte er die mangelhafte Gestaltung der Romane, ihr Steckenbleiben teils in der Reportage, teils im Versammlungsbericht. Vor allem aber rügte Lukács, daß die Menschen und ihre Beziehungen zueinander schematisch und vollkommen unlebendig dargestellt seien; Bredel bleibe weit hinter der Wirklichkeit zurück. Seine Figuren seien Chargen, keine überzeugenden Charaktere, und das sprachliche Niveau der Romane bewege sich auf dem der Presseberichterstattung.
Lukács hatte zweifellos recht. Literarisch waren Bredels Romane mangelhaft. Aber um diesen Nachweis ging es Lukács nicht, jedenfalls nicht primär. Für ihn hatte das Literarische nur symptomatische Bedeutung. »Es wäre sehr naheliegend«, schrieb Lukács in seiner Kritik, »aus dem bisher Gesagten zu schließen, Bredel fehlt eben die ›Technik‹ des Schreibens. [...] Natürlich fehlt Bredel *auch* die Technik. Die Kritik würde aber ihm einen Bärendienst erweisen, wenn sie ihm sagen würde: Deine Romane sind inhaltlich, weltanschaulich, marxistisch, politisch ganz in Ordnung, du mußt nur die ›Technik‹ des Schreibens, nur das Beherrschen der Form erlernen, dann ist der große proletarische Roman schon da. Nein, Form und Inhalt hängen viel enger zusammen, ihre dialektische Wechselwirkung ist – bei allem Vorherrschen des Klasseninhalts – viel inniger, vermittelter und verwickelter, als daß die Beantwortung dieser Frage so mechanisch einfach ausfallen könnte. [...] Menschengestaltung ist keine ›technische‹ Frage, sondern vor allem die Frage der *Handhabung der Dialektik* auf dem Gebiet der Literatur.«[72]
Was sich im einzelnen hinter Lukács' scharfer Kritik verbarg, kann hier nicht erörtert werden. Daß sie im Zusammenhang mit der agitatorischen Massenarbeit der Partei zu sehen ist, geht aus den folgenden Sätzen einwandfrei hervor: »In der Praxis des täglichen Klassenkampfes müßte jeder Funktionär sofort scheitern, der die Umgebung, in der er handeln muß, die aus Menschen (einzelnen, Gruppen, Massen) besteht, nicht dialektisch, sondern metaphysisch behandeln würde. Ist es nicht eine berechtigte Forderung an die Literatur, daß sie in ihrer Gestaltungsmethode wenigstens jenes Niveau erreiche, das in der Tagespraxis der Klassenkämpfe sich weitgehends – wenn auch mit Fehlern – wenn auch oft bloß instinktiv – durchzusetzen beginnt? Ich glaube sogar, daß wir berechtigt sind, *höhere* Forderungen zu

stellen. Zu fordern, *daß die Spitzenleistung unserer Literatur in bezug auf die Handhabung der Dialektik an den Spitzenleistungen der revolutionären Praxis und Theorie in der KPD, der Komintern gemessen werden sollen.*« [Hervorhebung F. S.]

Bredel gab Lukács recht; seine Selbstkritik[73] war indessen kaum mehr als eine Pflichtübung zu nennen. Otto Gotsche, ebenfalls ein Arbeiterschriftsteller, widersprach Lukács und nannte dessen Kritik zersetzend.[74] Bücher wie Bredels Romane, so meinte Gotsche, gehörten vor das Forum der Massen und nicht vor den Richterstuhl besserwisserischer Intellektueller. Ein Vorwurf, den Lukács mit aller Schärfe zurückwies.[75] Die Diskussion blieb polemisch; eine kameradschaftliche Aussprache, die zur Klärung derart wichtiger Fragen hätte führen können, entwickelte sich daraus nicht. Wohl aber kam es zu Verärgerungen und Frontbildungen, wozu die weiteren Aufsätze Lukács' und auch Gábors im letzten Jahrgang der *Linkskurve* – 1932 – einen zusätzlichen Beitrag leisteten. Von Lukács erschienen so grundsätzliche Essays wie »Tendenz oder Parteilichkeit?«, »Reportage oder Gestaltung? Kritische Bemerkungen anläßlich des Romans von Ottwalt I u. II« und »Aus der Not eine Tugend. Eine Replik auf Ottwalts Entgegnung«.[76] Gábor unterzog im Mai-Heft den Roman *Schlacht vor Kohle* von Marchwitza einer Kritik, die ganz auf der Linie des Lukácsschen Aufsatzes über Bredel lag.

Lukács' literarischer Standpunkt – für die deutschen Arbeiterschriftsteller zu dem Zeitpunkt völlig illusionär – begann sich durchzusetzen; zumindest in der *Linkskurve*. Doch war damit der Konflikt keineswegs beigelegt. Im Bund opponierte eine linke Gruppe um Aladár Komját und Karl Biro-Rosinger gegen die intellektuelle Führungsspitze. Diese Gruppe, die vor allem von Arbeiterschriftstellern und Arbeiterkorrespondenten unterstützt wurde, vertrat, an die erste Entwicklungsphase des BPRS anknüpfend, die Ansicht, daß nur der selber aus dem Proletariat kommende Autor die proletarisch-revolutionäre Literatur schaffen könne. Zwar wurde ihr Programmentwurf vom Oktober 1931, in dem diese ›linke‹ Tendenz formuliert war, abgelehnt, die Tatsache aber, daß der Entwurf zur Debatte stand und auch die IVRS an der Auseinandersetzung sich beteiligte, beweist, daß es sich hier nicht um geringfügige Meinungsverschiedenheiten gehandelt haben kann. Auch die Resolution, die das Sekretariat des ZK der KPD zur Arbeit des Bundes verfaßte, ist dafür eine Bestätigung. In dieser – neun Punkte umfassenden – Stellungnahme heißt es u. a.:

»1. Das Sekretariat des ZK hält die Diskussion im Bund proletarisch-revolutionärer Schriftsteller für den objektiven Ausdruck der Notwendigkeit einer ernsten Umgestaltung der Tätigkeit des Bundes und seiner Fraktion, um die Aufgaben, die die gegenwärtige Lage der revolutionären Klassenkämpfe des Proletariats stellten, zu lösen.

2. Das Sekretariat des ZK ist der Ansicht, daß die Führung des Bundes im Kampf gegen die Gruppe des Genossen Komját im allgemeinen prinzipiell den richtigen Standpunkt vertrat und in voller Übereinstimmung mit der Internationalen Vereinigung der Revolutionären Schriftsteller in Moskau die vulgarisierenden ›linken‹ Fehler des Genossen Komját und seiner Gruppe grundsätzlich richtig aufgedeckt hat. Dieser Kampf wurde aber erschwert durch die wesentlichen Fehler der Führung selbst, die darin bestanden, daß der Kampf gegen die rechte Gefahr als Haupt-

gefahr ungenügend geführt wurde, daß die praktische Arbeit des Bundes schwach war und die Aufgabe der Sammlung aller kommunistischen Schriftsteller und aller Mitläufer um die Führung nicht erfüllt worden ist.
3. Das Sekretariat des ZK weist die Fraktion des Bundes auf die Notwendigkeit einer energischen Wendung hin, vor allem in den schöpferischen Fragen und in der Frage der schriftstellerischen Tätigkeit im Dienst der revolutionären Arbeiterbewegung. Die Arbeit des Bundes muß so gestaltet werden, daß in ihr die Fragen der schriftstellerischen Produktion, der weltanschaulichen Erziehung und der Massenkultur den Hauptplatz einnehmen. Nur so kann sich der Bund nicht nur in die Breite, sondern auch in die Tiefe entwickeln, nur so wird er zu einem Stützpunkt des Parteieinflusses auf die Massen der Schriftsteller und der geistigen Arbeiter.«[77]
Becher hatte bereits im Oktober-Heft 1931 der *Linkskurve* von der »Wendung« des Bundes gesprochen. Sie kam aber weder zu diesem noch zu einem späteren Zeitpunkt, da sich eine Übereinstimmung hinsichtlich der Ziele und Aufgaben des BPRS nicht erreichen ließ. Auch ein zweiter Programmentwurf, diesmal von den ›Intellektuellen‹, von Becher, Lukács, Gábor und Wittfogel ausgehend, der sich, im Gegensatz zur linken Plattform Komjáts und Biros, für das »große bolschewistische Kunstwerk« aussprach, wurde nicht angenommen. Die Auflösung der proletarischen Schriftstellerorganisationen in der Sowjetunion – RAPP und WAPP – im April 1932 hatte auch für den Bund eine unsichere Lage geschaffen. Man wartete ab, und erst im August-Heft informierte ein Bericht Gábors die Leser der *Linkskurve* über den »Umbau der literarischen und künstlerischen Organisationen in der Sowjetunion«. Ob der BPRS in den Augen der Partei oder der IVRS danach noch eine Existenzberechtigung hatte, ist schwer zu sagen. Die Entscheidung darüber wurde ihnen von den Nationalsozialisten abgenommen.
In den fünf Jahren seines Bestehens hatte der Bund nicht allzu viel erreicht. »Bolschewistische Meisterwerke« waren keinem Mitglied gelungen – künstlerisch akzeptable Literatur wie Anna Seghers' Erzählungen fand eine nicht eben wohlwollende Kritik in der *Linkskurve* –, und von Erfolgen an der Basis (Arbeiterkorrespondenten) konnte ebenfalls kaum die Rede sein. Vollends negativ aber sah die Bilanz des BPRS und seiner Zeitschrift auf dem Gebiet der Bündnispolitik aus. Mit polemischen Ausfällen, die sich im besonderen gegen liberale oder linksbürgerliche Schriftsteller richteten – Alfred Döblin, Kurt Hiller, Heinrich Mann, Thomas Mann, Ernst Toller, Kurt Tucholsky u. a. waren bevorzugte Ziele dieser Angriffe –, war Solidarität unter den antifaschistischen Schriftstellern schwerlich zu erreichen. Erreicht wurde vielmehr das Gegenteil.
Der BPRS war das Opfer seiner eigenen ideologischen Borniertheit und der daraus resultierenden zerfahrenen, illusionären und unselbständigen Literaturpolitik; der Traum von der Revolution und von dem bald kommenden Sowjetdeutschland machte seine Funktionäre blind für die politischen Tatsachen der Weimarer Republik.

Anmerkungen

1. In der Reihe »Beiträge zur Geschichte der deutschen sozialistischen Literatur im 20. Jahrhundert« (hrsg. von der Deutschen Akademie der Künste zu Berlin, Sektion Literatur und Sprachpflege, Abteilung Geschichte der sozialistischen Literatur) sind u. a. bisher folgende Bände erschienen: *Literatur der Arbeiterklasse.* Aufsätze über die Herausbildung der modernen sozialistischen Literatur in Deutschland. Berlin und Weimar 1971; Friedrich Albrecht: *Deutsche Schriftsteller in der Entscheidung.* Wege zur Arbeiterklasse 1918–1933. Berlin und Weimar 1970; Klaus Kändler: *Drama und Klassenkampf.* Beziehungen zwischen Epochenproblematik und dramatischem Konflikt in der sozialistischen Dramatik der Weimarer Republik. Berlin [Ost] 1970. Alfred Klein: *Im Auftrag ihrer Klasse.* Weg und Leistung der deutschen Arbeiterschriftsteller. Berlin und Weimar 1972. Früher erschienen bereits u. a.: *Aktionen, Bekenntnisse, Perspektiven.* Berichte und Dokumente vom Kampf um die Freiheit des literarischen Schaffens in der Weimarer Republik. Berlin und Weimar 1966; *Zur Geschichte der sozialistischen Literatur 1918–1933.* Elf Vorträge. Berlin [Ost] 1963; *Zur Tradition der sozialistischen Literatur in Deutschland.* Eine Auswahl von Dokumenten. Berlin und Weimar ²1967.
2. *Geschichte der deutschen Arbeiterbewegung in acht Bänden.* Berlin [Ost] 1966. Bd. 1. S. 3.
3. ebd., S. 6.
4. Siehe Anmerkung 1, S. 134–161.
5. ebd., S. 143 f.
6. Siehe Hermann Weber: *Der Gründungsparteitag der KPD.* Frankfurt a. M. 1969.
7. Siehe Helga Gallas: *Marxistische Literaturtheorie.* Kontroversen im Bund proletarisch-revolutionärer Schriftsteller. Neuwied 1971. Teil 1: Die Problematik.
8. ebd., S. 27.
9. Elisabeth Simons: »Der Bund proletarisch-revolutionärer Schriftsteller und sein Verhältnis zur Kommunistischen Partei Deutschlands«. In: *Literatur der Arbeiterklasse.* S. 153.
10. zitiert nach Lothar Peter: *Literarische Intelligenz und Klassenkampf.* ›Die Aktion‹ 1911–1932. Köln 1972. S. 56.
11. zitiert nach Golo Mann: »Die deutschen Intellektuellen«. In: *Texte & Zeichen*, 1. Jahr (1955). 4. H. S. 492.
12. *Menschheitsdämmerung.* Ein Dokument des Expressionismus. Neu hrsg. von Kurt Pinthus. Hamburg 1959. S. 355.
13. *Der Torpedokäfer.* Neuwied 1972. S. 12.
14. »Dadaistisches Manifest 1918«. Zitiert nach Paul Pörtner: *Literaturrevolution*, Bd. 2. Neuwied 1961. S. 487.
15. ebd., S. 503–505.
16. *Der Malik-Verlag 1916–1947.* Ausstellungskatalog. Berlin und Weimar 1967. S. 27.
17. ebd., S. 33.
18. *Die Neue Bücherschau*, 7 (1929). VI. H. S. 320 f.
19. ebd.
20. Siehe Lothar Peter: *Literarische Intelligenz und Klassenkampf.*
21. *Der Gegner*, 1 (1919/20). Nr. 10. S. 48–56. Zitiert nach: *Literatur im Klassenkampf.* Zur proletarisch-revolutionären Literaturtheorie 1919–1923. Eine Dokumentation von Walter Fähnders und Martin Rector. München 1971. S. 49.
22. ebd.
23. zitiert nach: *Literatur im Klassenkampf.* S. 77.
24. G. Ludwig [d. i. Gertrud Alexander]: »Die vorrevolutionäre Kunst von 1918 und 1789«; Max Barthel: »Ludwig Rubiner, Die Gewaltlosen«; G. Alexander: »Der Kunstmarkt im Glaspalast«; G. Alexander: »Nachwort zur Hauptmannfeier«; Rudolf Franz: »Liquidatoren des historischen Materialismus«.
25. G. Alexander: »Dämon, Genie und Inspiration. Eine Antwort an Rudolf Franz«; G. Alexander: »Die Theaterkrise in Berlin«; G. Alexander: »Über Bücher von Franz Jung und Fritz Brupacher«; E. L.: »Eine Hamburger proletarische Aufführung. Bemerkungen zum revolutionären Theater«.
26. Siehe *Lexikon sozialistischer deutscher Literatur.* Halle 1963. S. 53–55.
27. *Die Rote Fahne*, 20. Mai und 21. Mai 1920.
28. »Dada«. In: *Die Rote Fahne*, 25. Juli 1920; »Proletarisches Theater«, 17. Oktober 1920; über Pinthus' *Menschheitsdämmerung*, 13. Juni und 14. Juni 1921.

29. »Herrn John Heartfield und George Grosz«, 9. Juni 1920.
30. ebd.
31. ebd.
32. *Die Rote Fahne*, 17. Oktober 1920.
33. Siehe Hermann Weber: *Die Wandlung des deutschen Kommunismus*. Die Stalinisierung der KPD in der Weimarer Republik. 2 Bde. Frankfurt a. M. 1969.
34. *Iskra*, Nr. 4. Mai 1901. Zitiert nach: *Lexikon sozialistischer deutscher Literatur*. S. 59 f.
35. *Wperjod*, 12. Dezember 1904. Zitiert nach: *Lexikon sozialistischer deutscher Literatur*. S. 59 f.
36. *Arbeiterliteratur*, H. 12. Dezember 1924.
37. *Die Rote Fahne*, 30. Dezember 1924.
38. ebd.
39. *Lexikon sozialistischer deutscher Literatur*. S. 61.
40. Siehe *Dokumente zur sowjetischen Literaturpolitik 1917–1932*. Mit einer Analyse von Karl Eimermacher. Stuttgart 1972.
41. ebd., S. 309.
42. *Die Rote Fahne*, 31. Mai 1925.
43. Siehe hierzu Friedrich Albrecht: *Deutsche Schriftsteller in der Entscheidung*. S. 267–269.
44. Siehe *Literatur im Klassenkampf*. S. 124–149.
45. zitiert nach Friedrich Albrecht: *Deutsche Schriftsteller in der Entscheidung*. S. 570–583. Das Zitat auf S. 581.
46. ebd., S. 257.
47. abgedruckt in: *Zur Tradition der sozialistischen Literatur in Deutschland*. S. 28–33.
48. Siehe Babette Gross: *Willi Münzenberg*. Eine politische Biographie. Stuttgart 1967. S. 226.
49. *Die Neue Bücherschau*, H. 7. 1929.
50. ebd., S. 370. – Siehe auch Dieter Wellershoff: *Phänotyp dieser Stunde*. Köln 1958. S. 177–183.
51. Ein zuvor unternommener Versuch des Bundes, die bereits bestehende Zeitschrift *Die Front* zu seinem Organ zu machen, scheiterte schon nach wenigen Monaten. Siehe Helga Gallas: *Marxistische Literaturtheorie*, S. 38, und: *Lexikon sozialistischer deutscher Literatur*, S. 179–181.
52. *Die Linkskurve*, Oktober-Heft 1931. S. 8.
53. Vgl. Elisabeth Simons: »Der Bund proletarisch-revolutionärer Schriftsteller« S. 166–175.
54. »Unser Bund«. Abgedruckt in: *Zur Tradition der sozialistischen Literatur in Deutschland*. S. 91.
55. ebd., S. 92.
56. ebd., S. 119–121.
57. Siehe Helga Gallas: *Marxistische Literaturtheorie*. S. 34.
58. *Zur Tradition der sozialistischen Literatur in Deutschland*. S. 114–116.
59. »Kühnheit und Begeisterung. Der 1. Mai und unsere Literatur-Revolution«. In: *Die Linkskurve*, Mai-Heft 1932. S. 7.
60. Siehe Helga Gallas: *Marxistische Literaturtheorie*. S. 44.
61. ebd., S. 70.
62. *Die Linkskurve*, August-Heft 1929. S. 1.
63. Karl Grünberg: »Er bahnte mir den Weg«. In: *Sinn und Form*. Zweites Sonderheft Johannes R. Becher. Berlin o. J. S. 180 f.
64. Auf der Titelseite der Erstausgabe steht »Greifenverlag Rudolstadt«, ebenso im Copyright-Vermerk. Auf dem Einbandrücken befindet sich aber das Signet des IAV, der den Roman in der Dezember-Nummer der *Linkskurve* unter seinem Firmennamen anzeigte.
65. *Zur Tradition der sozialistischen Literatur in Deutschland*. S. 242–244.
66. »Für die Serie ›Der Rote Eine-Mark-Roman‹ liegen folgende Manuskripte vor: Willi Bredel: Der Eigentumsparagraph (der erste antifaschistische Roman), Hermann Schatte: Erwachendes Dorf (Landarbeiterroman), O. Gotsche: Märzstürme (Roman aus dem mitteldeutschen Kampfgebiet), Mike Bell: S. S. Oceana (ein Seemannsroman), Josef Hüsch: Industriesoldaten (ein Hochofenarbeiterroman). In Arbeit: Paul Körner: Aufruhr im Dorf (ein Bauernroman), Rudolf Wittenberg: Ein Roman des Mittelstandes, Werner Wilke: Bauern.« *Die Linkskurve*, April-Heft 1932. S. 39.
67. auch in: *Zur Tradition der sozialistischen Literatur in Deutschland*. S. 201.
68. Kurt Kläber: »Der proletarische Massenroman«. In: *Die Linkskurve*, Mai-Heft 1930. S. 23.
69. *Zur Tradition der sozialistischen Literatur in Deutschland*. S. 22–24.
70. *Internationale Literatur*, H. 1. 1932.

71. *Die Linkskurve,* November-Heft 1931.
72. ebd., S. 25.
73. *Die Linkskurve,* Januar-Heft 1932. S. 20–23.
74. *Die Linkskurve,* April-Heft 1932. S. 28–30.
75. ebd., S. 30.
76. Juni-Heft, Juli-Heft, August-Heft, November-Dezember-Heft 1932.
77. *Zur Tradition der sozialistischen Literatur in Deutschland.* S. 403–405.

Literaturhinweise

Aktionen, Bekenntnisse, Perspektiven. Berichte und Dokumente vom Kampf um die Freiheit des literarischen Schaffens in der Weimarer Republik. Berlin und Weimar 1966.

Friedrich Albrecht: *Deutsche Schriftsteller in der Entscheidung.* Wege zur Arbeiterklasse 1918–1933. Berlin und Weimar 1970.

Hans Manfred Bock: *Syndikalismus und Linkskommunismus von 1918–1923.* Zur Geschichte und Soziologie der Freien Arbeiter-Union Deutschlands (Syndikalisten), der Allgemeinen Arbeiter-Union Deutschlands und der Kommunistischen Arbeiter-Partei Deutschlands. Meisenheim a. Glan 1969.

Willi Bredel: *Maschinenfabrik N. & K.* Ein Roman aus dem proletarischen Alltag. Hrsg. und kommentiert vom Arbeitskollektiv »Proletarisch-revolutionäre Romane«. Berlin 1971.

Deutsches Arbeitertheater 1918–1933. Eine Dokumentation. Hrsg. von Ludwig Hoffmann und Daniel Hoffmann-Ostwald. Berlin [Ost] 1961.

Dokumente zur sowjetischen Literaturpolitik 1917–1932. Mit einer Analyse von Karl Eimermacher. Stuttgart 1972.

Ossip K. Flechtheim: *Die KPD in der Weimarer Republik.* Frankfurt a. M. 1969.

Helga Gallas: *Marxistische Literaturtheorie.* Kontroversen im Bund proletarisch-revolutionärer Schriftsteller. Neuwied und Berlin 1971.

Geschichte der deutschen Arbeiterbewegung. Hrsg. vom Institut für Marxismus-Leninismus beim Zentralkomitee der SED. 8 Bde. Berlin [Ost] 1966.

Karl Grünberg: *Brennende Ruhr.* Roman aus dem Kapp-Putsch. Mit einem Vorwort von Johannes R. Becher. Rudolstadt 1929.

Der Gründungsparteitag der KPD. Protokoll und Materialien. Hrsg. von Hermann Weber. Frankfurt a. M. 1969.

Ich schneide die Zeit aus. Expressionismus und Politik in Franz Pfemferts ›Aktion‹ 1911–1918. Hrsg. von Paul Raabe. München 1964.

Franz Jung: *Der Weg nach unten.* Aufzeichnungen aus einer großen Zeit. Neuwied und Berlin 1961.

Klaus Kändler: *Drama und Klassenkampf.* Beziehungen zwischen Epochenproblematik und dramatischem Konflikt in der sozialistischen Dramatik der Weimarer Republik. Berlin und Weimar 1970.

Wladimir I. Lenin: *Über Kunst und Literatur.* Eine Sammlung ausgewählter Aufsätze und Reden. Berlin [Ost] 1960.

Lexikon deutschsprachiger Schriftsteller. Von den Anfängen bis zur Gegenwart. 2 Bde. Leipzig 1967.

Lexikon sozialistischer deutscher Literatur. Von den Anfängen bis 1945. Monographisch-biographische Darstellungen. Halle 1963.

Die Linkskurve. Reprint. Bücherei des Marxismus-Leninismus. Bd. 8–11. Frankfurt a. M. 1971.

Literatur der Arbeiterklasse. Aufsätze über die Herausbildung der deutschen sozialistischen Literatur. Berlin und Weimar 1971.

Literatur im Klassenkampf. Zur proletarisch-revolutionären Literaturtheorie 1919–1923. Eine Dokumentation von Walter Fähnders und Martin Rector. München 1971.

Der Malik-Verlag. 1916–1947. Ein Ausstellungs-Katalog. Berlin [Ost] 1966.

Hans Marchwitza: *Schlacht vor Kohle.* Reprint. Berlin o. J.

– *Sturm auf Essen.* Die Kämpfe der Ruhrarbeiter gegen Kapp, Watter und Severing. Reprint. Produktion Ruhrkampf. Köln o. J.

Klaus Neukrantz: *Barrikaden am Wedding.* Roman einer Straße aus den Berliner Maitagen 1929. Hrsg. und kommentiert vom Arbeitskollektiv »Proletarisch-revolutionäre Romane«. Berlin 1971.

Lothar Peter: *Literarische Intelligenz und Klassenkampf.* »Die Aktion« 1911–1932. Köln 1972.

Paul Pörtner: *Literatur-Revolution 1910–1925*. Dokumente, Manifeste, Programme. Bd. 2: Zur Begriffsbestimmung der Ismen. Neuwied und Berlin 1961.

»Proletarische Kultur (Proletkult)«. In: *Aesthetik und Kommunikation*. Beiträge zur politischen Erziehung. H. 5/6, Februar 1972.

Proletarische Kulturrevolution in Sowjetrußland (1917–1921). Dokumente des ›Proletkult‹. Hrsg. von Richard Lorenz. München 1969.

Arthur Rosenberg: *Entstehung der Weimarer Republik*. Frankfurt a. M. 1961.

– *Geschichte der Weimarer Republik*. Frankfurt a. M. 1961.

– *Geschichte des Bolschewismus*. Frankfurt a. M. 1966.

Die Rote Fahne. Zentralorgan der Kommunistischen Partei Deutschlands. Mikrofilm.

Franz Schonauer: »Der Rote Eine-Mark-Roman«. In: *Kürbiskern*, 3 (1966). S. 91–107.

Sinn und Form. Zweites Sonderheft Johannes R. Becher. Berlin [Ost] 1959.

Gleb Struve: *Geschichte der Sowjetliteratur*. München 1958.

L. I. Timofejew: *Geschichte der russischen Literatur*. Bd. III: Geschichte der Sowjetliteratur. Berlin [Ost] 1953.

Leo Trotzkij: *Literatur und Revolution*. Berlin 1968.

Hermann Weber: *Die Wandlung des deutschen Kommunismus*. Die Stalinisierung der KPD in der Weimarer Republik. 2 Bde. Frankfurt a. M. 1969.

Zur Geschichte der sozialistischen Literatur 1918–1933. Elf Vorträge, gehalten auf einer internationalen Konferenz in Leipzig vom 23. bis 25. Januar 1962. Berlin [Ost] 1963.

Zur Tradition der sozialistischen Literatur in Deutschland. Eine Auswahl von Dokumenten. Berlin und Weimar ²1967.

Auf dem Wege zur proletarisch-revolutionären Literatur und zur Neuen Sachlichkeit.
Zu frühen Publikationen des Malik-Verlags

I

Zur Jahreswende 1918/19,[1] wenige Wochen nach dem Zusammenbruch des Wilhelminischen Kaiserreichs und einige Tage vor Ausbruch des Berliner Spartakistenaufstandes, trafen sich radikale Sozialisten aus den deutschen Landesteilen im Preußischen Abgeordnetenhaus zu Berlin und gründeten die Kommunistische Partei Deutschlands (KPD). Die Delegierten, deren gewählte Führer Rosa Luxemburg, Karl Liebknecht und Leo Jogiches schon kurz darauf von rechten Konterrevolutionären ermordet wurden, wollten »die Revolution vorwärts [...] treiben« und »sie zu einer wirklich sozialen Revolution« zuspitzen, um »den Sozialismus zur Wahrheit und Tat zu machen und den Kapitalismus mit Stumpf und Stiel auszurotten«.[2] Da jedoch nach Einsicht vieler Versammlungsteilnehmer das Proletariat »noch nicht vollständig revolutionär durchgebildet« war und in seiner Mehrheit der kommunistischen Bewegung fernstand, forderten sie die Aufklärung und Schulung der proletarischen Massen, die im Angesicht der »größten Weltkrise« die »revolutionären Wahrheiten so nötig wie Brot« hätten.[3] Zu diesem Zweck sollte das geschichtliche Entwicklungsstadium aufgrund der »zur Verfügung stehenden evidenten Tatsachen« erfaßt,[4] die revolutionäre Strategie sachgerecht entworfen und die aktionsbestimmende Propaganda unwiderlegbar abgesichert werden: nüchterne Situationsanalyse, wirklichkeitstreue Faktenauswertung, rationale Planung, präzise Aktionslenkung versprachen den endgültigen Revolutionserfolg zu garantieren und wurden für die Theorie wie die Praxis der Revolution methodisch vorausgesetzt. Von vornherein ausgerichtet gegen »alles, was gegenrevolutionär, volksfeindlich, antisozialistisch, zweideutig, lichtscheu, unklar ist«, entschied sich die Majorität der Delegierten für »die Errichtung der Sowjetrepublik und der proletarischen Diktatur« nach bolschewistischem Vorbild und nahm damit den Zweifrontenkrieg gegen den revisionistischen »Opportunismus« der Sozialdemokratie wie den anarchistischen »Revolutionarismus« ultralinker Kreise auf.[5]
In taktisch richtiger Erfassung der aktuellen Kräfteverhältnisse und strategisch hellsichtiger Einschätzung der politischen Zukunftsperspektiven konzentrierten sich die Führungsgruppen der Partei von 1919 an auf den Ausbau der KPD zur straff gegliederten, scharf disziplinierten, zentralistisch gelenkten Kaderorganisation, nachdem sie erste Lehren aus den Mißerfolgen emotional entfachter Spontanaktionen gezogen und erkannt hatten, daß der »objektiven Wirklichkeit« nur durch »konkretes Herangehen« an die »Lösung« der revolutionären »Aufgabe« zu genügen war.[6] Diese so realitätsbewußte wie zielgewisse ›Sachlichkeitspolitik‹ wirkte sich jedoch gegen die Partei aus und bewährte sich erst auf lange Sicht. Die revolutionsgläubi-

gen Radikalsozialisten begannen nach links abzutreiben, weil sie dem verbindlich projektierten ›langen Marsch‹ zum Räte-Deutschland durch schnelle Tat zuvorkommen wollten, und die linksbürgerlichen Demokraten tasteten sich zu den revisionistischen Sozialistenparteien (USPD, SPD) zurück, da sie die Parteipolitik den Maßen allgemeinmenschlicher Ethik unterwarfen, das Klassenkampfprinzip ablehnten und die Führungsvollmacht der Parteispitze mißbilligten. Unter den Enttäuschten, Verstörten, Abgestoßenen befanden sich vor allem die von Revolutionseuphorie, Verbrüderungsemphase, Gemeinschaftssehnsucht zum Kommunismus gedrängten Künstler, zumal die KPD angesichts »schärfster Klassenauseinandersetzungen und massiven Drucks von seiten ihrer Gegner« die Bedeutung der Kulturarbeit für den Klassenkampf unterschätzte, weithin den traditionalistischen Auffassungen der revisionistisch beeinflußten Mehring-Schule verpflichtet blieb und die Organisierung der Kunstschaffenden in einsatzfähigen, auftragsbereiten, disziplinbewußten Kadergruppen verabsäumte.[7]

Daß die KPD nach dem Zerfall der ultralinken Oppositionsgruppen, im Zuge des Prestigeverlusts der Sozialdemokratie und unter der eisernen Hand des Thälmannschen Zentralkomitees seit etwa 1923/24 dennoch auf eine in der Zwischenzeit begründete kommunistische Kunsttradition zurückgreifen, weitgediehene proletarisch-revolutionäre Kunstkonzeptionen auswerten und die praktisch-politische Führung parteiverpflichteter Künstler übernehmen konnte,[8] verdankte sie jedoch der eigenen Konsequenz, mit der sie sich zum Leninismus bekannte, dem bolschewistischen Muster folgte und den Modellwert sowjetischer Maßnahmen bejahte. In Anbetracht der *kultur*politischen Abstinenz, Unsicherheit, Perspektivlosigkeit der KPD zwischen 1919 und 1923 richtete sich nämlich der Blick der sozialrevolutionären deutschen Schriftsteller mehr und mehr nach Sowjetrußland, wo eine Revolutionskunst entstand, die am praktischen Beispiel wie in der theoretischen Reflexion den Grundsatzentscheidungen der KPD recht gab, ihre Politik bestätigte und ihren Einfluß auf Maler, Dichter, Journalisten stärkte, indem sie marxistisch-leninistische Denkprozesse auslöste und marxistisch-leninistisches Verhalten einübte. Darüber hinaus vermochte die Sowjetkultur aber den sachlich-konkreten Standpunkt der Partei als Basis für eine wirklichkeitsnahe, revolutionsbedachte Literatur zu bekräftigen, mit der die alleingelassenen deutschen Schriftsteller die bis zum Expressionismus reichende bürgerliche Kunsttradition zu überwinden und herkömmliche Kunst wie bestehende Wirklichkeit abzulösen hofften.

Denn die von Lenin als Vorbild für »alle Länder« ausgewiesene sowjetische Revolution versprach ja nicht nur, die kommunistischen Revolutionäre das »ABC« der proletarischen Gesellschaftsumwandlung zu lehren, ihren Blick für die »Historizität und Veränderbarkeit« der herrschenden Zustände zu schärfen, ihre Aktionsbereitschaft im Dienste der Partei zu mobilisieren, sondern half zugleich, politisch-künstlerische Maßstäbe zu setzen, die zunächst in theoretischer Forderungsliteratur vermittelt und später durch angewandte literarische Kunstwerke belegt wurden.[9] Lenin, der seine Lehren durch revolutionäre Taten zu bekräftigen vermochte und daher auch in Deutschland mit uneingeschränkter Anteilnahme rechnen durfte, hatte bereits 1905 die Möglichkeit einer »klassenfreien« Kunst bestritten und »Parteiliteratur« verlangt, die sich als »Rädchen und Schräubchen« der »allgemeinen proletarischen Sache« bewähren sollte.[10] Nach dem Revolutionssieg 1917 zog er daraus die praktischen Folgerungen und verfügte, daß die revolutionäre Literatur der Kommunisten das »neue Tatsachenmaterial« sammle, prüfe, studiere, den »Aufbau des neuen Lebens« sachlich kontrollierend beschreibe und die Massen »an lebendigen, konkreten Beispielen und Vorbildern aus allen Lebensgebieten« erziehe: die Kluft zwischen Buch und Wirklichkeit müsse überbrückt und geschlossen werden.[11] Während Lenin jedoch vor allem Parteipresse wie Parteibroschüre im Blick hatte und den Literaten empfahl, an die »besten Vorbilder, Traditionen und Ergebnisse der *bestehenden* Kultur« anzuknüpfen und sie aus marxistischer Sicht weiterzuentwikkeln,[12] zogen seine Ideen, Thesen, Taten in Sowjetrußland eine kulturelle Revolution nach sich. Vermittelnd wirkte Leo Trotzki. Obwohl auch er verlangte, »alte formen unter dem einfluss neuer impulse« zu gestalten, zweifelte er doch nicht daran, daß die Literatur der Gegenwart »nur von der oktoberrevolution her« Lebenskraft empfangen könne und »ausserhalb der oktoberperspektiven« verdorren müsse.[13] Diese Übergangsliteratur, die zu den Kunstformen der klassenlosen Gesellschaft hinzuführen versprach, sollte sich nüchtern-sachlich mit den konkreten Tatsachen und dem wirklichen Leben auseinandersetzen und wie die Revolution »die schminke von der realität« abwaschen: »gesellschaftlich-dienend und historisch-utilitär«, habe sie die bestehenden Zustände aus parteipolitischer, klassenideologischer und revolutionsstrategischer Sicht zu deuten; »realistisch, zweckentsprechend, strategisch, mathematisch«, helfe sie mit, die Gegenwart »mit der axt zurecht[zu]-hauen«; präsentisch und zugleich erfüllt von »einem grenzenlosen schöpferischen glauben an die zukunft«, zeige sie das Gegenwärtig-Wirkliche, um seine revolutionäre Umgestaltung nahezulegen.[14]

Ermutigt durch die literaturrevolutionären Richtlinien Lenins und Trotzkis, wagten nun junge Schriftsteller, die Revolution auf dem Feld der Literatur konsequent zu Ende zu führen. Sie folgerten nämlich, daß das »Zeitalter der sozialistischen Neuorientierung der Welt« nicht nur die literarischen Inhalte verändert, sondern auch Stil, Strukturen und Formen umgeprägt habe:[15] bestimmt zur dienstbaren »Arbeitskunst«, gedeutet als »Propaganda auf der Grundlage des sozialistischen Weltbildes«, aufgerufen zum »Organisator des Lebens«, solle die Literatur – wie F. I. Kalinin 1918 ausführte – »mit der neuen Klassenpsychologie, der Wirtschaft und dem Alltagsleben« übereinstimmen und Stilhaltung wie Formenwelt »jener strengen Wissenschaftlichkeit, Genauigkeit und Organisiertheit« unterwerfen, die dem »Kampf des Proletariats« zugrunde lägen.[16] Daraus leitete A. K. Gastew die Grundtendenz der proletarischen Literatur her: »Wir gehen einer radikal-objektiven Demonstration von Sachen, von mechanisierten Menschenmassen entgegen, die gigantische Dimensionen bekommt und nichts Persönliches, Intimes und Lyrisches mehr kennt.«[17]

Obwohl die Äußerungen der sowjetischen Kulturrevolution nur unregelmäßig, bruchstückhaft, planlos nach Deutschland gelangten und erst im Verlauf der zwanziger Jahre durch Übersetzungen literarischer Musterbeispiele ergänzt wurden, mußten sie die »fast ganz auf sich allein gestellten«[18] deutschen kommunistischen oder sozialistischen Schriftsteller zutiefst berühren: mit ästhetischen Mitteln arbeitend, um die wirklichen Menschen zu erfassen, faktentreu, um die Veränderung der Fakten herbeizuzwingen, sachlich, um Sachbelege für die parteiliche Umwertung der Realität vorzulegen, versprach die in Sowjetrußland propagierte Literatur den linksengagierten Autoren aus dem Entscheidungsdilemma zwischen subjektivem Re-

volutionarismus, kollektivem Anarchismus und individualitätsverneinender Selbstaufgabe herauszuhelfen. Denn gerade weil die Russen sich aus Begeisterung für die
siegreiche Revolution wie aus Achtung vor der überlegenen bolschewistischen Partei
mit der von beiden veränderten Wirklichkeit einließen, mußten sich die von Revo-
lutionsniederlagen getroffenen Deutschen auf das Wirkliche hingestoßen fühlen, das
bei ihnen den Veränderungstendenzen zu widerstehen strebte und offenbar nur in
solidarischer Aktion nach dem Plane der Partei zu bewältigen war: das politische
Vorbild setzte dem konkreten Handeln meßbare Ziele; die praktisch erprobte
Theorie gab den ideologischen Wirkungsintentionen Richtung; das ästhetische
Muster bestimmte Thema, Stil, Tendenz und lenkte experimentelles Suchen in erprobte Bahnen.
Trotz der damit gebotenen Standpunktgewißheit, aus der sich Methode wie Perspektive von selbst ergeben mußten, vermochten die deutschen Revolutionsschrift-
steller den Breschen schlagenden Russen jedoch nur auf Umwegen, Seitenstraßen,
Nebenpfaden zu folgen, weil ihnen nicht allein die konterrevolutionären Klassen
widerstrebten, sondern sie selbst sich entgegenstanden. Aufgestört von Weltkrieg
und Revolution, waren nämlich viele politisch engagierte Autoren modischem »Kon-
junkturgeist«, elitärem »Führerschafts«-Gebaren oder politischem »Dilettantismus«
verfallen,[19] wobei sie sich auf ihr inneres Erlebnis, ihr subjektives Verantwortungs-
bewußtsein, ihre individuelle Gemeinschaftsvision beriefen und die Wirklichkeit
ebenso außer Sicht verloren hatten wie die Mittel, ihrer Herr zu werden. Ob echtes
Gefühl, unverfälschtes Erleben, impulsives Engagement aus ihnen sprachen oder
Modebewußtsein, Aktualitätssucht, Machtwille; stets hatte die Politik »ihren Schaden davon«,[20] stets wurde die Realität unterschätzt, stets litt die Literatur. Noch
1961 erinnerte sich Erwin Piscator, daß der Krieg manchen Betroffenen den kommunistischen Solidaritäts- und Friedensutopien gleichsam zwangsläufig zutrieb: »Da
braucht man weder Marx noch Lenin gelesen zu haben! Da schrie der Mensch.«[21]
Diese emotionalen Affekte vermochten jedoch kaum der Klassenkampfsituation
standzuhalten und drohten ebenso an den Härten der Wirklichkeit zu zerschellen
wie Ernst Tollers naive Erwartungen, daß die europäischen Volkserhebungen eine
auf Güteraustausch beruhende und »durch den Geist« gelenkte »Gemeinschaft freier
Menschen« heraufführen würden.[22] Selbst Walther Rillas Beschreibung der deutschen
Revolution als »Ereignis elementarer Sachlichkeit und konzentrierten Zweckbewußt-
seins« gehorchte illusionärem Wunschdenken und leistete jenen Revolutionsphantasten Vorschub, die zum spontanen »Marsch in das neue Menschenland der sozialen
Revolution« aufriefen, »Liebe«, »Geist«, »Brudertum« auf ihre Fahnen schrieben,
den Kommunismus als »Religion der ökonomischen Gerechtigkeit« priesen und als
»schönen Wahnsinn« feierten.[23]
Für solche Schwarmgeisterei zeigten sich vor allem die von der Revolution ins Leben gerufenen Zeitschriften anfällig bis zur Gemeingefährlichkeit. Obwohl Rilla
als Herausgeber der *Erde* (1919/20) immer wieder davor warnte, »objektive Tatbestände nach dem eigenen Bilde« zu subjektivieren, ermutigte er die Beiträger mit
seiner Definition der Politik als »Angelegenheit des Menschen im Dienste der
Menschheit« zur Proklamation von Programmen,[24] die die Notwendigkeit des politischen Kampfes durch das Gebot individueller Wandlung ersetzten und den Revolutionssieg von der Besserung der Einzelnen abhängig machten. Nur langsam fan-

den Rillas Mitarbeiter an die »Seite des revolutionären Proletariats«,[25] dessen Partei die von Karl Otten und Julian Gumperz begründete Zeitschrift *Der Gegner* (1919–22) erst eindeutig ergriff, nachdem Wieland Herzfelde 1920 in die Redaktion eingetreten war. Zunächst spielten diese »Blätter zur Kritik der Zeit« jedoch Bakunin gegen Lenin, die »Antinationale des Herzens« gegen die proletarisch-revolutionäre Internationale, Geist, Seele, Menschentum gegen das Klassenkampfgebot aus.[26] Sie verkündeten daher: »Revolutionen sind gesendet zur Verbesserung der Menschen, nicht der Zustände«, hofften den Einzelnen um der »Sache der Menschheit, der Erde« willen zur inneren Läuterung zu bewegen, suchten die »Erlösungs-Atmosphäre« des Menschheitskommunismus heraufzubeschwören und vertrauten auf den »Optimismus, die Zukunftsfreudigkeit, die Gläubigkeit« der aufgeklärt-zielbewußten revolutionären Massen.[27] Da sich deren »Wissen« und »Willen« aber bald die Erfahrungen der Nachkriegsjahre zugesellten, mußte schließlich auch der *Gegner* von den Parteiarbeit scheuenden, »Ethik und Aesthetik« betonenden »geistigen Kommunisten« abrücken, den Zwang zur Parteidisziplin, zum Klassenkampf, zur Diktatur des Proletariats begreifen und in der unverbrüchlichen Solidarität mit Sowjetrußland, dem bedingungslosen Anschluß an die Parteilinie der KPD, der kompromißlosen Bereitschaft zur geplanten »proletarischen Aktion« die Voraussetzungen für »Aufbau und Leben der kommenden [klassenlosen, kommunistischen] Gesellschaft« anerkennen.[28]

Während *Die Erde* und *Der Gegner* sich ganz allmählich zur KPD hintasteten und dabei die Notwendigkeit künstlerischer Belehrung, Aufklärung, Agitation, Propaganda einsehen lernten, vermochte die vom aktivistischen Expressionismus zum syndikalistischen Kommunismus gelangte *Aktion* (1911–32) den Anschluß an die KPD als Vorhut der revolutionären Arbeiterklasse rasch zu gewinnen und ein politisch kongeniales Literaturprogramm anzubieten, das die Zeitschrift freilich bald durch fraktionspolitisches Sektierertum aufs Spiel setzte und um seine künstlerischen Früchte brachte. Die *Aktion*-Schriftsteller versprachen, »nur am eigenen proletarischen Leben die Brauchbarkeit künstlerischer Dinge [zu] messen«, hofften mit Hilfe »dieses sachlichen Experiments« der Wahrheit auf den Grund zu kommen und beteuerten, als »Ingenieure« der Literatur »Dinge des Gebrauchs« herstellerisch zu schaffen.[29] Daher wollten sie den historischen Augenblick nüchtern erfassen, die Elemente des täglichen Lebens scharfsinnig prüfen, das konkrete Tatsachenmaterial wahrheitsgetreu auswerten und mittels »handwerklicher Gediegenheit, Ausdauer, Beobachtungstreue, Sachlichkeit« die neue »kunstfeindliche, klassenbewußte, kollektivistische, revolutionäre« Literatur erzeugen.[30] Da sich Franz Pfemfert, der Herausgeber der *Aktion,* jedoch gegen den Aufbau einer zentralistischen Kaderpartei sträubte, die Mitarbeit in den reformistischen Gewerkschaften verweigerte und die Beteiligung an der parlamentarischen Praxis aus Vorliebe für das Rätesystem ablehnte, wurde er unter dem Druck der Heidelberger Parteitagsbeschlüsse der KPD (1919) zum Parteiaustritt gezwungen und auf die Seite des Gründerkreises der Kommunistischen Arbeiterpartei Deutschlands (KAPD) getrieben, der dem Räteprinzip programmatisch verpflichtet war. Angesichts früh einsetzender organisatorisch-bürokratischer Verfestigungstendenzen verließ Pfemfert aber auch die von ihm mitgeformte KAPD, die Reinheit seiner kommunistischen Überzeugung in immer exklusiveren Schrumpfparteien, Verschwörergruppen, Revolutionszirkeln bewahrend. Obgleich dieser Radikalisierungsprozeß den politischen Emotionen mancher seiner Mitarbeiter entgegenkam, die »Partei und Politik [...] neben dem glühenden Antlitz des absoluten Revolutionärs« verblassen lassen wollten,[31] nahm er Pfemferts politischen Impulsen die Kraft, raubte er seinem Literaturprogramm die Wirkung. Denn ebenso, wie die Entfernung von der sich langsam konsolidierenden KPD, die Distanzierung vom historisch-materialistischen Marxismus-Leninismus, die Aussperrung aus der Kampfgemeinschaft solidarischer Parteimitglieder allen tatsächlichen Einfluß untergruben und jegliche praktische Aktion entschärften, zog die politische Isolation die ästhetische Vereinsamung nach sich: »links von sich selbst« befindlich,[32] verloren Pfemfert und seine Zeitschrift die Gefolgschaft der meisten Mitarbeiter und Leser, so daß die Artikel, Programme, Aufrufe der *Aktion* mehr und mehr den Selbstgesprächen introvertierter Sektierer zu gleichen begannen, die nahezu ungehört verhallten und bald vom Tagesgeschehen verschlungen waren.

Da Herausgeber und Publikationsorgan aber bei Ausbruch der deutschen Revolution an vorderster Front gestanden hatten und erst während der Revolutionswirren politisch zurückfielen, nimmt es nicht wunder, daß aus dem *Aktion*-Kreis eine kleine Künstlergruppe hervorging, die in engem Kontakt mit der sich formierenden kommunistischen Massenbewegung proletarische Revolution und proletarische Kunst voranzutreiben suchte. Dabei wuchsen diese vorprellenden Ausbrecher rasch über Pfemfert hinaus; denn sie verschmähten den revolutionären »Gefühlsüberschwang« zugunsten des »unpathetischen harten Kampfes«, verbanden sich trotz fehlender Marx-Engels-Kenntnisse der einen oder anderen revolutionsaktiven kommunistischen Kampforganisation und bewahrten ihren künstlerisch-politischen Elan,[33] soweit sie sich der allein überdauernden, konsequent voranschreitenden Revolutionspartei, der KPD, anschlossen. Gemeint sind die Schriftsteller und Graphiker des 1917 von Helmut Herzfeld (ab 1918: John Heartfield) gegründeten und seit 1918 von seinem Bruder Wieland Herzfelde (eigtl. Herzfeld) geleiteten Malik-Verlags,[34] vor allem die Brüder Heartfield-Herzfelde selbst, Franz Jung, George Grosz, Erwin Piscator, Karl August Wittfogel, zu denen später u. a. Johannes R. Becher, Oskar Maria Graf und Georg Lukács stießen. Obwohl die meisten Mitarbeiter des Verlags den gleichen ideologisch-ästhetischen Richtungsungewißheiten ausgesetzt waren wie viele Zeitgenossen und sie alle ihren jeweils differierenden politischen Standpunkt innerhalb des Spektrums der deutschen Linken thematisch, stilistisch, tendenziell belegten, vermochten Wieland Herzfelde und John Heartfield die einheitliche Linie und zielgewisse Perspektive des Unternehmens verbindlich zu bestimmen. Mitglieder der KPD seit ihrer Gründung, gewährten sie den »kommunistischen Interessen« der Partei absoluten Vorrang, duldeten aus taktischen Gründen vorübergehend »demokratische« Entscheidungsfreiheit »in künstlerischen Fragen« und beantworteten dazu die Frage nach dem Verhältnis zum literarischen Erbe und der Möglichkeit einer neuen proletarischen Literatur,[35] indem sie die vorliegende deutsche Belletristik negierten oder unbeachtet ließen, an die sozialistisch-kommunistischen Traditionen des Auslandes anschlossen und (sowjetrussischen Vorbildern folgende, proletarischen Interessen gehorchende) Textmuster entwickeln halfen, die der KPD Anstöße für die Ausbildung einer eigenen Kulturpolitik zu geben suchten und als Vorläufertexte der ›proletarisch-revolutionären‹ Literatur der späten zwanziger Jahre zu werten sind.

Endgültiger Schlußstrich und radikaler Neuanfang gelang den Brüdern Heartfield-Herzfelde freilich nur so reibungslos, weil sie auf Erfahrungen zurückgreifen konnten, die sie vor ihrer Entscheidung für die KPD wie nach dem Parteibeitritt als kunstrevolutionäre Bohemiens gesammelt hatten: der von Richard Huelsenbeck aus Zürich nach Berlin importierte Dadaismus gab ihnen die Handhabe für die Verabschiedung vergangener, überkommener, gegenwärtiger Kunst und geriet ihnen zugleich zum Anstoß für eine neue, wirklichkeitsgewiß-revolutionäre Kunst.

II

Die Anhänger des Berliner »Club dada«,[36] der noch vor der Revolution von Richard Huelsenbeck, Franz Jung, Raoul Hausmann, George Grosz und John Heartfield gegründet worden war, ließen die Züricher Gruppe allerdings schnell hinter sich zurück. Denn sie wollten sich nicht mehr nur mit der Demonstration des »Ohne-Sinns« in Kunst und Leben bescheiden, um die »Unwirklichkeit« der bürgerlichen Welt, die Verlogenheit aller Ästhetiken, den Trug sämtlicher Kunstrichtungen bis zum utopisch-illusionären Expressionismus hin zu veranschaulichen: sie bemühten sich vielmehr, das »l'art pour l'art«-Prinzip ihrer Anreger zu überwinden, und begannen »ins konkrete Leben« vorzustoßen, dem sie mit »relativistischer, antibourgeois-[anti]kapitalistischer, aktivistischer Weltanschauung« zu begegnen strebten.[37] Wenngleich der Berliner Dadaismus somit »zu einer politischen Angelegenheit« aufzuwachsen versprach,[38] erschöpfte er sich zunächst nur in universalen Oppositionsgesten und drohte neben Kunst, Gesellschaft, Staat auch den eigenen politischen Anspruch zu desavouieren. Diese Rücksichtslosigkeit sich selbst gegenüber gab den Dadaisten jedoch die Kraft, das Überkommene abzulösen und von Grund auf neu zu beginnen. Während sie die dadaistische Politik als »Fatzkerei« verspotteten, den »Wahnsinn der Proktatur des Diletariats« verlachten, »Demokratie gleich Freibier« brüllten und die Weimarer Nationalversammlung zur »Offenbarung des Dadaismus« deklarierten, machten sie – wie Piscator beschrieben hat – »reinen Tisch«, »kehrten die Vorzeichen um und näherten sich so [...] demselben Anfang, von dem auch das Proletariat zur Kunst kommen mußte«.[39]
So wenig das »revolutionäre Proletariat Berlins [...] von solchen Mitkämpfern gehalten haben« mochte und so heftig die Parteipresse gegen die dekadenten »Perversitäten« der Dadaisten zu argumentieren pflegte, so instinktsicher lenkte »PRO-GRESS-DADA« Herzfelde die freigesetzten Aggressionen über »Individualanarchismus«, »Anarcho-Kommunismus«, »Radikalsozialismus« hin zum Engagement für die »revolutionäre Sache« des Proletariats, die neben der Bereitstellung von agitatorischer »Tendenzkunst« den Anschluß an die Partei und die Einordnung in die kommunistische Massenbewegung verlangte.[40] Dabei ging Herzfelde ganz systematisch vor. Er akzeptierte den Kulturüberdruß, die Kriegsfeindschaft, den Gesellschaftshaß seiner dadaistischen Freunde, bestärkte sie in ihrer Begeisterung für die »Gegenständlichkeit der Umwelt« wie die »Sachlichkeit des Geschehens«,[41] überzeugte sie von der Notwendigkeit, nach der Negations- und Destruktionsarbeit Standort zu beziehen und Verantwortung zu übernehmen, und koordinierte ihre zunächst verstreut und zufällig erscheinenden Publikationen in der »Abteilung:

DADA« seines Verlags. Dieser Disziplinierungsakt erstickte auf lange Sicht hin zwar den Dadaismus, stellte jedoch für kurze Zeit die Aktionseinheit der Berliner Dadaisten her. Das bezeugt der Durchblick durch Berliner Dada-Zeitschriften. Ohne vom Züricher Dadaismus zu wissen, hatten bereits John Heartfield und Franz Jung mit den 1917 im Malik-Verlag erschienenen Wochenausgaben der *Neuen Jugend* (1916/17) die zukünftigen Dadaisten an- und aufgeregt, da sie den geordneten Satzspiegel der Zeitung zugunsten typographischer Suggestivsignale aufbrachen und mit dem Slogan »Die Messer raus!!!« den Generalangriff auf bourgeoise Kunst und Kultur, Moral und »Räuberpolitik« starteten.[42] Trotz solcher Schrittmacherdienste bediente sich der »Club dada« aber zunächst der aus dem Kreis um Franz Jung, Otto Groß, Richard Oehring erwachsenen Zeitschrift *Freie Straße* (1915–18), um der »Trügerischen deutschen Revolutionshoffnung« das Gewicht dadaistischer »Tatsachen« entgegenzuhalten,[43] und regte danach Raoul Hausmann an, mit *Der Dada* (1919/20) ein eigenes Zentralorgan der Berliner Dadaisten zu edieren. In den ersten beiden Nummern der Zeitschrift (1919) empfahl der Herausgeber angesichts der zum »Kuhhandel« herabgesunkenen deutschen Revolution und der allem ›Mode-Kommunismus‹ zum Trotz marschierenden »Gegenrevolution«, »die Vernichtung jedes Sinnes bis zum absoluten Blödsinn« zu steigern und den »*Un*sinn als Sinn der Welt« zu begreifen; das dritte und letzte Heft (1920), nun herausgegeben von Hausmann im Verein mit Grosz und Heartfield und durch die »Abteilung: DADA« des Malik-Verlags vertrieben, gab dagegen diesem Zerstörungswillen die eindeutige Richtung: »DaDa gestaltet die Welt praktisch nach ihren Gegebenheiten, es benützt alle Formen und Gebräuche, um die moralisch-pharisäische Bürgerwelt mit ihren eigenen Mitteln zu zerschlagen.«[44] Die deutliche Verschärfung der artistischen Wirkungsabsicht zum politischen Wirkungsprogramm läßt sich an zwei anderen Textbeispielen weiter verfolgen.

Der von Huelsenbeck im Erich Reiss Verlag publizierte *Dada Almanach* (1920) wollte die »neue Freude an den realen Dingen« erwecken, verlangte »ernstes und wirkliches Eindringen in die Idee der Sache« und glaubte mit dieser »Neigung zur Sachlichkeit« den letzten »Schritt bis zur Politik« vorzubereiten.[45] Aber erst der im Malik-Verlag erschienene Katalog der »Ersten internationalen Dada-Messe« (1920) verband die Wendung zum »Tatsächlichen« und das Engagement für die Änderung der »gegenwärtigen Welt« mit konkreten Zielsetzungen, die sich aller dadaistischen Selbstironie zum Trotz in dem Ausstellungsleitsatz »Der dadaistische Mensch ist der radikale Gegner der Ausbeutung« bzw. dem Transparenttext »Dada kämpft auf Seiten des revolutionären Proletariats« kundtaten.[46] Am eindrücklichsten zeigt sich diese Parteinahme jedoch in der dadaistischen Buchproduktion des Verlags.

Betriebsorganisatorisch von den Dada-Erzeugnissen abgesetzt, doch infolge ihres Fakten montierenden Traummechanismus an dadaistische Collagen erinnernd, schlagen Wieland Herzfeldes *Tragigrotesken der Nacht* (1920) mit der Zueignung »Tom Heartfield / gewidmet mit dem Wunsche / er möge ein aufrechter / Kommunist werden« den spöttischen Ton der Dadaisten an, geben aber im Textteil die Ernsthaftigkeit dieser Widmung zu erkennen. Denn Herzfeldes »Träume« sind »es wert, erzählt zu werden«:[47] sie beschwören die Angst vor staatlicher Überwachung, polizeilicher Willkür, militärischer Entmündigung, vergegenwärtigen das Elend der Schlachtfelder, Lazarette, Gefangenenlager, brandmarken Menschenquälerei, Ge-

sinnungsterror, Massenverdummung und bekräftigen den von der russischen Sowjet-republik ausgehenden Sieg der Weltrevolution, der im »Kampf gegen die bestehende Welt« herbeizuzwingen blieb. Die schaurig-skurrilen Visionen des Autors werden durch Illustrationen von George Grosz an die Realität gebunden, der sie entwachsen sind: das Schmarotzertum, die Repressionspraktiken, die Ausbeutungsgier der bür-gerlichen Gesellschaft geraten ins Blickfeld und versagen dem Lesend-Schauend-Einsehenden die Flucht in die Unverbindlichkeit kulinarischen Kunstgenusses. Während Herzfeldes Text jedoch nur der Ergänzung durch das Bild bedarf, sind Richard Huelsenbecks *Phantastische Gebete* (1920)[48] auf bildnerische Kontraste an-gewiesen. Freizügig rhythmisierte Wortketten, würden sie trotz willkürlich ver-streuter Reizwörter wie ›Krieg‹, ›Revolution‹, ›Bismarck‹, ›Kaiser‹, ›Hindenburg‹ usw. dem Formalistisch-Inhaltslosen anheimfallen, hätte der Malik-Verlag nicht die der gleichen Tendenz gehorchenden gegenstandslos-ornamentalen Holzschnitte Arps im Erstdruck (Zürich 1916) gegen die ätzenden Federzeichnungen Grosz' einge-tauscht. Denn nur deren gezielte Gesellschaftskritik konnte bewirken, daß Huelsen-becks dadaistische Bankrotterklärung »HOHOHOHO ich bin der Anfang der Welt indem ich das Ende bin« als Losung für die Nullpunktsituation zwischen bourgeois-kapitalistischer Vergangenheit und revolutionär-kommunistischer Zukunft zu ver-stehen war. Ohne Groszsche Bildkommentare vermochte dagegen Raoul Hausmanns Satirensammlung *Hurra! Hurra! Hurra!* (1921)[49] auszukommen, die bereits den Übergang von dadaistischer Gesellschaftsnegierung zu klassenkämpferischer Gesell-schaftsrevolution kennzeichnet und deshalb nicht mehr in der »Abteilung: DADA« zu erscheinen brauchte, obwohl die Dada-inspirierte Malik-Zeitschrift *Die Pleite* (1919–24) die Texte vorabgedruckt hatte. In dieser Kurzprosa ließ der Autor näm-lich den chauvinistischen, militaristischen, imperialistischen, antisemitisch-germano-philen deutschen Besitzbürger zu Wort kommen: der Bourgeois möchte am »deut-schen Wesen die Welt genesen machen«, »Heim«, »Kaiser«, »Seele« in »neuem Krieg« behaupten, dem »Kapital« die Herrschaft über »die Lande« sichern, »Dummheit«, »Elend«, »Arbeit« für die »Niedrigen« aufrechterhalten und der »demokratischen Sauerei« samt »Bolschewismus« und »Spartakus« den Garaus be-reiten. Damit schlug der böse dadaistische ›Spaß‹ jedoch in den böseren politischen Ernst um. Gerade weil dem pathetischen Geschwätz des »guten Deutschen« »hübsche kleine Geschichten aus der Wirklichkeit« zugrunde lagen, mußte der Leser sich zum Gegenangriff rüsten, wollte er nicht an Krieg, Unterdrückung, Ausbeutung mitschul-dig werden. Dieser mit dadaistischer Übertreibungs-, Entblößungs-, Verzerrungs-technik erzeugte indirekte Appell ließ es freilich in der überhitzten Klassenkampf-situation der frühen zwanziger Jahre an Durchschlagskraft fehlen, so daß die For-derung nach direkterer Agitation unabweisbar wurde. Die ›Zersetzungskräfte‹[50] waren zur Genüge genutzt worden; der sachlich-konkrete Dienst, die nüchtern-ziel-bewußte Arbeit, die bedenkenlos-bereitwillige Aufopferung für die Sache der prole-tarischen Revolution hatten zu beginnen. Der Malik-Verlag durfte sich dieser Auf-gabe stellen.
Denn abseits von der dadaistischen Aktivität hatte Wieland Herzfelde die Konse-quenzen seiner KP-Mitgliedschaft überdacht und begriffen, daß der kommunistische Künstler um seiner selbst, der Kunst, der Gesellschaft willen in die revolutionären Massen eintauchen, der »Führung der Partei« vertrauen und die Parteiarbeit als

»Wichtigstes« bejahen müsse.[51] In der 1921 erschienenen Broschüre *Gesellschaft, Künstler und Kommunismus* verlangte er daher vom progressiven Schriftsteller, »eine brauchbare Kraft im Befreiungskampf der unterdrückten Klassen« zu werden: zunächst habe er »seinen Platz in der kommunistischen Partei, seine Pflichten im Kampf gegen das Ausbeutertum, in der Solidarität mit den Genossen« zu erkennen; daraufhin gelte es, die persönliche »Befähigung« in den »Dienst der Sache zu stellen« und die »Wirklichkeit [...] im Sinn des Klassenkampfes grell und unverhüllt zu verdeutlichen, die Moral und Ideologie der Gegenseite [...] zu mißkreditieren, für die eigene Ideenwelt [...] zu werben«; schließlich solle er sich mit gleichgesinnten Künstlern zusammenschließen, um »den Kampf und die Propaganda« in Berufsorganisationen, Parteigremien, Massenverbänden »zu führen« und »sich klar [zu] werden über die Maßnahmen«, welche zu treffen bleiben, »so bald das Proletariat im Besitz der Regierungsgewalt ist«. Diesem Programm folgte Herzfelde als Verleger. Wirtschaftlich, organisatorisch, gewerblich unabhängig von der Partei, aber ideologisch bemüht, ihr zu »nützen«, gestaltete er den Malik-Verlag zum »geistigen Sammelbecken für alle revolutionären Kräfte, die von der bürgerlichen Weltanschauung weg dem Ideal einer klassenlosen Gesellschaft zustreben«, führte er seine Mitarbeiter von naturalistischer Mitleidsattitüde, expressionistischem Menschheitspathos, dadaistischer Zerstörungslust »zu proletarisch-revolutionären Zielstellungen«,[52] bereitete er einem wirklichkeitsbewußten, gesellschaftsaktiven, zukunftsbedachten Kunststil den Weg, dessen allmähliche Ausformung seinen Autoren aufgegeben war. Denn sie sollten aus Gründen praktisch-politischer Strategie »aus ihren ideologischen Wolkenreichen auf die bewegten Wogen der Wirklichkeit fallen«, »dem aktuellen Geschehen dicht auf den Fersen« bleiben, »die Entwicklung der Gesellschaft in ihren Widersprüchen« begreifen, »am Seienden das Sein-sollende« aufzeigen und die Kunst zur agitatorisch-propagandistischen Waffe im Klassenkampf schärfen.[53]

Angesichts der Kaufkraftschwäche des revolutionären Proletariats, der Publikationsschwierigkeiten revolutionärer Literaten, der Verbreitungshindernisse für revolutionäre Bücher gliederte Herzfelde seiner Buchproduktion billige Verlagsreihen mit hoher Auflage an, um die neuen Texte zum Druck und ihre neuen Lehren an den Leser zu bringen. Die *Kleine revolutionäre Bibliothek* (12 Bde., 1920–23) wollte der »Vergrößerung und Vertiefung« revolutionärer »Erkenntnis« dienen und gab Ernst Drahn, Georg Sinowjew, Alexander Block, Henri Barbusse, Karl August Wittfogel, George Grosz, Oskar Kanehl u. a. die Gelegenheit, mit Dokumenten, Essays, Abhandlungen, Zeitbildern, Streitgedichten den »revolutionären Gesichtskreis« der Leserschaft zu bereichern.[54] Der klassenkämpferischen Revolution verpflichtet, scheinrevolutionärer »Formspielerei« abhold und der jungen proletarischen Theaterbewegung eng verbunden, legte die *Sammlung revolutionärer Bühnenwerke* (12 Bde., 1921–23) neben Stücken von Upton Sinclair, Erich Mühsam, Karl August Wittfogel, Felix Gasbarra und Xaver (d. i. Heinrich Stadelmann) die ersten wirkungsmächtigen Agitations- und Propagandadramen vor, die Franz Jung verfaßt hatte.[55] Von Franz Jung stammten auch die durchschlagskräftigsten Tendenzromane der *Roten Roman-Serie* (13 Bde., 1921–24), in der außerdem Autoren wie John Dos Passos, Upton Sinclair, Anna Meyenberg, Oskar Maria Graf »Partei zu ergreifen« suchten und so den »Baugrund« für die »neue, kraftvolle Dichtung der

Zukunft« freizulegen hofften.[56] Diese frühen Serien wurden später ergänzt oder abgelöst durch die materialistisch-aufklärerischen *Märchen der Armen* (4 Bde., 1923/24; Hauptbeiträgerin: Hermynia Zur Mühlen), die grundlegende theoretische Reihe *Wissenschaft und Gesellschaft* (4 Bde., 1924; wichtigste Autoren: Lukács und Wittfogel), die weitgespannte *Malik-Bücherei* (20 Bde., 1924–26), die »Künstlerische und historische Dokumente der Vergangenheit und Gegenwart« anbot und dabei Georg Forster, Georg Herwegh, Victor Hugo, Eugène Pottier, Jean Baptiste Clément, Maxim Gorki, Wera Figner, Wladimir Majakowski, Albert Ehrenstein, Eugen Leviné, Slang (d. i. Fritz Hampel) u. a. berücksichtigte.[57]

Damit stieß der Malik-Verlag in den leeren Raum, den Parteifunktionäre, Kunstkritiker, Literaten im Zuge der Vertrauenskrise der Revolutionsparteien, des Autoritätsverlustes der expressionistischen Programmatik, der Standortungewißheit der Einzelkünstler in den frühen zwanziger Jahren gelassen hatten. Politische Ausrichtung, künstlerischer Stil, verlagstechnische Verbreitung der Malik-Bücher kamen nicht nur dem Lesebedürfnis der kommunistischen Revolutionäre entgegen, sondern lenkten zur literarischen Praxis des 1928 gegründeten »Bundes proletarisch-revolutionärer Schriftsteller« hin[58] und schlugen zugleich die Brücke zur Neuen Sachlichkeit, die die formalen Errungenschaften der Malik-Literatur okkupierte, ohne deren Motiv, Sinn und Zweck mit zu übernehmen. Diese historische Mittlerstellung des Malik-Verlags soll nunmehr im Anschluß an seine dokumentatorischen, lyrischen, dramatischen, epischen und theoretischen Verlagsprodukte bestimmt werden.

III

Auf verläßlichstem Boden bewegte sich der Verlag in seinem Angebot zeit- und gesellschaftskritischer Dokumentationen. Denn sie durften sich mit der Beschreibung konkreter Zustände, Sachverhalte, Handlungsweisen befassen und brauchten sich nicht auf Aktionsdirektiven, Änderungsprogramme, Zukunftsentwürfe einzulassen, die von der Faktenbasis abirrten und das selbstgesetzte Untersuchungsfeld überschritten. Levinés *Stimmen der Völker zum Krieg* (1924), Drahns Sammlung der Reden, Aufrufe, Manifeste der russischen Volkskommissare während der russisch-deutschen Friedensverhandlungen von *Brest-Litowsk* (1920) und die vom Zentralkomitee der Internationalen Arbeiterhilfe herausgegebene Broschüre *Hunger in Deutschland* (1923) ließen Tatsachen gegen Imperialismus, Annexionspolitik, Kapitalismus sprechen. Wieland Herzfelde (*Schutzhaft*, 1919), André Marty (*In den Kerkern der französischen Republik*, 1924), Ernst Spitz (*Du gehst vorbei...*, Bericht über die Verhältnisse in österreichischen Gefängnissen, 1924) prangerten den Strafvollzug der herrschenden Klasse an, und E[mil]. J[ulius]. Gumbel deckte den staatlichen Mißbrauch der Rechtsprechung, die Terrorwelle politischer Attentate, die Untergrundbewegung nationalsozialistischer Freischärler auf (*Denkschrift des Reichsjustizministers*, 1924; *Vier Jahre politischer Mord*, 1922; *Verschwörer*, 1924). Dabei bezogen die Autoren Erlebnisbericht, Sachstatistik, Faktensammlung zumeist eindeutig auf Gegenwartsanalyse wie Zukunftsperspektive der sozialrevolutionären Linken, die nun ihr Programm mit den bereitgestellten Tatsachen stützen und sie zugleich in das umfassendere ideologische Weltbild einzuordnen vermochte.

Diese Taktik ist beispielhaft in Franz Jungs Bericht *Hunger an der Wolga* (1922) ausgebildet, den der Malik-Verlag mit vier weiteren Stellungnahmen zur russischen Hungerkatastrophe 1921/22 untermauert hatte. »Auf der Suche nach Material, nach Statistiken, nach dem Schema der Organisation, Greueln und dem großen Sterben« benutzte Jung nämlich seine Augenzeugenschilderung, um die »Zersetzungskatastrophe des Kapitalismus auch im Wirtschaftsleben« zu demonstrieren, eine »neue Solidaritätsmöglichkeit« für das allenthalben »mitten im Klassenkampf« stehende Proletariat zu erschließen und zur »Abschüttlung des eigenen Joches«, zur Stärkung des »Kommunismus in Rußland«, zum Sieg der Revolution »in der ganzen Welt« aufzurufen. Die propagandistische Wirkung ergab sich dabei eindeutig aus dem Gewicht der Tatsachen, die der tendenziösen Rhetorik erst den durchschlagenden Nachdruck verliehen.

Wie stand es demgegenüber um die Lyrik, die von vornherein auf Rhetorik angewiesen war und auf die breite Streuung von Fakten verzichten mußte? Zweifellos hatten es Gedichte im Programm des Malik-Verlags am schwersten. Deshalb mußten Walter Mehring, Albert Ehrenstein, F[ranz]. C[arl]. Weiskopf mit Übersetzungen radikaler Revolutionschansons der Pariser Commune, revolutionärer chinesischer Lyrik aus drei Jahrtausenden, tschechischer Lieder sowie Karl Otten und Johannes R. Becher mit Verstexten Georg Herweghs bzw. Wladimir Majakowskis den Leerraum füllen, der durch gelegentliche lyrische Äußerungen von Grosz und zwei schmale Bändchen von Oskar Kanehl und Becher nur notdürftig abgesteckt war.

In seinen seit 1910 niedergeschriebenen und verstreut abgedruckten »Gesängen«, die »das Exotische des alltäglichen Lebens« mit »stupend realistischer Einbildungskraft« besingen,[59] vermochte Grosz jedoch immerhin den Bogen zur Wirklichkeit zu schlagen, die es zu verändern galt: »Steifen Hut im Genick, / Kein schlapper Hund!!!«, witterte der Autor »verbrämte Kloaken, / Überpinselte Fäulnis, / Parfümierten Gestank«, ohne seine faszinierte Neugier für den »Lunapark«, das »Abnormitätenkabinett« der »knalligen Welt« zu verlieren.[60] Dabei entwickelte Grosz ein unerschütterliches Engagement für das Irdische, das sich in Feststellungen wie »Es gibt so leicht hier keinen Gott!!! / Die Erde stinkt nach Natur!« ausdrückte, metaphysische Spekulationen mit der Formulierung »Gott, Vater, Sohn = Aktiengesellschaft« zu erschüttern suchte und die lyrische Mitteilung zum vitriolgetränkten »Gebet« ungebrochener Realitätsgläubigkeit zuzuspitzen hoffte.[61] Obwohl diese Texte noch kein Rezept für die Verwertung der Welt im Interesse aller anbieten, laden sie doch infolge genauer Sichtung zur Bestandsaufnahme ein, die wiederum den Wunsch nach gerechter Verteilung irdischer Güter wecken und damit revolutionäre Energien freisetzen mußte. In den Versen

> »Oh!! Ihr rauhen Berge!! Ihr Vorstädte!!
> Ihr zerhackten Wüsten mit Neubauten!!
> Ihr Sargfabriken! Ihr Friedhöfe
> umgrenzt von Brandmauern!«

riß Grosz die Resultate moderner Zersiedelung ins Blickfeld; die Zeilen

> »Irgendwo wachsen rote Knochen aus dem Erdboden,
> Ganz aus Eisen und Stahl, turmhoch –

– Schilder grinsen, Buchstaben tanzen
Blau, rot, – *Bethlehem Steel works* –
Turmhoch hängen wie Starkästen
Fertige Stocks, Menschenflecke und Krahne«

beschreiben den Wachstumsprozeß moderner Citys; mit den Sätzen

»Die Messer fest und Spaten –
Schon treten die Ingenieure an,
Schwarzmagier in amerikanischem Sakkoanzug.
Amerika!!! Zukunft!!!«

griff der Autor der technisch-zivilisatorischen Fortschrittsbegeisterung der frühen zwanziger Jahre halb ironisch, halb enthusiastisch vor.[62] Denn Grosz wollte sich dem »Heer« der zur praktischen Weltbewältigung aufgebrochenen Techniker anschließen, suchte »Kenntnis von Tatsachen und Zusammenhängen des realen Lebens« zu vermitteln und leistete zeichnend wie dichtend die zuverlässige »journalistische Arbeit eines anständigen, politisch gebildeten Künstlers«,[63] der schnell konkrete Sachanalyse mit politischer Auswertung, Parteinahme, Aktivität zu verbinden lernte und seinen politisch-künstlerischen Standpunkt durch Anschluß an die KPD bekräftigte.

Der nach kurzer KPD-Mitgliedschaft zur KAPD gestoßene und bald ultralinken Splittergruppen angehörende »Hetzer-Dichter« Oskar Kanehl opferte dagegen sachliche Situationsprüfung wie taktische Aktionsplanung emotional gesteuerter Agitation und Propaganda auf, obwohl auch er »die nüchternklare Erkenntnis des historischen Augenblicks« auf seine Fahnen geschrieben hatte.[64] Gerade weil der Autor dem »revolutionären Gefühl«, der klassenkämpferischen »Erregung«, der spontanen Erhebung mehr vertraute als aufklärender, organisierender, vorausschauender Parteiarbeit, gab er sich damit zufrieden, »Leidenschaft zur Empörung« anzustacheln, verzichtete er darauf, »Erkenntnisprozesse [zu] fördern«.[65] Diesem voluntaristischen Emotionalismus hatte sein künstlerisches Selbstverständnis zu entsprechen: »Dem proletarischen Dichter werden der Gemeinschaftswille zum Streik, der Gemeinschaftsrhythmus einer Demonstration, der Gemeinschaftshaß gegen den weißen Schrecken, die Gemeinschaftsklage über ermordete Klassenbrüder zu Gedichten.«; diesem »Solidaritätsgefühl« entwuchsen die lyrischen Texte seiner Sammlung *Steh auf, Prolet!*, die der Malik-Verlag 1922 vom Erfurter Prolet-Verlag übernahm und mit sachbezogenen Bildkommentaren von George Grosz ausbalancieren mußte.[66] Denn die meisten Gedichte können ihre Herkunft aus der expressionistischen »Bruder Mensch«-Ideologie nicht verleugnen, neigen zu schwarzweißmalerisch simplifizierter Gegenüberstellung von »Prolet« (»Der die Maschinen bewegt«) und »Bürger« (»Der auf dem Geldsack sitzt«), versehen den »Heiligenkopf« des sozialrevolutionären Empörers mit der christlichen Märtyrerkrone und werben »Rebellen. Ketzer. Widersacher. / Phantasten. Schwärmer. Utopisten.« als »Proletsoldaten« für den »Barrikaden«-Kampf an, deren Verzückung sich in alliterations- und assonanzgeschwellten Stakkatoversen, überanstrengten Syntaxballungen und bombastischem Bilderschwulst widerspiegelt. Trotz solchen Abgleitens ins Ver-

krampft-Literarische gelang es Kanehl jedoch hin und wieder, karge Klassenkampf-
signale von aufpeitschender Wirkung auszusenden. In den Stammelversen

> »Lauft zusammen.
> Schweißverschwistert.
> Notvereinte.
> Mit dem Hammer. Mit der Schaufel.
> Hoch die Sense. Hoch die Fäuste.
> Nach der Fahne!
> Rot entrollte.
> Drohe. Drohe.
> Wachse. Wälze.
> Nieder nieder nieder-
> Trete.
> Überrenne. Überflute.«

verbirgt sich zwar nur bemühte literarische Kraftmeierei; erst die der »Jungen
Garde« gewidmeten Marschliedzeilen

> »Sprung auf die Barrikaden.
> Heraus zum Bürgerkrieg.
> Pflanzt auf die Sowjetfahnen.
> Zum roten Sieg.«

lassen mitreißendes Pathos aufkommen, das sich im »Fahneneid der Roten Soldaten« bis zu stimmungsvoller Feierlichkeit steigert:

> »Uns heiligt Klassenhaß und Klassenliebe.
> Durch freien Willen bindet uns ein Schwur:
> Wir glauben an den Sieg der roten Fahne.
> Wir kämpfen für die Proletarierdiktatur.«

Von solchen Emotionalappellen, deren Gefühlswirkung durch vage Verallgemeinerung, unscharfe Beteuerung und unverbindliche Prognose erkauft wurde, mußte sich
Johannes R. Becher notwendig abkehren, seitdem er sich nach langen Übergangs-
schwierigkeiten auf die Parteilinie der KPD eingestellt hatte. Daher wollte er mit
seiner 1924 vom Malik-Verlag herausgebrachten Totenklage *Am Grabe Lenins*
»keine Hymne auf Lenin«, sondern ein Lebenslied zu Ehren des »Leninismus« schreiben, das sich am »Werk Lenins« begeistert und folgerichtig die »Kommunistische Partei«, die »Dritte Internationale«, die »Komintern« als »Stoßtrupp
des Proletariats«, Vorhut der roten »Millionenarmeen«, Garant der Weltrevolution
preist. Von der Person des toten Parteiführers zur leninistischen Organisation hin-
leitend, bemühte sich der Autor jedoch zugleich, die Forderungen seiner Partei praktisch zu aktualisieren, anekdotisch zu untermauern und rhetorisch zu artikulieren.
Becher wandte sich deshalb unmittelbar an die »Werktätigen Massen Deutschlands!«,
vergegenwärtigte ihnen in episierten Verstableaus die Gefahren der Konterrevolution, die Schrittmacherleistung der Sowjetunion, den Zwang zu Aufstand, Bürgerkrieg, Diktatur des Proletariats und verpflichtete sie zu »strenger, minutiöser Parteiarbeit«. Er gab konkret formulierte Handlungsanweisungen (»Organisiert revo-

lutionäre Betriebszellen«), Marschbefehle (»Vorwärts, du Rote Front!!!«), Leitsätze (»Erobert euch euere Fabriken! / Erobert euch euer Vaterland! / Erobert – endlich – die Welt!!!«) aus und beschwor sie zur aktiven »Tat« als Ausdruck des »organisierten Willens des Volks«, den die Partei festlegt, koordiniert, zum Ziele führt. Die vom Autor gewählte Form des langen Erzählgedichts wurde dabei dem strategischen Zweck, die »Kommunistinnen« und »Kommunisten Deutschlands« in die »Kampfgefolgschaft des Leninismus« einzugliedern und der KPD zuzuführen, geschickt nutzbar gemacht: episch breite Szenen setzen die Kulissen für das Handlungsfeld, auf dem die von lyrischen Parolen angereizten Zukunftsaktionen ablaufen sollen. Damit aber hatte sich Becher einer neuen Gattung, dem sozialistischen Epos, genähert, das in der Literatur der kommunistischen Weltbewegung um ähnliche Geltung zu ringen begann wie das Agitpropdrama, an dessen Verwirklichung die Stückeschreiber des Malik-Verlags bereits arbeiteten.

Allerdings vermochten auch sie sich nur allmählich an das Ziel einer zweckbewußtwirkungsgewissen Klassenkampfdramatik heranzutasten, indem sie erprobte Darstellungsmethoden und überkommene Denkschemata ausnutzten, umfunktionierten, überwanden. Das 1920 im Gefängnis niedergeschriebene und dem Genossen Andersen Nexö zugeeignete fünfaktige »Arbeiter-Drama« *Judas* (1921) des Anarchisten Erich Mühsam versucht daher, naturalistische Beglaubigungsmittel einzusetzen, um dem »Volk« ultralinke »Lehren« einzuhämmern: es richtet sich direkt an das »deutsche Proletariat«, erläutert seine entscheidende Rolle im Kampf um die »Welt-Revolution«, warnt vor expressionistischen Kunstrevolutionären, aktivistischen Geistessozialisten, sozialdemokratischen Kompromißpolitikern, reformistischen Gewerkschaftlern und fordert »Arbeiter- und Soldatenräte« als Wegbereiter für den »Sieg des Sozialismus, des Kommunismus«. Ohne Rücksicht auf die Parteilinie der KPD entworfen und allein dem (an KAPD-Programme erinnernden) Anarcho-Syndikalismus des Autors verpflichtet, schrumpft das dramatische Geschehen dabei zur kryptoreligiösen Passionshandlung, die den Leidensweg des revolutionären Proletariats zur Stärkung des »Glaubens« an Revolution und kommunistische Weltordnung heraufbeschwört. Zwischen 28. und 30. Januar 1918 nimmt ein kommunistischer Märtyrer das Judas-Schicksal auf sich, um durch seinen Verrat die herrschende Klasse zu repressiven Maßnahmen zu verlocken, die Arbeiterschaft zu einigendem Widerstand zu provozieren und die erweckten Proletarier von apathischer Passivität oder wirkungsschwacher Gewaltlosigkeit zu klassenkämpferischer Tat zu bewegen. Aber ebenso, wie diese Initiativaktion fehlschlägt und im Untergang der Täter kulminiert, blieb auch dem Stück die organisierende, aufklärende, richtungweisende Wirkung versagt. Das naturalistische Milieu heftete sich dem politischen Aufbruchswillen lähmend an und vergegenwärtigte deutlicher die Beharrungskräfte des Wirklichen als seinen Progressionsdrang; der religiöse Symbolismus versah die Helden mit einem falschen Heiligenschein und begünstigte den Glauben an heilsgeschichtliche Erfüllungsmechanismen wie das Vertrauen in auserwählte Führerfiguren; die ideologische Botschaft spielte individuelle Spontaneität gegen kollektive Verantwortlichkeit aus und unterschätzte Parteiprogramm, Parteibegriff, Parteistrategie, Parteiaktion.

Solchen ideologischen Schwächen wußte Wittfogel auszuweichen. Denn er bekämpfte von vornherein »linke intellektuelle Dummheiten«, hielt sich »von sozialdemokratischer Gleichgültigkeit wie von anarchistischer Abenteurerpolitik« fern, vertraute der »Stoßkraft, Disziplin und taktischen Beweglichkeit der [...] Arbeitermassen und der sie führenden [...] Kommunistischen Partei«.[67] Mit seinen dramatischen wie theoretischen Schriften wollte er daher »geistige Waffen« liefern, die der »Popularisierung« der marxistisch-leninistischen »Idee« dienen, zu organisiertem revolutionärem Handeln anfeuern und die »Gegenwartswelt« verändern helfen sollten.[68] Diesen wohldurchdachten Wirkungsabsichten vermochte der Autor in seinen Theaterstücken jedoch nicht gänzlich zu genügen, weil er sich in den Formmitteln vergriff und expressionistischen Strukturmodellen, Stilmustern und Stoffvorlagen verhaftet blieb. Die »Dem Bilde Lenins!« geweihte fünfaktige »Politische Tragödie« *Rote Soldaten* (1921) versah Wittfogel deshalb mit einer »Gebrauchsanweisung« und schickte in ihr vorweg, daß sein »parteiergreifendes Buch« die »Forderungen der Einordnung, der Disziplin, des äußersten Opfers« in einer subjektiv erfundenen, typisiert-stilisierten Spielhandlung vortrage, die sich eines systematisch vereinfachten, sprachlich komprimierten Dialogs bediene. Obwohl er den proletarischen Schauspielern und Dramaturgen ausdrücklich die Befugnis gab, das Stück »ohne ästhetische Skrupel« umzuschreiben, wenn das Verständnis des Inhalts dadurch erleichtert und vertieft werden könne, dürfte er die Theaterleute wie die potentiellen Zuschauer überfordert haben. Sie sollten nämlich nicht nur den »edlen, schönen, befreiten Menschen« als Ziel von »Sozialisierung« wie »Räteverfassung« begreifen und »den Sozialismus als Prinzip des höheren Lebens«[69] anerkennen, sondern mußten sich mit einer säkularisierten Opferhandlung abfinden, in deren Verlauf die ideologischen Weltgegensätze durch innerfamiliäre Konfrontationen gespiegelt werden, reaktionärer Antikommunismus auf biologische Defekte und kommunistische Fortschrittsgesinnung auf schöpferische Geistesstärke zurückweisen, individuelle Selbstvernichtung die kommunistische Weltbewegung rettet und die wechselseitige Ermordung von rotem Protagonisten und weißem Antagonisten dem Ausbruch der deutschen Revolution auftaktisch vorangestellt ist. Getragen von einer bis zur Absurdität zugespitzten Sprachdialektik, drohte sich dieses ekstatisch-verzückte Handlungszeremoniell ins Fiktiv-Exzentrische zu verflüchtigen und dem gleichen Wirklichkeitsschwund zu verfallen, der Wittfogels »erotisches Schauspiel« *Der Mann der eine Idee hat* (1922) beeinträchtigte. Denn der »rote Schulmeister« Wittfogel widmete dieses Lehrstück zwar »Allen in der Roten Front kämpfenden Frauen der Welt!«, ließ sich jedoch durch die expressionistische Geschlechterproblematik von der konkreten sozialpolitischen Frauenfrage ablenken und verlor sich erneut an willkürliche Fabelerfindung, wirklichkeitsfremde Handlungsführung, literaturmodischen Dialogschwulst.

Die Verbindung zum realen Leben, den Entwurf glaubhaft-lehrkräftiger Geschehnisabfolgen, die Gestaltung eines sprechbar-verständlichen Dialogs vermochte erst der KAPD-Funktionär Franz Jung zu erzwingen, den praktische Parteiarbeit und nützliche Erfahrungen in der Sowjetunion über die illusionistische Ideologie seiner Parteifreunde hinausgelangen ließen und zumindest auf literarischem Feld zu sachlich-praktischer Textproduktion trieben. Er wollte sich selbst nur als »vorgestoßene Spitze der Leser und der Allgemeinschaft, als technische Funktion, als Beauftragter« begreifen und bemühte sich, in seinen Agitations- und Propagandadramen *Wie lange noch?* (1921), *Die Kanaker* (1921), *Annemarie* (1922) Klassenbewußtsein,

Solidaritätsgefühl, Aktionsbereitschaft der Proletarier heranzubilden, um sie zum Sturz der bestehenden Gesellschaftsordnung und zum Aufbau der klassenlosen Gemeinschaftswelt zu befähigen. Dabei ging er jedesmal vom Klassengegensatz zwischen ausbeuterischer Bourgeoisie und zum Streik getriebener oder von Aussperrung bedrohter Arbeiterschaft aus, verschärfte aber von Text zu Text die Sachbelege, Überzeugungsmittel, Provokationselemente. In *Wie lange noch?* verdeutlichte er mit blitzlichthaft aufleuchtenden unterkühlt konstatierenden oder karikierend überzogenen Demonstrationsbildern die politische Schwäche des von seinen Klassengenossen verlassenen Proletariers und suggerierte den »Werktätigen aller Länder« in zusätzlich eingeblendeten Traumszenen die Notwendigkeit, sich solidarisch zusammenzuschließen und der revolutionären Losung »Geht auf die Straße. Reißt die Fabriken an Euch. Arbeitet los.« zu folgen. Die diesem Aufruf gehorchenden *Kanaker* erliegen zwar noch der Übermacht der herrschenden Klasse, belegen aber aktiv die Kraft der Schwachen und fordern den theoretischen Kommentar des persönlich auftretenden Genossen Lenin heraus, der als Sprachrohr des Autors die marxistische Solidaritätsforderung mit dem paramarxistischen Programm der von »Arbeitstrieb *und* Arbeitsfreude« gesteuerten Gemeinschaft subjektiv enthemmter und entfesselter Menschen verbindet. Marxistische Situationsanalyse, anarchistischen Spontaneitätsglauben und sozialistischen Zukunftsoptimismus vereinend, umreißt das Bergarbeiterdrama *Annemarie* schließlich in schnappschußartig eingefangenen Bildsequenzen die elende Wehrlosigkeit der politisch, religiös, sozial zerstrittenen Arbeiterschaft, den Erwerb an Selbstgefühl, Gemeinschaftsgeist, Machtbewußtsein während ihres zunächst noch zum Scheitern verurteilten Aufstands, die »Innigkeit« der utopisch vorausgeahnten klassenlosen Menschengemeinschaft, deren Glückseligkeitszustand von den Zuschauern des Spiels durch kämpferische Tat errungen werden sollte. Trotz des Schwankens zwischen leninistischer Zweckhaftigkeit, bolschewistischer Praxisnähe, sowjetischem Planungsdenken und ultralinken Freiheits-, Wirkungs-, Organisationskonzepten, mit dem eine fatale Vorliebe für unkonkretisierte Slogans und die propagandatechnisch begründete Neigung zu plakativer Holzhammerdramaturgie einhergingen, gelang es dem Autor, die zeittypischen Stoffe einer im Umbruch befindlichen Gesellschaft drastisch zur Diskussion zu stellen, die Figuren zu soziologisch-politischen Exponenten zu bestimmen, die Handlung als Spiegel zwangsläufigen Realgeschehens auszugeben und zum Vorbild für künftige Aktionen zu steigern. Mit gutem Recht konstatierte daher Fritz Gottfurcht 1925: »Hier spricht ein Fachmann!«[70] Jung hatte sich kurzerhand über die ideologisch, theoretisch, parteistrategisch trennenden Standpunkte der deutschen Linken hinweggesetzt und realitätsnahsachbezogene Agitations- und Propagandatexte für das revolutionäre Proletariat geliefert, die allen Fraktionen zugute kamen, weil sie den praktischen Erfordernissen des täglichen Kampfes dienen wollten und ideologische Grundsatzentscheidungen bis zum revolutionären Endsieg hinausschoben.

Diese praktisch-situationsgerechte Arbeitsgesinnung setzte Jung auch an die Spitze der frühen Erzähler des Malik-Verlags. Denn da neben den zu Hauptstützen des Verlagsprogramms bestimmten sozialistischen Klassikern Upton Sinclair und Maxim Gorki auch deutsche Zeitanalytiker zu Wort kommen sollten, mußte zunächst auf Prosaisten zurückgegriffen werden, die ähnlich wie die meisten Lyriker und Dramatiker die politisch-ästhetische Richtungskrise der frühen zwanziger Jahre noch nicht überstanden hatten. Anna Meyenberg wollte mit ihrer Autobiographie *Von Stufe zu Stufe* (1922) »keinen zusammengegrübelten Roman« verfassen, sondern »wahres, ernstes, schweres Leben« beschreiben, »wie es unzählige Frauen leben müssen, deren Klagen ungehört verklingen«. In der Form trivialromantischem Epigonalstil hingegeben, der Tendenz nach humanitärem Gefühlssozialismus verfallen, erwies sich ihr unbeholfener Bericht jedoch als ausgesprochen praxisnah. Die Laienautorin blieb nämlich nicht bei der Polemik gegen die soziale, berufliche, sexuelle Exploitation der Frau im Kapitalismus und dem daraus erwachsenden Anspruch stehen, daß alle Frauen »frei über sich selbst verfügen« sollen; sie verband vielmehr ihre Emanzipationsthesen mit dem kommunistischen Aktionsziel der Weltrevolution, die Religionsschwindel, Kastengeist, Profitsystem, Imperialismus, Chauvinismus, Militarismus ausmerzen und Frauen wie Männer zu gleichwertigen Gliedern der Menschheitsgemeinschaft befreien werde.

Diese politische Zielsicherheit mangelt dem literarisch höchst anspruchsvoll konzipierten Roman *Der Bürger* (1924) von Leonhard Frank. Die Entscheidung für die Sache des Proletariats auf ethisches Gebot und psychologischen Zwang zurückführend, die aktuelle Wirklichkeit zum innerseelischen Erlebnisraum umprägend, die politische Lehre ins Unkonkret-Allgemeine verschleifend, führt die der »bürgerlichen Jugend« gewidmete Beispielhandlung zu der versimpelnden Moral »Folgt Euren Vätern nicht, den alten Verdienern!«: Absage an die »Seelenmord-Gesellschaftsordnung« der Bourgeoisie und Kampf gegen sie legen zwar Parteimitgliedschaft wie Parteiarbeit nahe, der Name der sozialistischen Partei bleibt jedoch ebenso im dunkeln wie der Sozialismus selbst, weil sich der Autor als »Sozialist des Gefühls [...] von Dogmen und Parteidisziplin frei« halten wollte.[71]

Weder den Stil über der Sache verfehlend wie Anna Meyenberg noch die Sache an den Stil verratend wie Leonhard Frank, näherte sich erst Oskar Maria Graf mit seinen autobiographisch-lokal motivierten Berichten und Erzählungen der Konkretheitsforderung des Malik-Kreises, wenngleich auch er mit sozialistischer Parteilichkeit das fehlende Bekenntnis zu einer bestimmten Partei zu überdecken suchte. Als »Dokument *dieser* Zeit« vorgelegt, beschreibt *Frühzeit* (1922) die »Jugenderlebnisse« des Autors und demonstriert dabei die Anpassung eines proletarisierten Handwerkersohnes an die bestehenden Zustände, seinen Kampf ums Dasein in der kapitalistischen Gesellschaft und sein Aufbegehren gegen Unterdrückung, Ausbeutung, Not, mit deren Hilfe sich die herrschende Klasse am Ruder hält. Der auf dem Lande aufgewachsene, im Familienbetrieb eingesetzte und schließlich zur Provinzhauptstadt geflohene naiv-bauernschlaue Naturbursche beginnt zu lernen, »wie man das alles macht«: der Ich-Erzähler wird in den menschenexploitierenden kapitalistischen Arbeitsprozeß hineingezogen, durchlebt das schale Elend unsteter Stadtboheme, fällt auf die romantischen »Donquichotterien« anarchistischer Revolutionsphantasten herein, löst sich aus ihrem sektiererischen Bann mit eigener Kraft und erfährt als Soldat, Befehlsverweigerer, Simulant im Ersten Weltkrieg, daß der Einzelne je für sich die Initiative gegen das bourgeois-kapitalistische System ergreifen und gemeinsam mit allen gequälten »Brüdern« zur Vernichtung der Klassengesellschaft aufbrechen müsse.

Diese dem eigenen Erleben abgewonnenen Einsichten exemplifizierte Graf in dem Erzählungenband *Zur freundlichen Erinnerung* (1922), der den Leser an die wirklich bestehenden Zustände erinnern und zu ihrem Umsturz mahnen sollte, indem er »das nackte Tatsächliche« mitteilte, seine Bedeutung für »jeden« erhärtete, zu der These »Zufall ist alles – und nichts« gelangte und mit der Frage schloß: *»Wie lange noch?!«* Den Anstoß für die damit auflodernde revolutionäre Ungeduld gaben die paradigmatisch herausgestellten Geschichten selbst: sie zeichnen die »Misere, Misere, Misere!« der von Lohnarbeit abhängigen Arbeiter und Angestellten, enthüllen die Verherrlichung kleinbürgerlicher Tugenden wie Fleiß, Sparsamkeit, Zufriedenheit als wohlkalkulierte Ausbeuterpropaganda, beschreiben die Sprengung der Familien- wie Gemeindebande durch gesellschaftlich bedingte Not, stellen die Depravierung des Menschen zur Ware im Kapitalismus bloß, demaskieren die Inhumanität der bürgerlichen Rechtsprechung und des staatlichen Strafvollzugs, beleuchten den Mordmechanismus der Kriegsmaschinerie und bezeugen den Glauben in die weltverändernde Kraft der Arbeiterschaft, »die nichts anficht«, wenn sie solidarisch ihren zukunfteinholenden Weg beschreitet.

Zur Erfüllung dieser welthistorischen Pflicht wollte Grafs ›Kumpan‹ Jung das Proletariat mit seinen veristischen Agitpropromanen antreiben, die die Rolle des proletarischen Kollektivs vor Ausbruch der Revolution umreißen und die Notwendigkeit des absoluten Umsturzes in faktisch begründeter Ausführlichkeit und eingängig-mitreißender Gebrauchssprache suggerieren. Dabei gelang es ihm, einen sachlich beschreibenden, wirklichkeitsnah berichtenden, dezidiert erläuternden epischen Stil zu entwickeln, der Klassenstandpunkt und Revolutionsstrategie konkret festlegt, zu aggressiver Polemik ausholt und vor individueller Belehrung ebensowenig zurückschreckt wie vor dem Aufruf zu Massenstreik und Massenaktion. Ähnlich wie Jungs Dramen stets das gleiche Grundthema variieren, laufen auch seine Romane auf einen einzigen hinaus: *Proletarier* (1921) agitiert gegen die Klassenjustiz der absterbenden bürgerlichen Gesellschaft und diskreditiert den kapitalistischen Staat; *Die Rote Woche* (1921) beschreibt die sieben Tage zwischen dem Ausbruch einer lokal begrenzten Revolution und ihrer Unterdrückung; *Arbeitsfriede* (1922) berichtet vom kollektiv geführten Kampf um das Überleben einer Arbeitersiedlung und von der unerschütterlichen Hoffnung auf den Gemeinschaftsstaat der Werktätigen; *Die Eroberung der Maschinen* (1923) faßt alle Motive der voraufgegangenen Texte zusammen und öffnet den Ausblick auf die Weltrevolution, getragen von der Gewißheit: »Etwas marschiert in der Arbeiterschaft immer. Etwas geht trotz alledem immer vorwärts.«

Angesichts der gescheiterten deutschen Revolution und der Spaltung der deutschen Arbeiterparteien verlor sich der Autor jedoch nicht an revolutionäre Prädestinationserwartungen, fraktionspolitischen Ideologiestreit und literarischen Pseudoradikalismus. Er begann vielmehr die Werktätigen »in unermüdlicher Kleinarbeit« über ihre »Lage« aufzuklären, das Verlangen nach »Arbeit, [...] Wohnung, Kleidung, Brot« als Impuls für die revolutionäre Umsturzbereitschaft zu nutzen, die Hoffnung auf das »Glück« der klassenlosen Gesellschaft zu schüren und den Drang zum gewaltsamen Aufstand zu wecken, der sie allen temporären Niederlagen zum Trotz der siegreichen Weltrevolution sowie der sozialistischen »Zukunft« näherbringen werde.[72] Von diesem materialistisch motivierten, wirklichkeitsbedacht entworfenen, praktisch zielgerichteten Verfahren des Erzählers Jung vermochten alle proletarischen Revolutionäre, gleich welcher Parteitendenz, zu zehren; denn der Autor hatte die Klassenkampfsituation sachgerecht analysiert, die Taktik der kommunistischen Machtergreifung technisch-exakt versinnlicht, das Lehrmodell der bolschewistischen Revolution vor die eigenen anarchistischen Rebellionskonzepte gestellt und die Emotionen der proletarischen Leserschaft auf den historisch vorgeschriebenen Kurs des Klassenkampfes gelenkt. Den ideologischen Pferdefuß, über den Handlung wie Stil der Jungschen Dramen und Romane leicht hinwegtäuschen, wies der KAPD-Agitator erst in seinen theoretischen Abhandlungen nackt und unverkennbar vor.

Der Malik-Verlag suchte nämlich auch auf dem Feld der revolutionären Theorie »mit dem Tempo des modernen Lebens Schritt« zu halten und dem »proletarischen Klassenbewußtsein und Kampfwillen« konkrete Richtung zu geben.[73] Trotz der Losung »Nur Tempo. Hart und Hammer sein.« wich jedoch Jungs psychologische Lebenslehre *Die Technik des Glücks* (1921, 1923) erheblich von den marxistisch-leninistischen Zielsetzungen der Brüder Heartfield-Herzfelde und erst recht von den parteipolitischen Perspektiven der KPD ab. Jung glaubte das Verhängnis der Menschen in ihrer Vereinzelung zu erkennen, setzte ihre Sehnsucht zur Gemeinsamkeit voraus, sprach ihrer Opposition gegen die menschheitsfeindlichen Gesellschaftszustände massenbildende Kraft zu, erwartete vom Zusammenschluß der Massen rebellischer Einzelner die Bildung einer revolutionsfähigen Klasse und vernahm in deren »Schrei nach Glück« das Signal zur Revolution: »Revolution ist rhythmisches, lebendige Gemeinschaft gewordenes Geschehen, ist der Bewegung des Weltatems nachgehender und angepaßter, melodisierter Widerspruch.« Obwohl das Proletariat aufgrund seiner existentiellen Ausgeliefertheit die Kerntruppe der Revolutionäre stellen soll und der Klassenkampf als revolutionäre Methode anerkannt wird, erstarrt dieses humanozentrische Programm in anarchistischem Illusionismus: »Liebe ist das Glück der Gemeinschaft wie das lebendige Bewußtsein der Gemeinschaft das Glück des Einzelnen ist.«

Solchem gesellschaftsfremden ›Utopismus‹ mußte der Malik-Verlag notwendig Schriften entgegensetzen, die wie Wittfogels wissenschaftliche Abrisse »unter ›orthodoxer‹ Anlehnung an die besten Traditionen des revolutionären Marxismus« verfaßt waren, »reformistisches Paktieren mit dem Bürgertum oder putschistische Husarentaktik ohne Rücksicht auf die Stimmung der Massen und auf die allgemeine Situation« mieden und der revolutionären »Kleinarbeit des Tages« wie den Anforderungen der »kommenden großen proletarischen Revolution« dienen wollten.[74] Denn die Verlagsleitung dürfte Wittfogels Bedürfnis geteilt haben, »nur aus der konkreten Wirklichkeit selbst (die man ganz genau kennen muß, um sie faktisch ›verändern‹ zu können)« die »›theoretischen‹ Grundlagen zu holen, aus denen sich dann die politische Praxis in revolutionärer Wirksamkeit herleiten läßt«:[75] sie brachte daher 1922 Wittfogels »marxistische Untersuchung« *Die Wissenschaft der bürgerlichen Gesellschaft* heraus und ließ 1924 seine *Geschichte der bürgerlichen Gesellschaft* folgen. Beide Bücher befanden sich in offenbarem Einklang mit den Interessen der KPD, verfügten sicher über die marxistisch-leninistische Methode und folgten aktuell-politischen Zweckmäßigkeitsgrundsätzen. Die zuerst genannte Broschüre sichtet ideologiekritisch die bürgerliche Wissenschaft, überprüft sie auf ihre Funktion »im Kampfe um Erhaltung und Abschaffung der bestehenden Ausbeutungs- und Abhängigkeitsverhältnisse«, scheidet die emanzipatorische Forschung von der apologetischen und bestimmt die zukünftige Rolle der progressiven Intellektuellen als »Funktionäre« der proletarischen Revolution, auf die sie forschend, popularisierend, lehrend hinarbeiten sollen. Der danach erwähnte Überblick über die »Antriebe und die typischen Formen der Gesellschaftsentfaltung« von den Anfängen bis zur Schwelle der Großen Französischen Revolution will aktuelle »Lehren« aus dem historisch-materialistischen Epochenverlauf ziehen, den Aufstieg der herrschenden Klassen samt dem Zwang zur Formation einer gegen sie gerichteten »allgemeinen und lückenlosen Klassenfront« verdeutlichen und das Erfordernis des gewaltsamen Sturzes der »Herrenschicht« belegen, »um die heutige bürgerliche Gesellschaft durch eine wirkliche freie *menschliche* Gesellschaft, durch den Sozialismus« ablösen zu können.

Diese pragmatisch-utilitaristischen Sachübersichten überwölbte schließlich Georg Lukács mit seiner Aufsatzfolge *Geschichte und Klassenbewußtsein* (1923), die die Frühphase des Malik-Verlags beschloß und zu der enger noch an die KPD angelehnten Verlagspolitik der späten zwanziger Jahre hinleitete. Mitten »in der Parteiarbeit« stehend, suchte Lukács nämlich die »dialektische Wechselwirkung zwischen Theorie, Partei und Klasse« zu klären, um von linksradikalem Sektierertum loszukommen und revisionistischen Opportunismus zu widerlegen. Dabei fand er zum »Standpunkt« des »orthodox (also kommunistisch) aufgefaßten Marxismus«, der »die *richtige Methode* der Erkenntnis von Gesellschaft und Geschichte« aktuellpraktischen Zielsetzungen verbindet und den historischen Materialismus als »wichtigstes Kampfmittel« im »Ringen« um das »gesellschaftliche Bewußtsein« und die »Führung der Gesellschaft« einsetzt. Gleichzeitig maß er der bolschewistisch-leninistisch konzipierten kommunistischen Partei die Organisation, Objektivation, Inkarnation des proletarischen Bewußtseins zu und begründete damit ihr absolutes Führungsrecht: »Gewissen« der »geschichtlichen Sendung« des Proletariats, »handelnde Trägerin des Klassenbewußtseins«, Verkörperung des proletarischen »Gesamtwillens« und »Führerin der Revolution«, soll sie »das bedingungslose Aufgehen der Gesamtpersönlichkeit eines jeden Mitgliedes in der Praxis der Bewegung« als »bewußte und freie Tat« erwirken. Mit diesem theoretisch fundierten, praktisch durchgreifenden Disziplinierungsgebot förderte Lukács aber nicht nur die politische Sammlung der revolutionären Kommunisten in der KPD, sondern lenkte auch die Obacht der zwischen rechtem »Revisionismus« und linkem »Utopismus« lavierenden Malik-Autoren auf die *kultur*politische Führungsrolle der marxistisch-leninistischen Partei und forderte deren Stellungnahme zu kulturpolitischen Fragen heraus. Der somit etablierte Orientierungszwang gewann jedoch besonderen Nachdruck, weil Lukács den kommunistischen Schriftstellern dazu die literarischen Aus- und Abweichmanöver versagte: nachdem er sie überredet hatte, subjektiv verantworteten Revolutionarismus der Parteidisziplin hinzuopfern, durfte er erwarten, daß sie ihre politisch-literarische Wirklichkeitsfaszination mit dem Willen zu parteipolitisch gesteuerter Wirklichkeitsbewältigung konsolidierten und sich jeglicher Verherrlichung der Fakten um ihrer selbst willen enthielten, da den von der Partei beglaubigten »Entwicklungstendenzen der Geschichte eine höhere Wirklichkeit zukommt als den ›Tatsachen‹ der bloßen Empirie«.

Obgleich diese Lehren manchen der frühen Mitstreiter vor den Kopf stoßen, verstören und verprellen mußten, beherzigte sie kaum jemand gewissenhafter als der Malik-Verlag, der um 1924 die Periode »demokratischen« Experimentierens in »Fragen« der Kunst[76] für beendet erachtete. Er trennte sich von den meisten seiner altvertrauten ultralinken oder linksbürgerlichen Autoren, ließ die durch das eigene Verlagsprogramm angeregte faktenfreudige, doch änderungsunwirksame, parteinehmende, doch parteilos bleibende Literatur der Neuen Sachlichkeit rechts liegen und beschränkte sich solange auf den Druck vor allem sowjetrussischer Autoren wie Gorki, Babel, Figner, Ehrenburg, Fedin, bis mit F. C. Weiskopf, Max Hoelz, Ernst Ottwalt, Ludwig Tureck (später: Turek), Johannes R. Becher, Alex Wedding (d. i. Grete Weiskopf) die KPD-Autoren des Bundes proletarisch-revolutionärer Schriftsteller in die entstandene Lücke treten konnten. In dieser konsequenten Verlagspolitik bewährte die Malik-Leitung das seit den Gründungstagen des Verlags geltende Prinzip revolutionärer Sachlichkeit, das Mao Tse-tung viele Jahre später in die Regeln faßte: »Willst du Kenntnisse erwerben, mußt du an der die Wirklichkeit umwälzenden Praxis teilnehmen. Willst du den Geschmack einer Birne kennenlernen, mußt du sie verändern, das heißt sie in deinem Mund zerkauen.«[77]

Anmerkungen

1. Diese Untersuchung basiert auf meinem Aufsatz »Der Fall Franz Jung«. In: *Die sogenannten Zwanziger Jahre.* Hrsg. von Reinhold Grimm und Jost Hermand. Homburg v. d. H., Berlin und Zürich 1970. S. 75–108.
2. *Der Gründungsparteitag der KPD.* Protokoll und Materialien. Hrsg. von Hermann Weber. Frankfurt a. M. und Wien 1969. S. 292 (Ernst Meyer) und 179 (Rosa Luxemburg; im Protokoll heißt es fälschlich »Spiel« statt »Stiel«).
3. ebd., S. 126 (Karl Liebknecht) und 86 (Karl Radek).
4. ebd., S. 208 (Ludwig Bäumer).
5. Rosa Luxemburg: »Programm des Spartakusbundes« (1918). In: *Völker hört die Signale.* Der deutsche Kommunismus 1916–1966. Hrsg. von Hermann Weber. München 1967. S. 35 f. – Wladimir Iljitsch Lenin: *Der ›linke Radikalismus‹, die Kinderkrankheit des Kommunismus* (1920). Berlin 1968. S. 87 und 17.
6. Wladimir Iljitsch Lenin: *Der ›linke Radikalismus‹.* S. 47 und 87.
7. Friedrich Albrecht: *Deutsche Schriftsteller in der Entscheidung.* Wege zur Arbeiterklasse 1918–1933. Berlin und Weimar 1970. S. 138 f.
8. Alfred Klein: »Zur Entwicklung der sozialistischen Literatur in Deutschland 1918–1933«. In: *Literatur der Arbeiterklasse.* Aufsätze über die Herausbildung der deutschen sozialistischen Literatur (1918–1933). Hrsg. von der Deutschen Akademie der Künste zu [Ost-]Berlin. Berlin und Weimar 1971. S. 45 f.
9. Wladimir Iljitsch Lenin: Der ›linke Radikalismus‹. S. 16. – *Der Gründungsparteitag der KPD.* S. 183 (Rosa Luxemburg). – Friedrich Albrecht: *Deutsche Schriftsteller in der Entscheidung.* S. 75. – Edgar Weiß: »Die sozialistischen deutschen Schriftsteller in ihrem Verhältnis zur sowjetischen Literaturentwicklung in der Periode 1917–1933«. In: *Literatur der Arbeiterklasse.* S. 292.
10. Wladimir Iljitsch Lenin: *Über Kultur und Kunst.* Eine Sammlung ausgewählter Aufsätze und Reden. Berlin 1960. S. 64 und 60 (1905).
11. ebd., S. 287 f. (1918), 287 (1918), 289 (1918) und 355 (1920).
12. ebd., S. 373 (1920).
13. Leo Trotzkij: *literatur und revolution* (1924). Berlin 1968. S. 153 und 23.
14. ebd., S. 76, 143, 198 f. und 14.
15. P. M. Kerschenzew: »Die Kunst auf der Straße« (1920). In: *Proletarische Kulturrevolution in Sowjetrußland (1917–1921).* Dokumente des ›Proletkult‹. Hrsg. von Richard Lorenz. München 1969. S. 164. – F. I. Kalinin: »Über den Futurismus« (1919). Ebd., S. 47.

16. »Resolution über die politische Aufklärungsarbeit in der Kunst« (1920). Ebd., S. 69. – V. I. Poljanskij: »Unter dem Banner des Proletkult« (1918). Ebd., S. 29. – A. A. Bogdanow: »Kritik der proletarischen Kunst« (1918). Ebd., S. 42. – F. I. Kalinin: »Der Weg der proletarischen Kritik und A. Gastevs ›Poesie des Stoßarbeiters‹« (1918). Ebd., S. 57 und 56.
17. A. K. Gastev: »Über die Tendenzen der proletarischen Kultur« (1919). Ebd., S. 64.
18. Friedrich Albrecht: *Deutsche Schriftsteller in der Entscheidung.* S. 137.
19. ebd., S. 83 f.
20. Walther Rilla: *Politik, Revolution und Gewalt.* Berlin 1920. (Tribüne der Kunst und Zeit, 24.) S. 65. Zitiert ebd., S. 95.
21. Erwin Piscator: »Die politische Bedeutung der ›Aktion‹« (1961). In: *Schriften 2.* Hrsg. von Ludwig Hoffmann. Berlin 1968. S. 276.
22. Ernst Toller: »Brief an Gustav Landauer«. In: *Schöpferische Konfession.* Berlin ²1920 (Tribüne der Kunst und Zeit, 13). S. 45.
23. Walther Rilla: »Der neue Mensch«. In: *Die Erde,* 1 (1919). Nr. 1. S. 10. – Ludwig Rubiner: »Nachwort«. In: *Kameraden der Menschheit.* Dichtungen zur Weltrevolution. Potsdam 1919. S. 173. – Ludwig Meidner: »Bruder, zünd' die Fackel an«. In: *Die Erde,* 1 (1919). Nr. 4. S. 116 f. – Raoul Hausmann: »Pamphlet gegen die Weimarische Lebensauffassung« (1918). In: *Dada.* Eine literarische Dokumentation. Hrsg. von Richard Huelsenbeck. Reinbek 1964. S. 34.
24. Walther Rilla: »Weltkommune«. In: *Die Erde,* 1 (1919). Nr. 16/17. S. 480; ders.: »Dämonie der Erkenntnis«. Ebd., 1 (1919). Nr. 6. S. 165.
25. Walther Rilla: »Mitteilung«. Ebd., 1 (1919). Nr. 24. S. 700.
26. Untertitel nach Paul Raabe: *Die Zeitschriften und Sammlungen des literarischen Expressionismus.* Stuttgart 1964. S. 99. – Julian Gumperz: »Der Bolschewismus und die geistige Hoffnung«. In: *Der Gegner,* 1 (1919). Nr. 1. S. 7–16, bes. S. 16.
27. Julius Talbot Keller: »Was sind Revolutionen«. In: *Der Gegner,* 1 (1919). Nr. 2/3. S. 2. – Karl Otten: »Vom lebenden Geiste«. Ebd., 1 (1919). Nr. 2/3. S. 32. – Franz Jung: »Asien als Träger der Weltrevolution«. Ebd., 1 (1919). Nr. 8/9. S. 10. – Thea Schnittke: »Kommunismus und Tradition«. Ebd., 2 (1920/21). Nr. 3. S. 66.
28. Thea Schnittke: »Kommunismus und Tradition«. Ebd., S. 63 und 65. – Hermann Schüller: »Proletkult – Proletarisches Theater«. Ebd., 2 (1920/21). Nr. 4. S. 114.
29. Max Herrmann (Neiße): »Die bürgerliche Literaturgeschichte und das Proletariat«. In: *Die Aktion,* 12 (1922). Nr. 21/22. S. 306. – F. W. Seiwert: »Aufbau der proletarischen Kultur«. Ebd., 10 (1920). Nr. 51/52. S. 724.
30. Oskar Kanehl: »Der Revolutionär«. Ebd., 11 (1921). Nr. 7/8. S. 100. – A. R.: »Zur proletarischen Kultur«. Ebd., 10 (1920). Nr. 35/36. S. 493. – Max Herrmann (Neiße): »Ein wichtiger Theaterabend: Alfons Paquets ›Fahnen‹«. Ebd., 14 (1924). Nr. 11. S. 303. – Oskar Kanehl: »Klassenkulturkampf im Theater«. Ebd., 15 (1925). Nr. 11/12. S. 316.
31. Wieland Herzfelde: *Gesellschaft, Künstler und Kommunismus.* Berlin 1921. Zitiert nach: *Literatur im Klassenkampf.* Zur proletarisch-revolutionären Literaturtheorie 1919–1923. Hrsg. von Walter Fähnders und Martin Rector. München 1971. S. 124–149, bes. S. 132.
32. Formulierung Kurt Tucholskys, zitiert von Erwin Piscator, *Schriften 2.* S. 278.
33. Erwin Piscator: *Das Politische Theater* (1929). In: *Schriften 1.* Hrsg. von Ludwig Hoffmann. Berlin 1968. S. 23. – Wieland Herzfelde: »Wie ein Verlag entstand«. In: *Expressionismus.* Aufzeichnungen und Erinnerungen der Zeitgenossen. Hrsg. von Paul Raabe. Olten und Freiburg i. Br. 1965. S. 225.
34. Zur Gründungsgeschichte und Namenwahl des Malik-Verlags s. Wieland Herzfelde: *Der Malik-Verlag 1916–1947.* Ausstellungskatalog. Berlin o. J. [1966]. S. 8–23.
35. Wieland Herzfelde: *John Heartfield.* Leben und Werk dargestellt von seinem Bruder. Dresden ²1971. S. 20; ders.: *Gesellschaft, Künstler und Kommunismus.* S. 147.
36. Raoul Hausmann: »Club Dada«. In: *Dada.* Eine literarische Dokumentation. Hrsg. von Richard Huelsenbeck. S. 105.
37. Hans Arp: »Dada-Sprüche«. In: *Die Geburt des Dada.* Dichtung und Chronik der Gründer. Hrsg. von Hans Arp, Richard Huelsenbeck, Tristan Tzara und Peter Schifferli. Zürich 1957. S. 106; ders.: »Dadaland«. Ebd., S. 108. – Richard Huelsenbeck: »Aus: ›En avant Dada‹«. In: *Dada.* Eine literarische Dokumentation. S. 116. – Wieland Herzfelde: *Der Malik-Verlag 1916 bis 1947.* S. 36. – Richard Huelsenbeck: *Dada siegt!* Eine Bilanz des Dadaismus. Berlin 1920. S. 32.
38. Richard Huelsenbeck: *En avant Dada.* Eine Geschichte des Dadaismus. Hannover 1920. S. 24.

39. Raoul Hausmann: »Zwei dadaistische Persönlichkeiten / Huelsenbeck und Baader«. 1958. In: *Dada. Eine literarische Dokumentation*. S. 218; ders.: zitiert in: Walter Mehring, *Berlin Dada*. Eine Chronik mit Photos und Dokumenten. Zürich 1959. S. 56. – Franz Jung: »Amerikanische Parade« (1918). In: *Dada. Eine literarische Dokumentation*. S. 128. – Johannes Baader, zitiert in: Walter Mehring, *Berlin Dada*. S. 59. – Erwin Piscator: *Das Politische Theater*. In: *Schriften 1*. S. 23.

40. Wieland Herzfelde: *John Heartfield*. S. 26. – Gertrud Alexander: »Dada« (1920). In: *Literatur im Klassenkampf*. S. 94. – Wieland Herzfelde: »Das Dadalyripipidon«. In: *Der Dada 3*, (1920). S. 1 mm [sic!]; ders.: »Aus der Jugendzeit des Malik-Verlages. Zum Neudruck der Zeitschrift ›Neue Jugend‹«. Beiheft zur Faksimileausgabe der *Neuen Jugend*. Berlin 1967. S. 15. – Raoul Hausmann nannte sich »Anarcho-Kommunist«. Vgl. *Die Erde*, 1 (1919). Nr. 9. S. 276. – Wieland Herzfelde: »Aus der Jugendzeit des Malik-Verlages«. S. 15. – George Grosz und Wieland Herzfelde: *Die Kunst ist in Gefahr*. Drei Aufsätze. Berlin 1925. S. 24.

41. Raoul Hausmann: »Rückkehr zur Gegenständlichkeit in der Kunst«. In: *Dada Almanach*. Hrsg. von Richard Huelsenbeck (1920). Faksimiledruck New York 1966. S. 150.

42. *Neue Jugend*. Wochenausgaben (Mai 1917: Wochenausgabe; Juni 1917: [aus Zensurgründen genannt] Prospekt zur Kleinen Grosz Mappe. – Juni-Heft, S. 1. – *Der Malik-Verlag 1916–1947*. S. 27.

43. Richard Huelsenbeck: »Vorwort zur Geschichte der Zeit« und »Doktor Billig am Ende«. In: *Club Dada*. Prospekt des Verlags Freie Straße [d. i. die 6. Folge der Zeitschrift *Freie Straße*], (1918). S. 14 f., 4 und 6.

44. Raoul Hausmann: »Alitterel«. In: *Der Dada 1*, (1919), unpaginiert [S. 3]; ders.: »Zeitungsbericht«. Ebd., [S. 6]; ders.: »Alitterel«, [S. 3]; ders.: »Der deutsche Spiesser ärgert sich«. In: *Der Dada 2*, (1919). [S. 2]; ders.: »Dada in Europa«. In: *Der Dada 3*, (1920). S. 642 kg [sic!].

45. Richard Huelsenbeck: »Erste Dadarede in Deutschland«. 1918. In: *Dada Almanach*. S. 108. – Daimonides [d. i. Dr. Döhmann]: »Zur Theorie des dadaismus«. Ebd., S. 55. – Raoul Hausmann: »Rückkehr zur Gegenständlichkeit in der Kunst«. Ebd., S. 147. – Richard Huelsenbeck: »Erste Dadarede in Deutschland«. S. 108.

46. Wieland Herzfelde: »Zur Einführung«. *Erste internationale Dada-Messe*. Katalog. 1920. Faksimiledruck als Beilage zu: *Der Malik-Verlag 1916–1947*. Unpaginiert [S. 2]. – Raoul Hausmann. Ebd., [S. 1]. – Wieland Herzfelde: *Der Malik-Verlag 1916–1947*. S. 27.

47. Wieland Herzfelde: *Immergrün*. Merkwürdige Erlebnisse und Erfahrungen eines fröhlichen Waisenknaben. Reinbek 1961. S. 143.

48. Erstausgabe: Zürich 1916. Neudruck: Zürich 1960.

49. Faksimiledruck (mit Anmerkungen von Jens Tismar). Steinbach 1970.

50. Wieland Herzfelde: »Zur Einführung«. [S. 2].

51. Wieland Herzfelde: *Immergrün*. S. 160; ders.: *John Heartfield*. S. 108.

52. Wieland Herzfelde: *John Heartfield*. S. 20; ders.: *Der Malik-Verlag 1916–1947*. S. 33. – Alfred Klein: »Zur Entwicklung der sozialistischen Literatur in Deutschland 1918–1933«. S. 49.

53. Wieland Herzfelde: *Gesellschaft, Künstler und Kommunismus*. S. 145; ders.: *John Heartfield*. S. 31. – Erwin Piscator: »Über Grundlagen und Aufgaben des Proletarischen Theaters«. In: *Schriften 2*. S. 12.

54. Wieland Herzfelde: *Der Malik-Verlag 1916–1947*. S. 33.

55. ebd., S. 34.

56. ebd., S. 33.

57. ebd., S. 74.

58. Helga Gallas: *Marxistische Literaturtheorie*. Kontroversen im Bund proletarisch-revolutionärer Schriftsteller. Neuwied und Berlin 1971. S. 26.

59. Walter Mehring: »George Grosz« (1944). In: *Dada. Eine literarische Dokumentation*. S. 248; ders.: *Berlin Dada*. S. 85.

60. George Grosz: »Gesänge«. In: Wieland Herzfelde: *Der Malik-Verlag 1916–1947*. S. 7.

61. George Grosz: »Aus den Gesängen«. In: Vierseitiges Vorblatt zur *Kleinen Grosz-Mappe*. Berlin 1917. Faksimiledruck in: Wieland Herzfelde, *John Heartfield*. Abb. 4; ders.: »Aus den Gesängen«. In: *Neue Jugend*, 1 (1917). Nr. 11/12. S. 243; ders.: »Aus den Gesängen«. In: Wieland Herzfelde, *John Heartfield*. Abb. 5.

62. George Grosz: »Aus den Gesängen«. In: Wieland Herzfelde, *John Heartfield*. Abb. 5; ders.: »New York«. In: *Künstlerbekenntnisse*. Briefe Tagebuchblätter Betrachtungen heutiger Künstler.

Hrsg. von Paul Westheim. Berlin o. J. S. 306; ders.: »Gesang der Goldgräber«. In: *Neue Jugend*, 1 (1917). Nr. 11/12. S. 242.
63. George Grosz [zus. m. Wieland Herzfelde]: *Die Kunst ist in Gefahr*. S. 32 und 31; ders.: »Vorwort«. In: *Spießer-Spiegel*. Dresden 1925. Nachdruck in: *George Grosz | John Heartfield*. Ausstellungskatalog des Württembergischen Kunstvereins. Stuttgart 1969. S. 11.
64. Franz Pfemfert: »Am Sarge Oskar Kanehls«. In: *Die Aktion*, 19 (1929). Nr. 5/8. S. 123. – Oskar Kanehl: »Der Revolutionär«. Ebd., 11 (1921). Nr. 7/8. S. 100.
65. Max Herrmann-Neisse: *Die bürgerliche Literaturgeschichte und das Proletariat*. Berlin-Wilmersdorf 1922. Nachdruck in: *Literatur im Klassenkampf*. S. 82. – Friedrich Albrecht: *Deutsche Schriftsteller in der Entscheidung*. S. 127.
66. Oskar Kanehl: »Kunst und Künstler im Proletariat«. In: *Literatur im Klassenkampf*. S. 124.
67. Karl August Wittfogel: *Die Wissenschaft der bürgerlichen Gesellschaft*. Eine marxistische Untersuchung. Berlin 1922. S. 18; ders.: *Geschichte der bürgerlichen Gesellschaft*. Von ihren Anfängen bis zur Schwelle der Großen Revolution. Berlin 1924. S. 167; ebd., S. 166.
68. Karl August Wittfogel: *Die Wissenschaft der bürgerlichen Gesellschaft*. S. 5 und 78; ders.: *Der Mann der eine Idee hat*. Erotisches Schauspiel in vier Akten. Berlin-Halensee 1922. S. 47; ders.: *Geschichte der bürgerlichen Gesellschaft*. S. 319.
69. Anonym: »*An die Freunde und Mitglieder des Proletarischen Theaters!*« (1921). In: *Literatur im Klassenkampf*. S. 209.
70. Fritz Gottfurcht: »Kurze Dramaturgie«. In: *Die Premiere*, (2. Oktober-Heft 1925). S. 35.
71. Lyonel Dunin: »Einleitung«. In: Leonhard Frank: *Der Bürger*. Berlin 1929 [Nachdruck der Erstausgabe von 1924]. S. 5.
72. Franz Jung: *Die Eroberung der Maschinen*. Berlin 1923. S. 118; ders.: *Arbeitsfriede*. Berlin 1922. S. 70; ders.: *Proletarier*. Berlin 1921. S. 8; ders.: *Die Rote Woche*. Berlin 1921. S. 53; ders.: *Die Eroberung der Maschinen*. S. 75.
73. Wieland Herzfelde: *Der Malik-Verlag 1916–1947*. S. 32.
74. Karl August Wittfogel: *Geschichte der bürgerlichen Gesellschaft*. S. 17; ebd., S. 165; ders.: *Die Wissenschaft der bürgerlichen Gesellschaft*. S. 91.
75. Karl August Wittfogel: *Geschichte der bürgerlichen Gesellschaft*. S. 15 f.
76. Wieland Herzfelde: *Gesellschaft, Künstler und Kommunismus*. S. 147.
77. *Worte des Vorsitzenden Mao Tse-tung*. Peking 1968. S. 245.

Literaturhinweise

Friedrich Albrecht: *Deutsche Schriftsteller in der Entscheidung*. Wege zur Arbeiterklasse 1918–1933. Berlin und Weimar 1970.
Deutsche Akademie der Künste zu [Ost-]Berlin: *Veröffentlichungen deutscher sozialistischer Schriftsteller in der revolutionären und demokratischen Presse 1918–1945*. Bibliographie. Berlin und Weimar 1966.
– *Aktionen Bekenntnisse Perspektiven*. Berichte und Dokumente vom Kampf um die Freiheit des literarischen Schaffens in der Weimarer Republik. Berlin und Weimar 1966.
– *Zur Tradition der sozialistischen Literatur in Deutschland*. Eine Auswahl von Dokumenten. Berlin und Weimar ²1967.
– *Literatur der Arbeiterklasse*. Aufsätze über die Herausbildung der deutschen sozialistischen Literatur (1918–1933). Berlin und Weimar 1971.
Walter Fähnders und Martin Rector: *Literatur im Klassenkampf*. Zur proletarisch-revolutionären Literaturtheorie 1919–1923. München 1971.
Helga Gallas: *Marxistische Literaturtheorie*. Kontroversen im Bund proletarisch-revolutionärer Schriftsteller. Neuwied und Berlin 1971.
Reinhold Grimm und Jost Hermand: *Die sogenannten Zwanziger Jahre*. First Wisconsin Workshop. Homburg v. d. H., Berlin und Zürich 1970.
Wieland Herzfelde: *Der Malik-Verlag 1916–1947*. Ausstellungskatalog [mit vollständiger Verlagsbibliographie]. Berlin o. J. [1966].
– *John Heartfield*. Leben und Werk dargestellt von seinem Bruder. Dresden ²1971.

Ludwig Hoffmann und Daniel Hoffmann-Ostwald: *Deutsches Arbeitertheater 1918–1933.* Eine Dokumentation. 2 Bde. Berlin ²1972.

Eva Kolinsky: *Engagierter Expressionismus.* Politik und Literatur zwischen Weltkrieg und Weimarer Republik. Eine Analyse expressionistischer Zeitschriften. Stuttgart 1970.

Richard Lorenz: *Proletarische Kulturrevolution in Sowjetrußland (1917–1921).* Dokumente des ›Proletkult‹. München 1969.

F. W. Plesken und Günter Peters: *Expressionismus und Realismus.* Materialien zur Theorie-Praxis einer antiimperialistischen Literatur und Kunst. Köln 1970.

Proletarisch-revolutionäre Literatur 1918 bis 1933. Ein Abriß. Berlin 1965.

Diether Schmidt: *Manifeste Manifeste 1905–1933.* Schriften deutscher Künstler des zwanzigsten Jahrhunderts. Bd. 1. Dresden o. J. [1965].

WOLFGANG WENDLER

Die Einschätzung der Gegenwart im deutschen Zeitroman

I

Der Zeitroman nach 1918 ist ein Abschied vom Geistigen, wie es die Literatur um 1900 verstand, noch mehr Abschied von der gesteigerten Geistvorstellung des Expressionismus. Man kann das als Absturz sehen, gemessen an den Werten, Problemen, Lebenserörterungen der Vorkriegszeit, oder als heilsame Ernüchterung und Gewinnen der Realität nach Verirrungen ins Absolute, Chaotische und Utopische. Beides ist es nicht. Eher sind Resignation, Ressentiment und Unsicherheit kennzeichnend. Lukács sprach von der »Depressionsatmosphäre« der Neuen Sachlichkeit.[1] Die Generation von Thomas und Heinrich Mann, Hermann Hesse und Döblin, mehr noch die nachfolgende der Expressionisten, war von einem ›Lebensgefühl‹ erfüllt, das von rauschhaftem Lebensverlangen bis zur Lebensverzweiflung reichte, seelische und Erkenntnisprobleme ins Extreme trieb, die Problematik allen Handelns und Fühlens, denkerischen Erkennens und künstlerischen Gestaltens zu bewältigen, zumindest auszudrücken versuchte. An die Stelle dieses ›Lebensgefühls‹, das im wesentlichen aus der Spannung zwischen Geist und Leben bestand, trat nun eine durch die Zeitverhältnisse verursachte reale Unsicherheit. Die Folge war, daß man stärker in den Auseinandersetzungen des Alltags zu leben begann. Der Wechsel der äußeren Bedingungen, das Tempo der Zeit werden wichtiger als der Wechsel der Gefühle oder geistig-künstlerische Probleme. Daß jedoch von einer Neuen Sachlichkeit nur bedingt die Rede sein kann, ist inzwischen deutlich geworden.
Dem folgenden Überblick liegen Romane von fünfundzwanzig Autoren zugrunde. Der älteste Autor, Felix Hollaender, wurde 1867, der jüngste, Friedrich Torberg, 1908 geboren. Verbindend ist allein, daß diese Romane in der Zeit der Weimarer Republik spielen und zwischen 1918 und 1934 veröffentlicht wurden, wobei der Anteil von Anfang und Mitte der zwanziger Jahre gering ist. Die Auswahl ist nicht beliebig, aber auch nicht vollständig. Einige Romane fehlen, die im Zusammenhang anderer Beiträge dieses Bandes besprochen werden.
Im Vorwort zu dem Band *Die sogenannten Zwanziger Jahre* schreiben Jost Hermand und Reinhold Grimm, es habe bei den Teilnehmern des Wisconsin Workshop Einigkeit bestanden, drei Phasen anzunehmen: 1918–23, 1923–29, 1929–33. Vielleicht sollte man eher von vier Abschnitten sprechen. So sehr die Jahre 1918–23 zusammengehören, so stark unterscheidet sich doch die Erfahrung der ›Revolution‹ von der der Inflation. Während bei Kriegsende Hoffnung und Erbitterung sich mischten, bis zunehmende Desillusionierung eintrat, war die Inflation Ursache eines ausgeprägten Gefühls von Unsicherheit und Bodenlosigkeit, das grundlegend für die Literatur der zweiten Hälfte der zwanziger Jahre ist.
Bürgerliche Haltung wird gekennzeichnet, wie es Thomas Mann in *Unordnung und frühes Leid* (1926) an seinem Geschichtsprofessor schildert, durch »Opposition gegen die geschehende Geschichte zugunsten der geschehenen«. Man muß hinzufügen:

durch Abwendung von geschehender Geschichte, wenn sie sich in den normalen politischen Niederungen bewegt und keine rauschhafte Selbsterhöhung ermöglicht wie 1914 oder 1871. Der Großteil der hier behandelten Autoren ist bürgerlich, die Opposition gegen geschehende Geschichte bei den meisten von ihnen offenbar, mit dem resignierenden Ton der Ablehnung oder indem sie noch einmal eine Behauptung des Einzelnen versuchen. Die Rechten und Linken fordern, ebenfalls gegen den bestehenden Staat gerichtet, eine neue ›Gemeinschaft‹. Sie wird bei der Rechten mehr von der Vorstellung des ›Volkes‹ und dem Kameradschaftserlebnis des Krieges bestimmt, bei der Linken von Solidaritäts- und Parteidenken. Damit ist nach den Erfahrungen des Krieges, der Revolution, der Inflation und der Parteikämpfe der vage expressionistische Menschheitsanspruch, die Beschwörung einer großen Liebesgemeinschaft, aufgegeben. Auch die dem Individualismus verhaftete Gruppe der bürgerlichen Mitte tritt bescheidener auf. Sie feiert nicht mehr den Ausnahmemenschen, den Leidenden, Geistigen, Künstler außerhalb der Gesellschaft, sondern entwickelt, wie etwa Flake, die Vorstellung einer im öffentlichen Leben wirkenden Verbindung Einzelner.

In den beiden Romanen, die am stärksten auf den Ton des Abgesangs gestimmt sind, Georg Hermanns *Eine Zeit stirbt* (1934) und Paul Gurks *Berlin* (erschienen 1934, aber zwischen 1923 und 1925 geschrieben), stehen bezeichnenderweise noch einmal ›geistige‹ Menschen im Mittelpunkt. Bei Hermann ist es der fünfzigjährige Schriftsteller Eisner, bei Gurk der alte Buchtrödler Eckenpenn. Hermann schildert drei Generationen. Die alte, schuldig geworden vor den Jungen, wuchs noch auf einem festen, allerdings auch schon problematischen Grund auf: »Wir waren nur noch Söhne und Töchter von denen von einst. Auf den Trümmern des alten Reichtums und der alten in sich gefestigten Bürgerlichkeit, führten nur noch ein Leben, das uns *nicht* mehr zustand. [...] Ihr aber, die ihr nur Enkel seid, werdet wenigstens das Eine vor uns voraushaben, daß ihr von diesem Bürgertum nichts mehr wißt. Und so wird euch manches erspart werden, an dem wir uns zerrieben haben.« Die mittlere Generation wird besser mit der neuen Zeit fertig, ist aber doch erst »Brücke [...] zwischen einer Zeit, die es noch nicht gibt, und einer Zeit, die stirbt«.

Hier ist von Hermann ein Grundgefühl angesprochen, das nicht nur Autoren seiner Generation erfüllte: das Empfinden, nicht in einer neuen, vielmehr in einer unübersichtlich-fragwürdigen Nichtzeit zu leben. Broch spricht in seinem Roman *Huguenau oder die Sachlichkeit* (1932) vom Übergang zwischen »Noch-nicht« und »Nichtmehr«. Auch Jüngere wie Erich Kästner teilen die Distanz gegen das Bestehende und fragen nach dem Kommenden. Ihre Generation, die eigentlich die Weimarer Republik hätte tragen sollen, stellte sich also eher skeptisch, wenn nicht feindlich, abseits. Es blieb einigen der wohl skeptisch, aber nicht feindlich Gesinnten wie Heinrich und auch Thomas Mann vorbehalten, sie zu verteidigen.

Eisners Freund, ein reicher Kunstsammler, als ehrenhafter Geschäftsmann in Schwierigkeiten geraten, nimmt sich mit seiner jungen Freundin das Leben. »Einfach, weil es mir nicht mehr möglich war, in dieser entgötterten Nachkriegswelt des Hasses und des Wahnsinns, des Betruges und der Umkehr aller Werte, die mir all meine Altäre zertrümmert hatte, weiter zu atmen. Ich bin nie lebensscheu gewesen. Ich bin nie lebensmüde gewesen. Auch nicht in dieser Stunde. Ich bin nie lebensunfähig gewesen, wie man nun glauben wird. Aber ich verlasse freiwillig eine Welt, deren Wege mir ungangbar, deren Gedanken mir undenkbar geworden sind, und deren Menschengesindel mir Übelkeit erregt.« Diese Sätze drücken aus, was der überwiegende Teil der Älteren von der neuen Zeit hielt. Die zertrümmerten Altäre sind die der Schönheit, der Kunst, der Werte eines historizistisch-ästhetischen Lebens der Innerlichkeit, ermöglicht mit den Erwerbungen des ›ehrbaren Kaufmanns‹. Das »Menschengesindel« sind jene, die in der vergangenen Zeit mehr aus Gründen der Konvention nicht aufsteigen konnten oder denen man nicht nahe zu kommen brauchte. Vorhanden waren sie ebenso, und die Ästheten von 1900 sprachen von ihnen nicht in anderem Ton.

Ein Halt in der widerwärtigen Zeit wird nach altem Muster im Gedanken an das Ewige der Natur gesucht. Das relativiert die bedrohliche Gegenwart und macht es zugleich möglich, dem Leben trotz allem zuzustimmen. »Das Geld ging in Rauch auf, der Besitz zerstob, die Menschen schossen aufeinander und wüteten. Und der Tauspinner flog unbekümmert wie jedes Jahr von den Buchenwäldern hier auf meiner Seite zu denen am anderen Ufer.« Nach dem Selbstmord des Freundes und nachdem er vom Arzt erfahren hat, daß seine junge Frau sterben wird, hat für Eisner doch »das Leben [...] wieder einmal recht. Auch wenn Paul Gumpert und Joli schon dahin gebracht sind, wo sie hinkommen sollten [...] sehr nett ist es, das Leben, weil der Tisch voll Trauben und Obst steht. Der Tee warm und goldgelb ist und das Leben recht hat.« Das ist nicht Auseinandersetzung mit der Zeit, es ist Absage und Ausweichen in die Idylle, von der doch andererseits behauptet wird, daß sie nicht mehr möglich sei.

Paul Gurks *Berlin* ist erfüllt von schwermütiger Endstimmung. Aus der Sicht des Buchtrödlers Eckenpenn wird Berlin als dämonische Großstadt geschildert, die nicht nur verflucht, sondern auch geliebt wird, zu der eine erotisch-ambivalente Beziehung besteht. Man merkt der Tendenz zur Mythisierung Gurks Herkunft vom Expressionismus an. In zwölf Kapiteln – »Februar« bis »Januar« – läuft das letzte Jahr Eckenpenns ab. Am Ende erhängt er sich. Grundton ist die Beschwörung der Seele gegen die seelenlose neue Zeit. Eckenpenns Freunde sind ein alter Geschichtsprofessor, der später bei einem Unfall ums Leben kommt, und ein staatenloser ehemaliger Artist, Klavierspieler, Clown, der zuletzt mit einem Wanderkino umherzieht. Er gibt den zynisch bitteren Räsoneur ab: »Ich weiß nicht, was ihr alten Krippensetzer mit dem Affenrudiment Seele in der Stadt und in dieser Tempozeit wollt? Der eine lebt vom Abfall der Literaturunzucht und betet den Dunstkreis der großen Sphinx, der Atmosphäre der Stadt an, weil er unfähig war, ihre Schenkel aufzureißen, der andere mümmelt emeritiert und ohne Zähne in dem Müllhaufen der Geschichte herum [...]. Jede Kellerjöhre, die durch zwei Finger pfeift [...] ist euch über und steckt mit ihren Dreckfingern die Gegenwart in den Mund!«

Gurk repräsentiert den Typus des konservativ-apolitischen Irrationalisten, der Seele gegen Seelenlosigkeit, Ordnung gegen Versklavung, Volk gegen Horde setzt. Dabei fühlt er sich nicht zum Bürgertum gehörig: »Wer hatte noch Zeit? – Wer war noch Lump, Stromer, göttlicher Faulheit voll, – Poet? Wer *schuf* noch, statt zu *arbeiten*? Hatten sie nicht alle schon Maschinenherzen, waren vom Tempo berauschte Spindelgehirne ohne Faden darauf – Leerläufer?« So schildert Gurk den alten Eckenpenn wie eine der letzten Erscheinungsformen des romantischen Poeten. Doch der harmlose romantisch-poetische Schein trügt. Eckenpenn geht seit langem nicht mehr zur

Wahl, mit dem Argument: »Ich gehöre nicht zu denen, die das Gesicht eines Landes ändern können – wie soll ich da wählen? [...] Ich kann auch nicht mehr glauben, daß irgendeine Partei das könnte – oder selbst wollte – und große Kerle, die über dem Gewissen stehen und das Gewissen von sich ausgehen machen, sehe ich nicht.« Dieser Satz verrät, wie sehr hinter der schwermütigen Innerlichkeit Eckenpenns nur mehr die Enttäuschung eines verhinderten Weltbewegers steht.

In Gurks *Palang* (1930), im Gegensatz zum schwermütigen *Berlin* ein Roman voller Tempo und Ironie, kehrt der Wunsch nach dem großen Mann, der die Welt bewegt, wieder. »Es ist Zeit, daß der Einzelne wieder der Haken ist, an dem die Erde aufgehängt werden kann.« Die Hauptfiguren sind wie die Großstadt Berlin zu Prinzipien und ins Mythische überhöht. Es geht um den Kampf internationaler Wirtschaftsführer, von denen Palang der unberechenbarste und interessanteste ist. Ihm wird der ›Denker‹ Alexander gegenübergestellt. Palang, der aus Enttäuschungen der Jugend die Konsequenz exzessiver Selbstverwirklichung gezogen hat, empfindet Alexander als »Zwillingsbruder«, als sein »anderes Vorzeichen«. Von beiden Männern wird die Welt beherrscht. Palang behandelt sie nach seinem Willen, Alexander entzieht sich ihr selbstherrlich. »Ich habe gefunden, daß ich Welt bin, nicht Umwelt, und daß Umwelt mich nicht formen kann und ohne Einfluß auf mich bleibt [...]. Wen Umwelt modelt, bleibt Umwelt und wird nie Welt.« Palang dagegen bekennt: »Peitschen muß man die Erde wie einen Triesel! Dann tanzt sie, tönt und hat einen Sinn!« Stärker noch als *Berlin* belegt *Palang* den Zusammenhang von Innerlichkeit und Menschenverachtung, die ›Zwillingsbruderschaft‹ von Seele und Imperialismus. Das Buch ist durchzogen von gekränktem Nationalgefühl. Deutschland erscheint als das einzige zur Ausbeutung unfähige, versklavte Land, das bald Kolonie Amerikas sein wird. Es ist die »Niobe unter den Nationen«. Durch objektive Betrachtung verschleiern das die Deutschen vor sich selbst. »Objektivität ist die Gerechtigkeit der Sklaven.« Ein in seinen Konsequenzen verhängnisvoller Satz, der auf die Praktiken des Nationalsozialismus vorausweist, die Gurk natürlich nicht im Sinn hatte.

Deutschlands Stellung in der Welt ist Ausgangspunkt in Kasimir Edschmids Roman *Deutsches Schicksal* (1932). »Alle Deutschen, die eine Zeitlang im Ausland leben und die sich darüber freuen, Deutsche zu sein, geraten nach einer gewissen Zeit in eine Situation, in der sie anfangen, ihres Deutschtums wegen empfindlich zu werden. Das ist der Augenblick, in dem es ihnen aufgeht, welch großes und tragisches Mißverhältnis besteht zwischen der Menge an Leistung und Energie, welche Deutschland in die Welt hineinträgt, und der verhältnismäßig geringen Stellung, die Deutschland demgegenüber in der Welt einnimmt.« Vorbild deutscher Haltung ist der Botschafter in Bolivien, Pillau. Er beklagt den Bruderkrieg, der bei den Deutschen im Ausland sichtbar wird im Kampf der ›Schwarz-weiß-roten‹ gegen die ›Schwarz-rot-goldenen‹. Als Belastung stellt er den Hang zur Weltanschauung fest. »Immer Weltanschauung, aber gar kein Sinn für Realität und Maß. Und da wundern sich unsere Landsleute, wenn sie für andere Völker unverständlicher sind als Chinesen und Araber.« Die Diskrepanz zwischen dem lauten Deutschland und dem heimlichen, das meistens recht hat, der Hang zu wehleidiger Anklage, wo man selbst schuldig ist, werden erörtert. In der Gestalt Pillaus setzt Edschmid den beklagenswerten deutschen Eigenschaften eine männliche Wertwelt der Geduld und des Stolzes entgegen. Nicht von demokratisch-republikanischer Staatsform, nicht vom Bewußtseinswandel des Volkes und vernünftigem Handeln innerhalb der Gesellschaft, vielmehr von einer Elite hervorragender Männer wird das Heil erwartet. Pillau fragt einmal den ehemaligen Hauptmann Bell nach der besten deutschen Eigenschaft, und Bell antwortet: »Kameradschaft.« Pillaus Erwiderung lautet: »Ja, aber die Deutschen haben sie nur im Krieg.« Damit nimmt Edschmid einen Schlüsselbegriff der Kriegsgeneration auf. Man muß sich vergegenwärtigen, welche Rolle bei Ausbruch des Ersten Weltkrieges Gemeinschaftsgefühle spielten, um die Unsicherheit zu begreifen, die vor allem die Romane der bürgerlichen Autoren spiegeln. Der vielbeschworene Rausch: ›wir sind eine Schicksalgemeinschaft, geeint in einem großen Willen, einem großen Gefühl‹, wurde nach dem Zusammenbruch nicht durch ein ähnliches Gemeinschaftsempfinden wiederholt. Im Gegenteil erfolgte ein Auseinanderbrechen, das auf das Selbstbewußtsein des Einzelnen verheerend wirkte. Der Krieg jedoch hatte die Erfahrung einer realen Gemeinschaft gebracht. Für einen großen Teil der Soldaten war diese ›Kameradschaft‹ Lebensbasis geworden. Im Nachkriegsdeutschland, in dem wieder jeder auf sich gewiesen blieb, unter wirtschaftlich und politisch schwierigen Bedingungen, sehnten sich viele nach der Sicherheit der ›Kameradschaft‹ zurück, bauten sogar ihre Staatsvorstellung auf dem Verlangen nach ihr auf.

Das Kameradschafts- und Volksgemeinschaftsdenken prägte vor allem die verschiedenen Richtungen der Rechten. Eine sich immer mehr abzeichnende pluralistische Gesellschaft mußte ihm als Gefahr für den Einzelnen und einen ›gesunden‹ Staat erscheinen. Dem entsprach auf der Linken das Solidaritätsdenken. Auch hier bilden reale Erfahrungen den Hintergrund, gewonnen vor dem Kriege aus der Parteiarbeit, nach dem Kriege aus der gescheiterten deutschen und der siegreichen russischen Revolution. Das Problem der Solidarität ist für die Linke eines der diskutiertesten und schwierigsten überhaupt.

Nachkrieg (1930) von Ludwig Renn und *Die Geächteten* (1930) von Ernst von Salomon, beides autobiographische Bücher, zeigen diese Positionen, nüchterner bei Renn, leidenschaftlich bei Salomon. Renn schildert die Heimkehr der Armee, seine Tätigkeit während der Revolutionszeit und danach bei Sicherheitstruppe und Polizei. Die Vergeblichkeit des Handelns als Einzelner läßt ihn schließlich die Notwendigkeit disziplinierter Organisation erkennen; es ist der Weg eines sozial denkenden, aber nicht politisch gebundenen Mannes zum Kommunismus. Salomons Freikorpsgesinnung, seltsam gemischt aus Landsknechtstum und jugendlich-nationalem Enthusiasmus, wie das Solidaritätsverlangen Renns wachsen beide aus dem Gemeinschaftsbedürfnis der Zeit.

Erich Maria Remarque nimmt in seinem Roman *Der Weg zurück* (1931) eine mittlere Position ein. Ausgangspunkt ist auch bei ihm die sich auflösende oder noch eine Zeitlang in der unruhigen Nachkriegszeit sich bewährende Frontkameradschaft. Hinzu kommt der Aspekt der verratenen und im Kriege verschlissenen Jugend, die noch nach dem Kriege zerbrechen kann (was Remarque an zwei Selbstmorden demonstriert) oder die gegen die ältere Generation antritt. Der emotionale Roman Remarques endet mit dem Vorsatz des Ich-Erzählers und einiger Kameraden, jeder für sich in seinem Kreis das Richtige und Gute zu tun – angesichts einer nachrückenden Jugend, die schon wieder Krieg spielt. Renns *Nachkrieg* schloß mit dem Ausblick auf das organisierte Handeln in der Kommunistischen Partei, Remarque bleibt im Privaten des Gefühls und des guten Willens, Salomon geht die radikalen Wege des antibürgerlichen, antidemokratischen, völkischen Irrationalisten.

Die Geächteten und – romanhafter geschrieben, aber ebenso persönlich – *Die Stadt* (1932) spiegeln jene Mischung aus Handeln und leidenschaftlich-hitzigen Diskussionen, die typisch ist für Idealisten, die mit Gewalt die Welt zwingen wollen, und das möglichst, wie es mit der Ermordung Rathenaus versucht wurde, durch eine einzige Tat. In den *Geächteten* schildert Salomon die Freikorpskämpfe, an denen er teilgenommen hat, Rathenaus Ermordung und seine Jahre im Gefängnis. Nach den Freikorpskämpfen suchen Salomon und einige andere »eine kleine, aber gehärtete Schar« aus jungen Leuten aufzubauen, die sie sich in den zahlreichen völkischen Gruppen suchen. »Diese Bünde waren ein Symptom. Hier sammelten sich die Menschen, die sich von der Zeit verraten und betrogen fühlten. Nichts war mehr wirklich, alle Pfeiler schwankten.« Salomon beschreibt, wie aus fast »spielerischen Anfängen« über eine größere Zahl von Aktionen, mit der Eigengesetzlichkeit revolutionärer Gruppen, die Entfernung von der Gesellschaft zunimmt. Über das historische Phänomen hinaus gibt er damit den auch heute noch gültigen Modellfall einer sich immer mehr verstrickenden und im hybriden Anspruch von der Realität sich absondernden revolutionären Gruppe. »Es erstarkte in ihnen die Gewißheit, daß die Gesetze eines Staates anerkennen den Staat selber anerkennen hieß. Es blitzte ihnen die Erkenntnis auf, daß ein neues Wollen neue Gesetze verlangte, Gesetze, die sich in den rastlos arbeitenden Hirnen der einsamen Kämpfer formulierten und ihnen eine ungeheuerliche Verantwortung aufbürdeten [. . .]. So entfremdeten sie sich der Welt, die sie als verrottet, als breiig verschwommen, als unsagbar unwahrscheinlich empfanden [. . .]. So wurden sie aus Fremden Geächtete, aus Begehrten Gemiedene, aus Handelnden Verbrecher.« Reale Einschätzung der Lage und ihrer Möglichkeiten ist von diesen Menschen, die »Vollstrecker eines geschichtlichen Willens« zu sein glauben, nicht zu erwarten. Was sie zum Mord an Rathenau bewog und die Hoffnung, die sie in die Folgen des Mordes setzten, beweisen das: Sie ermorden Rathenau, weil sie fürchten, daß er der Mann ist, der Deutschland noch einmal stärken könnte. Sie würden »es nicht ertragen, wenn aus dem zerbröckelnden, aus dem verruchten Bestande dieser Zeit noch einmal Größe wüchse. [. . .] Wir fechten nicht, damit das Volk glücklich werde. Wir fechten, um es in seine Schicksalslinie zu zwingen.« – Die Ermordung Rathenaus ist natürlich nicht der erhoffte Anfang eines großen Aufbruchs, nur das Ende der aufgebauten Organisation und der Mörder.

Im gleichen Jahr, 1930, erschien Alfred Neumanns »Roman eines politischen Mordes« *Der Held.* Er sollte sicherlich an den Rathenau-Mord denken lassen, obwohl der im Roman ermordete Minister in seinem Lebenslauf keine Ähnlichkeit mit Rathenau besitzt. Neumanns ›Held‹, ein zweiunddreißigjähriger Generalssohn, ehemals Oberleutnant, jetzt Eintänzer in einer Bar, gehört einer national-revolutionären Bewegung an, in deren Auftrag er handelt. Was Neumann aber allein interessiert, ist die psychische Verarbeitung der Tat. Die Schuld- und Gewissensproblematik wird mit einer Art Doppelgänger des Mörders erörtert. Der Held geht an seiner Schuld zugrunde. Die Romanpsychologie Neumanns und die bei Salomon wiedergegebenen realen Vorgänge haben nichts gemeinsam.

Salomons zweites Buch, *Die Stadt,* ist beherrscht von Diskussionen über die Zeit.

Die Gedankenwelt des »politischen Romantikers« Iversen wird vorgeführt. Auch hier wieder, wie in den *Geächteten*, ist der Drang zur Tat das Entscheidende. Das Volk, das seinen Willen nicht kennt, muß gezwungen werden. Die Sprache des Maschinengewehrs und des Minenwerfers, die Ive zu bedienen gelernt hat, ist wichtiger als der Geist. Doch spricht aus Salomons Helden – in den Diskussionen, die fast ausschließlich das Buch ausmachen, wird das deutlich – mehr ›romantischer Geist‹, als er zugeben will. Wenn Ive dem möglichen ›Dritten Reich‹ vorwirft, daß seine Ideen zu sehr an das Zweite erinnern, so sind seine eigenen, die er als jugendlich und gegen alle bürgerliche Vergangenheit gerichtet ansieht, noch älter. Bei ihm ist die nationale Romantik, die sich gegen alles Bürgerlich-Westliche, für Organisch-Ewiges gegen Entwicklung, für Geschaffenes gegen ›Gemachtes‹ einsetzt, gekoppelt mit einem Soldatentum, das sich außerhalb aller gesellschaftlichen Bindung fühlt. Als Anarchist, den es nach der Bildung eines strengen Ordens verlangt, verkörpert Ive einen Widerspruch, wie er bei der Linken ebenso zu finden ist und der im Eliteanspruch derer gründet, die als Täter- oder Denkertypen aus der Masse herausragen, sich als Besondere fühlen und als Gleiche wünschen, als Einzelne wie in Gemeinschaft aufgehoben.

Ist bei Salomon der Wille zur Tat konstitutiv, so in Kästners »Geschichte eines Moralisten« *Fabian* (1931) Passivität. Dem Täter Salomon würde Kästner mit Fabian sagen: »Wo nehmt ihr die Dreistigkeit her, sechzig Millionen Menschen den Untergang zuzumuten, bloß weil ihr das Ehrgefühl von gekränkten Truthähnen habt und euch gern herumhaut?« Fabian hält sich bewußt und aus Veranlagung von Politik und Gemeinschaft fern. Er ist ›Moralist‹, dem die Veränderung der Verhältnisse gleichgültig bleibt, wenn sie nicht die allein wichtige Veränderung des Menschen einschließt. Fabian fragt: Wofür handeln und mit wem? Darauf gibt es keine Antwort, wenn man die Anständigkeit der Menschen zur Voraussetzung macht. »Ich sehe zu und warte. Ich warte auf den Sieg der Anständigkeit, dann könnte ich mich zur Verfügung stellen.« Die Rolle des Zuschauers, des Mannes der »gerechten Gefühle«, der sich selbst beobachtet, führt zur Scheu vor Verantwortung. Zwar sehnt er sich danach, »Dienst zu tun und Verantwortung zu tragen. Wo aber waren die Menschen, denen er gern gedient hätte?« Immer deutlicher erkennt er seine schiefe Lage, findet aber nur den vorläufigen Ausweg des Abwartens. »Er konnte nicht mehr danebenstehen wie das Kind beim Dreck. Er konnte noch nicht helfen und zupacken, denn wo sollte er zupacken, und mit wem sollte er sich verbünden? Er wollte in die Stille zu Besuch und der Zeit vom Gebirge her zuhören, bis er den Startschuß vernahm, der ihm galt und denen, die ihm glichen.«

Die Bedingungslosigkeit Salomons, dessen Drang nach Verantwortung, im Glauben, vom Schicksal erwählt zu sein, dessen Wort vom »Verrat, der in jeder nicht besinnungslosen Hingabe lauert«, sie sind Kästners Haltung völlig entgegengesetzt. (Bei Heinrich Mann wird später die Frage nach Verantwortung wiederauftauchen.) Unter der Überschrift »Linke Melancholie« hat Walter Benjamin 1930 Kästners Gedichte besprochen. Was er dort sagt, kann auch für den Roman gelten: »Die Verwandlung des politischen Kampfes aus einem Zwang zur Entscheidung in einen Gegenstand des Vergnügens, aus einem Produktionsmittel in einen Konsumartikel – das ist der letzte Schlager dieser Literatur.«[2] Kästners Roman, der ursprünglich »Der Gang vor die Hunde« heißen sollte, schildert Großstadtmilieu vom Standpunkt eines Außenseiters, der sich einerseits hineinziehen läßt, andererseits moralisierend abseits bleibt. Eine unbefriedigende Haltung, zumal sie einen stark sentimentalen Hintergrund hat. Siegfried Kracauer hat in seiner Untersuchung *Die Angestellten* (1930), nicht in bezug auf die Literatur, aber auch für sie gültig, vom Zusammenhang zwischen Neuer Sachlichkeit und Sentimentalität gesprochen: »Nicht schlagender könnte sich das Geheimnis der neuen Sachlichkeit enthüllen [...]. Nur einen Schritt in die Tiefe, und man weilt mitten in der üppigsten Sentimentalität. Das aber ist das Kennzeichen der neuen Sachlichkeit überhaupt, daß sie eine Fassade ist, die nichts verbirgt, daß sie sich nicht der Tiefe abringt, sondern sie vortäuscht.«[3] Das Berliner Milieu bleibt bei Salomon, Kästner, Gurk meist vordergründiger Stoff. Eine über das Stoffliche hinausgehende Verarbeitung wie in Döblins *Berlin Alexanderplatz* (1929) gibt es kaum. Döblins Biberkopf steht nicht bewußt außerhalb von Politik und Gesellschaft wie der bürgerliche Intellektuelle Fabian, er neigt auch nicht zu anarchistisch-nationalem Aktivismus. Er verharrt abseits in dumpfem Trotz und Selbstbefangenheit. Doch auch in Döblins hier nur in diesem Punkt zu erörternden Roman ist ein Aspekt die Frage nach der möglichen Gemeinschaft. Biberkopf beobachtet Gemeinschaft in verschiedenen religiösen und politischen Formen. Die Lehre, die ihn Döblin am Ende begreifen läßt: Es geht ohne den anderen nicht, und: Viele sind stärker als einer. Das richtet sich gegen individualistische Vorstellungen wie gegen den Schicksalsbegriff, den Glauben, ewigen Gesetzen ausgeliefert zu sein. Man ist es, vom Einzelleben her betrachtet, und doch kann vieles, was wie Schicksal aussieht, geändert werden, wenn Solidarität herrscht. Döblin zeigt neben dem radikalen Salomon und dem sentimentalen, privat-unentschlossenen Kästner die dritte Möglichkeit.

II

Von der »unmütterlichen Stadt« und der »mütterlichen Natur« spricht Otto Flake in dem Roman, der seinen fünf *Romanen um Ruland* folgt und noch einmal Ruland zum Mittelpunkt hat. Er erschien 1929 und spiegelt wie Salomons und Kästners Bücher, wie der vieldiskutierte Schluß von *Berlin Alexanderplatz* die Umbruch- und Zeitwendestimmung dieser Jahre. Der Titel schon, *Es ist Zeit*, drückt das aus. Die Romanreihe Flakes bedürfte einer psychologischen, ja psychoanalytischen Interpretation, von der Hauptperson Ruland und ihren Varianten ausgehend. Hier sind nur die zeitkritischen Aspekte hervorzuheben.
»Die Welt ist so gebaut, daß man vom Einzelnen ausgehen muß«, lautet die in *Villa U. S. A.* (1926) ausgesprochene Grundposition. Sie ist nicht identisch mit der Faszination durch den großen Mann, weist vielmehr auf eine Mischung von bürgerlichem und aristokratischem Persönlichkeitsideal hin. Flake versucht noch einmal, mit Vorstellungen des 18. und 19. Jahrhunderts, Selbstverwirklichung vorzuführen: »Einmal muß doch einer zeigen, daß er mit dem Leben fertig werden kann.« Mit diesem Anspruch tritt Ruland in *Freund aller Welt* (1928) auf. Der zweite Schritt geht dahin, »in dieser zerfahrenen Zeit, in der sich die Masse ohne Persönlichkeitsgefühl breitmacht, Menschen zu vereinen, die eine besondere Art haben, die Welt zu sehn und diese Art gegen die Welt zu behaupten.« Die Reichtagsabgeordnete Haßlach in

Es ist Zeit, eine kluge, emanzipierte Frau, hat den Gedanken, dem im ganzen Land als widerwärtig empfundenen »Feilschen der Parteien um die Macht« ein »Netz von Privatparlamenten« entgegenzusetzen, »was nichts anderes hieß, als daß Menschen, die der Herrschaft der Mittelmäßigkeit müde waren, sich organisierten«. Man denkt an Edschmids Idealgestalt Pillau und seinen Wunsch nach »tausend Pillaus«. Flakes Musterkarte an Tugenden gleicht der Edschmids: Gelassenheit, Mut, Stolz, Geduld, Vorsicht, Maß, Ruhe, Geschick, Güte. Von Kritikern wird Ruland, als er in Berlin eine Zeitschrift herausgibt, vorgeworfen, altmodisch zu sein, weil er im Sinne Goethes das Leben meistern wolle, statt sich einzuordnen. Das ist in der Tat der Versuch Rulands und Flakes, allerdings in einer Zeit, in der solche Art von Herr-des-eigenen-Lebens-Sein selbst der bevorzugten, bildungsmäßig und wirtschaftlich abgesicherten Schicht kaum noch möglich ist.

Aus Goethe, Nietzsche, Stendhal und dem modischen Einschlag östlicher Lebensweisheit ist der erstrebte Mensch Flakes komponiert. In ihm vereinen sich Bildung, Selbstbesinnung, Ausgewogenheit zwischen Geistigem, Sinnlichem und Praktischem. Eine Anzahl von Männern und Frauen, alle Abkömmlinge eines legendären Ruland, sind diesem Idealbild angenähert. Es ist ein gesellig-aristokratisches Element im Leben dieses Kreises, das an den klassischen Bildungs- und Entwicklungsroman denken läßt, an *Wilhelm Meister* und seine »Gesellschaft vom Turm«. Das gibt der Darstellung Flakes zwangsläufig etwas Unrealistisches, sosehr er die neuen ›sachlichen‹ – politischen, kaufmännischen, gesellschaftlichen – Realitäten einbezieht. Harry Kessler schildert in seinem Tagebuch, November 1922, einen Besuch Flakes bei ihm und dessen Klage, »daß er gar keine Fühlung mit Männern der praktischen Politik habe; er müsse sich alles konstruieren«. Der menschliche Herrenmensch ist Flakes Ideal. Es taucht schon im »Märchenwunsch« des jungen Ruland auf, einmal Fürst zu sein, um »gut zu den kleinen Leuten und herausfordernd zu den großen zu sein«.

Einige Motive in Flakes Romanen weisen auf Sternheims Roman *Europa* (1920) zurück, der mit dem Zusammenbruch 1918 endete. Dort zieht sich der Schriftsteller Carl Wundt aus Europa nach der Südsee zurück und nimmt östliche Lehren auf. Bei Flake gehen die drei männlichen Hauptfiguren, Varianten eines Typs (Ruland, Neuhöwen, Gregor), ebenfalls von Europa fort. Ruland und Gregor nehmen unter anderem an einer Himalajaexpedition teil. Sie wollen Abstand von Europa gewinnen. Sternheims Heldin Eura Fuld, zur Millionärin geworden, gründet ein Institut für sozialwissenschaftliche Forschung. In *Villa U. S. A.* wird mit Hilfe des amerikanischen Millionärs Parris, des exzentrischsten der Ruland-Abkömmlinge, ein »Institut für systematische Vergleichung« geplant. Einige andere Anspielungen auf Sternheim, auch die wiederholte Lehre von der ›Nuance‹, auf die es bei Bildung der Persönlichkeit ankomme, deuten auf bewußte oder unbewußte Anknüpfung – bei allem Unterschied in der Grundhaltung. Sternheims Heldin wird immer mehr zur revolutionären Sozialistin, Flake bleibt bei konservativ-liberalem Aristokratismus stehen.

Im Ruland-Roman *Der gute Weg* (1924) sagt Gregor einmal, »daß die Bücher, die sie in Deutschland schrieben, ihm nicht wohl taten; sie redeten darin unaufhörlich vom Geist, und dieser Geist war das Gegenteil von Tat oder er schrie nach ihr wie eine brünstige Stute nach dem Hengst«. In der Figur des jungen Siblingen, Sohn eines Obersten, nimmt Flake das Tat-Motiv später wieder auf. Siblingen will die junge Generation mit einer Schrift aufrütteln, deren Titel auch der des Romans ist: »Es ist Zeit . . .«. »Ich will die Zeit treffen. Ich will zuerst auseinandersetzen, wie die jungen Frauen und Männer heute leben, dann, daß man so nicht lange leben kann, und zuletzt wie man sich vor dem Ekel an sich selbst, vor der Verzweiflung, vor dem Taumel ohne Ziele und Inhalte retten kann.« »Das Tier [. . .] ist ein Ding aus einem Guß, der Mensch nur hassenswert. Am hassenswertesten der junge Mensch [. . .] es ist Zeit, das durch den jungen Mund auszusprechen, nur die Jugend kann ihr eigener Erlöser sein.« Zwei andere junge Männer, der antisemitische, nationalistische Scholz und der kommunistische Jude Oppmann, vertreten die sich bekämpfenden Extreme der Jugend. Bezeichnend für Flake, daß sie persönlich ehrenwert sind und sich anerkennen. Ruland selbst steht über den Parteien. Nach Siblingens Selbstmord zieht er sich in den Schwarzwald zurück. Hier fällt das Wort von der »unmütterlichen Stadt« und der »mütterlichen Natur«. Er geht jetzt nicht mehr aus Europa fort. »Er kam mit den Surrogaten der radikalen Abwesenheit aus; das edelste unter ihnen, das niemand weh tat, war die Fahrt ins Gebirge, die Burg über den Ebenen der Städte.« Kästners Fabian suchte den gleichen Abstand und wollte »der Zeit vom Gebirge her zuhören«. Das ist, zumindest bei Flake, ein bewußter Nachklang von Nietzsches Vorstellung des großen Denkers, der sich in Gletschereinsamkeit zurückzieht oder wie Zarathustra ins Gebirge, um als Führer und Erlöser wiederzukommen. Möglicherweise ist der Romantitel »Es ist Zeit . . .« sogar als Zitat aus *Zarathustra* gemeint. Flake und Kästner unterscheidet von Nietzsches Wunschbild, daß ihr Rückzug auch Ausweichen und Flucht ist.

Es fällt auf, wie häufig Selbstmorde in den Romanen der Zeit vorkommen. Der Selbstmord Siblingens ist nicht der einzige bei Flake. Es fällt ebenso auf, daß sie als selbstverständlich registriert werden. Sofern sie nicht Schlußeffekt sind wie in Gurks *Berlin* oder im ersten Roman von Friedrich Torberg *Der Schüler Gerber hat absolviert* (1931), Fortsetzung der Schülerromane wie Hesses *Unterm Rad* oder *Freund Hein* von Emil Strauß. Selbstmord aus Lebensekel, aus Vereinsamung oder Not war in diesen Jahren der Unsicherheit alltäglich. Die eigene Existenz wurde an der unzulänglichen Welt gemessen, nicht mehr an übergeordneten Werten. In den Romanen spielen Fragen des Glaubens eine geringe Rolle, überhaupt tritt der Bereich des Religiösen wenig in Erscheinung, allenfalls in Variationen des Sektierertums oder im Wirken der Heilsarmee.

Die Themen: der Einzelne in der Gesellschaft, in der Stadt, verloren oder sich durchsetzend, Handeln oder Beobachten, die Nebenthemen des Generationsunterschiedes, der neuen Rolle der Frau, der freieren Sexualität, der Rauschgiftsucht, sie sind mit wechselndem Akzent bei den meisten Autoren angesprochen. Bei Flake, dem Elsässer, auch wieder das Thema des Deutschtums. Kritik durch Vergleich, dieses Verfahren wird von ihm dabei ebenso wie von Edschmid, Sternheim, Heinrich Mann angewandt. Englische Gelassenheit, der französische Geist sind bekannte Vergleichsmomente zuungunsten deutscher Eigenschaften. Rulands Erfahrung der Sinnenfreude in Rom kommt hinzu. Das Ewige, Natürliche des italienischen Lebens wird in *Villa U. S. A.* vorgeführt. Parris, der Amerikaner, hat seine Villa in Florenz mit den neuesten Geräten und Apparaten ausgestattet, doch die einfachen Leute wollten »nichts davon wissen, sie wollten nicht ihr Brot verlieren. Auf dem Holzkohlenfeuer stand schief der Topf, mit der einen Hand rührte die Köchin darin, mit der anderen fächelte sie die Glut. Wenn der Topf umfiel, zischte es, so war es zur Zeit des Augustus gewesen, so blieb es bis ans Ende der Tage.« So wird eine Regression in die Welt des ›Natürlichen‹ propagiert, als ob es zu Augustus' Zeiten keine Not des Volkes gegeben hätte, als seien erst durch Apparate und Motoren die Schwierigkeiten in die Welt gekommen. Solches Ausspielen des natürlichen Seins gegen den hektischen, menschenfeindlichen Fortschritt ist eine Variante der Entgegensetzung des Ewigen zum unzulänglich Vergänglichen, die bei Hermann zu bemerken war. Der Abschied vom Geistigen, der anfangs als Kennzeichen des Zeitromans genannt wurde – Flake versucht, ihn hinauszuzögern. Das gelingt nur, indem er, bei aller Weltläufigkeit und Diskussion der Zeitprobleme und -erscheinungen, privat bleibt, auf einen Bereich geistig-gesellig en Menschentums zurückgezogen, den es schon zu seiner Zeit kaum noch gab und der stets nur ein Ausschnitt – der Ausschnitt ›europäische Kultur‹ – gewesen ist, an dem auch von den Schriftstellern nur wenige, die Unprovinziellen, teilnahmen.

Mit weniger hohem Anspruch tragen die Romane Heinrich Eduard Jacobs ihre durchaus konkrete Zeitkritik und Zeitpsychologie vor, selbstverständlicher als bei Flake oder dem snobistischen Edschmid. In *Jacqueline und die Japaner* (1928) übt Jacob, ebenfalls mit Hilfe des Vergleichs, Kritik an Deutschland. Ein japanischer Professor beschwört die deutsche klassisch-romantische Kultur, Goethe, Schiller und Schubert. Mozart wird als »Japaner« gesehen. (Dabei ist an einen Aufsatz von Ernst Weiß zu denken: »Mozart, ein Meister des Ostens«.) Der Antisemitismus wird an Lessings *Nathan* gemessen, Deutschland als friedloses Land empfunden, in dem jeder mit jedem streitet.

Das Empfinden der Unsicherheit, Friedlosigkeit und Hektik, letzten Endes der geistigen Auswegslosigkeit Europas, das Verlangen nach dem Gegenteil, nach Maß, Frieden, Haltung, Gelassenheit, muß als eine der wesentlichen Strömungen des Nachkriegsjahrzehnts angesehen werden. Autoren aller weltanschaulichen Richtungen nahmen an ihr teil. Das Interesse am Osten war nicht neu. Im 18. Jahrhundert, am Ende des 19. ist es zu bemerken, doch nicht als Ausdruck existentieller Not und Neuorientierung wie nach dem Ersten und wieder, in Wellen, nach dem Zweiten Weltkrieg. Nichts mehr war in den zwanziger Jahren zu spüren vom Ausbruch der Sehnsucht nach ›Leben‹, nach Dynamik und Rausch wie bei den Expressionisten vor 1914.

Im nächsten Roman, *Blut und Zelluloid* (1929), benutzt Jacob einen Zeittypus, der gewöhnlich kritisch gesehen und satirisch verwendet wird, den aus Polen stammenden jüdischen Berliner Geschäftsmann, um das Gegenteil dieses Klischees, den Traum von Menschlichkeit zu zeigen. Der Filmregisseur und -produzent Rubenson will in Italien einen romantischen Film drehen. Jacob kritisiert den Faschismus und zugleich, in doppelter Weise, die Industrie. Er erkennt den Industrialismus als Weltanschauung der rücksichtslosen Produktion, die auch der Faschismus vertritt. Außerdem schildert er die Industrie als Macht hinter den politischen Mächten. Auf einem internationalen Filmkongreß in Paris wird eine Resolution gegen Völker- und Rassenhaßfilme verhindert. Der deutsche Konservative Henningsdorf stimmt seine Delegation mit dem Argument um: »Ist jemand unter euch, der glaubt, daß sich irgendein Industrieller an Beschlüsse binden wird, die ihn hindern, Geld zu verdienen?«

Das Rassenproblem nimmt Jacob im Roman *Ein Staatsmann strauchelt* (1932) wieder auf, der in Österreich spielt. Der Minister Chomochowski wird von einem nationalistischen Studenten fälschlich angezeigt: »Als ich aber daran dachte, daß es arische Mädchen waren, die hier von einem Nichtdeutschen, Volksfremden, unzüchtig angefaßt oder belästigt worden waren, entschloß ich mich zur Anzeige.« Ein Satz, der sprachlich an Hitlers *Mein Kampf* erinnert. Das Schicksal Chomochowskis, der zum Rücktritt veranlaßt wird, weil jetzt »der völkisch-deutsche und revolutionäre Wind« weht, beleuchtet die innere Gesetzmäßigkeit jeder Partei. Sie ist »die verkörperte Treulosigkeit aller Klubmitglieder gegen alle.« Das Parteiwesen, Parteikarrieren sind selbstverständliche Anlässe zur Kritik in den Romanen, da man moralische Maßstäbe anlegte. Der Parteienzersplitterung setzte man eine vage Gemeinsamkeitsvorstellung entgegen. »Die Partei ist der Sündenfall [...]. Ganz gleich nun, welche Partei das ist! Es liegt im Wesen der Partei, daß sie weniger bindet als trennt. Sie trennt das Volk. Welch eine Sünde! Es ist nötig, aus dem Stande der Sünde in den der Gnade überzutreten!« Dieses Vokabular, das nicht von allen gebraucht, aber in dem von vielen gedacht wird, zeigt, wie ungerüstet die Schriftsteller, die dennoch Stellung zu ihrer Zeit nehmen, den realen Vorgängen und Erfordernissen gegenüberstehen.

Rubenson und Chomochowski brechen aus gesellschaftlicher Verhärtung und den normalen Praktiken des Geschäftsmannes und Staatsmannes aus, nicht zuletzt durch die Erkenntnis der Vielfalt des Menschen und seiner Möglichkeiten. »Die Weite jeder Menschenseele ist unbeschreiblich und unbegreiflich. Sie hat viele tausend Schauplätze, auf denen gleichzeitig gespielt wird. Sie hat Platz und Zeit für zehntausend Dramen. Nur noch die Welt als Welt gleicht der Seele.« Jacob setzt der Zeit Varianten menschlich-romantischen Empfindens entgegen: in *Jacqueline und die Japaner* deutsche klassisch-romantische Tradition, verbunden mit östlicher Lebenshaltung, in *Blut und Zelluloid* den Traum von Liebe und Gerechtigkeit, in *Ein Staatsmann strauchelt* eine neue seelische Offenheit nach der Befreiung aus verhärteter Persönlichkeitsstruktur.

Der große Komplex von Fragen, der im Zusammenhang der modernen Literatur stets erörtert wird, sie kennzeichnet und interessant macht, tritt in unserer Auswahl von Romanen zurück, zumal einige der großen Autoren wie Thomas Mann, Musil, Broch, Döblin, Kafka, Jahnn beiseite bleiben. Andererseits macht diese Beschränkung sichtbar, wie gegenüber dem Expressionismus, wo jeder noch so geringe Autor sogleich ins Absolute vordrang und Mensch und Welt grundsätzlich in Frage gestellt wurden, das Klima sich verändert hatte. Die Neue Sachlichkeit erweist sich als durchsetzt von Ressentiment, Unsicherheit und Sentimentalität. Hauptursache dafür ist offenbar die fragwürdig gewordene Möglichkeit der sich selbst verwirklichenden Persönlichkeit, d. h. über das vorhergegangene denkerische Infragestellen hinaus die reale Erfahrung einer Gesellschaftsproblematik. Der Expressionismus hatte noch, selbst in der Verneinung, auf der Person bestanden. Sie ist nun nicht nur psychologisch unmöglich – »Das Ich ist unrettbar«, wie Mach formuliert hatte –, nicht nur in den neuen Verhältnissen praktisch unmöglich, sie scheint zudem nicht. mehr erlaubt. Person sein war, abgesehen davon, daß man es kaum noch konnte, auch in der Vorstellung nur mehr mit schlechtem Gewissen möglich. So ist kein glaubhaftes Gegenbild zur Zeit entwickelt worden, das auf dem doch häufig beschworenen Einzelnen gründet. Flakes Versuch war nur als unrealistisch-privater möglich. Glaubhaft allein schien Gemeinschaft, rechts oder links. Die Problematik auch dieser Gemeinschaftstendenzen, die hier nicht zu erörtern sind, war bei Salomon, Renn oder Döblin angeklungen. Für den bürgerlich-humanistischen Autor blieb allenfalls das Wirken im kleinen Kreis, wie es Remarque bewußt vertritt. Das Fehlen eindeutiger Gesellschaftsvorstellungen war zumindest einer der Gründe für die Bedrängnis der Autoren. Es trifft auch für die Neue Sachlichkeit noch zu, was Adorno von den Naturalisten sagt: »[...] der soziale, kritische Gehalt ihrer Stücke und Gedichte ist stets fast oberflächlich, hinter der zu ihrer Zeit bereits voll ausgebildeten und von ihnen kaum ernsthaft rezipierten Theorie der Gesellschaft zurückgeblieben«.[4]

Solche Feststellung gilt besonders für einen Roman wie *Kreatur* (1926) von Friedrich Wolf. Handlung und Milieu erinnern an naturalistische Sozialthematik, Sprache und Empfindungswelt an Expressionismus. Woyzeck-Anklänge und religiöse Motive kommen hinzu. Die antibürgerlich-sozialen Vorstellungen des Helden, eines Werkstudenten, und sein Bild vom Proletarier sind von naiver Unwirklichkeit. Ein Traumgespräch mit Christus, eine Liebesszene, in der expressionistische Rückkehr in die Urwelt der Sprachlosigkeit und des Schreis geschieht, entsprechen dieser Realitätsferne. Gegenüber solchem Anachronismus sind die Kampfromane Franz Jungs, des ehemals ekstatischen Expressionisten, die auch viel Utopie enthalten, realistische, aus konkreter Erfahrung bei Arbeitskämpfen und Aufständen gewonnene Zeitbilder. Der vierzigjährige Arzt Wolf glaubte wirklich, einen Tendenz- und Zeitroman geschrieben zu haben, wie eine Äußerung beweist: »Das Opium all der Romane, die den Schicksalsfragen unserer Zeit aus dem Wege gehen, mag ein Geschlecht genießen, das seine Zeit verschlafen will.« So gab er seinem Buch auch den Untertitel »Roman der Zeit«. Nichts ist er weniger.

Als ein solcher darf von der Thematik her eher Martin Kessels Roman *Herrn Brechers Fiasko* (1932) gelten, der offenbar als erstes größeres Prosawerk die Welt der Angestellten behandelt. Zwei Jahre zuvor war Kracauers Untersuchung *Die Angestellten* erschienen. Die darin aufgewiesene Wirklichkeit des Angestellten – Fallada ließ sich von ihr bei seinem Roman *Kleiner Mann – was nun?* beeinflussen – mit der Romanwelt Kessels zu vergleichen ist aufschlußreich. Kessel betont die Zwischenstellung des Angestellten, der nicht zur Arbeiterschaft, nicht zu den Oberschichten gehört, aber an seine Existenz den Maßstab gehobenen Lebens legt. Das ist auch eine Grundthese Kracauers. In völliger Abhängigkeit, die zu Anpassung und Aufgabe der Person zwingt, entfernt vom Arbeiter und dessen aus Solidarität erwachsener relativer Geborgenheit, noch weiter entfernt, jedenfalls in Großfirmen, von der Sphäre der Leitenden und Besitzenden, bleibt der Angestellte in einem Zwischenstadium des Ausgeliefertseins. Dabei wählte Kessel, offenbar aus eigener Erfahrung, eine Abteilung als Beispiel, welche innerhalb der Angestelltenwelt Farbigkeit und Besonderheit bot, die »Abteilung Propaganda« eines Konzerns. So vermied er graue Eintönigkeit, wie sie in der Realität überwiegt, das, wie Kracauer formuliert, »normale Dasein in seiner unmerklichen Schrecklichkeit«.

Wie in Kästners *Fabian* wird die Arbeit der Propagandaabteilung nur am Rande behandelt. Es geht um die Stimmung des Büros, um Rollenverteilung, private wechselnde Beziehungen und Schicksale. An den beiden männlichen Hauptpersonen demonstriert Kessel die Angestelltenmentalität. Dr. Geist paßt sich an, er steigt auf zum Abteilungsleiter. Brecher, Schul- und Studienfreund von Geist, will sich nicht anpassen, wird entlassen und sinkt zur verkommenen Randexistenz ab. »›Ich habe mich endgültig der Praxis zugewandt‹, sagte Dr. Geist [...]. ›Ich spiele mich nicht aus Ohnmacht als Revolutionär auf.‹« »›Revolutionär?‹ rief Brecher. ›Ich danke. Aber ich bin ein Widersacher insofern, als ich den gegebenen Tatsachen ein System von Überzeugungen entgegenstelle, dem „Wie-es-ist" ein „Wie-es-sein-könnte-wenn", insofern, als ich Ideen zur Verwirklichung verhelfe.‹« Geist: »Probleme interessieren mich nicht mehr [...]. Ich tu, was getan werden muß, kommentarlos!« Brecher erwidert: »[...] du hättest sagen sollen: ich denke nicht mehr, um mich nicht schämen zu müssen.«

Einige weibliche und männliche Kollegen zeigen die Variationen des Angestelltentyps. Ihre psychologischen Spielarten, die Struktur der gesellschaftlichen Gruppen nach dem Kriege, aus denen die Einzelnen kommen, sind von Kessel deutlich herausgearbeitet. Auffällig ist jedoch eine Neigung zum Irrationalen. Sie spricht aus der Atmosphäre zunehmender Ungefestigtheit aller Verhältnisse, des Bebens unter der Oberfläche, auch daraus, wie Kessel das Geheimnisvoll-Undurchsichtige der Generaldirektion, der sich der Angestellte nur mit Zittern naht, schildert. Bei Kracauer heißt es über die Hierarchie: »Aber wo sitzen denn die oberen Herren Aufsichtsführenden, die wirklich die Verantwortung haben? Auch der Direktor, von dem der Abteilungsleiter abhängt, befindet sich heute meist in einer abhängigen Position und nennt sich gern selbst einen Angestellten, wenn er sich klein machen will. Über ihn hinweg geht es zum Aufsichtsrat und zu den Vertretern der Banken, und die Spitze der Hierarchie verliert sich im dunklen Himmel des Finanzkapitals. So fern sind die Erhabenen gerückt, daß sie von dem Leben in der Tiefe nicht mehr berührt werden [...].«[5] Von Heinrich Mann und Robert Neumann wurden diese obersten Stufen behandelt. Doch wenn Kessel, dem man in diesem Roman die Nachfolge Thomas Manns anmerkt (noch ehe man weiß, daß er über ihn promoviert hat), den raunenden Ton anstimmt, der unter der Vorgabe tieferer Einsicht eher verschleiernd wirkt, dann ist es nicht die Ironie Thomas Manns; es bleibt Angestelltenbewußtsein.

»Ein Gespenst geht um« ist der dritte Teil des Romans überschrieben. Die ersten Worte des Kommunistischen Manifestes werden gegen Ende des Romans zunehmend leitmotivisch verwendet. Personifiziert ist das Gespenst in der Gestalt des umherstreunenden, monologisierenden Brecher. Auch bei Kessel, demonstriert in der begrenzten Welt der Angestellten, wächst das Bedrohliche. Das vernehmbare Beben betrifft nicht nur Veränderungen im Konzern, es deutet auf Veränderung der Welt, auf Zeitenwende. Bei dieser Umsturz- und Katastrophenstimmung vom Anfang der dreißiger Jahre wird man an die gleiche Stimmung in der expressionistischen Generation erinnert. Zu fragen wäre nach Ähnlichkeiten hinter den grundverschiedenen Fassaden. Ist der Unterschied allein der, daß die Umsturz- und Zeitwendestimmung einmal von Weltanschauung, Denken und Empfinden ausging, im Geistigen also stattfand, diesmal aber von realen äußeren Verhältnissen und Bedrohungen?

III

Heinrich Manns drei Romane *Mutter Marie* (1927), *Die große Sache* (1930) und *Ein ernstes Leben* (1932), sonst meist als schwächere Nebenwerke dieses Autors behandelt, nehmen unter den hier als Zeitromane betrachteten Büchern einen wesentlichen Platz ein. Die Unsicherheit der Zeit – die unsichere Stellung des Einzelnen aufgrund gewandelter äußerer Verhältnisse und veränderter Wertmaßstäbe – tritt auch bei Mann als Grundstimmung zutage. »Die Abhängigkeit und Gebundenheit jedes einzelnen haben unter uns zugenommen, bis sie Angst und Schrecken geworden sind.« Das schreibt er in seinem Beitrag zur Goethefeier 1932. Er betont vor allem die ungefestigte Situation der Jugend. Das mutet um so erstaunlicher an, als sich doch für die Älteren die Welt in einem viel stärkeren Maße verändert hat und das freiere Leben der zwanziger Jahre, die »Entfesselung«, wie Flake meint, als ein freieres Leben gerade der Jugend galt, für das die ältere Generation oft Neid empfand.

Gegenüber der Vorkriegszeit hat sich das Generationsproblem gewandelt. Damals war der Ausgangspunkt im wesentlichen die Einzelbeziehung Vater – Sohn, das Aufbegehren des Sohnes. Jetzt stehen sich die Generationen gegenüber, und die Jungen sind nicht mehr unbedingt die Angreifenden. Vom Standpunkt der Älteren klingt die Vater-Sohn-Thematik noch bei Gurk an. In *Berlin* erlebt Eckenpenn einen Theaterskandal bei der Aufführung eines revolutionären Vater-Sohn-Dramas. Er findet den Dichter »kraftlos und ängstlich« aussehend und in der Thematik allenfalls einen Hinweis auf den Einfluß des Biologischen. Für ihn erledigt das »Fortschreiten zu Großvater und Vater« immer neu die »uralten Dispute«. Dem schärferen Ton in *Palang* angemessen, sagt dort eine junge Dame: »Es ist wirklich so hoffnungslos, Eltern zu erziehen! Wir Jungen haben ein schweres Los. Eigentlich sollte es Eltern überhaupt nicht mehr geben. Man müßte eine weniger rückständige Art erfinden, auf die Welt zu kommen.« Das ist die Haltung der neuen, sachlichen Generation. Eine Variante des privaten Vater-Sohn-Konfliktes gibt Edschmid in der »Chronik der zwanziger Jahre« *Feine Leute oder Die Großen dieser Erde* (1931). Hier kommt es zu Spannungen aus der Angst des Vaters, eines amerikanischen Zeitungsmagnaten, Macht einzubüßen. Bei Hermann Kesten finden sich zahlreiche Beispiele für das schwierige Verhältnis der Söhne zu den Vätern. In seinem ersten Roman *Josef sucht die Freiheit* (1927) heißt es grundsätzlich: »Europa ist voll von Vätern. Es ist kein Platz da für uns.«, und weiter: »Es gibt zwei Rassen in Europa. Die Väter und die Söhne.« Auch bei Kesten ist eine gegenüber der Vorkriegszeit eher ambivalente, nicht nur rebellierende Haltung getreten.

Remarque erzählt vom Zerbrechen oder Aufbegehren der heimkehrenden Kriegsgeneration, Flake und Salomon zeigen Jugend in verschiedenen Kampfrichtungen. Kästner läßt Fabians Freund Labude eine Partei der Jugend propagieren. Ernst Weiß schildert in seinem Roman *Der Gefängnisarzt oder Die Vaterlosen* (1934) gefährdete Nachkriegsjugend in einer Provinzgroßstadt, wahrscheinlich Breslau, mit ihrem republikfeindlichen deutsch-nationalen Staats- und Kirchenbeamtentum, das den ›gesunden‹ Fememörder schätzt, für die durch Kriegseinflüsse abgerutschte Jugend aber kein Verständnis hat. Der labile, rauschgiftsüchtige jüngere Bruder des Helden, des Gefängnisarztes, und ein dreißigjähriger Spielsalonbesitzer, Rausch-

gifthändler und Polizeispitzel, mit seiner kindlichen Frau sind präzise Studien der Nachkriegsgeneration.
Heinrich Mann geht weniger vom Konflikt der Generationen als von ihrem Unterschied aus. In *Mutter Marie* beschreibt der Generalssohn Valentin seine durch das Kriegserlebnis gebrochene Verfassung. »[...] bis aus einem Leutnant, dem die Welt gehört, der Eintänzer wird, und aus dem großen Helden der kleine Schieber – da hat das Leben aufgeräumt. [...] Mein einziges Selbstgefühl ist, daß ich den Tod kenne – und diese Gesellschaft fürchtet ihn. Ich würde mich über gar nichts wundern, auch nicht, wenn ich ihr mal mit Handgranaten gegenüberstände.« Heinrich Mann betont, daß seine Generation – man muß hinzufügen, die privilegierte Bildungs- und Besitzbürgerschicht, der er angehörte – in ihrer Jugend eine Basis besaß, die ein großes Maß an innerer Sicherheit bot. Schon Georg Hermann hatte das ausgesprochen. Von dieser Basis her war eine entschiedene Auseinandersetzung mit der Zeit möglich. Die grundsätzliche Diskussion über den Menschen wurde so von bürgerlichen Wissenschaftlern und Künstlern geführt, die sich als Person selbst nicht in Frage stellten, auch wenn sie, wie Mann, ihre schwierige innere Verfassung in der Jugend gegenüber der einfacheren der neuen Generation betonten. Die Unsicherheit, in welche die junge Generation hineingewachsen ist, fordert von ihr Gegenwärtigkeit und Konzentration auf den Lebenskampf. Geist, Zweifel, Ideen, Gefühle kann sie sich nicht leisten. In verschiedenen Aufsätzen, die eine Art Kommentar zu den Romanen bilden, setzt sich Heinrich Mann kritisch teilnehmend mit dem Phänomen der Jugend auseinander. Ein melancholischer Unterton, wenn es um das Fehlen des ›Geistigen‹ geht, und Beharren auf der eigenen Haltung sind jedoch bezeichnend. Zwei Sätze drücken seine damalige Einstellung vielleicht am besten aus: »Alles in allem: die geistige Schicht von einst hat versagt, und vielleicht war sie mißraten. *Aber sie war noch da.*«
In den drei Romanen zeigt Heinrich Mann junge Leute, die mit Hilfe erfahrener und verständnisvoller Älterer aus gefährlichen Situationen herausfinden. Liebe und Geschäft, die beide in Gefahren bringen, sind in *Mutter Marie* wie in allen Romanen Heinrich Manns die treibenden Motive, wobei sie sich durchaus vermischen können. Sie waren verbunden im abenteuerlichen Leben Maries, bis sie aus dem unehelichen Kind einer Magd die reiche Baronin Hartmann wurde. Sie sind es wieder in den wechselnden Beziehungen der Personen des Romans. »Lerne verantworten« soll seine Lehre sein. Sie erfüllt sich in der Wandlung Maries vom Besitzanspruch auf Valentin, in dem sie ihr Kind, das sie als Dienstmädchen ausgesetzt hatte, wiedererkennen will, bis zur entsagenden Verantwortung für ihn. Der General erörtert mehrfach den Begriff. Anfangs lehnt er jede Verantwortung für den Krieg und die Zustände, in welche seine Generation die Jugend gebracht hat, ab. Später beginnt er zu zweifeln. »Merkwürdig, ich selbst ahne jetzt manchmal von fern, was Verantwortung wäre. Oh! es kommt nicht dazu, ich überschätze mich nicht. Ein menschliches Wesen, das sich anmaßte zu verantworten, wie es gelebt hat – reden wir lieber nicht von seinem Ende!« Schließlich erkennt er: »Aber sittliche Erdkatastrophen gibt es nicht. Es gibt keine unabwendbaren Mächte der Unmoral. Berufe dich nicht auf unbekannte Größen! Was wir getrieben haben, läßt sich benennen. Was wir geworden sind, haben wir gewollt. Was nach uns kommt, haben wir verschuldet. Es heißt wie je in Urzeiten Gottes: büße!«

Solche Auffassung unterscheidet Heinrich Mann von den bisher behandelten Autoren, vom Anspruch der Herrenmenschen Flakes und Edschmids, vom Klageton bei
Hermann und Gurk, vom fanatischen Täter Salomons und dem passiv moralisieren-
den Beobachter Kästners. Erkenntnis der Unwägbarkeit und Zufälligkeit des Lebens vereint sich mit dem Bewußtsein, dennoch das eigene Handeln verantworten
zu müssen. Diese Gegensätzlichkeit drückt sich auch in Heinrich Manns Sprache aus.
Sentenzen mit der Bestimmtheit des ›so ist es ein für allemal‹ gehen ins Konjunkti-
vische über, ins Ungewisse. Eine Tendenz zur Auflösung zeigt sich, die noch an seinem
Hang zu »Ausschreitungen« zu bemerken sein wird. Seine Romane sind durchsetzt
von Wendungen wie: »wer weiß, warum«, »schwer zu unterscheiden«, »unerforsch-
lich war«. Die Welt – Handlungen, Geschehnisse, Gefühle – ist von Zufällen, von
Wechsel und Undurchsichtigkeit bestimmt. Doch die mit Sicherheit vorgetragenen
Sentenzen, wie die Äußerungen des Generals über Verantwortung, zeigen, daß der
Autor nicht fatalistisch resigniert. Der Roman *Ein ernstes Leben* ist beispielhaft für
diese scheinbar widersprüchliche Haltung.
Alfred Döblin äußerte im Jahr 1932, zum Stoff seines Romans *Berlin Alexander-
platz* habe unter anderem die Beobachtung geführt, in welchem Maße die Gesell-
schaft von Kriminellem durchsetzt sei: »wie es da keine so straffe formulierbare
Grenze zwischen Kriminellen und Nichtkriminellen gibt, wie an allen möglichen
Stellen die Gesellschaft – oder besser das, was ich sah – von Kriminalität unter-
wühlt war. Schon das war eine eigentümliche Perspektive.« Genau diese fließende
Grenze gibt es auch in Heinrich Manns Romanen: Diebstahl, Betrug, Mord, oft
Steigerungen und Variationen des Motivs »Geschäft«, finden sich hier zahlreich,
und in durchaus real, nicht nur politisch gemeintem Sinne sprach Mann später in
Ein Zeitalter wird besichtigt (1946) vom »kriminellen Zeitalter«.
Im Roman *Ein ernstes Leben*, wo er Kindheits- und Jugendeindrücke seiner zweiten
Frau verarbeitet hat, ist der Anteil des Kriminellen besonders groß. Der Syndikus
Bäuerlein, eine der abseitigen Figuren des Romans, bekennt, »daß der Bruttowert
eines Menschen für mich dadurch bestimmt wird, wie weit seine kriminelle Veran-
lagung geht«. Das Kriminelle ist für Heinrich Mann jedoch nicht allein Sache der
Veranlagung, es entsteht ebenso aus der Verkettung von Umständen. »Ein Verbre-
chen ist kein Verbrechen, es ist die Endsumme von Bagatellsachen. Der Verbrecher
ist auch nur ein Fazit – aus Vicki, Kurt, Marie, Mingo, Bäuerlein und Adele. Einer
begeht es dann.« Das Verbrechen wird als fast nicht zu isolierender Bestandteil des
Menschlichen betrachtet. Der Kriminalkommissar Kirsch spricht das Schlußwort des
Romans: »Gut, daß man nicht von jedem alles weiß! Jeder wäre unschuldig.« Unschuldig und doch verantwortlich zu sein ist für Heinrich Mann die Situation des
Menschen. Immer neu muß er Verantwortung, Schuld und Unschuld abwägen.
Der stets zur rechten Zeit auftauchende, wissende und verständnisvolle Kriminalkommissar bringt in den Roman ein Element des Wunderbaren. Im Roman *Die
große Sache* hatte Mann dieses Motiv noch entschiedener benutzt. Die Handlung
ist weitgehend Inszenierung einer Figur, die vorher weiß, wie sich die Dinge abspielen werden und, nicht körperlich, aber dem Gemeinten sichtbar, an entfernten
Orten erscheinen kann. Heinrich Manns Neigung zu ›Ausschweifungen‹ ist hier
ins Geistige, Menschenfreundliche gewandelt. Die Verwendung von Filmtech-
niken, verbunden mit der ins Unrealistische erhöhten Handlung, weist im übrigen

auf seine zunehmende Distanz zur Neuen Sachlichkeit, die nur als Thema in Gestalt der ›sachlichen‹ Generation ironisch verwendet wird.[6] ›Lerne verantworten, lerne ertragen, lerne dich freuen‹ sind die Thesen, die Heinrich Mann mit *Mutter Marie*, dem hier nicht zu besprechenden Roman *Eugénie oder die Bürgerzeit* (1928) und *Die große Sache* postuliert. Der Oberingenieur Birk spricht sie in der *Großen Sache* als seine eigenen Ziele aus. »Er hoffte der Jugend zeigen zu können, daß von den äußeren Bedingungen, die uns die Welt aufdrängt, alles, nur nicht die Freiheit unserer Seele abhängt. Birk trug sich mit drei Forderungen an sich und die Seinen: Lerne verantworten! Lerne ertragen! Lerne dich freuen!« Voraussetzung dafür ist, daß man seine Stellung in der Gesellschaft erkennt. »Man hatte im Leben die Wahl zwischen Arbeit, Beziehungen und Verbrechen [...]«, sagt Birk am Anfang des Romans. Er will seine Kinder und seinen Schwiegersohn lehren, daß sie zu denen gehören, die immer arbeiten werden. Sie sollen sich nicht vom Zeitgeist anstecken lassen und verbissen einer ›Chance‹ nachjagen, durch die sie Befreiung von Angst und Abhängigkeit erhoffen. »Freiwerden! Heraus aus der Abhängigkeit! Aber gerade das gibt es nicht mehr. Das hatten einst ihre Väter.« Damit sie das begreifen, stürzt Birk sie in eine solche Jagd. Er täuscht vor, einen hochbrisanten Sprengstoff erfunden zu haben, in der richtigen Einschätzung, daß sie darin das große Geschäft sehen.

Die Menschen mit Beziehungen vertritt neben anderen der ehemalige Reichskanzler Schattich, Jugendfreund Birks, jetzt politischer Berater und Generaldirektor des Konzerns, bei dem Birk und einige seiner Kinder angestellt sind. Auch er will aus der ›Erfindung‹ sein großes Geschäft machen. »Sichtbar wurde, daß der Generaldirektor genau wie seine fristlos kündbaren Untergebenen Angst hatte, zu verhungern.« Er wird nicht Reichsbankpräsident und dadurch frei »von der Existenzangst des Reichen [...] von dem überlebensgroßen Dämon der Chance.« ›Chance‹ ist das Leitwort der Zeit. »Alles und alle waren auswechselbar. Jeder brauchte eine Chance.« Das denkt Emanuel, der Schwiegersohn Birks. Später präzisiert er: »Es heißt überhaupt Chance – statt Verantwortung [...].«

Diese verbissene, scheinbar ›sachliche‹ Jagd nach der ›Chance‹ läßt den Luxus von Gefühlen nicht mehr zu. Liebe, selbst bei starken Empfindungen, wird zur Nebensache. »Sobald Emanuel seine Sachen anhatte, sah er nach der Uhr: drei Uhr einunddreißig. Er erinnerte sich, daß es vorher drei Uhr zweiundzwanzig gewesen war. Das Aufstehen abgerechnet, hatte der ganze Zauber acht Minuten gewährt. Der Junge stellte für sich fest, daß die Liebe kein Leben ausfüllte.« Seine Partnerin in dieser Szene, die Schwägerin Inge, denkt anders. »Sie konnte nicht hoffen, daß er jetzt den Mund öffnete und sprach: ›Ich bin dein, dich geb' ich nie mehr frei. Wir gehen nach Amerika und bauen unsere Existenz neu auf.‹ Das waren keine Begriffe von heute. Dennoch drängte es sie heimlich zu fragen: ›Wie toll liebst du mich?‹ und für ihre Person zu antworten: ›Ewig.‹« Inge, Lieblingstochter Birks, vertritt hier die großen Gefühle, die Heinrich Mann in seinen Romanen immer wieder beschwört. Von Anfang an und zunehmend im Alter ist er ein Pathetiker der Liebe gewesen, der romantischste unter den großen Schriftstellern der Zeit. Man braucht nur an den Anteil der Liebesthematik im *Henri Quatre* (1935, 1938) zu denken. Das schließt Nüchternheit, Skepsis und Zweifel nicht aus, begründet aber seine Abneigung gegen die Neue Sachlichkeit. Von letzterer wird die Bereitschaft zum

›Rausch‹, eines der Merkmale der älteren Generation, unterdrückt. Das Ergebnis ist jedoch nicht nur Nüchternheit, vielmehr kommt das verdrängte Bedürfnis als Sentimentalität, Ressentiment oder oberflächliche Keßheit wieder hervor. Die Abneigung gegen Pathos, weil es falsches war und in die Katastrophe führte, sollte nicht Verdrängung und bloßes Nicht-Pathos bewirken. Das unvollständige Bild dieses Autors ist dafür bezeichnend. Man versteht ihn heute noch als Mann der Vernunft, der politischen Einsicht und des klaren Blicks. Seine pathetische Seite nimmt man allenfalls in Kauf, wenn es um Zola und Demokratie geht. Sein Liebes- und Glücksverlangen, der Hang zu opernhaftem Aufschwellen des Gefühls werden verdrängt. Der ›Rausch‹ ist bei Heinrich Mann human. Er richtet sich nicht wie bei Thomas Mann auf den Tod, vielmehr auf das Leben. Er entzündet sich an Liebe, Kunst, Demokratie. Es ist kein ›blinder‹ Rausch, keiner des weltverlierenden Versinkens. Es ist, altmodisch, ein Rausch des Herzens und, wenn es das gibt, der Vernunft.

Politische Kritik übte Heinrich Mann an der Großindustrie. Bezeichnend dafür ist sein Roman *Der Kopf* (1925), zu dessen Thematik die Lage jener Intellektuellen im Kaiserreich gehört, die wirksam an der Politik teilnehmen wollen. (Ein Vergleich der beiden gegensätzlichen Hauptfiguren mit dem ebenso gegensätzlichen Brüderpaar im konservativen »Roman eines Staatsmannes« *Melusine* von Oskar A. H. Schmitz, erschienen 1928, wäre reizvoll.) Zuvor, in Lion Feuchtwangers »dramatischem Roman« *Thomas Wendt* (1920), war das Problem der Unvereinbarkeit von »Geist und Macht« noch in expressionistischer Manier behandelt worden: Ein junger Dramatiker wird zum revolutionären Volkshelden. An der Diskrepanz zwischen seinen reinen Ideen und der ›sachlichen‹ Wirklichkeit der Revolution zerbricht er und zieht sich zurück. Der Geschäftsmann als politischer Realist tritt an seine Stelle. Für Heinrich Mann ist die Großindustrie der eigentliche Gewinner des Krieges. In dem Aufsatz »Die jungen Leute« (1925) schreibt er: »Das Ergebnis der deutschen Kämpfe, Begeisterungen und Nöte von 1914 bis 1925 ist, daß die Macht aus den Händen des Adels und des Militärs in die der Industriellen übergegangen ist. Alles andere ist falsche Auslegung. Eine Zeitlang entschuldigte sie der Schein, heute nicht einmal mehr dieser. Die einzigen erfolgreichen Revolutionäre sind die Großindustriellen.«

In der *Großen Sache* werden die Methoden des Großkapitals und des Faschismus gleichgesetzt. Der Berliner Großkaufmann von List, mit Schattich durch betrügerische Spekulationen verbunden, denkt über ihn und seine zukünftige Verwendung nach: »›Brauch ich einen Reichskanzler, der Faschismus macht? – – Faschismus mach' ich selbst‹, dachte der Großkapitalist.« Schattich hat den »Verein zur Rationalisierung Deutschlands« gegründet. Er »umfaßte alle, die, ohne die im Lande bestehenden Einrichtungen gewollt zu haben, jetzt wenigstens den Nutzen für sich beanspruchten«. An dessen Spitze hält er sich mit der Methode vieler Politiker: »Er hatte gelernt, daß die Menschen nichts lieber und länger ertragen, als das Unerfüllte, leere Hoffnung und das Wort ohne Sinn. [...] ›Ich bin entschlossen, mein Werk nicht dadurch zu gefährden, daß ich mich konkret ausdrücke‹ [...].« Bei einer Sitzung des Vereins ereignen sich ›Ausschreitungen‹. Nicht, wie geplant, mit den Kabarettkünstlern und Mädchen, die List aus Berlin mitgebracht hat, vielmehr in einer großen Szene mit Schattichs Frau. Solche Szenen, in denen die Figuren die Kontrolle über sich verlieren, die Person aus den Fugen geht, ein Element des Chaotischen in innere Haltung und äußere Ordnung einbricht, sind für Heinrich Manns Werk so charakteristisch wie die Liebesthematik: »Kultur mit Ausschreitungen« ist noch ein Kapitel des Romans *Empfang bei der Welt* (1956) überschrieben. Seit dem Roman *Im Schlaraffenland* (1900) sind es ›Ausschreitungen‹ der großbürgerlichen Schicht der Geschäftsleute, Industriellen und Politiker. Der – aus Angst, aus Liebe, sich demütigend – auf den Knien rutschende Präsident oder Generaldirektor ist ein wiederkehrender Typus. Damit macht Heinrich Mann den untergrabenen fragwürdigen Zustand der Gesellschaft anschaulich, der sich für ihn am ehesten in Auflösungserscheinungen bei den Reichen zeigt. Aber es wird auch die Lust am Chaotisch-Anarchistischen in ihm selbst deutlich, die andere Seite seiner auf Haltung, Stolz, Vornehmheit, Güte bedachten Natur und der Gegenpol des Glücks in den Augenblicken großen Gefühls.

IV

Ein Phänomen der Zeit, offenbar gerade der älteren Generation bemerkenswert und aufschlußreich für die Zeitstimmung, war der Tanz. In Aufsätzen dieser Jahre geht Heinrich Mann darauf ein. In den Romanen schildert er mehrfach den sportlichen Ernst und das Unerotische des Tanzens der Jugend. Thomas Mann spricht in *Unordnung und frühes Leid* (1926) von der »ruhigen Hingebung« der jugendlichen Tänzer bei der Party in des Professors Haus. Der Professor ist fasziniert von den »wilden Tänzen der Neuzeit«, zu deren Rhythmen »ruhige Hingebung« und Ernst kontrastieren. Tanz und Jazz spielen schließlich in Hermann Hesses *Der Steppenwolf* (1927) eine entscheidende Rolle. Der alternde Harry Haller, in dem Hesse seine eigene Lebenskrise spiegelt, lernt tanzen, geht zu Bällen, sieht in der Tanzmusik der Zeit deren Stimmung ausgedrückt. Der *Steppenwolf* ist mit seiner Kritik an Deutschland, seiner Auseinandersetzung mit der Psychoanalyse, dem Tanz, der Schlagermusik, dem Radio und Auto durchaus ein Zeitroman. Nicht zuletzt werden die Frage nach dem Einzelnen in der Gesellschaft und das Problem der Einheit der Person, die es nicht gibt, bei Hesse eindringlicher behandelt als in allen anderen Romanen. (Für Gides Leben und Denken hat die Erfahrung der Vielfalt der Person eine ähnlich große Rolle gespielt.)
Heinrich Mann und Hesse begegnen der neuen Generation zwar skeptisch, aber offener als viele andere Schriftsteller, trotz einer nicht mehr in die Zeit gehörenden Gefühlslage, die vor allem Hesse als Romanautor häufig so schwer erträglich und für die Literaturkritik zu einem provozierend schwierigen Fall macht. Ihre politische Einstellung mag zur Offenheit beigetragen haben. Ähnlich wie Adorno bei Hesse eine »Mischung von Bewahrendem und Verwegenen« sieht, gilt dies für Heinrich Manns Denken und den Charakter seiner Romane. In *Die große Sache* läßt er Birk sagen: »Er gehörte zu den älteren Leuten, die gegen Ende allmählich kühner werden.« – man denkt an Thomas Manns späteren Ausspruch vom »Greisenavantgardismus« des Romans *Der Atem* (1949) von seinem Bruder.
Wie der Tanz wird der Sport als Ausdruck der Zeit empfunden. Man sah in der neuen Körperlichkeit etwas Bewußtseinsveränderndes. In Felix Hollaenders Roman *Das Erwachen des Donald Westhof* (1927) ist der Held eine Zeitlang Boxer. Er hat

die Vorstellung, daß der Mensch über seinen Körper befreit werden könne, und ist »davon durchdrungen, daß man den Leib entspannen – in Schwung versetzen – sozusagen von aller Schwere befreien muß, um den Weg zur Seele zu finden. Nur der Mensch [...], der seinen Körper bis zu dem Grade überwunden hat, daß er leicht und tänzerisch geworden ist, das heißt, jeden Stoß – jeden Schlag – jeden Hieb – jeden Schmerz lachend hinnimmt, ist Gott nahe.« Ein anderes war der Sport als Massenveranstaltung. Heinrich Mann schildert in *Die große Sache* einen Boxkampf. Emanuel und Inge sind unter den Zuschauern, und Emanuel empfindet: »Der Boxkampf ist das Höchste, vor Lieben geht für den Jungen das Boxen sowieso; und in dieser Minute bewegt es ihn mit Ausschluß alles anderen [...]. Es bewegt ihn mitsamt allen seinen Zeitgenossen. Auf dem Bett waren die anderen nicht dabei, aber man empfindet mehr, wo viele sind.« In Musils Aufsätzen und Notizen über den Sport heißt es damals: »Es mag schon so sein, daß zwei Boxer, die sich gegenseitig wund schlagen, dabei füreinander Kameradschaft empfinden, aber das sind zwei, und Zwanzigtausend schauen zu und empfinden ganz etwas anderes dabei. Wahrscheinlich ist aber gerade das Zuschauen von einem Sitzplatz aus, während andere sich plagen, die wichtigste Definition der heutigen Sportliebe [...]. Man nennt, die sich plagen, die Heroen. Und das hat man immer getan. So ist man vom Geist [...] auf den Sport gekommen, und wenn er es nicht anders macht, werden die Sportsleute bald wieder nur für Narren gelten wie die Dichter.« Hier wird von Musil die Verabschiedung des Geistigen angesprochen. Es verschwand nicht nur, weil die realen Lebensbedingungen sich geändert hatten und der Lebenskampf an die Stelle geistiger Problematik getreten war. Ursache war auch die neue Körperlichkeit. Heinrich Mann sagt: »Damals ließ der Erwerbende neben sich nur noch den Denkenden zu, jetzt den Starken. Einst hieß es Bildung und Besitz, jetzt muß es heißen Besitz und Kraft.«

Dieses Motiv durchzieht auch Edschmids Romane *Sport um Gagaly* (1928) und *Feine Leute*. Mit *Sport um Gagaly* versucht Edschmid, eine Philosophie des Sports zu geben, eine neue, dem Jahrhundert angemessene Wertlehre. Für die männliche Hauptperson, den Italiener Passari, steht fest, daß nicht mehr wie früher zwischen Leidenschaft und Geist Spannung besteht, vielmehr zwischen Leidenschaft und Körper. Leistungssportler elitärer Sportarten wie Autorennen und Tennis stilisiert Edschmid zu einem neuen Orden, in dem Disziplin, Ökonomie und Körperbeherrschung entscheidend sind. Leidenschaft bedeutet diesen der Gesellschaft angehörenden »Heroen« den »Einbruch zuchtloser Dinge« in ihr diszipliniertes Leben. Aber es ist nicht die Leidenschaft gewöhnlicher Menschen. »Diese Menschen verband nicht nur die Leidenschaft, welche die Geschlechter zueinandertreibt. Es erfüllte sie das heroische Gefühl, das die besten Leute des Sports erfüllt: durch den Körper über den Körper hinauszukommen. Die Kriege gehörten bereits der Industrie. Ihre Einstellung war die mystische Leidenschaft der Krieger, die kein Schwert mehr haben.« Selbst dramatische Konflikte – Passari hat Liebesverhältnisse mit zwei Frauen, von denen eine verheiratet ist – werden aus dieser Haltung gelöst. »Diese Formen waren [...] sachlich und graziös genug ausgebildet, um auch jene rätselhaften Leidenschaften der Menschen in Ordnung zu bringen, die Jahrhunderte lang nur tragisch gelöst werden konnten. Trotzdem war das, was Passari und Pista und die Madosdy erlebten, dem nicht unähnlich, was, unter Männern allein, Leonidas für seine Jünglinge zu einem Geliebten gemacht hatte. Die jungen Männer in Olympia hatten ebenfalls tiefere Zusammenhänge, als miteinander in die Betten zu gehen.« »Besitz und Kraft«, mit Heinrich Manns Worten, treffen im nächsten Roman Edschmids, *Feine Leute,* wieder zusammen. Im gleichen preziösen Ton gehobenen Kitschs, der schon in den frühen, als expressionistisch geltenden Büchern zu spüren war, bietet Edschmid seine Kenntnisse des mondänen Lebens, des Sports, der europäischen Geschichte und Kunst. Vor der wirkungsvollen Kulisse Venedigs versammelt er einige der Mächtigen der Welt. Venedig, Verkörperung europäischen Verfalls wie europäischer Kunst- und Geschichtsträume, kontrastiert dem Denken des amerikanischen Zeitungsmagnaten oder belgischen Kolonialherren wie auch der Atmosphäre von Motoryachtrennen und Tennisspiel. Das Lebensgefühl von Menschen mit Macht interessiert Edschmid hier. Er schildert nicht ihre Kämpfe, sondern führt die Mächtigen in Ruhe und unter sich vor. So souverän diese Männer und Frauen sind, es gibt keine absolute Macht. »Es war idiotisch, daß jede Macht begrenzt war, aber das zu wissen, war nötig, um sich die Macht zu erhalten.« – »Rein [...] genießen« kann man Macht, »das einzige, was nicht vergeht«, nur, wenn sie mit »Menschenverachtung« gepaart ist. Dieser Zug der Menschenverachtung – in Gurks *Palang* war er zu beobachten als Kehrseite und Ergebnis früherer Menschenfreundlichkeit – charakterisiert die Mächtigen.

In Heinrich Manns Roman *Die große Sache* tritt in einer Szene der mächtige Konzernherr auf. Er wird »Karl der Große« genannt. Natürlich ist er körperlich klein und sieht eher wie ein »Paläontologe« aus. Als er Kenntnis erhält von den Gefahren und Intrigen bei der Jagd nach dem großen Geschäft, kommt er zur Einsicht: »Ihm entrückt, gab es tatsächlich niedrige Kämpfe, Nöte, Verbrechen; er konnte sie weder ausschalten, noch jederzeit ganz beherrschen. Er mußte sich wohl herbeilassen, sie anzuerkennen und sie auszugleichen, wenn es sein konnte, – die Gerechtigkeit herzustellen, soviel davon in seiner eigenen Weltordnung gelegentlich und ausnahmsweise einmal Raum fand.« Die Formulierung zeigt: Heinrich Mann ist sich im klaren darüber, daß es normalerweise in der Welt anders zugeht und hier eher die Gerechtigkeit des Märchens stattfindet. Doch wird auch bei ihm deutlich: Alle Kritik an der Industrie und ihren skrupellosen Methoden hindert nicht, daß die Macht, die sich in den entrückten Spitzengestalten der internationalen Finanzwelt verkörpert, starke Anziehungskraft ausübt. Die Versuchung ist groß, in ihnen Macht mit Einsamkeit, Weisheit, aber auch, werden sie nur richtig angesprochen, Menschlichkeit zu verbinden.

Das zeigt sich wieder in Robert Neumanns Roman *Die Macht* (1932). Die körperliche Kleinheit von Großen steigert Neumann ins Extreme. Sein Finanzmann Lassalle ist ein Krüppel. »Nur der Schädel ist halbwegs normal, aber der Leib und vor allem die Beine sind die eines Kindes.« Dieses »beste Hirn Europas« arbeitet an einer Universalphilosophie, ist Kunstkenner und nicht frei von »romantisch-privaten« Anwandlungen. Der machtlose Schriftsteller, dessen Traum es ist, zu wirken, wird von der Macht fasziniert und romantisiert sie. Im Geistig-Künstlerischen eine Gegenkraft zum Weltlichen zu sehen war nicht mehr möglich. So wird unter dem Vorwand, Realität des modernen Wirtschaftskampfes zu zeigen, das verdrängte Bedürfnis abreagiert. Kritik des kapitalistischen Systems steht neben der indirekten Verherrlichung seiner Führer. Was Philipp II. für Schiller, Napoleon für Goethe, ist ins Moderne übertragen »Karl der Große« für Heinrich Mann, Lassalle für Neumann, Palang für Gurk. Im Werk von Sternheim, Edschmid, Kaiser, Brecht finden sich weitere Beispiele für diese Tendenz. Diese Figuren werden auch nicht in die Problematik der Persönlichkeit hineingezogen, sie sind der Gesellschaft »entrückt« oder, wie es selbst bei Kracauer heißt, »fern gerückt«.

Ein breites und handlungserfülltes Bild der Nachkriegsjahre enthält Neumanns Roman *Sintflut* (1929). Er schreibt darüber in seiner Autobiographie *Ein leichtes Leben* (1963): »›Sintflut‹ ist einer jener übernaturalistischen Überromane, in die ein junger Autor an autobiographischer und sonstiger Substanz preßt, was gut und teuer ist, und habe ich in dem Buch auch seit Jahrzehnten nicht wieder gelesen, so weiß ich doch, daß da an Mord und Totschlag, an hohen und miesen Gefühlen, an Homo- und Heterosexualität, und natürlich auch an Symbolsubstanz so viel hineingepackt ist, daß beinahe der Einband birst.« Neumann führt keine programmatische Auseinandersetzung mit der Zeit, ebensowenig distanziert er sich von ihr. Er ist kein moralistischer Didaktiker wie Kesten. Es ist bezeichnend, wie wenig Sentenzen und grundsätzliche Erörterungen sich in diesem Roman finden. Er bildet eine Welt in sich. Wollte man den Begriff Zeitroman bestimmen, möglicherweise wären von allen behandelten Robert Neumanns *Sintflut* und *Die Macht* die exemplarischen Zeitromane.

In *Sintflut* werden, exemplifiziert an Bewohnern eines Wiener Mietshauses – Vorderhaus, Mitteltrakt, in dem der Ich-Erzähler aufwächst, Hinterhaus –, verschiedene Schicksale dargestellt, die sich aus jüdischer Problematik, sozialistisch-kommunistischen Aktionen, Verbrechen und Not der Inflationszeit ergeben. Großen Anteil haben Börsen- und Wirtschaftsmanöver. So romanhaft turbulent sie erscheinen, beruhen sie doch auf Neumanns eigenen Erfahrungen. In seinem Buch *Ein leichtes Leben* hat er davon erzählt. Dort sagt er auch über *Sintflut*, daß »dieses Buch [...] zum vorgeschriebenen Lesestoff an einer deutschen Universität gehörte – leider nicht im literarischen sondern im wirtschaftswissenschaftlichen Seminar: die jungen Leute sollten wohl aus ihm lernen, wie der Gentleman sich in Zeiten der Inflation verhält. Meine anrüchige Finanz-Brillanz [...] fand hier ihre edle Rechtfertigung.« Das Haus, Schnittpunkt aller Schicksale, brennt nieder. Der Roman endet mit einer blutig verlaufenden Massendemonstration, auch bei Neumann gibt es den Aufbruch ins Ungewisse als Ausklang.

Kesten geht in seinem, von ihm als »satirisch« bezeichneten Roman *Der Scharlatan* (1932) von einer Klassengemeinschaft aus. Einige der jetzt Dreißigjährigen treffen in Berlin wieder zusammen. Dazu kommen Figuren früherer Romane, wie Josef Bar und sein Onkel Roß. Die Nichte und spätere Frau von Roß ist die weibliche Hauptperson. Wie viele Frauen in den Romanen der Zeit heißt sie Maria. (Auch Neumann gab der weiblichen Hauptfigur seiner beiden Romane diesen Namen, in der hebräischen Form Mirjam.) Es ist eine neue Art von Marienkult, der sich hier ausdrückt.

Erscheint Kästner als sentimentaler Moralist, so Kesten als skeptisch-rationaler. Zwischen Glaubenwollen und Zweifelnmüssen hin und her gerissen, malt er alles aus, was zum Zweifel an der sinnvollen Einrichtung der Welt Anlaß gibt. Es herrscht in ihr Ungerechtigkeit. »War die Welt so beschaffen, daß gute Absichten in schlimme Wirkungen sich verkehrten?« Das wird in *Josef sucht die Freiheit* (1927) und *Glückliche Menschen* (1931) geschildert. Und sie ist eine »schmutzige« Welt. »O, der Schmutz, bevor man stirbt! Dieser Schmutz vor dem Tode, dieser entsetzliche Schmutz des Daseins.« Er wird in allen Romanen Kestens geschildert. Seine Klage richtet sich gegen die Zeit, in der das Individuum untergeht. »Das Individuum, diese edelste Blüte der abendländischen Kultur, ist verwelkt und tot. Der Mensch ist eine Schablone eines Kollektivwesens geworden, sein Glück ward mechanisch, sein Schicksal automatisch, seine Person ein Rechenexempel, sein Wohlergehen oder Untergang Folgen der Wirtschaft, nationalökonomisch zu errechnen [...] die Menschheit war ein Kollektiv geworden, und das Individuum aus einem Partikel Gottes ein Industrieprodukt eines laufenden Bandes.« So heißt es in *Glückliche Menschen*.

Kesten liebt die Freiheit, deren Problematik vor allem der Roman *Ein ausschweifender Mensch* (1929) abhandelt. Und er liebt anarchistisch-individualistische Gestalten wie Josef Bars Onkel Roß, der im *Scharlatan* als alternder Mäzen und Millionär das Überkommene gegen die neue Zeit vertritt, mit deren Praktiken er selbst sehr gut fertig wird. »Du, du glaubst an das Heil, das von Staaten kommt und von der Vereinigung von Menschen, ich habe nie daran geglaubt! Ich bin der radikalste Anarchist [...]. Man spricht heutzutage gern vom Untergang des Individuums, von der Kollektivierung [...] ich sage dir [...] niemals gab es in der Geschichte der Menschheit eine Epoche, da dem einzelnen, da dem tapferen Individuum so grenzenlose Macht gegeben war [...]. Ich sehe diese jungen Leute von heute inmitten der fortwährend Krisen [...] ich höre mitunter, wie sie jammern und wehklagen, ihr Parzenlied von den geopferten Generationen, ich sage dir, ich verachte diese kopflosen jungen Menschen [...]. Jeder Volksredner macht mit Europa, was er will [...] man braucht nicht einmal Geist, weder Bildung noch guten Willen, weder Persönlichkeit noch Würde [...] ein Tölpel kann Deutschland über den Haufen rennen, ein Tölpel!« Das sind keine guten, aber reale Aspekte. Zugleich schlägt die Verteidigung des Individualismus um in die Schilderung seiner Fragwürdigkeit.

In der Verherrlichung des alten Roß einerseits, im gleichzeitigen Willen zur Vernunft in der Welt und zur Veränderung der Gesellschaft, wie ihn Josef Bar vertritt, andererseits zeigt sich der unauflösbare Widerspruch in Existenz und Denken vieler Schriftsteller, Ursache ihrer Unentschiedenheit und, gesellschaftspolitisch gesehen, ihrer Zweideutigkeit. Es gab keinen Autor, der die Zeit bejaht. Die Republik war eine verneinte Republik. Von den Jüngeren, weil sie nicht das erfüllte, was sie erhofften, von den Älteren, weil sie nicht mehr das Alte war. Das ›Nicht-mehr‹ und ›Noch-nicht‹, von dem Broch spricht, entschied ihr Schicksal. »Die Stimmung des Vorläufigen beherrscht Europa. Sie bestimmt auch, was man schreibt«, heißt es selbst bei Heinrich Mann, der die Republik verteidigte. Für die bürgerlichen Schriftsteller der Weimarer Republik war ein Unsicherheitsgefühl kennzeichnend, das nicht nur in den Zeitumständen begründet war. Es entsprang auch dem Zweifel an ihrer eigenen Rolle. Abgestürzt aus Dichterhöhen, die im Jahrhundert zuvor erstiegen worden waren mit dem Anspruch auf göttergleiches Führertum, fanden sie sich in einer dem ›Geist‹ abgewandten Zeit immer weniger zurecht. Wo die Zeit mit Neuer Sachlichkeit angegangen wurde, war es eine Sachlichkeit wider Willen. Wenn Walter Benjamin sagt: »Denn das ist das Neue an dieser Sachlichkeit, daß sie auf die Spuren einstiger Geistesgüter sich soviel zugute tut wie der Bürger auf die seiner materiellen«,[7] so trifft er den wunden Punkt der literarischen Richtung, ihren Anteil an Ressentiment, Unentschiedenheit und ›linker Melancholie‹. Auch bei Heinrich Mann und Kesten spürt man noch immer, daß die Welt, die sie eigentlich bewegt, nicht unbedingt die gegenwärtige ist.

Am Schluß von Kestens *Scharlatan* sitzt Josef Bar, geflüchtet, bevor es die Emigration gab, in der Pose Walthers von der Vogelweide, des Stammvaters deutscher Zeitkritik, auf einem Stein, während Ballon und Stifter streiten, wer von ihnen der »Scharlatan« sei. Sie, die es wirklich sind, kommen zu dem Ergebnis, Bar sei der wahre Scharlatan. Bar, der Mann mit der »barocken Vernunft«, »die man ebenso häufig bei genialen wie bei sonderbaren Menschen findet, bei großen Männern ebenso wie bei großen Narren vom Schlage Don Quichotes, Hamlets oder des edlen Basken Atta Troll«, Bar, dessen Züge »nichts als Vernunft, Entschlossenheit und Zärtlichkeit [...] eine beinahe wilde Zärtlichkeit« ausdrücken, ist der Schriftsteller in seinem skeptisch-stolzen Selbstverständnis. Es bleibt offen, ob er der wahre Scharlatan ist. Sollte er es auch sein, er wäre der harmloseste. Die Scharlatane der Macht sind stärker.

Anmerkungen

1. Georg Lukács: *Deutsche Literatur im Zeitalter des Imperialismus.* Berlin 1950. S. 64.
2. Walter Benjamin: »Linke Melancholie«. Neudruck in: *Angelus Novus.* Frankfurt a. M. 1966. S. 458 f.
3. Siegfried Kracauer: Die Angestellten. Neuausgabe: Allensbach und Bonn 1959. S. 90.
4. Theodor W. Adorno: Ästhetische Theorie. Frankfurt a. M. 1970. S. 369.
5. Siegfried Kracauer: *Die Angestellten.* S. 30.
6. Wolfram Schütte: »Film und Roman. Einige Notizen zur Kinotechnik im Roman der Weimarer Republik«. In: »Heinrich Mann« – Sonderband von *Text und Kritik.* 1971. S. 70–80. Schütte hat für das Element des Wunderbaren und Märchenhaften auf eine mögliche Verbindung zu E. T. A. Hoffmann hingewiesen, die sich in Erwähnungen Heinrich Manns dieser Jahre feststellen läßt. Er hat auch den Einfluß der Kinotechnik hervorgehoben.
7. Walter Benjamin: »Linke Melancholie«. S. 459.

Literaturhinweise

Zitierte Werke

Hermann Broch: *Huguenau oder die Sachlichkeit.* 1918. München und Zürich 1932.
Alfred Döblin: *Berlin Alexanderplatz.* Die Geschichte vom Franz Biberkopf. Berlin 1929.
Kasimir Edschmid: *Sport um Gagaly.* Berlin, Wien und Leipzig 1928.
– *Feine Leute oder Die Großen dieser Erde.* Chronik der zwanziger Jahre. Berlin, Wien und Leipzig 1931.
– *Deutsches Schicksal.* Berlin, Wien und Leipzig 1932.
Lion Feuchtwanger: *Thomas Wendt.* Ein dramatischer Roman. München 1920.
Otto Flake: *Ruland.* Berlin 1922.
– *Der gute Weg.* Berlin 1924.
– *Villa U. S. A.* Berlin 1926.
– *Freund aller Welt.* Berlin 1928.
– *Es ist Zeit.* Berlin 1929.

Paul Gurk: *Palang*. Stuttgart, Berlin und Leipzig 1930.
– *Berlin*. Berlin 1934.
Georg Hermann (eigtl. Georg Hermann Borchardt): *Eine Zeit stirbt*. Berlin 1934.
Hermann Hesse: *Der Steppenwolf*. Berlin 1927.
Felix Hollaender: *Das Erwachen des Donald Westhof*. Berlin 1927.
– *Ein Mensch geht seinen Weg*. Berlin 1931.
Heinrich Eduard Jacob: *Jacqueline und die Japaner*. Ein kleiner Roman. Berlin 1928.
– *Blut und Zelluloid*. Berlin 1930.
– *Ein Staatsmann strauchelt*. Berlin 1932.
Erich Kästner: *Fabian*. Die Geschichte eines Moralisten. Berlin 1931.
Martin Kessel: *Herrn Brechers Fiasko*. Stuttgart 1932.
Hermann Kesten: *Josef sucht die Freiheit*. Potsdam 1927.
– *Ein ausschweifender Mensch*. Berlin 1929.
– *Glückliche Menschen*. Berlin 1931.
– *Der Scharlatan*. Berlin 1932.
Heinrich Mann: *Der Kopf*. Berlin, Wien und Leipzig 1925.
– *Mutter Marie*. Berlin, Wien und Leipzig 1927.
– *Die große Sache*. Berlin 1930.
– *Ein ernstes Leben*. Berlin, Wien und Leipzig 1932.
Thomas Mann: »Unordnung und frühes Leid«. In: *Die Neue Rundschau*, 36 (1926). H. 6.
Alfred Neumann: *Der Held*. Roman eines politischen Mordes. Stuttgart 1930.
Robert Neumann: *Sintflut*. Stuttgart 1929.
– *Die Macht*. Berlin, Wien und Leipzig 1932.
Erich Maria Remarque (eigtl. Erich Paul Remark): *Der Weg zurück*. Berlin 1931.
Ludwig Renn (eigtl. Arnold Vieth von Golßenau): *Nachkrieg*. Wien und Berlin 1930.
Ernst von Salomon: *Die Geächteten*. Berlin 1929.
– *Die Stadt*. Berlin 1932.
Oskar A. H. Schmitz: *Melusine*. Roman eines Staatsmannes. München 1928.
Carl Sternheim: *Europa*. 2 Bde. München 1919/20.
Friedrich Torberg (eigtl. Friedrich Kantor-Berg): *Der Schüler Gerber hat absolviert*. Berlin, Wien und Leipzig 1930.
Ernst Weiß: *Der Gefängnisarzt oder Die Vaterlosen*. Mährisch-Ostrau 1934.
Friedrich Wolf: *Kreatur*. Roman der Zeit. Hannover 1926.

Quellen und Forschungsliteratur

Theodor W. Adorno: *Ästhetische Theorie*. Frankfurt a. M. 1970. (Gesammelte Schriften, 7.)
Walter Benjamin: *Angelus Novus*. Frankfurt a. M. 1966. (Ausgewählte Schriften, 2.)
Die sogenannten Zwanziger Jahre. First Wisconsin Workshop. Hrsg. von Reinhold Grimm und Jost Hermand. Bad Homburg, Berlin und Zürich 1970.
Siegfried Kracauer: *Die Angestellten*. Aus dem neuesten Deutschland. Frankfurt a. M. 1930. Neuausgabe mit dem Untertitel: Eine Schrift vom Ende der Weimarer Republik. Allensbach und Bonn 1959.
Georg Lukács: *Deutsche Literatur im Zeitalter des Imperialismus*. Berlin 1945.
Heinrich Mann: *Essays I/II*. Berlin 1954–56. (Ausgewählte Werke in Einzelausgaben XI/XII.)
Heinrich Mann 1871–1950. Werk und Leben in Dokumenten und Bildern. Berlin und Weimar 1971.
Heinrich Mann. Sonderband von *Text und Kritik*. München 1971.
Materialien zu Hermann Hesses »Der Steppenwolf«. Hrsg. von Volker Michels. Frankfurt a. M. 1972.
Robert Neumann. Stimmen der Freunde. Zum 60. Geburtstag. München, Wien und Basel 1957.
Robert Neumann: *Ein leichtes Leben*. Bericht über mich und Zeitgenossen. München, Wien und Basel 1963.

WALTER SCHIFFELS

Formen historischen Erzählens in den zwanziger Jahren

Die Katastrophe des Ersten Weltkriegs, die revolutionären Ansätze danach, Nachkriegselend, beginnende Prosperität, Inflation, Arbeitslosigkeit, Parteikämpfe, die Anfänge der ›Nationalen Erhebung‹ und des Widerstands gegen sie, Zerstörung der Republik und Beginn des ›Dritten Reichs‹ und schließlich die schon früh einsetzende Erwartung eines Zweiten Weltkriegs[1] waren Themen der zwanziger Jahre, denen sich Autoren gleich welcher Couleur nicht entziehen konnten. Die lapidare Feststellung Reinhold Grimms: »Man erkennt, daß die Zwanziger Jahre alles andere als eine geschlossene Einheit bilden«,[2] trifft auch auf die gewollte oder nicht vermeidbare Wiedergabe der Zeit in ihren Formen historischer Erzählungen zu: ›die Zeit‹ meint hier die Spanne zwischen dem Beginn der Produktion spezifischer Kriegsliteratur und dem barbarischen Spektakel, das die völlige Veränderung der Publikationsmöglichkeiten in Deutschland anzeigte: der Bücherverbrennung. Nach diesem Datierungsansatz muß die Dichotomie zwischen konsequenter Annalistik und geschlossener Literaturgeschichtsschreibung zugunsten eines methodischen Synkretismus literarischer Traditionen, Historiographie und Wirkungsgeschichte aufgehoben werden; Heuristik der Texte dient dem Verständnis der Zeit, deren besonders präzise oder engagierte Abbildung in Fiktionen mit explizit als historisch behaupteten Inhalten erwartet werden kann.

Typenvielfalt

Die Photomontage »Durch Licht zur Nacht«, mit der John Heartfield die Bücherverbrennung kommentierte,[3] belegt eindrucksvoll, daß der hier interessierenden Textgruppe schon damals von Faschismus und Antifaschismus Erkenntniswert zur Zeit beigemessen worden ist: auf dem montierten Scheiterhaufen brennen neben Büchern von Marx und Lenin ›Zeitromane‹ Thomas Manns und Theodor Pliviers, ›Kriegsromane‹ von Remarque und Hašek. Tatsächlich sind alle bei dem literarischen Autodafé vom 10. Mai 1933 auf dem Hegelplatz in Berlin von den ›Rufer‹ genannten Autoren, die nicht zur Wissenschaft oder Journalistik gehörten, als Verfasser von Erzähltexten hervorgetreten, die sich mit Geschichte oder Zeitgeschichte befassen: Heinrich Mann, Ernst Glaeser, Erich Kästner, Emil Ludwig, Werner Hegemann und Erich Maria Remarque. Die Gattungen aber, zu denen die indizierten Autoren außerordentlich erfolgreiche Exempel beigesteuert hatten, wurden auch von den neuen Inquisitoren gepflegt: Hegemanns Psychopathologie Friedrichs II. steht von Molos Innenansicht des Preußenkönigs gegenüber;[4] Heinrich Manns, Erich Kästners und Ernst Glaesers ›Zeit- und Generationsromanen‹ entsprechen Texte von Richard Euringer, Hans Grimm und Arnolt Bronnen;[5] dem Heer ›weißer‹ Kriegsdichtung, das Henri Barbusses Le feu (1916) nachfolgte, steht die geschlossene Front der Kriegsbücher entgegen, die es eher mit dem »Kampf als innerem Erleben« hielten.[6]

Schon hier zeigt sich, daß der Komplex ›historisches Erzählen‹ nur dann ohne unzulässige Vereinfachung beschrieben werden kann, wenn typologische Unterschiede als Ergebnis divergierender Absichten oder Stilzugehörigkeiten akzeptiert und nicht selbst kanonbestimmend gewertet werden; die zu fordernde typologische Unvoreingenommenheit verhindert Fehlschlüsse, wie sie z. B. Klaus Schröter mitteilt: »Wenn wir hier ein erstes Resümée ziehen, so können wir feststellen, daß der historische Roman von 1918 bis 1933 von bürgerlichen und bourgeoisen Autoren geschrieben wird, deren weltanschaulich-politische Haltung sich als Liberalismus, als Konservativismus, als Monarchismus zeigt, daß in der Gruppe der ›Völkischen‹ bereits die Lehren des Faschismus anwesend sind.«[7]

Die Wirklichkeit der Fiktion

Die Betonungsmöglichkeiten des zusammengesetzten Begriffs ›historisches Erzählen‹ emanieren schon Typvariationsmöglichkeiten: ›*historisches* Erzählen‹ oder ›historisches *Erzählen*‹: es erhebt sich die Frage nach der Fiktionalisierbarkeit der Geschichte. Der Unterschied zwischen geschichtsintegrierendem Erzählen und Geschichtsschreibung – gleich, ob ideographisch oder teleologisch – ist evident: Historiographie als Deskription der Fakten und der Probleme auf der Suche nach ihnen kann den von ihr intendierten historischen Sachverhalt und Prozeß wie jede Realdeskription im Idealfall zwar zutreffend und ausreichend, im Kontext zur Ubiquität der Historie aber immer nur approximativ beschreiben. Der Autor der historischen Epopöe dagegen schafft den Orbis pictus seiner erfahrungsgebundenen Manifestationen der Phantasie so, »als wäre der Weltlauf wesentlich noch einer der Individuation«;[8] die erzählten Grenzen des Raum-Zeit-Kontinuums der fiktionalen Welt mögen Entsprechungen im realen Koordinatensystem der vier Dimensionen intendieren, aber sie bleiben auch in der offenen Form des Romans – sei er auktorial, personal oder neutral konstruiert – unüberschreitbar: gerade die Inkomparabilität der stets weitere Fragen provozierenden wissenschaftlichen Aussage und der in sich selbst beschränkten ästhetischen Wirklichkeit begründet die größere ›Deutlichkeit‹ der letzteren. Charakteristische Phänomene der außerfiktionalen Realität sind in der Fiktion aufgehoben: Entfremdung, Pluralität, Ungewißheit des Weiteren, Abstand zum Gewesenen; im Absehen von diesen »Schwierigkeiten beim Beschreiben der Wahrheit« erweist sich die Dichtung als naiv, ihr Charakteristikum ist die »Dummheit des Erzählens«.[9] Aber gerade dieser Verzicht auf die Gravität verifizierbarer Aussagen macht die Attraktion erzählender und so auch historisierender Dichtung aus; Käte Hamburgers ›Episches Präteritum‹[10] und Adornos ›Vergegenwärtigung der Anamnese‹[11] meinen die gleiche Besonderheit nicht primär faktenbezogener Sprech- und Textleistungen: die Möglichkeit, das Vergangene ›vorzustellen‹. Adornos Begriff der »trugvollen Gegenwärtigkeit«[12] – als Polemik gegen das bloße Protokoll gemeint, das von Zeit nur als Index wisse – trifft nicht nur die gescholtene Geschichtswissenschaft, sondern auch das intendierte Rezeptionsverhalten zu jener Dichtung, die vorgibt, Erinnerungen an Zeiten zu reanimieren, »woran keine Erinnerung mehr sich zu heften vermag«[13].

Dichtung als Instrument der Erkenntnis?

Es fällt nun bei dem zitierten Adorno-Aufsatz »Standort des Erzählers im zeitgenössischen Roman« auf, daß seine Apologie erzählerischer Dummheit, die erhellender sei als protokollarische Indizes, an der Erkenntnismöglichkeit ansetzt, die aus einem gewesene Gegenwart abbildenden Roman gewonnen werden könne: aus Kellers *Martin Salander*. Damit erweitert Adorno konsequent vom eigenen belehrten Rezeptionserleben ausgehend den Begriff ›historisches Erzählen‹ und bezieht solche Texte in den begriffsimplizierten Kanon ein, die ihre Entstehungszeit nach Vermögen des Autors getreu beschreiben und als ›Zeitromane‹ in Peter Hasubeks Sinne Gegenwart schon als Geschichte überliefern.[14] Das Unbehagen an der damals gegenwärtigen Geschichte oder auch die Angst vor ihr haben in der Weimarer Republik zahlreiche ›Zeitromane‹ entstehen lassen, die heute noch in kontrastierender Lektüre die Epoche und ihre Tendenzen deutlich imaginieren: Texte von Döblin, Fallada, Grünberg, Jung, Marchwitza, Ottwalt, Salomon, Seghers[15] können heute zur Innovation historischer Kenntnis beitragen, weil sie zur Zeit ihrer Erstpublikation zu politisch engagiertem Handeln motivieren wollten. Während Victor Lange für die Zeit vor 1914 apodiktisch feststellt, »politische Literatur [sei] als tendenzgebundene Mitteilung einer auf das soziale Handeln bezogenen Gesinnung [...] ein Sonderfall«, kann er – Thomas Manns Goethe-Rede von 1932 folgend – für die zwanziger Jahre als normbildende Tendenz feststellen, »Dichtung [müsse] zum spezifischen Instrument der Erkenntnis werden«.[16] Das stets von der Gefahr dichotomischen Zerfalls bedrohte Normpaar ›delectare et docere‹ büßt in dieser nicht mehr schönen Zeit den ersten Teil seines kategorischen Imperativs zugunsten appellativer Textkonstitutionen ein: zum Gewinn »für den Tag und die Stunde«.[17] Autoren, denen am Fortbestand der Einheit von Genuß und Belehrung gelegen war, sind unter den sozialen und historischen Bedingungen der Zwischenkriegszeit in diesem Literaturgenre häufig der Gefahr nicht entgangen, einen zur Halbbildung depravierten ästhetisierenden Bildungsbegriff ›fortzuschreiben‹; wo in Umkehrung des Dilthey-Titels Dichtung als Erlebnis sich ereignete, blieb sie Erkenntnis als Selbstzweck, wurde damit unter solchen Umständen antinomisch, unzeit-gemäß, wider Willen reaktionär. Der motivierte Vorwurf der Verbreitung historischer Halbbildung trifft z. B. die psychologisierenden Historienromane Emil Ludwigs;[18] die gleiche Anklage erheben aber, ganz anders argumentierend, Schriftleitung und Einzelautoren der *Historischen Zeitschrift* gegen die prominenten Vertreter der ›historischen Belletristik‹;[19] die von der *Historischen Zeitschrift* so benannte Literatur erweist sich freilich als durchaus heterogen. Emil Ludwigs historische Biographien *Napoleon, Bismarck* und *Wilhelm II.*, die, unproblematische Quellenverarbeitung und schon popularisierende Psychoanalyse verbindend, elegant geschriebene belehrende Unterhaltung bieten wollen, stehen neben der nicht den mindesten künstlerischen Anspruch erhebenden Friedrich II.-Polemik Hegemanns, die der Belletristik nur deshalb mit einiger Berechtigung zugerechnet werden kann, weil sie durchgehend fingierte Gesprächssituationen Hegemanns mit einem amerikanischen Diskussionspartner als strukturierendes Element enthält. Aber es geht Hegemann nicht um »Geschichte als Dichterin«, wie Stefan Zweig, schon im Titel fiktionalisierend, seine erst posthum veröffentlichte Programmatik des historischen Romans überschrieben hat, in der er

– sehr im Gegensatz zum doch oft mit ihm verglichenen Emil Ludwig – seine Zuneigung zur Geschichte als »Dichterisch-Sinnvollem«[20] bekundet;[21] Hegemann ist vielmehr die von Theodor Lessing sorgfältig formulierte Unterscheidung zwischen logi-
scher und ästhetischer Wahrheit wohl bewußt,[22] die bei Autoren historischer Dichtung von Hauff bis Stefan Zweig begrifflich und in den Romanen selbst immer
wieder vermengt worden sind.

Historische Belletristik

Gerade die Erwiderung Emil Ludwigs auf die Angriffe der *Historischen Zeitschrift*
belegt die irrige erkenntnistheoretische Position dieses in der Weimarer Republik
dominierenden Typs künstlerischer Geschichtsschreibung und sucht sie zudem qua
Zitat in eine real nicht existente Tradition einzureihen: »Es wird deutlich, daß der
Dichter immer der beste Historiker wäre, wenn er auf Erfindung verzichtete, denn
er ›begreift die Welt durch Antizipation‹.«[23] Mit diesem Dichtungsverständnis wird
gerade die Möglichkeit der Einsicht aufgegeben, die aus der Fiktion tatsächlich gezogen werden könnte: Begriff der Wahrheit der Darstellung und ihrer Bedingun-
gen. Diesen Kritikansatz zur ›Historischen Belletristik‹ vermerkt die *Historische
Zeitschrift* aber nicht: er wäre auf historiographische Texte genauso anwendbar.
Hans A. Joachim exemplifiziert 1920 in der *Neuen Rundschau* eine solche Möglichkeit der Kritik (allerdings nicht auf Produktionen des Verlags S. Fischer bezogen):
»Dahn, Ebers, Freytag haben den Stil derjenigen Zeit komplettiert, welche die
Ritterburgen restaurieren und es sich nicht nehmen ließ, auf eine rüstungsfreudige
Weise unter den Requisiten der Historie zu hausen. Sie hielt mit dem Staubwedel in
der Hand zu den Harnischen und Partisanen, die so wenig dem entsprechen, was
ihre Rüstungsindustrie gleicherzeit herstellte; sie hat mit den Schwertern gespielt,
bis es mit dem Giftgas ernst geworden ist.«[24] Die Kritik trifft aber auch auf Texte
zu, die Joachim preisend zitiert: auf Alfred Neumanns »Guerra« und »Rebellen«
(beide 1920), die nach ihrem Erzählgegenstand, dem Risorgimento, dem zeitgenössischen Leser durchaus Einsichten in seine eigene Zeit hätten vermitteln können; was
sie dagegen bieten, ist zeitgeschichtsaffirmativer Mythos der Politik, der nur die
Nachgeborenen informiert: »[Politik] ist unmenschlich; wer sie unternimmt, hat
einen reinen ›Teufel‹ abzugeben. Der politische Charakter, der ein Teufel ist, weil
er stellvertretend handelt, ist ein Bruder des Heiligen, der stellvertretend leidet.«[25]
Es stellt sich die Frage, ob die hier Anlaß zur Kritik gebenden Eigenarten der
›Historischen Belletristik‹ dem Genre erzählender Vergangenheitsdichtung imma-
nent seien oder ob sie so modifiziert werden können, daß überprüfbare Geschichtsschreibung zum fiktionsintegrierten Textbestandteil wird, der seine Erkenntnis-
relevanz auch für die Rezeptionsgegenwart behält. Alfred Döblin formuliert das
knapper: »Wir müssen die Frage ›Echtheit im historischen Roman‹ klären. Sie ist die
zentrale Frage. Mit ihr steht und fällt die Gattung.« Zuvor hat er festgestellt: »Ehrlich
ist nur die Chronologie. [...] Und klar herausgesagt: Mit Geschichte will man etwas.«[26] Nach dieser Prämisse muß der Begriff, den Döblin von der Echtheit historischen Dichtens hat, sich sowohl vom Wahrheitsanspruch der Historiographie (die
mehr bieten will als den bloßen Index) wie von der Norm ästhetischer Wahrheit als

›Stimmigkeit‹ unterscheiden. Wichtig ist diese theoretische Position, weil sie die Romanproduktion einer bedeutenden Autorengruppe (Döblin, Feuchtwanger[27], Leonhard Frank, Heinrich Mann) geprägt hat. Döblin steht hier als Exempel für sie: sie haben alle den Zusammenhang zwischen Geschichte und Wohlbefinden des Individuums in der Gesellschaft theoretisch erkannt, in Romanen beschrieben und in der Zeit vor dem Exil und dann auch in diesem selbst deutlich genug erfahren. Döblin überschreibt seinen Theorieaufsatz nicht zufällig »Der historische Roman und Wir«: »Erkenntnis und Interesse« antizipierend, stellt er als »neue Funktion des Romans« fest: »Bericht von der Gesellschaft und von der Person«, und kommt zur gleichen Definitions- und Kanonerweiterung wie Adorno: »Jeder gute Roman ist ein historischer Roman.«[28] Typologische Distinktion ist zugunsten der Widerspiegelungsnorm aufgehoben. Zum Entwurf des Gegenbilds seines »guten Romans« greift er auf die (auch noch in der Weimarer Republik äußerst erfolgreichen) Bestsellerautoren zurück, denen schon Joachims Kritik galt:[29] »Warum sind [die Bücher Ebers', Dahns und Freytags] so verstaubt? [...] Weil die Autoren durch die politische Kastration, der der Deutsche unterlag, unfähig wurden, historische Stoffmassen zu mobilisieren. Sie drangen daher nicht zu jener einzigen Echtheit vor, die dazu befähigt, nämlich zu der kraftvollen Parteilichkeit der Tätigen, zum Willen des Leidenden und Aggressiven, sie wollten ja nur billigen und verherrlichen. Sie waren einverstanden.«[30]

Ein Beispiel des ›Vergangenheitsromans‹ nach Döblins Forderung ist Georg Hermanns *Grenadier Wordelmann*.[31] Der Text, der vom Nicht-Einverstanden-Sein des Autors beredtes Zeugnis ablegt, erschien 1930, drei Jahre vor Hermanns Emigration nach Holland, die den jüdischen Fortsetzer Fontanescher Romantradition nicht vor dem Tod in Auschwitz retten konnte. Während seine beiden *Jettchen Gebert*-Bände[32] es in der Weimarer Republik zusammen noch auf rund 600 000 Exemplare bringen, wird der *Wordelmann*-Roman in der kurzen Zeitspanne zwischen seinem Erscheinen und der weitgehenden Einschränkung von Publikationsmöglichkeiten jüdischer Autoren in Deutschland nicht mehr bekannt genug, um Nachhall zu finden.

Im Nachwort seines Romans betont Hermann, daß die seinem Erzählen zugrundeliegende Geschichte seit 150 Jahren unter dem Namen des Grenadier Wordelmann »Wahrheit und Wirklichkeit« gewesen sei, daß aber »dieser Titel ein schlechter Titel für sie ist und nicht den Kern trifft«. Man habe aber den eigentlichen Helden – »den dummen und beschränkten Kossäth und Krüger Christian Friedrich Schmitzdorff aus Wust bei Brandenburg« – zu seiner Zeit gar nicht als Protagonisten erkennen können, weil die Barbarismen, die ihm zugefügt wurden, in jener Zeit nicht als barbarisch zu erkennen waren. – Hermanns Zeit- und Geschichtskritik setzt also schon bei diesen Traditionsproblemen der Titelfrage an. Mit seiner ›Ober-Unterbühnentechnik‹[33] und dem Verzicht auf explizite Parallelisierung des Dargestellten zur Autor-Leser-Gegenwart kommt der Text dem ›klassischen historischen Roman‹ im Sinn Lukács' nahe,[34] aber seine geradezu novellistische Pointierung (in dieser Stringenz überhaupt nur Cranes *The Red Badge of Courage* und Grass' *Katz und Maus* vergleichbar), das Fehlen eines ›mittleren Helden‹[35], der gelegentliche Wechsel der Erzählperspektive und der tragische Ausgang, der den Normen des klassischen Dramas entspricht und im Kontext das unvermeidliche Verderben Wordelmanns und

Schmitzdorffs unter diesen historischen Voraussetzungen auch erzählstrukturell imaginiert, belegen insgesamt die technische und intentionale Fortschrittlichkeit dieses Romans.

Zeitgeschichtliche Romane

Geschichte als Erzählinhalt wird aber um so leichter in historischen Dimensionen erkannt und abgeschätzt, je näher die erzählte Zeit an die Rezeptionszeit heranrückt; die so gewonnene Aktualität des historischen Stoffs betrifft aber zwangsläufig aktuelle Interessen: der ›zeitgeschichtliche‹ oder auch einfach ›Zeitroman‹ ist notwendig parteilicher als der ›historische Roman‹, der länger Zurückliegendes vergegenwärtigt. Die Deutlichkeit des ›Zeitromans‹ bedeutet zugleich Einbuße an Delikatesse und Gewinn an Einsicht. Die Sensibilisierung für die geschichtliche Determination privater und sozialer Ereignisse, die der Erste Weltkrieg und seine Folgen geweckt haben, läßt gegenwärtig geschehende Geschichte zum fast zwangsläufigen Inhalt der Dichtungen jener Zeit werden. Das die Epoche prägende und gliedernde Generationenproblem,[36] der Zug zum Kollektivismus, der von Krieg, Arbeitsformen des Spätkapitalismus und neuen Medien[37] gefördert wird, und die Krise der Geschichtswissenschaft in der Historismus-Kritik verstärken die Tendenz zu solchen literarischen Inhalten: das Thema ›Gegenwart‹ findet sich in den zwanziger Jahren in Erzähltexten unterschiedlichster Zielsetzung, Qualität und Technik. Selbstverständlich ergibt sich aus der unaufhebbaren Differenz zwischen Niederschrifts- und Publikationszeit auch für Zeitromane und -erzählungen ein steter Status post festum. Texte, die Apotheose und Niedergang des Wilhelminismus als konsequent vorbereitete Selbstversenkung des Abendlandes zum Gegenstand haben,[38] werden von ihren Autoren und damaligen Rezipienten als noch zeitanzüglich empfunden und gehören deshalb zum Typ ›Zeitroman‹, der sich also zum ›historischen Roman‹ komplementär verhält.

Sein Gegenstück ist demnach nicht die Vergangenheitsdichtung, deren erzählte Zeit zu der des Gegenwartsromans in historisch überschaubarer Distanz steht, sondern ein spezifischer Typ des ›Vor- oder Urzeitromans‹; Repräsentant dieses Genres ist Hans Friedrich Bluncks *Urvätersaga*.[39] Der Eskapismus des fremden und fernen Stoffs, der hier durchaus als Grundlage einer regressiven Utopie fungiert, findet sich auch – anders geformt – in Wilhelm Schäfers *Die dreizehn Bücher der deutschen Seele* (1922), in denen vom Eingangskapitel »Das Schuldbuch der Götter« bis zum Abschnitt »Versailles« eine Imitation altgermanischer Dichtungsform durchgehalten ist, die alles Geschehene nivelliert.

Eine andere, bis heute erfolgreiche Spezies eskapistischer Zeitbehandlung: Flucht in die (baldige) Zukunft, bieten die Romane des Ingenieurs Hans Dominik, deren phantastische Machtevolutionsgeschichten (in technischer und politischer Hinsicht) vom Segen der Kooperation unkontrollierter Staats- und Wissenschaftsgenies erzählen.[40] Die Faszination, die seine Romane mit ihrer Imagination der unproblematischen Verfügbarkeit des Vorhandenen, ihrer Prognose herrlicher Zeiten, mit ungebrochenem Chauvinismus und spannend-aggressiver Erzählweise ausüben, geht im Grunde auf die völlige Abwesenheit eines konstruktiven Zukunftsentwurfs (der die

Autor-Leser-Gegenwart ja immerhin kritisch in Frage stellen müßte) zurück; Dominiks Zukunft ist eine um dreißig Jahre vordatierte Gegenwart ohne deren Beeinträchtigungen des individuellen Wohlbefindens. Döblins *Berge, Meere und Giganten* (1924), weit phantastischer als Dominiks ›Enterprise‹-Geschichten, verbindet mit der Vision eines technischen Zeitalters, das in seiner schließlich nicht mehr kontrollierbaren anarchischen Reproduktion in einen biologistischen Verfallsprozeß einmündet, den steten Bezug auf im Ansatz schon vorhandene Entwicklungen des wuchernden Städtedickichts; der Roman verfehlt freilich die Antizipation einer Welt besserer Lebensqualität; das Romanende mit seiner »neuen Kosmogonie« einer versöhnten Welt korrumpiert nur auch die bis dahin durchgehaltene Warnutopie, deren notwendige einprägsame Zeigefunktion durch die Textlänge und die mitunter nur grauslichen King-Kong-Anklänge aber ohnehin beeinträchtigt ist – besonders deutlich z. B. im Vergleich mit Brechts *Mahagonny*.

Das erste in der Weimarer Republik erschienene Exempel dialektisch funktionierender Gegenwartsfiktionalisierung: Vorzeigen der Zustände, wie sie sind, mit dem Rezeptionszwang: so sollten sie nicht sein, ist schon 1914 vollendet gewesen: Heinrich Manns *Der Untertan*. Die kriegslange Unterdrückung des Textes durch die Zensur hat ihm zum Zeitpunkt seiner Publikation glücklich die dritte historische Dimension hinzugefügt und den Roman um die Qualität der in Erfüllung gegangenen Warnung bereichert. An Aktualität hatte er nichts verloren; der Gegenstand seiner sozial-psychologischen Darstellungsintention – die »Geschichte der öffentlichen Seele unter Wilhelm II.« (wie der Untertitel heißen sollte) – war auch nach Verlust dieses Schnurrbartmodells und seines Krieges gleichgeblieben. Die karikierende Schärfe, mit der Mann in der Person des Napoleon Fischer die pragmatische Kollaboration der Sozialdemokratie mit ihren geschworenen Feinden darstellt, rechtfertigte sich nach Vollendung des Romans aus dem Verhalten der Partei nach Ausbruch des Krieges; die Schilderung ist ebenso ungerecht und treffend wie das Verhalten jener Hamburger Werftarbeiter, die dem letzten Ungetüm der ›schimmernden Wehr‹, die die SPD mit bewilligt hatte, den Spottnamen »Noske« gaben. Die Stärke des Romans ist seine glückliche Verbindung von Karikatur und Modell; die abgebildeten Produktionsverhältnisse hatten sich durch den Verlauf des Krieges so wenig geändert, daß ihre handlungsintegrierte Analyse auch noch für die Weimarer Republik zutraf. In der Darstellung der Situation der Frau auch in den ausbeutenden Schichten (Emmi Heßling) gelingt Heinrich Mann eine detaillierte Sozialkritik, die über schon traditionelle Formen der Klassenkampfliteratur hinausgeht.

Hans Fallada aber ist wohl der erste Autor in den zwanziger Jahren gewesen, der die komplexen Schwierigkeiten, mit denen die junge Republik endlich erfolglos zu kämpfen hatte, in der Modellkonstruktion eines Romans publikumswirksam arrangierte. Aber gerade die Komplexität des Darzustellenden zwingt Fallada das Sujet der kleinen Stadt auf: die Beschreibung realer Bedrohungen kann als unheimliche Idylle fehlrezipiert werden. Tucholsky beschreibt das so: »Die Bauern demonstrieren in der Stadt mit der schwarzen Fahne gegen die zu hohen Steuern. Der Bürgermeister verbietet die Demonstration nicht, der Regierungspräsident will sie verboten haben; beides sind Sozialdemokraten. Der Regierungspräsident entsendet an die Grenze des städtischen Machtbereiches Schupo [...]. Und wie sich dann vor allem die Ereignisse selbständig machen, wie es eben nicht mehr in der Macht der Menschen liegt, ihnen zu gebieten – das ›es‹ ist stärker als sie. Die Herren Führer stehen nachher als Opfer da – wie ist das gewesen? [...] Es sind lauter Kleinigkeiten, und zum Schluß ist es ernste Politik.«[41] Den Zeitgenossen, die sich der ›historischen Krankheit‹ entziehen und den ›äternisierenden Mächten‹ der neuen Mythen zuwenden wollten,[42] hätte Falladas Modellgeschichte vielleicht zum Exempel dienen können, wie historische Schickungen aus Interessen gemacht werden. Aber die Historie spielt in einem Altholm (im Grunde ist nur der Name erfunden), und Tucholsky moniert ganz richtig »So einen berliner Roman«[43].

Döblins *Berlin Alexanderplatz* war zwar schon zwei Jahre vor Falladas Bauern- und Kleinbürgerpoem erschienen, aber seine Personnage ist sozial enger determiniert, aufs ›Milieu‹ beschränkt, und diesen Mangel macht auch die ans spätere epische Theater erinnernde Deixis des auktorialen Erzählers nicht wett, der eher einem Goetheschen Gott gleicht, der Faust versuchen läßt, als einem Monitor zur Zeit: »Aber es ist kein beliebiger Mann, dieser Franz Biberkopf. Ich habe ihn hergerufen zu keinem Spiel, sondern zum Erleben seines schweren, wahren und aufhellenden Daseins.«[44]

Hans Kaufmann hat diese Erziehungshandlung mit Recht dem *Zauberberg* verglichen[45] – aber die implizierte Ähnlichkeit des Transportarbeiters Franz Biberkopf mit dem »Familiensöhnchen und Zärtling« Hans Castorp legt die Vermutung nahe, daß in Biberkopfs Fall wohl Klassenspezifika zu kurz gekommen seien. Gerade der Verzicht auf die vollendet klassenkämpferische, strikt zeitgebundene Konkretisierung der Erzählung vom Proletarier Biberkopf, die mit ihrer Integration der Bibelzitate das Postulat der Allgemeingültigkeit der imaginierten Vita zuläßt und mit den Zitaten zeittypischer Journalistik und Werbetexte die Entstehungszeit des Werks doch säuberlich konserviert, hat dank dieser reizvollen Widersprüchlichkeit (die auch im gesellschaftskritischen Impetus der Schlußseiten des Romans nicht aufgehoben wird) zu seinem ständigen Erfolg auch in der Verfilmung und nach 1945 beigetragen. Die Texte Marchwitzas *(Sturm auf Essen)* und Grünbergs *(Brennende Ruhr)* entsprechen Döblins später theoretischer Position im Aufsatz »Der historische Roman und Wir«, der durch die Auseinandersetzung mit dem Faschismus geprägt ist, weit eher als ihrem epischen Zeitgenossen *Berlin Alexanderplatz*. Dieser spiegelt noch ganz die Intentionen der theoretischen Schrift »Vom Bau des epischen Werks« wider, die »wirkliche [d. h. künstlerische] Produktion« als »Darstellung«, »Überrealität«, »[Durchstoß] durch die Realität [...] zu den einfachen großen elementaren Grundsituationen« begreift und sich ausdrücklich gegen »Nachlaufen und Photographie«[46] wendet – also gegen die ohne Verfremdungs- und Montagetechniken arbeitenden, reportageähnlichen ›Agitations- und Aufklärungsromane‹ vom Typ der »Rote 1-Mark-Romane«.

Die auf unmittelbare politische Auseinandersetzung zielende Literatur der Arbeitswelt blieb in den zwanziger Jahren auf das Sujet der Welt der Arbeiter beschränkt. Zwar hat Lethen durchaus zu Recht Falladas *Kleiner Mann – was nun?* mit Siegfried Kracauers Analyse *Die Angestellten* (1930) verglichen,[47] und es bleibt unbestritten, daß dieser sehr populäre Text seinen Lesern Möglichkeiten bot, sich in ihrer eigenen Situation ›anzutreffen‹ – aber schon die Jugendlichkeit der Protagonisten des Romans spart die Erzählnotwendigkeit aus, die Schwierigkeiten älterer Angestellter zu berichten, die von der Entwicklung ihrer eigenen Schicht überrollt worden sind. Blochs Kritik der Ablenkung, die auf den Amüsierbetrieb der Angestelltenwelt der zwanziger Jahre gemünzt ist,[48] trifft auch die sanft-melancholische Geschichte vom Pinneberg und seinem Lämmchen, deren »Sentimentalität [...] vor allem darin [liegt], daß die beiden [...] die Lösung ihrer Probleme in der kleinsten Zelle, beieinander suchen«.[49] Es ist aber bezeichnend für das Dilemma des zeitinformativen Romans, daß die Exempel seines Typs, die sowohl idyllisierende Individualhandlung wie Agitprop vermeiden wollen, zur Aufgabe des Erzählkontinuums gezwungen sind: Erik Regers Ruhrindustrieroman *Union der festen Hand* (1931) und Karl Jakob Hirschs Roman *Kaiserwetter* (1931), der der Gegend zwischen Hannover und Worpswede und der Ära zwischen Dreikaiserjahr und Kriegsausbruch ein Denkmal gesetzt hat, zerfallen in zahlreiche, insgesamt nicht leicht synoptisch rezipierbare Episoden, die aber präzise Integration der Wirklichkeit in die Romanwelt ermöglichen. Reger: »[Die Kolonie] hatte eine schnurgerade Straße, fünf Meter breit und vierhundert Meter lang. Laut Anschlag war auf ihr verboten: mit Flaschenbierwagen zu fahren, zu hausieren und Fußball zu spielen. Sie war nicht an das allgemeine Wegenetz angeschlossen. Ihr Anfang war eine Filiale des Konsums, ihre Mitte eine Hebammenwohnung, ihr Abschluß eine Wäschebleiche. Eine Patrouille mit blauer Dienstmütze sorgte auf ihr für Ordnung.« Integriert Reger die ›Oberbühne‹ als strukturierende Voraussetzung der dargestellten Zustände der ›Unterbühne‹ in die Handlung, so benennt Hirsch sie lexigraphisch genau und entwickelt dann Episodenereignisse der Unterbühne aus dieser Beschreibung: »Es gab einen Kaiser und vier Könige, sechs Großherzöge und fünf Herzöge, sieben regierende Fürsten, drei freie Hansestädte und das Reichsland Elsaß-Lothringen. – Fast sechzig Millionen Menschen lebten in diesem Lande zwischen Maas und Memel, vermehrten sich und starben. [...] Die Männer waren stets gewärtig, unter die Fahne zu eilen: ›Jeder Deutsche ist wehrpflichtig und kann sich in der Ausübung dieser Pflicht nicht vertreten lassen‹, so lautete das Gesetz. – Bernhard Tölle hatte es nach den aufregenden Ereignissen der letzten Zeit vorgezogen, seinen Einjährigen Dienst beim Militär anzutreten.«

Beide Verfahren führen zu langen Romanen und zu Erzähltechniken, die Popularität von vornherein ausschlossen; Reger wie Hirsch waren auf Verlagslektorate angewiesen, deren Auswahlkriterien sich wesentlich von denen Wieland Herzfeldes und seines Malik-Verlags unterschieden, in dem zur gleichen Zeit als linkes Pendant zu diesen eher bürgerlichen Zeitromanen Franz Jungs agitatorische Bestandsaufnahmen der Gegenwart erschienen.[50] In Jungs Texten wie in denen Bredels oder Marchwitzas wird die Fiktionsschwelle ganz selbstverständlich durch den Modellcharakter (der zumindest intendiert ist) übersprungen; die Romane wollen Wirklichkeitsaussage sein und sind wohl auch so rezipiert worden.

Auf der Rechten gibt es nur wenige romanhafte Auseinandersetzungen mit der Zeitgeschichte; die Autoren, die auf seiten der ›Konservativen‹ und der ›Nationalen Revolution‹ Stellung zur Republik und ihrer Geschichte nehmen, wählen Erzählungen über Randgruppen dieser Gesellschaft: Feme in Ernst von Salomons *Die Geächteten* (1931), Freikorps in Arnolt Bronnens *Roßbach* (1930), Schwarze Reichswehr in Peter Martin Lampels *Verratene Jungen* (1929). Richard Euringers *Die Arbeitslosen* (1930) bleibt eine Ausnahme. Wenn also auch die direkte Beschreibung der Gegenwart auf dieser Seite selten ist, so ist sie doch als intentional vorhandenes

Gegenbild zu imaginierten Vergangenheiten in vielen historischen Romanen der Zeit anwesend – auch in Texten, die gerade in den zwanziger Jahren als regressive Utopien verstanden wurden und so rezipiert sich großer Beliebtheit erfreuten: Dahns *Kampf um Rom* und Stifters *Witiko* gehören aus solcher Begründung in den Kanon der hier interessierenden Literatur, ebenso die später von der nationalsozialistischen Kulturpolitik als beispielhaft empfohlenen und geförderten Romane historischer Inhalte, wie sie von Hans Friedrich Blunck, Friedrich Griese, Hans Grimm, Erwin Guido Kolbenheyer, Wilhelm Schäfer, Hermann Stehr und Emil Strauß verfaßt wurden.[51] Sie sind alle vor 1933 erschienen und behandeln Ereignisse, die nur noch als Paradigmata ›völkischer‹ Geschichtsevolutionsideologie einen Bezug zur Gegenwart aufweisen.

Der Kriegsroman

Die Auseinandersetzung der Rechten mit der Republik findet (sofern sie sich noch literarischer Mittel bedient) nicht im Medium des ›Zeitromans‹, sondern in ›Kriegsromanen‹ statt. Rolf Geißler geht sogar so weit, für den Bereich der ›völkisch‹-nationalsozialistischen Literatur ›Kriegsroman‹ und ›Zeitroman‹ geradezu gleichzusetzen;[52] er könnte sich bei dieser angreifbaren terminologischen Vermischung immerhin auf das Zeugnis Walther Lindens berufen, dem die Verspätung der »volkhaften Dichtung vom Weltkrieg« Ausdruck der Verarbeitung des »ungeheuren Geschehens« durch das »niedergebrochene Volk« ist, zugleich aber – nicht ganz konsequent – Indiz für die »Zustände des damaligen Literaturlebens«, das fast zehn Jahre lang die Kriegsdichtung verdrängt habe:[53] jedenfalls also Beleg nicht nur der Kriegsereignisse selber, sondern auch der Nachkriegszeit. Tatsächlich bedarf die literaturgeschichtliche Legende von der ›Verspätung der Kriegsliteratur‹ einer Korrektur, wie sie Tucholsky differenzierend schon bei seiner Besprechung von Arnold Zweigs *Streit um den Sergeanten Grischa* anbrachte: »Es ist merkwürdig genug: nach neun Jahren stößt den Deutschen der Krieg sauer auf. In Frankreich ist das längst vorüber: *Lex Croix de Bois* von Roland Dorgelès und *Gaspard* von René Benjamin liegen weit zurück [...]. Und nun, nachdem das alles vorbei ist [...]: nun kommen die Soldaten, die den Krieg am eigenen Leib erlebt haben, und wagen sich hervor und sagen die Wahrheit. Es war höchste Zeit.«[54]
Wenn auch diese kurze Tucholsky-Stelle weder die frühen deutschen Texte der Rechten (Walter Flex, Ernst Jünger) noch Fritz von Unruhs *Opfergang* (entstanden 1916 »vor Verdun«) berücksichtigt, so charakterisiert sie doch knapp und gut die massenhafte Kriegsromanproduktion nach 1927: die Texte sind alle mehr oder minder autobiographisch, verlassen nach Technik und Intention den Bereich herkömmlichen Erzählens und werden von Autoren verfaßt, die der Generation der ›jungen Frontkämpfer‹ (Gründel) angehören. Damit hat die Vergleichbarkeit der Texte aber schon ihr Ende: der Autorengruppe Edwin Erich Dwinger, Werner Beumelburg und Josef Magnus Wehner dient die Darstellung der Kriegserlebnisse zur Propagierung heroischer Werte einer gerade wieder zur Macht strebenden Gesellschaftsauffassung – eine Intention, die Töne Spenglerschen Fatalismus' nicht ausschließt. Die Gruppe Arnold Zweig, Remarque, Renn, Edlef Köppen sucht mit der Darstellung

des gewesenen Krieges zugleich dessen Ursachen wie die Möglichkeit seiner Wiederholung zu analysieren. Beide Absichten erfordern aber die Entwicklung eines neuen, sachlichen Stils, der sich sehr vom »romantischen oder expressionistischen Pathos« der »ersten Äußerungen der Kriegspoeten« Richard Dehmel, Ernst Lissauer, Walter Flex und Alfred Kerr unterscheidet.[55] Karl Kraus' Monstertragödie *Die letzten Tage der Menschheit* (1918/19) gehört mit dem Pathos ihrer Anklage noch zu dieser Gruppe, verweist aber mit ihrer konsequenten Zitat- und Montagetechnik schon darüber hinaus.

Deutlich abgehoben ist der neue Typ des ›Weltkriegromans‹ von früheren langen Erzähltexten mit Kriegsinhalten (z. B. Fontanes *Vor dem Sturm*) durch seine Verwandtschaft zum ›Tatsachenroman‹, wie er in den zwanziger Jahren (und auch nach dem Zweiten Weltkrieg) weit verbreitet war. Den Beginn der Tradition markierte John Reeds Oktoberrevolutionsbericht; Zolas *La Débâcle* gehört gewiß zu den Vorläufern, unterscheidet sich aber mit seiner reichlich gezwungenen Verwicklungskonstruktion und der Dokumentation des letztlich obsiegenden Glaubens an die Nation sowohl von den französischen wie den deutschen Romanen über den Ersten Weltkrieg. Am nächsten kommt Zolas Vorbild noch Arnold Zweigs *Grischa*-Zyklus – schon wegen der technischen Ähnlichkeit. Die aus der Romanfolge resultierende Notwendigkeit, mit einer immer noch überschaubaren Personnage auszukommen, zwingt Zweig zu abenteuerlichen Handlungsvolten, die sein Kriegsœuvre manchmal in bedenkliche Nähe zu historischen Spannungsromanen vom Typ der *Hornblower*-Serie C. S. Foresters rücken; schwerer wiegt angesichts des Massenphänomens Erster Weltkrieg der Vorwurf des Individualismus, den Georg Lukács in seiner Besprechung des Zyklus nur mühsam zum Lob umdeuten kann: »Man könnte alle diese Romane [des Zyklus] als Geschichten von ›Erziehungen‹ betrachten [...]. Das Anderswerden einzelner Menschen [...] des besten Teils der deutschen Intelligenz [...] durch den Krieg ist ja [...] das Thema [...]. Nicht der Krieg an sich wird also dargestellt [...] wie in den meisten Kriegsromanen der ›Neuen Sachlichkeit‹, [...] sondern ›Menschen im Krieg‹. [...] Da es aber in den Jahren 1914/18 keine einzige Frage der individuellen Existenz gab, die nicht [...] mit dem Ablauf des Kriegs verknüpft gewesen wäre, kommt seine gesellschaftlich-universelle Bedeutung gerade durch diese Darstellungsweise am überzeugendsten zum Ausdruck.«[56]

Wie es überhaupt zum Krieg kam, ist auf diese Weise allerdings nicht darzustellen. Die einzige Stelle im ersten Band des Zyklus *(Der Streit um den Sergeanten Grischa),* die auf gesellschaftliche Voraussetzungen des Krieges präzise und ausführlich eingeht, behandelt – beim S. Freud-Freund Zweig nicht weiter verwunderlich – die kastentypischen Traumata des Generals Schieffenzahn. Typisch auch, daß Zweig bei der romanstrukturierenden Problematik mit der Wahl des Justizmords die Gerechtigkeits- und Moralvorstellungen dieser kriegführenden Gesellschaft gar nicht in Frage stellt, sondern nur die Abweichung vom bestehenden Recht moniert.

Siegfried Kracauer, der durch seine sozialwissenschaftlichen Studien und die Pragmatik ihrer empirischen Kritik am Bestehenden Material zur Erkenntnis der Mängel in Zweigs Romankonstruktion beigetragen hat, hat selber mit seinem just wieder auf dem Buchmarkt der BRD erschienenen Roman *Ginster* (erstmals 1928)[57] die Sozialpsychologie des Ersten Weltkriegs aus der Sicht des untauglichen intellektuellen Außenseiters darzustellen gesucht. Die Distanz der streng durchgehaltenen personalen Erzählweise erlaubt es Kracauer, mit ›Zitaten‹ der Gedankenfragmente seines Helden in indirekter Rede deren Voraussetzungen (die der Held selbst erst allmählich begreift) zwischen den Sätzen anzudeuten; der Autor tritt nicht als erzählender Moralist auf; Schlußfolgerungen zieht erst (scheinbar) der Leser. Zum Beispiel eine kurze Passage aus der Beschreibung der ›Revolution‹ 1918: »Eigentlich wollte Ginster im Büro bleiben, weil noch Arbeitszeit war, aber der Bauführer drängte ihn auf die Straße. Ein kleiner Empörer mit einer Beamtenmiene, die Revolution bedeutete für ihn einen gesetzlichen Feiertag.« *Ginster* ist ein Roman, dessen ›Eigentliches‹ in seinen Ellipsen steht, der so die Einsichtsbeschränkungen seiner erzählten Zeit eindrucksvoll imaginiert, aber nur als Andeutung für Eingeweihte, als goutierbare Zeitkritik für Intellektuelle.

Die Einengung des Erzählhorizonts auf den Graben in Remarques und Renns Romanen ist so gesehen eine Erweiterung der Perspektive: sie ermöglicht es, den Krieg in seiner typischen und von der Mehrzahl der Kriegsteilnehmer erlebten Form zu erzählen, freilich wieder unter Verzicht auf alle fiktionsintegrierten Erklärungen. Im Fall Ludwig Renns manifestiert sich das völlige Auslassen der ›Oberbühne‹ ja selbst in der Wahl des Autorenpseudonyms.[58] Theodor Plivier hat in seinem »Roman der deutschen Kriegsflotte« *Des Kaisers Kulis* bewiesen, daß es durchaus möglich ist, auch unter Aussparung der ›Oberbühne‹ analytisch-genau und erkenntniserweiternd zu erzählen. Besonders deutlich wird dieser Vorzug des ersten Plivier-Romans, wenn man ihn mit einem nach 1933 weitverbreiteten halbdokumentarischen Text zum gleichen Gegenstand vergleicht, Arno Dohms *Skagerrak* (1936). Gerade weil Dohm sozusagen ›von der Brücke herab‹ erzählt, kann er sich auf den Bericht von der Seeschlacht als Rechenexempel und taktisches Problem beschränken; die erzählte Zeit fällt mit der Geschichtszeit des Ereignisses zusammen. Anders bei Plivier. Hier ist die Rezeptionssituation der Kriegsereignisse, Pliviers tatsächlicher biographischer Situation entsprechend, aus der Sicht der an Land stationierten Matrosenkompanie imaginiert, die nach Ablauf der Schlacht die Aufgabe hat, die Wracks auszuräumen: das Grauen der Arbeit in den ausgebrannten Türmen erzwingt die Frage nach dem moralischen Zweck des Ganzen, die Erkenntnis des Irrsinns dieses kriegerischen Unternehmens die Frage nach den Interessen, die es veranlaßten.

Edlef Köppen löst in seinem Roman »*Heeresbericht*« die erwähnten Erzählschwierigkeiten des Kriegsromans in besonders geglückter Weise; trotzdem ist der Text fast unbekannt geblieben – er erschien erst 1930, zudem in einem kleineren Verlag, und mag gerade wegen seiner technischen Brillanz und des Verzichts auf Spannung im üblichen Sinne von einem größeren Publikumserfolg von vornherein ausgeschlossen gewesen sein. Köppen montiert in den Romanverlauf diesen illustrierende und kommentierende Dokumente aus Journalistik, Verwaltung und Literatur; schon der Romanbeginn ist Zitat und charakterisiert das Romanvorhaben: »Oberzensurstelle Nr. 123 O. Z. 23. 3. 15: Es ist nicht erwünscht, daß Darstellungen, die größere Abschnitte des Krieges umfassen, von Persönlichkeiten veröffentlicht werden, die nach Maßgabe ihrer Dienststellung und Erfahrung garnicht imstande gewesen sein können, die Zusammenhänge überall richtig zu erfassen. Die Entstehung einer solchen Literatur würde in weiten Volkskreisen zu ganz einseitiger Beurteilung der Ereignisse führen.« Auf den kriegsfreiwilligen Leutnant Flex, weiland Erzieher im Hause Bismarck, brauchte diese Zensurbestimmung nicht angewandt zu werden; sein *Wan-*

derer zwischen beiden Welten (1916), mit 682 000 Exemplaren von der Ersterscheinung bis 1940 zu den erfolgreichsten Büchern der Epoche gehörend, schildert keineswegs einen ›größeren Abschnitt des Krieges‹. Walther Linden beschreibt den Text 1934 im Sinne der ›Bewegung‹ so: »Von religiösem Gemeinschaftsgeist aus sucht Flex das ›Volk‹ als gottgewollte Gemeinschaftsform zu begreifen und so den Einklang des Nationalen und Sozialen herzustellen [...]. Der Held der schlichten Erzählung, Ernst Wurche, ist der Wanderer zwischen beiden Welten, zwischen Idee und Wirklichkeit, mit dem Bestreben, sie im sittlich gelebten Leben aneinanderzubinden. ›Rein bleiben und reif werden‹, so sagt er in einem nächtlichen Gespräch über den Geist des Wandervogels, ›das ist schönste und schwerste Lebenskunst‹.« In Flex' Erzählung, deren homoerotische Inhalte die Kriegspassagen dominieren, bleibt dem jungen Leutnant noch Zeit und Gelegenheit, nach einem Morgenbad im Weißen See – »Nur aus der Ferne kam ein gedämpftes Grollen zu uns herüber und ab und zu das taktmäßige Hämmern eines Maschinengewehrs. ›Spechte!‹ lachte Wurche und ließ Sonne und Wasser über sich zusammenschlagen.« – vor der Kompanie Goethes »Ganymed« zu rezitieren. Selbst der Kriegsapologet Linden moniert, daß Flex seinen Wurche noch von der Schönheit eines Sturmangriffs sprechen lassen kann; seine Erklärung dieses Kriegsästhetizismus ist deutlich am Gegenbild Jüngers orientiert: »Flex ist gefallen [1917 bei der Besetzung der Insel Ösel], ehe der neue Typ des Soldaten sich bildete: des Soldaten der westfrontlichen Materialschlachten, in denen jeder Individualismus und jede Schönheitssehnsucht verdampfte.«
Aber Texte, die die Lebensbedingungen dieses ›neuen Soldaten‹ wiedergaben, dem nicht mehr wie Wurche ein »Grab voll Sonne und Blumen« bereitet war, konnten im Gegensatz zum *Wanderer* (der es bis 1920 schon auf 195 000 Exemplare gebracht hatte) selbstverständlich nicht im kriegführenden Deutschland erscheinen – und die nach dem Ersten Weltkrieg geschriebenen Antikriegsromane haben offenbar ihren Zweck nicht erfüllt.

Anmerkungen

1. z. B. in: Johannes R[obert] Becher: *(CH C1 = CH) 3 As Levisite oder Der einzig gerechte Krieg.* Wien 1926. Neuausgabe: Berlin und Weimar 1968. Beleg S. 223.
2. Reinhold Grimm: »Zwischen Expressionismus und Faschismus. Bemerkungen zum Drama der Zwanziger Jahre«. In: *Die sogenannten Zwanziger Jahre.* Hrsg. von Reinhold Grimm und Jost Hermand. Bad Homburg, Berlin und Zürich 1970. S. 15–46. Das Zitat S. 41.
3. erstmals veröffentlicht als Umschlagseite 1 der *Arbeiter-Illustrierte Zeitung* (AIZ) vom 10. Mai 1933. Jetzt in: John Heartfield: *Krieg im Frieden.* Fotomontagen zur Zeit 1930–1938. München 1972. S. 36.
4. Werner Hegemann: *Fridericus oder das Königsopfer.* Hellerau 1924. – Walter von Molo: *Fridericus.* Teil 1 der Trilogie *Ein Volk wacht auf.* München 1918.
5. Heinrich Mann: *Der Untertan.* Leipzig und München 1918. *Eugénie oder die Bürgerzeit.* Wien 1928. – Erich Kästner: *Fabian.* Die Geschichte eines Moralisten. Stuttgart 1931. – Ernst Glaeser: *Jahrgang 1902.* Berlin 1928. – Richard Euringer: *Die Arbeitslosen.* Hamburg 1930. – Hans Grimm: *Volk ohne Raum.* 2 Bde. München 1926. – Arnolt Bronnen: *O. S.* [Oberschlesien]. Berlin 1929. *Roßbach.* Berlin 1930.
6. Henri Barbusse: *Le feu.* Journal d'une ecouade. Zürich 1916. Deutsch von L. von Meyenburg: *Das Feuer.* Tagebuch einer Korporalschaft. Ab 1917 Vorabdruck in René Schickeles Zeitschrift *Die Weißen Blätter.* Deutsche Buchausgabe: Zürich 1918. – Ernst Jünger: *Der Kampf als inneres*

Erlebnis. Berlin 1922. – Die mit diesen beiden Titeln angedeutete Polarisierung der Kriegsliteratur beginnt noch im Kriege selbst. Eine wichtige nichtfiktionale Gruppe dieser Literatur wird von den massenhaft verbreiteten abenteuerlichen Erinnerungsbüchern gebildet. Die erfolgreichsten sind: Günther Plüschow: *Die Abenteuer des Fliegers von Tsingtau.* 1916–27: 610 000 Ex. – Manfred Frh. von Richthofen: *Der rote Kampfflieger.* 1917–38: 420 000 Ex. – Felix Graf von Luckner: *Seeteufel.* 1921–38: 392 000 Ex. – Hellmuth von Mücke: *Ayesha.* [Handelt von der Heimkehr einer Prisenbesatzung des Kreuzers Emden.] 1915–27: 332 000 Ex. – Diese Texte waren zwar unpolitisch gemeint, wirkten aber mit ihrer Darstellung abenteuerlicher Spezialisierung des Krieges (Kreuzerkrieg, Luftkampf) als Idyllisierung des Massenkrieges. – Walter Flex' *Der Wanderer zwischen beiden Welten.* Ein Kriegserlebnis (München 1917) und *Das Weihnachtsmärchen des fünfzigsten Regiments* (Buchausgabe: München 1918) fiktionalisieren den Krieg zur homoerotischen oder religionsemotionalen Legende. – Pazifistische Texte entstehen zwar auch schon während der Kriegszeit, finden aber erst danach Publikationsmöglichkeiten in den ehemals kriegführenden Ländern: Fritz von Unruh: *Opfergang* (Berlin 1919) ist 1916 vor Verdun verfaßt; Leonhard Frank: *Der Mensch ist gut* wurde 1916/17 in der Schweiz geschrieben und kam 1918 in der *Europäischen Bücherei* in Zürich heraus. – Bernhard Kellermann: *Der 9. November* (Berlin 1920) thematisiert nur scheinbar den Beginn der Weimarer Republik: Die erzählte Zeit erstreckt sich vom Herbst 1917 bis zum 11. November 1918.

Übersetzungen ausländischer Antikriegsliteratur spielen vor dem Erscheinen der deutschen Texte dieser Art eine große Rolle und wirken als Lückenbüßer: 1922 wird John Don Passos' *Three Soldiers* in deutscher Sprache zugänglich, 1926 der erste Band der Übersetzung von Hašeks *Osudy dobrého vojáka Švejka.*

Auch Ernst Jünger hat sein Tagebuch eines Stoßtruppführers *In Stahlgewittern* schon während des Krieges verfaßt; dieses wichtige Dokument kriegsbejahender (wenn auch nicht verharmlosender) Literatur erscheint erstmals 1920 im Selbstverlag, dann 1922 in Berlin in einer erweiterten Überarbeitung und erlebt bis 1935 16 Auflagen.

An literarischen Versuchen, den Krieg darzustellen, hat es also auch unmittelbar nach seiner Beendigung nicht gefehlt. Die Tradition des deutschen ›Weltkriegsromans‹ (Pro und Contra) setzte aber erst 1927 ein: Arnold Zweig: *Der Streit um den Sergeanten Grischa* (Potsdam und Berlin 1927) machte den Anfang; es folgten: Ludwig Renn: *Krieg* (Frankfurt a. M. 1928), Erich Maria Remarque: *Im Westen nichts Neues* (Berlin 1929), Theodor Plivier: *Des Kaisers Kulis* (Berlin 1929), Edlef Köppen: *Heeresbericht* (Leipzig 1930). Der Kriegsroman der Rechten wird im gleichen Zeitraum von Edwin Erich Dwinger: *Die Armee hinter Stacheldraht* (Jena 1929), Werner Beumelburg: *Sperrfeuer um Deutschland* (Oldenburg 1919), *Gruppe Bosemüller* (ebd., 1930) und Josef Magnus Wehner: *Sieben vor Verdun* (Berlin 1930) repräsentiert.

 7. Klaus Schröter: »Der historische Roman«. In: *Exil und innere Emigration.* Hrsg. von Reinhold Grimm und Jost Hermand. Frankfurt a. M. 1972. S. 111–151. Das Zitat S. 118.
 8. Theodor W[iesengrund] Adorno: »Standort des Erzählers im zeitgenössischen Roman«. In: *Noten zur Literatur I.* Frankfurt a. M. 1971. S. 61–72. Das Zitat S. 63.
 9. Theodor W. Adorno: »Über epische Naivetät«, ebd. Das Zitat Seite 53.
10. Käte Hamburger: *Logik der Dichtung.* Stuttgart ²1958.
11. zur Begriffsbildung verkürztes Zitat aus: Adorno, »Über epische Naivetät«. S. 54.
12. ebd.
13. ebd.
14. Peter Hasubek: »Der Zeitroman. Ein Romantypus des 19. Jahrhunderts«. In: *Zeitschrift für deutsche Philologie,* 87 (1968). S. 218–245.
15. Unter den Begriff des ›Zeitromans‹ fallen auch Texte aus der Arbeitswelt, die zeittypische Produktions- und Arbeitsverhältnisse zum Thema haben. Beispiele aus dem so erweiterten Kanon: Christa Anita Brück: *Schicksale hinter Schreibmaschinen.* Berlin 1930. – Alfred Döblin: *Berlin Alexanderplatz.* Die Geschichte vom Franz Biberkopf. Berlin 1929. – Hans Fallada: *Bauern, Bonzen und Bomben.* Berlin 1921. *Kleiner Mann – was nun?* Berlin 1932. – Lion Feuchtwanger: *Erfolg.* Drei Jahre Geschichte einer Provinz. 2 Bde. Berlin 1930. – Leonhard Frank: *Von drei Millionen drei.* Berlin 1932. – Karl Jakob Hirsch: *Kaiserwetter.* Berlin 1931. – Peter Martin Lampel: *Verratene Jungen.* Frankfurt 1929. – Hans Marchwitza: *Sturm auf Essen* (in der Reihe »Der Rote 1-Mark-Roman«). 1928. – Ernst Ottwalt: *Denn sie wissen, was sie tun.* Ein deutscher Justiz-Roman. Berlin 1931. – Erik Reger: *Union der festen Hand.* Roman einer Entwicklung. Berlin 1931. – Ernst von Salomon: *Die Geächteten.* Berlin 1931. – Anna Seghers: *Die Ge-*

fährten. Stuttgart 1932. – Als Beispiel novellistisch knapper Zeitgeschichtsfiktion: Oskar Maria Graf: »Der Mittler«. Aus: *Kalendergeschichten.* Bd. 1. München 1929. – Franz Jung: »Joe Frank illustriert die Welt« (= *Die roten Jahre* 1), Berlin 1921, steht auf der Grenze zwischen Reportage, Autobiographie und ›Proletarischer Erzählkunst‹.

16. Victor Lange: »Ausdruck und Erkenntnis. Zur politischen Problematik der deutschen Literatur seit dem Expressionismus«. In: *Die Neue Rundschau,* 74 (1963). S. 93–108.
17. so der Untertitel zu Thomas Manns Essay *Friedrich und die große Koalition.* Ein Abriß für den Tag und die Stunde. Berlin 1916.
18. Emil Ludwig: *Goethe.* Geschichte eines Menschen. 3 Bde. Stuttgart 1920. – *Napoleon.* Berlin 1925. – *Bismarck.* Geschichte eines Kämpfers. Wien 1928. – *Wilhelm der Zweite.* Berlin 1926. – *Der Menschensohn.* Geschichte eines Propheten. Berlin und Wien 1928. – Ganz aus dem Rahmen dieser Romane fällt: *Juli vierzehn.* Wien 1929. Der Text ist mehr Report als Roman.
19. Die zuvor vereinzelt erschienenen kritischen Rezensionen historischer Belletristik in der *Historischen Zeitschrift* (HZ) sind als deren Sonderdruck erschienen: *Historische Belletristik.* Ein kritischer Literaturbericht. Hrsg. von der Schriftleitung der HZ. München und Berlin 1928.
20. Stefan Zweig: »Die Geschichte als Dichterin«. In: *Erbe und Zukunft,* 1 (1946). S. 54–64.
21. Emil Ludwig: »Historie und Dichtung«. In: *Die Neue Rundschau,* 40 (1929). S. 358–381. Diese Nummer des S. Fischer-Hausblatts enthält zusammengefaßt die Stellungnahmen der historischen Belletristen zum Streit um ihr Metier.
22. Theodor Lessing: *Geschichte als Sinngebung des Sinnlosen.* München 1916.
23. Emil Ludwig: »Historie und Dichtung«. S. 360.
24. Hans A. Joachim: »Historische Romane.« In: *Die Neue Rundschau,* 31 (1920). S. 844–849. Das Zitat S. 844.
25. ebd., S. 847.
26. Alfred Döblin: »Der historische Roman und Wir«. In: A. D., *Werke.* Hrsg. von Walter Muschg. Olten und Freiburg 1963. Bd.: »Aufsätze zur Literatur«. S. 163–186. Der zitierte Text ist erst in der Emigration entstanden. Das Zitat S. 173.
27. Die einzige umfängliche Theorie und Geschichte historischen Erzählens von einem Primärautor dieses Genres ist Lion Feuchtwangers posthum erschienenes Fragment: *Das Haus der Desdemona oder Größe und Grenzen historischer Dichtung.* Hrsg. von Fritz Zschech. Rudolstadt 1961.
28. Alfred Döblin: »Der historische Roman und Wir«. S. 174 Abschnittsüberschrift.
29. z. B. Gustav Freytag: *Soll und Haben* (1855). Verkaufszahlen 1915–30: 394 000 Ex., 1930–45: 120 000 Ex., aber auch: 1950–65: 406 000 Ex.
30. Alfred Döblin: »Der historische Roman und Wir«. S. 185.
31. Georg Hermann (eigtl. Georg Hermann Borchardt): *Grenadier Wordelmann.* Ein Roman aus friderizianischer Zeit. Berlin 1930.
32. ders.: *Jettchen Gebert.* Berlin 1906. Fortsetzung: *Henriette Jacoby.* Berlin 1908.
33. Das Problem, in tatsächlich geschehene Geschichte hineindichten zu müssen, wird seit Scott mit dieser Zwei-Bühnen-Technik umgangen: Die Ereignisse der großen Historie – die Oberbühne – spielen zwar in den Roman hinein, bleiben aber selbst unangetastet. Die fiktionalen romanhaften Ereignisse sind von der Oberbühne bestimmt und halten sich im Rahmen der historischen Wahrscheinlichkeit, spielen aber auf einer Unterbühne, deren Figuren sich in historisch unerheblichen Positionen befinden. Döblin verwendet für den gleichen Sachverhalt die Terminologie ›Spitzen- und Tiefengeschichte‹.
34. Georg Lukács: »Der historische Roman«. In: G. L., *Werke,* Bd. 6. Neuwied und Berlin 1965 (= »Probleme des Realismus«, Bd. 3). Darin: »Der klassische historische Roman«, S. 23–105.
35. ›Der mittlere Held‹ – klassisches Paradigma für ihn ist Scotts Waverley – ist eine Strukturkonsequenz der ›Ober-Unterbühnentechnik‹: die historischen Interessendivergenzen aus der ›Oberbühne‹ müssen in der Handlungsebene des Romans – der ›Unterbühne‹ – aktualisiert werden; sie manifestieren sich in der Betroffenheit und den Entscheidungen des Helden, dessen Parteinahme nicht von vornherein feststeht.
36. dazu: Jost Hermand, »Oedipus Lost«. In: *Die sogenannten Zwanziger Jahre.* Bad Homburg 1970. S. 203–226: Wechsel von der Expressionismus-Generation zur ›Neuen Sachlichkeit‹ der ›Stabilisierungsepoche‹ zwischen 1923 und 1929 und danach zur neuen ›Ganzheitlichkeit‹ der Radikalisierung. E. Günther Gründel setzt in *Die Sendung der jungen Generation* (München 1932) diese Strömungen in bezug zur ›jungen Frontgeneration‹ (Jg. 1890–99), ›Kriegsgeneration‹ (1900–09) und ›Nachkriegsjugend‹ (1910–19). Programmatisch auch die Romantitel: *Jahrgang*

1902 (Ernst Glaeser) und *Junge Frau von 1914* (Arnold Zweig), ebenso die Wertung im Zeitbezug: Broder Christiansen (*Gesicht der Zeit,* 1931) spricht von ›G(estern)-Stil‹ (Expressionismus), ›H(eute)-Stil‹ (Neue Sachlichkeit) und ›M(orgen)-Stil‹ (Neue Dynamik = Futurismus).
37. Der Film bietet erstmals die Möglichkeit, dramatische Massenszenen einem Massenpublikum vorzuführen: Langs *Metropolis* ist das wohl eindrucksvollste Beispiel.
38. Oswald Spengler: *Der Untergang des Abendlandes.* Umrisse einer Morphologie der Weltgeschichte. Bd. 1: München 1918.
39. Hans Friedrich Blunck: *Urvätersaga.* Jena 1934. Enthält die vorher einzeln publizierten Romane: *Streit mit den Göttern.* München 1925; *Kampf der Gestirne.* Jena 1926; *Gewalt über das Feuer.* Jena 1928.
40. Hans Dominik: *Die Macht der Drei.* Ein Roman aus dem Jahr 1955. Leipzig 1922; *Die Spur des Dschingis-Khan.* Ein Roman aus dem 21. Jahrhundert. Ebd. 1923; *Der Brand der Cheopspyramide.* Ebd. 1926; *Der Wettflug der Nationen.* Leipzig 1933.
41. Kurt Tucholsky: *Werke.* Hrsg. von Fritz J. Raddatz. Bd. 3. S. 820.
42. im Gefolge von Friedrich Nietzsches *Vom Nutzen und Nachteil der Historie für das Leben* (1873).
43. Kurt Tucholsky: *Werke.* S. 824.
44. Alfred Döblin: »Nachwort zu einem Neudruck« (1955). In: A. D., *Berlin Alexanderplatz.* Berlin [Ost] 1963. Das Zitat als Selbstzitat aus dem Roman auf S. 45.
45. Hans Kaufmann: *Krisen und Wandlungen der deutschen Literatur von Wedekind bis Feuchtwanger.* Berlin und Weimar 1969. Das Zitat S. 445.
46. Alfred Döblin: »Vom Bau des epischen Werks«. In: *Die Neue Rundschau,* 40 (1929). S. 527–551. Die Zitate auf den Seiten 551 und 537.
47. Helmut Lethen: *Neue Sachlichkeit 1924–1932.* Studien zur Literatur des ›Weißen Sozialismus‹. Stuttgart 1970.
48. Ernst Bloch: *Erbschaft dieser Zeit.* Frankfurt a. M. 1962.
49. Hans Fallada, Tankred Dorst, (Peter Zadek): *Kleiner Mann – was nun?* Frankfurt a. M. 1972. Das Zitat aus dem Vorwort.
50. Franz Jung: *Proletarier.* Berlin 1921. *Die Rote Woche.* Ebd. 1921. *Arbeitsfriede.* Ebd. 1922. *Die Eroberung der Maschinen.* Ebd. 1921. Alle in der *Rote-Roman-Serie.*
51. Friedrich Griese: *Der Herzog.* München 1931. – Hermann Stehr: *Nathanael Maechler.* Leipzig 1929. – Emil Strauß: *Das Riesenspielzeug.* München 1935. (Geschrieben während der Zeit der Weimarer Republik.)
52. Rolf Geißler: *Dekadenz und Heroismus.* Stuttgart 1964. Das Zitat S. 9.
53. Walther Linden: »Volkhafte Dichtung von Weltkrieg und Nachkriegszeit«. In: *Zeitschrift für Deutschkunde,* 48 (1934). S. 1–22.
54. Kurt Tucholsky: »Der Streit um den Sergeanten Grischa«. In: *Die Weltbühne,* 50/1927.
55. Curt Hohoff in: Albert Soergel und Curt Hohoff: *Dichtung und Dichter der Zeit.* Bd. 2. Düsseldorf 1964. Die Zitate auf S. 345. – Differenzierter zum Thema ›Neue Sachlichkeit‹: Helmut Gruber, »›Neue Sachlichkeit‹ and the World War«. In: *German Life and Letters,* 20 (1966). Nr. 7. S. 138–149.
56. Georg Lukács: »Arnold Zweigs Roman-Zyklus über den imperialistischen Krieg 1914/18«. In: *Internationale Literatur,* 9 (1939). S. 112–133.
57. Siegfried Kracauer: *Ginster. Georg.* (*Schriften.* Hrsg. von Karsten Witte. Bd. 7.) Frankfurt a. M. 1973.
58. Ludwig Renn: eigtl. Arnold Friedrich Vieth von Golßenau. Selbst Offizier.

Literaturhinweise

Theodor W. Adorno: »Über epische Naivetät«. In: *Noten zur Literatur I.* Frankfurt a. M. 1971. S. 50–60.
– »Standort des Erzählers im zeitgenössischen Roman«. In: *Noten zur Literatur I.* S. 61–72.
– »Theorie der Halbbildung«. In: Max Horkheimer und Theodor W. Adorno, *Sociologica II.* Frankfurt a. M. 1962. S. 168–180.

Alfred Döblin: »Vom Bau des epischen Werks«. In: *Die Neue Rundschau*, 40 (1929). S. 527–551.
– »Der historische Roman und Wir«. In: A. D., *Werke*. Hrsg. von Walter Muschg. Bd. *Aufsätze zur Literatur*. Olten und Freiburg i. Br. 1963. S. 163–186.
Lion Feuchtwanger: *Das Haus der Desdemona oder Größe und Grenzen historischer Dichtung*. Hrsg. von Fritz Zschech. Rudolstadt 1961.
Rolf Geißler: *Dekadenz und Heroismus*. Stuttgart 1964.
Reinhold Grimm: »Zwischen Expressionismus und Faschismus. Bemerkungen zum Drama der Zwanziger Jahre«. In: *Die sogenannten Zwanziger Jahre*. Hrsg. von Reinhold Grimm und Jost Hermand. Bad Homburg, Berlin und Zürich 1970. S. 15–46.
Helmut Gruber: »›Neue Sachlichkeit‹ and the World War«. In: *German Life and Letters*, 20 (1966/67). S. 138–149.
Ernst Günther Gründel: *Die Sendung der jungen Generation*. München 1932.
Peter Hasubek: »Der Zeitroman. Ein Romantypus des 19. Jahrhunderts«. In: *Zeitschrift für deutsche Philologie*, 87 (1968). S. 218–245.
Jost Hermand: »Oedipus Lost«. In: *Die sogenannten Zwanziger Jahre*. S. 203–226.
Historische Belletristik. Ein kritischer Literaturbericht. Hrsg. von der Schriftleitung der *Historischen Zeitschrift*. München und Berlin 1928.
Hans A. Joachim: »Historische Romane«. In: *Die Neue Rundschau*, 40 (1929). S. 844–849.
Hans Kaufmann: *Krisen und Wandlungen der deutschen Literatur von Wedekind bis Feuchtwanger*. Berlin und Weimar 1969.
Siegfried Kracauer: »Die Angestellten. Aus dem neuesten Deutschland«. In: *Schriften I*. Frankfurt a. M. 1971.
Werner Kummer: »Sprechsituation, Aussagesystem und die Erzählsituation des Romans«. In: *Zeitschrift für Literaturwissenschaft und Linguistik*, 2 (1972). H. 5. S. 83–105.
Eberhard Lämmert: »Geschichtserfahrung im Reflex der Romantheorie«. In: *Geschichte – Ereignis und Erzählung*. München 1973. S. 503–515. (Poetik und Hermeneutik, Bd. 5.)
Victor Lange: »Ausdruck und Erkenntnis. Zur politischen Problematik der deutschen Literatur seit dem Expressionismus«. In: *Die Neue Rundschau*, 74 (1963). S. 93–108.
Theodor Lessing: *Geschichte als Sinngebung des Sinnlosen*. München 1916.
Helmut Lethen: *Neue Sachlichkeit 1924–1932*. Studien zur Literatur des ›Weißen Sozialismus‹. Stuttgart 1970.
Walther Linden: »Volkhafte Dichtung von Weltkrieg und Nachkriegszeit«. In: *Zeitschrift für Deutschkunde*, 48 (1934). S. 1–22.
Emil Ludwig: »Historie und Dichtung«. In: *Die Neue Rundschau*, 40 (1929). S. 358–381.
Georg Lukács: »Arnold Zweigs Roman-Zyklus über den imperialistischen Krieg 1914/18«. In: *Internationale Literatur*, 9 (1939). S. 112–133.
– *Der historische Roman*. Neuwied und Berlin 1965.
Walter Muschg: »Ein neues Geschichtsgefühl«. In: *Die literarische Welt*, 8 (1932). S. 11 f.
Hans Jörg Sandkühler: »Zur Spezifik des Geschichtsbewußtseins in der bürgerlichen Gesellschaft«. In: *Geschichte – Ereignis und Erzählung*. S. 499–502.
Klaus Schröter: »Der historische Roman«. In: *Exil und innere Emigration*. Hrsg. von Reinhold Grimm und Jost Hermand. Frankfurt a. M. 1972. S. 111–151.
Ernst Troeltsch: *Der Historismus und seine Probleme*. Tübingen 1922.
– *Der Historismus und seine Überwindung*. Tübingen 1924.
Jochen Vogt: »Diederich Heßlings autoritärer Charakter. Marginalien zum ›Untertan‹«. In: *Heinrich Mann*. Sonderband *Text + Kritik*. Hrsg. von Heinz Ludwig Arnold. Stuttgart 1971.
Thomas Walt: »Vom historischen Roman der Gegenwart«. In: *Der Gral*, 23 (1929). S. 593–598.
Stefan Zweig: »Die Geschichte als Dichterin«. In: *Erbe und Zukunft*. Wien 1946. S. 54–64.

JÜRGEN C. THÖMING

Soziale Romane in der Endphase der Weimarer Republik

Der Begriff ›sozialer Roman‹ soll hier alle längeren Erzählformen bezeichnen, die sich zentral mit den Lebensbedingungen der unteren Schichten von Lohnabhängigen beschäftigen.

Die Stummheit der unteren Klassen über ihre eigenen Erfahrungen hat es bekanntlich mit sich gebracht, daß besonders die Romanform für diese Inhalte als ungeeignet erschien: im 19. und frühen 20. Jahrhundert tauchten nur vereinzelte Beispiele auf. Zu den Produktions- kamen die Rezeptionsbedingungen, die bei kollektiv rezipierbaren lyrischen und dramatischen Texten entsprechenden Inhalts eine gewisse Tradition entstehen ließen, während die Romanform die zeitweilige Distanz des lesenden Individuums von der sozialen Bezugsgruppe verlangt und damit die Gewohnheit von Sicherheit gebenden kollektiven Verhaltensweisen durchbricht.

In den letzten Jahren der Republik nahmen die Neuerscheinungen sozialer Romane bedeutend zu, ohne daß eine vielseitige Wirkung auf breite Leserschichten während dieser kurzen Zeitspanne hätte erfolgen können. Eine Wirkung nach dem Zweiten Weltkrieg blieb in Westdeutschland ebenfalls aus, da man lange Zeit überzeugt war, daß die in dieser Literatur dargestellten Erscheinungen endgültig überwunden waren.

Erst als ein verhängnisvoller Mangel an historischem Bewußtsein deutlich wurde und das apolitische Verhalten breiter Bevölkerungsschichten – bestärkt durch die antihistorische Ausrichtung der Ausbildungsinstitutionen und der Massenmedien – sich massiv gegen deren eigene Interessen richtete, begann die historische Dimension wieder unverzichtbar zu werden.

Es zeigt sich indessen, daß die Legendenbildungen über die zwanziger und dreißiger Jahre nur äußerst schwierig zurückzudrängen sind und daß emanzipatorische Bewußtseinsinnovationen durch theoretische Darstellungen der historisch-ökonomischen Verhältnisse der vorangegangenen Jahrzehnte in sehr geringem Maß erreicht werden können. Das für jegliche Emanzipation unabdingbare historische Bewußtsein könnte in solcher Situation durch die Lektüre sozialer Romane aus den zwanziger und frühen dreißiger Jahren ermöglicht und bestärkt werden. Verlage wie Neuer Weg, Oberbaum, Kiepenheuer & Witsch tragen dem wachsenden Interesse an dieser Art Literatur durch verschiedene Neuauflagen Rechnung.

Die Auswahl der Romane erfolgte nicht nach ideologischen Vorentscheidungen, sondern mit der Absicht, möglichst einen statistischen Zufallsdurchschnitt von Texten unterschiedlichster Autoren zu erfassen. Die Frage, ob sich die repräsentativsten oder auch nur die bekanntesten und erfolgreichsten sozialen Romane unter den hier behandelten finden, soll keine Rolle spielen. Zeitlich erstreckt sich der Querschnitt von Friedrich Wolf 1926 bis Georg Glaser 1932 und ideologisch von christlich ausgerichteten Schriftstellern wie Richard Euringer bis zu Marxisten wie Ludwig Turek. Bei der Zufallsauswahl spielte die ästhetisch-stilistische Qualität der Romane keine Rolle, so daß das epigonale Pathos eines Friedrich Wolf neben der analytisch präzisen Diktion eines Adam Scharrer steht. Die hier versuchte Skizze setzt die Texte in eine Beziehung zur Wirklichkeit der Entstehungszeit, nicht aber zur innerliterarischen Entwicklung der europäischen Romantradition. Der Abstraktionsgrad der Darstellung soll gering gehalten werden, da die meisten behandelten Werke wenig bekannt sind. Es soll statt dessen relativ viel von den Erzähltexten einfließen, auch um aufzuzeigen, daß die Lektüre für einen sehr viel größeren Adressatenkreis nützlich und unterhaltend sein kann als die Lektüre theoretischer Darstellungen durch die historischen Wissenschaften einerseits und der sogenannten höheren Literatur mit ihren Stilisierungen, mit ihren Code- und Decodierungstraditionen anderseits.

Romane über Fürsorgezöglinge

Zwei Texte über das Leben von Fürsorgezöglingen sollen hier zu Beginn mit einiger Ausführlichkeit erörtert werden. Dabei spielt die Annahme eine Rolle, daß ein Gesellschaftssystem seine Beschaffenheit fast nirgends so unverstellt zeigt wie in der Behandlung der schwächsten seiner unmündigen Mitglieder. Unterdrückungsmechanismen, die im Gesamtsystem vorherrschen, müssen in diesem Punkt besonders deutlich werden; die Verhinderung freier Meinungsbildung und die Selbsthilfe der Abhängigen im Bewußtmachen der eigenen Lage könnten auf Parallelen zwischen den Zöglingen und den abhängig gehaltenen Bevölkerungsschichten des Gesamtsystems deuten. Schließlich lassen sich hier gegenüberstellen typische Merkmale einer Schreibweise, die eigene Erfahrungen und Interessen artikuliert, und einer solchen, die aus der gesicherten Distanz ein Sujet behandelt, das dem Schreibenden fernliegt, dem er aber sich fürsorglich glaubt widmen zu sollen. Ein dezidiert vertretener Klassenstandpunkt wird im einen Beispiel offen dargelegt, im anderen unter dem Schein des allgemein-menschlichen Interesses verborgen.

Das Buch *Sprung über den Schatten* wurde 1931 von einer Autorin der jüngeren Generation, Lilly Gräfin zu Rantzau, veröffentlicht. Georg Glaser schrieb sein Buch *Schluckebier* 1932 als Zweiundzwanzigjähriger. Beide Autoren intendieren eine kritische Auseinandersetzung mit zeitgenössischen sozialen Mißständen. Beide distanzieren sich von ihrer Herkunftsschicht, derjenigen der Großagrarier einerseits, der kleineren Beamten anderseits. Im ersten Buch gerät die Darstellung zu einem typischen Beispiel von Widerspiegelung mit affirmativer Wirkung, im anderen ergeben sich am exemplarisch gestalteten Einzelfall eine historisch-gesellschaftliche Perspektive und Ansätze zu Lösungsstrategien.

Die Verlagsreklame rühmt an der Autorin Rantzau den »durch kein ausgeklügeltes System getrübten, nur der Wirklichkeit des Lebens zugewandten Blick«, wodurch »ein fast nur noch als Zerrbild durch Presse, Literatur und Theater wiedergegebenes Thema einer unbefangenen, menschlichen, von aller Tendenz befreiten Betrachtungsweise zurückgewonnen« werde. Zwei Bereiche von Scheingegensätzen werden also naiv gegeneinander ausgespielt: ›Leben, menschlich‹ einerseits, ›Tendenz, ausgeklügeltes System, Zerrbild, Presse, Literatur‹ anderseits. Es kann nicht verwundern, daß die Autorin zwar modern und kritisch schreiben möchte, aber zugleich in der Tradition eines klassischen deutschen Literaturverständnisses zeitlos und allgemeingültig bleiben will.

Während Glaser die politisch soziale Entwicklung zwischen 1917 und 1929 in vielen Detailbeispielen thematisiert und durch präzise Lokalisierungen innerhalb eines westdeutschen Industriegebiets realistisch komprimiert, wählt die Gräfin einen völlig unrepräsentativen Ausschnitt und reproduziert die Vorstellungsklischees von einer Großstadt Berlin und einem Dorf im Hinterland. Als Entsprechung zur unrealistischen Raumdarstellung wird der Zeitfaktor rigoros aus der Handlung eliminiert. Ließe die Autorin nicht einen ›Horch‹-Wagen fahren und erzählte sie nicht von einer »jener baltischen Baroninnen, deren Augen viel geweint haben [...] im Kummer um die verlorene Heimat«, so ließen die archaischen Verhältnisse durchaus einen Spielraum von hundert Jahren zu, innerhalb dessen die fünf Jahre der Handlung beliebig anzusiedeln wären. Es werden zwar Symptome des endgültigen Herrschaftsverfalls der ostelbischen Großagrarier, die sich in der Deutschnationalen Partei nochmals konsolidierten, bevor sie ab 1928 in der Parteiführung den Vertretern der Großindustrie weichen mußten, nicht unterdrückt. Irgendwelche Ursachen für den Niedergang ihrer Klasse reflektiert die Verfasserin allerdings nicht.

Ein Fürsorgezögling wird als individueller Ausnahmefall in eine Umgebung von Lehrern, Pastoren und Gutsbesitzern gesetzt, ohne daß der Leser eine Vorstellung davon erhält, daß selbst in dieser archaisch gebliebenen Teilwelt die große Mehrheit der Bevölkerung aus Kleinbauern und Landarbeitern besteht, und ohne daß die gleichzeitigen politischen und sozialen Kämpfe im nahen Berlin auch nur andeutungsweise thematisiert würden. Da die Autorin die politischen und wirtschaftlichen Implikationen der zeitgenössischen Fürsorgeerziehung nicht reflektiert, bleibt ihr nur ein hilfloser Protest gegen Mißstände und der individuelle Entschluß zu persönlicher Hilfe in der Sozialarbeit, den sie die weibliche Hauptfigur ihres Romans fassen läßt.

Es versteht sich, daß die Schriftstellerin, die keine kurzfristigen, konkreten Ziele mit ihrer Arbeit erreichen, sondern zeitlose, allgemeingültige Konstellationen darstellen will, traditionelle literarische Ambitionen entwickelt. So legt sie etwa ihre Geschichte als Rahmenerzählung an, übernimmt also einen bewährten literarischen Kunstgriff, der hier indessen deutlich negativ bestimmt ist von der Sinnlosigkeit eines permanenten Kreislaufs. Dem Leser wird die Leiterin eines Jugendamts vorgestellt, die als Tochter eines Gutsbesitzers diesen für ihre Klasse nicht alltäglichen, aber doch immerhin ›standesgemäßen‹ Beruf ergriff, weil ihre Umgebung aus Dummheit, Stolz, Gehässigkeit ihren Geliebten in den Tod getrieben hatte. Der Rückblick erzählt das Leben des Fürsorgezöglings Hannes Rüper bis zum Selbstmord. Der Schluß zeigt die Trennung des Mädchens von der Familie. »›Mutter hat einen Menschen umgebracht‹, sagt sie leise, und auch ihre Stimme ist dunkel vor Haß.« Der Leser kann schließen, daß das Mädchen nach einem Amerika-Aufenthalt in den Dienst der öffentlichen Fürsorge tritt. Das Beispiel weckt die Illusion, schwerwiegende soziale Probleme seien durch individuelle Kleinarbeit lösbar.

Literarische Ambitionen zeigt die Autorin desgleichen in der Erfindung leitmotivisch verwendeter Symbole, wie das eines Plüschbären oder eines jungen Hasen. Die Gefahr solcher Symbole besteht – wie die aller Symbolik – in der Möglichkeit, bestimmte zwischenmenschliche Konstellationen und Lebensabläufe als Resultate harmonischer und sinnvoller, wenn auch letztlich unbegreiflicher Weltlaufpläne zu suggerieren, was allen aufklärerischen Mindesteinsichten von der Veränderbarkeit der

Welt und vom Ziel der aufzuhebenden Fremdbestimmung des Menschen zuwider-
läuft. Die starke integrative Funktion solcher literarischen Mittel kann unbestritten
bleiben; es gilt aber festzuhalten, daß eine auf formale Mittel konzentrierte Analyse die poetischen Qualitäten des Buchs hervorheben und die inhaltlichen Frag-
würdigkeiten vernachlässigen würde.

An zwei zentralen Stellen bringt die Autorin einen jungen Hasen ins Spiel und erläutert die Funktion in bezug auf den Jungen folgendermaßen: Es »war mehr als
ein schnupperndes, ängstlich atmendes Häschen. Es war seine eigene Weichheit, [...]
seine Mutter- und Liebessehnsucht, der Rest alles dessen, wes ihn das Leben entkleidet hatte. Ein Blick in dies schamhafte seelische Erleben mußte alles zerstören: seinen Willen zum Gutsein und das kleine, schreiende, unschuldige Symbol dafür.«
Damit wird die erstaunlichste poetische Erfindung des Buches nochmals erläutert.
Als adäquaten Ausdruck für den Selbsthaß und die Selbstzerstörungszwänge, zu
denen die Gesellschaft den Fürsorgezögling treibt, erfindet die Verfasserin eine
Szene, in der der vorgesetzte Geistliche gegen den dringenden Rat des Aufsichts-
lehrers durch die Beobachtungsklappe der Zimmertür mißtrauisch verfolgt, wie der
vereinsamte, apathische und scheinbar verrohte Rüper einen heimlich ins Haus gebrachten Junghasen füttert und streichelt. Als der Junge den inhumanen, sadistischen
Beobachter bemerkt, zerreißt und zertrampelt er das Tier. Eine solche Verwendung
symbolischer Bilder erhellt zwar psychologische Sachverhalte, bleibt aber in diesem
Kontext unvermittelt und trägt wenig zur Klärung gesellschaftsbedingter Ursachen
bei.

Der Verdacht, daß ein bestimmter Gebrauch von Symbolen die Vorstellung eines
harmonisch gelenkten, wenn auch mit diversen Fehlern versehenen Weltlaufs und
Schicksalslaufs suggerieren will, bestätigt sich an den Stellen, wo die Autorin Naturgeschehen ins Spiel bringt. Verständlicherweise muß die Natur gegenüber den Er-
ziehungsanstalten und Bürgerhäusern die Funktion des Freiraums vor den Verfol-
gungen durch die Gesellschaft übernehmen. Diese bewährte Motivkombination zieht
sich durch viele der hier herangezogenen Romane. Doch die antizipatorischen Bilder
von Freiheitsmöglichkeiten sind im *Sprung über den Schatten* naiv eingesetzt, ohne
daß gesellschaftliche Lebensbedingungen problematisiert werden. Besonders am
Schluß des Romans dienen Naturevokationen dazu, den Leser von seiner Sympathie
für die Hauptfigur und von seiner Empörung abzulenken. Da die Klassenunter-
schiede am Ende sich als unüberbrückbar bestätigen und die Verfasserin keine Lö-
sungsmöglichkeit sieht, muß sie den Helden mit Selbstmord enden lassen. Die Leiche
darf allerdings nicht gefunden werden; eine allzu realistische Konfrontation wird
vermieden: »Es liegt ein Geheimnis über Hannes Rüpers Abgang [...]. Die Linden
draußen schütteln frierend und mürrisch ihre Häupter, der Regen verwischt alle
Fußspuren, und der Wind streut braune Blätter darüber hin [...]. Regen, hängende
Wolken, die ganze Natur scheint bereit, mit schützender und verbergender Hand
das gutzuheißen, was Hannes Rüper über sein Leben beschlossen hat. Sie hält ihn
fest und liefert ihn nicht aus.«

Wenn man beide Romane über Fürsorgezöglinge nebeneinander liest, fällt eine bei-
läufige Bemerkung der Lilly Gräfin zu Rantzau besonders auf, weil sie so völlig
außerhalb jeder Denkmöglichkeit hält, was Georg Glaser zu gleicher Zeit mit seinem
Roman zu leisten sucht. Die Verfasserin spricht dort von Hannes Rüper als von

einer »kleinen Landsknechtsnatur« und fügt in Parenthese hinzu: »(die man bedauern könnte, daß sie nicht ins Jahrhundert der Ulenspiegel und der Schufterle hineingeboren ist – das hätte einen Wildvogel gegeben!)«. Diese befremdliche Reihung kann bei der unhistorischen und unkritischen Haltung der Autorin nicht überraschen. Durch die Erwähnung der *Räuber*-Figur ruft sie aber dem Leser in Erinnerung, daß Schiller nur aus Zensurgründen seine massive Gegenwartskritik durch zeitliche Zurückverlegung entschärfte und daß die literarische Darstellung exemplarischer Revolten einzelner Gruppen oder Individuen immerhin eine längere Tradition hat, die die Verfasserin ignoriert. Glaser dagegen gibt innerhalb einer realistischen Beschreibung des Anstaltslebens und einer Revolte im Erziehungsheim ein Modell mit parabolischen Zügen und demonstriert Voraussetzungen, Ursachen, Anlässe für eine gesellschaftliche Umwälzung im großen.

Der Gang der Fabel erlaubt es dem Autor, einen gerafften Überblick über die politischen und gesellschaftlichen Verhältnisse der deutschen Republik zu geben. Der unangemessene Anspruch eines allwissenden Erzählers wird dadurch vermieden, daß nicht der Verfasser selbst den Überblick versucht, sondern aus der Sicht und vom Erlebnishorizont der Hauptfigur her Informationen über die vorgefundene Wirklichkeit gibt. Vor der Schilderung des Lebens im Erziehungsheim beschreibt der Erzähler auf 70 von 160 Seiten den Lebensgang des Schluckebier in der Schule, als Hilfsarbeiter, in einer Bande, im Gefängnis. »Es war März neunzehnhundertfünfundzwanzig, er war dreizehn Monate von zu Hause weg, wußte mehr von Huren, Polizei und Gerechtigkeit als seine ganze höhere Schule zu Schlotstadt, er war fünfzehn Jahre alt.« Der Junge arbeitet drei Jahre in einer Naßschleiferei. »Hundertsechzig Rücken in Reihen vor den Scheiben, inmitten dieser Jagd. Die rasenden Scheiben schleuderten beim Naßschleifen Millionen Teilchen Ölgrafitschlamm von sich, die die Arbeiter von oben bis unten mit einer schmierigen Kruste bedeckten [. . .]. Mit dem alten Ronker war Schluckebier inzwischen in der Lungenheilstätte gewesen, der zweiten Heimat der Schleifer. Sie waren vor das Arztzimmer gezogen, hundert Kranke, und hatten gegen das schlechte Essen protestiert. [. . .] Gestern war einer Arbeiterin die Hand abgestanzt worden. Wieder hatte es Ansammlungen und Verwünschungen gegeben.« An solchen Stellen, an denen etwa die Folgen des Akkordterrors und mangelnden Arbeitsschutzes durch bloße Verwünschungen beantwortet werden, verdeutlicht sich als erzählerisches Prinzip, daß der Autor zwar die skandalösen Verhältnisse aufzeigt, aber weder kommentierend protestiert noch Lösungsmöglichkeiten etwa im sozialistischen Sinne direkt artikuliert. Der Leser soll vielmehr zu eigener Reflexion herausgefordert werden. Durch diese bewußt verwendete Indirektheit, die im zweiten Teil des Buchs weiter parabolisch verdichtet wird, ist ein großes Maß an Übertragbarkeit garantiert, was das Buch vor vielen ähnlichen auszeichnet.

Der Leser erfährt, daß die Betriebsleitungen Protesten mit Entlassungen begegnen, daß Demonstrationszüge der Arbeitslosen, die die Regierung an das verfassungsmäßig garantierte Recht auf Arbeit oder angemessene Unterstützung erinnern wollen, von berittener Polizei auseinandergeprügelt werden. »Vier oder fünf Beamte schlugen auf ihn ein. Sie schrien ›Hände hoch‹, um ihn besser ins Gesicht schlagen zu können. Sie warfen ihn zu Boden, traten auf ihm herum und rissen ihn an den Haaren wieder hoch, um ihn erneut hinzuwerfen [. . .]. Die Empörung des kleinen

Schluckebier, unterstützt durch die Aussagen einiger Arbeiter, sprang ab an den Granitgesichtern der Richter, Staatsanwälte, Beamten, Gerichtsärzte [...]. Die Schläge des Vaters, der Lehrer, der Schupos und die Gesichter der Richter: Das war eine Sache: dieselbe Ursache. Auch das Hungern gehörte dazu. Schluckebier lehnte voll Erbitterung die Bewährungsfrist für das halbe Jahr Gefängnis ab, zu dem er verurteilt wurde.« Der Vorbestrafte erhält keine Arbeit; nach einer Szene im Büro für Arbeitsvermittlung, wie sie ähnlich in vielen Romanen dieser Jahre wiederkehrt, wird Schluckebier in eine Erziehungsanstalt gebracht.

Der zweite Teil des Buchs stellt die unmenschlichen Lebensbedingungen in der Anstalt dar. Die direkte Herrschaftsgewalt liegt in der Hand von »Prügelpädagogen«, »Erziehungsfaschisten«, wie der Erzähler sie nennt. Die von Glaser nicht angesprochene, aber augenscheinliche Parallele dieser Machtinstrumente zu Funktion und Methoden von Militär und Polizei außerhalb der Anstalt wird deutlich. Die organisierte Gegenwehr der Zöglinge gegen das viehische Verhalten der Aufseher entsteht aber nicht spontan aus der totalen physischen Unterdrückung heraus, sondern beginnt durch Auseinandersetzung mit der Ideologie, die von den hierarchisch Höherstehenden vertreten wird. Die Attribute des Anstaltsdirektors, des »schwitzenden Königs« mit »seiner königlichen Fettheit«, deuten wieder auf die Absicht des Autors, Parallelen zur Hierarchie in der Gesellschaft seiner Zeit zu ziehen. Neben dem Direktor wird ein Pfarrer dargestellt; nicht wie bei Lilly Rantzau als charakterlich negativer Mensch, der große Fehler macht, sondern als Funktionär der herrschenden Ideologie. Nur äußerlich unterscheidet sich der Unterricht der Lehrenden. Der Pfarrer unterrichtet die Protestanten, während die Konfessionslosen vom Direktor in Gesang unterwiesen werden. Der Inhalt des Vermittelten ist gleich: »Der Alte sang ganz allein laut gegen die Klavierwand: ›... von Jesse kam die Aart‹.« Und der Direktor führt ebenfalls dauernd im Mund das Wort von der »Frucht zwanzigjähriger, von Gott gesegneter Arbeit im Billigheim«.

Die mißlungene Gesangsstunde nimmt der Erzähler zum Anlaß, den Leser mit einem politischen Kerkerlied bekannt zu machen, das auf die Protestliedtradition des 19. Jahrhunderts zurückgreift und in den zwanziger Jahren mit einer aktualisierten Schlußstrophe häufig gesungen wurde, obwohl es in keinem Liederbuch abgedruckt ist. Die ausschließlich mündliche Überlieferung rechtfertigt zunächst Glasers Feststellung »Nirgendwo wurde es gesungen; hier aber lebte es [...]«, wenn auch Wolfgang Steinitz' Forschungen inzwischen eine weite Verbreitung bis mindestens 1943 nachgewiesen haben.

> »Und vor den Richter da muß ich treten,
> drei Vaterunser, die muß ich beten.
> Drei Vaterunser, die bet ich nicht,
> [...]
> Sein Blut floß strömend wohl in den Sand,
> starb für der Armen Vaterland.«

Der Erzähler verwendet das Lied an drei Stellen, um bestimmte Stationen der Revolte zu markieren. Die Funktion politischer Lieder, die durch Rhythmus und Melodie zur emotionalen Solidarisierung auffordern und im Text die Richtung solidarischen Handelns zeigen, ist auch den Verteidigern alter Machtstrukturen durchaus bewußt, wie Glaser verdeutlicht, wenn er im selben Kontext auf den Mord an singend Protestierenden anspielt.

Was im bornierten Unterricht des Direktors als stummer Protest sich äußerte, artikuliert sich im Religionsunterricht, der schon immer auf Fragen basiert, als konkretes Fragen zur politisch-gesellschaftlichen Situation: »Stimmt es, daß drei Frauen und zwei Männer in Sebold erschossen wurden, weil sie ein verbotenes Lied mitgesungen haben? Stimmt es, daß es auf der Welt fünfzehn Millionen, fünfzehn Millionen Arbeitslose gibt? Stimmt es, daß täglich einige Dutzend Menschen in Deutschland wegen Hunger in den Tod gehen? [...] Ich möchte mal fragen, was wir machen sollen, wenn wir hier rauskommen?« Die parabolische Parallelsetzung der Unterdrückungsmechanismen innerhalb und außerhalb der Anstalt gibt der Erzähler in diesem Zusammenhang ebenfalls als Frage der Jungen: »Was aber, um Gotteswillen, wenn Schluckebier und Ronker recht hätten? Wenn das draußen auch nur ein riesiges Billigheim wäre? Dann lohnte sich das Leben nicht mehr. Es sollte aber ein Land geben, in dem es keine Arbeitslosen gab. Rußland. Stimmt das? Warum machte man dann nicht dasselbe wie die Russen?«

Diese Textstelle und der Verlauf der Revolte zeigen die Intentionen Glasers, die im historischen Kontext zu klären sind. Die von 1925 bis 1929 von den Kommunisten Ernst Thälmann, Heinz Neumann und Walter Ulbricht betriebene Einheitsfront-Strategie, die als einzige Alternative zur Verhinderung der faschistischen Verbrecherherrschaft sich darstellt, wurde Ende 1928 zugunsten eines forcierten Kampfes gegen sozialfaschistische Tendenzen innerhalb der Sozialdemokratie aufgegeben. Der undurchsichtige Kurs der folgenden Jahre innerhalb der KPD, der allgemein mit ihrer großen Abhängigkeit von der KPdSU erklärt wird, bestärkte den konzeptlosen Immobilismus der Sozialdemokraten wie der Gewerkschaften und trug zur Zersplitterung der Linken in etwa zwanzig sozialistische Gruppen bei. Selbst konservative Historiker schließen nicht aus, daß nach 1929 in immer stärkerem Maß von einer revolutionären Situation gesprochen werden konnte und daß die Bereitschaft der deutschen Arbeiter, sich endlich zum Subjekt der Geschichte zu machen, trotz der sozialdemokratischen Beschwichtigungspolitik ständig anstieg.

Es erscheint offensichtlich, daß Glaser in seiner Darstellung einer revolutionären Situation in der parabolischen Version einer Anstaltsrevolte seine Leser von der Notwendigkeit solidarischen Handelns der Lohnabhängigen überzeugen will, daß er, wenn nicht die Dringlichkeit einer revolutionären Erhebung, so zumindest eine solidarische Volksfrontpolitik propagiert. Die relative Begrenzung des Geschehens auf den Bereich der Anstalt, die spärliche Nachrichtenübermittlung von der Außenwelt erlauben es dem Erzähler, eine Erörterung der Politik der sozialdemokratischen und sozialistischen Parteien zu umgehen und das Moment der Solidarisierung hervorzuheben. Dafür spricht besonders deutlich, daß er die Frage nach der Entwicklung in Rußland als bloße Frage der Jungen offenläßt. Noch im Laufe des Erscheinungsjahrs des Buches erreichte die revolutionäre Situation – im nachhinein gesehen – ihren Kulminationspunkt, als der sozialdemokratische preußische Ministerpräsident im Juli 1932 sich an den Verfassungsgerichtshof und nicht an die revolutionäre Arbeiterschaft wandte.

Um die zeichenhafte Bedeutung der beschriebenen Revolte hervorzuheben, schaltet der Autor nach der ersten, siegreichen Etappe des Aufstands mehrere Abschnitte über frühere Erlebnisse einiger Jungen ein, in denen von Unterdrückung und schwerer Mißhandlung von Lehrlingen und jungen Hilfsarbeitern, von Streikerfahrungen und Polizeiterror berichtet wird.

Glaser bleibt realistisch genug, die Revolte scheitern zu lassen, gibt diesem Scheitern aber alle Anzeichen des Vorläufigen und verstärkt gegen Schluß die Züge einer antizipatorischen Darstellung gesellschaftlicher Umwälzungen. »Unsere armselige Lage vergaßen wir. Wir ordneten unser Tun nach einem größeren Gesichtspunkt, als dem des augenblicklichen Vorteils. Wir hatten eine ganz leise Idee von einem gemeinsamen Kämpfen, von dem Sieg über das Morgen in tausend bitteren Kämpfen [...]. Das war uns, als ständen die Arbeiter aus Sebold, die Bauern aus dem Ried und die Rotfabriker selbst hinter uns. Wir waren nur die Spitze eines gewaltigen Zuges.« Und bevor Schluckebier, einer der Anführer der Revolte, ohne Umstände erschossen wird, macht er nochmals die Intention des Autors deutlich: »Er dachte daran, viel systematischer kämpfen zu müssen, falls er jetzt mit dem Leben davonkommen sollte.«

Arbeitslosenromane

Dem sozialen Roman der späten Weimarer Republik drängte sich selbstverständlich das Thema Arbeitslosigkeit besonders auf, ein Problem, das sich aus der Distanz wie eine bloße statistische Größe ansieht und in der Vorstellung ganz unkonkret bleiben muß. Zur Verdeutlichung trägt auch kaum die Kenntnis der Tatsache bei, daß Deutschland 1929 14,6 Prozent Arbeitslose und 7,5 Prozent Kurzarbeiter hatte, daß das Arbeitsministerium ein Existenzminimum von wöchentlich 49,65 RM errechnete, der Durchschnittsnettolohn aber nur 42,20 RM betrug, daß die Arbeitslosenunterstützung gestaffelt war von 16,44 RM in Großstädten bis 13,13 RM in Landgebieten. Man kann davon ausgehen, daß Arbeitslosigkeit, zumal unter solchen Bedingungen, zu den Extremsituationen des Menschen gehört, die durch abstrakte Darstellungen niemals adäquat wiedergegeben und deren Erfahrungen nicht an die Folgegenerationen tradiert werden können, wenn nicht durch das konkrete Erlebnis oder durch die Rezeption angemessener literarischer Beschreibungen eine Vorstellung sich formt. Man wird hier etwa dem Satz zustimmen müssen, den Karl Grünberg in der *Brennenden Ruhr* dem Bergarbeiterführer Ruckers in den Mund legt: »Ich aber bin der Ansicht, daß man alles theoretisch erfassen kann, bis auf den Hunger.«

Leonhard Frank hat 1932 in seinem Roman *Von drei Millionen drei* aus der Unfaßbarkeit des Themas einen bedenkenswerten, konsequenten Schluß gezogen und kurzerhand ein Märchen über Arbeitslosigkeit geschrieben. Er hat darüber hinaus die relative Stummheit der unteren Klassen über ihre eigenen Erfahrungen andeutungsweise thematisiert, die schwierige Tradierbarkeit von Erfahrungen zwischen gleicherweise Betroffenen und zwischen den Generationen. Den beiden zurückgekehrten Arbeitslosen kommen am Schluß drei Männer entgegen, die den total gescheiterten Versuch wiederholen wollen, ohne daß sie von den Gescheiterten aufgeklärt würden. »Blicke, fragend hinwegstreifend über die zwei barfüßigen Skelette. Sie waren vorüber. ›Gespenstisch war das‹, sagte Glasauge. ›So sind wir damals losgegangen.‹« Unmittelbar darauf faßt der Erzähler den Problembereich zu einer realistischen Szene mit der Tendenz zum parabolischen Bild zusammen: »Knaben badeten, sie stiegen oberhalb des Brückenbogens ins Wasser und ließen sich abwärts treiben. [...] Alle Knaben, die ohne Aufsicht waren, lernten hier schwimmen. Manchmal ertrank einer. Dann lernte die nächste Generation das Schwimmen an einer anderen Stelle, die übernächste wieder hier.«

Da Frank die politisch-ökonomischen Ursachen der Arbeitslosigkeit nicht erörtert, aber den Kreis seiner Leser mit dem Problem konfrontieren möchte, wählt er eine literarische Stilisierung, die ein Publikum anspricht, das gegen realistische Darstellungen sich sperren würde. Er beginnt mit einem Nestroy-Motto und fährt im Nestroy-Stil fort: »Drei Männer gingen aus der Stadt hinaus, ein Schreiber, ein Schneider und ein Fabrikarbeiter: Von drei Millionen Arbeitslosen drei.« Märchenzufälle bringen die Handlung in Gang. Im Wirtshaus ›Zur goldenen Gans‹ erhalten die drei von einem reichen Engländer eine Hundertpfund-Note und können nach Südamerika auswandern, stürzen in Buenos Aires mit einer Straßenbahn in einen Fluß und können sich als einzige schwimmend retten, preisen in Marseille Haar-wuchsmittel an und singen in Berliner Hinterhöfen Balladen. Die Wirklichkeit überholt indessen alle pointierten Einfälle des satirischen Märchens, einschließlich des allzu wortspielerisch erscheinenden Buchtitels; schon während der Niederschrift näherte sich die Arbeitslosenzahl 5 Millionen.

Dennoch mag diese Montage von Märchen und Wirklichkeitsinformation bedenkenswert sein als Versuch, das für die zeitgenössische Mehrheit völlig inkommensurable Phänomen lang andauernder Massenarbeitslosigkeit dem Leser deutlich zu machen. Vor dem Märchenhintergrund gewinnen einzelne Sätze über die aktuelle Wirklichkeit bedeutend an Gewicht. »In Berlin wird ein Maurer gesucht. In einer Viermillionenstadt ein Maurer! [...] Viele Arbeitslose starben weg, viele brachten sich um. Aber für jeden Einzelnen, der das graue Riesenheer verminderte, kamen hundert neue hinzu. [...] Links stand ein großer Häuserblock: das Charlottenburger Amtsgericht, wo in diesem Jahre hundertsechsundsiebzigtausend Offenbarungseide geleistet worden waren. [...] Der Wirt hatte sich in seinem kühlen, leeren Keller erhängt. Auf dem Platze vor dem Wirtshaus hockten die Arbeitslosen. Unter ihnen waren Zwanzigjährige, die überhaupt noch nie Arbeit gehabt hatten.«

Die Gefahr einer solchen Darstellung ist zweifellos, daß sie die ohnehin verbreitete Meinung zu bestätigen scheint, diese Krisen seien fatalistisch hinzunehmende Naturerscheinungen. Das kommt auch etwa in Franks Metaphorik zum Ausdruck: »Pestwolke der Weltwirtschaftskrise.« Oder: »Das Riesengeschwür der Arbeitslosigkeit wucherte weiter.« Ein nicht geringes Verdienst Franks ist es jedoch, eine Vorstellung jener bürgerlichen Bevölkerungsschicht, der seine Leser angehören, desillusioniert und widerlegt zu haben: die Vorstellung, daß die in der Statistik ausgewiesenen Menschen ohne ausreichendes Mindesteinkommen durch Sparsamkeit, Klugheit und gute Beziehungen die Krise überstehen könnten. Mit einer entsprechenden Devise läßt der Erzähler die drei Arbeitslosen abreisen: »›ich bin direkt neugierig, ob das Leben heutzutage so lückenlos durchorganisiert und rationalisiert ist...‹ – ›Red nicht so geschwollen!‹ – ›... daß so drei wie wir glatt verrecken müssen, oder ob das Leben doch noch Unterschlupfe und Möglichkeiten bietet.‹« Die Unterschlupfmöglichkeiten werden durch den Handlungsgang entschieden verneint.

Hans Falladas ebenfalls 1932 veröffentlichter Roman mit dem ähnlich salopp formulierten Titel *Kleiner Mann – was nun?* steht der relativ apolitischen Darstellung Franks recht nahe, endet indes unberechtigterweise sehr viel optimistischer in privatem Scheinglück: »›Du bist doch bei mir, wir sind doch beisammen [...].‹ Es ist das alte Glück, es ist die alte Liebe. Höher und höher, von der befleckten Erde zu den Sternen.« Die Abhängigkeit privaten Glücks von politischen Verhältnissen problematisiert Fallada kaum. Das Jahr Arbeitslosigkeit am Schluß wird erzählerisch nicht gestaltet, es bleibt noch weit mehr inkommensurabel als bei Leonhard Frank. Falladas Intention scheint dahin zu zielen, die Bevölkerungsgruppe der kleineren Angestellten, die sich zu der der Arbeiter unverständlicherweise distanziert verhält, zu solidarischem Denken und Handeln zu bringen. Diese Absicht konkretisiert sich allerdings nicht in dem Roman, der sich im Kreis von Episoden aus dem Konkurrenzkampf zwischen Angestellten bewegt und Solidarität nur höchst indirekt thematisiert, etwa in einem Gespräch zwischen der Hauptfigur und einem linkssozialdemokratischen Arbeiter: »Die DAG! Mutter, Emma, haltet mich fest, unser Jüngling ist ein Dackel, das nennt er 'ne Gewerkschaft! Ein gelber Verband, zwischen zwei Stühlen. O Gott, Kinder, so ein Witz [...]. Ihr denkt, Ihr seid was Besseres als wir Arbeiter [...]. Weil Sie Ihrem Arbeitgeber nicht 'ne Woche den Lohn stunden, sondern den ganzen Monat. Weil Sie unbezahlte Überstunden machen, weil Sie immer Streikbrecher sind.« Wer die Gewerkschaftspolitik des vergangenen Vierteljahrhunderts verfolgt hat, wird das Kuriosum zu würdigen wissen, daß der Verlag des 1958 neu edierten Buchs diese Szene mit einer Anmerkung glaubte versehen zu sollen: »Die DAG des Romans hat mit der heutigen DAG (1945 gegründet) nichts zu tun.«
Kleiner Mann – was nun? ist einer der wenigen Romane der Zeit, in dem sich Reminiszenzen des von Fallada abgelehnten Parteikurses der KPD finden, die seit 1929 die unentschiedene Sozialdemokratie wieder stärker angreift: »›Ein richtiger Bourgeois ist mir immer noch lieber als ihr Sozialfaschisten.‹ – ›Sozialfaschisten‹, antwortet der Alte böse. – ›Wer wohl Faschist ist, du Sowjetjünger!‹« In dem Buch finden sich – gleichfalls abweichend von anderen – mehrfach Hinweise auf die wachsende Betätigung nationalsozialistischer Vereinigungen und Banden. »Er trug das Hakenkreuz, er erzählte ihm die schönsten jüdischen Witze, er berichtete von der letzten SA-Werbefahrt nach Buhrkow und Lensahn, kurz, er war teutsch, zuverlässig, ein Feind der Juden, Welschen, Reparationen, Sozis und der KPD [...]. Lauterbachs Lebenssehnsucht war gestillt: Er konnte sich fast jeden Sonntag – und manchmal auch wochentags am Abend – prügeln.« Auffällig genug spielt das Treiben der Faschismus-Anhänger in den hier behandelten Romanen sonst fast keine Rolle. Es scheint sich zu bestätigen, daß Sozialdemokraten und ihre Sympathisanten die Gefahr von rechts traditionsgemäß weit unterschätzten, während sich die Sozialisten darauf berufen konnten, in der Bekämpfung des Kapitalismus dessen faschistische Variante immer schon mit im Blick gehabt zu haben, ohne sie besonders herauszustellen.
Der am wenigsten zum Thema Arbeitslosigkeit beizutragen hat, betitelt sein Buch am anspruchsvollsten. Richard Euringer veröffentlichte 1930 seinen ›Roman aus der Gegenwart‹ *Die Arbeitslosen.* Aus drei Millionen Arbeitslosen wählt sich Euringer als Hauptfigur einen Handwerker einer ländlichen Gegend aus und akzentuiert

das Stadt-Land-Problem in einer Weise, wie es fast nur noch in faschistisch-reaktionären Kreisen üblich war. Der Erzähler läßt diese Figur mit naiver Offenheit feststellen: »Ich habe nie begriffen, warum die Massen – statt an ihr Tagewerk zu gehen – nur noch parteipolitisieren.« Und vom Werkmeister läßt er sich auf seinen Einwand hin, daß ein Riß zwischen arm und reich sei, belehren: »Nicht mehr ganz seit wir alle arm geworden, wir in Deutschland wenigstens [...], es gibt Arbeitsmillionäre, die leben wie der gemeine Mann. [...] Es gibt keine soziale Frage mehr.« Statt dessen wird eine überraschende Alternative erfunden: Anarchie oder christliche Gemeinschaft. Einen Politiker läßt der Erzähler unwidersprochen erklären: »Macht reicht nicht aus, den Grund zu legen zu einer Diktatur, die mehr sein will als Tyrannei. Was wir brauchen, das wäre ein Herrgott von einem Menschen. Uns fehlt die Machtvollkommenheit, die nur sich selbst verantwortlich ist, wenn sie anfängt, Ordnung zu schaffen.« Gegen diese Art präfaschistischer Missionsschriften scheinen sich die Kirchen nicht recht gewehrt zu haben. Daß solche Verdummungsliteratur sich des poetischen Jargons der vorhergehenden Jahrzehnte bedient, braucht kaum hervorgehoben zu werden: »Durch Hiebe schrägen Regens ründeten Brachlandraine heran.« – »Bullenhaft, in steiler Verkürzung klotzte der schwarze Scherenschnitt einer Schnellzuglokomotive in den orangenen Abendhimmel.«

Aus der Sicht eines Betroffenen berichtete 1932 Albert Klaus in seinem Roman *Die Hungernden*. Der Autor sucht eine Vorstellung von der unvorstellbaren Menge der Arbeitslosen zu geben, indem er anfangs in zehn Szenen die endlosen Menschenschlangen und die Routinearbeit in einem Wohlfahrtsamt schildert. Als einer unter den vielen wird hier der Tischler Holl eingeführt, der seit zwei Jahren arbeitslos ist. Es zeigt sich bald, daß das unbeschreibliche Elend dieser Familie auch unbeschreibbar ist und die tägliche Wiederholung des Immergleichen sich der längeren erzählenden Darstellung entzieht. Der Autor führt daher einen zweiten Erzählstrang ein mit dem jüngeren Angestellten Hansen, der seit einem Jahr arbeitslos ist und in der Wohnung Holl ein Zimmer erhält. Dadurch entsteht die Möglichkeit, eine Liebesgeschichte, die allerdings weniger gelungen ist, in den Handlungsverlauf einzubeziehen sowie die Verhältnisse in einem mittleren Betrieb zu beschreiben, was dem Buch außerordentlich zugute kommt. So ergibt sich parallel zu den Stationen des Endes der Familie Holl, die vom täglichen Kampf gegen Hunger und Krankheit völlig absorbiert ist und gegenüber allen politischen Reflexionen apathisch bleibt, eine umgreifendere Perspektive, in der Hansen aufgrund seiner Erfahrungen im Betrieb und seiner Erlebnisse mit der Familie Holl zum Befürworter einer sozialistischen Umwandlung wird. Die einzelnen sozialistischen Richtungen von 1932 werden indessen nicht diskutiert. Hansen tritt am Schluß nur »der Partei« bei. Die Absicht des Autors, zur Sammlung in einer antifaschistischen Einheitsfront zu raten, ist indirekt vorhanden.

Klaus wirkt überzeugend in Szenen, die er aus eigener Erfahrung beschreiben kann: die Publikumsschalter des Wohlfahrtsamts, das Leihhaus, den Berliner Mittelbetrieb mit pervertierten patriarchalischen Strukturen, mit inhumansten Arbeitsbedingungen, das Familienleben des ehemaligen Tischlers, eine Geburt, den Tod eines Kindes, den Tod der Frau, selbst die Reaktion des zurückbleibenden Mannes, der auf eindringende Polizisten schießt und daraufhin erschossen wird. Weniger gelungen erscheinen die nicht streng durchführbare präsentische Erzählform und die Versuche, durch antipodische Gegenüberstellungen die Wirkung zu erhöhen: »Und diese Freude ist größer als die eines Luxusweibchens, das sich einen neuen Persianer kauft.« – »Nicht die Sorgen reicher Frauen: was für ein Abendkleid wohl besser paßt, ob ihnen die neue Frisur auch gut steht [. . .]. Marie hat andere Sorgen. Wie sie aus einigen zerrissenen Hemden noch ein neues anfertigen kann, wie sie bloß das Mietgeld zusammenbekommen sollen [. . .].« Diese Unsicherheit, die sich bei jeder Gelegenheit des eigenen Standpunkts versichern muß durch eine forcierte Distanzierung von Verhaltensweisen anderer Klassen, scheint für die Haltung des neu Überzeugten typisch zu sein, keineswegs hingegen für den durchschnittlichen sozialistischen Autor. Ebenfalls nicht gelungen sind viele Dialoge zwischen dem Ehepaar Holl, zwischen Hansen und seiner Freundin, was nicht weiter verwundert, sondern zurückzuführen ist auf das Verhältnis von Stummheit und Sprachkompetenz nicht nur in den hier geschilderten Schichten. Es ist weder Zufall noch Ausdruck von Prüderie, daß proletarische Autoren im allgemeinen Liebesdialoge aussparen. Wenn der Schreibende Liebe nicht in ihrer Stummheit darstellen mag und keinen Wert auf die banale Sprache alltäglicher Dialoge legt, bleibt ihm keine andere Möglichkeit, als sich entweder hochartifizieller poetischer Mittel zu bedienen oder aber den ganzen Bereich auszusparen. Albert Klaus versucht einen Mittelweg, der ihm mißlingt, was jedoch dem Wert des Romans als einer Dokumentation über Verhaltensweisen bei Arbeitslosigkeit keinen wesentlichen Abbruch tut.

Es zeigt sich, daß eine Extremsituation wie Massenarbeitslosigkeit zwangsläufig die Aufmerksamkeit von Autoren der verschiedensten Richtungen auf sich zieht. Es zeigt sich weiter, daß das Problem nicht punktuell abgehandelt werden kann, d. h. ohne die politisch-ökonomische Entwicklung der voraufgegangenen Jahrzehnte und die Weltentwicklung zu berücksichtigen. Dem scheint in diesem Zusammenhang Adam Scharrer am ehesten gerecht zu werden in seinem 1931 veröffentlichten Roman *Der große Betrug*. Die aus Posen stammenden Brüder Karl und Albert Buchner ziehen mit ihren Familien nach Berlin, einer wird Spartakist, der andere Sozialdemokrat: »Daß Karl und Helene in Kursen, in Zirkeln ihre Abende verbrachten, immer und immer wieder von Revisionismus und ›linkem‹ und ›rechtem Flügel‹ sprachen, Zeitschriften und Broschüren darüber lasen; das schien Albert weniger wichtig als die Frage, ob die Latten zum Rosengerüst an der Laube rechtzeitig gestrichen werden müssen.« Als Albert Buchner nach 16 Jahren Betriebszugehörigkeit ohne Umstände entlassen wird, beginnt ein Lernprozeß. Die sozialdemokratische Regierung bekämpft einen Generalstreik mit antirepublikanischen Truppen, in Versammlungen verwirren Polizeispitzel die Zuhörer, beim Geschäfteplündern, das als ausgesprochenes Lieblingsthema der bürgerlichen und sozialdemokratischen Presse gelten kann, sind ebenfalls Provokateure am Werk, die Schaufenster einschlagen: »Der Provokateur wurde verhaftet und konnte in einigen Stunden wieder gehen. Am anderen Morgen las er [Albert] in der Zeitung, daß die Entfesselung der niedrigsten Instinkte der Erwerbslosen durch den ›Aktionsausschuß‹ wieder zu umfangreichen Plünderungen geführt habe.«

Das gutgläubige Vertrauen Albert Buchners in die Politik der MSPD wird nicht nur durch Geschehnisse in der angedeuteten Art enttäuscht, die verfehlte Politik wirkt selbstverständlich bis in den Familienbereich hinein. Ein Kind stirbt an Unterernährung, ein Sohn wird beim Kampf gegen die Kapp-Lüttwitz-Söldner erschossen. Der

Erzähler bringt überzeugend ins Bild, daß herkömmliche Pietät in Zeiten der Arbeitslosennot zum unverantwortlichen Luxus werden müßte, daß Trauer erstickt wird durch Erbitterung gegen die Schuldigen. »Albert zerschlug schweigend das leerstehende hölzerne Kinderbett zu Brennholz.« – »Albert zersägte die alte Bettstelle. Margot zertrennte seine wenigen Hemden, um andere auszubessern.«
Nach Zeiten ohne Arbeit wird Albert Buchner vorübergehend in einer Maschinenfabrik beschäftigt. Scharrer kann die Gelegenheit nutzen, den Betriebsalltag, die unmenschlichen Akkordbedingungen zu beschreiben. Hier wie überall ist der zielsichere, präzise Stil dieses Autors zu beobachten, dessen Qualität nur wenige, wie etwa Georg Glaser und Ludwig Turek, erreichen. Was etwa an geistreichen parataktischen Konstruktionen eines Thomas Mann bewundert wird, steht Scharrer in Sätzen zur Verfügung, die einen genau angebbaren Zweck verfolgen, z. B. die tödliche Hetze der Akkordgebote als syntaktische Gleichzeitigkeit auszudrücken: »Ein Mensch, der innerhalb fünf Minuten die Maschine ausrückt, die bearbeitete Welle an den Greifer hängt, die Bolzen herausreißt, die nächste Welle auf die Maschine rollt, die Bolzen im Gerüst wieder einsteckt, die Welle aufnimmt, die Maschine einrückt, die fertige Welle herabläßt, aufpaßt, ob die Wasserpumpe anspringt, schmiert, Spänedurchfall freihält, Stähle abzieht, zum Schleifen bringt, wieder holt, den Revolverknopf herumwirft um den Bund überzudrehen, sich überzeugt, ob er zehn Sekunden gespart oder zugesetzt hat: – Ein Mensch, der zu dieser Konzentration fähig ist, und diese exakt sitzenden Griffe, Bewegungen, Blicke, Schritte im regelmäßigen Ablauf von fünf Minuten hundertmal am Tage wiederholt, immer auf der Jagd nach den Minuten, den Sekunden: für den bedeuten fünf Minuten unproduktive Pause einen unausdenkbaren Verlust.« Aus der Versklavung in dieser Fabrikarbeit wechselt die Hauptfigur am Schluß wieder in die Hungerzeit als Arbeitsloser, dem die zunehmende Amerikanisierung der Wirtschaft nicht einmal Hoffnung auf Wiedereinstellung läßt: »Tut mir leid. Sie sind über vierzig Jahre alt.« Scharrers differenzierte und massive Kritik an der verfehlten Politik der Sozialdemokraten und Gewerkschaften macht diesen Roman zu einem der überzeugendsten der Zeit.

Kritik des Funktionärswesens

Als einen Kritiker im Sinne eines innersozialdemokratischen Satirikers mag sich auch Felix Riemkasten gesehen haben. Seine im Stil munterer Geschwätzigkeit geschriebenen Romane *Der Bonze* und *Genossen* erschienen verdächtig kurz hintereinander 1930 und 1931 und hatten im Gegensatz zu allen bisher genannten Büchern – Fallada ausgenommen – relativ hohe Auflagen (mindestens 60 000 Exemplare).
Das Thema des Funktionärswesens, das schon in den Buchtiteln zum Ausdruck kommt, garantierte großen Erfolg bei allen Mitläufern und bei den Verächtern dieser Erscheinung in Parteien und Gewerkschaften. Aber schließlich brauchte sich keiner ernsthaft getroffen zu fühlen, weil die beabsichtigte Satire nur auf bewährten Erzählerhumor hinausläuft, da Riemkasten jegliche angebbare Perspektive als Voraussetzung satirischer Gestaltung fehlt. Er empört sich etwa ausgiebig in *Genossen* darüber, daß ein SPD-Ortsverband einem sympathisierenden Fabrikanten ablehnend gegenübersteht, der den Arbeitern die klassische Dichtung nahebringen will

und der am Schluß ein zumindest hinsichtlich der sozialdemokratischen Bismarck-Erfahrungen bemerkenswertes Bekenntnis ablegt: »Es gibt eine Macht, Behrens, die älter ist als die Partei. Es ist die Macht des Geistes, der in den Einzelnen lebt und der seit je die Welt geformt hat. Dieser Eine ist Christus, dieser Eine ist Luther, dieser Eine ist Goethe, dieser Eine ist Bismarck.« Und der sozialdemokratische Lehrer Behrens weiß in diesem Dialog den abstrusen Gedanken beizutragen: »Das Volk regiert die Welt. So schlimm war kein König je.« Der Erzähler selbst formuliert zu allem Überfluß in bezug auf einen Arbeitslosen: »Diese Menschen, die in unwürdigen Umständen leben und dabei wissen, daß sie für bessere Umstände nicht einmal Verwendung hätten, diese Menschen schimpfen wohl gern über die unwürdige Versklavung, aber mit ihrem Schimpfen klagen sie nicht nur an, sondern in erster Linie erleichtern sie sich, es tut ihnen wohl, so schön mit Recht schimpfen zu dürfen. In der Freiheit fühlen sie sich unsicher wie ein entsprungener Tiger im Gewimmel der Großstadt. Eine Gnade wäre es, wenn der Bändiger jetzt käme und den sicheren, schützenden Käfig gleich mitbrächte.«

Falls solche Zynismen nicht nur vereinzelt erkennbar sind, kann es nicht weiter verwundern, daß die Bezeichnung ›Sozialfaschismus‹ Ende der zwanziger Jahre auf Zustimmung stieß und daß die ›Nationalsozialisten‹ es wagen konnten, sich ihren Parteinamen zuzulegen.

Arbeiterklasse und Angehörige akademischer Berufe

Das Thema des Verhältnisses zwischen Intellektuellen und Arbeitern, das Riemkasten mehrfach behandelt, bestimmt in einigen Romanen den gesamten Verlauf der Fabel. Friedrich Wolf etwa läßt in seinem völlig mißlungenen Buch *Kreatur* (1926) einen Studenten der Volkswirtschaft bei einer Arbeiterfamilie wohnen. »Wir kennen den größten Teil unseres Volks nur so aus dem Trocknen, nicht aus der Gefahr; wir sind nie mit ihm in seiner Not umgeschlagen und kieloben getrieben.« Wolf spricht von diesem jungen Menschen als einem »werdenden Führer des Volkes«, baut allerhand Versuchungen und Barrieren ein, läßt eine junge Witwe aus Katania – die »südliche Göttin«, wie der Erzähler schwärmt – ihm Ehe und Latifundien anbieten mit dem Versprechen, »ihn zu heilen von seinen sozialen Phantastereien«, bevor er Genovef – »mit breiten Backenknochen, ein Weib des Volkes« – ehelicht, nicht ohne nach einem mißlungenen Giftmord einen Erben gezeugt zu haben: »Da hat sein Blut die Pforten des Hirns erstürmt. Der Mond ist versunken.« Damit scheint der mögliche »Führer des Volkes« zumindest eine seiner Bestimmungen erreicht zu haben, ist eine Implikation des ominösen Buchtitels *Kreatur* klargelegt; über »diese einfachen, ungeteilten Geschöpfe, diese Zehnstundenmenschen« erfindet der Held im Einverständnis mit dem Autor die Sentenz: »Die eigentliche Sendung des Proleten, sein Freudenteil auf dieser Erde: Seid fruchtbar und mehret euch!« Dahinter steht wiederum das dreimal artikulierte Kredo: »In jedem Kind, das in einer Mutter Schoß noch verschlossen liegt, kann der Erlöser der Welt geboren werden und wiederkommen!«

Der Grundtenor des Buches berührt sich eng mit demjenigen der kleinbürgerlichen ›Arbeiterdichtung‹. Wolfs poetische Ambitionen zielen allerdings weiter. Was seine

Zeit für Dichtung gehalten haben mag, erscheint nach einem halben Jahrhundert als ridiküle Kolportage im Stil eines schwäbischen Spätexpressionismus. Es ist nicht unverständlich, wenn die Kommunistische Partei sich angesichts des poetischen Betätigungsdrangs von Sympathisanten wie Wolf größter Zurückhaltung befleißigte.

Statt der Traumvision einer Harmonie aller Kreatur gibt Karl Schröder 1930 in seinem Buch *Aktien-Gesellschaft Hammerlugk* immerhin ein Minimum an ökonomischen Informationen, wenn er einen unentschlossenen Doktor der Wirtschaftswissenschaften in einem schlesischen Hüttenwerk arbeiten, sich verlieben und verheiraten läßt, bevor er sich für die Sache der Arbeiter entscheidet und daraufhin entlassen wird. Dieses anscheinend auf ein bürgerliches Publikum zielende Buch der gewerkschaftsnahen Büchergilde Gutenberg gibt einen gut lesbaren Einblick in die Praktiken von Konzernbildungen, der nichts an Aktualität eingebüßt hat. Es skizziert miserable Arbeitsbedingungen und einen Streikverlauf, vermag dagegen die Möglichkeiten einer Solidarisierung zwischen höheren Angestellten und Arbeitern nicht weiter zu konkretisieren. Es bleibt beim Vorsatz, bei der poetisch arrangierten Sympathiebekundung: »In diesem Augenblick schlug ein Windstoß die Flamme breit zur Seite, und sie glühte wie eine prachtvolle rote Fahne. Beiden war es wie ein Symbol kommender Erfüllung. Als sie auseinandergingen, drückte Grünberg fest die harte Hand des Arbeiters.«

Die Periode der Entscheidung, aus der sich alle Probleme der zwanziger und dreißiger Jahre folgerichtig entwickelten, beschrieb 1929 in seinem Roman *Brennende Ruhr* Karl Grünberg. Die Handlung wird eng verknüpft mit den Erlebnissen Ernst Sukrows, der von Berlin ins Ruhrgebiet kommt. »Kriegsfreiwilliger, Offiziersaspirant, unorganisierter Novembersozialist, Hungerstudent. Hinter seiner republikanischen Begeisterung verbarg sich schlecht die Not seiner verarmten Kleinbürgerfamilie. Immerhin schien er einige Bücher über Sozialismus gelesen zu haben.« Für kurze Zeit hatte der Student sich in ein Freikorps verirrt, was der Autor mit einer sarkastischen Bemerkung über ein Schlagwort der Ebertschen Bildungspolitiker erläutert, das in mehreren Romanen jener Jahre Gegenstand der Satire wurde: »›Freie Bahn dem Tüchtigen in der neuen Volksrepublik‹, das war die Parole, die ihn begeisterte und schließlich veranlaßte, sich beim Freiwilligenaufgebot gegen Spartakus zur Verfügung zu stellen.« Die Haltung Sukrows hat sich inzwischen leicht geändert: »In vielem hatten die Kommunisten doch gar nicht so unrecht. Wenn sie nur nicht so kraß und radikal auftreten würden.« Er tritt zuerst in die Partei der Mehrheitssozialdemokraten ein. Das furchtbare Lehrstück der sozialdemokratischen Taktik nach dem Kapp-Putsch drängt ihn auf die Seite der betrogenen Massen. »Ein Wunder war geschehen! Die durch politische, gewerkschaftliche und konfessionelle Strömungen zerrissene Arbeiterschaft hatte sich zu einer Aktionseinheit zusammengefunden.« – »Am 13. März begann der Putsch, und wenige Stunden später brach der Generalstreik aus, aber bereits am Tage darauf ordnete das Generalkommando Münster den militärischen Aufmarsch gegen die Ruhrstädte an. Nicht, ohne sich vorher des stillschweigenden Einverständnisses der Regierungskommissare Severing und Mehlich zu versichern.« – »›Waffen in Arbeiterhänden?‹ Das war in den Augen der Ebert-Bauer eine ebenso große Gefahr wie in denen der Kapp-Lüttwitz.« Die Ruhrarbeiter sahen sich urplötzlich einer geschlossenen Front gegenüber, »die von den

Kappisten über die republikanischen Parteien bis zu den Sozialdemokraten reichte«.
Die im Bielefelder Abkommen festgelegte Entwaffnung der improvisierten Arbei-
terarmee zog keinen Waffenstillstand, sondern einen Rachefeldzug von Reichswehr
und Freikorpsbanden durch das Ruhrgebiet nach sich. »Wenn die Regierung ihre
Versprechungen einhalten will, müßte sie von sich aus die ganze Reichswehr auf-
lösen, denn die hielt ja samt und sonders zu Kapp.« – »Keiner der 17 Bielefelder
Punkte – soweit sie sich gegen die Hakenkreuzler richteten – wurde erfüllt. Die
Kappisten laufen stolz und frei umher mit Orden, Ämtern und Pensionen. Alle
Mörder von ihnen gingen straflos aus. Und ein sozialdemokratischer Reichspräsi-
dent findet sich sogar bereit, Todesurteile gegen Arbeiter zu unterschreiben! Pfui
Deibel!«
Verständlich ist, daß die Verbitterung der betrogenen Bevölkerung nach diesen
Kämpfen, die ähnlich in Hans Marchwitzas *Sturm auf Essen* oder in Ludwig Tureks
Erinnerungen geschildert werden, ungeheuer anwuchs, daß die Betroffenen für
Jahrzehnte der Republik gleichgültig gegenüberstanden und sich 1933 nicht zur
Verteidigung des Staates veranlaßt sahen. »Weil der Arbeiter heute noch, genau wie
früher, nur als Objekt betrachtet wird. Daran hat eure ganze famose demokratische
Republik nichts geändert.« – »Tut man nicht vielmehr alles, um sie durch Schule,
Kirche und Presse geistig zu knebeln?« Es darf unerörtert bleiben, ob es sich hier
nur hinsichtlich der zwanziger Jahre um eine rhetorische Frage handelt. Würden
heutiger Geschichts- und Literaturunterricht als Testprobe genommen und würde
nach der Art gefragt, in der etwa die Ruhrkämpfe 1920 einerseits und soziale Romane anderseits angesprochen werden, so bliebe Grünbergs Frage nach der geistigen
Knebelung möglicherweise weiterhin eine bloß rhetorische. Die Mindesteinsicht, die
der Chemiker am Schluß der *Brennenden Ruhr* formuliert, dürfte jedenfalls kaum
schon Allgemeingut sein: »Wenn man sich nicht um die Politik kümmert, kümmert
sich die Politik um uns.«

Randgruppen der Gesellschaft

Der soziale Roman nahm sich überwiegend der Klasse der Arbeiter und in wenigen
Fällen der der kleineren Angestellten an. Randgruppen der Gesellschaft wurden
selten thematisiert. Texte von Ernst Erich Noth und Franz Jung können als Beispiele genommen werden.
Noth veröffentlichte 1931 als sehr junger Schriftsteller *Die Mietskaserne*. Der Titel
läßt eine Synopsis verschiedener Familienschicksale erwarten, deren Präsentation in
Romanform durch die Strukturierung des vorgegebenen Handlungsraumes erleichtert wird und für die etwa Zola in *Pot-Bouille* ein Vorbild gegeben hat. Diese Möglichkeit nutzt Noth nur in geringem Maße; er stützt sich, wie es in den meisten
Romanen geschieht, auf das Geschehen innerhalb einer einzelnen Familie und zieht
nur gelegentlich Parallelen. Im Mittelpunkt steht die Familie eines Tanzmusikers,
der merkwürdigerweise im Zweifel ist über seine Klassenzugehörigkeit, obwohl
seine Herkunft und seine miserable Lage ihn deutlich prägen: »Siehst du, schon mein
Vater war alter Sozialdemokrat. Wenn er mit seinen Leuten in der Stube saß und
Zigarren drehte, da oben in Hamburg, dann wurde immer gesprochen, vom Arbei-

ter und seinem Kampf, von Revolution und Streik.« Nach der gescheiterten Revolution resigniert Krause, sieht keinen Rückhalt, keine Identifikationsmöglichkeiten, trinkt, tyrannisiert seine Familie.»›Du kannst mir glauben – es ist jetzt aus mit der Politik. Außerdem bin ich nie Prolet gewesen – ich bin Künstler‹ – schreit er.« – »Frau Krause kann dies ewige Gerede vom Proleten nicht mehr hören, sie will nicht dazu gehören, ihr Mann ist Musiker, und ihr Vater hatte ein Sparbuch und seine Rente. Zudem besucht Albert die höhere Schule.« Es ist also bei Vater und Sohn parallel die Thematik des ›Aufstiegs‹ gegeben. Der Autor problematisiert indessen das Thema nur oberflächlich, so daß der Waschzettel formulieren kann: »Der Roman ist unerbittlich, aber er zeigt doch für den einzelnen die Möglichkeit auf, sich nach vielen vergeblichen Versuchen aus dieser Unterwelt emporzuarbeiten.« Eine Illustration also der offiziellen dubiosen Parole ›Freie Bahn dem Tüchtigen‹. Obwohl Noth sehr kritisch einen Gymnasiallehrer schildert, der zynisch die Interessen seiner Herkunftsschicht ignoriert, spricht vieles dafür, daß sein Buch auf einen exemplarischen Fall von Klassenverrat hinausläuft, ohne daß der Autor offenbar sich dessen bewußt ist. Der Satz der Mutter beim Abschied des Abiturienten, der in eine Universitätsstadt, »dem Anfang zu«, fährt, erhält keine Antwort: »Dann holst du uns alle hier heraus.« – »Die Mutter – sie hat gar nichts gehabt. Gar nichts. Furchtbarer Haß überkommt ihn – wer hat ihr das angetan?« Nichts deutet darauf hin, daß der Erzähler eine Vorstellung von dem besitzt, was der Studierte für die Klasse seiner Herkunft wird tun können. Die individuelle Lösung bleibt vordergründig, ein Tüchtiger wird sich Bahn brechen, der Weg der großen Menge bleibt unreflektiert.

Noths Buch kann deshalb Interesse beanspruchen, weil es ausführlich auf die Agitation der Nationalsozialisten eingeht, von denen auch der Gymnasiast Krause sich zeitweilig eine Besserung der Verhältnisse verspricht: »Die soziale Frage werde durch den Brudergeist aller deutschen Menschen gelöst werden, wie es hier im kleinen Kreis schon der Fall sei, wo der Unternehmer neben seinem Arbeiter sitze.« Die Zusammensetzung der Ortsgruppe erscheint symptomatisch für das Zustandekommen der Absudideologie der »Nazioten« – wie Erich Weinert 1932 in Berlin sagte –: »Sie besteht zu zwei Dritteln fast aus höheren Schülern [...]. Dann gibt es einige gesetztere Männer dabei, so den Gruppenkassierer, der Bote bei einer Großbank ist, etliche Angestellte, Handwerker in mittleren Jahren. Drei Mitglieder der Ortsgruppe waren auch im Feld. [...] Dann zwei Studenten. Fanatische Antreiber. Organisatoren.« Noth erkennt sehr deutlich die unmittelbare Gefahr für die Republik und weist z. B. nachdrücklich auf die Anfälligkeit des Beamtenapparats hin: »Der Wanderführer spricht mit dem Polizeileutnant, der knapp grüßt und stramm vor ihm steht, als gelte es, Befehle eines Vorgesetzten entgegenzunehmen.« Ein weiterer Beamter im Roman sympathisiert offen mit den Faschisten. Die Warnung vor einem faschistischen Staatsstreich erfolgt jedoch nicht so prononciert wie etwa in Willi Bredels *Maschinenfabrik N. & K.* (1930): »Was käme, wenn die sozialistische Arbeiterschaft diese Republik fallen ließe? – Ein Hugenberg-Hitler-Deutschland!« Bei Noth bleibt es – auch wegen der verschiedenen Zielrichtungen der beiden Bücher – bei der allgemeineren Warnung an die faschistischen Mitläufer: »Ihr marschiert ja gegen euch selbst.«

Während in der *Mietskaserne* das Problem sozialer Randgruppen angedeutet, aber nicht eingehend erörtert wird, beschreibt Franz Jung in seinem Buch *Hausierer* (1931) »diejenigen, die aus dem Kreislauf herausgeschleudert sind: [...] der Eisenbahner, der durch einen Betriebsunfall zum Krüppel geworden ist, hausieren geht, der Hausierer, der von seiner Kommissionsfirma übers Ohr gehauen wird, der Arbeiter ohne Arbeit, der Kranke und Gestrauchelte auf dem Pfade einer Gesellschaftsordnung, die durch gegenseitigen Betrug der Mitglieder untereinander zusammengehalten wird«. Hinter der realistischen Darstellung der Außenseiter ergibt sich als parabolisches Schema ein Aufriß ökonomisch-gesellschaftlicher Wirkungsgesetze der vorgefundenen Gesellschaft der Zeit. Intention und poetische Einkleidung wären also vergleichbar Brechts drei Jahre später in Amsterdam erschienenem *Dreigroschenroman*. Jung beschreibt seine Absicht, die er im Text durchweg verwirklicht, am Schluß des Buches ausführlich: »Die hier durchgeführte Untersuchung [...] verfolgt keinen tieferen moralischen Zweck als denjenigen, die Umwelt der geschäftlichen Begebenheiten, die der heutige Mensch noch immer wie der gleiche Mensch um die Jahrhundertwende mit einem Schimmer von Romantik umgibt, in einer Reihe von Einzelthemen auf einen Generalnenner zu bringen, und zwar mit umgekehrten Vorzeichen. [...] Die Vorstellung, daß der Hausierer lästig ist, aufdringlich und teils von Diebstahl lebt, teils jedes Verbrechens fähig – das ist genau auf den Punkt die Vorstellung, die sich der Leser in dieser Gesellschaftsordnung von jedem Geschäft zu bilden in die Lage versetzt werden kann. [...] Bei jedem Geschäft liegt der sonst gesetzlich zu ahndende Betrug, bei jeder Schiebung der Diebstahl, bei jeder Konzernbildung Raub und Erpressung; die wirtschaftliche Macht, die ihre Hand zur Vergewaltigung des Lebens ausstreckt, ist nur eine Ansammlung schlechter Instinkte, die sich auflösen wird, wenn man sie nicht zu ernst nimmt, das heißt, wenn man bereit ist, ihr die menschlichen Instinkte, die Kraft der Vereinigung entgegenzusetzen, und mit allen Folgerungen und rücksichtslos. Noch immer ist die Darstellung einer Konzernbildung, einer Erpressung im Großen, der Versicherung, die als wirtschaftsfördernder Vampir im Warenaustausch lebt, dem Fehler verfallen, das Ziel in der Aufzählung des Details zu verherrlichen.« Franz Jung, der wie Friedrich Wolf als expressionistischer Schriftsteller begonnen hatte, kann seine inzwischen vorhandenen Erfahrungen in der ökonomischen Praxis nutzen, um in der Beschreibung realistischer Details den Leser die »Umwelt der geschäftlichen Begebenheiten« durchschauen zu lassen.

Romanhafte Autobiographie

Da es hier nicht auf formale Einordnungen, sondern auf inhaltliche Informationen ankommt, soll in diesem Zusammenhang auf Ludwig Tureks *Ein Prolet erzählt* (1930) eingegangen werden. Die Autobiographie hat für den vom Repräsentativwert literarischer Stilisierungen nicht überzeugten Skeptiker den Vorteil, daß der Autor dieser unwahrscheinlichen (es braucht nur erinnert zu werden an die Anwesenheit des mit Handgranaten bewaffneten Turek als Freikorpssöldner in der Weimarer Nationalversammlung), aber durchaus glaubhaften Beschreibung den Grundsatz hat, »nur die Wahrheit zu berichten«. Für wichtige Geschehenszusammenhänge, die sowohl in der historischen Abstraktion als auch in einer literarischen

230 Jürgen C. Thöming

Einkleidung dem Leser unglaubwürdig erscheinen, können sich durch den Vergleich mit autobiographischen Zeugnissen viele erwünschte Evidenzbeweise ergeben, die wiederum den Nutzen literarischer Stilisierungen erweisen. So läßt sich beispielsweise kaum eine prägnantere Skizzierung des versehentlichen Umsturzes 1918 denken als Brechts Schilderung im *Tui-Roman*, die in nuce die ganze Tragikomik der ersten Republik enthält: »[...] und die Unglücklichen hatten die Leitung selber übernehmen müssen. Es war ein Hafner namens Wei-wei, ein Drucker namens Schimeh und ein Unteroffizier namens Nauk. Alle drei waren einfache Leute ohne besondere Schulbildung gewesen, hatten sich aber, in den Abendstunden nach der Arbeit, selbst zu Tuis ausgebildet. [...] Da er auch eine angenehme, weittragende Stimme besaß, hielt er kleine Reden über dies und das. Dabei passierte das Unglück. [...] Schi-meh wußte nicht, was er angerichtet hatte, als schon von allen Seiten sich die Rufe: Hoch die Republik! Nieder mit dem Kaiser! erhoben. [...] ›Ich habe die Republik ausgerufen‹, stammelte er totenbleich. ›Was?‹ schrie der Hafner. ›Es ist ein Mißverständnis passiert‹, verteidigte sich Schi-meh. [...] Seine Frau setzte ›die Kaffeetasse nieder, stand auf und verabreichte ihm eine Ohrfeige.« Turek und andere Autobiographen bestätigen solche zunächst outriert scheinenden Darstellungen in Zusammenfassungen wie solchen: »Es war aber auch wirklich hanebüchen, daß man von der Sozialdemokratischen Partei, d. h. ihrer Führerschaft, noch immer kein Sterbenswörtchen von Umsturz oder Revolution hörte.« Das gilt etwa auch für das in zahlreichen Romanen dargestellte Unwesen der Freikorpsbanden. Turek verweist lediglich auf die historischen Quellen und trifft so den Kern des Demokratieverständnisses der großen republikanischen Parteien: »Mit den Freikorps ging's fix wie das Brezelbacken. Man nehme eine Zeitung, gleichgültig ob aus Berlin oder Hinterpommern, aus der noskitischen Glanzzeit und lese im Inseratenteil nach: Jeder Generalesel wurde ermächtigt zur Bildung eines Freikorps und suchte auf dem Inseratenwege Freiwillige.«

Das erschütternde Versagen der Reichsregierung im Frühjahr 1920, das in so vielen Romanen thematisiert wird und das nach Jahrzehnten des Verschweigens erst durch Erika Runges *Bottroper Protokolle* (1968) und ähnliche Veröffentlichungen wieder ins Bewußtsein gerückt worden ist, wird vom Augenzeugen Turek, der nur durch eine List den Mördern entrann, bestätigt: »Noch ahnte niemand die Schreckenstage, die beim Einmarsch der Wattertruppen, der Württemberger und Bayern, in die Städte des Ruhrgebiets kamen. Mit schwarzweißroten Fahnen, nicht mit schwarzrotgoldenen, mit der Fahne der Kapp und Lüttwitz, nicht mit der Fahne der Republik, zogen die Henker ein. Erschossen wurde, was gerade vor die Flinte kam. In einem einzigen Grab in Pelkum bei Hamm liegen neunzig Mann. Die Bayern taten sich besonders hervor [...]. Hätten wir nicht auf die Lügen gehört von der verfassungstreuen Truppe, die nur die Herstellung von Ruhe und Ordnung will.« Der Autor, der die schwankende Politik der Kommunistischen Partei in seinem Buch nicht thematisiert, sondern die Einigung der Arbeiterklasse als oberste Notwendigkeit vertritt, formulierte 1930 eine für Sozialisten und Sozialdemokraten ebenso akzeptable wie folgenlose Verständigungsbasis: »Ich glaube heute, wo diese Begebenheiten bereits historischen Charakter tragen, wird es auch unter den sozialdemokratischen Arbeitern keinen ehrlichen Genossen geben, der die schweren Fehler seiner Führer von damals ableugnen wollte.«

Tureks von den Verhältnissen erzwungene ungewöhnliche Mobilität, seine Arbeit als jugendlicher Kohlendieb, Kleinknecht, Konditor, Revolutionssoldat, Zechenarbeiter, Hausierer, Schriftsetzer garantieren dem Buch eine romanähnliche Unterhaltungsqualität auf hohem intellektuellen und stilistischen Niveau, zu dem der dokumentarische Wert hinzukommt. Beides sichert dem Text einen Adressatenkreis, der weit über den anfangs intendierten Kreis hinausgeht. Turek schreibt »nicht für Literaten und Schwärmer, sondern für meine Klasse«, die er mehrmals in direkter Form anspricht (»Nehmt als Probe folgendes:«) und die er am Schluß nochmals zur mitarbeitenden Solidarität aufruft, nicht ohne das latente Pathos des Aufrufs und des poetischen Bildes mit dem Understatement zitierender Ironie gedämpft zu haben: »Darum, ihr Mühseligen und Beladenen, die Parole heißt: Durch Kampf zum Sieg! Der Urwald ist noch groß, tüchtige Kolonisten werden dringend gebraucht, und wenn ihr nun das Buch aus der Hand legt, beginnt gleich mit dem ersten Spatenstich!« Die begrüßenswerte Neuausgabe von 1972 in einem Kölner Verlag unterdrückt zwar Tureks instruktives Vorwort, enthält aber ein ausgezeichnetes Nachwort von Jürgen Bansemer. Ansonsten ist eine nicht recht einsichtige Dezenz bei einigen Änderungen wirksam geworden. Nicht zwei junge »Juden aus Litauen«, wie es 1930 hieß, tummeln sich homoerotisch in einer Gefängniszelle, sondern nur noch »zwei Litauer«, die nicht mehr »Jiddisch«, sondern »schlechtes Deutsch« reden. Mit falscher Dezenz werden etwa auch zwei Punkte in Tureks Beschreibung des Familienlebens kurzweg unterschlagen (»höchste Verantwortlichkeit gegeneinander, gesundes Sexualverhältnis mit gewissenhaften Empfängnisverhütungsmaßnahmen«), als seien sie nach vierzig Jahren nicht noch gleichbleibend aktuell. Wer Romane der zwanziger Jahre liest, wird gerade das Problem der Familienplanung außerordentlich häufig thematisiert finden; eine Eliminierung der Frage bedeutet eine Minderung des dokumentarischen Charakters der Texte.

Proletarisches Heptameron

Wer sich solche Art von Dezenz zu eigen macht, dürfte einen Roman wie Kurt Kläbers *Passagiere der III. Klasse* (1927) erst gar nicht zur Hand nehmen, der im übrigen das Problem der Familienplanung mehrfach höchst anschaulich zur Sprache bringt: »Aber das Schlimme war, wenn die Knechte und Mägde dann in ihren eigenen Katen saßen, setzten sie diese Vergnügungen fort. Jetzt waren sie aber immer fruchtbar, und ihre kleinen Stuben waren bald so voll wie Mausenester. Ist das gut für den Tagelöhner, wenn er sich fortpflanzt wie Unkraut?« Die tragenden Grundthemen der gesamten Fabel sind Liebe, Essen, Schlafen. Kläber gestaltet diese scheinbare Archaisierung oder gar Animalisierung mit souveränem Zugriff. Er nimmt der Thematik durch die Anwendung bestimmter Stilmittel einerseits alle Tabu-Distanz, wie sie etwa im herkömmlichen Kanon der Hochliteratur vorherrscht, andererseits alle peinliche Anzüglichkeit, die in der bürgerlichen Trivialliteratur als Leseanreiz dominierend ist.

Diese scheinbare Überbetonung erotischer Verhaltensweisen, verglichen mit den zuvor genannten Romanen, hat genau angebbare Gründe. Kläber schildert die Gespräche und Handlungen von dreizehn Arbeitern und drei Frauen während einer siebentägigen Schiffsreise. Er scheint an eine proletarische Variation des Heptamé-ron, des Decamerone oder ähnlicher Erzählkompositionen zu denken. Im Erwar-tungshorizont des trainierten Lesers wären damit vorgegeben die Tageseinteilungen, der Ausnahmecharakter einer nicht alltäglichen Räumlichkeit, starke gruppendyna-mische Korrelationen, bedeutsame Überlagerungen der Erzählgegenwart durch das Referieren vergangener Geschehnisse, starke erotische Eintönung in der Tradition der Renaissance-Erzählgepflogenheiten. Dieses mögliche Vorverständnis vom epi-schen Formtypus her ist denkbar, aber nicht unentbehrlich. Da das Variationsschema nahezuliegen scheint, ist es um so verwunderlicher, daß dieser Roman nicht wegen seiner formalen und sprachlichen Qualitäten in den Bereich der Literaturwissen-schaft Eingang gefunden hat.

Die Dominanz erotischer Betätigungen erklärt sich anderseits aus dem Gegensatz von exzeptionellem Freiraum und Alltagspressionen. Es versteht sich, daß die sozia-len Romane, die sich per definitionem mit der Alltagsnot der unteren Schichten Lohnabhängiger beschäftigen, von einer widernatürlich reduzierten erotischen Sen-sibilität ausgehen müssen. Bei der zeitweiligen Entlastung von den Zwängen der Berufswelt, wie die Schiffsreise sie darstellt, tritt nach Kläbers Schilderung eine Annäherung an einen Naturzustand von Verhaltensweisen ein. Der Autor stilisiert die mit Regelmäßigkeit wiederkehrenden Handlungen des erotischen Werbens und der Nahrungsaufnahme zum Ritual, das durch starke Akzentuierungen des gesti-schen Habitus der Personen und durch eine markante Schematisierung der Dialoge gestaltet wird. Die Bewegungen der Figuren werden durch minuziöse Beschreibun-gen der Einzelabläufe verfremdet, so daß die gewohnten Wahrnehmungsklischees ersetzt werden durch einen aus zahlreichen Details zusammengesetzten neuartigen Vorstellungsprozeß: »Der Korrekte, der sich den beiden mit steifen Schritten ge-nähert hatte, machte kleine Verbeugungen vor der Frau, so tief, bis er an die fuch-telnden Arme des Krummen stieß, und sagte mit gespitzten Lippen: ›Ich liebe Sie!‹« – »Auch über den Korrekten lachten sie. Er hatte nicht bemerkt, daß die Französin verschwunden war, er machte seine Verbeugung weiter, und da der kreisende Arm des Krummen seinen Kopf nicht mehr zurückstieß, neigte er sich sogar tiefer und drohte wie der Dicke gegen die Tür zu schlagen.« – »Er ließ nun seine Zähne sehen, und in seine Augen kam ein gelbes Flackern. Das sprang in sein Gesicht und brannte sich durch seinen Körper. Die Lippen und die Halsmuskeln zitterten leicht, seine Schultern bäumten sich gegen die Wand, und seine Hände krallten sich in die Bret-ter.«

Dieser starken Bewegung innerhalb der Handlungsebene stehen die Ruhepunkte der eingefügten Erzählungen gegenüber, die meist deutlichen Exempelcharakter tragen. Geschildert werden einerseits Herkunft und Lebensbedingungen von Mitreisenden, anderseits Beispiele für solidarisches Verhalten. Durch die Erfahrungen der Mit-reisenden aus den verschiedensten Ländern der Erde kommen nützliche Vergleiche und eine beabsichtigte internationale Perspektive zustande, in der die deutsche Problematik, die in den übrigen Romanen vorwiegend behandelt wird, nur einen bestimmten Fluchtpunkt darstellt. Kläber greift die Themen des politisch unmündi-gen Kleinbürgertums und der unbedarften sozialdemokratischen Gutgläubigkeit heraus. Der einzige Deutsche unter den dreizehn Arbeitern ist ein in Chikago em-porgekommener, mit starken antisozialistischen Emotionen aufgeladener Tischler.

Die Situation der Arbeiterklasse in der Weimarer Republik wird von einem Dänen und einem Schotten zusammengefaßt: »In dem demokratisierten Deutschland sieht es am schlimmsten aus. Die Arbeiter sind dort seit sieben Jahren am Verhungern. [...] und sie sind alle höchst verwundert, daß es ihnen trotz der immer gewünschten und endlich erkämpften Demokratie nicht besser gehen will, und wenn sie nicht eines Tages den ganzen Schwindel durchschauen und merken, daß ihnen da alles andere, nur keine Demokratie auf die Nase gesetzt worden ist, dann werden sie wohl für immer auf diese Ordnung verzichten und lieber wieder Monarchisten sein!«

Abschließende Ergänzungen

Die zunehmende Verelendung weiter Bevölkerungsschichten durch Arbeitslosigkeit und Unterbezahlung hat in den letzten Jahren der Weimarer Republik Autoren mehrerer Richtungen dazu veranlaßt, sich mit sozialen Problemen im weitesten Sinn zu befassen. Sie entsprachen damit einerseits dem Informationsbedürfnis ihrer traditionellen Leserschichten, die durch die nachinflationäre Verarmung des Mittelstands und durch die heftiger werdenden politischen Kämpfe verunsichert waren. Sie erschlossen sich zum andern auf diese Weise neue Interessenten unter Arbeiterlesern und Sympathisanten der Arbeiterklasse, die dahin tendierten, die ihren Normen zugehörigen Bezugsgruppen genauer kennenzulernen oder überhaupt erst herauszufinden, um durch die Lektüre zur Klärung des politischen Selbstverständnisses zu gelangen und die eigenen Normen bestätigt zu finden.
Auf dem Distributionssektor zeichnen sich für diese Literatur drei Gruppen ab. Eine wird gebildet durch die liberalen Großverlage wie Fischer und Rowohlt mit einigen kleinen Firmen für unbekannte Autoren. Die sozialdemokratische Gruppe setzt sich zusammen aus dem Brunnenverlag, dem Societätsverlag Frankfurt und den Buchgemeinschaften ›Der Bücherkreis‹ und ›Büchergilde Gutenberg‹. Es überrascht nicht, daß diese Gruppe über 50 Prozent ihrer Bücher in Frakturschrift gestaltet. An sozialistischen Verlagen sind zu nennen: Agis und Malik in Berlin, der Greifenverlag in Rudolstadt sowie der Internationale Arbeiter-Verlag Wien, Berlin, Zürich.
Nimmt man die herangezogenen Romane als repräsentativen Querschnitt, so lassen sich einige thematische Trends zusammenfassen. Die bürgerlichen Schriftsteller wollen die zeitgenössischen sozialen Verhältnisse dokumentieren, um die Instanzen, die sie für befähigt halten, die Probleme zu lösen, mit ihren Mitteln auf die Notsituation hinzuweisen. Die sozialistischen Autoren, die aus den Erscheinungen der zeitgenössischen Welt auf die Zuspitzung einer revolutionären Situation schließen, ermuntern die Leser zu solidarischer Selbsthilfe. Die bürgerlichen Autoren behandeln überwiegend die Probleme als relativ isolierte Phänomene, während die sozialistischen den ökonomisch-politischen Hintergrund stark hervorheben und vor allem die gegenwärtigen Einzelfragen in den historischen Ablauf seit mindestens 1918 stellen, wobei sich Gelegenheiten ergeben, beispielsweise Kampfsituationen darzustellen. Im Zentrum der Gestaltung solcher Situationen stehen die Kämpfe im Ruhrgebiet und in Berlin nach dem Putschversuch 1920. Die Aufstände in Mitteldeutschland und Bayern werden nicht beschrieben. Neben den Kämpfen mit reaktionären Militärs werden Übergriffe der ebenfalls wilhelminisch gesinnten und arbeiterfeindlichen

Polizei dargestellt. Auseinandersetzungen mit faschistischen Horden werden wider Erwarten fast niemals zum Thema. Bei der Darstellung der Besatzungs- und Reparationspolitik neigen die bürgerlichen Autoren zu chauvinistischen Vereinfachungen; die sozialistischen Autoren verweisen auch hier auf den ökonomischen Hintergrund, Karl Grünberg etwa: »In diesem Krieg gab es nur einen Sieger, das ist der Kapitalist, der hüben und drüben sein Schäflein ins Trockene brachte.« Adam Scharrer, der das Thema am ausführlichsten behandelt, schreibt: »›Die deutschen Ausbeuter bleiben genau so unsere Feinde, wie die französischen.‹ Er betont, daß die Arbeiter des besetzten Gebiets dem vergifteten Nationalismus trotzen müssen.« – »Solche Blutbäder, wie sie die deutsche Polizei 1919 oder im Kapp-Putsch oder in Mitteldeutschland unter den eigenen Landsleuten anrichtete, das ist nicht vorgekommen.«

Die durchgängigen Erzählmotive sind neben den angedeuteten einmaligen historischen Ereignissen die periodisch und international immer wiederkehrenden Situationen des Arbeitslebens, die von den bürgerlichen Schriftstellern als bestenfalls beklagenswert, von den sozialistischen als durch solidarische Selbsthilfe veränderbar dargestellt werden: Akkorderpressungen, erzwungene Überschichten, Arbeitsunfälle, Unterbezahlung, Gewerkschafts- und Betriebsratspolitik, Streiks, Entlassungen, Hunger, Verelendung.

Einige auffällige Sondermotive lassen sich anführen. Eine wider Erwarten bedeutende Rolle spielen Kirche und Geistliche innerhalb der Romane. Dabei geben bürgerliche und proletarische Autoren gleicherweise so gut wie keine einzige positive Darstellung. Innerhalb des Problembereichs der Beziehungen zwischen Unterschichten und akademisch ausgebildeten Angehörigen der Mittel- und Oberschichten spielt neben dem Verhalten von Industrieakademikern, Lehrern und Redakteuren dasjenige von Ärzten und Juristen eine markante Rolle. Die Abhängigkeit der Unterschichten wird bei Gerichtsverfahren und bei benötigter ärztlicher Hilfe selbstverständlich besonders augenfällig, während die Arbeiterfeindlichkeit anderer Akademiker erst als Langzeitwirkung deutlich wird. Ein wichtiges Problem bildet die große Mitschuld der Mediziner an der Aufrechterhaltung des menschenfeindlichen Gebärzwangs. Denn das staatliche Verbot einer operative Entfernung der Leibesfrucht richtet sich nahezu ausschließlich gegen die Unterschichten und erweist sich anläßlich der vielen Beispiele, die in den Romanen vorgeführt werden, als besonders perfides Unterdrückungsmittel. Es erzwingt einen erwünschten Geburtenüberschuß, erleichtert die Verfügbarkeit über ein großes Potential ungelernter Arbeiter, verdammt die Familien zur Bewegungslosigkeit hinsichtlich der Wahl des Arbeitsplatzes und der Wohnung und spricht jeglichem Wunsch nach freier Entfaltung und privatem Glück Hohn.

So offensichtlich es ist, daß die meisten Themen des sozialen Romans der zwanziger und frühen dreißiger Jahre aufs Weltganze gesehen alles andere als historisch überholt sind, so deutlich sollte auch werden, daß viele Probleme ihre Parallelen in heutigen finden, selbst in den relativ wohlhabenden Ländern Mitteleuropas.

Literaturhinweise

Zitierte Werke

Bertolt Brecht: *Der Tui-Roman*. In: *Gesammelte Werke in 20 Bänden*. Bd. 12. Frankfurt a. M. 1968. S. 587–727.
Willi Bredel: *Maschinenfabrik N. & K*. Ein Roman aus dem proletarischen Alltag. Berlin 1930. – Neuausgabe: Berlin 1972.
Richard Euringer: *Die Arbeitslosen*. Roman aus der Gegenwart. Hamburg 1930.
Hans Fallada: *Kleiner Mann – was nun?* Berlin 1932. – Neuausgabe: Hamburg 1958.
Leonhard Frank: *Von drei Millionen Drei*. Berlin 1932.
Georg Glaser: *Schluckebier*. Berlin 1932.
Karl Grünberg: *Brennende Ruhr*. Roman aus der Zeit des Kapp-Putsches. Rudolstadt 1929. – Neuausgabe: Tübingen 1971.
Franz Jung: *Hausierer*. Gesellschaftskritischer Roman. Berlin 1931.
Kurt Kläber: *Passagiere der III. Klasse*. Berlin 1927.
Albert Klaus: *Die Hungernden*. Ein Arbeitslosenroman. Berlin 1932.
Ernst Erich Noth: *Die Mietskaserne*. Roman junger Menschen. Frankfurt a. M. 1931.
Lilly Gräfin zu Rantzau: *Sprung über den Schatten*. Roman eines Fürsorgezöglings. Berlin 1931.
Felix Riemkasten: *Der Bonze*. Berlin 1930.
– *Genossen*. Berlin 1931.
Adam Scharrer: *Der große Betrug*. Geschichte einer proletarischen Familie. Berlin 1931.
Karl Schröder: *Aktien-Gesellschaft Hammerlugk*. Berlin 1930.
Ludwig Turek: *Ein Prolet erzählt*. Lebensschilderung eines deutschen Arbeiters. Berlin 1930. – Neuausgabe: Köln 1972.
Friedrich Wolf: *Kreatur*. Roman der Zeit. Berlin 1926.

Forschungsliteratur

Aktionen. Bekenntnisse. Perspektiven. Berichte und Dokumente vom Kampf um die Freiheit des literarischen Schaffens in der Weimarer Republik. Berlin 1966.
Friedrich Albrecht: *Deutsche Schriftsteller in der Entscheidung*. Wege der Arbeiterklasse 1918–1933. Berlin und Weimar 1970.
Johann-Friedrich Anders und Elizabeth Klobusicky: »Vorschlag zur Interpretation der Brecht-Lukács-Kontroverse. Zugleich eine Kritik an Gallas, Mittenzwei und Völker«. In: *alternative*, 15 (1972). Nr. 84/85. S. 114–120. Vgl. darin auch S. 121–123.
Otto Biha: »Die proletarische Literatur in Deutschland«. In: *Sozialistische Zeitschrift für Kunst und Gesellschaft*, Nr. 11/12 (1972). S. 64–82. – Zuerst in: *Literatur der Weltrevolution*, 1 (1931). Nr. 3. S. 104–122.
Helga Gallas: *Marxistische Literaturtheorie*. Kontroversen im Bund proletarisch-revolutionärer Schriftsteller. Neuwied 1971. – Vgl. dazu Ursula Apitzsch in: *Ästhetik und Kommunikation*, 3 (1972). Nr. 5/6. S. 204–209. – Horst Domdey in: *Sozialistische Zeitschrift für Kunst und Gesellschaft*, Nr. 11/12 (1972). S. 145–158. – Georg Fülberth in: *alternative*, 15 (1972). Nr. 84/85. S. 131 bis 136.
Christine Gobron und Friedrich Rothe: »Zur Geschichte der Organisierung und Arbeit kommunistischer Schriftsteller in Deutschland 1925–1933«. In: *Sozialistische Zeitschrift für Kunst und Gesellschaft*, Nr. 11/12 (1972). S. 5–33.
Helmut Gruber: »The German Writer as social critic 1927 to 1933«. In: *Studi Germanici*, 7 (1969). S. 258–286.
Ulrike Haß und Helmut Lethen: »Was heißt Niveauanhebung der proletarisch-revolutionären Literatur?« In: *Sozialistische Zeitschrift für Kunst und Gesellschaft*, Nr. 11/12 (1972). S. 85–144.
Alfred Klein: »Auf dem Wege zur proletarisch-revolutionären Literatur«. In: *Sinn und Form*, 14 (1962). Nr. 2. S. 277–309.
– *Wege und Leistung der deutschen revolutionären Arbeiterschriftsteller*. Berlin [Ost] 1972.
Helmut Lethen: *Neue Sachlichkeit 1924–1932*. Studien zur Literatur des ›Weißen Sozialismus‹. Stuttgart 1970.
Helmut Lethen und Helga Gallas: »Arbeiterdichtung – Proletarische Literatur. Eine historische Skizze«. In: *alternative*, 9 (1966). Nr. 51. S. 156–161.

Lexikon sozialistischer deutscher Literatur. Von den Anfängen bis 1945. Monographisch-biographische Darstellungen. Gießen 1973.

Die Linkskurve, 1 (1929)–4 (1932). Nachdruck: 1971.

Literatur der Arbeiterklasse. Aufsätze über die Herausbildung der deutschen sozialistischen Literatur (1918–1933). Berlin [Ost] 1971.

Literatur im Klassenkampf. Literaturtheorie 1919–1923. Eine Dokumentation von Walter Fähnders und Martin Rector. München 1971.

Proletarisch-revolutionäre Literatur 1918–1933. Ein Abriß. Berlin 1962. 4., unveränderte Aufl. 1970.

Friedrich Rothe: »Die Bündnispolitik der Kommunisten mit fortschrittlichen Schriftstellern im Spiegel der ›Linkskurve‹«. In: *Sozialistische Zeitschrift für Kunst und Gesellschaft*, Nr. 11/12 (1972). S. 37 bis 53.

Christoph Rülcker: *Ideologie der Arbeiterdichtung 1914–1933*. Eine wissenssoziologische Untersuchung. Stuttgart 1970.

Franziska Schötzki: *Die deutsche proletarisch-revolutionäre Literatur im Ausgang der zwanziger Jahre*. Versuch einer literaturgeschichtlichen Würdigung einer Etappe der fortschrittlichen Arbeiterschaft. Berlin [Ost] 1956.

Hans-Albert Walter: *Deutsche Exilliteratur 1933–1950*. Bd. 1: Bedrohung und Verfolgung bis 1933. Neuwied 1973.

Bruno E. Werner: »Literatur und Theater in den zwanziger Jahren«. In: *Die Zeit ohne Eigenschaften*. Eine Bilanz der zwanziger Jahre. Hrsg. von Leonhard Reinisch. Stuttgart 1961. S. 50–82.

»Zur Geschichte der sozialistischen Literatur in Deutschland zwischen 1917 und 1933«. In: *Weimarer Beiträge*, 6 (1960). S. 780–816.

Zur Geschichte der sozialistischen Literatur 1918–1933. Elf Vorträge, gehalten auf einer internationalen Konferenz in Leipzig. Berlin [Ost] 1963.

Zur Tradition der sozialistischen Literatur in Deutschland. Eine Auswahl von Dokumenten. Berlin 1962. 2., durchgesehene, erweiterte Aufl. 1967.

HELMUT F. PFANNER

Die ›Provinzliteratur‹ der zwanziger Jahre

Im Vergleich zu manchen anderen Literaturen, namentlich der amerikanischen, hat die Darstellung der Provinz in Deutschland sicher nicht die gleiche Beachtung gefunden wie die literarische Aufnahme des Großstadtlebens auf der einen Seite und die Glorifizierung des ländlichen Idylls auf der anderen.[1] Zu einer bemerkenswerten, wenn inzwischen auch vielfach wieder vergessenen Blüte kam es in diesem Bereich während der Weimarer Republik, als in den verschiedensten Teilen Deutschlands bedeutende Schriftsteller sich mit dem Thema ›Provinz‹ auseinandersetzten. Die ›Provinzschriftsteller‹ der zwanziger Jahre können und müssen ohne den sonst mit dem ›Provinziellen‹ verbundenen negativen Unterton verstanden werden, weil ihre Sicht eines kleinen menschlichen Bereichs die übrige Welt nicht ausschließt und ihre Kunst der sprachlichen Darstellung absolut nicht provinziell (im schlechten Wortsinne) ist. Es verhält sich vielmehr so, daß die von den ›Provinzschriftstellern‹ aufgenommenen Ereignisse gemeinhin realistisch dargestellt werden und ihre Charaktere als typische Vertreter der Spezies Mensch gelten können, die unter bestimmten geographischen und historischen Bedingungen besondere Formen annehmen. Der Bezug zur Abbildung gesellschaftlicher Verhältnisse eines größeren menschlichen Bereichs ist zweifellos vorhanden, auch wenn die ›Provinzschriftsteller‹ ihre Menschen und deren Handlungen durchweg aus nächster Perspektive betrachten. Die geographische Vielfalt der ›Provinzliteratur‹ in den zwanziger Jahren spielte bei der Auswahl der im Folgenden exemplarisch betrachteten Vertreter eine Rolle.

Ein ›Provinzschriftsteller‹ par excellence war der bayerische Erzähler Oskar Maria Graf. Aus Berg am Starnberger See kommend, arbeitete er während des Ersten Weltkriegs in München und ließ sich schon nach wenigen literarischen Erfolgen Visitenkarten drucken, auf denen zu lesen war: »Oskar Maria Graf, Provinzschriftsteller. Spezialität – Ländliche Sachen«. Diese etwas ironische Selbstbezeichnung mag auf manche Verleger und auch Kritiker zunächst vielleicht seltsam gewirkt haben; den Kulturrichtern des ›Dritten Reiches‹ aber waren seine Werke anscheinend nur genehm, denn im Mai 1933 stellten sie sie alle, mit Ausnahme der Autobiographie,[2] auf die Liste ihrer empfohlenen Bücher. Zwischen der ›Blut und Boden‹ verherrlichenden Literatur des Nationalsozialismus und Grafs Erzählungen aus dem bayerischen Alltag besteht jedoch tatsächlich ein himmelweiter Unterschied. Während man nämlich dort einer versüßlichten Idealisierung des dörflichen Lebens begegnet, zeichnet Graf in der gleichen Umgebung ein realistisches Bild provinzieller Menschen, deren Schwächen er durch Humor gemildert und als typisch menschliche verstanden hat.

Ein gutes Beispiel ist die Erzählung »Frau Maria Krümel« aus dem Sammelband *Im Winkel des Lebens* (1927): Eine Zigarrenhändlerswitwe hat hier ihr Geschäft in der Stadt verkauft und einen Teil des Erlöses in die Bäckerei ihres Onkels auf dem Lande investiert.[3] Sie zieht in das Dorf ihres Onkels und beginnt da eine Hühnerzucht, wobei sie die Abfallknochen eines benachbarten Schlachthofes selber zu Mehl vermahlt. Den Gewinn ihres Geschäfts versteckt sie sorgfältig in ihrer Wohnung, und sie bleibt unnachgiebig geizig, als sie von ihrem armen Stiefbruder um einen kleinen Geldbetrag gebeten wird. Ihrem Onkel aber leiht sie später wieder eine größere Summe, weil er ihr die gewünschte Sicherheit mit Aussicht auf noch größeren Gewinn bieten kann. Der unfreundlich abgefertigte Stiefbruder stirbt, was Frau Krümel in die Sorge versetzt, daß sie vielleicht die Begräbniskosten bezahlen müsse. Erst als sie erfährt, daß ihr Onkel bereit ist, den Toten in dem Fargschen Familiengrab zu beerdigen, beschließt auch sie, zum Begräbnis zu gehen, allerdings nicht ohne über ihren daraus entstehenden Zeitverlust zu klagen. Die »Krümelin« stirbt selber infolge einer Vergiftung, die sie sich durch ihr gieriges Abnagen der Abfallknochen zugezogen hat. Vor ihrem Tode hadert sie noch mit Gott, weil er so »boshaft« war, sie vor ihrem großen Erfolg, der Eröffnung eines Stoffgeschäfts, aus dem Leben zu holen.

Graf erzählt diese Geschichte in einem sachlichen Ton mit häufigem Gebrauch der direkten Rede im bayerischen Dialekt. Schließt er hin und wieder verallgemeinernde Bemerkungen in den Handlungsablauf ein, so geschieht das jeweils aus der Perspektive der handelnden Charaktere, z. B. am Anfang, wo durch Frau Krümels Satz: »Gibt es etwas Boshafteres als unsern Herrgott!«, die Exposition geschaffen wird, oder durch eine Bemerkung der »Krümelin« im Hinblick auf den gestorbenen Stiefbruder, die auf sie selber zutrifft: »Sterben. – Seltsam! Was ist der Mensch? Auf einmal ist's aus mit ihm. –« Die sehr enge Erzählperspektive, mit der sich der Autor hinter seine Charaktere stellt, veranlaßt ihn immer wieder zum Gebrauch der erlebten Rede. Nur in der Beschreibung der gefühllosen Natur, die das menschliche Geschehen überdauert, erkennt man deutlich Grafs eigene Stimme.

In der Erzählung »Joseph Hirneis«[4] schildert Graf die grausame Schadenfreude der Menschen, wie sie auf die wiederholten Schicksalsschläge bei einem ihrer Mitmenschen nur mit Spott und Gelächter reagieren, danach aber schließlich alle unter seiner Rache zugrunde gehen. Die Art, in der durch Eisenbahnbau und Josephs Gutsankäufe allmählich ein ganzes Dorf entwurzelt wird, zeigt zudem auf der provinziellen Ebene die wachsende Technisierung und Vermassung des modernen Industriestaates.

Besondere Beachtung verdient Grafs Darstellung der politischen Vorgänge im Spiegel des provinziellen Lebens. Im *Bayrischen Lesebücherl* (1924) erzählt er unter dem Titel »Politik« zwei ländliche Episoden, aus denen klar wird, daß weder die Revolution von 1918/19 noch der Hitler-Putsch von 1923 die Lebensgewohnheiten der Dorfbewohner in entscheidender Weise verändert haben.

In der Erzählung »Auffassung freibleibend« aus den *Kalendergeschichten* (1929) mieten sich drei »Rote« in der leerstehenden Villa eines oberbayerischen Dorfes ein, und obwohl sie von den Dorfbewohnern als »spinnerte Künschtla« betrachtet werden, lebt man mit ihnen in Frieden. Auch als beim Kampf der Räterepublik gegen die Regierungstruppen die politische Zugehörigkeit der Fremden deutlich wird und der Bürgermeister selbst den Kampf gegen einige Rotarmisten aufnehmen will, gelingt es dem Apotheker des Dorfes, zwischen »Roten« und Dörflern zu vermitteln. Der Apotheker muß allerdings später seine mutige Tat mit dem Leben bezahlen, denn als die Regierungstruppen ins Dorf marschieren, wird er meuchlings dafür erschossen, daß er früher mit den »Roten« verkehrt hatte. Graf, der seine Sympathie mit den Arbeiterparteien in mehreren autobiographischen und auch essayistischen Veröffentlichungen bezeugt hat,[5] will, wie bereits der Titel andeutet, in dieser Geschichte nur dem an sich unpolitischen Verhalten der Provinzbevölkerung Ausdruck verleihen, wenn er gegen Ende der Erzählung einen Dorfbewohner den sinnlosen Tod des Apothekers beklagen läßt: »Wega nix und wieda nix. Dös – dös san Metzga! ... Mit dö Rotn host redn kinna ... Hm, aba dö bringa an jedn um, hm – hm!« Ein paar Jahre später, in der Inflationszeit, spielt die Erzählung »Ist's nicht immer so?«, die sich ebenfalls in den *Kalendergeschichten* befindet. Hier verdeutlicht Graf mit einer betont kreisförmig angelegten Handlung, wie der menschliche Charakter durch wirtschaftliche Not und lieblose Behandlung der Mitmenschen negativ beeinflußt wird. Dabei widerlegt er mit seiner an Brecht erinnernden Methode das Sprichwort, das er an den Anfang der Geschichte gestellt hat: »Das Leid macht die Menschen gut«, und setzt dagegen die Antithese, die er einem Dorfbewohner in den Mund legt: »Wenn oana vui leidn muaß, der werd gscheit.« Die kommentarlose Synthese steht am Ende der Geschichte: »Os waar ja a jeder gern guat, wenn d'Welt net so schlecht waar...« Dies soll, wie Graf sagt, ein Satz seines Vaters gewesen sein.

Einem weiteren gesellschaftlichen Problem der Weimarer Republik, das Graf in mehreren Erzählungen und Romanen behandelt hat,[6] begegnet man in der »Wachelberger Geschichte« aus der Sammlung *Finsternis* (1926): dem provinziellen Antisemitismus. Vor dem Ersten Weltkrieg schon war in Wachelberg ein jüdischer Viehhändler namens Schlesinger ermordet worden. Da der Viehhändler allseits beliebt gewesen war, reagierte die Dorfbevölkerung empört auf diese Tat; aber der Mörder, ein Bauer namens Schlefflinger, wurde schon nach wenigen Jahren wieder auf freien Fuß gesetzt. Die Entdeckung einer Heilquelle durch einen patriotischen Apotheker versetzt das Dorf in große Unruhe. Da aber die Bauern über die Nutzung der Quelle unschlüssig bleiben, baut ein fremder Arzt namens Lammersdorfer ein Kurhaus. Dieses wird nach Kriegsausbruch in ein Lazarett verwandelt. Den Dorfbewohnern ist das Kurhaus wegen seines zugezogenen Besitzers von Anfang an ein Dorn im Auge, und sie weigern sich daher hartnäckig, das Lazarett mit Proviant zu versorgen. Erst als Dr. Lammersdorfer sich bereit erklärt, sich um die Versetzung der im Dorf beheimateten Verwundeten in das Kurhaus zu bemühen, bessert sich das gegenseitige Verhältnis etwas. Die überführten Verwundeten, unter denen sich auch Barthl Schlefflinger, der Sohn des Mörders, befindet, halten sich aber nicht an die Hausordnung des Lazaretts, so daß sich der Arzt wegen ihrer Unruhestiftung gezwungen sieht, die notdürftig Geheilten wieder an die Front zu schicken. Dr. Lammersdorfer weigert sich im weiteren, an den patriotischen Agitationen des Apothekers Neffelsberger teilzunehmen. Als der Krieg verlorengeht und in der nahen Hauptstadt die Revolution ausbricht, verbreitet sich auch in Wachelberg das Gerücht, daß die Juden »an allem schuld« seien. Zu den typischen Provinzverhältnissen gehörte es, daß man in Wachelberg nie die Zeitungen interessiert gelesen hatte und daß ministerielle Amtspapiere einschließlich der Revolutionserlasse, die zum Bürgermeister des Dorfes kamen, zwar gewohnterweise in den Gemeindekasten gehängt, aber von keinem Menschen beachtet wurden. Statt dessen erzählt man sich von Mund zu Mund Schauergeschichten über die Vorgänge in der Stadt, nämlich daß »die besten Weiber sich von Staats wegen freiwillig jedem nächstbesten Lumpen hingeben« und »die roten Soldaten [...] seien lauter Lumpen und gingen auf Raub und Mord aus«. Die ganze Wut der Bevölkerung richtet sich allmählich gegen Lammersdorfer, der wohl auch ein Jude sein müsse, da er kein Bayer und nicht verheiratet ist (»z' Friedenszeit hot er dö ganz Zeit Menscher g'habt«). Es gibt einen nächtlichen Einbruch ins Kurhaus, und als nach der Stabilisierung der politischen Verhältnisse zu Beginn der zwanziger Jahre der Kurbetrieb wiederaufgenommen wird, müssen die Gäste unter den Pöbeleien der Dorfbengel leiden. Eine Kommerzienrätin, der man »Jud'nsau« nachgerufen hat, verläßt empört das Dorf. Der Arzt will sich sein Recht verschaffen, muß aber erleben, daß sein ganzer Betrieb in Flammen aufgeht, während er noch mit der Polizei verhandelt. Lammersdorfer erklärt sich daraufhin bereit, seinen Besitz dem Dorfe zu verpachten, und wandert aus. Jetzt sieht der Apotheker Neffelsberger die Möglichkeit einer persönlichen Karriere und bietet seine Dienste als Verwalter des Kurhauses an; doch wird auch er als »Fremder« abgelehnt. Das Kurhaus geht schließlich in Staatsbesitz über, und es entsteht die ironische Situation, daß nicht nur der aus Oldenburg stammende Lammersdorfer, sondern auch der chauvinistische und an einen Nazi erinnernde Neffelsberger mit eindeutig herabwürdigender Einschätzung als ein »Jude« bezeichnet wird. Man erinnert sich nun des wirklichen Juden Schlesinger, den man seines viehhändlerischen Berufes und seines vertrauten Dialekts wegen akzeptiert hatte, während alle Fremden ohne Unterschied als »Juden« verschrien werden. In selbstironischer Identifizierung mit der Wachelberger Bevölkerung summiert Graf zum Schluß seine Überzeugung, daß der Antisemitismus der deutschen Provinz nicht so sehr als ein rassisches oder politisches Problem verstanden werden müsse, sondern als eine engstirnige Haltung, die unterschiedslos gegen alles Fremde gerichtet ist: »Wir nehmen stets nur das an, was gut ist für unsere Interessen, denn *die* bleiben immer die unsrigen, basta. Der Schlesinger mag ein reeller Mensch gewesen sein, der Lammersdorfer war für uns einfach ein Saujud und der Neffelsberger ist der allergrößte. *Das* ist unsere Überzeugung.«

Graf hat aus seiner Zugehörigkeit zur Provinz nie ein Hehl gemacht. In seinem *Notizbuch des Provinzschriftstellers Oskar Maria Graf 1932* heißt es im an den Verleger gerichteten Nachwort: »Sie werden, geschätzter Herr, aus all dem bereits ersehen haben, daß ich aus der Provinz bin und dieselbe wertschätze. Ob Sie's glauben oder nicht, das hat viel für sich. Schon deswegen nämlich, weil ich mit der Zeit herausgebracht habe, daß die Menschen überall gleich sind und weil man sie in der Provinz schneller und leichter sieht. Wir verstehen uns, denk' ich. Ich muß, wenn ich's so sagen darf, meine ›Opfer‹ vor mir haben, ganz greifbar nahe. Ich muß mit ihnen reden, beisammenhocken, trinken, streiten, lustig und traurig sein. Genau wie sie selber.«

Diese Sätze sind zwar nicht ganz ohne Ironie auf die eigene Person und auch auf den Snobismus mancher Literaten gesprochen, aber sie enthalten doch auch eine wichtige Tatsache. Der ›Provinzschriftsteller‹ Graf, der mit Leuten jedes Standes im Bierlokal und Café zusammensaß, erwarb sich zweifellos einen sehr genauen Blick für die Wirklichkeit. Als er an dem zitierten Werk arbeitete, merkte er, wohin seine Zeitgenossen trieben und daß das Schicksal der Weimarer Republik besiegelt war. Das *Notizbuch des Provinzschriftstellers* war eines seiner letzten Bücher, das vor dem ›Dritten Reich‹ in Deutschland zur Veröffentlichung gelangte, und in guter Voraussicht enthält es auf dem Titelblatt diese Erklärung: »Die Jahreszahl wurde dem Haupttitel des Buches nur deshalb angehängt, weil der Verfasser nicht ganz sicher ist, ob er in den nächsten Jahren noch die gleiche Meinung haben wird, oder eine solche überhaupt noch haben darf.« Wie recht Graf mit seiner Vermutung hatte, sollte sich bald zeigen. Seine Bücher waren zwar nicht unter den ersten, die von den Anhängern des Hitler-Regimes am 10. Mai 1933 in die Flammen geworfen wurden, aber als Graf in einem Protest aus Wien sich mit den diffamierten Autoren solidarisch erklärte,[7] wurde seinen Büchern eine eigene Verbrennung bereitet. Der fortan im Exil lebende Dichter hat bis zu seinem Tod 1967 in New York noch mehrere Beiträge zur deutschen ›Provinzliteratur‹ geleistet.[8]

Wie Oskar Maria Graf in Bayern hat Hans Fallada die Provinzgesellschaft der Weimarer Republik im pommerschen Norden dargestellt. In mehreren voluminösen Romanen schilderte er das Leben der kleinen Leute, mit deren Freuden und Leiden, Tugenden und Gebrechen er sich identifizierte. Durch seine volkstümlich einfache Sprache und häufigen Gebrauch der direkten Rede ohne Reflexionen gelang es Fallada, die Menschen seines Erfahrungsbereiches realistisch darzustellen. Man hat ihm daher bescheinigt, daß in seinem Werk die für den Großteil der deutschen Literatur typische Diskrepanz zwischen Unterhaltung und Kunst völlig aufgehoben sei.[9] Der Leser begegnet einer Fülle von Charakteren aus allen Schichten des Lebens, vom untersten Angestellten bis zum Regierungsvertreter einer Provinzstadt, in deren Sprache die ganze Skala der menschlichen Empfindungen und Gefühle zum Ausdruck kommt; das Banale steht neben dem Außergewöhnlichen, das Normale neben dem Problematischen. Sein bekanntestes Werk *Kleiner Mann – was nun?* (1932) war einer der Haupterfolge der Neuen Sachlichkeit; jedoch als eine der besten Darstellungen norddeutscher Provinzgesellschaft mit den symptomatischen Merkmalen der ganzen Weimarer Republik muß unbedingt auch sein früherer Roman *Bauern, Bonzen und Bomben* (1929) Beachtung finden.

Der analog zum Titel in drei Teile gegliederte Roman setzt sich aus mehreren Handlungen zusammen, die alle um ein zentrales Ereignis gruppiert sind: eine große Demonstration von politisch reaktionären Bauern in der Kleinstadt Altholm, bei der es zu Zusammenstößen mit der Polizei kommt und aus der schließlich eine öffentliche Gerichtsverhandlung folgt. Ein Vor- und Nachspiel um einen Zirkus Monte rahmen die drei Teile ein, wodurch das provinzielle Geschehen innerhalb des Romans offenbar noch einmal auf eine allgemeinere menschliche Ebene gehoben werden soll. Mit Worten wie »Zigeunerfrechheit, semitisches, widerliches Gehabe« werden die Zirkusleute deklassiert, die sich geweigert haben, in der reaktionären Lokalzeitung ein Inserat aufzugeben, was wiederum den Redakteur dieser Zeitung dazu veranlaßt, eine schlechte Kritik über den Zirkus zu veröffentlichen. Dieses Ränkespiel wiederholt sich in dem »Ganz wie beim Zirkus Monte« betitelten Nachspiel auf einer anderen Ebene, weil hier der in politische Ungnade gefallene sozialdemokratische Bürgermeister Gareis von seinem Amt zurücktreten muß und durch den moralisch fragwürdigen Grossisten Manzov ersetzt wird, während die Bauern sich wieder wie am Anfang zu einer Demonstration rüsten und von der Polizei nur mit Mühe in Schach gehalten werden können. Die allgemeine Sinnbildlichkeit dieser Vorgänge ist von Fallada in seinem Vorwort zum Roman selbst hervorgehoben worden: »Meine kleine Stadt steht für tausend andere und für jede große auch.«

In der Provinzstadt dieses Romans sind die öffentlichen Organe der Verwaltung und der Presse in fortwährende Intrigen verwickelt. Damit man die Inserate der Ämter nicht verliert, hält man in der bereits erwähnten Zeitung einen Bildbericht zurück, den der Annoncenwerber Tredup von einer mißglückten Viehpfändung ergattert hat. Tredup verkauft später, nachdem er bereits ein Angebot über 100 Mark von dritter Seite abgeschlagen hat, seine Bilder an den Regierungspräsidenten für 1000 Mark. Bei einer anderen Gelegenheit wiederum läßt sich der Bürgermeister vom Redakteur der »Chronik« das Versprechen geben, daß die Zeitung nichts gegen die Behörde unternehmen werde, und bietet ihr als Gegenleistung alle offiziellen Anzeigen der Stadtverwaltung. Gareis erwirkt auch das Versprechen des Zeitungsbesitzers Gebhardt, zur Frage des von den Bauern über die Stadt verhängten Boykotts bis zur öffentlichen Verhandlung zu schweigen, indem er mit der Bekanntgabe der – von der Zeitung falsch angegebenen – Auflagenhöhe droht. Die größte Zeitung der Stadt, die sich inzwischen das Nachrichtenmonopol gesichert hat, entzieht sich ihrer Aufgabe, über die Demonstration der Bauern zu berichten, indem der Redakteur Heinsius beschließt: »Ich bringe heute die Erinnerungen einer Tänzerin, wie sie vor dem Prinzen von Wales getanzt hat. Das interessiert die Leute.« In dem Zweifel des Redakteurs, ob in Altholm je etwas passieren könnte, was auf die erste Seite der Zeitung zu stehen käme, drückt sich außerdem das provinzielle Vorurteil aus, daß die sensationellen Meldungen immer aus dem »Ausland« stammen.

Die gegenseitige Abhängigkeit von Presse und Provinzpolitikern bereitet den Betroffenen am wenigsten Schwierigkeiten in ihrer gemeinsamen Frontstellung gegen gewisse Minoritäten. Die Reden eines kommunistischen Funktionärs in der Stadtmagistratur werden genausowenig ernstgenommen, wie man offiziell etwas dagegen hat, daß die »Roten« in der Presse »angemistet« werden. Es ist sogar eine ausgemachte Sache für alle bürgerlichen Zeitungen, einschließlich der »unabhängigen«, daß man »gegen die rote Front zusammenstehen« muß. Die antikommunistischen Gefühle der Stadt kommen vielleicht am deutlichsten in den Befürchtungen des KP-Funktionärs Matthies zum Ausdruck, daß man ihm, der den Säbel des Polizeiinspektors gestohlen hat, mindestens ein Jahr Kerkerhaft aufbrummen werde, ganz im Gegensatz zu der lächerlich geringen Bestrafung der Demonstranten aus den reaktionär-konservativen Kreisen.

Solcher Zwang der Mehrheit über die Minorität artet im gesellschaftlichen Leben der Provinz bis zum Terror aus. Der Vegetarier und Abstinenzler Dr. Hüppchen muß es sich gefallen lassen, daß ihm von den anderen Mitgliedern der Versöhnungskommission Kognak eingeschüttet wird, und beim Essen muß er sich von Lienau, einem Mitglied des Frontkämpferbundes ›Stahlhelm‹ sagen lassen: »Das ist gottverdammte Perversität. Franzosen fressen solchen Schweinekram.« Das Wort »Franzosen« im Zusammenhang mit einer Reihe von antisemitischen Bemerkungen anderer Provinzler des Romans führt zu einer Folgerung, zu der schon Graf gelangte, daß nämlich das Fremde ungeachtet seines Ursprungs innerhalb der Provinzgesellschaft als verdächtig und letztlich sogar als feindlich gilt. Das Vorurteil geht auch in Falladas Roman so weit, daß der in der Provinzstadt kaum bekannte Regierungschef Temborius in einem Hetzartikel der konservativen Presse einfach als ein Vertreter »des jüdischen Aussaugungssystems« bezeichnet wird.

Unter diesen Umständen ist es zumindest menschlich verständlich, daß auch die offiziellen Diener des Staates dem Druck ihrer Gesellschaft unterliegen. Der Oberlandjäger Zeddies-Haselhorst erstattet seiner Behörde keine Meldung von dem bevorstehenden Thing der pommerschen Bauern, obwohl er durch seine Frau, eine Bauerntochter, genau über die Vorgänge informiert ist. »Das Dienstliche wäre gewesen, Meldung zu machen dem Landjägermeister von Stolpe, aber das Dienstliche ist für einen Mann, der auf dem Lande lebt, unter Bauern, nicht immer das Richtige.« Auf der höheren Ebene des Parteiausschusses geht es aber auch nicht viel anders zu. Als sich Bürgermeister Gareis unter dem Druck der sozialistischen Funktionäre zum Rücktritt entschließen muß, wird der öffentliche Schein völlig gewahrt. Funktionäre: »Wir stehen natürlich alle hinter dir. In den nächsten Tagen bekommst du einen Fackelzug von der Partei. Zum Abschied. Es wird alles seine Ordnung haben.« Auch ein Blick in die Vergangenheit durch den in vielem sympathisch gezeichneten Zeitungsmann Stuff läßt vor dem Leser ein Bild der Provinz erscheinen, das sich von dem der Gegenwart lediglich durch gewisse Äußerlichkeiten unterscheidet und außerdem noch durch die Gegenposition des ebenfalls sympathisch gezeichneten Bürgermeisters relativiert wird. Stuffs nostalgische Klage über die Demokratisierung Deutschlands enthält eine deutliche Anspielung auf die sogenannte ›Dolchstoßlegende‹, die aus historischer Sicht wohl auch als ein Produkt der Provinz von Weimar bezeichnet werden kann.

Die weltanschauliche und stilistische Zurückhaltung ist bei Fallada vielleicht noch konsequenter durchgehalten als bei Graf. In diesem Roman sprechen alle Charaktere je nach ihrer sozialen Stellung eine verschiedene Sprache, vom reinen Hochdeutsch der Gebildeten bis zum beinahe unverständlichen Dialekt eines pommerschen Bauern. In der Charakterisierung der Personen und weitreichend auch in der Darstellung der Geschehnisse bedient sich der Autor der indirekten Technik; so erfährt z. B. der Leser den Verlauf der Gerichtsverhandlung über das Medium der verschiedenen Pressevertreter, und das Urteil selbst wird erst über die Aufnahme bei der Altholmer Bevölkerung bekannt. Bei allen diesen Ereignissen wird es aus der außerordentlich engen Perspektive, mit der der Erzähler seinen Figuren gegenübersteht, nicht klar, welche weltanschauliche Position er selber eigentlich einnimmt. Fallada ist in diesem Roman aus der Weimarer Republik eine Darstellung der deutschen Provinzgesellschaft gelungen, wie sie überzeugender in seinen späteren Werken nicht anzutreffen ist.[10] Der autobiographische Hintergrund seiner Entstehung ist bekannt: Im Jahr 1929 war Fallada Anzeigen- und Abonnentenwerber an einer Provinzzeitung in einer norddeutschen Kleinstadt und Berichterstatter bei einem Gerichtsprozeß gewesen.[11]

Der aus Bendorf am Rhein stammende Redakteur und Publizist Erik Reger, mit bürgerlichem Namen Hermann Dannenberger, kann mit gewissem Vorbehalt ebenfalls als ›Provinzschriftsteller‹ bezeichnet werden. Nach einer erfolgreichen Karriere als Journalist und Theaterkritiker veröffentlichte Reger 1931 den Roman *Union der festen Hand*, in dem er die wirtschaftliche und gesellschaftspolitische Entwicklung des Ruhrgebiets behandelte.[12] Da Arbeiterprobleme wie Klassenkampf und Streikbewegungen im Mittelpunkt stehen, ist dieses Werk noch in die Gruppe der Arbeiterromane aus derselben Zeit zu zählen, zu der auch Ludwig Tureks *Ein Prolet erzählt* und Willi Bredels *Rosenhofstraße* (beide 1931) gehören. Die Trennungslinie zwischen Arbeiterliteratur und ›Provinzliteratur‹ wird dort fließend, wo wie in den genannten Werken von Reger und Bredel die Sehnsucht der Proletarier nach dem kleinbürgerlichen Lebensglück zum Ausdruck kommt. Um eine vorwiegend provinzielle Problematik geht es aber in Regers zweitem Roman, *Das wachsame Hähnchen* (1932).

Laut Untertitel handelt es sich hier um einen »polemischen Roman«, und Reger beschränkt sich nicht wie Graf und Fallada auf die sachliche Wiedergabe provinzieller Ereignisse, sondern unterwirft sie seiner Kritik. Beschreibung und Dialog gehen oft in reflektierende Gesinnungsäußerung über, und die Darstellung der Wirklichkeit hat sich mit Sozialkritik verbunden. Das »wachsame Hähnchen« ist das von einem eifrigen Heimatforscher wiederentdeckte Zeichen der Schützengilde von Wahnstadt, einer nur im Namen leicht maskierten größeren Gemeinde des Ruhrgebiets. In der Mitte der zwanziger Jahre wird dieses Hähnchen zum Symbol des wirtschaftlichen und gesellschaftlichen Geltungsbedürfnisses, mit dem die Einwohner der Stadt ihre zwei nach Größe und Bedeutung konkurrierenden Nachbarstädte – Eitelfeld und Kohldorf – überflügeln wollen. Dem Fehlen aller natürlichen Voraussetzungen zutrotz versuchen die drei Städte durch künstliche und mit vielseitiger Vereinsmeierei angetriebene Regsamkeit sich internationalen Ruf zu verschaffen, die eine als »Kongreßstadt«, die andere als »Ausstellungsstadt« und die dritte als »Kunststadt«. Durch eine neugegründete »City-Gesellschaft« gelingt es den ehrgeizigen Bürgern, die Kommunalpolitik und das gesamte Gesellschaftsleben von Wahnstadt dem falschen Ehrgeiz des Strebens ins Große zu unterwerfen. Diese Entwicklung, bei der die Warnungen Einzelner an den tauben Ohren einer völlig korrupten Öffentlichkeit vorbeigehen, endet schließlich mit dem Zusammenbruch des Finanzmarktes, symbolisiert durch den Bankrott des aus Amerika zugezogenen Finanziers Stövesand. Damit hat diese »zweite Gründerzeit« in der deutschen Provinz ihr Ende gefunden, und die im Hintergrund längst laut gewordenen Kommunisten und Nazis haben leichtes Spiel mit ihrer Werbung um die durch Arbeitslosigkeit und gesellschaftliche Intrigen enttäuschten Menschen.[13] »Im nämlichen Maß«, sagt Reger, »wie die wirtschaftliche Konjunktur zerstob, quoll die politische auf.«

Mit einer für die gesamte deutsche Provinz der Weimarer Republik bezeichnenden Betriebsamkeit versucht man in Wahnstadt, »die Quantität an Stelle der Qualität zu setzen«. Und doch geht es dabei nur um die Verdeckung eines Mangels, so daß die Ausrede zur Idee und die Verlegenheit zur Devise gestempelt werden. Reger weitet solche Beobachtungen gerne zu völkerpolitischen Reflexionen aus, wobei dann der Provinzialismus eines ganzen Landes unter Beschuß gerät. Auf Deutschlands kulturellen Wettstreit mit anderen europäischen Ländern bezogen, heißt es: »Man tut sich bei uns soviel darauf zugute, daß wir viele Kulturzentren haben und andere Länder nur eines in ihrer Hauptstadt; als ob nicht auch bei uns vier Fünftel der Provinzstädte Dörfer wären.« Mit provinziellem Stolz auf das nationale Erbe beabsichtigt der Heimatforscher Dr. Brilon, »die Erforschung der Vergangenheit zu einem Erwerbszweig mit Pensionsberechtigung zu machen«. Daß die Kunst in dieser Atmosphäre erst recht zu einem bloßen Besitzgut verflacht, zeigt sich auch am Beispiel eines öffentlichen Standbilds, das vom Baurat der Stadt aus Sittlichkeitsgründen mit roter Farbe überschüttet wird, was wiederum die Erben des Bildhauers, die ihren Verwandten wegen seiner unkonventionellen Schöpfungen zu Lebzeiten für verrückt erklärt hatten, jetzt zu einer Klage auf Schadenersatz veranlaßt. Um die

Hebung der öffentlichen Sitten bemühen sich besonders die Frauenvereine. Der »Königin-Luise-Bund« z. B. veranstaltet unter Leitung der Frau Dr. Eisenmenger, einer enthusiastischen Verehrerin des »Führers«, eine Kundgebung gegen die Zunahme der Prostitution. In der provinziellen Einschätzung des Sports öffnen sich politische Abgründe: Eine Niederlage der deutschen Fußballmannschaft wird als »nationale Schmach« empfunden, während man durch den Sieg deutscher Kunstturner in Holland »ein Stück Weltkrieg« nachträglich gewonnen zu haben glaubt. Die gesellschaftlichen und zugleich politischen Aspekte solch provinziellen Denkens und Tuns konzentrieren sich am deutlichsten in den vielen Vereinen von Wahnstadt, unter denen vor allem die Brieftaubenzüchter zu nennen sind. Die Wahnstadter messen nämlich den erzieherischen und ethischen Werten der Brieftaubenzucht große Bedeutung bei als einer »Quelle der Ertüchtigung« und »neue[n] Brutstätte der Wehrhaftigkeit« für das deutsche Volk, das durch das »Versailler Diktat« seiner Kasernen »beraubt worden« sei. In einer Rede, welche der Vorsitzende des Festausschusses aus Anlaß eines Jubiläums der »Vereinigten Reisevereinigungen von Wahnstadt und Umgebung« hält und in der er »der entrissenen Provinzen, des Danziger Korridors und der Reichstreue der Auslandsdeutschen« gedenkt, kommt die chauvinistisch-militaristische Gesinnung hinter der provinziellen Vereinsmeierei zum Ausdruck. »Bestünden die neuen Armeen auch nur aus Brieftauben und Harzer Rollern«, behauptet Roloff, »so werde doch der kriegerische Geist darin fortleben.«

Anders als Graf und Fallada distanziert sich der Erzähler des *Wachsamen Hähnchen* von den Äußerungen seiner Charaktere und unterwirft sie ständig seiner polemischen Kritik. Diese manchmal mit bissigem Humor geführte Auseinandersetzung des Autors mit der dargestellten Gesellschaft schafft eine eigenartige Doppelperspektive. So steht auf der einen Seite die eindeutige Aussage des Autors, wenn er etwa von der Welt des wachsamen Hähnchens sagt, daß in ihr »immer etwas los sein mußte und nie etwas geschehen durfte«; auf der anderen Seite findet man die typische Reportage des ›Provinzschriftstellers‹ wie z. B. in folgendem Satz, in dem Frau Dr. Eisenmenger mit nostalgischen Gefühlen die ›gute, alte Zeit‹ vor Beginn der Weimarer Republik in ihre Erinnerung zurückruft: »Kaiserwetter, hieß es damals ... Kaiserwetter, ein sinnvolles Wort, wenn der Himmel blaute und die gefiederten Sänger des Waldes jubilierten. Und heute? – Volksstaatwetter, bah Wolken, nichts als duckmäuserische Wolken.«

Dieses Zitat aus Regers Roman mag überleiten zu dem im selben Jahr erschienenen Roman *Kaiserwetter* (1931) des Hannoveraners Karl Jakob Hirsch. Hier wird eine Provinzgesellschaft aus der Zeit des Wilhelminischen Deutschland im Rückblick aus der Weimarer Republik heraufbeschworen, wobei der Autor weitgehend die gesellschaftliche Brüchigkeit der zwanziger Jahre in die mit seiner Jugend identische Zeit vor 1914 hineinprojiziert.[14] Im Mittelpunkt von Hirschs Roman stehen die Lebensläufe zweier Menschen, des Aristokratensprößlings Joe de Vries und des Sohnes eines Postbeamten, Bernhard Tölle. Obwohl sie gesellschaftliche Gegenpole darstellen, gibt es viele Berührungspunkte in der Handlung. Beide Familien nehmen regen Anteil am öffentlichen Geschehen ihrer Heimatstadt Hannover, wo die zwei Jungen dieselbe Schule besuchen, und beide erleben eine Art Katharsis ihrer persönlichen Nöte mit dem Ausbruch des Ersten Weltkrieges am Ende des Romans. Während aber der Beamtensohn mit seinem durch Generationen vorbereiteten Untertanengeist und einer in seiner Erziehung begründeten militaristischen Bereitschaft sich freiwillig für die Verteidigung des Vaterlandes meldet, sucht der inzwischen zum Künstler herangewachsene Joe sein Heil zusammen mit seiner Geliebten in der Abgeschiedenheit der menschenleeren Natur. Die Handlung endet im Kontrast zwischen dem beginnenden Weltkrieg, dem mit dem ersten Schuß ein Soldat zum Opfer fällt, und dem ungestörten Ausblick auf eine friedliche Provinzlandschaft, die ähnlich wie bei Graf das einzig Beständige gegenüber allem gesellschaftlichen und politischen Wechsel verbürgt: »Da lag das Land im zarten Licht des Morgens, das arme ebene Land mit den Birkenalleen und den Kanälen. Braune Torfflächen und sattgrüne Wiesen unter einem heiteren, friedlichen Himmel, auf dem eine rosa Wolke schwebte. Auf den Weiden sah man das Vieh grasen, hörte Wiehern und Muhen. Unten auf der Chaussee zog wie ein winziger Punkt ein Wagen.«

Neben den zwei Hauptfiguren treten viele andere Personen auf, die in Parallele zu jenen kontrastierende Elemente der deutschen Provinzgesellschaft darstellen, wie sie aus der Weimarer Republik bekannt sind. Dem patriotischen, aber allmählich gesellschaftlicher Mißgunst erliegenden Briefträger Tölle steht der zunächst angesehene, aber dann durch ungünstige Umstände und persönliche Schuld gänzlich ruinierte Rechtsanwalt de Vries gegenüber. Mit der stolzen, aber leidenden Johanna, der Mutter Joes, korrespondiert auf der anderen Ebene die von Minderwertigkeitskomplexen geplagte und daher ebenso unglückliche Luise Tölle. Der schlaue und ewig besorgte Realitätenhändler Moritz Thaler entspricht dem weinerlichen, aber völlig skrupellosen Hotelier Hermann Wendeken. Neben der geschäftstüchtigen, aber menschlicher Gefühle kaum fähigen Gesine, die trotz Verlobung und Mitgift die Heirat versäumt, gibt es die naive, Vater und Sohn zugleich liebende Tine, die trotz lediger Schwangerschaft und ohne sichere Kenntnis des Vaters ihres Kindes schließlich in den ersehnten Ehestand gerät. In der Vielschichtigkeit dieser Charaktere und sozialen Rollenträger fehlen eigentlich nur die Proletarier; aber wie Hans Mayer in seiner Besprechung der Neuausgabe des Romans mit Recht hervorgehoben hat,[15] ist diese Klasse in den Verachtungskomplexen der bürgerlichen Provinzgesellschaft dennoch vorhanden. Die vielen Fäden und polaren Gegensätze zwischen den Figuren und Ständen haben einen gemeinsamen Knotenpunkt in der Person des Kaufmannssohnes Max Büter, der sich die Objekte seiner Knabenliebe aus allen Bereichen auswählt. Dieser Mensch, dessen haltloser Charakter und dessen Sittlichkeits- und Gewaltverbrechen hinter einem hohen gesellschaftlichen Ansehen verborgen sind, wird zum Symbol für die innere Brüchigkeit einer äußerlich noch glanzvollen Epoche.[16] Die moralische Fragwürdigkeit der Gesellschaft wird immer wieder auch im Detail einzelner Episoden von Hirsch deutlich gemacht. Wie die zuvor erwähnten Werke enthält auch *Kaiserwetter* autobiographische und biographische Elemente, welche die Hannoveraner ihrem Schriftstellersohn nicht ohne weiteres vergeben haben. Tatsächlich hat aber Hirsch, den man leicht in der Gestalt des Künstlers Joe de Vries wiedererkennt, seine Abneigung gegen das Pathetische und Erhabene seiner Zeit mit einem gleichen Maß an »liebevoller Werbung« verbunden.[17] Die daraus resultierende Objektivität der Gesinnung schlug sich in der künstlerischen Form des Buches nieder.[18] Der sachliche, von Mundart und Provinzialismen durchsetzte Stil läßt aber durch die bewußte Zuordnung kontrastierender Szenen keinen Zweifel an Hirschs Ablehnung des im Titel angedeuteten imperialistischen Systems und des daraus resultierenden Krieges.

Die 1901 in Ingolstadt geborene und noch heute dort ansässige Marieluise Fleißer hat in mehreren epischen und dramatischen Werken die Provinzgesellschaft der Weimarer Republik am Beispiel ihrer süddeutschen Heimatstadt dargestellt. In dem Roman *Mehlreisende Frieda Geier* (1931) erzählt sie von dem Verhältnis einer wirtschaftlich und sexuell emanzipierten Frau mit einem kleinstädtischen Geschäftsmann und Sportler.[19] Dieser aus vielen Vereinskämpfen erfolgreich hervorgegangene Schwimmer und Besitzer eines kleinen Tabakladens, Gustl Amricht, ist der typische Vertreter der bürgerlich-patriarchalischen Besitzgesellschaft in der Provinz, die stillschweigend alles, was den Erfolg ihrer Ziele gewährleistet, erlaubt, aber kein Erbarmen in ihrer Ablehnung des Andersartigen kennt. Als Gustl einmal nach der Sperrstunde noch Licht in seinem Geschäft brennt und deshalb von einem Polizisten mit den Worten ermahnt wird: »Mach keine Dummheiten, dann müssen wir dich nicht fassen«, legt er das so aus, daß eine Übertretung der Vorschrift in Ordnung ist, solange man dabei nicht ertappt wird. Und obwohl seine Mutter starke Bedenken gegen das »Vorleben« seiner Geliebten äußert, akzeptiert sie – wie auch seine Vereinskollegen – schließlich Gustls Verbindung mit Frieda Geier, solange Frieda seine geschäftlichen und sportlichen Erfolge nicht beeinträchtigt. Dieses Verhältnis wird aber prompt gestört, als Frieda nach ihrer Verlobung mit Gustl sich weigert, ihren kleinen Besitz an das Geschäft des Bräutigams zu binden. Nach der Auflösung des Verlöbnisses leidet Gustl an seelischen und körperlichen Depressionen, für die sich seine Vereinskollegen an Frieda rächen wollen, indem sie ihr öffentlich nachstellen. Außerdem verliert sie manche Kundschaft, weil man es ihr übelnimmt, daß sie den »begabten Krauler« verlassen hat. Mit dem Satz: »Nur zu gern sind die Menschen bereit, einem, den sie als Außenseiter erkannt haben, den Brotkorb höher zu hängen«, verallgemeinert Marieluise Fleißer die spezifische gesellschaftliche Situation.

Im Hinblick auf den ersten Novellenband[20] der Fleißer hat Walter Benjamin eine Bemerkung gemacht, die genauso auf diesen Roman zutrifft. Die Autorin habe, so sagt er, gezeigt, »daß man in der Provinz Erfahrungen macht, die es mit dem großen Leben der Metropolen aufnehmen können«.[21] Die kapitalistische Besitzgier und die im sportlichen Ehrgeiz pervertierten Sexualgelüste der von der Fleißer dargestellten bürgerlichen Gesellschaft sind sicherlich nicht auf eine Provinzstadt der Weimarer Republik beschränkt, aber ebensowenig läßt sich bestreiten, daß die historisch bedingte Entwicklung der deutschen Gesellschaft nach dem Ersten Weltkrieg die genannten Auswüchse des provinziellen Lebens begünstigte. Der mit der Figur der verantwortungsbewußten Frieda kontrastierende Raimund Scharrer ist mit einer gewissen Berechtigung als der »Typ des SA-Manns« bezeichnet worden.[22] Sein auf ein sexuelles Erlebnis zurückgehender Versuch, den Direktor einer Fabrik, in der er beschäftigt ist, zu erpressen, korrespondiert mit Gustls versuchter Koppelung seiner Eheabsichten mit einer Erweiterung seines Geschäfts. Und verbinden nicht ähnliche Motive Scharrers Plan, sich durch eine Eisenbahnsabotage, also ein Verbrechen gegenüber der ganzen Gesellschaft, an dem ihm durch Klugheit überlegenen Fabrikdirektor zu rächen, und Gustls Absicht, der Schwester Friedas, einer Klosterschülerin, ein Kind »anzuhängen«, nachdem ihm der gleiche Plan bei Frieda selbst mißlungen ist? Sie fahren beide, der Schwimmer und der Angestellte, im selben Zug zum Tatort ihrer asozialen Absichten, wobei allerdings die Pläne des ersteren durch den bloßen Anblick der unschuldigen Klosterschülerin zunichte werden, während letzterer sein geplantes Verbrechen nur darum nicht ausführen kann, weil er von dem bereits auf dem Heimweg befindlichen Gustl gestellt und der Polizei übergeben wird.

Auch in Marieluise Fleißers Darstellung schafft das realistische Detail ein Bild des Lebens in der deutschen Provinz. Der Sportklatsch in ihrem Roman, »gegen den der Sportler aus der Provinz nicht immun ist«, erinnert an den Zeitungsklatsch in Falladas *Bauern, Bonzen und Bomben* oder an den Moralklatsch, den man der Juristengattin in Hirschs *Kaiserwetter* zuträgt (auch an den politischen Klatsch in Bredels *Rosenhofstraße*). Der Konkurrenzneid der Sportler gleicht der Besitzgier der Bauern in Grafs Erzählungen und dem Zeitungsstreit bei Fallada. Der Mentalität der Provinzbevölkerung kundig, hat Marieluise Fleißer auch auf das übertriebene Ansehen der akademischen Berufe hingewiesen und an anderer Stelle eine Psychologie des kleinstädtischen Einkäufers abgegeben: »Die Kunden in der Provinz geben weniger auf den Bluff der Aufmachung. Was sie zu sehen wünschen, ist die möglichst reichhaltige Auswahl an Waren und ausgezeichnete Preise. Sie wagen sich nicht in die Höhle des Löwen, wenn sie nicht im voraus berechnen, was sie ausgeben müssen.«

Ähnliche Voraussetzungen einer unmittelbaren Vertrautheit mit dem Milieu gelten auch für die zwei Dramen, welche die Autorin vor ihrer Verdrängung durch die Nazis zur Aufführung brachte: *Fegefeuer in Ingolstadt* (1926) und *Pioniere in Ingolstadt* (1928). Leider haben bis vor kurzem nur die *Pioniere*, das frühere Drama an realistischer Gestaltung und dramatischer Überzeugungskraft übertreffend und von der Autorin 1968 überarbeitet, einen weiteren Leserkreis finden können.[23] Dieses Stück handelt davon, wie beim Bau einer Brücke durch Pioniere der Armee das Leben einer Provinzstadt völlig durcheinandergerät. Wie bei Heinrich Mann, der in seinem Roman *Die kleine Stadt* eine ähnliche Situation in der italienischen Provinz schilderte, werden besonders die sexuellen Instinkte der Bevölkerung aufgerüttelt, so daß bisher unerfahrene Dienstmädchen zu feurigen Liebhaberinnen und solche mit mehr Erfahrung zu Dirnen werden. Aber auch ein Spießbürger wie der alte Benke (in der Neuausgabe heißt er Unertl) läßt seine früheren Hemmungen fallen und versucht, seinen einfältigen Sohn Fabian mit dem Dienstmädchen Berta zu verkuppeln. Da Berta bereits gänzlich in einen Pionier verschossen ist, mißlingen Benkes Absichten, und er schleudert nun dem Mädchen alle möglichen Grobheiten ins Gesicht. Dabei bildet er sich spießerisch noch etwas darauf ein, »bloß ehrlich« zu sein. Die Fleißer verknüpft auch hier wieder das Sexuelle mit dem Geschäftlichen, indem der alte Spießbürger seine Heiratsabsichten mit dem Gedanken verbindet, daß ihm eine Frau die Arbeit im Geschäft abnehmen müßte.

Das moralisch haltlose Leben dieser Menschen, das nur schwach von einem gesellschaftlichen Sittenkodex verdeckt wird, hat seine Parallele im Scheindasein der Pioniere. Die strenge Disziplin ihrer Arbeit zerfällt jeweils zu nichts bei Beginn ihrer Freizeit. Der Feldwebel (in der Neubearbeitung ist er die »neue Auflage« des Feldwebels, der während des Stückes in der Donau ertrunken ist) fühlt sich daher gezwungen, in seiner Rede am Schluß des Dramas einen Appell an die Pioniere zu richten, sich beim nächsten Brückenbau in einer anderen Stadt mehr Zurückhaltung in ihrem Umgang mit dem weiblichen Teil der Bevölkerung aufzuerlegen. Durch die in der Neubearbeitung enthaltenen Klischees dieser Rede wird den Zuhörern nahegelegt, die Problematik des Stückes nicht auf *eine* Stadt beschränkt zu sehen. Schon Alfred Kerr hatte in seiner Besprechung der Berliner Uraufführung, in der er Marieluise Fleißers dramatisches Geschick hervorhob, den Kernpunkt ihres ›Provinzstükkes‹ richtig erkannt, als er schrieb, man erlebe darin, »wie's zwischen Dienstmädeln und Soldaten in Bayern *(oder außerhalb Bayerns)* zugeht«.[24] [Hervorhebung H. F. P.] Der Erfolg des Dramas wurde ebenfalls im Jahr seiner Erstaufführung schon auf ein wesentliches Merkmal echter ›Provinzliteratur‹ zurückgeführt, indem er den »leibhaftigen« Charakteren und dem »gerade in solch dreidimensional-lebendiger Form von jeher interessierenden Ablauf menschlich-allzu-menschlichen Geschehens« zugeschrieben wurde.[25]

Einen ähnlich motivierten Erfolg konnte ein anderer ›Provinzschriftsteller‹ verzeichnen, dessen Namen man wegen der unverblümten Direktheit und Wahrhaftigkeit eines seiner bekanntesten Werke in direkten Bezug zu Marieluise Fleißer gebracht hat:[26] Carl Zuckmayer. Der 1895 in Nackenheim am Rhein geborene Dramatiker schrieb 1925 mit einem typischen ›Provinzdrama‹ der Weimarer Republik, *Der fröhliche Weinberg,* sein erstes Erfolgswerk. Der Anklang an eine volkstümliche Tradition ließ es geradezu als den »Prototyp der dramatischen Heimatdichtung« erscheinen,[27] doch hat es nichts mit der »philiströsen Instinkten schmeichelnden sentimentalen Heimatkunst« gemein, die später mit der ›Blubo‹-Literatur des ›Dritten Reiches‹ übereinstimmt.[28]

Die Menschen, denen man im *Fröhlichen Weinberg* begegnet, sind ohne Beschönigung gezeichnet, so daß die Schwächen des provinziellen Lebensstils unverhüllt zutage treten. Der Akademiker Knuzius z. B. stellt mit seinem Moralisieren in gestelztem Hochdeutsch eine lächerliche Figur dar in der Welt der ungenierten Rheinbauern. Wenn er mit scheinheiliger Opferbereitschaft »ohne Ansicht von Stand, Rang und Name« um Babettes Hand anhält, verbindet er seine Werbung mit dem Wunsche, »die Gesundung unseres Volkes im Hinblick auf seine Tugend, Wehrhaftigkeit, Sauberkeit, Pflichttreue und Rassenreinheit zu erstreben!!«. Der kleinbürgerliche Nationalismus findet sich auch bei den Figuren der Veteranen, die ihren antisemitischen Gefühlen mit der Verspottung der jüdischen Weinhändler keinen Zwang antun. Diese Weinhändler wieder versuchen die Bauern in der heimlichen Befriedigung ihrer sexuellen Lüste nachgerade zu überbieten. Zuckmayers Realismus kontrastiert hier deutlich zu der prüden Atmosphäre mancher ›Heimatstücke‹.

»Drei Jahre Geschichte einer Provinz« heißt der Untertitel des 1930 von Lion Feuchtwanger veröffentlichten Romans *Erfolg,* der einen politischen Rechtsfall der Stadt München aus den Jahren 1921–24 darstellt, also vor dem historischen Hintergrund der Inflation, der französischen Ruhrbesetzung und des Hitler-Putsches spielt. Die Menschen dieses Romans leben zwar ähnlich wie die der schon erwähnten Werke im politischen Konkurrenzkampf, sie neigen zum gesellschaftlichen Konformismus und verhalten sich mißtrauisch gegenüber allem Fremden; ihre provinziellen Vorurteile werden jedoch in der subjektiven Wertung des Autors auf die besondere Situation ihrer historisch und geographisch einmaligen Existenz bezogen. Um »Politiker der bayerischen Hochebene« und nur um solche handelt es sich, wenn Feuchtwanger von einer an einem Münchener Biertisch versammelten Gruppe von Menschen schreibt, daß sie »aus dem dumpfen Stoff des Landstrichs« seien, »schlau, eng, ohne Horizont, winklig wie die Täler ihrer Berge. [...] schlaue Bauern, einander beim Viehhandel keineswegs trauend!«. Der politische Partikularismus (verbunden mit einem unversöhnlichen Haß auf die Reichshauptstadt Berlin) und die gesellschaftliche Rückständigkeit dieser Menschen wurden vom Autor mit der spezifischen Ausprägung eines bayerischen Katholizismus verbunden. Feuchtwanger führt sogar statistische Belege an, um seiner negativen Wertung des bayerischen Lebensstils verstärkten Nachdruck zu verleihen. Behauptungen wie die, daß in Bayern ein größerer Prozentsatz an ledigen Kindern auf die Welt komme als im übrigen Mitteleuropa und daß für Berlin das Land Bayern als ein »zurückgebliebenes, störrisches Kind« gilt, »das man auf einer schwierigen, gefahrvollen Reise mitzerren muß«, lassen sich nicht mehr wie die ›Provinzbeschreibungen‹ anderer Autoren auf eine weitere als die namentlich bezeichnete Gesellschaft übertragen. Der von einigen Interpreten unternommene Versuch einer Parallelsetzung der bayerischen Provinz zu ganz Deutschland[29] – analog der Verallgemeinerung, die Reger immer wieder in seiner Beschreibung der Ruhr-Provinz erzielt hat – läßt sich aus dem Text von Feuchtwangers Roman kaum begründen. Denn es stimmt zwar, daß sich das, was zwischen 1921 und 1924 in Bayern geschah, später im Rheinland, an der Ruhr, in Sachsen und anderswo wiederholte, nämlich die heimliche Förderung der Nazis durch die Großindustriellen und der massenhafte Zulauf von Kleinbürgern zu Hitler (im Buch Rupert Kutzner genannt), aber bei der Lektüre des Romans bekommt man den ganz bestimmten Eindruck, daß der politische »Erfolg« der »wahrhaft Deutschen« (sprich Nationalsozialisten) erst durch die aus ähnlichen Motiven herrührenden und für ganz Deutschland einmaligen separatistischen Machenschaften der bayerischen Politiker ermöglicht wurde.

Feuchtwanger hat seinen Unterschied zum ›Provinzschriftsteller‹ in der Person des Jacques Tüverlin selber deutlich herausgestellt. Dieser aus der Schweiz stammende und schließlich (wie Feuchtwanger später selbst) nach Kalifornien emigrierende, aber eben doch über bayerische Verhältnisse schreibende Schriftsteller innerhalb des Romans stellt sich nämlich ganz programmatisch die Aufgabe, bei seiner Arbeit immer nur »sich selbst und nur sich selbst auszudrücken«. Weit entfernt von der objektiven Sachlichkeit eines Graf oder Fallada, sucht er in der provinziellen Gesellschaft nicht das schlechthin Menschliche, wie es sich aus der nächsten Nähe unmittelbarer Betrachtung darstellen läßt, sondern er vermischt die bereits anhand von kontrastierenden Vergleichen gewonnenen Erkenntnisse einer bestimmten Gesellschaftsform mit dem »Haß« und der »Liebe« seines persönlichen Andersseins. Diese äußere Distanzierung, verbunden mit unverhüllter innerer Teilnahme, ermöglichte Feuchtwanger eine ideologische Wertung des provinziellen Geschehens im Sinne einer historischen Deutung. So hat Feuchtwanger mit *Erfolg*, ähnlich wie mit seinen anderen oft schon im Titel charakterisierenden Werken, weniger einen ›Provinzroman‹ als einen historischen Roman geschaffen; im Gegensatz zu Grafs Geschichten aus der Provinz in Bayern schrieb er die Geschichte *der* Provinz, die für ihn Bayern bedeutete.

Läßt man sämtliche Figuren der ›Provinzliteratur‹ der zwanziger Jahre noch einmal Revue passieren, so findet man Vertreter aller sozialen Schichtungen und jeglicher charakterlichen Beschaffenheit. Was sie verbindet, ist die Suche nach materieller Sicherheit und sexueller Befriedigung, der Hang zum Konformismus und zur

Diffamierung alles Fremden, die Billigung der öffentlichen Korruption im eigenen Interesse, die Überbewertung der Verdienste des eigenen Landes und das Bestreben zur Aufrechterhaltung einer glänzenden Fassade. Sie heben sich ab vor dem geschichtlichen Hintergrund der Inflation, Arbeitslosigkeit, internationalen Wirtschaftskrise und der bürgerlichen Auseinandersetzung mit den extremen politischen Parteien beider Seiten. Dieser Hintergrund wirkt in der Sicht des ›Provinzschriftstellers‹ weder allein bestimmend noch gänzlich kontrastierend. Es ist vielmehr so, daß die vielseitigen Anlagen der Menschen durch die politischen und gesellschaftlichen Prozesse erst deutlich hervortreten und ihre oftmals asoziale Wirksamkeit voll entfalten können. Die ›Provinzliteratur‹ vermittelt daher nicht nur ein genaues Bild dieser Menschen, sondern ist ein Reflex auch der sozialen Bedingungen der zwanziger Jahre überhaupt.

Anmerkungen

1. Mein Dank gehört der Alexander von Humboldt-Stiftung für ihre großzügige Unterstützung bei der Fertigstellung dieser Arbeit.
2. *Wir sind Gefangene.* Ein Bekenntnis aus diesem Jahrzehnt. München 1927. Neuausgaben: Berlin 1948 und München 1965.
3. Die autobiographischen Bezüge, die man bei der Umkehrung des Namens dieses Onkels, Farg, erhält, verbürgen dem Leser die authentische Quelle von Grafs Beobachtungen. Seine Erzählung der Familie Farg bildet auch den Stoff von Grafs Dorfroman *Die Chronik von Flechting.* München 1925.
4. In: *Im Winkel des Lebens.* Erstveröffentlichung u. d. T. »Michael Jüngert« in: *Zur freundlichen Erinnerung.* Acht Erzählungen. Berlin 1922.
5. Vgl. Epilog zu *Wir sind Gefangene* und *Wunderbare Menschen.* Heitere Chronik einer Arbeiterbühne nebst meinen drolligen und traurigen Erlebnissen dortselbst (Stuttgart 1927); sowie Grafs Antwort auf eine Rundfrage in: *Die Linkskurve,* 2 (1930). Nr. 9. S. 7 f.
6. Vgl. z. B. *Unruhe um einen Friedfertigen.* New York 1947.
7. »Verbrennt mich!« In: *Arbeiterzeitung* (Wien), 12. Mai 1933. In diesem Artikel protestierte Graf dagegen, daß die Nazis seine Werke mit Ausnahme von *Wir sind Gefangene* auf die ›weiße‹ Liste ihrer empfohlenen Bücher gesetzt hatten. Der Artikel wurde in wenigen Tagen von mehreren Organen der Weltpresse nachgedruckt.
8. Aus seinem Exil in New York veröffentlichte Graf u. a. den *Großen Bauernspiegel* (München 1962) mit vielen Erzählungen aus der bayerischen Provinz. In seinem Zukunftsroman *Die Erben des Untergangs* (München 1949) verlieh Graf seinem politischen Weltbild Ausdruck und plädierte für eine völlige Neuverwaltung der Welt auf dezentralisierter Grundlage. Es steht darin der Satz: »Provinziell muß die Welt werden, dann wird sie menschlich!« Zum weiteren Schaffen des Dichters s. Helmut F. Pfanner: »Oskar Maria Graf. Ein Überblick über sein literarisches Werk«. In: *Seminar,* 6 (1970). Nr. 3. S. 195–206.
9. Johannes R. Becher: »Zu Hans Falladas Tod. An Stelle eines Nachwortes.« In: Hans Fallada, *Der Alpdruck.* Berlin 1947. S. [237]–[240].
10. Vgl. Heinz J. Schueler: *Hans Fallada.* Humanist and Social Critic. The Hague und Paris 1970. S. 20.
11. Siehe das Vorwort zur Ausgabe von Berlin 1938, S. 5.
12. Eine eingehende Analyse erfolgte durch Jost Hermand: »Erik Regers *Union der festen Hand* (1931), Roman oder Reportage«. In: *Monatshefte für deutschen Unterricht,* 57 (1965). Nr. 3. S. 113–133.
13. Oskar Maria Graf hob in einer Besprechung der Neuausgabe von Regers Roman hervor, daß er Einblick biete in die letzten Ursachen des Zusammenbruchs der Weimarer Republik. »Ein deutsches Buch, das warnt«. In: *Aufbau* (New York), 16. Nr. 35 (1. September 1950). S. 15.

14. Vgl. Hans Dieter Schäfer: »Kaiserwetter und Wetterleuchten. Ein vergessener Roman über die deutsche Provinz vor 1914«. In: *Die Welt*, 14. Oktober 1971. S. III.
15. »Deutsche Provinz mit Gloria Victoria«. In: *Die Weltwoche*, 22. März 1972. S. 33.
16. Vgl. Paul Raabe: Nachwort zur Neuausgabe von *Kaiserwetter*. Frankfurt a. M. 1971. S. 254. Unter einem veränderten Titel, *Damals in Deutschland*, war der Roman bereits 1953 in der DDR neu herausgegeben worden.
17. ebd., S. 255.
18. Eine Reihe von stilistischen Hinweisen findet man in der Rezension von Heinrich Vormweg: »Der Schein der guten alten Zeit. Zur Neuausgabe von Karl Jakob Hirschs *Kaiserwetter*«. In: *Süddeutsche Zeitung*, 17. November 1971. Beilage »Buch und Zeit«, S. 1 f.
19. Vgl. Albert Soergel – Curt Hohoff: *Dichtung und Dichter der Zeit*. Vom Naturalismus bis zur Gegenwart. 2. Bd. Düsseldorf 1964. S. 801. Eine umgearbeitete Neuausgabe des Romans u. d. T. *Eine Zierde für den Verein* ist in den im Herbst 1972 im Suhrkamp Verlag erschienenen *Gesammelten Werken* der Marieluise Fleißer in drei Bänden enthalten, konnte aber für die gegenwärtige Arbeit nicht mehr berücksichtigt werden.
20. *Ein Pfund Orangen und neun andere Geschichten der Marieluise Fleißer aus Ingolstadt*. Berlin 1929.
21. »Echt Ingolstädter Originalnovellen«. In: *Die Literarische Welt*, 5. Nr. 39 (27. September 1929). S. 3; hier zitiert nach Helmut Lethen: *Neue Sachlichkeit 1924–1932*. Studien zur Literatur des »Weißen Sozialismus«. Stuttgart 1970. S. 168. Die »unheimliche« Idyllik einer Provinz, die »ein Stück Welt« bedeutet, hat auch Günther Rühle in seinem Vorwort zur Neuausgabe der Werke von Marieluise Fleißer hervorgehoben: »Abschied von Brecht. Marieluise Fleißers Roman und ein unbekanntes Stück«. In: *Frankfurter Allgemeine Zeitung*, 20. September 1972 (Nr. 218). S. 32.
22. Helmut Lethen: *Neue Sachlichkeit 1924–1932*. S. 174.
23. Die Neufassung wurde veröffentlicht in: *Spectaculum*, 13. Acht moderne Theaterstücke. Frankfurt a. M. 1970. Beide im Text erwähnte Dramen sind in der dreibändigen Neuausgabe von Fleißers Werken, Frankfurt a. M. 1972, enthalten.
24. *Berliner Tageblatt*, Morgenausgabe 2. April 1929; hier zitiert nach *Spectaculum*, 13, S. 279.
25. Albert Zimmer: »Marieluise Fleißer«. In: *Die Literatur* (Berlin), 32 (1929/30). S. 142 f.
26. Bayard Q. Morgan in einer Rezension von *Mehlreisende Frieda Geier*. In: *Books Abroad*, 6 (1932). Nr. 3. S. 347.
27. Arnold John Jacobius: *Motive und Dramaturgie im Schauspiel Carl Zuckmayers*. Versuch einer Deutung im Rahmen des zwischen 1920 und 1955 entstandenen Gesamtwerkes. Frankfurt a. M. 1971. S. 61.
28. Monty Jacobs in einer Besprechung der Uraufführung im ›Theater am Schiffbauerdamm‹, Berlin. In: *Vossische Zeitung*, 23. Dezember 1925; hier zitiert nach Günther Rühle: *Theater für die Republik 1917–1933*. Im Spiegel der Kritik. Frankfurt a. M. 1967. S. 669. Der Unterschied war übrigens auch den Nazis selbst sofort aufgefallen, weshalb sie schon anläßlich der Münchener Erstaufführung eine strenge Polizeizensur erwirkt hatten.
29. Vgl. Kollektiv für Literaturgeschichte: *Lion Feuchtwanger*. Berlin 1959. S. 29.

Literaturhinweise

Zitierte Werke

Hans Fallada: *Bauern, Bonzen und Bomben*. Berlin 1931. Neuausgabe: München 1950.
– *Kleiner Mann – was nun?* Berlin 1932. Neuausgabe: Hamburg 1950.
Lion Feuchtwanger: *Erfolg*. Drei Jahre Geschichte einer Provinz. Berlin 1930. Neuausgaben: Hamburg 1956, Berlin und Weimar 1973.
Marieluise Fleißer: *Fegefeuer in Ingolstadt*. Berlin 1929 [Bühnenmanuskript].
– *Pioniere in Ingolstadt*. Berlin 1929 [Bühnenmanuskript]. Neuausgabe in: *Spectaculum*, 13. Acht moderne Theaterstücke. Frankfurt a. M. 1970.
– *Ein Pfund Orangen und neun andere Geschichten*. Berlin 1929.
– *Mehlreisende Frieda Geier*. Roman vom Rauchen, Sporteln, Lieben und Verkaufen. Berlin 1931.

– *Abenteuer aus dem Englischen Garten.* Frankfurt a. M. 1969.
– *Gesammelte Werke.* 3 Bde. Hrsg. von Günther Rühle. Frankfurt a. M. 1972.
Oskar Maria Graf: *Zur freundlichen Erinnerung.* Acht Erzählungen. Berlin 1922.
– *Bayerisches Lesebücherl.* Weißblaue Kulturbilder. München 1924.
– *Die Chronik von Flechting.* Ein Dorfroman. München 1925.
– *Finsternis.* Sechs Dorfgeschichten. München 1926.
– *Wir sind Gefangene.* Ein Bekenntnis aus diesem Jahrzehnt. München 1927. Neuausgaben: Berlin 1948 und München 1965.
– *Im Winkel des Lebens.* Berlin 1927.
– *Wunderbare Menschen.* Heitere Chronik einer Arbeiterbühne nebst meinen drolligen und traurigen Erlebnissen dortselbst. Stuttgart 1927.
– *Das bayerische Dekameron.* Berlin, Wien und Leipzig 1928. Neuausgaben: Wien, München und Basel 1964 und Berlin und Weimar 1967.
– *Kalendergeschichten.* München und Berlin 1929. Neuausgabe: Rudolstadt 1957.
– *Notizbuch des Provinzschriftstellers Oskar Maria Graf 1932.* Erlebnisse Intimitäten Meinungen. Basel, Leipzig und Wien 1932.
– *Unruhe um einen Friedfertigen.* New York 1947. Neuausgabe: Berlin 1958.
– *Die Eroberung der Welt.* Roman einer Zukunft. München 1949. U. d. T. *Die Erben des Untergangs.* Roman einer Zukunft. Frankfurt a. M. 1959.
– *Der große Bauernspiegel.* Dorfgeschichten und Begebnisse von einst, gestern und jetzt. Wien, München und Basel 1962.
– Antwort auf eine Rundfrage. In: *Die Linkskurve,* 2 (1930). Nr. 9. S. 7 f.
– »Verbrennt mich!« In: *Arbeiterzeitung* (Wien), 12. März 1933.
Karl Jakob Hirsch: *Kaiserwetter.* Berlin 1931. Neuausgaben: Frankfurt a. M. 1971 und u. d. T. *Damals in Deutschland* Berlin 1953.
Erik Reger: *Union der festen Hand.* Roman einer Entwicklung. Berlin 1931. Neuausgabe: Berlin 1946.
– *Das wachsame Hähnchen.* Polemischer Roman. Berlin 1932. Neuausgabe: Stuttgart, Hamburg und Baden-Baden 1950.
Carl Zuckmayer: *Der fröhliche Weinberg.* Lustspiel in 3 Akten. Berlin 1925. Auch in: C. Z., *Gesammelte Werke.* Frankfurt a. M. 1950.

Forschungsliteratur

Wilfried Adling: *Die Entwicklung des Dramatikers Carl Zuckmayer.* Berlin 1959.
Arnold Bauer: *Carl Zuckmayer.* Berlin 1970.
Erhard Dabringhaus: »The works of Oskar Maria Graf as they reflect the intellectual and political currents in Bavaria, 1900–1945«. [Unveröffentlichte Diss.] Univ. of Michigan 1957.
Wolfgang Dietz: »Untersuchungen zum Erzählwerk Oskar Maria Grafs. Die Erzählungen und Romane der zwanziger Jahre«. [Unveröffentlichte Staatsexamensarbeit.] Kaiserslautern 1970.
Lion Feuchtwanger zum Gedenken. Von seinen Freunden auf der Heidecksburg. Hrsg. von Karl Dietz. Rudolstadt 1959.
Martin Greiner: *Die Entwicklung der modernen Unterhaltungsliteratur.* Studien zum Trivialroman des 18. Jahrhunderts. Hrsg. u. bearb. von Therese Poser. Reinbek 1964.
Jost Hermand: »Erik Regers *Union der festen Hand* (1931), Roman oder Reportage«. In: *Monatshefte für deutschen Unterricht,* 57 (1965). Nr. 3. S. 113–133.
Arnold John Jacobius: *Carl Zuckmayer. Eine Bibliographie 1917–1971.* Ab 1955 fortgeführt und auf den jüngsten Stand gebracht von Harro Kieser. Frankfurt a. M. 1971.
– *Motive und Dramaturgie im Schauspiel Carl Zuckmayers.* Versuch einer Deutung im Rahmen des zwischen 1920 und 1955 entstandenen Gesamtwerkes. Frankfurt a. M. 1971.
Walther Killy: *Deutscher Kitsch.* Ein Versuch mit Beispielen. Göttingen 1961.
Victor Klemperer: »Der zentrale Roman Lion Feuchtwangers. Rede, gehalten in der Feuchtwanger-Feier des Greifenverlages (Auszug)«. In: *Lion Feuchtwanger zum Gedenken.*
Kollektiv für Literaturgeschichte: *Lion Feuchtwanger.* Berlin 1959.
– *Leonhard Frank. Hans Fallada.* Berlin 1960.
Helmut Lethen: *Neue Sachlichkeit 1924–1932.* Studien zur Literatur des »Weißen Sozialismus«. Stuttgart 1970.
Jürgen Manthey: *Hans Fallada in Selbstzeugnissen und Bilddokumenten.* Reinbek 1963.

Walter Nutz: *Der Trivialroman, seine Formen und seine Hersteller.* Ein Beitrag zur Literatursoziologie. Köln 1962.

Helmut F. Pfanner: »Oskar Maria Graf. Ein Überblick über sein literarisches Werk«. In: *Seminar*, 6 (1970). Nr. 3. S. 195–206.

Paul Raabe: Nachwort zu Karl Jakob Hirschs *Kaiserwetter.* Frankfurt a. M. 1971.

Ludwig Emanuel Reindl: *Zuckmayer.* Eine Bildbiographie. München 1962.

Günther Rühle: *Theater für die Republik 1917–1933.* Im Spiegel der Kritik. Frankfurt a. M. 1967.

Heinz J. Schueler: *Hans Fallada.* Humanist and Social Critic. The Hague und Paris 1970.

Jochen Schulte-Sasse: *Die Kritik an der Trivialliteratur seit der Aufklärung.* Studien zur Geschichte des modernen Kitschbegriffs. München 1971.

Albert Soergel und Curt Hohoff: *Dichtung und Dichter der Zeit.* Vom Naturalismus bis zur Gegenwart. 2. Bd. Düsseldorf 1964.

Studien zur Trivialliteratur. Hrsg. von Heinz Otto Burger. Frankfurt a. M. 1968.

Heinz Swarowsky: »Oskar Maria Graf. Eine Monographie«. [Unveröffentlichte Diss.] Päd. Hochsch. Potsdam 1962.

WOLFGANG ROTHE

Metaphysischer Realismus.
Literarische Außenseiter zwischen Links und Rechts

Schlußphase der Republik von Weimar: Eine Wirtschaftskatastrophe vernichtet Millionen Existenzen, wirft ein Heer von Arbeitslosen auf die Straßen, eine in radikale Lager auseinandergefallene Gesellschaft bekriegt sich tödlich. Der Staat, erst vor zehn Jahren gegründet, verkommt zu einer Karikatur von Demokratie. Die Zeit ist anspruchsvoller ›Hochliteratur‹ alles andere als günstig. Dennoch erscheinen in deutschen Verlagen einige große Romane, die sich aus der Rückschau vierzig Jahre später zugleich höchst zeitgemäß und anachronistisch ausnehmen. In ihrer Erklärung des europäischen Debakels im frühen 20. Jahrhundert dünken sie uns heute hellsichtig; doch für ihre Tiefenbohrung nach den Ursachen des Ersten Weltkrieges und der sich anschließenden Wirren eines latenten Bürgerkrieges hat man zum Zeitpunkt ihres Erscheinens wenig Sinn: Sie werden entweder wenig beachtet oder mißverstanden. Wir sprechen von Döblins *Berlin Alexanderplatz* (1929), Musils *Der Mann ohne Eigenschaften* (I 1930, II 1933) und Brochs *Die Schlafwandler* (I–III 1932/33).

Allenfalls Döblins Großstadtepos, in der Reichshauptstadt und unmittelbaren Gegenwart angesiedelt, paßte einigermaßen in die literarische Landschaft der späten zwanziger Jahre. *Berlin Alexanderplatz* bot, so schien es jedenfalls, eine gängige Thematik, und sein respektabler Erfolg (50 000 Exemplare bis 1933) darf weitgehend dem Buchtitel, den flotten Kapitelüberschriften, dem Jargon und Ganovenmilieu von Berlin NO zugeschrieben werden. Demgegenüber blieben die zwei anderen Bücher Sache begrenzter literarischer Kreise. Das läßt sich sicherlich nicht allein mit der kurzen Frist bis zum Kehraus der Republik erklären, auch wohl nicht damit, daß sie in der jüngeren Vergangenheit spielen, strenggenommen also historische Romane sind – zahlreiche zum Teil überaus erfolgreiche Bücher der zwanziger Jahre beschäftigten sich mit der Vorgeschichte des Krieges, dessen Auswirkungen die Gegenwart bestimmten. Gewiß, weder Musil noch gar Hermann Broch, der überhaupt erstmals ein Buch vorlegte, besaßen die (relative) Popularität eines Döblin, der seit den frühen Tagen des Expressionismus auf dem Büchermarkt präsent war, allerdings sich kurz zuvor mit einem monumentalen Versepos (*Manas*, 1927) ein waghalsig unzeitgemäßes Stück Literatur erlaubt hatte. Hingegen kann der Umstand, daß Musil und Broch Österreicher waren, als unerheblich gelten, war doch der reichsdeutsche Leser seit Schnitzler, Hofmannsthal und Rilke gewohnt, ein Ohr in den Südostwind zu halten. Musils *Mann ohne Eigenschaften*, an prominentem Ort des deutschen Verlagswesens erschienen (bei Rowohlt in Berlin), gehört genauso in die Annalen der Literatur der Weimarer Republik wie Brochs (vom Münchener Rhein-Verlag gedruckte) Romantrilogie, deren einzelne Teile die preußisch-deutsche Metropole, die Industriestadt Mannheim und einen Flecken im Moselland zum Schauplatz haben.

Angesichts der Zeitverhältnisse – ein in der Agonie liegendes Staatswesen, ein kras-

seste Not leidendes Proletariat und (zumindest teilweise) Bürgertum – verwundert
noch heute der Mut dieser Autoren und ihrer Verleger. Doch war gleicherweise die
literarische Situation diesen Büchern abträglich. Die Jahre um 1930 waren einerseits
bestimmt von einer ›Neuen Sachlichkeit‹ als genereller Stiltendenz, einem Aufschwung der politisch-sozialkritischen Literatur und einem erstmals breiten prole-
tarisch-sozialistischen Schrifttum; zum anderen sahen sie eine Sammlungsbewegung
der nachfolgenden ›bürgerlichen‹ Autorengeneration, die der politischen Tonlage,
des gesellschaftskritischen Engagements überdrüssig war und sich zu einer neuen
Formkunst bekannte. Außerdem existierte ein breites Spektrum von christlichem
Traditionalismus, Nietzschenachfolge und ›Konservativer Revolution‹ bis hin zu
den nationalsozialistischen Parteibarden, teils humanistisch-konservativ, teils ›völkisch‹ und nationalistisch, teils antibürgerlich-mythenselig und gegenwartsfeindlich.
Die Verfasser der drei Werke, die hier als eine weitere Facette von Literatur in der
Chaosphase von 1929 bis 1933 betrachtet werden sollen, gehörten keinem der Flügel
einer sich – analog zur politischen Entwicklung – polarisierenden Sprachkunst an.
Aber ihre Position lag auch keineswegs in irgendeiner unbestimmten Mitte zwischen
diesen Gruppierungen. Sie nahmen vielmehr einen geistigen Ort ein, den wir versuchsweise, der Paradoxie dieser Formulierung uns bewußt, ›metaphysischen Realismus‹ nennen wollen.

Realistisches Verfahren und metaphysische Offenheit

Während der Realist des 19. Jahrhunderts die Welt so, ›wie sie ist‹, nachahmend zu
schildern unternahm oder gar ›wissenschaftliche‹ Wirklichkeitstreue anstrebte, hat
der realistische Schriftsteller des 20. Jahrhunderts die Zielwerte Ähnlichkeit, Entsprechung, Analogie aufgegeben, als simplen ästhetischen Denkfehler fallengelas-
sen. Nicht um eine Deckungsgleichheit von Wirklichkeit und Kunstgebilde, den Zu-
sammenfall von dichterischer Subjektivität und realer Objektivität ist es ihm zu
tun, sondern um die *Enthüllung der Wirklichkeit* mittels Groteske, Ironie, Satire.
Literarischer Realismus definiert sich spätestens seit Brechts antiaristotelischer Ver-
fremdungsästhetik nicht mehr in erster Linie von den ›realistischen‹ Darstellungs-
mitteln her, sondern vom Dargestellten: einer säkularisierten, nicht mehr unter
einem göttlichen Heilsplan stehenden, keine ›Einheit‹ mehr bildenden Welt.[1] Entscheidend war für Brecht, der das heutige Realismusverständnis weithin bestimmt
hat, »bei formaler und thematischer Vielfalt der realistischen Schreibweisen [...]
nur die Frage des Gehalts, der Tendenz«.[2] Inzwischen ist sogar für die realistischen
Autoren des 19. Jahrhunderts das Objektive als ein Problem ihrer Subjektivität
nachgewiesen, wird von »einer neuen Scheidung von Objekt und Subjekt« gesprochen, einem Gegensatz zwischen beiden, der sich aus der verlorengegangenen Einheit
von Realem und Idealem ergibt.[3] Hieraus folgt die Entfremdung des Einzel-Ichs
von der Wirklichkeit (und schließlich von sich selber), oberstes Thema des Realisten
qua Satirikers seit dem Verfall des christlichen Ordo. »Dabei sagt die Schilderung
des Realen stets den Verlust des Idealen aus.«[4] Die »gefallene oder entfremdete«
Welt bleibt zwar »auf einen Zustand der Einheit, der aufgehobenen Widersprüche«
bezogen; aber nicht »Versöhnung oder neue Einheit« – wie der idealistische Klassi-

ker – strebt der Realist an, vielmehr geht es ihm um »deren Versagen, also um den endgültigen Verlust von Gott, Idee oder Sinn«: »Die Geschichte des Realismus spiegelt die Geschichte des fortschreitenden Gottverlustes.«
In diesem Sinne von Realismus sind die drei Prosawerke Döblins, Musils und Brochs eindeutig als realistisch anzusprechen: sie führen in antimimetischer Weise die Auflösung einer tragenden – religiösen – ›Ideologie‹ (Musil) oder eines ›Zentralwertsystems‹ (Broch) und das Entschwinden der objektiven Wirklichkeit in nebelhafte Fernen, schließlich die Vereinzelung des aus der ›Einheit‹ herausgefallenen Menschen vor.
Als realistisch können – und wollen – sie schon dadurch gelten, daß sie keine romanhaft fiktiven Schauplätze erfinden, sondern an Brennpunkten der jüngsten Vergangenheit bzw. Gegenwart spielen und diese durch Zeitangaben präzisieren: *Berlin Alexanderplatz* im Berlin von 1927/28, *Der Mann ohne Eigenschaften* im Wien des letzten Vorkriegsjahres, Teil I der *Schlafwandler* 1888 in Berlin, Teil II 1903 in Mannheim (lediglich der Schlußteil wird in ein ubiquitäres Etappennest hinter der Westfront 1918 verlegt). Dennoch handelt es sich durchaus nicht um ein wohlfeiles Zeitkolorit gemäß den Maximen der Neuen Sachlichkeit, also um ›Zeitromane‹, vielmehr um die phänomenologische Erfassung einer ganzen Epoche und ganz Europas, nicht bloß jener historisch und geographisch lokalisierten Orte. Es unterscheidet den Realismus Döblins, Musils und Brochs von dem (bisweilen recht vordergründigen) neusachlichen, daß Realität zur Wahrheit einer ganzen Welt gesteigert wird, zur sozusagen inneren Wirklichkeit der Epoche,[5] in der jene Realität filtert, konzentriert enthalten und nicht etwa aufgegeben ist.
Das Exemplarische dieser Städte und der hinter ihnen stehenden Reiche[6] begründet sich in dem parabolischen, gleichnishaften Charakter dieser Werke,[7] die auf Vermittlung von Erkenntnis, Aufhellung angelegt sind. Auch in ihren Protagonisten führen die Autoren Beispielfälle vor, die über irgendwelche private Schicksale hinausgehen und an denen generelle Einsichten gewonnen werden können. Die drei Prosawerke besitzen eine lehrhaft-interpretative – ›weltanschauliche‹, ›philosophische‹ oder wie immer – Grundschicht. Paradigmatische Qualität bestimmt ihren Modellcharakter und hohen Allgemeinheitsgrad. Die Exemplifizierung des ›Subjektiven‹, Vereinzelten an historischer, ›objektiver‹ Welt bringt deren wahren Zustand zutage, ihre Fragmentarität, ihren niedrigen Wirklichkeitsgehalt[8] als Resultat eines Einheitsverlustes: wichtigstes Merkmal von Realismus gemäß dessen heutiger Theorie.
Damit ist aber die Provokation, die im Terminus ›Metaphysischer Realismus‹ liegt, noch nicht ausgeräumt.[9] Was ist mit dem ›Metaphysischen‹ dieser Autoren gemeint? Den Sinnhorizont einer christlichen Dichtung, etwa der ›metaphysical poets‹ des Barockzeitalters, die von einer unbezweifelten Seinsordnung ausgeht und verbürgte Heilswahrheiten verkündet, besitzen Döblin, Musil und Broch nicht. Der Metaphysische Realismus, von dem wir sprechen, gehört nicht in die Geschichte einer ›positiven‹ religiösen Dichtung, er hat vielmehr den ›Tod Gottes‹ – zu verstehen als Zerfall der ›Einheit‹ und als Untergang des alten Kirchenglaubens – rezipiert und ist ein Moment des gesamteuropäischen Nihilismus. Dieser Realismus entsteht und steht auf dem Boden einer ›entzauberten‹ Welt, und die von ihm erkannte und anerkannte Situation effektiver Ungläubigkeit der Zivilisationsmassen ist für alle drei Autoren Ausgangspunkt.[10]

Besonders befremden muß jedoch der Begriff Metaphysischer Realismus, denkt man an den kritischen Impetus der fraglichen Werke, an berufliche Ausbildung und intellektuelle Statur ihrer Verfasser. Döblin war Naturwissenschaftler und Arzt, Sozialist und radikaler Republikaner,[11] Musil Mathematiker, Ingenieur und hochdekorierter Frontoffizier, Broch ausgebildeter Textilkaufmann und Fabrikdirektor. Musil und Broch schlossen sich zwar keiner Partei an und äußerten sich kaum zu politischen Tagesereignissen, aber sie standen den am Krieg schuldigen alten wie den gefährlichen neuen politischen Kräften mit uneingeschränkter Ablehnung gegenüber; sie gelten heute nachgerade als die klassischen Satiriker erstarrter Staatsordnungen und verderblicher irrationalistischer Heilslehren innerhalb der Literatur ihrer Zeit. Satire und Realismus sind aber untrennbar miteinander verbunden, jede Satirisierung richtet sich auf Tatsächliches, jeder konsequente Realismus endet bei der satirischen Entlarvung verfestigter Welt und wahnhaften Bewußtseins. Nur scheinbar also gehen metaphysische und sozialkritische Thematik der Werke Döblins, Musils und Brochs nicht zusammen. Die angebliche Unvereinbarkeit beider hat manchen Leser irritiert, so daß der Schluß von Berlin Alexanderplatz als ›surrealistisch‹, angeklebt und widersprüchlich bemäkelt werden konnte,[12] bestimmte Passagen bei Broch als ›Predigt‹ abqualifiziert wurden, im Falle Musils das Abenteuer des transzendierenden Seelengeschehens (im Zweiten Buch) für qualitativ geringer als die schlagende Satire auf das morsche Kakanien galt. Solche – unzutreffenden – Einwände ergeben sich offenkundig aus dem scheinbaren Widerspruch einer staats- und gesellschaftskritischen, satirischen Metaphysik oder metaphysischen Satire und Sozialkritik. Die Unfähigkeit, diesen Scheinwiderspruch aufzulösen, verrät daher mehr über die Kritiker, ihre konventionellen ästhetischen Erwartungen oder aber ihren engen Rationalismus, als über die infragegezogenen Werke.

Das angebliche Paradox verschwindet in dem Augenblick, da diese Meta-Physik in ihrer Eigenart begriffen wird. ›Metaphysisch‹ steht hier in der originären Wortbedeutung für das Über-Physische, Trans-Materielle, für das, was über die ›Natur‹ (Döblin) hinausgeht, doch mit ihr untrennbar verbunden ist, für das, was im Gesellschaftlichen die ›schiere Faktizität‹ (Broch) der bestehenden Verhältnisse nicht anerkennt und im geistig-seelischen Bereich das bloß ›Psychologische‹ (Musil) übersteigt;[13] die geschichtlichen metaphysischen Systeme sind also nicht mitgemeint. Döblin, Musil und Broch gehen keineswegs von einem vagen ›Schicksal‹ oder einer göttlichen Vorsehung aus, auf die sich jederart Akzeptation und blindes Verhalten berufen darf. Ihr ›Religiöses‹ ist auch kein Freibrief für tradierte Autorität, kein Instrument der Drohung und Einschüchterung, dessen sich Mächtige bedienen, noch billiger Trost, auch kein ›Opium‹ für die an der Welt Verzweifelnden, kein Fluchtziel für Unterprivilegierte und Defiziente aller Art. Die Meta-Physik dieser drei Autoren ist weder identisch mit den christlich-kirchlichen Dogmensystemen noch mit den spiritualistischen Ersatzreligionen eines sektiererischen ›religiösen Untergrunds‹ oder den politischen Heilslehren der Zeit und ihren Mythisierungen wie ›Klasse‹ und ›Rasse‹, ›Proletariat‹ und ›Volk‹, ›klassenlose Gesellschaft‹ und ›volkhafte Heimat‹, ›Kampf‹ und ›Revolution‹ usf. Ganz offenkundig hat metaphysische als die gegebene Realität hinterfragende Erfahrung bei Döblin, Musil und Broch nichts mit den diversen blinden Irrationalismen jener Jahre gemein. Sie ist die – wenn man will – ›frei-religiöse‹ Erfahrung des Vorhandenseins einer ›zweiten‹

oder ›anderen‹ Wirklichkeit, die in isolierten ›Geschehens‹akten in Erscheinung tritt. Positiv wie in den Offenbarungsreligionen wird sie freilich nicht definiert, ihr ›Wesen‹ oder ihre ›Substanz‹ wird nicht Gegenstand tiefsinniger Spekulation wie in den alten Systemen der Metaphysik. Vielmehr wird sie von den drei Autoren als eine – gleichwohl unbestreitbare – Erfahrungstatsache eingeführt, wobei die Erfahrung stets eine solche der Sprengung der ›ersten‹ Wirklichkeit (als des geschlossenen Systems der ›schieren Faktizität‹), der darauf folgenden Annäherung an eine ›Grenze‹, äußerstenfalls ein momentanes Überschreiten derselben ist – niemals das ›Wohnen‹ in einem Jenseits-›Himmel‹. Das Transzendieren, nicht die Transzendenz stellt das Primäre dieser Metaphysik dar. Da aber jedes Transzendieren als Loslösung, Abstoß von einem Vorhandenen – hier von einer ›mechanischen‹ Zivilisationswelt und ihrem funktionalen, operationalen, instrumentalen Rationalismus – logischerweise sich auf diese vorgegebene Faktizität bezieht, ist eine negative Definition solcher Meta-Physik nicht nur leichter, sondern auch angemessener als eine positive. Dessenungeachtet wirkt sich ihr Überschreiten der just gegebenen Realität in durchaus positiver Weise aus, etwa bei der Selbstbehauptung des Einzelnen gegenüber einer sich absolut setzenden System-Wirklichkeit und der Relativierung derselben, generell bei der Bewältigung der Existenzprobleme des Ichs in der zeitgenössischen Welt. Nach Musil muß diese Metaphysik auch der moderne »Erfahrungsmensch« erleben – als »beginnende Überwirklichkeit«.

Damit steht zunächst das ›Weltbild‹ dieser Schriftsteller, ihre Sicht des Staatlich-Gesellschaftlichen, der ›Maschinenwelt‹ zur Diskussion. Es ist – auch im Falle der Berlin-Apotheose Döblins – ein kritisches, letztlich skeptisches, wenn nicht gar pessimistisches Bild, das frappant der seinerzeitigen soziologischen und sozialpsychologischen Analyse der technisch-industriellen Zivilisation bei Max Weber entspricht. Auf der einen Seite das Gespenst einer erstarrten Feudalordnung ›von Gottes Gnaden‹, die trotz ihrer inneren Auflösung bis 1918 im Besitz der ererbten äußeren Herrschaftsgewalt bleibt, auf der anderen Seite das Chaos eines neuen, wilden, ›amerikanischen‹ Äons der Technik und Wirtschaft, des ›Amerikanismus‹, dessen Moral für Musil Leistung und Erfolg heißt. Blitzhaft beleuchtet Musil dieses Chaos eingangs am Beispiel des motorisierten Großstadtverkehrs,[14] Broch macht diese Welt zum Thema des Mittelteils seiner Trilogie *(Esch oder die Anarchie)*, Döblin personifiziert sie in der ›großen Hure‹ Babylon.

Die Negativität der Wirklichkeit

Wir leben, schrieb Musil, in einer »Durchgangszeit«, einer »Niedergangszeit«, die eine »Übergangszeit« ist, in welcher sowohl eine »sachliche Ordnung« der Dinge fehlt wie auch eine »seelische Unordnung« der Menschheit herrscht. »Uneigentlichkeit« ist das Wesen der Wirklichkeit solcher Zeitalter, weshalb solche Wirklichkeit abgeschafft werden muß: die »Welt des Seinesgleichen« ist »das bloß äußerlich Wirkliche«, nicht die »wirkliche Wirklichkeit«. Wie konnte Europa zu einer so schlechten Wirklichkeit gelangen? Ist der »freiwillige Glaube« an eine Ordnung »verbraucht«, meinte Musil, folgt unabwendbar ihr »Zusammenbruch«; das »Amt« wird zum Ersatz für die verlorene religiöse Einheit. Fortan gibt es keinen »Mittel-

punkt unserer Ziele« (Musil) mehr, keinen »Zentralwert« (Broch), auf den sich alles Handeln hin ausrichtet. Das Fehlen einer allseits geglaubten »Ideologie« bewirkt »geistige Zerrissenheit«, führt Musil an anderer Stelle aus, führt zu Ideenkrieg, Ideenchaos, Ideeninflation, schließlich zum »Glaubenskrieg in Permanenz«. Broch sprach analog vom Krieg aller Partialwertsysteme gegen alle im Zeichen einer »Sachlichkeit«, die nichts als die zum Prinzip erhobene Selbstgesetzlichkeit der Einzelwertsysteme ist. Auch Musil sprach von einer »Zeit neuer Sachlichkeit«. Eine »Schwäche des Ganzen gegenüber seinen Teilen« ist nach Musil konstitutiv für diesen Weltzustand, in welchem der Geist nur eine mit der Macht wechselnde »Zimmerdekoration« darstellt – ein Zustand, der nur durch die Schaffung »einer neuen Rangordnung der Werte« beendet werden kann. Das ist auch die Quintessenz des gesamten erzählerischen und theoretischen Œuvres von Broch.[15]
Der Verlust der ›Einheit‹ wirkt sich einmal – ideologisch – als »Wertzersplitterung« (Broch) aus, die eine »namenlose Lebensstimmung« (Musil) erzeugt, zum anderen als eine »Unfestheit des allgemeinen Zustandes« (Musil), in der sich die Zerfallenheit der Welt, die Atomisierung der Realität bekundet, die, wie Broch in seinen ästhetischen Schriften erörtert hat, nicht mehr symbolisiert, im Symbol zur Einheit zusammengefaßt werden kann, also unabbildbar geworden ist.[16] Man kann in diesem Sinne Döblins Berlin-Roman, wo eine an Dos Passos' *Manhattan Transfer* (1927) erinnernde Montage- und Collagetechnik den Leser mit einer schier unendlichen Fülle von Realitätsfetzen überschüttet, als eine Exemplifizierung der chaotischen, anarchischen Gegenwartswelt auffassen. Von Chaos und Anarchie bersten jedoch nahezu auch die Romane Musils und Brochs: einen »Urwald« nennt gleich zu Beginn Musil die Großstadt. Einheitsverlust bedeutet Ordnungsverlust.[17] Der Erzähler kann jedoch auch umgekehrt verfahren, statt des nicht endenden Bombardements mit isolierten Wirklichkeitspartikeln eine Verdünnung der ›realen‹ Sphäre wählen. Diese wird sodann un-faßbar bis zur Gespenstigkeit, sie schwindet förmlich hinweg, wird ›schwebend‹ und undurchsichtig, löst sich schließlich ins völlig Unbestimmte, Zweifelhafte auf.[18] Sieht man Musils *Mann ohne Eigenschaften* und Brochs *Schlafwandler* unter diesem Aspekt genauer an, muß nicht ohne Erstaunen festgestellt werden, daß von der historisch konkreten – sozialen, wirtschaftlichen, politischen – Wirklichkeit Wiens und Berlins so gut wie gar nichts in die Romane einging, daß die Industriestadt Mannheim nicht einmal als blasser Schemen vorhanden ist. Das liegt selbstredend ebensowenig an einem Unvermögen zur Wirklichkeitsdarstellung, wie solches absichtsvolle Verfahren die Realismusqualität der Werke in Frage stellt.
Den Protagonisten dieser Romane bleibt der Zerfall der ›Einheit‹, der Verlust des ›Ganzen‹ einer gegliederten ›Ordnung‹ keineswegs verborgen. Je nach dem Grade ihrer Bewußtheit besitzen sie eine klare Erkenntnis dieses Sachverhaltes oder nur eine dumpfe Ahnung desselben, aber die Erfahrung des Mangels, den solche Ordnungslosigkeit vorstellt, und der Wunsch nach seiner Aufhebung ist bei ihnen prinzipiell der gleiche. ›Ordnung‹ avanciert somit zu einem Schlüsselbegriff aller drei Romane.
Wie die Kneipenszene (2. Buch) in *Berlin Alexanderplatz* zeigt, ist es die Angst Biberkopfs vor dem Chaosleben als einer feindlichen Über-Macht (und Übermacht), die ihn die Hakenkreuzbinde anlegen und Nazi-Zeitungen verkaufen läßt: der von

den Arbeitern als »Faschist, Bluthund« Beschimpfte ist auf die Parole ›Ruhe und Ordnung‹ hereingefallen, mit welcher Hitler die von Unsicherheit und Furcht gequälten Angehörigen aller Klassen und Stände einfing. Biberkopf teilt ihre Sehnsucht nach Ordnung und ihre Abneigung dagegen, daß »überhaupt keine Ruhe in der Welt wird«. Wie er seinen Klassengenossen in höchster Erregung erklärt: »Und es muß Ruhe werden, damit man arbeiten und leben kann. Fabrikarbeiter und Händler und alle, und damit Ordnung ist, sonst kann man eben nicht arbeiten.« In einem wahren Raptus – »Tobsucht« und »Starre« – brüllt der ehemalige Frontsoldat seine Widersacher nieder: »Ruhe muß sein, Ruhe sag ich, könnt es euch hinter die Ohren schreiben, Ruhe und weiter nichts [...], und wer jetzt kommt und Revolution macht und keine Ruhe gibt, aufgehängt gehören die eine ganze Allee lang«. Die letzte Weisheit des wieder von rutschenden Dächern und wackelnden Häuserfronten an den Rand des Wahnsinns Gedrängten ist ein »wir brauchen Ruhe«, sie dünkt ihm »das einzig Wahre«. Der da knapp vor neuerlichem Totschlag oder eigenem Zusammenbruch steht, hatte sich im Gefängnis eingebildet: »die Welt ist ruhig, es ist Ordnung da«, und nun graut es ihn in seiner »Dämmerung«: »es ist etwas nicht in Ordnung in der Welt«. An dieser Stelle interpoliert Döblin mit zweieinhalb Zeilen die biblische Paradiesgeschichte – der »herrliche Garten Eden« als Gegenbild der Ordnung, des Friedens und der Gemeinschaft. In einer Anarchistenversammlung wird das Thema ›Ruhe und Ordnung‹ erneut angeschlagen: der Hohn des Redners auf Bürgerliche, Sozialisten und Kommunisten, die gleicherweise allen Segen »von oben«, von Staat, Gesetz und »hoher Ordnung« erwarten, entsprach Döblins eigener rigoroser Verwerfung des Staates.[19] So nennt der »schlaue Willi« den Staat eine »künstliche Organisation von oben nach unten«, in welcher »der einzelne zur Marionette, ein totes Rad in einem ungeheuren Mechanismus« wird. Der moderne Staat darf nicht mit jener ›Einheit‹ von einst verwechselt werden, deren Kennzeichen ›Ordnung‹ war; seine Scheinordnung ist die des ›Mechanischen‹ und verhüllt ein Chaos.

Man ist versucht, das Erste Buch des *Mann ohne Eigenschaften* (1930) zu den ›Staatsromanen‹ zu zählen, geht es in ihm doch vor allem um die soziale Ordnung Kakaniens, das Zusammenleben der Menschen. Musil und ebenso Broch in den *Schlafwandlern* zeigen, daß die von der Staatsmacht behauptete ›Ordnung‹ in Wahrheit – d. h. in der konkreten Wirklichkeit des Lebens – höchste Unordnung, schlechterdings das Chaos ist, mühsam verborgen hinter den brüchigen Fassaden einstiger staatlicher und kultureller Herrlichkeit. Bei der Diskrepanz zwischen vorgespiegelter Ordnung und faktischer Anarchie setzt die satirische Enthüllung ein. Die behauptete Ordnung ist den Romanfiguren problematisch geworden, sie würden sie sonst nicht permanent berufen: um zweifelsfreie Ordnung brauchte das Denken nicht unablässig zu kreisen.

Das latente Chaos demonstriert Musil einleitend am erwähnten Beispiel Straßenverkehr, der nur scheinbar durch eine Verkehrsordnung bis ins letzte rational geordnet ist. In Wirklichkeit läßt sich das Verhalten in ihm weder voraussehen noch planen, der Unfall stößt dem Verkehrsteilnehmer auf unerklärliche Weise zu. Das (möglicherweise tödliche) Verkehrsunglück, das mit brutaler Gewalt als prompte Strafe für die (subjektiv minimale) Verletzung irgendeiner banalen Ordnungsregel eintritt, ist Teil des »technisch-mechanisierten Lebens« in einer Art »überamerikanischen Stadt«, deren Bild er bald darauf entwirft.[20] Ein weiteres Mal denunziert Musil solche Pseudoordnung sowie die Machtlosigkeit des Einzelnen in ihr im Bilde einer gespenstischen bürokratischen Maschinerie, in deren Räder Ulrich eines Tages unversehens gerät, eine totalitäre Welt der »Funktionäre«. In dieser un-wirklichen Welt ist der verfestigte »Apparat« alles, das »Ziel« nichts, und nackte »Gewalt« heißt das Mittel, mit dem sich die undurchschaubare Zwangsordnung des ›es‹ oder ›seinesgleichen‹ behauptet.

Doch nicht nur die technische Zivilisation als zugleich über- und unterintegriertes Dasein, auch das geschichtliche Erbe eines absolutistischen Staates – der »Zeit der absoluten Verwaltung« – meint die schlechte, scheinhafte Ordnung Kakaniens. Die »große vaterländische Aktion« der ominösen »Parallelaktion«-Kamarilla, mit welcher diese das Regierungsjubiläum ihres »Friedenskaisers« feiern will, dekouvriert sich als Leerlauf eines ad hoc gegründeten ›Apparates‹, der, einmal ins Dasein gerufen, sinnlos rotiert und in der nichtigen Betriebsamkeit seines Papierkrieges erstickt. Letzterer nimmt den wirklichen Krieg voraus, der den papierenen 1914 beenden, die Ideologie eines »Weltösterreich« schmählich fallieren lassen und die chimärische Scheinrealität dieses Staates, den die Mehrheit seiner Bürger nicht will, offenbaren wird. Die verzweifelte Suche der Staatsfrommen um den Grafen Leinsdorf nach einer »krönenden Idee« – mit Broch: nach einem ›Zentralwert‹ – entlarvt in grotesker Weise die Hohlheit eines Staatskolosses auf tönernen Füßen, der die Friedensfeier am Ende durch den Kriegseintritt ersetzt. Die Generalmobilmachung der staatserhaltenden Ideen mündet in die militärische Mobilisierung, die Pflege von Kulturgesinnung, Friedensliebe und des Bündnisses von Geist und Macht gerät den ›Funktionären‹ der Parallelaktion unterderhand zum blutigen Showdown der Kriegsmaschine. Wie es der General Stumm von Bordwehr, Chef der psychologischen Kriegführung im kakanischen »Ministerium des Krieges«, einmal ahnungsvoll formuliert: »Irgendwie geht Ordnung in das Bedürfnis nach Totschlag über.«

Nicht zufällig löst der »Militärgeist« im August 1914 den blamierten »Zivilgeist« ab, denn die Wirklichkeit dieses vergreisten Staatsgebildes Kakanien, mit dem das überständige Europa gemeint ist, heißt längst Haß und Gewalt. Die Zeit, erfährt der Leser früh, war mit einer »ungewissen, atmosphärischen Feindseligkeit« erfüllt, die sich z. B. als Antisemitismus konkretisierte. Noch im sportlichen Wettkampf manifestierte sich »feinst verteilter, allgemeiner Haß«, und die »Erlösung der Welt durch Gewalt«, eine »systematisch geübte Grausamkeit« dünkten den Ideologen, wie Musil im Schlußteil nach 1933 anmerkte, letzte, gleichwohl erlaubte Mittel. In dem chaotischen Vakuum dieser Scheinordnung tummelten sich die falschen Propheten – es war die hohe Zeit der blutrünstigen Erlöser, der fanatischen Sektenführer. Musil bringt einmal zwei von ihnen zusammen, einen linken und einen rechten, um sie und ihre Lehren durch Ulrich zu ironisieren: »So eine Theorie funktioniert nur dann, wenn sie falsch ist, aber dann ist sie eine ungeheure Glücksmaschine! Die zwei kommen mir vor wie ein Fahrkartenautomat, der mit einem Schokoladeautomaten streitet.« Überall vereinigt man sich zu »Blindenverbänden des Nächstenhasses«, allerorten legitimiert man die »Gewalt«, mit der, wie Stumm ausführt, Renitente notfalls auch zu ihrem »Glück« gezwungen werden sollen. Den Menschen »mit Gewalt umbilden«, lautet die Losung solcher Volksbeglücker. In diesem »Barock der Leere«, der Stagnation einer Zerfallszeit, ist der Geist nicht mehr als ein machtloser

Zuschauer. Geist und Gewalt schließen sich aus wie Gewalt und Liebe, Krieg und Frieden, die nach einer späten Formulierung Musils »zwei ganz verschiedene Zustände« sind. Die europäische Welt, von der Musil im ersten Drittel seines Werkes ein geistig-seelisches, dennoch realistisches Gemälde entwirft, befindet sich 1913/14 in einem kalten Weltbürgerkrieg. Ihre angebliche Ordnung ist bloß ein perverser Witz, sie entspricht in keiner Weise der »Idee der Ordnung«, dem »Bild der Ordnung«, der »Vision einer anderen Ordnung der Dinge«, um die Ulrichs Gedanken kreisen.

Diese nur noch mechanisch abschnurrende, nicht mehr vom Menschen in freier Entscheidung gestaltete Welt wird von Broch als »Maschine« gesehen. Im Schlußteil der Trilogie, *Huguenau oder die Sachlichkeit*, wird sie von den altgewordenen Protagonisten der vorangegangenen Romane als »Symbol des Bösen« begriffen. »Manchmal ist es«, sagt Esch 1918, »als sei die Welt nur eine einzige furchtbare Maschine, die nie still wird, ... der Krieg und alles ... es geht nach Gesetzen, die man nicht begreift... freche selbstsichere Gesetze, Ingenieurgesetze... jeder muß handeln, wie es ihm vorgeschrieben ist, jeder mit dem Gesicht nach vorn ... jeder ist die Maschine, die man nur von außen sieht und die feindlich ist ... oh, die Maschine ist das Böse und das Böse ist die Maschine. Ihre Ordnung ist das Nichts, das kommen muß ... ehe die Zeit wieder anheben darf...« Und kurz darauf, von plötzlicher Angst befallen:»Mein Gott, gibt es keine Möglichkeit, daß ein Mensch zum andern kommt! gibt es keine Gemeinschaft, gibt es kein Verstehen! Soll jeder für den andern bloß die böse Maschine sein!« Die negative Welt des ›Mechanischen‹ ist die der fehlenden Sozialität. Doch nicht die Pseudogemeinschaften, Wahngemeinschaften, die dieses Vakuum zu füllen suchen, sondern nur die »wahre Menschengemeinschaft« (eine zentrale Vokabel des späteren Massenpsychologen Broch) verdient den Ehrennamen einer sozialen Ordnung.

Gleich zu Beginn der Trilogie wird von dem Leutnant v. Pasenow als einem A-Sozialen gesprochen, der »sowohl infolge der kastenmäßigen Abgeschlossenheit seines Lebens, als auch infolge einer gewissen Trägheit des eigenen Gefühls die Gewohnheit angenommen hat, den Nebenmenschen zu übersehen«. Seine Verwirrung, Angst und Unsicherheit gegenüber den Menschenmassen des Industriezeitalters soll der Schutzpanzer der Uniform und die »vorschriftsmäßige Haltung« verbergen. Die Uniform rettet Joachim – scheinbar – vor der sozialen Wirklichkeit, die er nur als anbrandende Anarchie des »Zivilistischen« empfindet, das ihn ins Gleiten bringen, seine Identität auflösen, sein dürftiges Ich-Minimum vernichten will.

Soziale ›Anarchie‹ wird von Broch im Titel des Mittelteils der Trilogie zum Kennwort der Epoche erhoben. Sie stellt die zutreffende Benennung für eine von Ordnungsillusionen nur mehr notdürftig zusammengehaltene Gesellschaft dar. Wenn Broch vom »anarchischen Zustand der Welt« spricht, so meint er eine in Partialbereiche zerfallene, die so ›stumm‹ ist, wie der Mensch vor ihr ›blind‹. Eschs rebellischer Zorn richtet sich gegen ihre Unentwirrbarkeit. Im Schlußteil der Trilogie, der die Katastrophe des Herbstes 1918 als offen ausgebrochene Anarchie schildert, ist von der Undurchschaubarkeit des Krieges, von der Unbegreiflichkeit der Vorgänge die Rede.

Die ›falsche‹ oder ›Wahngemeinschaft‹ wird sichtbar an fixierten Wertbegriffen wie ›Ehre‹ und ›Pflicht‹, deren ›Starrheit‹ die Erstarrung dieser ganzen lebendig-toten Feudalwelt reflektiert. Die Uniform des Militärs erhebt Broch in einer satirischen Passage zu Beginn der Trilogie zum Sinnbild dieser – wie es in *Huguenau* heißt – »Welt geschlossener Ordnungen«. Auch die überlieferte positive christliche Religion wird gleich am Anfang des *Pasenow*-Romans in ihrer pervertierten sozialen Ordnungsfunktion entlarvt, nämlich als falsche »Innigkeit und Christlichkeit« (Familie Baddensen); sie sinkt zu leerer Phraseologie in der Spießerhölle (Lohberg-Erna im *Esch*-Roman) und zu purem Sektierertum (Eschs Konventikel in *Huguenau*) ab, ein Schatten ihrer selbst.

›Ordnung‹ und ›Unordnung‹ gehören zu den am häufigsten und prononciertesten verwendeten ›Realitätsvokabeln‹ Brochs. Welche sozialen Gegensätze hinter der äußerlich stabilen Fassade des Wilhelminischen Reiches lauern, verrät die kurze Begegnung des Leutnants mit Fabrikarbeitern, die ihm als »ein exotisches rostiges Volk« vorkommen; er muß ihren Haß auf ihn, den Uniformträger, als »etwas Berechtigtes« anerkennen, wenngleich ihm das Ganze »beklemmend und ungeordnet« scheint, und ihm ist, »als habe sein Schiff ein Leck bekommen«. Joachims Vater, der alte Gutsbesitzer, ist längst in einen handfesten Wahnsinn abgeglitten, dessen Stereotype »Hier muß wieder Ordnung hereinkommen« lautet. Daß der Sohn denselben Weg gehen wird, ahnt der Leser des *Pasenow*-Romans. Im Schlußteil der *Schlafwandler*, dreißig Jahre später, stellt der Major v. Pasenow als Standortkommandierender des Etappenstädtchens das lebende Petrefakt dieser a-sozialen Wilhelminischen Ordnung dar.

Degeneriert Ordnung im *Pasenow* zum feudalen Bewahrungsmotiv, so wird sie im mittleren Roman durch den kleinbürgerlichen Aufstiegswunsch des Buchhalters Esch motiviert: »Ich will hinaufkommen; Ordnung muß sein, wenn man hinaufkommen will.« Folgerichtig hält Esch den Gewerkschaftssekretär Martin, der ihn für die »sozialistische Gewerkschaft« gewinnen will, für einen »Anarchisten«. Wie Döblins Franz Biberkopf stellt sich Esch einzig auf sich selber, pfeift er auf Solidarität und wird so zum trotzig-störrischen Einzelkämpfer. »Alles in Ordnung« heißt das Ideal dessen, der zwar »noch keine Uniform« trägt, aber doch schon (in seinen eigenen Augen zumindest) »fast zur Amtsperson« geworden ist. Der Buchhalter im Mannheimer Zollhafen lobt und liebt die »schöne Ordnung« seiner Bücher und Lagerlisten, der freilich das reale Durcheinander in den Schuppen nicht entspricht. Seine Realitätsblindheit ist beträchtlich: als das Streikkomitee verhaftet wird, richtet sich Eschs Ohnmacht, »Ordnung in die Welt zu bringen«, etwa gegen harmlose Abstinenzler – »sie machen die Unordnung nur noch größer und wahrscheinlich sind sie es, die all dies verursachen«. Hilflose Wut ist seine emotionale Antwort auf das Chaos, in das er allein nicht die erstrebte Ordnung einzuführen vermag. Wahnhaft verschieben sich für den Kleinbürger, nicht anders wie für die Repräsentanten der Feudalgesellschaft im ersten Roman, die Grenzen der Wirklichkeit. Eschs Ordnungswille (»Ordnung muß gemacht werden«) wendet sich mit pathologischem Eifer vermeintlicher unbestrafter Schuld und angeblicher verfolgter Unschuld zu. Dieser die Realität verfehlende, orientierungslose, zum Wahn disponierte ›Rebell‹ ist ein mißglückter Utopist, der sich an einem »wenn einmal Ordnung gemacht sein wird« aufrechterhält. In Eschs Hirn, das von der – an sich durchaus richtigen – Ahnung einer allgemeinen Anarchie verwirrt ist, regiert ein gefährliches Ideenchaos. Er ist ein Irrationalist, wenn nicht gar Kryptofaschist, der nicht nur die dunkle Drohung »Auch hier sollte man eigentlich Ordnung machen« stets parat hat, sondern auch die Kraft in sich fühlt für solches Großreinemachen; er ist nämlich fest davon überzeugt, »daß es ihm gelingen werde, das Chaos, in dem alles leidend verstrickt war, in dem Freund und Feind verbissen und doch kampflos ineinanderlagen, zu durchdringen und zu erlösen«. Dennoch verwirren sich dem selbsternannten Erlöser ständig aufs neue die »Angelegenheiten der Welt«, und das Durcheinander erfüllt ihn »mit Ekel und Wut«.[21]

Der defiziente Mensch in der Un-Ordnung

Der Narr Franz Biberkopf, die Narren Brochs und Musils – von den Parallelaktionären über Walter und Clarisse, Meingast und Schmeißer bis hin selbst zu Ulrich und Agathe, die zumindest als Narren enden – leben in einer Welt, die Broch als zugleich »hypertroph« und »leer«, »lärmend« und »stumm« beschrieb: sie ist ihren Bewohnern fast nicht mehr erlebbar, geschweige lebenswert. Sie verurteilt die Menschen zur Inaktivität, sie gestattet ihnen bestenfalls ein Scheinhandeln. Brochs erster Exkurs über den »Zerfall der Werte« in *Huguenau oder die Sachlichkeit* hebt mit Worten an, die nicht bloß das Lebensstratum von 1918 meinen, sondern gleicherweise die Sozietät der Vorkriegszeit, in der Musils Roman und die Teile I–II der *Schlafwandler* historisch lokalisiert sind, und die Nachkriegsgesellschaft bis hin zur Gegenwart: »Hat dieses verzerrte Leben noch Wirklichkeit? hat diese hypertrophische Wirklichkeit noch Leben? die pathetische Geste einer gigantischen Todesbereitschaft endet in einem Achselzucken, – sie wissen nicht, warum sie sterben; wirklichkeitslos fallen sie ins Leere, dennoch umgeben und getötet von einer Wirklichkeit, die die ihre ist, da sie deren Kausalität begreifen.« Die Un-Ordnung der Welt ist zugleich ihre Un-Wirklichkeit. Der Anarchie wird der Rang und die Würde von Wirklichkeit, welche nicht mit der ›schieren Faktizität‹ des just Bestehenden verwechselt werden darf, prinzipiell bestritten. Hierin unterscheiden sich diese Schriftsteller als rigorose Moralisten nachdrücklich von der gleichzeitigen Literatur der Neuen Sachlichkeit.

Die Situierung des Menschen in solcher als Wirklichkeit und Ordnung ausgegebenen Un-Wirklichkeit und Anarchie ist die der Defizienz, des Mangels. Es ist dies die elementare Bedürftigkeit des Kupierten, Beschädigten. »Ich bin kein Mensch mehr« und »ick bin hundert Prozent Invalide«, jammert Döblins durch Krieg und Gefängnis gegangener Biberkopf. Dabei ist es ziemlich unerheblich, welche Position das defiziente Ich bezieht, ob es sich schwach und feige in Konventionen einpaßt (Joachim), ob es durch eine blindwütige Pseudorevolte der über es hereinbrechenden Wirrnis zu entgehen trachtet (Esch) oder sich durch skrupellose Anwendung des die zersplitterte Welt regierenden Gesetzes der ›Sachlichkeit‹ durchbringt (Huguenau). Es macht auch keinen gravierenden Unterschied, ob sich das Individuum, wie Musils Ulrich, auf ein Un-Verhältnis zur Welt, neutrale Un-Betroffenheit zurückzieht, einen distanzierten Beobachter- oder ironischen Mitläuferstatus einnimmt, oder ob es, wie Franz Biberkopf, mit trotzigem Stolz auf sein ›Anständigsein‹ und seine ›Stärke‹ pocht, also seine Sache auf eine Privatmoral stellt und sich mit Hilfe der eigenen Fäuste zu behaupten hofft.

Keine der Romangestalten vermag sich mittels dieser Verhaltenstechniken zu salvieren. Alle ihre Rettungsversuche – auch die des ›Mannes ohne Eigenschaften‹ –
werden der Kritik unterzogen. Denn entweder ist die jeweilige Überlebensweise
verächtlich (Joachim), lächerlich (Esch), verbrecherisch (Huguenau), mitleiderregend
(Biberkopf), oder sie stellt, im Falle des sich souverän über dem ›Mechanismus‹
wähnenden Ulrich, eine Fehlkalkulation dar. Keiner der Protagonisten entgeht
nämlich der ›Angst‹ und der ›Einsamkeit‹, dem ›Ekel‹ und Überdruß, dem Gefühl
der ›Leere‹ und Sinnlosigkeit des Daseins.[22] Alle diese Begriffe sind Indikatoren der
psychischen Verfassung wie der sozialen Stellung der Romanhelden, sie setzen expressionistische Topoi fort und nehmen das Vokabular des Existentialismus vorweg.
Sie benennen eine allgemeine ›Gestimmtheit‹, das unbewußte, halbbewußte oder
auch klare Empfinden einer, wie Musil notierte, inneren Beziehungslosigkeit zu anderen und zum eigenen Tun, also von Entfremdung und Selbstentfremdung, die
nach Musil und Broch die a-sozialen Sachverhalte ›Gleichgültigkeit‹, Liebeleere und
Verantwortungslosigkeit einschließen, die »kardinale Sünde« egotistischen Sich-
durchsetzens und Besitzenwollens (Musil). Entfremdung und Selbstentfremdung
signalisieren den Verlust der Einheit des Ichs als »Einheit des Empfindens«, des
»ganz eins und einverstanden mit mir sein«, von dem Musil mehrfach im Zweiten
Buch spricht. Der »falsche«, d. h. selbstherrliche Individualismus von einst trägt
nicht mehr, und ein rechter »neuer«, sozial vermittelter ist noch nicht vorhanden
(Musil): eine Identitätskrise des Ichs ist die unausbleibliche Folge.
Die Gefangenschaft im Ich ist der Revers seiner totalen Gemeinschaftsferne: es fehlt
heute, sagt Musil, die Vermittlung von Innen und Außen, von Ich und Welt. Die
A-Sozialität wird als Verfolgung erlebt, als »die verfluchte Jagd« (Döblin), als eine
ungreifbare Feindseligkeit des Lebens, selbst wenn man sich aus ihm – wie Ulrich
mit seinem »Urlaub vom Leben« – völlig zurückzunehmen glaubt. So tritt dem
trotzigen Einzelkämpfer Biberkopf die Welt in gut expressionistischer Manier als
eine undurchschaubare Großmacht entgegen, als ein anonymes ›es‹ oder ›etwas‹,
dessen Wirken dem Einzel-Ich ›geschieht‹, zustößt, ohne daß es sich dagegen wehren
kann: ›es‹ läuft mit der Unangreifbarkeit und Irreversibilität eines Prozesses ab.[23]
Was der Vorspruch zu *Berlin Alexanderplatz* in herkömmlicher Terminologie ein
»Schicksal« nennt (Biberkopf wird »in einen regelrechten Kampf verwickelt mit
etwas, das von außen kommt, das unberechenbar ist und wie ein Schicksal aussieht«),
ist jene typische Geschehensstruktur des Expressionismus, wie sie sich bei Döblin selber in modellartiger Reinheit bereits in seiner 1904 geschriebenen Erzählung »Die
Ermordung einer Butterblume« findet. Der ehemalige Zementarbeiter und Möbel-
packer Biberkopf ist nicht der Mann, diese feindselige Macht zu durchschauen, sich
den Sinn ihrer Stöße zu erklären, er muß erst durch eine »Gewaltkur« gehen, um
den Grundfehler seines Daseins – Egotismus – zu begreifen.
In einer Welt absoluter Negativität zu leben ist ein Unglück, erträglich allenfalls
für beinahe bewußt- und fühllose Wesen wie (bei Broch) die Frauen Ružena, Ilona,
Mutter Hentjen oder der Zollinspektor Korn, der rundweg »ein totes Stück Vieh«
genannt wird. Ich-Minima wie Lohberg oder Erna Korn flüchten sich vor der Welt
in ein kleinbürgerliches Winkelglück, wo heuchlerische Frömmelei und eine obsolete
Spießermoral die Pflicht zur Erkenntnis ersetzen. Ein feiner organisierter Typus,
die Welt erkennend, fühlt sich vom Freitod verlockt (Eduard v. Bertrand, eventuell

Helmut v. Pasenow). An die Convenus ihres Standes gefesselte Durchschnittsmenschen wie die Baddensens und Pasenows in Teil I erstarren mit der Zeit zu Lebendig-Toten. Schwache Naturen ohne irgendeine stützende Orientierung, wie Hanna Wendling in *Huguenau*, lösen sich gleichsam in Nichts auf. Ein mittlerer Charakter wie der Kaufmann Huguenau wird, um in dem nunmehr offenen Chaos des Zusammenbruchs zu überleben, dazu gebracht, zu morden, zu vergewaltigen und schamlos zu betrügen. Als von diesem Inferno des Lebens unberührt bleiben nur die ostjüdischen Flüchtlinge in der »Geschichte des Heilsarmeemädchens in Berlin«; dieser separate Handlungsstrang des *Huguenau*-Romans steht in der Ich-Form und spielt in Berlin, ist also von der Haupthandlung kategorisch abgesetzt. Die Parallele zu den Juden in Döblins Roman ist auffällig.[24] Noch an ihren Väterglauben gebunden und in ihm lebend, vermag ihnen die schlechte Wirklichkeit nichts anzuhaben; sie sind die einzigen Lebendigen in einer Welt von Scheintoten, Automaten und Mechanismen, die (nach Broch) »mechanisch« handeln, »erstarrt ins Leere« blicken, sogar die Liebe mit »mechanischer Sachlichkeit« ausführen. Solche Erstarrung – im Falle der exemplarischen Hanna-Studie ist wörtlich von einem »seltsamen Zustand der Entfremdung« die Rede – befällt sämtliche wichtigeren Figuren der Romantrilogie Brochs im Verlauf ihres Lebens.

Das wahnhafte Reden und Agieren der Gestalten Döblins, Musils und Brochs zeigt weniger neurotische ›Fälle‹ an, denen gegenüber Realität allemal im Recht wäre, als vielmehr tiefe Verirrung in einer zerfallenen, entleerten Pseudowirklichkeit, die keine Orientierung, geschweige ein sinnvolles Wirken erlaubt. Für Musils Ulrich, den Passiven, gibt es heute »keine wirkliche Entscheidung«. Unproblematisch ist Handeln nur den sinistren Irrationalisten, einem Hans Sepp, der die »Propaganda der deutschen mystischen Tat« betreibt, einem Meingast (= Klages), der ein Tatmenschentum predigt und den Willen gegen den Intellekt ins Feld führt, einem Graf Leinsdorf, der die »Parole der Tat« ausgibt, nach welcher der »Zeitgeist« verlange, einem General Stumm, für den der »Geist der Tat« nicht viele Gedanken und Gefühle enthalten soll, sondern »ganz einfach der militärische Geist« ist.

Das Ich: Voraussetzung und Ort des Metaphysischen

Daß Döblin, Musil und Broch sich dem ›Abschied vom Geistigen‹[25] (und damit auch von der ichhaften Person)[26], den der Zeitroman vollzieht, nicht anschließen, bringt diese Autoren in einen Gegensatz zu den um 1930 vorherrschenden literarischen Tendenzen. Sie halten am Einzelnen freilich nicht im Sinne der bürgerlich-liberalen Vorstellung des 19. Jahrhunderts von einem autonomen Individuum fest, das sich unberührt von seiner Umwelt entwickelt und seine Entelechie nach höchsteigenem Gesetz verwirklicht.[27] Bestenfalls Musils Ulrich, obwohl als »Mann ohne Eigenschaften« dem klassischen bürgerlichen ›Charakter‹ gerade kontrovers, könnte als ein ›unabhängiger‹ Geist gelten, der nach ›freier Selbstbestimmung‹ verlangt und zugleich die (auch äußeren, materiellen) Mittel dafür besitzt. Döblins Franz Biberkopf, altmodisch ausgedrückt ein Triebmensch, sowie seine Freunde aus dem Ganoven- und Strichmilieu sind hingegen ebensowenig Wesen mit ›gehobenem Persönlichkeitsniveau‹ wie die Landadligen, Offiziere, Kleinbürger, Varietékünstler usw. der *Schlaf-*

wandler-Trilogie. Wo Musil anscheinend respektheischende ›Persönlichkeiten‹ auftreten läßt, wie Diotima, die ›Seele‹ der Parallelaktion, oder den Geist und Macht bzw. Geld mühelos vereinenden schöngeistigen Großindustriellen Arnheim, den ›Philosophen‹ Meingast und den ›Sozialisten‹ Schmeißer, die Nietzscheadeptin Clarisse und den Wagnerianer Walter, hat der Leser ironische oder satirische Zerrbilder, Depravationen des einstigen in sich ruhenden Individuums vor sich.

Musil macht explizit darauf aufmerksam, daß die Substantia ›Individuum‹ mittlerweile auf einen bloßen Schnittpunkt von Kräften, Funktionen, Bewegungen reduziert ist. Solche Minimalisierung der ›geformten Persönlichkeit‹ von ehedem schließt deren Egalisierung, ›Demokratisierung‹ ein; auf den metaphysischen Vorstellungsbereich bezogen entspricht dies Brochs und Döblins Grundüberzeugung, daß prinzipiell in *jedem* Menschen, auch dem geringsten, unbedeutendsten, das ›Absolutheits-Fünklein‹, das ›Licht‹ schlummert und unversehens angefacht zu werden vermag. Döblin wählte als Helden des »religiösen Welttheaters« seiner »ersten christlichen Dichtung«, wie Muschg *Berlin Alexanderplatz* klassifiziert hat,[28] ein kaum eruierbares Ich-Minimum, einen Proletarier, Totschläger, Einbrecher und Zuhälter. Der psychologisierende Einwand Muschgs, das Transzendenzerlebnis dieser Un-Person am Romanschluß sei unwahrscheinlich, »aus dem Unbewußten eines Möbelpackers« könnten nicht derartige Visionen aufsteigen,[29] geht am Wesentlichen dieser »Bekehrungsdichtung« vorbei, die eben gerade nicht den Gesetzen psychologischer Wahrscheinlichkeit gehorcht; Muschg widerspricht den Konsequenzen seiner eigenen ›christlichen‹ Deutung, und sein falscher Vorwurf ließe sich genauso gegenüber zahlreichen Figuren Musils und Brochs erheben, die transzendierende Erlebnisse haben, obwohl sie ihrem ›Niveau‹ nach dazu kaum prädestiniert erscheinen.

Broch hat in seinem Debüt als Erzähler, der Modellgeschichte »Eine methodologische Novelle« (1918),[30] von der eine direkte Linie zum *Pasenow*-Roman führt, erklärtermaßen zwei Nichtse an Individualität »in bewußter Konstruktion« hergestellt, um die prinzipielle Gleichheit des Ichs in Hinblick auf transzendentes Geschehen, die Einbrüche und Überfälle des Meta-Physischen zu demonstrieren. Bei Musil kann sogar der als primitiver Unhold durch den *Mann ohne Eigenschaften* geisternde Lustmörder Moosbrugger den ›anderen Zustand‹ erfahren, wie dumpfunbewußt auch immer. Überhaupt fällt auf, daß bei Musil wie bei Broch das Erleben der Meta-Wirklichkeit nicht einem einzelnen ›Helden‹ vorbehalten bleibt, vielmehr einer ganzen Anzahl von Gestalten zuteil wird. Das läßt sich nur von einem ebenso nicht-psychologischen wie sozial indifferenten, d. h. keinerlei Hierarchien anerkennenden Ich-Begriff aus verstehen, der einzig im religiösen Bezirk präfiguriert ist – für Europa im Urchristentum, dessen Axiom die Gleichheit jeder Seele vor Gott gewesen war. An der Herkunft dieses Ichs als – um Brochsche Formulierungen in Erkenntnistheorie und Politik zu variieren – einer ›Person an sich‹[30a] aus der christlichen Sphäre kann kaum gezweifelt werden.

Nur so wird verständlich, daß Döblin seinen »Ludewig« Franz Biberkopf als ›gewöhnlichen und doch nicht gewöhnlichen‹ Menschen bezeichnet, als ›keinen beliebigen Mann‹, obwohl doch scheinbar alles an ihm beliebig, gewöhnlich, ohne »persönliches Profil« (Muschg)[31] ist. Für Döblin wäre hier mit Nachdruck auf seinen geradlinigen geistigen Weg von der *Reise in Polen* (1925) über das indische Erlöserepos *Manas* (1927) und die naturphilosophische Betrachtung *Das Ich über der Natur* (1927) zur »Geschichte vom Franz Biberkopf« hinzuweisen. Auf diesem Entwicklungswege schälte sich zunehmend eine Ichhaftigkeit des Menschen heraus, deren Stringenz für den Berlin-Roman von dessen Interpreten bisher unterschätzt worden ist. Es sei lediglich angedeutet, daß Döblin in den Jahren seit 1924 seine alte Lieblingsidee der ›Massenhaftigkeit‹ aufgab, zugunsten einer Priorität des einzelnen Ichs, dessen Stellung ›über der Natur‹ freilich nicht als Trennung von dieser mißverstanden werden darf: die Allverwobenheit des Seienden blieb nach wie vor Döblins naturmagisches Kredo. Künstlerisch führte diese Wendung in Döblins Weltschau zum Verzicht auf den vielgerühmten ›steinernen‹ Stil seiner früheren Romane; in *Berlin Alexanderplatz* tritt erstmals das Ich des Erzählers hervor, und zwar sehr massiv und ungeniert, so daß dieser Roman als Musterbeispiel eines ›auktorialen‹ Stils gelten kann.

In dem Ich-Begriff dieser Autoren darf man eine Antwort auf die Entfremdung und Vereinzelung sehen, die der Mensch in der gegenwärtigen Welt erleidet. Das Ich wird tiefer gegründet als in den heutigen sozialen – richtiger: un-sozialen – Lebensverhältnissen. Seine Lebensweise, seine Handlungen und sein Moralkodex legen zwar die Annahme nahe, daß es lediglich ein Produkt seines Stratums ist, allseitig determiniert, nicht viel mehr als ein ärmlicher Wirklichkeitsreflex. Dies mag auch für seine Alltagsexistenz zutreffen und hat den äußeren Schein allemal für sich. Doch die Tatsache, daß dasselbe Menschenwesen seiner Dürftigkeit zutrotz auf transzendierendes Erleben angelegt ist, ja daß es sogar der – einzige – Ort ist, an dem Meta-Physisches in Erscheinung tritt,[31a] spricht klar dagegen, daß es in der schlechten Wirklichkeit restlos aufgehen muß. Die Negativität der Irdischkeit, ihr geschlossenes System, das an keinem Punkte über sich hinausweist, findet am Einzel-Ich, am ›Ich an sich‹ ihre Grenze und ihren Widerstand, und zwar hier allein.

Das Ich ist demnach die Voraussetzung dafür, daß das in sich rotierende System der Un-Wirklichkeit, Un-Ordnung überhaupt – wie selten und bloß punktuell, symbolisch immer – gesprengt werden kann. Selbstredend ist das nicht tägliches Ereignis, kommunes Schauspiel. Solche Befreiung wird von den meisten ein einziges Mal oder auch überhaupt nie erfahren. Doch nicht die Frage der statistischen Häufigkeit ist ausschlaggebend, sondern die grundsätzliche ›Möglichkeit‹, Potentialität des Ichs, seine – wennauch nur spaltbreite – ›Offenheit zu‹ einem das Physische, Materielle übersteigenden Erleben. Totales Beschlossensein in der Realität macht blind für deren Relativität, paralysiert das kritische Urteilsvermögen und führt letztlich zur Unterwerfung, zur schieren Anpassung an das just Gegebene, das damit in keiner Weise mehr aufgesprengt, revolutionär verändert, überwunden werden kann, sondern fortan eine risikolose Herrschaft über die Menschen ausübt. Der ›Möglichkeitsmensch‹, wie Musil seine Hauptgestalt bezeichnet, ist neben den Wirklichkeitsmenschen – Brochs ›Realisten‹[32] – eine absolut legitime Existenz, ja eine überaus wertvolle Spezies. Denn jeder ›Utopismus‹, alle noch nicht verwirklichten ›Absichten Gottes‹ qua ›Möglichkeiten‹ des Menschengeschlechtes setzen nun einmal ein Ich voraus, das die vorhandene Wirklichkeit nicht zum unbefragten (und schließlich nicht einmal mehr befragbaren) obersten Wert erhebt und sich sklavisch in ihr auflöst. Kein ›Utopismus‹ ohne ein Ich, das die borniert Realität, die eben nicht mit Hegel eo ipso vernünftig ist, bloß weil sie existiert, entlarvt, gänzlich relativiert, in Frage stellt, indem es unerschütterlich daran festhält: Es ist so, aber es könnte auch alles ganz anders sein.

Hierin besteht für diese Autoren die unvergleichliche Würde des Ichs, das sich nicht im bürgerlichen ›Charakter‹ oder gar im ›großen Mann‹ erschöpft. Es stellt eine kategorial andere Qualitas dar, die sich nicht mittels Psychologie erledigen ließe. Dieser Sachverhalt mündet in die alte Streitfrage, ob die Welt der Negativität, der »vollendeten Sündhaftigkeit« (Georg Lukács, 1920), allein schon durch Revolutionierung der Institutionen, Produktionsverhältnisse und Regierungssysteme abgeschafft oder aber erst nach einer gründlichen Wandlung des Menschen überwunden werden kann. Döblin, Musil und Broch haben diese Frage trotz ihrer Überzeugung von der gewaltigen Bedeutung einer richtigen Organisierung des menschlichen Miteinanders und einer allgemein anerkannten ›Ideologie‹ dahingehend beantwortet, daß sie den Akzent auf das Einzel-Ich und seine eingeborene Fähigkeit zur Grenzüberschreitung setzen. Das Ich geht für sie gerade nicht im Gattungswesen Mensch, im Kollektiv auf, es ist in ihren Augen keine quantité négligeable. Hier beginnt vielleicht der ›neue‹ Individualismus, den Musil verhieß, und hier läge dann auch der Grund für die Reserve dieser drei Schriftsteller gegenüber dem Marxismus. Man darf auch darin expressionistisches Erbe sehen.

Metaphysisches Erleben als utopisches Moment

Die ›Totalität‹ (Broch) oder das ›Ganze‹ (Musil) werden in ›Hingebung‹ (Döblin), Ekstase (Broch) und ›anderem Zustand‹ (Musil) immer nur punktuell erreicht, in seltenen und kurzbemessenen Erlebnissen des Aus-sich-herausgehoben-Werdens, Aus-sich-Herausstehens (Ek-stasis). Die Grenzlinie zwischen dem Realen (= Relativen) und dem ›Überwirklichen‹ (= Absoluten) kann quasi bloß um Haaresbreite überschritten werden, und der Rückfall in die banale Irdischkeit – von Broch exemplarisch bereits in der »Methodologischen Novelle« geschildert – erfolgt rasch. Das eine große Erlebnis des Einbruchs des Transzendenten, welches Franz Biberkopf in seinem ›schweren Dasein‹ zuteil wird, als Tod des alten Adam und Geburt des ›neuen Menschen‹, ist für die Zuschauer in der Irrenanstalt Buch bei Berlin nur die Episode eines ›katatonen Stupors‹. Die Elevationen verschiedener Gestalten in den *Schlafwandlern* und im *Mann ohne Eigenschaften* sind nicht mehr als Augenblicke des Emporgerissenseins aus der Wirklichkeit, die scheinbar ohne wesentliche Folgen – sprich: dauerhafte geistig-seelische Veränderungen – für die Betroffenen bleiben, ja sogar wieder vergessen werden können. Nicht also sollen sich diese für immer in einem ›Jenseits im Diesseits‹ einrichten oder gar in einem ›Absoluten‹ ansiedeln, das man solchermaßen ›besitzen‹ (Barlach), verendlichen qua dogmatisieren (Broch), kurz: in einem weiteren System pervertieren würde. Diesem Wahn verfällt ja Musils Geschwisterpaar Ulrich und Agathe, als es mit seiner »Reise ins Paradies«, d. h. der Emigration in einen gesellschaftlich luftleeren Raum, die *Dauer* des ›anderen Zustands‹ erzwingen will – eine neue Version des Sündenfalls, die den Autor veranlaßt hat, das Zweite Buch beziehungsvoll »Ins Tausendjährige Reich« zu überschreiben und seine Liebenden im Untertitel als »Die Verbrecher« figurieren zu lassen.

Der Terminus Zustand, der an Statisches, Dauerhaftes denken läßt, scheint dieser Deutung zu widersprechen. Musil gebrauchte aber noch andere, weniger irritierende Formulierungen für dieselbe Sache, die nicht Zuständliches, einen festen, unveränderlichen Status assoziieren: er sprach von dem »anderen Weg«, den die Religion geht, von einem »geheimnisvollen zweiten Leben«, von einer »Reise zu Gott«, einem »steigenden Verhältnis zu Gott«, – sämtlich Wendungen, die etwas Unabgeschlossenes, in Bewegung Befindliches ausdrücken. Gott wird als kommender Gott vorgestellt, sogar als »Empirismus«. Ulrich, heißt es einmal, kann sich nicht gegen den Drang, das Wort Gott auszusprechen, wehren, Agathe beginnt sogar wieder an Gott zu glauben. Der ›andere Zustand‹ hängt also zweifelsohne mit dem Thema der ›Religion‹, des ›Religiösen‹ zusammen, um das vor allem im Nachlaßteil Ulrichs Denken kreist. Ulrich ist im Sinne positiver Offenbarungsreligion ungläubig, weil er jeden Glauben, und damit auch jeden Kirchenglauben, für »vorschnell« hält. Er akzeptiert Glaube lediglich in der vorläufigen, bescheidenen Gestalt einer »wissenden Ahnung«, nicht als festen Besitz von Dogmen und unumstößlichen Heilswahrheiten. Der Autor nennt ihn (und wohl sich selber mit) »einen gläubigen Menschen, der bloß nichts glaubte«. Auch hier mithin das Nichtfestgelegtsein des »potentiellen Menschen«, des »Möglichkeitsmenschen« und Essayisten, der ein »Meister des innerlich schwebenden Lebens« ist.

Ulrich beschreibt den ›anderen Zustand‹[33] mit den – sogar sprachlich an die deutsche Mystik des späten Mittelalters erinnernden – Wendungen »ins Herz der Dinge geraten« und »wesentlich leben«. Die »Umkehrung«, von der Musil einmal spricht, ist wohl eine zur »Mitte des Lebens« hin, das gefühlsmäßige Innewerden eines »geheimnisvollen Ganzen«, das »ein altes Ganzes« ist und für das eine »Ordnung des Ganzen« besteht, die wahrscheinlich »der Ganze« (von dem zweimal im Ersten Buch die Rede ist) sieht und begreift. Es ist das »Ingefühl« eines allseitigen Zusammenhanges der Welt, wie ihn auch Döblin in seiner magischen Naturphilosophie und Broch in den Bildern der »Totalität« und des »Weltengrundes« behaupteten. Das »grenzenlose Gefühl«, die »Seele« treten für Ulrich neben die rationalen Kräfte von Verstand und Vernunft, welche für ihn bis dahin allein maßgeblich waren, doch nicht etwa, um letztere zu ersetzen, sondern sie zu ergänzen, ein Gegengewicht zu bilden. Ulrich, heißt es, hat noch »unverbrauchte Seele«, so gelingt ihm die »innere Wiedererweckung« der seelisch zusammengestürzten Schwester: sie brechen gemeinsam in das ›Abenteuer‹ einer Erkundung dieses verschollenen Kontinents auf, von dem die Zeitbewegung des Irrationalismus, wie Musil früh anmerkt, allerdings seit geraumer Zeit endlos schwätzt.

Der mystische Charakter dieses Komplexes liegt auf der Hand.[34] Es ist freilich nicht eine dunkel raunende, sondern eine »taghelle Mystik«. Man könnte sie eine immanente Transzendenz nennen, denn die Absolutheitsgrenze wird in das erlebende Ich verlegt; das Jenseits befindet sich in der Person, im Diesseits, auch wenn das ›gute‹ meta-physische Geschehen, nicht anders als das ›böse‹ Vernichtungsgeschehen (von Staats›apparat‹, Kriegs›maschine‹ usf.), von außen kommt.[35] Das ›personale‹ Wesen der Mystik läßt metaphysisches Erleben stets nur dem Einzel-Ich zuteil werden, höchstens noch dem Liebespaar in der Vereinigung, während Menschenmengen und Massen es nur in einer depravierten irrationalistischen Gestalt haben, mit der sich die Massenpsychologie beschäftigt. Sowohl Musil wie Döblin und Broch grenzen das mystische Erleben des Einzel-Ichs scharf gegen die – mythisch fundierten – Einungserlebnisse irrationalistischer Scheingemeinschaften ab. Denn wo Ekstase und Einung als weltanschaulich rationalisierte puren Integrationszwecken dienen, zu Ritualen der »brausenden Gemeinschaft aller« eines »tausendjährigen Reichs« (Musil) abgesunken sind, die jederzeit auf Abruf zur Verfügung stehen, tritt genau jenes Moment des Operationalen, des Zuhandenseins und sicheren Besitzes auf den Plan, mit dem das ›Absolute‹ zur Dauer und damit zur fraglosen Gewißheit gemacht werden soll. Als verendlichtes Absolutes produziert es statt der ersehnten Gemeinschaft lediglich die »Lynchhorde«, führt es – wie im nächsten Roman Brochs[36] – zum »Mordopfer der falschen Erlösung«, um nach dem raschen Zerfall der irrationalistischen Masse im Katzenjammer einer gänzlichen Ernüchterung zu enden.

Danach ließe sich der als widersprüchlich kritisierte Schluß von *Berlin Alexanderplatz* so verstehen: Der durch Tod und Wiedergeburt, d. h. die große Wandlung gegangene, inzwischen wieder in den tristen Alltag zurückgetauchte Franz Biberkopf hat seine Lektion – Sichhingeben, Sicheinreihen, also Sozialität und Solidarität – durchaus gelernt, doch er schließt sich nicht den im Gleichschritt des Trommelschlags marschierenden Kolonnen an (ob der Braunen oder der Roten, erfährt der Leser übrigens nicht). Er bleibt beiseite als vorsichtig-skeptischer Beobachter, der sich zunächst ein eigenes Urteil über so viel formierte Gemeinschaft und brüllendes Freiheitsverlangen bilden will. Auch Musils Vorbehalte gegen pseudoreligiöse Welterlösungspolitik gehen im *Mann ohne Eigenschaften* sowohl in die linke wie die rechte Richtung. Das sollte allerdings nicht zu dem Mißverständnis führen, die drei Autoren hätten, erzbürgerliche Individualisten, allem Politischen ferngestanden. Ihr gesamtes essayistisches und publizistisches Werk spricht dagegen. Ganz im Gegenteil gehörten sie zu jenen Schriftstellern, die mit größter Aufmerksamkeit die Entwicklung der öffentlichen Dinge verfolgten und das heraufziehende Unheil frühzeitig erkannten. Ihre Weigerung, das mystische Einheits- bzw. Einungserlebnis des Einzel-Ichs zu rationalisieren und in populärer Form einem der politischen Lager zur Verfügung zu stellen, basierte auf der Einsicht, daß dadurch lediglich politische Mythen legitimiert würden. Diesen gegenüber aber waren sie völlig immun.

Wesentliche Motive der drei Romane, wie Opfer[37] und Tod[38], Liebe[39] und Schuld, Leiden[40] und das Böse, auch Krankheit und Verbrechen, die wiederum den Hinweis auf ihre Vorgeschichte im Expressionismus provozieren,[41] lassen sich auf dem Wege rationaler Analyse und Erklärung nicht erledigen. Sie besitzen in diesen Werken einen eindeutig religiösen Bedeutungshof. Der Rationalismus hat mit ihnen nie etwas anfangen können, irrationalistische Systeme hingegen haben sie sich begierig angeeignet und pervertiert. Damit erhebt sich die Frage eines literarischen Irrationalismus, die man im Falle dieser, aber auch weitgehend der expressionistischen Autoren richtiger als die eines berechtigten Antirationalismus stellen muß. Döblin, Musil und Broch, wissenschaftlich ausgebildete Zeitgenossen auf der Höhe des Bewußtseins ihrer Zeit, bestanden auf dem Wert der Irratio – ›Seele‹, ›Gefühl‹ – für die individuelle wie soziale Existenz des Menschen, ohne deshalb schon zu Irrationalisten zu werden. Sie schätzten die Rolle des Rationalen und damit der Wissenschaften denkbar hoch ein,[42] bestritten auch ein Zuviel an Verstand und Vernunft in der Welt, verwechselten allerdings nicht ihre Funktion bei der Gestaltung eines ›rechten Lebens‹ mit dem Rationalismus als einem (vom 19. Jahrhundert ererbten) geschlossenen System, das mit dem Absolutheitsanspruch jedes Systems das ihm entgegenstehende irrationale Moment auszuschließen sucht. Gerade die Dialektik der beiden für das menschliche Dasein grundsätzlich gleich wichtigen Grundvermögen, gilt es nach Döblin, Musil und Broch zu begreifen und auszuhalten; sie ist eine konstitutive Spannung, ein positives, produktives Ergänzungsverhältnis.[43] Musil hat von Verstand und Seele, Mathematik und Mystik bewußt im selben Atemzug gesprochen.[44] Brochs gesamtes philosophisches Werk ist von dieser fruchtbaren Polarität geprägt.[45] Deshalb gehen einseitig rationalistische Interpretationen dieser Autoren, welche den mystisch-religiösen Pol des Denkfühlens entweder bagatellisieren oder am liebsten wegeskamotieren möchten, ebenso fehl wie umgekehrt jene Deutungen, die allein die mystische Erfahrung über die Realität hinausführen sehen. Musils Vorschlag eines weltweiten »Generalsekretariats der Genauigkeit[46] und Seele« ist keineswegs ein aus purer Formulierungslust geborenes witziges Aperçu, vielmehr ernst gemeint als ein Remedium für eine Welt ohne ›Ideologie‹ oder ›Zentralwertsystem‹, sprich ohne geistige Ordnung, für eine Welt, die ständig in Gefahr steht, durch Verabsolutierung der Ratio oder der Irratio entweder in einen vagen Irrationalismus oder einen dürren Rationalismus zu verfallen,[47] Scheingemeinschaften oder einer ›Gesamtverapparatung des Daseins‹ (Alfred Weber) zu frönen. Das Scheitern der ›letzten Liebesgeschichte‹ auf der ›Reise ins Paradies‹ desavouiert auch keineswegs den antirationalen Pol einer ›participation mystique‹ am Welt-›Ganzen‹, einer neuen Gefühls- bzw. Liebeslehre und des ›Utopismus‹, sondern verweist auf zwei kapitale Irrtümer der Geschwister Ulrich und Agathe: A-Sozialität (Flucht aus der Gesellschaft) und ›Besitz‹wahn (Dauer des mystischen Erlebnisses).

Verglichen mit der ständigen Reflexion dieser Autoren auf die Problematik einer wertzersplitterten Zivilisation und ihrer künstlerischen Darstellbarkeit besitzt der neusachliche Zeitroman eine erstaunliche Simplizität, um nicht zu sagen Naivität, im Thematischen wie in ästhetischer Hinsicht. Die chaotische, ›einheits‹lose Welt einer ›Durchgangszeit‹, von der die Jahre der Weimarer Republik nur einen Teil bilden, spiegelt sich bei Döblin, Musil und Broch wider als ›Krise des Romans‹. Das wache Problembewußtsein und das hohe Reflexionsniveau dieser Schriftsteller prägt die Romanstruktur derart nachhaltig, daß die drei Bücher hinsichtlich ihrer Formgestalt heute als die ästhetisch progressivsten Romane jener Jahre gelten können. Das literarisch Revolutionäre stellt sich jeweils auf andere Weise dar, übereinstimmend aber in der Auflösung des einheitlichen, geschlossenen Erzählzusammenhanges des traditionellen ›realistischen‹ Romans.

Anmerkungen

1. Bertolt Brecht: »Volkstümlichkeit und Realismus« (1938). In: *Schriften zum Theater 4.* Frankfurt a. M. 1963. S. 149–161, bes. S. 156: »Realismus ist keine bloße Frage der Form.« – »Weite und Vielfalt der realistischen Schreibweise« (1938). In: *Versuche.* H. 13. Berlin 1954. S. 99–107. Hier S. 106: »Es sind nicht die äußeren Formen, welche den Realisten ausmachen.« Auch S. 107 die Feststellung, »daß Realismus keine Formsache ist«. S. 99 ein Hinweis auf die realistischen Romane

des 19. Jahrhunderts. – Zahlreiche weitere Äußerungen Brechts zum Realismusproblem in: *Ge-sammelte Schriften*. Bd. 19. Frankfurt a. M. 1967.

2. Friedrich Gaede: *Realismus von Brant bis Brecht*. München 1972. S. 68.

3. Richard Brinkmann: *Wirklichkeit und Illusion*. Tübingen 1957. S. 313. Siehe dazu bes. III, 7, »Die Konsequenzen des Realismus in der Dichtung des 20. Jahrhunderts«, S. 326 ff. »Denn aus der ›objektiven‹ tatsächlichen Wirklichkeit, der der erste Impuls des Realismus galt, ist im gleichen Maße, wie diese tatsächliche Wirklichkeit von allen idealen, idealisierenden, normativen Zu-sätzen gereinigt und zur verfügbaren, reinen Erfahrung werden sollte, die ganz spezielle sub-jektive Wirklichkeit des Einzelnen geworden« (S. 326). Es handelt sich um nicht mehr und nicht weniger als »die restlose Subjektivierung der Wirklichkeit« (S. 327) bei Autoren wie etwa Musil, Kafka und Broch. S. 328: »Was das 19. Jahrhundert unter Wirklichkeit verstand, ist nurmehr Anlaß für die eigentliche ›Wirklichkeit‹, wie man sie nun begreift, für Erlebnisse, Erfahrungen, Bekenntnisse des Subjekts.« Für Brinkmann hat ein »mit klarer Absicht« vollzogener »Umschlag« stattgefunden: »[...] die vielschichtige und geheimnisreiche innere Wirklichkeit des Subjekts wird nun mit entschiedenem Bewußtsein und gegen die Tradition des 19. Jahr-hunderts als die einzig objektive analysiert und gestaltet« (S. 329).

4. Friedrich Gaede: *Realismus von Brant bis Brecht*. S. 71. Die folgenden Zitate S. 74 f. und 79.

5. Eine späte Äußerung Musils bezeichnet die »immanente Schilderung der Zeit« als den »eigent-lichen Körper der Erzählung«: *Der Mann ohne Eigenschaften*. Hamburg 1952. S. 1375.

6. »Kakanien« ist Österreich-Ungarn und doch nicht einfach die historische Donaumonarchie, Mu-sils Buch der »seit Menschengedenken erwartete große österreichische Roman«. *Der Mann ohne Eigenschaften* soll zugleich eine »Zeit-« oder »Gesellschaftsschilderung« sein und wieder nicht sein. *Der Mann ohne Eigenschaften*. S. 1642. – Wolfdietrich Rasch in: *Der deutsche Roman*. Hrsg. von Benno von Wiese. Bd. 2. Düsseldorf 1963. S. 386 f.: »Die Stadt ist Wien, und auch nicht Wien.« *Der Mann ohne Eigenschaften* sei kein »historischer Roman«, Musil wollte nicht nur die Vor-kriegswelt darstellen, vielmehr auch die Gegenwart. Rasch zitiert Musils Ausspruch: »Aber dieses groteske Österreich ist nichts anderes als ein besonders deutlicher Fall der modernen Welt«.

7. Das Paradigmatische, Modellhafte, Exemplarische als erzählerische Absicht tritt bei Broch ex-presso verbo in der »Methodologischen Novelle« (1918) und der Conclusio des Pasenow-Romans (*Die Schlafwandler*, Bd. 1, 1931) hervor. – Zu Döblin vgl. Walter Muschgs Nachwort zu *Berlin Alexanderplatz* (Ausgabe von 1961), S. 514: Der Roman sei kein »Zeitroman«, sondern ein »Gleichnis für den Weg Deutschlands seit der Niederlage«. Muschg, ebd., S. 515, bezeichnet Biber-kopfs Schicksal als »ein neuartiges Exempel für den Unterschied zwischen Sklaverei und Freiheit, für den Sinn der menschlichen Existenz«. – Albrecht Schöne in: *Der deutsche Roman*. Hrsg. von Benno von Wiese. Bd. 2. Düsseldorf 1963. S. 296 f. und 304: Von Biberkopf wird »des Beispiels wegen«, nicht um seiner selbst willen erzählt, Döblin erhebt die Moritat zur »Parabel«, wie auch die kurzen Gleichniserzählungen im Roman die »Beispiel- und Gleichniskraft des Immer-wieder-so-Geschehenden« besitzen. – Fritz Martini in: *Deutsche Dichter der Moderne*. Hrsg. von Benno von Wiese. Berlin 1965. S. 342 f.: Die Hauptgeschichte von *Berlin Alexanderplatz* ist eine »Para-bel«, wodurch Döblin »die Suggestion der dichtesten Realität« erreicht. – Timothy Joseph Casey in: *Expressionismus als Literatur*. Hrsg. von Wolfgang Rothe. Bern und München 1969. S. 638 und 649: Biberkopf ist ein »exemplarischer Einzelner«, Döblin lehnt das nur Private ab, seine »theatralische Epik« hat die »Absicht der didaktisch-dialektischen Darstellung eines exemplari-schen Falles«. – Erich Hülse betont ebenfalls den Exempelcharakter der Biberkopf-Geschichte in: *Möglichkeiten des modernen deutschen Romans*. Hrsg. von Rolf Geißler. Frankfurt a. M. ²1965. S. 71, 75, 92 f. – Auch über das Lehrhafte bei Döblin sind sich die genannten Interpreten einig. Robert Minder nennt den Berlin-Roman geradezu ein »religiöses Lehrgedicht«: *Deutsche Literatur im 20. Jahrhundert*. Hrsg. von Otto Mann und Wolfgang Rothe. Bern und München ⁵1967. S. 136. – Ebenso betont Leo Kreutzer Döblins »lehrhafte Art«: *Alfred Döblin*. Stuttgart 1970. S. 125. – Entsprechende Belege aus der Musil- und Broch-Philologie müssen hier aus Raumgrün-den unterbleiben.

8. Wirklichkeit ist für diese Autoren nicht einfach gleich Wirklichkeit. Dies aber nicht verstanden im alten Sinne einer Scheidung von ›höherer‹ und ›niederer‹ Wirklichkeit, sondern in dem von voller und geringer Wirklichkeit. Wirklichkeit kann bis zur Un-wirklichkeit entleert sein. Ulrich reflek-tiert über die Unterschiede zwischen »Wirklichkeit« und »voller Wirklichkeit«, »Wirklichkeit für jemand« und »wirkliche Wirklichkeit«, also über »Rangunterschiede des Anspruches auf Wirklich-keits- und Weltgeltung«: *Der Mann ohne Eigenschaften*. S. 1345.

9. Metaphysische Fragestellungen sind heute praktisch tabu, sowohl für den Neopositivismus wie den Neomarxismus, die beiden maßgeblichen und konträren methodischen Positionen der Gegenwart. Daß sie über ihr wissenschaftstheoretisches Selbstverständnis hinaus ideologischen Systemcharakter besitzen, folglich doch wieder Metaphysik einschließen (und zwar im alten Sinne von ›Einheit‹ und damit Ausschluß sämtlicher außerhalb ihres Ganzheits- und Gesetzesdenkens liegender Sachverhalte und geistiger Ansätze), ist hier nicht zu erörtern. Als die maßgebliche neopositivistische Wendung gegen Metaphysik kann gelten: Ernst Topitsch, *Vom Ursprung und Ende der Metaphysik*. Wien 1958.

10. Döblin beantwortete 1928 die Frage nach seiner Religionszugehörigkeit mit »keine«, fügte aber hinzu: »Ich will nicht vergessen: ich stamme von jüdischen Eltern.« – Musil bemerkte über den *Mann ohne Eigenschaften:* »Dieses Buch ist religiös unter den Voraussetzungen der Ungläubigen.« – Broch wuchs in einer glaubenslosen jüdischen Familie auf und konvertierte vor seiner ersten Heirat aus Konventionsgründen. Bei höchster Achtung vor der Leistung des frühen Christentums (Befreiung von Angst und Panik durch Etablierung eines ›Zentralwertsystems‹) finden sich nirgendwo in seinem Werk Anzeichen persönlicher Gläubigkeit.

11. Döblin, seit 1918 USPD-, seit 1921 SPD-Mitglied, kritisierte unter dem Pseudonym Linke Poot 1919–21 in der *Neuen Rundschau* heftig die halbherzige Republik (Buchausgabe 1921: *Der deutsche Maskenball*).

12. Walter Muschg, Nachwort zu *Berlin Alexanderplatz* (1961). S. 527 f. – Albrecht Schöne in: *Der deutsche Roman*. S. 302 und 324. – T. J. Casey in: *Expressionismus als Literatur*. S. 644. – Leo Kreutzer: *Alfred Döblin*, S. 114 f., weist auf die allgemeine Kritik bei Erscheinen des Buches 1929 hin, die sich am »Dualismus« von Biberkopfs Bereitschaft zur Solidarität und seinem passiven Beiseitestehen während des Vorbeimarschs einer der Bürgerkriegsparteien entzündete. Wir meinen, daß der angebliche Widerspruch nur ein scheinbarer ist. Die bisherige »wechselseitige Bagatellisierung« (Kreutzer, ebd., S. 115 f.) der politischen und religiösen Seite des Romans durch dessen Interpreten geht an der dialektischen Verbindung des Politischen mit dem Religiösen in *Berlin Alexanderplatz* vorbei.

13. Die Verwerfung der rationalistischen und naturwissenschaftlich orientierten Individualpsychologie, ein Erbstück des 19. Jahrhunderts, ist seit dem Expressionismus in der deutschen Literatur zu beobachten. Auf die diesbezüglichen Erörterungen Musils und Brochs kann hier nicht eingegangen werden. Döblin erklärte in dem Abschnitt »Die mangelhafte Psychologie« seines Buches *Das Ich über der Natur* (1927) kategorisch: »Die wirkliche Seelenlehre ist ein Teil der Metaphysik.« Der Naturwissenschaftler und praktizierende Psychiater lehnte die zeitgenössische Psychologie mit den Argumenten ab, sie kenne »zu wenig Seele« und spreche von einem »zu kleinen Ichausschnitt« (S. 128).

14. Siehe Wolfgang Rothe: »Mensch und Abermensch«. In: *Neue Deutsche Hefte*, 97 (1964). S. 70–90, bes. S. 70 f.

15. Siehe besonders die Exkurse »Zerfall der Werte« im 3. Band der *Schlafwandler (Huguenau oder die Sachlichkeit*, 1932) sowie die späteren geschichtsphilosophischen und massenpsychologischen Studien, enthalten in: *Massenpsychologie und andere Schriften aus dem Nachlaß*. Hrsg. von Wolfgang Rothe. Zürich 1959.

16. Hermann Broch: *Dichten und Erkennen*. Essays I. Hrsg. von Hannah Arendt. Zürich 1955. Die hier versammelten kultur- und literaturtheoretischen Arbeiten stammen zwar aus der Zeit nach 1933, bringen jedoch zur *Schlafwandler*-Zeit bereits vorhandene Einsichten des Verfassers zum Ausdruck.

17. Musil in dem 1922 entstandenen kulturphilosophischen Essay »Das hilflose Europa oder Reise vom Hundertsten ins Tausendste«: »Das Leben, das uns umfängt, ist ohne Ordnungsbegriffe.« In: *Das hilflose Europa*. München 1961. S. 20 f. – Wolfdietrich Rasch in: *Der deutsche Roman*, S. 361 f., verweist auf das »Heimweg«-Kapitel im Ersten Buch, wo »das Chaotische, Diffuse, Zwiespältige der Existenz« als Problem des Erzählens reflektiert wird: Ulrich sehnt sich zwar nach einer »einfachen Ordnung«, weiß aber, daß jenes Chaos durch eine traditionelle erzählerische Ordnung des Nacheinanders als durch eine »bloße Scheinordnung« weggelogen würde.

18. Musils Ulrich kommt sich im »Heimweg«-Kapitel »wie ein durch die Galerie des Lebens irrendes Gespenst« vor, er registriert eine »kulissenhafte Unsicherheit der Straßenwände«.

19. Döblins Haß auf den Staat ›überhaupt‹, expressionistisches Erbe, bricht in der *Reise in Polen* (1925) durch, die das Schiller-Motto trägt: »Denn eine Grenze hat Tyrannenmacht / Allen Staaten gesagt / Und dem Staat überhaupt«. Der Vorspruch zum Kapitel »Lemberg«: »Die heutigen

Staaten sind das Grab der Völker« (Neuausgabe 1968, S. 179). S. 312 heißt es: »Der Staatsbegriff von heute ist zu erweichen. Zu banalisieren. [...] Die Menschen sind Personen geworden, die Völker zur Selbstbestimmung aufgerufen, das alte Ungetüm von Staat kann nicht fortleben. Es muß Raum geschaffen werden für die stärkeren, älteren Gemeinschaften von Menschen. Auch für neu gewachsene.« Und: »Der alte Staat steht noch dazwischen, dick, selbstgefällig und bewundert, ein abgelebter Mammut, ein träger Ichthyosaurus, den die Gehirne von heute beseitigen müssen. – Aber dringender ist der Einzelmensch, das Ich, anzurufen.« (Siehe Anm. 24 und 25.) S. 322: »Eine Riesenfabrik ist er [= der Staat] und soll er sein und nicht mehr.« Döblins Phobie ist erkennbar die Kehrseite seines Lobpreises des Geistigen, des Ichs und der alten jüdischen Gemeinschaften, denen er in Polen begegnete; erst in diesem Kontext erschließt sich der Sinnhorizont der radikalen Staatsverwerfung. Die existentielle Konsequenz aus ihr zieht im folgenden Buch, dem Epos *Manas*, der siegreiche Feldherr und Fürstensohn, indem er seine Würden abwirft und auf das Schlachtfeld zu den Toten zurückkehrt.

20. Ein Sinnbild von ihrem »Geist der Massenhaftigkeit und Öde« ist in Musils Erzählung »Die Amsel« (1928) jener Typus der Berliner mittelständischen Wohnmaschine, deren Bewohner »übereinander [liegen] wie die Säulen der Brötchen in einem Automatenbüfett«. Die frühere Faszination durch diesen Geist, den der Erzähler Azwei zugibt, findet ihre Parallele in Döblins Schwur auf die Massenhaftigkeit bis zum Jahr der Polenreise.

21. Im Schlußband der Trilogie, *Huguenau oder die Sachlichkeit*, bricht mit dem Kriegsende das Chaos, welches immer dagewesen war, durch die hauchdünne Decke der militärischen Scheinordnung und wird nun unverhüllt sichtbar. Die hier zu findenden Aussprüche Brochs über Chaos und Ordnung können aus Platzgründen nicht wiedergegeben werden.

22. Für Brochs *Schlafwandler* s. Wolfgang Rothe: »Das Bild des Menschen bei Hermann Broch«. In: *homo homini homo* (Drexel-Festschrift). München 1966. S. 81–97. Anm. 8, 9 und 13.

23. Das Prozeßgeschehen bei Döblin, Musil und Broch führt eines der wichtigsten expressionistischen Motive fort. Siehe Wolfgang Rothe: »›Seinesgleichen geschieht‹«. In: *Robert Musil*. Studien zu seinem Werk. Reinbek 1970. S. 131–169.

24. Die Juden sind die ersten, die Biberkopf menschlich begegnen, ihn aufnehmen und mit ihren alten Parabelgeschichten aufzuklären suchen. In ihnen dürfen wir eine Nachwirkung von Döblins polnischer Reise Ende 1924 sehen, die gleicherweise den politischen Verhältnissen in dem neuen Staat wie der eigenen jüdischen Herkunft galt. Die zwei wesentlichsten Erlebnisse des Reisenden waren der »Hingerichtete« (der Kruzifixus in der Krakauer Marienkirche), der zur Opferthematik in *Manas* und *Berlin Alexanderplatz* führen wird, und die der Väterreligion treugebliebenen jüdischen Volksmassen, deren Geistgläubigkeit ihn tief beeindruckte. In der letzteren sah er den Gegenpol zum Staat, entstanden aus dem Verzicht auf Staatlichkeit. Neuausgabe S. 71: »Sie sind ganz mit dem Talar der Metaphysik bekleidet von morgens bis abends, mit ihrem überweltlichen Gott in Zusammenhang.« S. 98: »Ihre Metaphysik ist die nach innen geschlagene aktiver Menschen, denen die Aktivität genommen ist.« (So könnte Musil über seinen Ulrich sprechen). S. 99: »Wie sie durch die Jahrtausende irren, sind sie ein Symbol für das Einzige, was Zukunft, Geburt, Schöpfung trägt: für den Geist und die Kraft des Ich.« S. 137 f.: »Wie fließt alles um das Geistige. Welche ungeheure Wichtigkeit mißt man dem Geistigen, Religiösen zu. Nicht eine kleine Volksschicht, eine ganze Masse ist geistig gebunden. In diesem Religiös-Geistigen ist das Volk so zentriert wie kaum ein anderes in seinem.«

25. Siehe den Beitrag von Wolfgang Wendler in diesem Band, bes. S. 169. – Eine markante Stelle der *Reise in Polen* über Politik und Geist S. 138 (Neuausgabe): »Man kann sich nur im Geistigen erhalten, darum muß man im Geistigen bleiben. Das Politische kann nicht das Himmlische erfüllen, Politik schafft nur Politik.« Auf ähnlicher Basis erfolgte Brochs Invektive gegen die Politik in dem kleinen Text »Die Straße« in: *Die Rettung*, 1. Jg., Nr. 3 (20. Dezember 1918). Neudruck in: Hermann Broch, *Die unbekannte Größe und frühe Schriften*. Hrsg. von Ernst Schönwiese. Zürich 1961. S. 257–260. Die Lehre, welche Biberkopf zuteil wird, findet sich bereits in der Schlußpassage der *Reise in Polen* (Neuausgabe S. 344): »Daß man nicht im Anbeten erliegen darf, ist mir unendlich klar. Daß man verändern, neusetzen, zerreißen darf, zerreißen muß, ist mir klar.« Der Geist ist für Döblin trans-real verwurzelt und dennoch die bewegende Kraft jeder gesellschaftlichen Veränderung. Nur scheinbar im Widerspruch dazu die konservative Aufgabe des Geistes in der (im Jahr der Polenreise erschienenen) Betrachtung »Der Geist des naturalistischen Zeitalters«. Neudruck dieses Textes in: *Aufsätze zur Literatur*. Olten und Freiburg i. Br. 1963. S. 62–83. Döblin erkennt dem neuen Zeitalter mithin durchaus Geist zu, wie auch sein Natur-

begriff, worauf schon Rudolf Kayser hinwies (*Dichterköpfe*, Wien 1930, S. 150), in antiker Weise den Geist einschließt.

26. Transzendente Begründung und grundsätzliche Gleichheit des Ichs finden sich ebenfalls bereits im Polenbuch. Das Motto des Schlußkapitels »Ausreise« lautet (S. 333): »Es gibt eine gottgewollte Unabhängigkeit. Beim Einzelmenschen. Den Kopf zwischen den Schultern trägt jeder für sich.« Das Buch schließt mit einer Wiederholung dieses Mottos, wobei hinter »Beim Einzelmenschen« eingeschoben ist: »Bei jedem einzelnen« (S. 344). Real im existentiellen Sinne ist also allein das Ich. S. 321 f.: »Der Einzelmensch leidet, lebt und stirbt; er und seine Zusammenhänge sind da, aber Massen und Organisationen, Gruppen, die sich hinter Abstraktionen verbergen, wollen den Einzelmenschen minderwertig und lächerlich machen, wobei sie sich in die hoheitsvolle Anonymität zurückziehen, die den alten Gewaltherrschern abgeborgt ist.« – Erich Hülses kollektivistische Interpretation des Berlin-Romans, daß es in der heutigen Gesellschaft »nicht mehr um den einzelnen geht« und dessen Existenz »nur mit den vielen möglich ist«, nimmt undialektisch einen Gegensatz zwischen dem »einzelnen« und den »vielen« an und fühlt sich so zur Entscheidung zwischen den beiden Polen gezwungen. Hülses Deutung des Romanschlusses als »Vision des monotonen Gleichschritts der Massen, die unerbittlich das Leben des einst geheiligten Individuums für sich verlangen«, würde das unmittelbar vorangegangene Wandlungserlebnis Biberkopfs überflüssig machen. Im übrigen ist weder bei Döblin noch bei Broch und Musil das Ich jenes »einst geheiligte Individuum«.

27. Bei allen drei Romanen handelt es sich dementsprechend, wie schon mehrfach zu Recht festgestellt wurde, nicht um Bildungs- oder Entwicklungsromane im traditionellen Sinne.

28. Nachwort zu *Berlin Alexanderplatz* (1961), S. 519.

29. ebd., S. 527.

30. In: *Summa*. Eine Vierteljahresschrift. Drittes Viertel. Hellerau 1918. S. 151–159. Überarbeitet, mit geänderten Namen und neuem Titel in: *Die Schuldlosen*. München 1950. Vgl. Wolfgang Rothe: *Schriftsteller und totalitäre Welt*. Bern und München 1967. S. 174–177.

30ª. In anderem gedanklichen Zusammenhang, nämlich hinsichtlich des den »Wert einer ›Objektivität‹« erhaltenden neuen Subjekts der Literatur, aber doch in interessanter Parallele zu unseren Ausführungen konstatiert Richard Brinkmann in *Wirklichkeit und Illusion*, S. 329: »Die neue Dichtung entdeckt auf eine neue Weise so etwas wie ein ›transzendentales‹ Subjekt.«

31. Nachwort zu *Berlin Alexanderplatz* (1961), S. 515. – Broch nannte den Antigonus seiner »Methodologischen Novelle« geradezu ein »Non-Ich«.

31ª. Brinkmann in *Wirklichkeit und Illusion*, S. 331, unter Bezug auf Erich Kahler: »Transzendenz gibt es nur noch als ›innere‹ Transzendenz des Subjekts, das Schicht um Schicht seines Bewußtseins durchschreitet und in die Tiefen seiner selbst hinabsteigt, um dort das mystische Erlebnis des hen kai pan zu erfahren.«

32. Hermann Broch: »Philistrosität, Realismus, Idealismus der Kunst«. In: *Der Brenner*. 5. Halbjahresbd. (1912/13). Neudruck in: H. B., *Die unbekannte Größe und frühe Schriften*. S. 237–250.

33. Musils ›anderem Zustand‹ vergleichbar sind bei Döblin und Broch Zustände des »Dämmerns« und des »Schlafwandelns«. (Letzteres nur negativ zu akzentuieren ist ein Mißverständnis Brochs, zu dem offenbar der Buchtitel verlockt hat.). – Wolfdietrich Rasch versteht in *Der deutsche Roman*, Bd. 2, S. 361–419, bes. S. 372–376, unter dem ›anderen Zustand‹ »jene unbegriffliche, unmittelbare Seinserfahrung, die in einem Augenblick der Entrückung« eintritt, als »eine säkularisierte Mystik«. Ulrich macht diese Erfahrung nicht nur in der Geschwisterliebe. Sein erstes Liebeserlebnis mit der ›Frau Major‹ war die erste starke Erfahrung dieser Art gewesen (Erstes Buch, Kap. 32). Sie stellt eine Art von mystischem Einungserlebnis dar, ein »liebendes Einschwingen in den Allzusammenhang«. Also nicht ein Verschmelzen mit dem Du in der Liebe zu einer Zweieinsamkeit, sondern ein gemeinsames Hinaustreten aus den Grenzen des Ichs, um sich mit dem ›Ganzen‹ zu vereinen. Rasch, S. 374: »Das Principium individuationis verliert seine Geltung, die Dinge der gegenständlichen Welt werden nicht mehr als isolierte Einzeldinge erlebt, sondern als Träger der großen Zusammenhanges, als Manifestationen des ewigen Seins, in das der betrachtende Mensch eingeschlossen ist.« Broch hatte bereits in seiner »Methodologischen Novelle« ein vergleichbares Liebeserlebnis als mystisches Eingehen in eine Welttotalität beschrieben. Es kehrt in seinem Werk verschiedentlich wieder. Das Epos *Der Tod des Vergil* (1945), wo statt der ›zweigeschlechtlichen Liebe‹ der Tod das auslösende Moment ist, gilt heute als das klassische Beispiel dieser von der Gottesbeziehung gelösten Mystik.

Für Döblin vgl. Albrecht Schöne in: *Der deutsche Roman*. Bd. 2. S. 291–325, bes. S. 308–310.

Schöne verweist auf das Döblinsche »Urphänomen« der »Resonanz«, das die Einzeldinge, auch die Einzel-Iche, miteinander verbindet, in einen universalen Zusammenhang rückt. Für Döblin blieb es ein Geheimnis, was die in uns anklingende und uns bewegende ›Resonanz‹ ist. Sie avanciert für Schöne zum Erzählprinzip Döblins in *Berlin Alexanderplatz*: Biberkopfs Einzelschicksal wird per partielle Identität, Ähnlichkeit, Analogie usw. in einen vielseitigen Konnex eingestellt, durch ein Netz von »Korrespondenzen« in eine »universale Kommunikation« gebracht. – Heinz Graber: *Alfred Döblins Epos »Manas«*, Bern 1967, bezeichnet die ›Resonanz‹ als das strukturbestimmende Prinzip des großen Versepos schlechthin. – Die naturphilosophische Grundlegung dieses magischen Denkens findet sich in *Das Ich über der Natur* und *Unser Dasein* (1933).

34. Rasch nimmt in *Der deutsche Roman*, Bd. 2, einen bewußten Rückgriff Musils auf die deutsche Mystik (Meister Eckhart) an. Er weist auf das Problematische dieser Anlehnung hin, S. 373: »weil sich die moderne Erfahrung der unmittelbaren Seinsverbundenheit vom Religiösen, von der Gottesliebe entfernt hat«. – Von Döblin sagt Robert Minder in: *Deutsche Literatur im 20. Jahrhundert*, Bd. 2, S. 137 f., er habe den »Bezug zur Metaphysik« wiedergefunden und sei »in das Fluten der Mystik« gestellt: »hinter dem Arzt steht der Metaphysiker, hinter dem Naturalisten der Mystiker«.

35. Wie die Transzendierung der Realitätsschranke durch ein von außen kommendes ›Geschehen‹ erfolgt, das sich in Wahrheit im Innern des Ichs ereignet, zeigt in großer Klarheit Musils Erzählung »Die Amsel« (1928), der ich hinsichtlich des ›anderen Zustands‹ und der gesellschaftskritischen Mystik dieses Autors eine ähnliche Modellqualität zuerkennen möchte wie im Falle Döblins der »Ermordung einer Butterblume« und Brochs der »Methodologischen Novelle«. Zur »Amsel« s. Benno von Wiese in dem von ihm herausgegebenen Sammelwerk *Die deutsche Novelle von Goethe bis Kafka*, Bd. 2, Düsseldorf 1964, S. 299 ff., und meine Kritik an dieser Deutung in: *Robert Musil. Studien zu seinem Werk.* S. 154–156.

36. Begonnen 1935, aus dem Nachlaß hrsg. von Felix Stössinger unter dem (nicht von Broch stammenden) Titel *Der Versucher*, Zürich 1953. Kritische Ausgabe in 4 Bden. unter Brochs Arbeitstitel *Bergroman*, hrsg. von Frank Kress und Hans Albert Maier, Frankfurt a. M. 1969. – Den auf Hitler gemünzten politischen Parabelcharakter dieses stark mystischen Buches betonte zuerst George C. Schoolfield: »Notes on Broch's ›Der Versucher‹«. In: *Monatshefte* (Wisconsin), Januar 1956. S. 1–16.

37. Das Motiv des (Selbst-)Opfers behauptet sowohl im Werk Döblins wie in dem Brochs einen zentralen Platz. In Döblins frühestem Roman, *Die drei Sprünge des Wang-lun* (1915), verwandelt das Opfer der Titelgestalt die Welt. In *Manas* bringt sich Sawitri, die liebende Frau, zum Opfer. Neben dem zu einem neuen Leben führenden Tod ist das Opfer direktes Bindeglied zwischen *Manas* und dem Berlin-Roman, den Döblin, wie er 1955 (im Nachwort zu einer Neuausgabe) sagte, frisch aus »einem mythischen und mystischen Indien« gekommen schrieb – »das war *Manas* auf berlinisch: Das innere Thema also lautet: Es heißt opfern, sich selbst zum Opfer bringen.« Das Motiv ist auf so verschiedene Sphären wie die biblische Erzählung von Abraham und Isaak, die Schlachthof-Szenen und die Mieze-Geschichte verteilt. – Bei Broch steht das Motiv stets in Verbindung mit dem Erlösungsthema. Opfer tritt hier meist als wahnhaftes Scheinopfer auf: gerade die zum Wahn Tendierenden ahnen – wie auch bei Musil – etwas von der Bedeutung des Opfers.

38. Der ›gute‹ Tod in *Berlin Alexanderplatz*, Geburtshelfer des ›neuen‹ Franz Biberkopf, und die explizite Todesmystik Brochs, zu der sich eine Parallele innerhalb der deutschen Literatur erst im Sprung über das ganze 19. Jahrhundert hinweg bei Novalis findet, können nicht näher erläutert werden. Bei Musil ist das Todesthema verdeckter (Agathe empfindet eine Todes- und Nichtssehnsucht, Novalis wird zitiert). Die Amsel in der gleichnamigen Musil-Novelle ist nicht zuletzt ein Todesbote.

39. Neben der Liebe als zwischenmenschlichem Ereignis begegnet bei Musil die im ›anderen Zustand‹ gemachte Erfahrung, daß die Dinge »aus Liebe« sind: »Liebe als das Leben selbst« im Unterschied zu »Liebe als Erlebnis der Person«. Bei Broch stehen seit der »Methodologischen Novelle« Liebe und Tod als gleich wichtige und miteinander verbundene Motive im Vordergrund. Sowohl Musil wie Broch machen einen grundlegenden Unterschied zwischen (ekstasierender, befreiender) Liebe und (›mechanischer‹) Sexualität. Vgl. Wolfgang Rothe: »Anarchie der Triebe«. In: *Schriftsteller und totalitäre Welt*. S. 65–100.

40. Leiden, eines der am häufigsten im Expressionismus auftauchenden Motive, verbindet sich mit dem Opfer- und Todesmotiv sowohl bei Döblin wie Broch. Döblin ging vor dem Kruzifix der

Krakauer Marienkirche die Realität des Leidens auf und damit die Realität des Gefühls: »Leid ist in der Welt, Schmerz, menschlich-tierisches ringendes Gefühl ist in der Welt. Das ist der tote Mann oben, Christus.« – »Man sieht nicht mit den Augen. Schmerz, Jammer ist in der Welt: ein ungeheures, durchleuchtendes Fühlen« (Neuausgabe S. 239). »Die Elektrische, weiß ich, ist nicht realer, als was ich fühle. Was kommt sie auf gegen die mächtige Realität des Gerechten, des Hingerichteten. Gegen die nicht zu tötende Furchtbarkeit der Seele« (S. 262). Die Geschichte vom Franz Biberkopf ist die Geschichte eines Leidensweges. Auch Brochs *Schlafwandler*-Figuren sind, sofern ihnen nur eine Spur von Bewußtsein und Gefühl eigen ist, Leidende. Musil hält, durchaus analog Broch, die soziale Entfremdung, die A-Sozialität für »das bekannte Leiden des zeitgenössischen Menschen«, es sei seine »Unfähigkeit zu einem einfachen, aber gehobenen Beisammensein der Menschen«. Anschließend ironisiert Musil am Beispiel der schöngeistigen Diotima die »Leiden einer verheirateten Seele«: zu jedem ihm wichtigen Thema bildet er eine triviale, dubiose Rückseite aus, die die Pervertierung ebendieses Themas in der Gegenwart anzeigt.

41. Für Musil wird die Betonung des expressionistischen Erbes auf Widerspruch stoßen, weil sich dieser Schriftsteller wiederholt kritisch über diese literarische Bewegung geäußert hat. Mit dem Dichter Feuermaul im *Mann ohne Eigenschaften* ist bekanntlich Werfel gemeint. Es darf aber nicht übersehen werden, daß der ›Werfelismus‹ mit seiner rhetorischen Menschenfreundlichkeit und Güte nur *eine* Seite des Expressionismus war, die im Rückblick nicht einmal als die wichtigste erscheint. Zu dem anderen, bisher viel zu wenig beachteten Expressionismus hatte Musil durchaus eine innere Beziehung.

42. Musil sah die »Geistesrasse« der Zukunft geformt von mathematisch-naturwissenschaftlichem Denken, blieb aber reserviert gegenüber Spezialisten, Fachleuten, Nur-Wissenschaftlern: er vermißte an ihnen ein Interesse am Menschlichen und Ganzen. Es geht auch Ulrich nicht primär um wissenschaftliche Erkenntnisse, sondern um ›Lebensgestaltung‹, er ist überzeugt, »daß nur eine Frage das Denken wirklich lohne, und das sei die des rechten Lebens«.

43. Wolfdietrich Rasch nennt es in *Der deutsche Roman*, Bd. 2, S. 375 f., »eine im lebendigen Spannungsverhältnis stehende Verbindung« zweier Haltungen, wie sie sich auch bei Döblin und Benn findet und die der rationale Mystiker Ulrich keineswegs verwischt. – In »Das hilflose Europa . . .« wehrt Musil das hartnäckige »Vorurteil« in »geistigen Kreisen« ab, »daß an aller Mißentwicklung der Zivilisation und vor allem an der seelischen Zersetzung der Verstand schuld sei, dem sie fröne«. Die 1922 getroffenen Feststellungen (bes. S. 28 f.) enthalten in nuce Musils Auffassung vom Verstand-Gefühl-Verhältnis und von den Grenzen objektivierender Verstandestätigkeit. Sie deckt sich weitgehend mit den Ansichten Döblins und Brochs in dieser Frage.

44. Erstmals taucht das Thema Mathematik und Mystik in Musils Romanerstling *Die Verwirrungen des Zöglings Törless* (1906) auf (das Problem der irrationalen Zahlen). In dem Band *Tagebücher, Aphorismen, Essays und Reden* (1955) findet sich S. 237 die Bemerkung: »Denn Rationalität und Mystik, das sind die Pole der Zeit.« Rasch betont die »geistige Grundstruktur einer Verbindung von Ratio und Mystik« in Musils Werk: *Der deutsche Roman*, Bd. 2, S. 376.

45. Doch auch das frühe dichterische Werk: Das älteste bekanntgewordene Gedicht Brochs, »Mathematisches Mysterium« (1913), spricht davon (abgedruckt in: *Die unbekannte Größe und frühe Schriften*. S. 10.). Antigonus, der ›Held‹ der »Methodologischen Novelle«, ist Mathematiker. Der zweite Roman Brochs, *Die unbekannte Größe* (1933), ist ein Mathematikerroman. Der Mathematik, die er ab 1929 neben Psychologie und Philosophie an der Wiener Universität studierte, galt seine lebenslange Vorliebe.

46. Musil sprach von einer »Utopie der Exaktheit«, nannte Ulrich einen »exakten Forscher«. Der »exakte Mensch«, der »exakt leben« kann, ist bei ihm der utopische Entwurf eines positiven Menschen. Davon wird freilich nicht der Wunsch nach dem Unvorhersehbaren, als der Durchbrechung der Exaktheit, aufgehoben.

47. Bereits Goethe hatte die Trennung von Verstand und Gefühl als die eigentliche Krankheit der Moderne erkannt. – Vgl. Alexander Rüstow: *Ortsbestimmung der Gegenwart*. Bd. 3: Herrschaft oder Freiheit. Erlenbach-Zürich und Stuttgart 1957. S. 11 f.: »Auseinandertreten von Verstand und Gefühl«. Die »eigentliche Aufgabe des 19. Jahrhunderts« wäre die Weiterbildung der »unerhört zukunftsvollen Synthese« von Ratio und Irratio in der Klassik gewesen.

Literaturhinweise

Werkausgaben

Hermann Broch: *Gesammelte Werke.* (Wechselnde Herausgeber.) 10 Bde. Zürich 1952–61. (*Die Schlaf-wandler* = Bd. 2. 1952.)
Alfred Döblin: *Ausgewählte Werke in Einzelbänden.* Hrsg. von Walter Muschg. 13 Bde. Olten und Freiburg i. Br. 1960–70. (*Berlin Alexanderplatz* = Bd. 3. 1961.)
Robert Musil: *Gesammelte Werke in Einzelausgaben.* Hrsg. von Adolf Frisé. 3 Bde. Hamburg 1952 bis 1957. (*Der Mann ohne Eigenschaften* = Bd. 1. 1952.)

Bibliographien der Forschungsliteratur (die jeweils letzte)

Zu Hermann Broch: »Bibliographie Hermann Broch«. Bearbeitet von Klaus W. Jonas unter Mitarbeit von Herta Schwarz. In: Hermann Broch / Daniel Brody: *Briefwechsel 1930–1951.* Hrsg. von Bertold Hack u. Marietta Kleiß. Frankfurt a. M. 1971.
Zu Alfred Döblin: Matthias Prangel: *Alfred Döblin.* Stuttgart 1973. (Sammlung Metzler, Bd. 105.)
Zu Robert Musil: Jürgen C. Thöming: *Robert-Musil-Bibliographie.* Bad Homburg v. d. H. u. a. O. 1968. (Forschungsliteratur zu *Der Mann ohne Eigenschaften* S. 64–79. Bis 1968.)

In vorstehenden Bibliographien nicht mehr verzeichnete Literatur (Auswahl)

Zu Hermann Brochs *Die Schlafwandler*

Paul Michael Lützeler: *Hermann Broch.* Ethik und Politik. Studien zum Frühwerk und zur Roman-trilogie »Die Schlafwandler«. München 1973.
Hartmut Reinhardt: *Erweiterter Naturalismus.* Untersuchungen zum Konstruktionsverfahren in Hermann Brochs Romantrilogie »Die Schlafwandler«. Köln und Salzburg 1972.

Zu Robert Musils *Der Mann ohne Eigenschaften*

Robert Musil. Studien zu seinem Werk. Im Auftrag der Vereinigung Robert-Musil-Archiv Klagenfurt hrsg. von Karl Dinklage zus. m. Elisabeth Albertsen und Karl Corino. Reinbek 1970. (Enthält mehrere Beiträge zum *Mann ohne Eigenschaften.*)
Dietmar Goltschnigg: *Mystische Tradition im Roman Robert Musils.* Martin Bubers »Ekstatische Konfessionen« im »Mann ohne Eigenschaften«. Heidelberg 1974.
Günter Graf: *Studien zur Funktion des ersten Kapitels von Robert Musils Roman »Der Mann ohne Eigenschaften«.* Göppingen 1969.
Dietrich Hochstätter: *Sprache des Möglichen.* Stilistischer Perspektivismus in Robert Musils »Mann ohne Eigenschaften«. Frankfurt a. M. 1972.
Klaus Laermann: *Eigenschaftslosigkeit.* Reflexionen zu Robert Musils Roman »Der Mann ohne Eigen-schaften«. Stuttgart 1970.
Gerd Müller: *Dichtung und Wissenschaft.* Studien zu Robert Musils Romanen »Die Verwirrungen des Zöglings Törless« und »Der Mann ohne Eigenschaften«. Uppsala 1971.
Götz Müller: *Ideologiekritik und Metasprache in Robert Musils Roman »Der Mann ohne Eigen-schaften«.* München und Salzburg 1972.
Stephan Reinhardt: *Studien zur Antinomie von Intellekt und Gefühl in Musils Roman »Der Mann ohne Eigenschaften«.* Bonn 1969.
Manfred Sera: *Utopie und Parodie bei Musil, Broch und Thomas Mann.* Der Mann ohne Eigen-schaften. Die Schlafwandler. Der Zauberberg. Bonn 1969.

Allgemeine Darstellungen

Erhard von Büren: *Zur Bedeutung der Psychologie im Werk Robert Musils.* Zürich und Freiburg i. Br. 1970.
Franz Hagmann: *Aspekte der Wirklichkeit im Werk Robert Musils.* Bern 1969.
Dagmar Herwig: *Der Mensch in der Entfremdung.* München 1972.
Annie Reniers-Servranckx: *Robert Musil.* Konstanz und Entwicklung von Themen, Motiven und Strukturen in den Dichtungen. Bonn 1972.
Marie-Louise Roth: *Robert Musil.* Ethik und Ästhetik. München 1972.
Lothar Georg Seeger: *Die Demaskierung der Lebenslüge.* Bern und München 1969.

HANS SCHUMACHER

Mythisierende Tendenzen in der Literatur 1918–1933

Die große Bedeutung, die das Problem des Mythos, des Mythischen und der Mythologie in Darstellung, Kritik und Metakritik seit Herder bekommen hat, die unübersehbare Literatur, die von Altertumsforschung, Religionswissenschaft, Ethnologie, Völkerpsychologie, Kulturgeschichte, Soziologie, Psychologie, Psychoanalyse u. a. m. aufgehäuft wurde, hat so viele Interferenzen und Rückkoppelungen von Wissenschaft auf Politik, von Politik auf Kunst, von Kunst auf Sozialpsychologie usw. hervorgebracht, daß die ›Literatur‹ als eine Institution, die mitten im Kultur- und Gesellschaftsprozeß steht, als ein undurchdringliches Dickicht von sich verwirrenden mythisierenden Tendenzen erscheint. Wenn nun Dichtung sich außerdem noch selbst als ›mythenschaffend‹ betrachtet und daneben eine essayistisch reflektierende Schriftstellerei entsteht, in der diese Mythenschöpfung gerechtfertigt oder kritisiert wird, wobei weder die Grenzen der Dichtung noch die der Schriftstellerei genau zu bestimmen sind, dann ist eine Erkenntnis des Mythischen fast nur noch auf mythischem Wege, nämlich durch radikale Vereinfachung der Probleme, herzustellen. Mythos kann ja auch als Möglichkeit verstanden werden, komplexe Bereiche so aufzugliedern, daß man sie der Entscheidung unterwerfen kann, daß sie dem Handeln eine Handhabe bieten.

Damit steht man aber bereits mitten in der Problematik des Verhältnisses von Theorie und Praxis, von Wissenschaft und Ethik bzw. Politik, die durch die Entdeckung des Mythos als eines Theorie und Praxis vermittelnden und die gesellschaftliche Integration aller Teilnehmer an einem Kultur- und Staatsganzen garantierenden Gefüges gelöst zu werden schien. Die Dissoziierung von Staat und Gesellschaft, von ›Kultur‹ und ›Zivilisation‹, von Einzelnem und Gemeinschaft, von Glauben und Wissen erschien aufgehoben, wenn es gelang, den Menschen den neuen Mythos zu oktroyieren. Dabei ist es gleichgültig, ob die ›reaktionären‹ Literaten den Worten ›mythisch‹ und ›Mythos‹ sakralen Glanz verleihen oder ob die ›Progressiven‹, die ›Aufklärer‹, diese Termini als Kennzeichen eines irrationalistischen Obskurantismus bekämpfen, denn selbst die Verwerfung im Namen eines sich dialektisch verstehenden Rationalismus kann noch auf mythischen Prämissen beruhen.[1]

›Mythisch‹, dieses in den zwanziger Jahren strapazierte Wort,[2] heißt für den Benutzer, der ihm positiven Wert zulegt, ein Erlebnis der Unmittelbarkeit in Tat, Betrachtung und Gefühl, Verschmelzung von Subjekt und Objekt, von Individuum und Gemeinschaft. In diesem Bewußtsein ist das Reale zugleich das Wunder, das Heilige, die Epiphanie des Göttlichen, das ergreift, verwandelt und erhebt. Wörter hingegen sind nicht mehr beliebig interpretierbare Begriffe, sondern numinose Wesenheiten, heilige Namen, die vom Benutzer Besitz ergreifen und ihn zum Agenten dieser Wesen machen. Das gilt für Worte wie Vaterland, Volk, Nation, Führer, Erlöser, Engel, Gott, Seele, Existenz; es gilt auch für die Tugenden, die sich im Verhältnis zu diesen Wesenheiten konstituieren, wie Freiheitsbewußtsein, Ehre, Pflichtgefühl, Mut. Affekt, Leidenschaft, Enthusiasmus, Ekstase überwinden

(nach Klages) die durch das Geistprinzip hergestellte Entfremdung vom Lebens-
grund.[3]

Da nun die Objekte, auf die sich dies neue Bewußtsein bezieht, so verschieden sind
wie die jeweiligen materiellen, geistigen, kulturellen, politischen und sozialen Interessen, kann ein einziges mythisches Schema dazu dienen, so verschiedene Dinge
wie die Autonomie des Einzelnen oder seine totale Abhängigkeit, den Atheismus
wie den Glauben, die Anarchie und die Ordnung zu rechtfertigen.[4] Kompliziert
wird das Verfahren durch den usurpatorischen und totalitären Drang der Mythologen, andere gleichfalls mythisch begründete und damit unbeweisbare Weltan-
schauungen als Negativfolie ihrem Weltbild einzuverleiben; übrigens heißt ›unbe-
weisbar‹ nicht, daß sie nicht sinnvoll sein könnten.

Dabei läßt sich im Sinne einer idealtypischen Verallgemeinerung ein politisch-
sozialer Mythos (mit einer ›rechten‹ und einer ›linken‹ Ausformung) von einem
ästhetisch-kontemplativen und individualistischen Erlösungsmythos unterscheiden,
wobei sich zwischen beiden mannigfache Mischformen finden. So ist der Mythos
vom Staat[5] Mittel, Freund von Feind zu unterscheiden, er liefert der entscheidenden
und richtenden Macht Angriffsobjekte, er ermöglicht überhaupt erst Entscheidung,
da der Staat sein Leben nicht aus der Diskussion, sondern aus der Machtausübung
erhält.[6] Damit verhilft der Mythos des Staates dem Einzelnen zur Integration und
zur Identitätsfindung (wichtig in einer Zeit der Krise der Persönlichkeit), und er
gibt seinem Handeln wieder ein gutes Gewissen.

Neue Mythen dienen jeweils einem pessimistischen, verzweifelten Geist zur Selbst-
heilung.[7] Um sich zu heilen, meint er, müsse er die ganze Welt in ihrer ›Totalität‹
umwandeln, denn alles andere hieße ›an Symptomen kurieren‹. Der Entwurzelte,
Nichtangepaßte, Leidende erfindet oder findet wieder ›ursprüngliche, aber ver-
gessene‹ Grundlagen des Gemeinlebens, die als Gegen- und Idealbild für die entfremdete Gesellschaft aufgestellt werden.

Läßt sich der Mythos des Staates als neuer ›Mythos von der Horde‹ (Popper)[8] auf
die alten Stammesreligionen analogisch beziehen, so lassen die ästhetisch-kontemplativen Mythengebilde genetisch und typologisch eine Verwandtschaft mit den Er-
lösungsreligionen und -mysterien erkennen.[9] Bezieht sich der Stammesmythos auf
das Kollektiv, so der Erlösungsmythos auf den Einzelnen. Der eine ist auf das
Handeln, die Praxis, die Entscheidung gerichtet, der andere auf Theorie, Welt-
überwindung und Ablösung vom Tun. Beide Konstruktionen aber sind auf Totalität angelegt: die eine geht von der ästhetisch-kontemplativen Weltüberlegenheit
und -unabhängigkeit des Einzelnen aus, der alle Polaritäten überschaut und für
sich harmonisch gelöst glaubt, da alles als Spiel erscheint; die andere begreift die
Welt manichäisch-gnostisch als Kampf zwischen Licht und Finsternis, wobei der
Gegner unfähig ist, das Licht mit seinem endlichen (und daher korrupten) Verstand
zu begreifen, während der ›Lichtmensch‹ sozusagen a priori für die Wahrheit erwählt und entschieden ist.[10] Der autoritäre Traditionalismus, der nationale und
ewiggültige Naturmythen schafft, und der antiautoritäre Radikalismus, der sich
unter dem Zeichen von Gesellschafts- und Geschichtsutopien versammelt, sind beide,
so heftig sie sich auch bekämpfen, Gegner der modernen offenen und undefinierten
Gesellschaft, die von Wissenschaft, Technik und Mobilität geprägt und deren Entwicklung gerade deshalb unvorhersehbar ist.[11] Sie sind aber auch beide feind dem

apolitischen Ästheten, der über den Parteien zu stehen wähnt und dem orphischen Mythos der Erlösung vom Streit der Welt durch die Kunst anhängt.

Mythisierungstendenzen, die der Dichtung und dem Dichter einen besonderen Rang zuweisen, sind bereits in Klassik und Romantik angelegt. Sie tauchen bei Wagner und Nietzsche wieder auf, nachdem der politisch-soziale Mythos der Liberalen und Sozialisten durch den Bismarckschen Machtstaat neutralisiert bzw. niedergehalten worden war.[12] Aber die Wirklichkeit des Bismarck-Staates mit seinem Auseinanderfallen von Kultur und Politik, bei gleichzeitigem Verfall beider, führt bei den auf Staatserneuerung durch Kulturerneuerung zielenden Kritikern zur Idee des Mythos als wiedererrungener Heimat des Volkes, der geschichtlichen Gemeinschaft, die sich durch die Kunst auf ihre Gründung im mythischen Ursprung zurückbesinnt. Für Wagner, der diese Vorstellung in *Das Kunstwerk der Zukunft* entwickelt hat, ist der Mythos aus dem kollektiven Unbewußten entstanden und der wissentlichen und willentlichen Beeinflussung entzogen. Damit ist er notwendig und objektiv, steht er jenseits des Zweifels.[13] Nietzsche dekretierte dann in der Wagner gewidmeten Schrift *Die Geburt der Tragödie*: »Nur ein mit Mythen umstellter Horizont schließt eine ganze Kulturbewegung zur Einheit ab.«[14] In Wagners Musik und seinem romantischen Mythos sieht er die Möglichkeit, aus dem mythenlosen, abstrakten Dasein der Moderne auszubrechen und zum Dionysischen im Gewande der mit apollinischer Besonnenheit gestalteten musikalischen Tragödie zurückzufinden; von der dionysischen Kunst eben erwartet er die Erneuerung einer durch Sokratismus und Historismus von ihren Ursprüngen entfremdeten abstrakten Zivilisation, die nicht mehr schöpferisch aus dem Ursprung lebt, nicht im Zeitlosen wurzelt. Der dionysische Mythos, in dem die Welt als Spiel von sich ewig verwandelnden, schaffenden und vernichtenden Kräften, also als ästhetisches Phänomen erscheint, schenkt dem an der Geschichte, d. h. dem Unwesentlichen, Abgeleiteten, Abstrakten leidenden Menschen Erlösung.[15] Das Gegengift gegen die Übermacht des Geschichtlichen ist, so schreibt er in *Vom Nutzen und Nachteil der Historie für das Leben*, das ›Unhistorische‹ und das ›Überhistorische‹. Das lineare, von der christlichen Heilserwartung her geprägte Fortschrittsdenken wird von Nietzsche durch die antike, kosmologische Vorstellung der ewigen Wiederkehr des Gleichen ersetzt,[16] die griechische Mythologie und Tragödie als Abbild und Sinnbild dieser Welt begriffen.

Der schon in der klassisch-romantischen Ästhetik angelegte ›amoralische‹ Zug wird hier seiner selbst bewußt und gegen die intentionale, ethische und bewertende Weltsicht gestellt. Der betrachtende Philosoph und Künstler steht nicht mehr in, sondern über den Kämpfen dieser Welt. Der dionysische amoralische Mythos wird von der christlichen Religion als einer absolut moralischen abgehoben.

Die Lehre von der ewigen Wiederkehr ist dennoch ethisch fundiert.[17] Sie ist als Ersatz für den toten christlichen Gott gedacht; das endliche Dasein wird zu ewiger Bedeutung gesteigert. Indem der Mensch sich sagt: ›Lebe so, daß du wiederzukehren wünschtest, du wirst es jedenfalls‹, wird er vor das Gericht seiner Entscheidung zu sich selbst und zum Leben gestellt, das stets Wille zur Macht ist, Wille, sich selbst als bloßes Leben zu überwinden, genial zu werden, übermenschlich zu sein. Das löst den Einzelnen aus der Masse, der die Aufgabe zugedacht ist, dem Genie zu dienen und zu gehorchen. Während das Christentum mit seiner Zukunftsgerichtetheit und Jenseitserwartung das irdische, leibhafte Leben entwertete, da es Ressentiment gegen das Leben der ›Starken und Wohlgeratenen‹ empfand, erscheint dem in der dionysischen Welt Lebenden der einzelne Augenblick geheiligt und erfüllt; hier ist die Welt die in jedem Augenblick erreichte Erlösung ihrer selbst. Die Kunst wird vom Christentum ins Reich der Lüge, der Täuschung und des Irrtums verbannt; Haß auf Sinnlichkeit, Affekte und Schönheit lenken die Weltverneinung. Dagegen bejaht der dionysische Mensch das Leben, auch die Täuschung, den Irrtum und den Schmerz darin. Der Schein, die Illusion gehören zu den Mitteln der Lebenserhaltung. Der Intellekt ist ein Mittel zur Selbstverteidigung, da er sich konventionelle, lebenserhaltende Wahrheiten, d. h. eine fiktive Welt zurechtmacht,[18] so, wie auch die apollinische Kunst des schönen Scheins die grauenvolle Wahrheit der dionysischen, d. h. ziel- und zwecklos kreisenden Welt verschleiern und damit ertragen hilft. Wirklich vernichtet werden kann der Irrtum, also der dem menschlichen Willen zur Wahrheit stets innewohnende Trieb zu ihrer Verhüllung, nur mit dem Leben des Erkennenden.

Doch da der Intellekt Diener des Lebens ist, ist er so zweideutig wie das Leben selbst, das zugleich schafft und vernichtet. Indem er alle bisherigen Mythen, also Illusionen, in Frage stellt und skeptisch verneint, schafft er doch wieder Platz für neues Leben. Alles Dasein, welches verneint werden kann, verdient verneint zu werden, und wahrhaftig zu sein, d. h. den Willen zur Wahrheit zu haben, heißt, an ein Dasein zu glauben, das überhaupt nicht verneint werden kann und selbst ohne Lüge ist. Die Zerstörung scheint lebensfeindlich; sie ist jedoch nur dem gefährlich, was ohnehin zum Fallen bestimmt ist, dem Lebensschwachen. Sokrates' Skeptizismus wird schließlich auch positiv bewertet, aber abzüglich seines planen Optimismus. Selbst in asketischen Idealen wie denen Schopenhauers lenkt noch das Leben die Verneinung des Lebens, denn vor dem selbstmörderischen Ekel im Angesicht der Sinnlosigkeit eines sich ziellos gebärenden und vernichtenden Lebens rettet sich der Wille, indem er noch lieber das Nichts will als nicht will.[19] Der Wille bejaht das zerstörende Leben, aber auch den Schein des Lebens, weil sich Leben immer in Irrtum, Täuschung, Lüge, Vorspiegelung und Ironie manifestiert. Die tragische Weisheit der Griechen habe darin bestanden, den apollinischen Schein, die Illusion *als* Illusion, als ästhetische Lust zu schätzen und doch zugleich noch mehr Lust an der dionysischen Vernichtung dieser sichtbaren Scheinwelt zu haben.

Der dionysische Mythos Nietzsches schließt also Skepsis und Wahrheitsfanatismus nicht aus, sondern ein. Das unterscheidet ihn von den Mythengläubigen, die »das Glück des Wahns dem Glück der tragischen Erkenntnis« (Nietzsche) vorziehen. Aber die *Geburt der Tragödie* endete noch mit der Apotheose Wagners: »Glaube niemand, daß der deutsche Geist seine mythische Heimat auf ewig verloren habe, [. . .] Eines Tages wird er sich wach finden, [. . .] dann wird er Drachen töten, die tückischen Zwerge vernichten und Brünnhilde erwecken – [. . .].«[20] Wagners Nordmythos greift auf Görres, Fouqué und Arndt zurück.[21] Die romantische Naturphilosophie und Geschichtstheologie war ihrerseits Erbe naturmystischer Spekulation von Mittelalter und Barock, die auf dem Weg über den Pietismus in den Idealismus einging.[22] Die Pietisten projizierten die Mystik der Innerlichkeit in das nationale Gemeinschaftsleben; in der romantischen Dichtung erstand erneut die mittelalterliche Reichsideologie; die magisch-mystische Naturphilosophie und die indische, griechische, biblische und germanische Mythologie lieferten die Symbolik und die Rechtfertigung für die Heilserwartung. Görres war der erste eigentlich nationale Mythologe, der, ein neuer Seher und Prophet, die Zukunft aus dem Keim des Mythos ablas. Die Frühromantiker, Novalis und Friedrich Schlegel, schufen einen neuen kosmopolitischen Mythos aus dem Geist des Idealismus, ein vieldeutiges, spielerisches und paradoxes Gedankengebilde. Mythen waren für sie nur Material zum Spiel des Geistes mit sich selbst, der »einen ewigen Selbstbeweis führt«,[23] denn der Geist kann nur prozeßhaft existieren. Die Kunst war ihr bereits hier und jetzt erreichtes Goldenes Zeitalter.

Für Görres steckte jedoch im Mythos die ursprüngliche Offenbarung. Die Tiefe der Urwelt wirkt folglich weiter darin, der Mythendeuter beschwört Götter, d. h., er läßt das in der Geschichte verdunkelte Lichtelement der göttlichen Offenbarung wiederaufleuchten. Der Kampf zwischen Licht und Finsternis gerät damit in seine entscheidende Krise. Das Licht wird in dieser nationalen, gnostisch strukturierten Mythologie mit der republikanischen, ›völkischen‹, ›germanischen‹ Freiheit identifiziert. Der freie, ursprüngliche Mensch erscheint als kolossaler, naiver und ungebrochener Täterheld, der in seinen heimischen Wäldern – der Wald ist bis zu Ernst Jüngers *Waldgang* (1951) Sinnbild der germanischen Freiheit – in urtümlichen, heilen und natürlichen Verhältnissen herrscht. Dagegen stehen die Zwerge des bürgerlichen, städtisch-zivilisierten, hinterhältig berechnenden, kapitalistischen und gleichmacherischen Westens, die sich despotisch knechten lassen, so, wie sie selbst tyrannisch gesinnt sind.

Diese nationale Mythologie schließt an den Volksgeistgedanken seit Herder an und diente dazu, das deutsche Volk als Staatsvolk in einer spezifisch deutschen, d. h. unvergleichlich individuellen Weise, zu konstituieren.[24] Die Entzweiungen, die durch die alten abstrakten Staatsgrenzen der Fürstentümer, später durch die Desintegration des Volkes im Industrialisierungsprozeß entstanden waren, sollen aufgehoben werden. Auch die Volksgeistmythologen wie Langbehn, Paul de Lagarde und später Moeller van den Bruck entwarfen eine Wiedergeburtsutopie deutschen Geistes gegen westlichen Liberalismus, Demokratismus und Kapitalismus. Da das demokratische Gleichheitsprinzip zur Anarchie und zum Interesseneogismus führe, propagierten sie völlig anachronistisch z. B. einen »bäuerlichen Adel« (Langbehn) oder einen »aristokratischen Freiheitsbegriff« (Moeller), dem bestimmte Tugenden zugeordnet werden wie Treue, Tapferkeit, Freiheitsbewußtsein, verbunden mit Achtung vor Rang, Dienstwilligkeit, Askese, Disziplin und Härte, also kriegerische, angeblich ›nordische‹, ›germanische‹ Tugenden.[25] Aus der nordischen Welt der Edda dringt auch der Erlöserheld Siegfried, bei Fouqué, Wagner und seinen Anhängern (wie einem Hans von Wolzogen), bei den kulturkritischen Neuerern wie den Brüdern Hart, Friedrich Lienhard, Otto zur Linde, Börries von Münchhausen bis hin zum religiösen Expressionismus eines Reinhard Sorge, der, die Odysseusdramen von Lienhard und Gerhart Hauptmann fortsetzend, den Erlöser mit der Sonne identifiziert.[26] Der Struktur nach ersetzt die Odysseusgestalt bei Sorge den Siegfriedmythos der älteren Literatur. Der eschatologische Grundzug des ekstatischen Expressionismus zeigt sich in einer Fülle von absolut maßstabslosen, mit religiöser Intensität geschauten und herbeigesehnten übermenschlichen Protagonisten, mögen sie nun Prometheus, Hiob, Jeremiah, Retter, Heiland oder auch Bettler heißen (Odysseus erscheint bei Sorge auch als Bettler, bevor er zum Bogen greift, um die »letzten Menschen« zu vernichten). Alle diese Führer, Propheten, Seher und Dichter reinigen, wandeln und erlösen sich und die Menschen durch das Selbstopfer. Das Theater übernimmt dabei wie bei Wagner die Funktion einer nationalen Weihestätte.

Der Licht-Finsternis-Mythos ist als Leerformel[27] offen für jede politische Sinnsetzung. Er kann mit liberaler, sozial-revolutionärer, konservativer, ›völkischer‹ und religiöser Ideologie und Utopie gefüllt werden. So kann etwa Ernst Bloch (*Geist der Utopie*, 1918) in Nachfolge Schellingscher Mythenexplikation den Lichtmythos als ein Symbol für progressive Aufklärung sehen, wobei allerdings dem totalen positivistischen Entmythologisierungsdrang dort Halt geboten werden muß, wo der utopische Stachel des Noch-Nicht, das Uneingelöste am Mythos berührt wird.[28] Andererseits kann auf nationaler Seite der Heilsbringer als ›Führer‹ ersehnt werden, der in einer Person Volksheld und -befreier und -einer ist, »das Goldalter reiner und treuer Naturhaftigkeit im nordischen Menschentum mit Einschluß seines tragischen Opfertums«[29] wieder vorbildlich macht, und der Nationalsozialismus kann als Erbe und Synthese aller getrennten sozialen und nationalen Eschatologien erscheinen. Wenn Hitler sich von Wagner zu seiner künftigen Rolle inspirieren läßt – nach einer *Rienzi*-Aufführung entwickelt er Kubizek in »großartigen und mitreißenden Bildern [...] seine Zukunft und die seines Volkes«, »in jener Stunde begann es!«[30] – und später Bayreuth zur Kultstätte erhebt, erkennt er sich als Erfüller von Wagners Mythos, mag Wagner wohl auch andere Vorstellungen, wahrscheinlich weniger präzise, über die Gestalt eines leibhaftigen Politikers Siegfried gehabt haben. Überhaupt sind die Lichtmythen so vieldeutig und unspezifisch, daß eine politische und soziale Verwirklichung immer den Makel der Verdunkelung einer Idee an sich haben muß, weswegen es den Dichtern ebensowenig schwerfallen konnte, in Hitler die Erfüllung der Idee zu sehen wie deren Verballhornung. Umgekehrt konnten sich die Nationalsozialisten aus mythischen und ideologischen Strömungen der Zeit ihre Vorstellungen zusammensuchen, ohne in Gefahr zu kommen, beim Wort genommen zu werden.

Ein gutes Beispiel für den utopisch-unspezifischen, wolkigen Charakter eines individuellen Lichtmythos bietet das Werk Theodor Däublers. Dieser verbindet den mystischen Entwerdungsgedanken, die orphische, prophetische und prometheische Attitüde mit einem triadischen Geschichtsmythos, der schon in der Frühromantik bei Friedrich Schlegel zu finden war.[31] Däubler geht von einem persönlichen Offenbarungserlebnis aus: dem Aufgang der Sonne über dem Mittelmeer. In seiner Erläuterung zum *Nordlicht*-Werk beschreibt er die Mythologie, die dem gewaltigen Epos zugrunde liegt. Sonne und Erde waren einst vereint, nun sind sie getrennt, die unterirdischen Schwerkräfte, starr, geistfremd, verbergen das Licht. Im Auge des Menschen kommt das Licht zum Bewußtsein und sinnt auf Heimkehr. In der Liebe und in der Dichtung kehrt es zur Ursonne zurück. Eine Odyssee des Geistes vollzieht sich.[32] Die dritte Stufe dieses Emanationsmythos wird dichterisch dargestellt in der Totalsynästhesie aller Bereiche. Der Dichter erfährt sich als neuer Orpheus. Mystische Schau und ekstatische Erregung durch den Gott löschen das Ich aus. Ich und All vereinen sich im »lyrischen Ich«, das als »Menschheits-Ich« begriffen werden soll, nicht als individuelles Wesen. Das Nordlicht weist den Weg über die materielle Sonne zum geistigen Urlicht. Die Menschheit ist auf dem Weg dahin. Als Pilger sind alle Menschen gleich und frei. Die Völker haben die Aufgabe, die Erde leuchten zu machen. Sie wird dann Mittelpunkt des Kosmos werden. Denn aus den Menschen wird die Ursonne hervorstrahlen. Der Genius der Geschichte wandert wie bei Friedrich Schlegel und Joseph Görres über Indien, Iran und Palästina gen Norden, der das Ziel der universalhistorischen Läuterung der Menschheit ist. Christus weist den Weg. Am Ende steht die individuelle Selbstverwirklichung, die Lichtfindung im Ich als Pfingstwunder des Geistes, das gnadenhaft ausgeschüttet werden wird, wenn der Mensch nach Geisterfüllung gerungen hat. Der visionäre Dichter erschaut prophetisch diesen Endzustand. Weltunabhängig gelangt er zur Schau des einenden Mittelpunkts der Welt: Gott, die Zentralsonne des Geistes, der sich in verschiedenen Verkörperungen gleichzeitig als Mineral, Pflanze, Tier, Mensch und Volk offenbart. Der Dichter wird, indem er die Trennung von Geist und Leib in der Schau der Einheit rückgängig macht, zum »Erlöser aus Verstrickung seelischer Einnetzung«, er ist »Enthüller ursprünglichster Unzertrennbarkeit«.[33] Däubler teilt mit den Geschichtsmythologen den Gedanken der apokalyptischen Wende, die Vorstellung, daß sich eine Wandlung und Neugeburt der Völker und der Menschheit nur aus einer reinigenden Katastrophe ergeben wird.

Den nationalistischen Weltkriegsideologen bot sich das Schema ›Phönix aus der Asche‹ gleichfalls an, nur diente es bei ihnen dem Streben nach völkischer Wiedergeburt, während Däubler kosmopolitisch denkt. Doch entspricht dem auch die orphisch-dionysische ›Stirb-und-Werde‹-Vorstellung, die durch Wagner (Siegfrieds Tod) und Nietzsche Eingang in die neuromantische Literatur fand. Im Kapitel »Orphisches Intermezzo« tritt nämlich bei Däubler Orpheus als Verkünder von Dionysos auf. Er verwandelt das Universum in Poesie und geht als Individuum unter, da er Sprachrohr Gottes, Gefäß schrankenloser Inspiration wird. Der ›Geist‹, den Däubler vertritt, ist also der synthetische Geist der Poesie, ein Geist, der Natur und Mensch, Kosmos und Geschichte zusammenbindet. Das mythische Schema, das die dichterische und intellektuelle Verwirklichung dieser Einheit ermöglicht, ist für ihn wie für Friedrich Schlegel der Emanationsmythos.[34] Der letzte Vers des *Nordlicht*-Epos lautet: »Die Welt versöhnt und übertönt der Geist.« Solche Anrufung des Pfingstgeistes wird im Expressionismus der Weltkriegszeit zum stehenden Topos. Der Dichter ist der Eingeweihte, die Nichterleuchteten dürfen empfangen.

Ist das alles nun »kleinbürgerliche pazifistische Fluchtideologie« (Lukács)?[35] Vielleicht kann man die Geistgläubigkeit, die mit Hilfe des mythischen Schemas die gespaltene Realität so gewaltig »übertönt«,[36] daß sie als Lebenswirklichkeit kaum noch erkennbar ist, aus dem Potential der klassisch-romantischen Bildung erklären, die, ohne selbst unmittelbar politische Macht darzustellen, da der ›Gebildete‹ Politik ablehnt, doch so etwas wie eine institutionslose Konkurrenz zum wissenschaftlich-technischen Funktionieren des modernen Lebens entwickelt, nicht unähnlich dem Eremiten im Mittelalter. Der Dichter tritt als ›einsamer Rufer‹ gegen seine Zeit auf. Er wird das auch in der zwangsweise ›versöhnten‹ Gesellschaft tun, sofern man ihn nur läßt. Der ›geistige‹, d. h. der nach Synthese strebende Mensch leidet am meisten an der Zersplitterung der menschlichen Lebensbereiche, die Unübersehbarkeit und die Manipuliertheit der Vorgänge in der modernen Welt erfüllt ihn mit Angst, die ethische Ziellosigkeit, die Unverantwortlichkeit, die Ideenlosigkeit, das bloße Funktionieren um des Funktionierens willen zerstören sein Bild von der Würde des Menschen. Wenn er dagegen den Anruf des ›humanen Geistes‹ stellt, der ekstatisch, also antibürgerlich ist, da er Konventionen und Zwänge sprengt, wenn er aus dem Roboter wieder einen (gott-)erfüllten, mit Entschiedenheit und Seele begabten, unzerteilten Menschen machen will, dann ist dies keine Klassenkampfangelegenheit, da Kampf nur wieder zu Trennung, Parteilichkeit, Egoismus und Vereinzelung führen kann. Es ist auch nicht kleinbürgerlich, da ein Kleinbürger wohl kaum eine solche Weite des Blickes entwickeln dürfte.[37]

Die für die moderne westliche Kultur charakteristische Spaltung zwischen den Geistverwesern und Totalitätsbeanspruchern einerseits und den Praktikern, den Wissenschaftlern, Technikern und Politikern andererseits ist Ursache des Dilemmas. Letztere sind oft nicht darum Spezialisten, weil sie im Spezialistentum ihr Genüge fänden, sondern weil rationale Beweisbarkeit und objektive Nachvollziehbarkeit nur an isolierten und isolierbaren Phänomenen möglich ist. Max Weber drückte das Problem so aus: »Die bedeutendsten Wissenschaftler sind sich darin einig, daß die Wissenschaft den Ansprüchen des Wesentliches fragenden Menschen nicht genügen kann – und nie wird genügen können. Es gibt letzte Grundeinstellungen im Leben, die für die Wissenschaft undiskutierbar sind.«[38] Von solchen Grundeinstellungen leiten sich dann Weltbilder ab wie die der Welt als ewiger Wiederkehr des Gleichen oder als Fortschritt auf ein (vorher-)bestimmtes Ziel. Solche Weltbilder beruhen auf menschheitsalten mythischen Modellen, nach denen die Welt biomorph (als Lebewesen), technomorph (als Erzeugnis eines Gottes) oder als aus dem Fall der Seele von Gott in die Materie hervorgegangen gedacht wird.[39] Diese Vorstellungen dienen dann ethischen Grundeinstellungen zur Begründung und sozialen und politischen Forderungen zur Rechtfertigung. Rational diskutierbar sind sie nicht, da die Beweisführung zirkulär verfährt. Das zu Erschließende ist in den Prämissen bereits versteckt enthalten. Max Weber empfahl 1919 in seinem Vortrag *Wissenschaft als Beruf* einer in jedem objektiven Glauben enttäuschten Studentengeneration, das Schicksal der Rationalisierung, und das heißt: der Entmythisierung, nüchtern und heroisch auf sich zu nehmen. Die geisteswissenschaftlich orientierte Philosophie widersprach, mit ihr ein Vertreter des George-Kreises – Erich von Kahler –, im Namen auch jener Dichter, die sich der Bewahrung des Alten oder der Feier des Bestehenden widmeten und die damit im eigenen Auftrag oder im Auftrag bestimmter Gruppen und Mächte letzte Wertpositionen verherrlichten. Da nun aber bei dem beständigen Wandel sittlicher und gesellschaftlicher Normen die Stützung bestimmter Ideale obsolet geworden ist – wiewohl manche Autoren das nicht eingesehen haben, die darum ›trivial‹ werden –, bleibt dem Dichter nur noch die Sehnsucht nach Form, Ordnung, Geist an sich, außerhalb aller sozialen Gegebenheiten; er schafft künstliche Paradiese. Daß dann die Verbindung zum Publikum zerbricht, kann nicht wundern. »Ich erlebe es nun seit vielen Jahren: je mehr man aus einem Ganzen heraus für ein Ganzes dichtet, aus einer Menschheit heraus für eine Menschheit, aus einem All heraus für ein All: um so kleiner wird der Kreis der Aufnehmenden. Und allen Erwartungen entgegen dichtet man am Ende faktisch fast nur für jene Wenigen, die selber als Dichter zu bezeichnen sind.«[40] Alfred Mombert, der dies klagte, wird wie viele zeitgenössische Autoren als einsamer Einzelner zum Märtyrer der Kunst, an deren Kreuz er sich schlagen läßt. Dieses Märtyrertum wird manchen unter ihnen zur Selbstrechtfertigung im mythischen Schema, für das der Geist nur im (absurden) Selbstopfer existiert.

Ähnlich läßt sich Arno Holz' fanatische Arbeit am *Phantasus* deuten, der zwischen 1898 und 1926 mehrfach umgearbeitet wurde. Sein Weltbild ergibt sich logisch-notwendig aus den Prämissen einer Theorie der ›wirklichkeitsgetreuen‹ Wiedergabe der Natur. Er versteht darunter die Gesamtheit der seelischen, gesellschaftlichen und physischen Wirklichkeit, wie sie von jedem Einzelnen gesehen, gedacht und erlebt wird.[41] Die Totalansicht der Welt kann für ein ›modernes‹ kritisches Bewußtsein nur durch ein notwendigerweise vereinzeltes, zufälliges, historisches Subjekt konstituiert werden. Die Forderung der Sache, nämlich die Darstellung der Natur in allen Bezügen zu leisten, wird nur dadurch erfüllt, daß sich das Subjekt in den Dingen aufgibt. Einerseits soll die Natur, das ›Es‹ im Dichter, dichten; dionysische Entgrenzung enthebt aller sprachlichen, kulturellen, sittlichen und sozialen Vorgegebenheiten, sie werden als Entstellungen zerstört, orgiastische Allvermischung findet statt; andererseits aber erfolgt die Darstellung mit der höchsten Bewußtheit, in einer gestaltenden, formgebenden Sprache. Diese Sprache wiederum verhindert die volle Ausformung des angestrebten Allgemeinen, sie steht als Form dem Inhalt im Wege. Die ›Natur‹ verschwindet über diesem paradoxen Prozeß in mystische Ungreifbarkeit. Sie wird zur Sphinx, zum sinnlosen Kreislauf von Geburt und Tod, der sich wiederholt in Sprachschöpfung und -zerstörung. Das lyrische Ich wirkt mythopoetisch, da es den Ursprung der Welt aus dem Wort nachvollzieht. Die Praxis des Dichters ist eine rein werkimmanente, er ›ringt‹ mit dem Stoff. In dieser sinnlos-sinnvollen Tätigkeit, an der er sowohl leidet als auch schöpferische Lust empfindet, ist er je nach Betrachtungsweise Sisyphos – »La lutte elle-même vers les sommets suffit à remplir un cœur d'homme. Il faut imaginer Sisyphe heureux.« (Camus) – oder Dionysos, der zerrissene und sich neuschaffende. Dichtung als Vollzug statt als Werk wird zu einem dauernden Akt der Selbstüberwindung. Das Werk wird Abbild einer sich im selben Vorgang zugleich zeigenden und verbergenden Welt, es sagt nichts mehr aus. Dichtung erlöst nur noch den Dichter, erlöst ihn aber nur in dem Sinne, als sie – laut Nietzsche »letzte metaphysische Tätigkeit des Menschen« – einen höheren Zweck vorspiegelt. Der Heilige ist vom Possenreißer nicht mehr zu unterscheiden.

Auch Gerhart Hauptmanns ›Naturalismus‹, der sich in dem Milieudrama seiner Frühzeit zunächst nur als Fatalismus darstellt, ruht auf einer mythisch-mystischen Vorentscheidung. Doch wird dieser bald bewußt metaphysisch begründet. Im Welt-Drama, das Ur-Drama ist, spielt das Ur-Eine mit sich selbst, indem es sich spaltet in Gut und Böse.[42] Aus diesem Widerspruch, dieser Selbstentzweiung, stammt sein ewiges Leiden. In der gnostischen Emanationsmythologie Böhmes und Schellings wird Prometheus-Luzifer in Plotins Sinne als das sich abspaltende Lichtelement angesehen, das sich in seiner Freiheit und Unabhängigkeit von Zeus, der mit dem Recht des Unendlichen herrscht, tyrannisch begrenzt sieht. Prometheus' Qualen sind der Preis seiner Freiheit. Zeus sowohl wie Prometheus sind im Recht. Dies ist der Grundwiderspruch, der auch bei Hauptmann die Welttragödie in Gang setzt. Doch endet sie nicht in der Verheißung einer die uranfängliche Harmonie spiegelnden Rückkehr, sondern bleibt bei der schroffen Antithese stehen. Ja, diesen Widerspruch als unaufhebbaren erkennen heißt die Wahrheit schauen.[43] Die Schopenhauersche Erlösungs- und Geistsehnsucht, für Hauptmann in Christus verkörpert, kann deshalb zwar nur illusionär bleiben, sie muß aber immer wieder erneuert werden, damit der Geist als Erkenntnis des Widerspruchs nicht erlischt. Luzifer, der Lichtbringer, ist Schöpfer dieser Welt, die die Verschmelzung von Licht und Nacht darstellt und ewiges Leiden, das nur existentiell, nicht logisch zu erfassen ist, verkörpert. Eine solche Mythologie beherrscht die Epen *Der große Traum* (1914–42), *Till Eulenspiegel* (1928) und die Dramen dieser Jahre *Indipohdi* (1920), *Der weiße Heiland* (1920) und *Veland* (1925). Hier wirkt die frühe Lektüre Büchners nach. Nur Wahnsinn, Trance und Traum, die Versteinerung vor dem Antlitz der Medusa, dem schrecklichen Angesicht dieser Welt, ermöglichen dem Menschen, sich aus dem Vordergründig-Psychologischen zu erheben, sich göttergleich zu machen und den Gott des Streites, des Leidens und des Unfriedens zu überwinden. Nur in wenigen ›optimistischen‹ Werken, z. B. in *Der Ketzer von Soana* (entstanden 1911–17, veröffentlicht 1918), erscheint der kosmogonische Eros in bacchantischer Ekstase – Hauptmann gestaltet darin den ›gelebten Mythos‹ der Griechen, wie er ihn in seinem Reisebuch *Griechischer Frühling* (1910) konzipiert hatte –, sonst aber führen Trance, Traum und Rausch nur zur Schreckensvision der tragischen Auswegslosigkeit der Welt, in der das Ende des Fluches, des Leidens und der Angst zugleich auch das Ende des Lebens bedeutet. Die gnostische Vision des ›grausamen Gottes‹[44] gewinnt in der Betrachtung des menschlichen Daseins existentialistisches Pathos. Die Verwandlung des blutigen Opfers in dramatische Handlung ist der entscheidende Vorgang, der mit dem antiken Kult der Tragödie verbindet. Die Tragödien zeigen den ewigen Kreislauf von Schuld und Sühne und in der Sühne erneut aufgeladener Schuld. Es gibt keinen Ausweg. Allein die Erkenntnis der tieferen Schuldlosigkeit des Menschen an seinem Schicksal – auch dem, Mörder sein zu müssen – schenkt vorübergehende Erlösung; Nietzsches Zarathustra dagegen fand darin die endgültige. Sein Übermensch hat die Last des Moralischen abgestreift.

Für Hauptmann bleibt der Mensch ein Irrweg der Natur, der Geist kann sich nur in der Passion zeigen. Die Weltsicht von Bachofens Reich des Mutterrechts, in dem alle Verhältnisse auf die Beziehung Mutter–Kind beschränkt sind, ist von Hauptmann übernommen worden. In ihm gibt es keine ethischen Forderungen, keine Hoffnung, kein Licht, keine Erlösung, nur das unerbittliche Gesetz der Blutrache. Positiv aber herrscht darin das elementare Gefühl, Lebendigkeit und instinktive Harmonie mit der Schöpfung, überdies ursprüngliche Freiheit und Gleichheit. Die weiblichen Figuren Hauptmanns ziehen den Mann in den Abgrund, der das Leben im Tode bedeutet. Wenn der Mann als prometheischer Dichter, Politiker, Künstler, Held und Täter die Utopie des Geistes im Wahrheitswahn zu erreichen sucht, wird er von den Frauen zu Fall gebracht; der Opferer wird geopfert, da er im Drang nach ›oben‹ das tellurische Gesetz verletzt hat.

Drückt sich in Hauptmanns während des Weltkriegs in der Zurückgezogenheit ausgebildeter mythischer Weltschau fatalistische Resignation und das Pathos des Scheiterns aus, so zeigt sich, daß er ein Gesellschaftsdramatiker ist, der paradoxerweise den Zusammenbruch der Kommunikation zwischen Individuen darstellt, deren eigentliches Wesen jenseits aller Darstellbarkeit liegt. Das Eigentliche kann nur stammelnd und verfälscht vermittelt werden. Der oft beobachtete epische Zug der Dramatik Hauptmanns beruht auf dieser mystisch-existentialistischen Konzeption des Ichs, die auch von Hermann Hesse geteilt wird. Doch erweist sich bei diesem der Rückzug in die Innerlichkeit als noch drastischer: seine Romane *Demian* (1919) und *Der Steppenwolf* (1927) sind nur noch als Allegorien der Innenwelt zu lesen. Sie bedienen sich romantischer Darstellungsmittel: die Figuren sind zugleich Repräsentationen der Seele. Hesses Ansatz bei Nietzsche verrät sich deutlich in *Zarathustras Wiederkehr* (1919), zugleich spiegeln sich darin die Krise des Weltkriegs und die problematische Lösung Nietzsches: die Selbsterlösung durch die Übernahme der dionysischen Welt der geeinten Gegensätze jenseits von Gut und Böse. Zarathustra lehrt die um ihre Ideale betrogene Jugend, die geschlagen aus dem Weltkrieg zurückkehrte, die Lehre des Selbstseins. Er ist der rücksichtslose Wahrheitssucher, der die Entstellungen und Illusionen entlarvt und lehrt, sein Schicksal, auch die Niederlage, als Teil des eigenen Lebens zu lieben. Denn dem Leiden entkommen zu wollen ist nur Flucht vor sich selbst, da das Leiden und das Tun untrennbar zusammengehören. Der Krieg wird als Frucht der Selbstvergessenheit gesehen. Weil das Innere faul war, wurden die Feinde außen gesucht. Zurückfinden zum Selbst, sich an der Wurzel heilen, ist die Aufgabe, die nur in der Einsamkeit des Ichs gelöst werden kann. Verbessert werden können weder die Welt noch das Ich, sie sind immer gleich gut und gleich schlecht. Es handelt sich nicht darum, besser zu werden, sondern zu leben und selbst zu sein, sollte es auch im Selbstmord bestehen: Wagner in der Erzählung *Klein und Wagner* (1918) gleitet in die dionysische Welt, indem er sich ertränkt. Aber dieser Tod nimmt ihm die Angst, die paradoxerweise darin bestand, die ewige Ruhe in Gott finden zu wollen. Das entspricht der Ablehnung des Gottes der Hinterwelt durch Nietzsche. Gott ist die Welt des Gebärens und Vergehens, und zur Erlösung gibt es nur eine Kunst, »sich fallen lassen, [...] sich an nichts klammern, nicht an Gut noch Böse.«[45] Diese Welt ist »jenseits von Moral und Gesetz, ein Vordringen zu Gnade und Erlöstsein, zu einer neuen höheren Art von Verantwortungslosigkeit«.[46] Hesses Wagner fällt in den Schoß der Mutter, in das Unbewußte, aber erst nachdem er die Vaterwelt der Ordnung, des Gesetzes, des Selbstbewußtseins und der ›Persönlichkeit‹ aufgehoben hat. Es ist der dritte Dionysos der orphischen Mysterien, der dieses neue »Reich Gottes« regiert.[47]

Dieselbe Vision des drängend gestaltenden und sich verzehrenden Lebens empfängt der Maler Klingsor in *Klingsors letzter Sommer* (1920), der in seinem Schaffen wie Dionysos stirbt und sich wiedergebiert. Solche Einheit erlebt in seinen Träumen auch Emil Sinclair (*Demian*): sein Schlüsseltraum zeigt ihm den gnostischen Gott Abraxas, in dem Gut und Böse vereint sind. Dieser Traum ist zugleich Zeuge der Selbstgeburt, nachdem er sich dem Gebot Demians – seines Dämons – nach rückhaltloser Selbsterfüllung im Horchen auf die Forderungen der *ganzen* Seele hingegeben hat. Der Bruch des Vatergebotes, das ›Verbrechen‹, bildet wie in *Kinderseele* (1918) den ersten Schritt zur Freiheit. Im Traum ermordet Sinclair seinen Vater und begeht Inzest mit der Mutter. Die Mutter seines Dämons, Eva, wird schließlich seine Geliebte. Abraxas wie Eva (Kybele, Melitta) sind Symbole des Alls, und wie C. G. Jung es deutet – dessen Werk *Wandlungen und Symbole der Libido* (1912) Hesse kannte –, Symbole der Libido, die stets Gott und Teufel in sich vereinen. Sie sind

androgyn, wie die Hermesgestalt Hermine im *Steppenwolf*, die Harry Haller –
alias Hermann Hesse – im »magischen Theater« auf die Welt der ewigen Widersprüche und der ewigen Wiederkehr hin erzieht. Sie führt ihn zur Selbsterfüllung,
zur Wiedergeburt, nachdem er geistig-seelisch ›gestorben‹ war.
Der existentialistische bzw. nietzscheanische Aufruf zu sich selbst ist, das zeigt sich
am Schicksal Harry Hallers sehr deutlich, Reaktion auf die verzweifelte Lage des
bürgerlichen Intellektuellen: die Geistesaristokratie verliert ihr soziales Prestige,[48]
sie wird zerrieben zwischen den Fronten der bürgerlichen Reaktion (siehe den Besuch beim Professor für Mythenforschung) und den ideologisch festgelegten Gruppen (siehe die Kritik Hesses am Spartakus und den Kommunisten in *Zarathustras
Wiederkehr*). Um ein neues Selbstwertgefühl zu finden, um die Krise der Persönlichkeit zu beheben, sind die Intellektuellendichter auf die mystischen und religiösen
Theorien und Praktiken der Selbsterfüllung verwiesen, wie sie zwei Jahrtausende
bereitstellten. Der Mythos als das Älteste bekommt dann gerade durch sein Alter
eine Rechtfertigungsfunktion.
Dies ist auch bei Alfred Döblin der Fall, dessen ›indisches‹ Epos *Manas* (1927) den
zentralen Punkt seines religiös-mystischen Entwicklungsganges einnimmt. Die Ein-
flüsse Nietzsches, Dostojewskis und Tolstois vereinen sich bei ihm zu dem Paradox
einer »gottlosen Mystik«,[49] in der Gott als Prinzip der Triebverneinung geleugnet
wird und in der ein naturalistischer Pantheismus gelehrt wird, der den Menschen
in den Stand setzt, über sich selbst zu verfügen, er selbst zu sein. Zugleich aber hat
er »keine Bindung und Gebundenheit an das Dasein in dieser Form. Mißachtung,
Auslöschung des ephemeren ›Ich‹, dieser Form des trügerischen ›Ich‹. Fertigsein
für den Rückstrom in eine anonyme Welt.«[50] Den Ansatzpunkt bildet wie bei Hauptmann und Hesse das Problem der Überwindung des Leidens und des Todes. Für
Döblin ist das Leid durch die verfälschte Sicht des Menschen verursacht, der sich
vom Ganzen absondert und die Totalität leugnet. Der charakteristische Gegensatz
von hybrider Selbsterfüllung in der bedingten sinnlichen Welt als Bejahung aller
Leidenschaften und mystisch-demütiger Selbstauslöschung ist im *Manas* lebendig.
Ebenso bildet er die Ursache für die ›schizophrene‹ Aufspaltung der Figuren bei
Hesse, etwa Gowinda-Siddharta oder Narziß und Goldmund. In der Mystik war
das Paradox, daß das Ich gottgleich und zugleich gottfern ist, schon immer zu
Hause. Schiwa, der »Qualengott«, der eins und alles, Schmerz und Lust, Tod und
Leben zugleich ist – das Gegenbild des Dionysos in der Mythologie der Veden und
Upanishaden – wird von Manas, nachdem er durch die selbstlose Liebe seiner Frau
Sawitri vom Tode erlöst worden war, überwunden. Dies gelingt ihm aber nur, weil
er einen Zugang zu dem Sein im Sinnzentrum der Schöpfung, der »Seele der Seele«,
dem »Ich über der Natur« gefunden hat. Schiwa, der ewige Kreislauf von Geburt
und Tod, vermag dem Leiden und Sterben keinen Sinn zu verleihen. Das wahre
Sein liegt jenseits, es ist der nur zu ahnende, nie zu nennende ›deus absconditus‹,
zu dem auch Manas nur vorübergehend Zugang findet.[51] Dies aber genügt, ihn
zum ›neuen Menschen‹ zu machen, der das Leid zur ewigen Liebe hin überwunden
hat. Hier ist der erste Schritt Döblins zur Wiederanerkennung des christlich-jüdi-
schen Gottes zu sehen.
Nietzsches Lebenslehre steht auch am Beginn von Rilkes orphischem Werk. Erich
Heller findet die Frage, ob ein Dichter Theorien von Philosophen und Theologen

persönlich glaubt, irrelevant: er dichte, d. h., er sei tätig.[52] Rilkes Interesse an den übernommenen Vorstellungen Nietzsches sei nicht abzulösen von der dichterischen Verwirklichung, wichtig für ihn nur die Frage, wie er Erfahrungen in Worte bannen könne. Dank der poetischen Symbolverdichtung, der Intensivierung und Verwandlung der Sprache, entsteht jene Vieldeutigkeit, die sich nur durch gewaltsame Auslegung erschließt. Dieses wird damit zugleich als Fehlverständnis deutlich. Hermetische Esoterik wird Schutz vor profanem Eingriff und zugleich Garant für die ›Reinheit‹, mit der sich das ›Leben‹ in seiner Unendlichkeit und Ungreifbarkeit im Gedicht spiegelt. Lou Andreas-Salomé vermittelte Rilke Nietzsches Einsicht, daß das Verhältnis von Geist und Leben unter dem Primat des Lebens gesehen werden muß. Sie bekannte sich zur Intensität des Lebensgefühls, zum voraussetzungslosen Leben, das auch den Schmerz nicht scheut. Rilkes *Stundenbuch* war ein Hymnus auf das Leben in seiner Festlichkeit, in ihr gab es sich seinen Sinn selbst. Der Dichter versteht sich als Rufer zum Leben, und die Kunst ist das Mittel, sich selbst zu erfüllen. Wichtig ist die totale Konzentration auf die Innerlichkeit, bei aller Öffnung nach außen, und die Selbstverantwortlichkeit, die sich rückhaltlos allem Begegnenden, auch dem Furchtbaren, als Herausforderung der Kraft und Lebendigkeit hingibt und die Gefahr, sich zu verlieren, eher eingeht als die, in bürgerlicher Sicherheit zu vertrocknen. »Einsamer, du gehst den Weg zu dir selber« und »Bleibt der Erde treu«, das sind die Wahlsprüche, die Rilke dem Zarathustra entnimmt. Mystik und Immanenzdenken begegnen sich hier. Der Gott der Mystiker wird zur Leistung des eigenen Herzens, aber das war schon bei den kühnsten Mystikern, einem Angelus Silesius etwa, vorgedacht. Es zeigt, daß Mystik und Atheismus eng verbunden sind. Rilke reichert die Erde mit dem an, was die Transzendenz (›Hinterwelt‹) dem Leben entzogen hat. Die Dichtung nährt sich aus der dionysischen Welt. Die Dichtung erzeugt den Mythos als den lebenspendenden neu, indem sie sich in die gleiche Bewegung zurückversetzt, die die alten Mythen und Götter schuf. Die Lehre der Münchner Kosmiker – Ludwig Klages, Karl Wolfskehl, Alfred Schuler –, die Bachofen als Geheimlehrer entdeckt hatten,[53] wird bei Rilke zum orphischen Geheimnis in dichterischer Darstellung zurückgeführt. Der Dichter ist der Weltschaffende, da er Unsichtbares und Sichtbares, Tod und Leben einigend übergreift. Er wird zum Gott, der die übermenschliche Kraft der »Rühmung« besitzt, von der die Transzendenz in die Immanenz gezwungen werden soll. Der Engel der *Duineser Elegien* (entstanden 1912–23) und der Orpheus der *Sonette an Orpheus* (entstanden 1922/23) sind das Ergebnis mythischer Schau.

Ernst Cassirer (ebenso Klages und Erich Unger) beschreibt den archaischen Mythenglauben so: Das als sinnliches oder geistiges Bild Wahrgenommene ist ›unmittelbar‹ das Absolute selbst, läßt sich nicht auseinanderlegen in Schein und Wesen. Das Ur-Bild erscheint nur dem ekstatisch Schauenden, der zu dem Gegenstand in eine Ich-Du-Beziehung tritt; der Gegenstand wird heilig, d. h., er ist zugleich konkret und transzendent.[54] Die dionysische Ekstase ist das Nach-außen-Kehren eines Innersten und umgekehrt Verinnerlichung des Außen, sie vermittelt Einzelnes und Ganzes, ist Wiederherstellung des unendlichen Bezuges, der in der modernen Welt der Zersplitterung aller Ganzheiten schmerzlich vermißt wird. Der »Bezug« wird bei Rilke, wie bei Hofmannsthal, als Übermächtigtwerden von allem und Offensein zu allem verstanden. »Keinem Ding Eintritt in seine Seele verwehren, sie treffen sich in ihm« (Hofmannsthal). Der Dichter als Person wird Opfer dieses Ansturms, er ist nur noch Bezugspunkt, sein Ich löst sich auf, wenn man der Selbstdeutung dieses Prozesses durch die Dichter glauben will.

Sehr ähnlich, wiewohl die daraus resultierende Form der Dichtung es nicht vermuten läßt, wirkte die Lektüre Bachofens, Nietzsches, Spenglers, Burckhardts, Rohdes, Taines auf die Lyrik und Essayistik Gottfried Benns. Bei ihm wechselte eine dionysische Stufe mit einer orphisch-apollinischen ab, eine Periode der rauschhaften Evokation des orgiastisch-vitalen ›südlichen‹ Lebens mit der ernüchternden und damit artistische Formen hervortreibenden Einsicht, daß die antike Lebenswelt unwiederholbar ist.[55] Spengler verdankte er die Einsicht, daß die eigene Epoche das gleiche Schicksal ereilt wie einst die antike Welt. Die ›Bildungs- und Erkenntnislyrik‹ Benns, die mit Chiffren, Symbolen, Anspielungen aus der Altertumsforschung arbeitet, stellt sich jedoch als »existentielle Wiederholung« (Wodtke) im Sinne einer platonischen Anamnesis dar, da sie die Urbilder des menschlichen Daseins aus der Tiefe der Zeit wieder-, d. h. zurückholt. Benn sieht sie einerseits als geschichtliche, verdankt doch der Dichter dieser Tradition seine eigene Bildung, andererseits offenbaren sie sich ihm als mythische Symbole, in denen er sein eigenes Dasein erkennen und deuten lernt. Er identifiziert sich mit ihnen. Der Mythos des Orpheus, der, wie Karl Kerényi zeigte, apollinischer Myste mit einem dionysischen Schicksal ist,[56] gewinnt für Benn, wie für Rilke, eine die europäische Menschen- und Dichterexistenz deutende Macht. Orpheus in dem Gedicht »Orphische Zellen« (1923) ist Benn selbst. Er opfert sein Ich, indem er sich in den Zug der Bacchanten einreiht, er geht in Gott auf, zugleich aber beschreibt dieses Erlebnis antiker Mysterien die Situation des einsamen, seinem Innersten zugewandten modernen Dichters, der die Antike, den Mythos, in seiner Seele erneuert. Indem er sich seiner archaischen Ursprünge bewußt wird, sieht er die Macht des Mythischen an sich und in sich wirken. Danach aber gewinnt diese mystische Erfahrung der Einung mit den Archetypen (C. G. Jung) in der »participation mystique« (Lévy-Bruhl) Form im Gedicht. Nietzsches Diktum, daß Dionysos nicht ohne Apoll leben kann, bewahrheitet sich wieder. Der nihilistischen Situation der Gegenwart setzt er den »Olymp des Scheins« entgegen, der Nachtzeit der abwesenden Götter die Form und das Spiel der Kunst, das die Götter wiederauferstehen läßt. Das Gedicht ersetzt das kultische Fest, dessen Wesen es war, Einst und Jetzt im Zeitlosen zusammenfallen zu lassen.

Jedoch die Form verweigert die unmittelbare Gefühlsbeteiligung des Lesers. Benns Gedichte sind keine Erlebnislyrik. Die von Nietzsche inaugurierte Artistenethik führte ihn zur Wahrhaftigkeit der Form, wenn man Wahrhaftigkeit als ständigen Widerspruch definieren darf. Das Verdienst des Expressionismus und insbesondere Benns im Gedichtband *Morgue* (1912) war es, Fassade, Ornament, Maske, Prätention zu zerstören. Wenn auch konkrete Anweisungen für das gebotene Verhalten nicht erteilt werden konnten, so vermittelte diese Kunst doch die Haltung der Redlichkeit gegenüber den Verführungen von Ideologien, Täuschungen, Lügen und Vorurteilen. Die Redlichkeit ist also eine Verweigerung der Anpassung. Sie ist der Grund für die Unanschaulichkeit der Dichtung Benns, die Feind des Realismus als gewollter bzw. erzwungener Versöhnung von Erscheinung und Wesen ist. Mittelbar wird Kunst so politische Macht, freilich in den Grenzen, die durch die Aufnahmebereitschaft und -fähigkeit des Publikums gesetzt sind. Die ekstatisch-kathartische Erlösungsartistik bekommt auf diese Weise einen paradigmatischen Rang, obwohl der Dichter Kunst nur noch zum eigenen Heile betreibt. Dichtung wird zur Rechtfertigung des Lebens, zur einzigen Wirklichkeit, die alles andere aufzehrt. Das ästhetische Spiel, welches das dionysische Kreisen des Kosmos in sich abbildet, ist zwar amoralisch, wertneutral, aber da es von einem spielenden, im Spiel sich selbst bestimmenden, also ›freien‹ Künstler hervorgebracht wird, spiegelt es Autonomie, Selbstbestimmung als Utopie des Goldenen Zeitalters vor, wenn auch diese Utopie nur wieder als absolute Antithese zur vorausgesetzten Heillosigkeit der modernen Welt verstanden werden kann.[57] Das gelungene hermetische Kunstwerk Benns besitzt eine eigene, einzige Art von Ewigkeit in der Schönheit; diese Schönheit ist leidenthoben, unzerstörbar, wie die Seelenverfassung, der sie ihr Dasein verdankt.

Von diesem mystisch-metaphysischen Auftrag her, der allein dem Einzelnen als Schöpfer und Experimentator gegeben ist, versteht sich die Wendung Benns gegen den ›Kollektivismus‹ derjenigen, die glauben, der Weltgeschichte einen Sinn ablesen zu können, der sich im sozialen Dasein erfüllen würde. In der Polemik zwischen Benn und Kisch/Becher 1929 standen sich die von uns einleitend allgemein definierten, unvereinbaren Standpunkte zweier verschiedener Mythentraditionen gegenüber. Es ist, als wollte ein Blinder einen Tauben über das Hören belehren und der Taube dem Blinden das Wesen des Lichtes erklären. In dem Rundfunkdialog »Können Dichter die Welt ändern« (1930) stellte Benn, wie schon im Essay »Das moderne Ich« (1920), das »absolute Ich« des Dichters, welches seinen Ursprung in der Antike hat, gegen das »soziale Ich«, ähnlich, doch radikaler als Thomas Mann in den *Betrachtungen eines Unpolitischen*: »Was tat das Geschmeiß vor dem Befehl des Absoluten – es wurde sozial.«[58] Das ›absolute‹ Ich sieht in der Herstellung des Kunstwerks keine soziale, den Fortschritt sichernde Maßnahme, das Kunstwerk ist »rein phänomenal, historisch unwirksam, praktisch folgenlos«,[59] ja nihilistisch, wenn sozialer Fortschritt als einziger positiver Wert erscheint. Denn der Dichter weiß, »daß der schuldlose Jammer der Welt niemals durch Fürsorgemaßnahmen behoben, niemals durch materielle Verbesserungen überwunden werden kann«. Die Vorstellung einer Welt ohne Tod, Angst, Schuld und Schmerz ist extrem seinsblind. Und auf die Frage, ob der Dichter das soziale Elend ohne Wunsch, einzugreifen, betrachten könne, antwortet Benn provokativ: »Der Dichter sieht zu in der vor keinem Tod zu verleugnenden Überzeugung, daß er allein die Substanz besitzt, das Grauen zu bannen und die Opfer zu versöhnen [. . .].« Die Dichtung übernimmt hier offen den religiösen Auftrag in einer nihilistischen, glaubenslosen Zeit. Sie allein gibt »metaphysischen Trost« (Nietzsche), nur sie kann den Tod bestehen.

Das ist allerdings eine Position, die der marxistischen, antimetaphysischen Religions- und Ideologiekritik diametral gegenübersteht, da der Marxismus das Leiden und die Opfer der Einzelindividuen im historischen Prozeß zugunsten des Endzustandes übersieht. Benn setzt gegen den ›Mythos des Fortschritts‹ den der Welt als ewiger Wiederkehr, welche in ihrer Totalität zu sehen künstlerisch-individuelle Moral erfordert, also Wahrhaftigkeit, die sich weigert, den Widerspruch als aufhebbar – und sei es auch ›dialektisch‹ – zu erkennen. Redlichkeit fordert, die Menschheit zu lehren: »So bist du, und du wirst nie anders sein, so lebst du, so hast du gelebt, und so wirst du immer leben.« Für Benn ergab sich der Konflikt

1931 bezeichnenderweise erneut, als er in seiner »Akademierede« Heinrich Mann, dem er sein frühestes Prosa-Stück »Heinrich Mann. Ein Untergang« (1913) gewidmet hatte, noch einmal als dionysischen Artisten feierte, obwohl dieser sich schon 1910 mit dem Essay »Geist und Tat« von Nietzsche und seinem Standpunkt jenseits von Gut und Böse getrennt, den Intellektuellen zum tätigen Eingreifen in die politisch-soziale Welt aufgefordert hatte. Das Genie erhebe sich undemokratisch über den Durchschnitt und die Gesellschaft, hatte Mann da geschrieben. Faust sei ein Autoritätsmensch. Voltaire vertrat für Mann dagegen den Geist nicht als aristokratischen Besitz, sondern als demokratisch gleichmacherischen, gegen das Bestehende gerichteten. Goethe dagegen, hieß es ebenfalls 1910 in »Voltaire und Goethe«, sei der Hälfte seiner Verantwortung entflohen, »die Lügen, gegen die der andere [Voltaire] sich bäumt, gehen ihm in die große Wahrheit der Natur ein«, und so verband er sich mit der Autorität der Mächtigen.

Thomas Mann, der aus den gleichen Geistestraditionen lebte wie Benn, fühlte sich in diesem Goethe-Bild verhöhnt und mißverstanden, er verteidigte sich gegen die »zelotische« und »radikale« Schrift »Zola« (1914) seines Bruders, die ihrerseits eine Polemik gegen Thomas Manns »Gedanken im Kriege« war, in den *Betrachtungen eines Unpolitischen* (1918), die ihn den ganzen Krieg über intensiv beschäftigten und die letzten Endes eine religiöse Rechtfertigung seines Standpunktes intendierten.[60] Ähnlich wie Wagner und der junge Nietzsche sucht er die deutsche Kultur als aus dem (dionysischen) Mythos, aus dem Unbewußten, aus der Tiefe der Vergangenheit entstanden und in ihnen wurzelnd zu verstehen. Sie sei eine Kultur des Religiösen und der Seele, die sich dem Geist zu vermählen trachte, während die westliche, französische »Zivilisation«, wie sie sein Bruder Heinrich propagierte, alle Kennzeichen des Nietzscheschen Sokratismus trägt, nämlich Absage an die »Sympathie mit dem Tode«, plattes Fortschrittsdenken, abstrakte und im Endeffekt totalitär oder wenigstens autoritär angewandte Grundsätze wie Freiheit, Gleichheit, Demokratie und Menschlichkeit, die die Persönlichkeit und überhaupt alles Nichtkommensurable ausmerzten. Am Ende stehe die totale Staatsmaschine, in der das Individuum aufgehoben sei. Demgegenüber sieht Thomas Mann als genuine deutsche Lösung des Problems die Idee des »Volksstaates« als einer mythisch-mystischen Einheit, in der es dem humanen Bürger gestattet ist, »unpolitisch« zu sein, da er mehr metaphysisches als physisches Wesen ist, und worin das staatliche Leben nur neben, nicht über Religion, Philosophie, Dichtung und Wissenschaft steht.[61] Damit aber wird der Wilhelminische Staat, dem er dieses Wesen attestiert, hoffnungslos idealisiert; denn die Eigenschaft der Ironie, die er seinem Konservativismus zuspricht, ist nur seine eigene, nicht aber die der fanatischen Völkisch-Nationalen und der militaristischen Imperialisten, die seinem Kulturstaat keine Ehre machten.

Im Kapitel »Ironie und Radikalismus« geht es Thomas Mann um die Dialektik und den Ausgleich von Geist und Leben. Der radikale Geistfanatiker zerstöre um der Gerechtigkeit willen das Leben. Dagegen stellt Thomas Mann die liebende Ironie als eine erkennende Liebe, die das Unvollkommene am Leben einsieht, es aber deswegen nicht verurteilt wie der Radikalist, der es um seiner Utopie willen aus der Welt schaffen möchte. Die wahre Beziehung zwischen Geist und Leben sei wechselseitig wie die zwischen Liebenden. Der Geist steht zwar im Dienst des Lebens, aber er kritisiert auch das Leben, wenn es sich selbst im Wege steht. Wenn die Kunst so verfahre, kann sie zugleich »konservativ und radikal« genannt werden. Thomas Mann desavouiert sich durchaus nicht, wenn er später in *Von deutscher Republik* (1923) der deutschnationalen Jugend statt der früher von ihm verteidigten Monarchie die Republik ans Herz legt, denn unter Berufung auf Novalis' »Die Christenheit oder Europa« wird der Konflikt im Begriff der »Konservativen Revolution« vermittelt. Dieser Begriff ist selbst ironisch und paradox, da er an die Stelle radikaler Entscheidung für das Vergangene oder für die Utopie das Sowohl-Als-auch setzt. Mythos und aufklärerische Psychologie, Irrationales und Rationales, Christliches und Heidnisches, Antikes und Modernes, praktisch alle Begriffe und Symbole der abendländischen Kultur werden im *Zauberberg* (1924) unter den liebenden Vorbehalt der Ironie gestellt; an der zentralen Stelle heißt es: »Der Mensch ist Herr der Gegensätze, sie sind durch ihn, und also ist er vornehmer als sie.« Über dem Hin und Her der Polaritäten in der dionysischen Welt des ewigen Gebärens und Vernichtens steht die Selbstbewahrung des Humanen als Tat des Geistes, was eine Steigerung des Lebens über sich selbst hinaus bedeutet. Hier nimmt Thomas Mann Goethes Credo auf. Im Joseph-Roman (1933 ff.), der ausdrücklich als Widerspruch gegen die nationale Mythenschwärmerei und die Antithese von Humanität und Nationalität gedacht war, wird der transzendente Gott Jahve, den Nietzsche als das Unglück des Abendlandes verworfen hatte, wieder als die einzige Instanz zitiert, die das Humane gegen »Durchgängerei« und Mystik eines – im Grunde doch nur auf dem Recht des Stärkeren begründeten – Übermenschentums retten kann. Auch wird der ›Mythos‹ nicht als sakral angebetet, sondern in ironischer Distanz gesehen, d. h. einer Distanz, die aus Liebe *und* Kritik konstituiert ist. Mythos wird als »zitathaftes Leben« erfaßt, als Nachahmung, Wiederholung und Identifikation. Zugleich jedoch erfährt sich der Nachahmende, nämlich Joseph, als schöpferisch Freier, der fortentwickelt, was er nachspielt und zelebriert. Die Zukunft, so wünschte Thomas Mann in dem Vortrag *Freud und die Zukunft* (1936), möge einem Humanismus gehören, »der zu den Mächten der Unterwelt, des Unbewußten, des ›Es‹ in einem keckeren, freieren, heitereren, einem kunstreiferen Verhältnis stehen wird«.[62]

Seine Auseinandersetzung einerseits mit dem ›utopischen Radikalismus‹, andererseits mit dem Nationalismus der zwanziger Jahre, der sich des Thomas Mann liebgewordenen Begriffs Konservative Revolution zu Unrecht bediente, machte ihm die politischen Implikationen und Gefahren der geistesgeschichtlichen Spekulationen, die durch Nietzsches Lebens-Apriori radikalisiert wurden, deutlich. Er stellt sich in dem politischen Kampf um das Humane, das er als Ausgleich und Vermittlung definierte, auf die Seite der verleumdeten und gehaßten Sozialdemokratie, die er als Ausgleichskraft ansah.

Der sogenannten Konservativen Revolution dagegen ging es um bestimmte Entscheidungen.[63] So sehr die Bewegung auch zersplittert war, so wenig sie es auch wegen ihrer wesentlich spekulativen Tendenzen zur Parteienbildung brachte, sie war doch aufgrund ihrer Gegnerschaft zur Republik mit den Nationalsozialisten einerseits und den Kommunisten andererseits verbunden, zwischen denen sie sich vergeblich als dritte Macht zu etablieren trachtete. Die verschiedenen Gruppen und ihre geistigen Protagonisten werden bei Armin Mohler (*Die Konservative Revo-*

lution, 1950) nach Herkunft und Zielvorstellungen differenziert. Sie sind alle mehr oder minder beteiligt an den Ursachen des Weltkriegs, oder sie verdanken ihre Entstehung seinen Folgen. Für die Marxisten waren sie frustrierte Kleinbürger, die in ihrer Interessenlage zwischen Proletariat und Großbürgertum zerrieben wurden. Doch kann diese Behauptung nicht erklären, warum der ausgepowerte Kleinbürger sich nicht – der Theorie gemäß – dem revolutionären Proletariat anschloß. Jean Neurohr (*Der Mythos vom Dritten Reich,* 1957) knüpft zur Erklärung an Georges Sorel und Hendrik de Man an, die der ökonomischen Ursache sozialer Einstellungen die höhere Ursache des sozialen Mythos überordnen. Nur ein gemeinsamer sozialer Mythos, der das Gefühl für das Erhabene im Menschen anspricht, kann Massen in Bewegung setzen. Um Leidenschaften anzustacheln, den Menschen zum Opfer für die Gemeinschaft zu bewegen, genügt nicht ein bloßer Begriff; nur das mythische Bild erzeugt Massengemeinschaft. Es koordiniert und hebt die Isolierung des Einzelnen auf, indem es zur Tat bewegt, während der Vernunftbegriff keine Entscheidungen provoziert, ewig relativistisch ist. Der Mythos meint ein Ganzes, darum ist er auch nicht rational aufzulösen, soll es nach dem Willen seiner Verfechter und Erfinder auch nicht sein.

Alle diese Voraussetzungen eines sozialen Mythos, der sich aus religiös-eschatologischen Quellen herleitet, sind nun im Mythos von der Nation erfüllt. Er stellt gleichsam den Positivabdruck aller negativen Momente dar, die sich im modernen, auf Masse, Demokratie, Fortschritt, Liberalismus, Parlamentarismus, Rationalismus, Individualismus, Egoismus, Interesse, Kritik usw. gegründeten Staat abzeichnen. Von dieser Einschätzung der Modernität aus wird nun alles, was in der romantischen Mythendeutung an Ganzheitsvorstellungen lebt und die Aufspaltung rückgängig machen soll, radikalisiert hervorgeholt. Das heißt, es wird nicht mehr an dialektische Vernunft appelliert wie in der Romantik, wo das dritte Stadium der höheren Einheit nur über Vernunftentwicklung zu erreichen war (Thomas Manns Ironiebegriff ist davon ein später Abkomme), sondern es wird platterdings Glaube verlangt, Sprung in die Unmittelbarkeit. An den Mythos zu *glauben* ist die Entscheidung, die jedem abverlangt wird, der ›wesentlich‹ zu leben entschlossen ist. »Die Mythologen ersetzen in unseren Augen die Historiker, die mythische Wahrheit hat den Vortritt vor der geschichtlichen Wirklichkeit.«[64] Der Geist, dessen Wesen so viele Facetten haben kann, ist nur in einem schwer definierbaren Gebilde, der »Volkheit«, vorhanden: »Volkheit ist Glaube und Wachstum. Intellektualismus ist Skeptizismus und Dürre. Der Geist ist in der Volkheit. Wichtiger als alle Vivisektion des Intellektualismus ist das Wachstum eines nationalen Mythos, eines Mythos, nicht aus den Nerven geschwitzt, sondern aus dem Blute blühend, denn nicht der Rationalismus, der Mythos erzeugt Leben.«[65] Friedrich Georg Jünger schrieb damals, wie sein Bruder Ernst (*Der Kampf als inneres Erlebnis,* 1922) Ekstase und Nationalismus verbindend: »Der Nationalismus hat etwas Berauschendes, einen wilden blutmäßigen Stolz, ein heroisches, mächtiges Lebensgefühl. Er besitzt keine kritischen, analysierenden Neigungen. Er will keine Toleranz, denn das Leben kennt sie nicht [...]. Eine Blutsgemeinschaft rechtfertigt sich nicht, sie lebt, sie ist da, ohne die Notwendigkeit einer intellektuellen Rechtfertigung zu empfinden.«[66] Diese Blutsgemeinschaft hatte sich, gemäß den Kriegserlebnisideologen dieser Jahre, im Weltkrieg gegen die Mächte der westlichen Zivilisation wiederhergestellt. Aber auch Hofmannsthals Vortrag *Das Schrifttum als geistiger Raum der Nation* (1927) beschwor »die Erleuchtung, daß ohne geglaubte Ganzheit zu leben unmöglich ist, [...] daß das Leben nur lebbar wird durch gültige Bindungen«.[67] Der Trend, der den vereinzelten, den titanisch suchenden, seit der Renaissance zentrifugal aus der Gemeinschaft sich herausbewegenden Dichter wieder zurückführen wird, heißt Konservative Revolution: ihr Ziel ist bei Hofmannsthal »eine neue deutsche Wirklichkeit, an der die ganze Nation teilnehmen könnte«.

Während aber Hofmannsthals Begriff der Nation noch auf dem Humanen gründet, das im Herderschen Sinne national gedeutet wird, bereitet es Ernst Jünger »grausamen Genuß, am Hochverrat des Geistes gegen den Geist« teilzunehmen, da er mit Spengler glaubt, dem letzten zivilisatorischen Stadium einer untergehenden Epoche beizuwohnen, die durch den cäsarischen Kampf imperialistischer Staaten untereinander auf die »Macht des Blutes«, des »Elementaren« zurückgeführt wird. Nach seiner Argumentation wirkt in den Weltbürgerkriegen, welche durch die Ideen von 1789 hervorgerufen wurden, eine List des Lebens. Die bürgerlichen und marxistischen Ideologen täuschten sich über die Folgen der von ihnen propagierten Freiheits- und Fortschrittsideen, jener »Volkskirche des 19. Jahrhunderts«. Die Gleichmacherei führt zur Beschränkung der Freiheit; Nivellierung und Diktatur der Mittelmäßigkeit erzeugen allgemeinen Haß. Jeder wird jedem zum Feind, da man die alten natürlichen Bindungen verleugnet. Es kommt zum Weltbürgerkrieg, in dem das Elementare, als das einzige, was dem Einzelnen und der Gemeinschaft Wert und Rang gibt, durch Messung der Kräfte wieder sichtbar wird. Der Geist, wie ihn Jünger versteht, ist nicht Widersacher des Lebens, sondern Instrument, das Werkzeug, dessen sich der Wille zur Macht bedient. Demgemäß hält sich nicht der Kapitalismus oder der bürgerliche Staat Armeen zur Durchsetzung egoistischer Interessen, sondern umgekehrt ergreift das kriegerische, elementare, anarchische Leben die Waffen, die Krupp bereitstellt. Die Technik besitzt hauptsächlich zerstörerische Wirkung, sie löst ruhende Ordnungen auf; die ganze bürgerliche Bildung, Kultur und ›Empfindsamkeit‹ werden so vernichtet. Jünger bejaht diesen Untergang und den Schmerz, den er bereitet, da er schicksalhaft notwendig sei und sich in ihm ein neuer Typus Mensch offenbare: der »Arbeiter«.[68] Er ist der Endpunkt eines triadischen Geschichtsrhythmus, der nach dem Homo religiosus des Mittelalters (als dem Nachfolger des christlichen Märtyrers, der sich für seine Wahrheit noch opfern konnte) den Bürger hervorgebracht hatte, der jede Berührung mit den wirklichen Daseinsmächten verlor. Der Bürger flieht Krieg, Blut, Bewährung, Opfer und sucht endlose Diskussionen, statt sich der Entscheidung zu stellen. Der »Arbeiter« wird zur utopischen Gestalt, die man, wie Jünger irrational und konsequent formuliert, erst sehen kann, wenn man selbst zu ihr geworden ist. Er ist die Gestalt des heroisch ertragenen Nihilismus als Schicksal des untergehenden Abendlandes. Im sich selbst bejahenden Nihilismus erhält die soldatische Tugend der Entschiedenheit, des Aushaltens auf »verlorenem Posten«, d. h. im Nichts, in der Sinnlosigkeit und Absurdität, die Weihe des wiedergefundenen Seins.

Der Umschlag des Nichts zum Sein, d. h. zum neuen Glauben, entspricht dem ästhetischen Nihilismus der Dionysiker und Orphiker. Jüngers Kriegsbücher, sosehr sie auch vom Erlebnis getragen scheinen, enthüllen sich – durch die gottgleiche Perspektive des »Arbeiters« und seines Willens zur Macht – als L'art pour l'art. Der Krieg erscheint wie Nietzsches dionysische Welt als rein ästhetisches Phänomen, als Daseinsspiel, in dem alle mitgemischt werden, und wie für Rilke oder Benn geht es Jünger darum, diesem ›Leben‹ im Geist und im Wort gerecht zu werden. Die Sprache selbst wird Werkzeug des Willens zur Macht, des Lebens, das sich in ihm bestätigt. Da die Entscheidung inhaltlos ist, erreicht sie die Würde der absoluten Kunst Benns: die Figuren, welche Jünger in *Das abenteuerliche Herz* (1929) als ›wesentlich‹ auftreten läßt (der Abenteurer, der Anarchist, der Soldat auf verlorenem Posten u. a. m.), sind ästhetische Idole wie die Figur des Dandy, der sich selbst zum Kunstwerk stilisiert. Sie sind gelebter Mythos. Die Rolle, die das Leben einem zugedacht hat, wird als solche total bejaht und bis zur Ekstase, zum Tod, zum Untergang gespielt. Spiel und Leben sind eins.

Ernst Jünger sah rascher als Benn ein, daß der Nationalsozialismus nur die Karikatur seines ethisch-ästhetischen Nihilismus war, wohl weil er durch seine Tätigkeit in politischen Zirkeln bessere Einsicht in den Geisteszustand der nationalsozialistischen Ideologen hatte, während Benn, wie Lennig schreibt, weder das Parteiprogramm noch *Mein Kampf*, noch eine der führenden Persönlichkeiten kannte, noch je auf einer Versammlung gewesen war. Doch sieht man an beiden, daß ein in das Soziale projizierter individueller Erlösungsmythos notwendig scheitern muß. Eine Einheit von Religion bzw. Metaphysik und Staat ist nicht wieder erreichbar. Sie herbeizwingen zu wollen führt zur Inhumanität, da die Ethik eines aufs Absolute zielenden Einzelnen nie mehr die eines sozialen Ganzen werden kann.

Anmerkungen

1. Vgl. dazu Ernst Topitsch: »Marxismus und Gnosis«. In: *Sozialphilosophie zwischen Ideologie und Wissenschaft*. Neuwied und Berlin 1966. S. 283 ff. – Karl Löwith: *Weltgeschichte und Heilsgeschehen*. Stuttgart 1953. S. 41 ff. – Karl Popper: *Falsche Propheten*. Bern 1958. Bes. S. 36 ff.
2. Siehe Theodore Ziolkowski: »Der Hunger nach dem Mythos«. In: *Die sogenannten Zwanziger Jahre*. Hrsg. von Reinhold Grimm und Jost Hermand. Bad Homburg, Berlin und Zürich 1970. S. 169 ff.
3. Siehe Ludwig Klages: *Vom kosmogonischen Eros*. Jena ²1926.
4. Siehe Ernst Topitsch: »Begriff und Funktion der Ideologie«. In: *Sozialphilosophie zwischen Ideologie und Wissenschaft*. S. 33 ff.
5. Siehe Ernst Cassirer: *Vom Mythos des Staates*. Zürich 1949.
6. Siehe Karl Löwith: »Der okkasionelle Dezisionismus von Carl Schmitt«. In: *Gesammelte Abhandlungen*. Stuttgart 1960. S. 95 ff.
7. Siehe Fritz Stern: *Kulturpessimismus als politische Gefahr*. Bern, Stuttgart und Wien 1963. Letztes Kapitel.
8. Siehe Karl Popper: *Falsche Propheten*. – Ernst Cassirer: *Philosophie der symbolischen Formen*. Bd. 2. S. 271 ff.
9. Siehe Ernst Topitsch: »Seelenvorstellungen in Mythos und Metaphysik«. In: *Mythos, Philosophie, Politik*. Freiburg i. Br. 1969.
10. Siehe Ernst Topitsch: »Entfremdung und Ideologie«. In: *Sozialphilosophie zwischen Ideologie und Wissenschaft*. S. 73 f. – Hans Albert: »Wissenschaft und Verantwortung«. In: *Plädoyer für kritischen Rationalismus*. München 1971. S. 103 ff.
11. Siehe Karl Popper: *Das Elend des Historizismus*. Tübingen 1965.
12. Vgl. Jean Neurohr: *Der Mythos vom Dritten Reich*. Stuttgart 1957.

13. Siehe Klaus Ziegler: Artikel »Mythos«. In: Merker/Stammler, *Reallexikon der deutschen Literaturgeschichte*. Bd. 2. Berlin 1965. S. 581.
14. Friedrich Nietzsche: *Werke*. Hrsg. von Karl Schlechta. Bd. 1. München 1962. S. 125.
15. Siehe Mircea Eliade: *Kosmos und Geschichte. Der Mythos der ewigen Wiederkehr*. Hamburg 1966. S. 114 ff.
16. Aber erst in *Also sprach Zarathustra* geschieht dies bewußt. Im letzten Aphorismus aus dem »Nachlaß der achtziger Jahre« (Schlechta-Ausgabe, Bd. 3, S. 917 f.) sind dionysische Welt, Welt der ewigen Wiederkehr und Welt als Wille zur Macht synonym.
17. Siehe Karl Löwith: *Nietzsches Philosophie der ewigen Wiederkehr des Gleichen*. Berlin 1935. S. 82 ff.
18. Nietzsche: »Über Wahrheit und Lüge im außermoralischen Sinn«. Schlechta-Ausgabe, Bd. 3. S. 309 ff.
19. ebd., Bd. 2. S. 839 ff.
20. ebd., Bd. 1. S. 130 und S. 132.
21. Siehe Karl Heinz Bohrer: *Der Mythos vom Norden*. Diss. Heidelberg 1961.
22. Siehe Hans-Joachim Mähl: *Die Idee des Goldenen Zeitalters im Werk des Novalis*. Heidelberg 1965.
23. Novalis: *Schriften*. Hrsg. von Paul Kluckhohn und Richard Samuel. Leipzig 1929. Bd. 2. S. 37.
24. Siehe dazu Eugen Lemberg: *Nationalismus I*. Hamburg 1964. S. 168 ff. – Christian Graf von Krockow: *Nationalismus als deutsches Problem*. München 1970. S. 24 ff. – Jacques Droz: *Le Romantisme et l'état*. Paris 1966. – Jean Neurohr: *Der Mythos vom Dritten Reich*.
25. Siehe Fritz Stern: *Kulturpessimismus als politische Gefahr*. – Ernst Keller: *Nationalismus und Literatur*. Bern und München 1970.
26. Siehe Hans Schumacher: »Reinhard Johannes Sorge«. In: *Expressionismus als Literatur*. Hrsg. von Wolfgang Rothe. Bern und München 1969. – Wolfgang Rothe: »Der Mensch vor Gott: Expressionismus und Theologie«. Ebd., S. 52 f.
27. Siehe Ernst Topitsch: »Über Leerformeln«. In: *Festschrift für Fritz Kraft*. Wien 1960.
28. Siehe auch Ernst Bloch: »Zerstörung, Rettung des Mythos durch Licht«. In: *Verfremdungen I*. Frankfurt a. M. 1960.
29. Julius Petersen: »Die Sehnsucht nach dem Dritten Reich in deutscher Sage und Dichtung«. In: *Dichtung und Volkstum*, 35 (1934). S. 175.
30. Joachim Fest: *Das Gesicht des Dritten Reiches*. Frankfurt a. M. 1969. – Zur Führergestalt und Idee des Dritten Reiches ferner: *Utopie*. Hrsg. von Arnhelm Neusüß. Neuwied und Berlin 1968. – Romano Guardini: *Der Heilbringer in Mythos, Offenbarung und Geschichte*. (Der Deutschspiegel 7, 1946).
31. Siehe August Langen: »Zur Lichtsymbolik der deutschen Romantik«. In: *Märchen – Mythos – Dichtung*. Hrsg. von Hugo Kuhn. München 1963. – Fritz Strich: *Die Mythologie in der deutschen Literatur*. Halle 1910. Bd. 2. – Darüber hinaus die Beiträge zur Lichtsymbolik in: *Studium Generale*, 10 (1957) und 13 (1960). – Auch Ernst Cassirer: *Philosophie der symbolischen Formen*. Bd. 2. S. 119 ff.
32. Vgl. Carl Hinrichs: *Ranke und die Geschichtstheologie der Goethezeit*. Göttingen, Frankfurt a. M. und Berlin o. J.
33. Theodor Däubler: *Das Nordlicht*. Genfer Ausgabe 1921/22. S. 23.
34. Friedrich Schlegel: *Über die Sprache und Weisheit der Indier*. Heidelberg 1808.
35. Georg Lukács: »Größe und Verfall des Expressionismus«. In: *Probleme des Realismus*. Berlin 1955.
36. Siehe Wolfgang Rothe: »Der Mensch vor Gott: Expressionismus und Theologie«. S. 44.
37. Statt den Widerspruch im System zu eliminieren, in das der Kleinbürger als Klasse nicht paßt, erklärt Marx dialektisch das Bewußtsein des Kleinbürgers selbst für widersprüchlich: »Der Kleinbürger [...] ist der lebendige Widerspruch.« In: *Das Elend der Philosophie*. Stuttgart 1892. S. XXXII. – Zur Bourgeoiskritik im Expressionismus siehe Peter U. Hohendahl: *Das Bild der bürgerlichen Welt im expressionistischen Drama*. Heidelberg 1967.
38. Max Weber: »Wissenschaft als Beruf«. In: *Deutsche Geschichtsphilosophie*. Hrsg. von Kurt Roßmann. München 1969. S. 377.
39. Ernst Topitsch: »Mythische Modelle in der Erkenntnislehre«. In: *Mythos, Philosophie, Politik*. S. 79.
40. zitiert nach Richard Benz: *Alfred Mombert*. Heidelberg 1947. S. 24.

41. Siehe Hans-Georg Rappl: *Die Wortkunsttheorie von Arno Holz.* Diss. Köln 1957.
42. Siehe Robert Mühlher: »Prometheus – Luzifer. Das Bild des Menschen bei Gerhart Hauptmann«. In: *Dichtung der Krise.* Wien 1951.
43. Siehe Wilhelm Emrich: »Der Tragödientypus Gerhart Hauptmanns«. In: *Protest und Verheißung.* Frankfurt a. M. und Bonn 1963. – Außerdem Wilhelm Emrich: »Dichterischer und politischer Mythos. Ihre wechselseitigen Verblendungen«. In: *Akzente,* 10 (1963).
44. Siehe Karl S. Guthke: »Das Drama des Expressionismus und die Metaphysik der Enttäuschung«. In: *Aspekte des Expressionismus.* Hrsg. von Wolfgang Paulsen. Heidelberg 1968. – Siehe auch Hans Blumenberg: »Wirklichkeitsbegriff und Wirkungspotential des Mythos«. In: *Terror und Spiel.* Probleme der Mythenrezeption. Hrsg. von Karl Fuhrmann. München 1971. S. 53: Die Ewige Wiederkehr wird zum Spiel des Sinnlosen, zum Nihilismussymbol.
45. Hermann Hesse: »Klein und Wagner«. In: *Klingsors letzter Sommer.* Hamburg 1971. S. 89.
46. Hermann Hesse: »Ein Stückchen Theologie«. In: *Gesammelte Werke.* Frankfurt a. M. 1970. Bd. 10. S. 75.
47. Siehe Walter Wili: »Die orphischen Mysterien und der griechische Geist«. In: *Eranos-Jahrbuch,* Bd. 11 (1944). S. 78.
48. Siehe Ernst Topitsch: »Zur Soziologie des Existentialismus. Kosmos – Existenz – Gesellschaft«. In: *Sozialphilosophie zwischen Ideologie und Wissenschaft.* S. 116 f.
49. Monique Weyembergh-Boussart: *Alfred Döblin.* Seine Religiosität in Persönlichkeit und Werk. Bonn 1970. S. 117.
50. ebd., S. 155.
51. Alfred Döblin: *Manas.* Epische Dichtung. Olten und Freiburg i. Br. 1961. Nachwort von Walter Muschg. S. 390.
52. Siehe Erich Heller: »Rilke und Nietzsche«. In: *Enterbter Geist.* Frankfurt a. M. 1954.
53. Siehe Max L. Baeumer: »Zur Psychologie des Dionysischen in der Literaturwissenschaft«. In: *Psychologie in der Literaturwissenschaft.* Heidelberg 1971.
54. Siehe Ernst Cassirer: *Philosophie der symbolischen Formen.* Bd. 2. S. 94.
55. Friedrich W. Wodtke: *Die Antike im Werk Gottfried Benns.* Wiesbaden 1963. S. 67.
56. Karl Kerényi: *Pythagoras und Orpheus.* Zürich ³1950.
57. Siehe Ernesto Grassi: *Kunst und Mythos.* Hamburg 1957. S. 83 und 93.
58. Gottfried Benn: *Gesammelte Werke.* Hrsg. von Dieter Wellershoff. Bd. 3. Wiesbaden 1968. S. 579.
59. dieses Zitat und die folgenden Benn-Zitate ebd., Bd. 7, S. 1673.
60. Thomas Mann: *Politische Schriften und Reden.* Frankfurt a. M. 1968. Bd. 2. S. 69.
61. Siehe Kurt Sontheimer: *Thomas Mann und die Deutschen.* Frankfurt a. M. und Hamburg 1965.
62. Thomas Mann: *Schriften und Reden zur Literatur, Kunst und Philosophie.* Frankfurt a. M. 1968. Bd. 2. S. 114.
63. Siehe Armin Mohler: *Die Konservative Revolution in Deutschland.* Stuttgart 1950. – Außerdem Kurt Sontheimer: »Antidemokratisches Denken in der Weimarer Republik«. In: *Vierteljahrshefte für Zeitgeschichte,* 5 (1957).
64. Hans Schwarz in: *Der Ring,* 1928. Zitiert nach Jean Neurohr: *Der Mythos vom Dritten Reich.* S. 24.
65. Zitiert nach Kurt Sontheimer: *Thomas Mann und die Deutschen.* S. 60.
66. ebd., S. 78.
67. Hugo von Hofmannsthal: *Ausgewählte Werke in zwei Bänden.* Frankfurt a. M. 1957. Bd. 2. S. 738 ff.
68. Ernst Jünger: *Der Arbeiter.* Herrschaft und Gestalt. Hamburg 1932. – *Werke.* Stuttgart o. J. Bd. 6.

Literaturhinweise

Johann J. Bachofen: *Der Mythos von Orient und Okzident.* Hrsg. von Manfred Schroeter. Einleitung von Alfred Bäumler. München 1926.
Max L. Baeumer: »Zur Psychologie des Dionysischen in der Literaturwissenschaft«. In: *Psychologie in der Literaturwissenschaft.* Hrsg. von Wolfgang Paulsen. Heidelberg 1971. S. 79–115.

Ernst Bloch: *Geist der Utopie*. Leipzig 1918.
– *Verfremdungen I*. Frankfurt a. M. 1960.
Paul Böckmann: »Die Bedeutung Nietzsches für die Situation der modernen Literatur«. In: *Deutsche Vierteljahrsschrift*, 27 (1953). S. 77–101.
Karl Heinz Bohrer: *Der Mythos vom Norden*. Diss. Heidelberg 1961.
Ernst Cassirer: *Der Mythos des Staates*. Zürich 1949.
– *Philosophie der symbolischen Formen*. Bd. 2: Das mythische Denken. Darmstadt 1964.
Mircea Eliade: *Kosmos und Geschichte*. Der Mythos der ewigen Wiederkehr. Hamburg 1962.
Ernesto Grassi: *Kunst und Mythos*. Hamburg 1957.
Ernst Keller: *Nationalismus und Literatur*. Bern und München 1970.
Ludwig Klages: *Vom kosmogonischen Eros*. Jena 1926.
Christian Graf von Krockow: *Nationalismus als deutsches Problem*. München 1970.
Eugen Lemberg: *Nationalismus*. Hamburg 1964.
Karl Löwith: *Weltgeschichte und Heilsgeschehen*. Stuttgart 1953.
– *Gesammelte Abhandlungen*. Stuttgart 1960.
Georg Lukács: *Die Zerstörung der Vernunft*. Neuwied und Berlin 1962.
Armin Mohler: *Die Konservative Revolution in Deutschland*. Stuttgart 1950.
Jean Neurohr: *Der Mythos vom Dritten Reich*. Stuttgart 1957.
Julius Petersen: »Die Sehnsucht nach dem Dritten Reich in deutscher Sage und Dichtung«. In: *Dichtung und Volkstum*, 35 (1934). S. 18–40 und 145–182.
Karl Popper: *Falsche Propheten*. Bern 1958.
– *Das Elend des Historizismus*. Tübingen 1965.
Joachim Rosteutscher: *Die Wiederkunft des Dionysos*. Bern 1947.
Gerhart Schmidt-Henkel: *Mythos und Dichtung*. Bad Homburg, Berlin und Zürich 1967.
Kurt Sontheimer: *Antidemokratisches Denken in der Weimarer Republik*. Die politischen Ideen des deutschen Nationalismus zwischen 1918 und 1933. München 1962.
Fritz Stern: *Kulturpessimismus als politische Gefahr*. Bern, Stuttgart und Wien 1963.
Fritz Strich: *Die Mythologie in der deutschen Literatur*. 2 Bde. Halle 1910.
Ernst Topitsch: *Sozialphilosophie zwischen Ideologie und Wissenschaft*. Neuwied und Berlin 1961.
– *Mythos, Philosophie, Politik*. Freiburg i. Br. 1969.
Theodore Ziolkowski: »Der Hunger nach dem Mythos«. In: *Die sogenannten Zwanziger Jahre*. Hrsg. von Reinhold Grimm und Jost Hermand. Bad Homburg, Berlin und Zürich 1970. S. 169–201.

ALEXANDER VON BORMANN

Vom Traum zur Tat. Über völkische Literatur

I

In seiner Abhandlung *Dichtung und Volkheit* (1937), die zum soundsovielten Male die »Grundzüge einer neuen Literaturwissenschaft« entwickelt, bestimmt Heinz Kindermann zunächst die Stellung der Dichtung »im Lebensraum der Volkheit«, um danach die Konsequenzen für die Neugestaltung der Literaturwissenschaft zu ziehen. Er schließt im Vorwort an eine Goethe-Bemerkung an, Maximen und Reflexionen Nr. 154, die hier vollständig zitiert sei:
»Wir brauchen in unserer Sprache ein Wort, das, wie Kindheit sich zu Kind verhält, so das Verhältnis Volkheit zum Volke ausdrückt. Der Erzieher muß die Kindheit hören, nicht das Kind; der Gesetzgeber und Regent die Volkheit, nicht das Volk. Jene spricht immer dasselbe aus, ist vernünftig, beständig, rein und wahr; dieses weiß niemals für lauter Wollen, was es will. Und in diesem Sinne soll und kann das Gesetz der allgemein ausgesprochene Wille der Volkheit sein, ein Wille, den die Menge niemals ausspricht, den aber der Verständige vernimmt, und den der Vernünftige zu befriedigen weiß und der Gute gern befriedigt.«
So fern Goethes Maxime dem zu stehen scheint, was sich ein Jahrhundert später unter dem Ausdruck ›völkisch‹ dartut, so beziehungsreich ist doch jener Hinweis und Versuch einer Erbeaneignung. Der Ausdruck ›Volkheit‹ taucht ungefähr gleichzeitig bei Campe, Hahn und Goethe auf, und Trunz vermutet, daß sie ihn unabhängig voneinander bildeten.[1] Goethe fordert letztlich einen Ausdruck, der erlaubt, den Begriff der Volkssouveränität nicht revolutionär aufzufassen, ›volonté générale‹ von ›volonté de tous‹ zu unterscheiden, die Gesetzgebung nicht der Ansicht der Verständigen entgleiten zu lassen. So unterscheidet er Volk und Menge und befindet sich damit ganz nahe bei der romantischen Geschichtsdeutung, die gleichfalls von dieser Unterscheidung ausgeht. Schon bei Herder heißt es: »Volk heißt nicht der Pöbel auf den Gassen«,[2] und Görres nimmt das deutlich auf, wenn er fordert, »daß wir die Pöbelhaftigkeit, als solche rein schlecht und verwerflich, unterscheiden von Volksgeist und Volkessinn« (1807).[3] Die geschichtliche Tendenz dieser Argumentation, dieser Abgrenzung des deutschen Bürgertums von allen plebejischen Elementen, läßt sich als der Versuch angeben, den angestrebten und weitgehend schon durchgesetzten Klassenkompromiß zwischen Feudalabsolutismus und Bourgeoisie nicht zu gefährden. Gefährdet war er in der Zeit der Volksbewegung, der Befreiungskriege gegen die französische Okkupation in der Tat. Die Heilige Allianz, die Restauration der christlichen Fürstenherrschaft, weist alle Ansprüche des Volkes kategorisch ab, etwa in der programmatischen Schrift Carl Ludwig von Hallers *Restauration der Staatswissenschaften* (1816):
»Die Fürsten (sie seien Individuen oder Korporationen) herrschen nicht aus anvertrauten, sondern aus eigenen Rechten (nicht jure delegato, sondern jure proprio). Es ist ihnen keine Gewalt von dem Volk übertragen worden, welche es mithin

nach bloßer Willkür zurückfordern oder in andere Hände legen könnte: sondern sie besitzen diese Macht und die damit verbundene höhere Freiheit durch sich selbst. Sie sind also nicht von dem Volk gesetzt oder geschaffen, sondern sie haben im Gegenteil dieses Volk (die Summe aller ihrer Untergebenen) nach und nach um sich her versammelt, in ihren Dienst aufgenommen, sie sind die Stifter und Väter dieses wechselseitigen Verbandes. Das Volk ist ursprünglich nicht vor dem Fürsten, sondern im Gegenteil der Fürst vor dem Volk, gleich wie der Vater vor seinen Kindern, der Herr vor den Dienern, überall der Obere vor den Untergebenen, die Wurzel und der Stamm vor den Ästen, Zweigen und Blättern existiert.«[4]
Die romantische Dichtung leistet ihre Hilfe bei diesen Staatsschutzüberlegungen, indem sie ›das Volk‹ zur Idee verdünnt. Die Entdeckung und Aufwertung der ›Volkspoesie‹, die Volksgeistforschung, der Mittelalter- und Naturkult der Romantik zielen sehr bald unmittelbar gegen die Aufklärung als nüchtern-prosaische, bürgerlich-rationalistische Bewegung. Die romantischen Ideologen wenden sich gegen den (revolutionären) Gestus der Machbarkeit von Verhältnissen, und die romantische Dichtung gewinnt ihre weitreichenden Lesersympathien, indem sie die grundsätzliche Diffamierung des Fortschritts mit einer z. T. scharfsichtigen Kritik am sich ausbildenden Kapitalismus verbindet. Was der Klassenkompromiß als Befestigung der gesellschaftlichen ›Ungleichzeitigkeiten‹ in Deutschland ideologisch bedeutet, läßt sich an der deutschen Romantik ablesen. »Das wahrhaft Historische« ist nun »der reinmenschliche Grundton, der durch alle Zeiten geht« (Eichendorff).[5] Der (noch bei Herder sozialkritisch dimensionierte) Volksbegriff läuft nun »auf einen mittleren Durchschnitt aus allen Ständen« hinaus[6] und kann folgerichtig bald »eine Idee« heißen.[7] Und den Terminus Volkspoesie ersetzt in der poetologischen Diskussion der Restaurationszeit die neutralere Formel Naturpoesie.[8]
Das konsequente Mythisieren, nach dem z. B. Adel nun nicht mehr einen Stand, sondern etwa ein ausgezeichnetes Menschentum besagt, hat die Romantik vorgemacht. Es gehört als ideologisches sowie hochpoetisches Verfahren unverlierbar zum Konservativismus, zum Versuch, »ein ganzheitliches Gefüge der politisch-religiösen Wirklichkeit wiederzugewinnen«.[9] Es als »eine andere Art der Welterfassung« auszulegen (denn die kritisch-rationalistische), als »die sichere Ergreifung der Welt aus der Erfahrung ihres Eigenwertes trotz aller Bedenklichkeit«, als »Objektivität« und »Formwerdung von Welt«, wie Hermann Kunisch es noch 1965 und 1970 vorschlägt, heißt auf Deutung verzichten und selber mythisierend reden. Kunisch betont: »Das Entscheidende ist, daß in dieser Weise der Dichtung die Einheit der Welt in dieser Welt selbst garantiert ist, nicht [...] im erlebenden und gestaltenden Ich. – [...] Bei den Dichtern der Weltwirklichkeit bleibt die Welt als Eigenwert erhalten. In dem Ergriffenwerden wird sie nicht zerstört, aber verdichtet und durchleuchtet auf einen hinter ihr liegenden Sinn hin.«[10] Darin erscheint der alte konservative Vorwurf, die geläufige Verwechslung wieder, es seien die Analytiker der Gegensätze, die die Gegensätze schüfen. Zugleich wird aber auch die ›organische‹ Methode durchsichtig: indem sie ihre ›natürlichen‹ Kategorien als Natur behauptet, sind ihre Auslegungen nicht mehr Sinngebung, sondern Sinnfindung, quasi-religiös, Antwort auf die Verunsicherung durch den neuzeitlichen Säkularisierungsprozeß und den Hinfall der Legitimitätsgrundlagen der alten Autoritäten.[11]
Die deutsche Germanistik hat das ihrige getan, um spätestens 1933 unfruchtbare,

verwesende, schmarotzende Oberflächenschichten unterzupflügen und einzuschmelzen in den erloschen geglaubten, aber jugendlich glühend hervorgebrochenen Kern jener völkischen Urwirklichkeit, aus der wir alle leben (Gerhard Fricke).[12] Sie hat den Volksbegriff als den höchsten irdischen Wert, als mythische Größe von nicht weiter ableitbarer metaphysischer Tiefe[13] zum Bezugspunkt ihrer Arbeit gemacht und damit letztlich nur die Konsequenz aus ihrer Tradition gezogen, die sich unter das Motto stellt: »Das alte Wahre, faß es an!«

Kindermann versteht den Begriff ›Volkheit‹ »im Sinne seines Schöpfers« als Dauerndes im Wechsel der Geschichte: »Zugleich mit allen äußeren Erscheinungsformen des Volkslebens, mit seiner atmenden Existenz umschließt es sein Tiefstes und Innerstes, das Geheimnis der Volksseele. Volkskörper, Volksgeist und Volksseele erscheinen vor diesem Begriff ›Volkheit‹ nicht mehr als getrennte Faktoren, sondern als *ein* lebensvolles Ganzes. Aus dem Einmaligen und Zeitgebundenen löst die Vorstellung ›Volkheit‹ das Unsterbliche. Inmitten der immer neuen Spannungen zwischen Tradition und Zukunftswillen erkennt und deutet sie die bleibenden, die erbgemäßen Züge im Werdeprozeß der Nation. Und aus der mythenbildenden Erinnerung des Volkes beschwört sie alle Kräfte des Widerstandes, allen Willen zur völkischen Selbstbesinnung und Selbstbehauptung. ›Volkheit‹ will demnach als dauernde Wirklichkeit jenes atmenden Ganzen verstanden werden, das Volkskörper und Volksordnung, Volksgeist und Volksseele in eine unlösbare Einheit bannt; als dauernde Wirklichkeit also des ganzen Volksgeschehens und Nationaldaseins. Sie umschließt mit der erdgebundenen Wucht zugleich auch die göttliche Überlegenheit des Herzens, mit dem geschichtlichen Zeitenschicksal zugleich auch das Unverlierbar-Ewige.«[14]

Was hier aus dem vergleichsweise unschuldigen Novalis-Diktum »Volk ist eine Idee« geworden ist, nämlich die religiöse Mitte einer totalitären Erneuerungsbewegung, reicht über die romantische Dialektik von Tradition und Neuwerdung (die noch ans Naturmodell gebunden war) hinaus. »In seinem revolutionären Stadium kann der Konservativismus nicht darauf warten, daß Weltanschauung und Volk ›wachsen‹, sondern beide müssen ›geschaffen‹ werden«, analysiert Martin Greiffenhagen,[15] der auch Hans Freyer zitiert: »Volkwerdung ist kein Wachstum, sondern ein geschichtliches Werk, das der Krise der industriellen Gesellschaft und der liberalen Demokratie abgerungen werden mußte.«[16]

Die Dichtung entfaltet sich nach Meinung der Völkischen »in der Mitte der Volkheit«; sie gehört »mit zu den wichtigsten geschichtsbildenden Kräften eines Volkes«.[17] Diese Auffassung, aus der sich dann ein völkischer Auftrag der Kunst gewinnen läßt, ist keineswegs auf 1933 ff. zu datieren. Hellmuth Langenbucher stellt fest: »Die größten Träger dieser Dichtung waren da, als der Nationalsozialismus das Volk eroberte«, und er verweist auf Namen wie Paul Ernst, Hermann Stehr, Emil Strauß, Wilhelm Schäfer, auf Hans Grimm, Erwin Guido Kolbenheyer, Friedrich Griese, Hans Friedrich Blunck usw.[18] Auch Rolf Geißler bezieht sich darauf: »Diese vom Nationalsozialismus protegierte Literatur ist ein Produkt jener völkisch-nationalistischen Bürgerschichten, die sich weigerten, den katastrophalen Ausgang des Ersten Weltkrieges geistig zu akzeptieren und daraus die innen- und außenpolitischen Konsequenzen zu ziehen.«[19]

Völkische Literatur heißt uns daher meistens soviel wie nationalsozialistische Literatur. Diese Gleichsetzung ist nicht grundlos, gleichwohl greift sie ein wenig zu kurz. So sind in der völkischen Dichtung gegenüber dem Nationalsozialismus doch mehrere ideologische ›Abweichungen‹ zu konstatieren, die im Verhältnis des preußisch-deutschen Konservativismus zur faschistischen Bewegung eine Entsprechung haben mögen. Gewiß gewinnen später gerade diese (z. T. scheinbaren) Abweichungen ihre politische Funktion, aber sie sind doch nicht so entworfen, also auch nicht von daher zu beschreiben.[20] Der programmatische Bezug auf das Volk als auf die ›Volkheit‹ bezeichnet eine der letzten Phasen in der Geschichte des deutschen Konservativismus; völkische Dichtung hat darin ihren ideologischen und auch historisch-politisch bestimmbaren Ort. Das in der Moderne so problematisch gewordene Verhältnis von Dichtung und Leben findet nun seine beruhigende Klärung und Linderung: »Das Werk der Dichter ist das immer neu gestaltete, artgerechte Leben selber – nur auf einer anderen Ebene; es ist gleichwohl genau so erb- und bodenbedingt wie die volkhafte Wirklichkeit; ja, die Dichtung ist selbst ein wichtiges Stück dieser volkhaften Wirklichkeit.«[21] Die Leistung dieser Vorstellungen ist deutlich; die traditionelle exklusive Bedeutung des Begriffes ›Volkheit‹ wird aktualisiert, da nun (1933) bestimmt ist, was darunter zu denken ist. Kindermann zitiert aus dem Buch *Nationalpolitische Erziehung* von Ernst Krieck: »Jedes Glied eines Volkes findet ein dem Volk, dem Blut, der Lage angemessenes Weltbild als objektive und verpflichtende Gegebenheit vor, und indem es in die reife Gliedschaft am Volk emporwächst, wächst es zugleich in das vorgefundene Weltbild hinein, nimmt es dieses Bild als inneren Gehalt in sich auf [. . .].«[22]

Daß sich völkische Literatur stets einen Auftrag stellt, genauer: sich unter einen Auftrag gestellt weiß, verweist darauf, daß der Konservativismus eine Reaktionsbewegung ist. Dieser Auftrag läßt sich formal in zwiefacher Hinsicht konkretisieren: Erstens trägt sie ein »angemessenes Weltbild« als objektive und verpflichtende Gegebenheit vor; sie ›zerstört‹ nicht, wie Kunisch ›analysiert‹, zeigt sich also als Gegenmodell der modernen (abstrakten) Dichtung. Zweitens steuert die völkische Dichtung als Dichtung die Verinnerlichung der erwünschten Normen und Gehalte im Bildungsprozeß. Das ist ziemlich früh schon bewußt, etwa in den poetologischen Überlegungen der Hochromantik. Das Hitler-Wort von 1935 bezeichnet gewiß ein Endstadium: »Die Kunst ist eine erhabene und zum Fanatismus verpflichtende Mission.« Aber es zieht nur die Linien aus, die sich vorher schon wahrnehmen lassen. Die Basis dieser Thesen, der bürgerliche Kunstanspruch, das Bleibende auszusagen, ist noch längst nicht abgetragen. Erich Frieds Gegenthese »Was bleibt, geht stiften« wirkt noch immer provozierend. Auch diese Beobachtung bindet die ›welthafte‹ Dichtung, wie die Deutschwissenschaft nach 1945 sagt, an die ideologischen und sozioökonomischen Bedingungen des deutschen Konservativismus.

II

So leicht es möglich ist, die Traditionskette der völkischen Literatur nach rückwärts zu erweitern, so wenig plausibel erscheint dies doch für einen einführenden Aufsatz. Die Literatur der Deutschen Bewegung durchzuprüfen, ihre formalen und inhaltlichen Übereinstimmungen und Topoi zu notieren, ist ein langweiliges, weil allzu ergiebiges Geschäft. So versuchen wir zunächst, dem Grundmuster der völkischen Dichtung, nämlich Reaktion nach vorn zu sein, näherzukommen. Greiffenhagen etwa hat die Gleichursprünglichkeit von Konservativismus und Rationalismus gezeigt: »Aufklärung und Romantik entspringen beide der Distanz, welche der reflexive Geist seit dem 17. Jahrhundert zwischen sich und die Welt der Natur wie der Gesellschaft gelegt hatte.« Er bestimmt folglich den Konservativismus über seinen definitorischen Gegner, den aufklärerischen Rationalismus. Die Werte des Konservativismus, die im ganzen mit jenen der völkischen Literatur übereinstimmen, sind an die Erfahrung ihres Verlustes gebunden. Greiffenhagen nennt: »Religion, Autorität, Sitte, Heimat, Familie, Volk, Boden; und: Tradition, Kontinuität, Werden, Wachsen, Natur, Geschichte; und endlich: Sein, Organismus, Leben, Ewigkeit.« Die konservative Ideologie, die sich »als Anwalt des Natürlichen im Sinne des von jeher Bestehenden« versteht, behauptet die Ewigkeit dieser Werte; dagegen sucht Greiffenhagen zu zeigen, daß der Moment des Verlustes erst der Moment ihrer Entdeckung ist, der Erkenntnis also konservativer Werte und Forderungen. Sein wissenssoziologischer Ansatzpunkt schränkt den Wert der Beschreibungen ein, hält die Ergebnisse notwendig sehr allgemein. Greiffenhagen entwickelt den deutschen Konservativismus als ›Weltanschauung‹, als Antwort etwa auf den Verlust der christlichen Religion, und kommt dabei zu Beschreibungen, die exakt die Tendenzen der völkischen Literatur decken: »Der Konservative will auf eine wahrhaft prinzipielle Weise aus der Reflexionssituation heraus, in die ihn die rationalistische Fragestellung gebracht hat, will hinter sie zurück in die alte Ordnung, die er ewig und natürlich nennt.«[23]

Wie sich dieses Bestreben nach dem Ersten Weltkrieg äußert, in welcher Weise die völkische Literatur zum Konservativismus gehört, welches Verhältnis zum literarischen Erbe diese Bewegung einnimmt – diese Fragen fordern dann einen genaueren historischen Ansatz, als ihn die Mannheim-Schule bieten kann. Helga Grebings umfangreiche ideologiekritische Analysen gehen davon aus, daß »nicht zufällig« die brauchbarsten theoretischen Ansätze in historischen Arbeiten stecken. Sie versucht, die ideengeschichtlichen Deutungen des Konservativismus in die adäquate sozialgeschichtliche Problematik zu übersetzen. Greiffenhagens These, daß Konservativismus und Rationalismus gleichursprünglich seien, liest sich dann – bei Grebing – so: »Konservativismus gibt es seit der beginnenden Auflösung der statischen feudalagrarisch-handwerklichen Ständegesellschaft und der Herausbildung der dynamischen kapitalistisch-bürgerlichen Klassengesellschaft.« Und Helga Grebing stellt »historisch-soziologisch kontingent« die Frage: »Welche soziale Schicht oder Schichten richten sich mit welchen Argumenten, welche Interessen verteidigend, gegen wen als Träger der Auflösung der alten Ordnung und des Prozesses der Dynamisierung der Gesellschaft?«[24] Sie macht dazu gedrängte Ausführungen, auf die hier verwiesen sei. Feudalaristokratie und Bürgertum bilden jedenfalls nach 1871 die eine herrschende konservative Klasse, in deren Konnex das gewerbliche Kleinbürgertum und das Bauerntum, »anti-industriekapitalistisch und anti-industriegesellschaftlich orientiert«, einbezogen werden. So bildet dieser neue Konservativismus das »Kartell der staatserhaltenden und produktiven Stände«, wie er sich selbst bezeichnete. Verbunden bleiben die konservativen Kräfte durch eine Art zweifacher negativer ideologischer Harmonie – »die gemeinsame Gegnerschaft ge-

gen die Arbeiterbewegung und das gemeinsame Bedürfnis nach Kompensation nationaler Schwächegefühle«. Grebing beschreibt »die Verformung und schließlich die Selbstaufhebung des traditionellen preußischen Konservativismus« als Preis dafür, daß er es vermochte, die »längst obsolet gewordenen, überwiegend feudal-autoritär bestimmten [...] gesellschaftlichen Machtverhältnisse und Bewußtseins-strukturen und die ihnen entsprechenden politischen Herrschaftsformen zu konser-vieren und damit den Demokratisierungsprozeß zu blockieren«. Die Anpassung sieht, in Stichworten, so aus: »Der feudal-autoritäre, preußisch-ständische Konser-vativismus wird tendenziell konservativ-revolutionär, quasi (pseudo-)radikal-demo-kratisch, mittelständisch-antisemitisch, völkisch-national und rassisch-biologi-stisch.«[25]
Am Begriff des Völkischen und an der ihm zugeordneten Wissenschaft, der deut-schen Volkskunde, läßt sich sehr wohl der entsprechend phasierte Prozeß dieser Radikalisierung zeigen. Wolfgang Emmerich hat das nuanciert getan. Er geht von den vorliegenden Analysen aus, z. B. von Wolfgang Abendroth[26] und Wolfgang Fritz Haug[27], die dargetan haben, »wie die unpolitische oder transpolitisch sich gebende Haltung, die sich den vorgeblich objektiven, unstrittigen Inhalten ihrer Wissenschaft und sonst nur dem ›Volksganzen‹, dem ›Staat als solchem‹ verpflichtet glaubte, in ihrer scheinbaren Objektivität gerade die schlechteste Funktion der Subjektivität erfüllte, indem sie ihr an sich fremde Interessen stützte und sanktio-nierte«.[28]

III

Die völkische ›Weltanschauung‹, die völkische Literatur gibt sich als Kritik der Moderne. Sie ist darin romantische Opposition nach jener Feststellung von Georg Lukács, »daß sie die Widersprüche der kapitalistischen Gesellschaft zuweilen scharf-sinnig aufdeckt, [...] jedoch nicht imstande ist, ihr Wesen zu begreifen«.[29] Ihre Ideale zielen in die als Idylle wahrgenommene vergangene Welt des agrarischen Ständestaats zurück, und Schillers Kritik dieser ›returnistischen‹ Gesinnung, für die Hirtenidyllen ausgesprochen, gilt auch hier: »Sie stellen unglücklicherweise das Ziel hinter uns, dem sie uns doch entgegenführen sollten.« Schiller kritisiert dann jene Gleichsetzung von Kunst und Leben, der auch die völkische Literatur huldigt, und findet: »Weil sie nur durch Aufhebung aller Kunst und nur durch Verein-fachung der menschlichen Natur ihren Zweck ausführen, so haben sie, bei dem höchsten Gehalt für das Herz, allzuwenig für den Geist, und ihr einförmiger Kreis ist zu schnell geendigt.«[30]
Der Bezug auf das Volk hat gegenüber den herrschenden politisch-sozialen Zustän-den eine Protestfunktion, sowohl in der Romantik wie in der Weimarer Republik. Zugleich bleibt dieser Protest, nach seinem Selbstverständnis, an ein Positives ge-bunden. »Weil sich ein haltgebender Begriff in der Geschichte nicht fand, suchte man ihn noch vor, noch unter der Geschichte.«[31] Die völkischen Ideologen wissen dabei sehr wohl, daß sie konstruieren, jedenfalls die nachromantischen. So heißt es bei Hans Freyer deutlich: Volk wird »zu einer Auslese und zu einem kategori-schen Imperativ. Es wird zur Front aller wahrhaft revolutionären Kräfte, zur

Front gegen das Prinzip der industriellen Gesellschaft.«[32] Doch man muß hinzusetzen, daß dieses imperative Bewußtsein von der Zuversicht ausgeht, sich auf das Gefühl, auf die Zustimmung ›des Volkes‹ verlassen zu können. Die völkische Poetik nährt sich lange an der Nabelschnur der konservativen Tradition. Ein Aufsatz von Hermann Stehr z. B., »Dichter, Zeit und Ewigkeit«,[33] beginnt mit dem aus der romantischen Kulturkritik sattsam bekannten Topos vom heilen Mittelalter: »Noch im Mittelalter lebte der Mensch [...] in einer Welt, die er noch so ziemlich überschauen und sich geistig zu eigen machen konnte.« Nun ist die Welt undurchschaubar geworden, das verlorengegangene Weltbild kann durch Wissen nicht mehr »zusammengelesen werden«.[34] Hier tritt die Kunst helfend ein. Sie hat einen ›Lebenswert‹ im Volke, heißt ein ›Lebensgut‹: »Wir sehen in ihr ein Volksgut von Lebenswirksamkeit.«[35] Die »lebensbildnerische Wirkung« der Dichtkunst wird von E. G. Kolbenheyer »unideologisch«, nämlich »biologisch« erklärt. Die Gefühlserlebnisse des Menschen, heißt es da, bilden die Brücken »aus seiner logisch bewußten Tageswelt ins Jenseits des triebhaften Lebens der Gemeinschaft«. Da vom Individuum gilt, daß »sich in ihm eigentlich nur ein Volk ausgestaltet, daß es der Funktionsexponent der lebenerhaltenden Anpassung seines Volkes sei«, muß eine Instanz benannt werden können, die diese Rückbindung sichert, nämlich »daß sein Leben innerhalb des unübersehbaren Überindividuellen richtig, d. h. biologisch artförderlich, eingestellt sei«. Das leistet »der Reaktionskomplex des Gefühlslebens«; dem wird die Dichtung mit der Kraft (und Aufgabe) zugeordnet, »ein Gefühlserlebnis zu erschaffen und dieses Erlebnis durch Inhalt, Rhythmus, Wortwahl, Satzbau zu einer Spannung zu steigern und durch die Spannung hindurchzuführen, daß mit der Lösung der Spannung ein Ordnungsimpuls auf *den* Teil der Gefühlswelt ausgeübt wird, der durch die Dichtung inhaltlich berührt wurde«. Kolbenheyer kann es sich so leisten, den bürgerlichen Kunstbegriff, nach welchem »dem bedeutenden Inhalte eine beherrschte Form entspricht«, zu übernehmen.[36]
Doch der Zusatz ›bedeutend‹ darf nicht vernachlässigt werden; damit das Kunstwerk seinem völkischen Auftrag entspricht, muß es, wie Stehr sagt, »den vollen Strom des Lebens« eingefangen haben. Der völkische Dichter schafft »nach unergründlichen Gesetzen« und bringt dabei die »über alles Getriebe der Zeit [...] je und je gültigen Normen« zum Bewußtsein. Die Absage an die artistische Kunst, an jedes Formexperiment begreift sich als Ehrfurcht vor dem Leben, als Objektivität. Die Folgerung daraus: Die Welt hat die »Pflicht, dem Genie zu vertrauen«.[37] Die Zerrissenheit wird dann, wie unter der romantischen Wünschelrute, als Spuk vergehen – ungetrennt spiegelt sich das heile Leben im organischen Kunstwerk. Der die Neuzeit bestimmende Zwiespalt von Wissen und Glauben[38] ist aufgelöst, das ›höhere Wissen‹ des Dichters (konsequent kommt der Geniebegriff wieder zu zweifelhaften Ehren) nährt neuen Glauben. »Weltbildnerisch zu wirken vermögen nur solche Werke, die in unseren Seelenraum treffen, die zugleich aber schon das Ganze des Lebens enthalten und so darstellen, daß wir aus ihnen eine neue Welt- oder Lebensanschauung empfangen, also dichterische Werke.«[39]
Hermann Stehrs Werke haben offensichtlich den deutschen Seelenraum treffen können. Auch wenn Max Tau noch 1932 klagte, daß »eine völlig instinktlose Literatur-Kritik« (die Inthronisation einer Kritik nach dem Instinkt erfolgte ein

Jahr später) der Wirkung Stehrs im Wege stehe, konnte er doch zugleich auf die
erfreulich große Lesergemeinde hinweisen, die sich der Roman *Der Heiligenhof*
(1918) schon erworben hatte. Tau bemerkt zu Stehr: »Er hat der deutschen Sehnsucht, die Wirklichkeit mit der Unwirklichkeit, das Reale mit dem Himmlischen zu
verbinden, Gestalt verliehen.« Und er unterscheidet Stehr »von den nur Sehn-
süchtigen« mit dem Hinweis, »daß alles Wirkliche in seiner Wesenheit geistig real
bleibt und alles Außerirdische unwirklich wird durch die Gestaltung«.[40] Auch das
Kunisch-Lexikon von 1965 drückt sich ähnlich, wenn auch im ganzen kritischer aus,
wenn es Stehr die »Tiefendeutung der deutschen Seele« bescheinigt.[41] Im Mittelpunkt des genannten Romans steht das zuletzt als heilig angesprochene Kind des
Sintlingerbauern, das blind, aber mit besonders bedeutsamen Augen geboren wird.
Der Vater deutet es (im Sinne des Autors): »Es ist ja gar nicht blind. Es braucht sie
bloß nicht, es sieht *über* die Augen hinaus.« Das Kind (Helene = Lenlein) sieht mit
seiner Seele. Der Vater baut darauf seine Weltanschauung: »Damit sehen wir alle.
Die Augen sind nur ein Umweg. Und was wir in der Seele sehn, ist ein anders, als
die Welt in unsern Augen. Deswegen gibt es hinter der Augenwelt *noch* eine Welt.
Und jedes Ding ist doppelt.«
Diese Auffassung, die den völkischen Roman auch in der Handlungsführung bestimmt – immerzu hat jemand Gesichte, gibt es Vordeutungen und treffende Geheimnisse –, lagert sich der Darstellung und Wirkung anders als die romantisch-
idealistische Märchenhaftigkeit ein. Sollte die letztere als poetisches Spiel der
Einbildungskraft den Menschen aus seiner prosaischen Verstrickung in das Alltagsleben zur wahren ›Theorie‹, zur Anschauung jener Ideale befreien, die reeller denn
alles Wirkliche seien, so ist nun solche Vorstellung vom Schauen in die ›Geisterwelt‹ gleichsam materialisiert und vulgarisiert.[42] Lukács hat das als ideologiegeschichtlichen und politischen Vorgang ausführlich beschrieben und gezeigt, wie
die Lebensphilosophie sich schließlich »in ein offenes Bekämpfen von Vernunft und
Kultur« verwandelt.[43] Wenn es bei Klages heißt: »Das Gesetz des Geistes trennt
ab vom Rhythmus des kosmischen Lebens«,[44] so entspricht dem positiv das Credo
der Faber-Figur, in das Stehrs Roman mündet: »Das Wissen um das Denken hat
mehr Seelen zerstört, als Schwerter seit jeher Menschen erschlugen. Wer weiß, ohne
es zu denken, und fühlt, ohne es zu fühlen, allein jener denkt und fühlt das ewig
Denkens- und Fühlenswürdige. Das Wissen des Denkens gleicht dem Blick, der
eine Kugel von außen sieht. Das Denken ohne Bewußtsein erlebt die Bewegungen
des Weltalls und das Gefühl, das sich nicht kennt, die Empfindungen Gottes.« Der
Mensch soll in die Tiefe seiner Seele sinken. »Denn dort erlebt er alles Leben, das
ganze Weltall, den ganzen Gott mit all seinen Geheimnissen, weil dieser unser
Grund auch der Grund Gottes ist.«
Hier ist der idealistische Weg in die Innerlichkeit konsequent zu Ende gegangen.
Der alte Topos, daß der Blinde der eigentlich Sehende ist, wird hier jeglicher Dialektik entkleidet, was eine (im Imperialismus entwickelte) agnostizistische Erkenntnistheorie voraussetzt.[45] Daß wir nichts wissen können, begründet die Notwendigkeit eines neuen Glaubens, einer neuen Religion, deren Priester die Dichter sind.
Paul Ernst, der Sozialismus, Naturalismus, Idealismus schließlich überwunden hat
zugunsten eines völkischen Nationalismus, spricht das ungeniert aus; das Verhältnis
von Volk und Dichter bestimmt er 1932 folgendermaßen:

»Das Volk [...] ist eine eigene, bestimmt zu umschreibende Persönlichkeit mit eigenem und einzigartigem Charakter und ebensolchem Schicksal, das bestimmte, nur Gott bekannte Aufgaben in der großen Menschenwelt zu erfüllen hat. Diese nur Gott bekannten Aufgaben werden im Lauf seines Lebens von ihm erfüllt, ohne daß sie ihm zum Bewußtsein kommen müssen. Die Erfüllung geschieht durch geheimnisvolle Bewegungen in ihm, die ihm selber nicht klar zu sein brauchen, deren Ursachen es auch nicht kennen muß.

Dieses Leben des Volks wird durch die Führer geleitet, die eine höhere Bewußtheit haben als die Gesamtheit. Aber wenn man genau beobachtet, so findet man fast immer, daß die Führer anderes erreichen, als sie bewußt wollen; es muß also wohl ihre höhere Bewußtheit nur ein Mittel in der Hand des Gottes sein, der die Schicksale der Menschen leitet, der die höchste, allein richtige Bewußtheit hat.

Zu den wichtigsten Führern gehören die Dichter; wenn man das Wort ›Dichter‹ in seinem höchsten Sinn nimmt, wie man bei dieser Betrachtung muß, so sind sie überhaupt die wichtigsten. Es drückt sich in ihnen Art und Schicksal des Führers aus: Der Führer führt dahin, wohin die Gefährten gehen wollen; das Wollen des Volkes, das dumpf und unbewußt ist, kommt in ihnen zu Klarheit und Bewußtheit; aber Klarheit und Bewußtheit gelten nur für das Wollen, und nicht für das Ziel, dem sich, da es den Menschen ewig unbekannt sein wird, im Bewußtsein gewöhnlich falsche Ziele vorschieben.«[46]

Man sieht, wie hier der romantische Volksgeist beim Wort genommen wird. Die restaurative Tendenz, Volk nach dem Vorbild des Organismus und als Individuum zu denken, umschreibt hier mit solcher Deutlichkeit ihre gesellschaftlich-politische Funktion, daß man Paul Ernsts Auslegungen fast als strategisches Programm lesen kann. Deutlich und bewußt wird ›das Volk‹ gegen den Begriff Klassengesellschaft gesetzt: »Das Volk ist nicht die Summe seiner Einzelmenschen, auch nicht eine Anzahl sich bekämpfender Stände oder Klassen.« Der zweite Schritt ist die Konstruktion einer Aufgabe, über die das Volk selbst nicht bestimmen kann (weil es nicht reif genug ist). Über die »geheimnisvollen Bewegungen« im Volk, die dazu helfen und »die ihm selber nicht klar zu sein brauchen«, läßt sich manches Material beiziehen, etwa die Propagandatätigkeit des Alldeutschen Verbandes oder des Flottenvereins vor dem Ersten Weltkrieg: Eine Liste vom Jahre 1906 zeigt, daß 36 Prozent aller Ortsgruppenvorsitzenden im Lehrberuf standen; von diesen waren wiederum 57 Prozent Professoren.[47] Das Volk muß die Ursachen seiner Bewegungen nicht kennen, um diese als eigene mißverstehen zu können. Der Dichter als der wichtigste Führer hilft zu dieser (Miß-)Deutung; damit die Quellen seiner Kunst munter sprudeln, darf auch ihm das Ziel dunkel bleiben.

Irrationalismus und Führergedanke hängen auch politisch-organisatorisch zusammen. So hat Wolfgang Horn in einer ausführlichen Studie die Phasen der völkischen Bewegung analysiert und zeigen können, wie eng deren Entwicklung, markiert vor allem durch die Differenzen zwischen den Deutschvölkischen (Ludendorff, von Graefe) und der parteivölkischen Bewegung nach 1924, mit der Ausbildung des Führerprinzips zusammenhing. Die z. T. chaotisch anmutenden organisatorischen Strukturen und die zahlreichen internen Konflikte innerhalb der völkischen Bewegung verweisen auf das Führerprinzip, auf den Führer als integratives und ideologisches Zentrum: »Eine ausnahmslos an rationalen Kriterien orientierte Gliederung der Partei und eine verbindlichen Normen gehorchende Funktions- und Führungsweise des Parteiapparates, ein streng hierarchischer Aufbau, hätten das Führerprinzip, das seinen Anspruch doch ausschließlich aus der auf die Person Hitlers zugeschnittenen Führerideologie ableitete, zu einer bloß formalen organisatorischen Maxime verengt und auch den ›Führer‹ selbst bis zu einem gewissen Grade bindenden Regeln unterworfen.«[48] Die differenziert nachgewiesene Wechselbeziehung von Führerprinzip und Anhängergruppen, auf die schon Paul Ernst aufmerksam macht, weist alle zu sehr auf die Person Hitlers (seine ›Dämonie‹) bezogene Geschichtsschreibung als kurzschlüssig aus.

IV

Stehrs Roman eignet sich als Beispiel, weil er in ähnlich ungewollter Deutlichkeit wie Paul Ernsts Aufsatz die gesellschaftliche Funktion der völkischen Ideologie und Dichtung darlegt. Daß diese von bürgerlicher Klassenpolitik nicht zu trennen seien, dieser schon aufgrund der Faschismus-Analysen formulierbare Verdacht wird bei genauerem Hinsehen schnell bestätigt. Stehr beschreibt ein Grubenunglück in Gelsenkirchen und die folgende allgemeine Streikbewegung. Deutlich wird das Unglück der Exploitationsgier der Grubenbesitzer angelastet, die die notwendigen Sicherheitsmaßnahmen aus Kostengründen vernachlässigt haben. Gegen die Unruhen der Arbeiter wird Militär eingesetzt, und es kommt zu Toten. Die Auflehnung, heißt es bei Stehr, verbreitete sich »wie ein Flugfeuer beim Sturm« über alle Zechen des Ruhrgebiets.

»Das regellose Marodieren, in das alle Widersetzlichkeit aufsässiger Arbeiter sich bald am Anfange sonst immer verliert, die unbändigen Ausbrüche eigenwilliger Roheit und Zerstörungswut wurden von einem überlegenen Willen unbeirrbarer Umsicht und ruhiger Entschlossenheit unterdrückt und schufen sich wie von selbst in den einheitlichen Geist eines wohldisziplinierten Heeres um.«

Nach dem von Paul Ernst gekennzeichneten Denkmuster kann solch ein Vorgang nur als Auswirkung eines überlegenen Führergeistes verstanden werden:

»Der Mann, der das Wunder der Zusammenfassung dieser wilden Masse zustande gebracht hatte, gehörte keiner Partei an und war auf kein Programm eingeschworen. Nach der Meinung der einen war er ein Bergmann, der aus dem belgischen Kohlenrevier den bedrängten deutschen Arbeitsgenossen zu Hilfe geeilt war, andere wiesen nach, er sei ein davongelaufener Volksschullehrer aus Schlesien, der wegen Unglauben und Widersetzlichkeit gegen seine Behörde des Amtes verlustig gegangen sei. Überall, wo die Wut der Bergleute zum offenen Kampf drängte, erschien er und verhalf den vom Zorn Berauschten zur Besinnung ihres Rechtes und zum ruhigen Vertrauen auf ihre Forderungen. Die Bedrückten verwandelten sich unter dem Einfluß seines Wortes in mutige Soldaten der Armut, die Zaghaften lebten von seinem Feuer und die Böswilligen hielt die Reinheit seiner Begeisterung im Zaume.«

Er wird von der Sozialdemokratie wie von der Polizei gleichermaßen verfolgt, was ihn in der Tat als Arbeiterführer ausweisen könnte, wenn nicht seine Reden wären. Er ist eine poetische Figur, heißt Faber und ist am Schluß des 2. Bandes der neue

Mensch-Gott selber geworden. So spricht er den Arbeitern zu: »Männer, Menschen, ihr alle seid so ewig und göttlich wie der Himmel mit allen Wundern über euch. Ihr besitzt die Macht der Unwiderstehlichkeit wie er, wenn ihr innerlich die wahre Gerechtigkeit einer schuldfreien Seele aufrichtet und sie zu einem geschlossenen Strome vereinigt. Dann werdet ihr die widersacherischen Reichen überwinden, so wahr sich meine Hand an meinem Arm schwenkt. Nichts kann euch widerstehen [. . .].«

Diese Übertragung eines historisch längst diskreditierten Moralprinzips auf die Situation des Arbeitskampfs, diese Beschwichtigungstechnik nach historischem Vorbild[49], wird von Stehr als Botschaft dargestellt, für die das Volk noch nicht reif ist – es verfolgt den heiligmäßigen Mann. Später scheint das Volk weiser geworden. Als das Verhältnis zwischen der Arbeiterschaft und den Unternehmern in dem rheinisch-westfälischen Industriegebiet sich »wieder einmal« zu einer unerträglichen Spannung erhitzt hatte, so erzählt Stehr, fürchtete man den Ausbruch eines Streiks größten Stiles. »Unter denen, die am tätigsten an der Vermeidung dieses Kampfes arbeiteten, wurde der Name Franz Fabers auch in den Syndikatszeitungen mit Achtung genannt als eines Mannes von großer Einsicht, weiser Mäßigung und reinster, höchster Menschenliebe.« So kann es nicht fehlen: die Ruhe wird wiederhergestellt.

Das Interesse des Autors, der so allgemein für die Menschheit, den Menschen votiert, ist deutlich klassenbezogen. Das kann ein Blick in den Roman von Hans Marchwitza *Sturm auf Essen* (1930, Neuausgabe 1972) lehren, der die Kämpfe der Ruhrarbeiter gegen Kapp, Watter und Severing (1920) genau und parteilich beschreibt. Bei der Eroberung Essens heißt es: »Hier ging es ohne Führer. Jeder war Führer. Sie waren Soldaten mit ganzem Herzen, doch Soldaten ohne jeden Zwang. Ohne den verhaßten Kadavergehorsam. Sie prallten, ohne zu zögern, gegen den Tod an, der ihnen aus Dutzenden von Maschinengewehren entgegenschlug. Sie wußten, warum! Nicht für eine winzige Gruppe Kriegsgewinnler und Ausbeuter – für sich! Für die Freiheit der werktätigen Klasse!« Streik und Kampf der Arbeiter, die im März 1920 schließlich vor der Zusammenarbeit von monarchistischer Reaktion und SPD-Regierung aufgeben müssen, haben die Niederschlagung der konterrevolutionären Kräfte und ansatzweise eine soziale Revolution zum Ziele: »Das war der Mob, von dem die Bürger so geringschätzig sprachen. Mob – Spartakus! Der Mob, den man jede Schicht an die Maschinen, in krachende Rutschenbetriebe getrieben hatte, um ihn schuften zu lassen. Der gedemütigte, unterdrückte, werktätige Mensch, der nichts anderes kannte als Fabrik, graue Mietskasernen, Kinderelend, das Grauen der Schächte und Hunger!« Dagegen erscheint es unmittelbar zynisch, wenn die reinste, höchste Menschenliebe und die Wiederherstellung der Arbeitsruhe bei Stehr Satz an Satz stehen. Darin liegt eine Radikalität, die der bürgerlichen Kultur und Ideologie zuerst fernlag. Sie läßt sich vielleicht als Protest gegen deren begriffene Folgenlosigkeit verstehen.

Die Ungleichzeitigkeit der bürgerlichen Ideologie zur bürgerlichen Praxis bewirkt in den zwanziger Jahren zwei Reaktionen. Einmal den Versuch, die Tradition zu verabschieden und sich rückhaltlos der Moderne anzuschließen, etwa im Technikkult. Helmut Lethen hat diese Reaktion der bürgerlichen Intelligenz als Ohnmacht beschrieben, als »Phänomene einer Öffentlichkeit, die die Verhältnisse der Produktionssphäre nicht antastet«, und zugleich auf deren verhängnisvolle Mächtigkeit in den reformistischen Arbeiterorganisationen der Sozialdemokratie und in den Gewerkschaften hingewiesen.[50] Zum andern die Radikalisierung der funktionalen, der klassenmäßigen Elemente der bürgerlichen Ideologie. So schien die Intelligenz nicht vergessen zu haben, daß etwa die Humanitätsidee, die in der Abwehr der feudal-absolutistischen Privilegierungen ausgebildet worden war, sich als Abwehr der Ansprüche der Arbeiterklasse eine Weile brauchen ließ. Durch Bezug auf den Volksbegriff wird diese Vorstellung dem beunruhigten Mittelstand neu annehmbar gemacht. Die durch den Dawesplan erreichte zeitweise Stabilisierung führte zu einem ›Scheinfrieden‹ der antidemokratischen Kräfte mit der Republik; es kommt zu einer Bürgerblock-Politik (1925–28) mit der loyalen Opposition der Sozialdemokratie, wobei die Konzentrationsbewegung der Industrie parlamentarisch abgedeckt wird.[51] Als Sozialpolitik und »Entfeudalisierung des Daseins unterm Kapitalismus« lassen sich die Folgen der forcierten Industrialisierung (z. B. erzwungener Konsumverzicht) um so leichter an den (kleinen) Mann bringen, etwa im ›Fordismus‹ oder ›Weißen Sozialismus‹, weil die Ungleichzeitigkeit der kapitalistischen Entwicklung ›aufklärerische‹ Effekte hergibt.[52]

Das Ethos der ›Sachlichkeit‹ wird von allen diesen Gruppierungen in Anspruch genommen; es fasziniert naturgemäß Kräfte, die an einer Veränderung der gesellschaftlichen (ökonomischen, politischen) Struktur nicht interessiert sind. Das Pathos der Hingabe an ›die Sache‹ schließt alle Tendenz als Demagogie aus; das Etikett ›volksfremd‹ ist schnell bei der Hand und so wirksam, daß ein großer Teil jener Gruppen, die als Subjekte der modernen revolutionären Bewegungen seit 1848 hervorgetreten sind (Proletariat, Bauern, Kleinbürgertum),[53] sich gegen das eigene Klasseninteresse zu verhalten bereit ist.[54] In diesem Prozeß werden Ideologien politisch-gesellschaftlich mächtig, und die ›zweckfreie‹ bürgerliche Vernunft leistet dabei den Dienst, den man erwarten konnte. So heißt es etwa in der Verbannung der Tendenz: »Politische Romane also werden von einem ganz bestimmten Standpunkt aus geschrieben werden müssen, während es das Wesen der echten Poesie wie aller echten Kunst ist, daß sie keinen Standpunkt besitzt« (Paul Alverdes).[55] Auch Richard Dehmel warb für den Krieg »als Volksangehöriger im menschlichsten Sinne«.[56] Nach Kröners *Philosophischem Wörterbuch* ist Sachlichkeit eine »seelisch-geistige Tendenz, Handlungen nicht um des persönlichen Vorteils willen, sondern im Dienste einer höheren Ordnung zu vollziehen«; als ihre Voraussetzung wird »die Fähigkeit des Gehorsams, der Hingabe« angegeben.[57] So verwundert es nicht, daß ihr die Innerlichkeit zugeordnet wird, von der es ebenda heißt: »Die Innerlichkeit ist eine psychische Potenz hohen, vielleicht höchsten Ranges, denn sie bereitet dem Geist den Weg zur Wahrheit. Sie hat zu tun mit Gehorsam, Hingabe, Liebe, Sachlichkeit und ist verwandt mit Pascals Instinkt.«[58] Auch die Echtheitskategorie, das Lieblingsinstrument einer traditionellen Literaturwissenschaft, gehört in diesen Reigen; Mannheim bestimmt sie als »das ins Seelische übertragene Prinzip der Sachlichkeit«.[59]

In der Bemühung um die kleinbürgerlichen Mittelschichten spielte die Argumentation, die etwa noch Kunisch in seinem *Lexikon der deutschen Gegenwartsliteratur* vorführt, eine bedeutende Rolle. Diese »positiver, unangefochtener« wirkende Art der Welterfassung[60] war in der Tat geeignet, die verunsicherten Massen zu ergreifen und zur Gewalt zu werden. Die genugsam beschriebene Auspowerung des deut-

schen Mittelstandes durch das Großkapital,[61] der Verlust seiner finanziellen Rück-
lagen und damit seiner Existenzsicherheit führten dazu, daß »die in schlimmsten
Notjahren aufwachende und sich quälende deutsche Seele«, nicht weniger »der
bebende wunde Körper der Nation« (Hans Grimm)[62] nach jener Beruhigung und
Zukunftsperspektive verlangten, die der radikalisierte Konservativismus, die völkische Ideologie, bieten konnte. Die Propaganda einer Volksgemeinschaft jenseits
von Klassen und Klassenkonflikten mußte vor allem für die Gruppe der ›Prole-
taroiden‹[63] anziehend wirken; die Diskrepanz zwischen proletarischem Existenz-
niveau und stark mittelständisch geprägtem Bewußtsein disponierte zur Aufnahme
jener völkischen Parolen.

V

So kann sich Hans Grimm auch nicht damit einverstanden erklären, daß sein
Roman *Volk ohne Raum* (1926) von Alverdes unter die politische Dichtung gerechnet wird. Grimm muß seine eigene Vorbemerkung (»Diese deutsche Erzählung
ist eine politische Erzählung«) revidieren und konstatiert nun: »Das Wort hat mit
dem, was von den Parteien und auch Bewegungen her und also im gegenwärtigen
Volksmunde politisch genannt wird, gar nichts zu tun.«[64] Seine These ist die aller
Völkischen, d. h. sein Buch »will erzählen, was ist«, es beansprucht, »gestaltete
Realität« zu sein. Entsprechend funktionieren die Illusionsbrechungen im Roman,
etwa wenn Hans Grimm, wie übrigens auch Hermann Burte im *Wiltfeber* (1912),
sich selbst als Person einführt.[65] Die Erfahrung der Ohnmacht gibt dem Helden von
Volk ohne Raum einen so hohen Identifikationswert; der Ausweg muß dann nicht
mehr »gestaltete Realität« sein, er wird auch in Thesenform abgenommen. Etwa
als die perspektivenreiche Versicherung: »Der deutsche Mensch braucht Raum um
sich und Sonne über sich und Freiheit in sich, um gut und schön zu werden.« Die
Einwände eines sozialistischen Redners (am Ende des Buches), daß es wohl noch
Land in Deutschland gibt, daß es nur einer anderen Verteilung desselben bedürfe,
werden vom Helden Friebott weggewischt mit dem Rechenexempel einer fort-
währenden Bevölkerungsexpansion, der Not von siebenzig Millionen und der gleis-
nerischen These, »daß Landmangel die Ursache ist, daß heute in Deutschland die
besitzlosen Leute überwiegen«.
Dieser Verweis auf den Landbesitz als eine Naturform von Daseinssicherung mußte
Inflationsgeschädigten besonders einleuchten. So erklärt Lethen die Faszination
völkischer Naturromane auf das Mittelstandspublikum in Analogie zum ›Wunder
der Rentenmark‹, für die der deutsche Grund und Boden als Deckung gelten sollte –
ein Bluff und eine für den internationalen Zahlungsverkehr unmögliche Konstruktion, die als Parole des Mittelstandes vom ›Wunder der Rentenmark‹ dennoch ihre
Faszination behielt.
»Denn hier schien es einmal möglich gewesen zu sein, mit Hilfe heroischen Maß-
haltens die nationale Autarkie zu sichern und aus allen internationalen Kapitalzu-
sammenhängen herauszuspringen auf ›deutschen Grund und Boden‹. Dieser Boden
war sowohl die von Hypotheken belastete ›Scholle‹ des kleinen Bauern als auch die
durch starke Staatssubventionen geretteten Güter des ostelbischen Adels. Dieser von

allen kapitalistischen Elementen gereinigte ›Boden‹ wurde zum Symbol der Krisenfestigkeit, und die Landwirtschaft wurde als naturwüchsige Wirtschaftsform der Dekadenz des Finanzkapitals, das seinen Sitz in den großen Städten hatte, entgegengehalten.«[66]

Der Geschichte überspringende Bezug aufs Volk begründet eigentlich auch schon die weiteren Züge der völkischen Dichtung: ihre Tendenz, wieder die Natur zu sein, freilich in einem dem Naturalismus eher entgegengesetzten Sinne; ihre Nähe zum Mythos, die vielfach die Sprachgebung bestimmt (bei Burte, Blunck, Schäfer u. a.); die Neigung zu sozialdarwinistischen Vorstellungen, die in ›naturbürtige‹ Elite- und Führertheorien münden. Die historische Analyse, daß der Nationalsozialismus nicht die Konsequenz der (unmittelbaren) Demokratie war (was manche Konservative noch heute gern glauben machen wollen), sondern das mit den Elementen der plebiszitären Führerdemokratie versetzte ›Erbe der Monarchie‹,[67] diese Analyse wird durch die ideologiegeschichtliche Betrachtung der völkischen Literatur nur bestätigt.

Nun läßt sich der Zusammenhang der erwähnten und weiterer zugehöriger Ideologeme wohl entwickeln, wie eine Anzahl einschlägiger Studien zeigt; doch soll hier eingehalten werden, um nicht mißverständlich zu werden. Es ist nicht die Absicht dieses Beitrags, den Begriff des Völkischen zu einer ästhetisch-literaturtheoretisch brauchbaren Kategorie auszuformen und dann die völkischen Werke und Autoren Revue passieren zu lassen. Vielmehr soll versucht werden zu zeigen, daß die völkischen Tendenzen in der Literatur der Weimarer Republik Reflexe gesellschaftlicher und politischer Tendenzen sind sowie auch als Agens auf jene zurückwirken. Das kann nur ungefähr geschehen: das notwendige Material ist nicht gut durchgearbeitet, z. T. nicht einmal dokumentiert; ein Aufsatz muß ohnehin recht verkürzen; Wilhelminische Tradition, liberale, konservative und völkische Strömungen der Weimarer Zeit lassen sich, wie Heide Gerstenberger bezeugt,[68] nur schwer auseinanderklauben. Zur Trägerschaft völkischer und konservativ-revolutionärer Ideen liegt eine Anzahl von Untersuchungen vor.[69] Angesichts der hohen Auflagen völkisch gesinnter Bücher scheint es wenig plausibel, z. B. auf Juni-Club oder Ring-Bewegung einzugehen. Die Verbreitung der völkischen Romane mag vielmehr als Indiz für die Richtigkeit der Behauptung von Gerstenberger gelten, daß »während des Kriegs und vor allem im stolzen Trotz gegenüber dem Versailler Frieden die völkischen Ideen radikaler Vorkriegsgruppen zum Credo fast des gesamten nichtsozialistischen Teils der Bevölkerung« wurden.[70] Das soll nicht heißen, daß der Begriff ›völkisch‹ beliebig als ideologisches Etikett für jenen Teil entwickelt und gebraucht werden kann. Fassen wir den Konservativismus allgemein als »eine Rechtfertigungsideologie vorkapitalistischer Eigentums- und Gesellschaftsstrukturen« auf,[71] so wird deutlich, daß er mit den völkischen Ideen nicht unmittelbar in eins zu setzen ist. Diese haben etwas Massenhaftes, Direktes, über das als ›vulgär‹ die Konservativen gelegentlich die Nase rümpften, im ganzen freilich auch wieder hinwegsahen (vgl. dazu Hans Grimms »Aufruf« *Von der bürgerlichen Ehre und bürgerlichen Notwendigkeit* von 1932).

Das Erlebnis des Krieges, der in den »Ideen von 1914« geradezu als Mittel zur Herstellung der organischen Volkseinheit angesehen wurde,[72] wirkte nach, vor allem bei den gesellschaftlich marginalisierten Gruppen, die sich dann als ›Frontkämpfergeneration‹ ein heroisch-aggressives Selbstbewußtsein aufbauten.[73] Unverhüllt erklärt die deutsch-völkische Germanistik: »Noch heute sind wir Deutschvölkischen der Ansicht, daß der große Krieg die Rettung des deutschen Volkes hätte werden können. Aber dann hätte man diesem von vorneherein große Ziele draußen und im Innern zeigen [...] müssen« (Adolf Bartels).[74] Als Konsequenz ergibt sich einmal mehr die Aufgabe, nun an den Zielsetzungen zu arbeiten und diese in das Herz des ›Volkes‹ zu senken. Dazu sind Romane, die die Identifikationsbereitschaft des Lesers aufbauen, die ihre Rezeptionsbedingungen wenigstens teilweise mitproduzieren können, geeigneter als literarische Kurzformen; so sind in der Frühphase der völkischen Literatur epische Formen vorherrschend.

Am Beispiel des Romans *Wiltfeber* von Hermann Burte läßt sich zeigen, wie weitgehend die Ausbildung einer völkischen Weltanschauung als dichterische Aufgabe begriffen und wahrgenommen wurde; zugleich gibt der Roman eine Reihe von Hinweisen auf den Zusammenhang von Ideologie und Politik. Dabei muß die Jahreszahl nicht anstößig sein. Burtes Roman ist 1912 erschienen und bis 1940 in 74 000 Exemplaren verbreitet worden. Zu den Thesen dieses Beitrags gehört ja gerade der Hinweis darauf, daß die völkische Literatur der Weimarer Republik die Macht und die Radikalisierung der traditionsgebundenen antirepublikanischen Gruppen und Schichten spiegelt. Diese brauchen sich ihre Literatur nicht erst zu schaffen, sie können vielmehr an eine reiche deutsche imperialistische Dichtungstradition anknüpfen.

Burtes Roman gestaltet die »Wunschsucht des Entschollten«; das Volk wird dessen neuer Bezugsgrund. Dazu muß es vom Pöbel unterschieden werden; der Einfluß Nietzsches ist (auch stilistisch) unverkennbar: »Denn in Wahrheit: verzweifelt ist die Lage unseres *Volkes*: ringsum ist es belagert und eingeschlossen von der *Menge*. Und eine verbissene alte Feindschaft ist zwischen Volk und Menge, wie zwischen heil und faul. [...] *Vernichtet die Menge um des Volkes willen, so meine ich es.*« Das Volk ist nur auf dem Lande zu finden, wenn auch dort nicht unbedrängt. Die Stadt ist die »steinerne Wüste«, die »steinerne Verwesungsstätte«, »die zementene Menschenschlingmaschine«. Das Volk ist der Baum, von dem sich der Einzelne (das Blatt) nicht trennen darf. Der regressive Zug wird in der Beschreibung eines altertümlichen Bauernhofs deutlich: »Ah, hier war HEIMAT! – Das war eine Insel, ein hochragender Gipfel, wohin die Pöbelflut mit ihrem Kram noch nicht gestiegen war.«

Ähnlich war bereits die Perspektive in Gustav Frenssens *Jörn Uhl* (1901): die Entschollung als das Unheil des modernen Menschen. Der Hauptanteil der Handlung ist dem Uhlenhof, dem Kampf um die Uhl gewidmet; der Untergang der Bauern wird dabei moralisch erläutert. Landbesitz ist die Voraussetzung, ein Vollmensch zu sein. Frenssen sagt das überdies durch seine Geschichte hindurch: »Darum hat, der diese Geschichte von Jörn Uhl erzählt, sich einen Landbesitz oben auf der Geest gekauft, vier Fuß breit, acht lang. Wenn man sich dort still hinlegt – und das denkt der Erzähler zu tun –, dann hört man im Sommer den Roggen rauschen.« Die Regression zeigt sich bei Frenssen schon in den Maßen des Anspruchs. Burte macht hingegen nun vor, wie man diese Anschauungen nach vorn wenden kann. Er denkt sich die ›Rückschollung‹ indirekter: »Auch Wiltfeber ist los von der Scholle; aber sein Geist blieb über dem Acker, wie der Dampf in der Frühe aus den Furchen steigt.« Die Erkenntnis, daß den leitenden Begriffen und Normen keine Realität mehr entspricht, führt zu deren ›Vergeistigung‹. Der Dichter ist in diesem Zusammenhang als Führer angebbar; er heißt nun »durch Geblüt und Gemüt ein Mann, welcher sich eine Denkwelt schuf als Beispiel, Abbild und Sinnbild der Dingwelt«: »Gleichnisse zu machen nach den Dingen der Welt, ist das nicht das Ende aller menschlichen Lieder?«

Wiltfeber (und Burte) wollen keine autonome Kunst. Der Zerfall des Volkes wird idealistisch-moralisch gedeutet; so kann eine »reine Lehre« (hier die vom Reinen Krist) ihm auch steuern. Die Bestimmung der Dichtung, eine Lebensfunktion zu erfüllen, eine Lebensmacht zu bedeuten (Kolbenheyer),[75] findet sich schon bei Burte deutlich entwickelt. Zwar im Kontext eines imperialistischen Programms, aber gerade dadurch in andere, ähnliche Begründungen konvertibel.[76] »Ein Volk, welches keinen wahren inneren Schatz besitzt«, heißt es, hat »kein sittliches Recht zur Eroberung«; das ist die deutsche Situation. So ruft Burte-Wiltfeber zunächst zum inneren Befreiungskrieg auf, aber deutlich ist das als Sinngebung weiter ausholender ›Befreiungskriege‹ gemeint: die Rede auf dem Schulfest benennt einzeln die Ziele mit der Parole »Heim ans Reich!« Wenn es so heißt, daß die Geistigen allein Kunst, »das lebenswerte Gut«, mehren, ist das nichts weniger als eine Resignationsposition. Durchaus bleibt hier »der Geist über dem Acker«. Die Vorstellung, die solche Wirksamkeit der Ideologie (Burte handelt auch von – bündischen – Organisationsformen, Klassenbündnissen usw.) beansprucht und garantiert, ist der Reichsgedanke. Die ideologischen und realhistorischen Ungleichzeitigkeiten der Weimarer Republik treten in ihm am deutlichsten zutage.

Als (beliebiges) Zeugnis dafür läßt sich das »Gedenkbuch der Reichsregierung zum 10. Verfassungstag«, *Deutsche Einheit – Deutsche Freiheit* (1929), benennen. Das Kaiserreich wird durchweg positiv von der vollbrachten deutschen Einheit her gedeutet; als Vollbringer werden nicht zuletzt die Dichter, die Rufer und Mahner angesprochen. Paul de Lagarde und Julius Langbehn, der ›Rembrandt-Deutsche‹, werden ausführlich zitiert. Und ganz wie Burte hebt Friedrich Naumann die Bedeutung der Kultur hervor: »Auf irgendetwas müssen wir Deutschen stolz sein können, wenn wir in der Geschichte noch etwas leisten sollen.« Explizit setzt er Kulturideale und Machtideale gleich, um den sozialen Bewegungen ein Ziel zu geben: »Man muß etwas, irgend etwas in der Welt erobern wollen, um selbst etwas zu sein.« Im Nationalwerden sieht Naumann den Weg »zur Menschwerdung der Masse«; auf den Patriotismus der Masse gründet er dann seine demokratischen Ideale.[77]

Richard Dehmel hob in seinem Kriegstagebuch *Zwischen Volk und Menschheit* (1919) deutlich den möglichen Beitrag des Dichters hervor: »Mein ganzes Dichten, sittlich betrachtet, war ja von jeher dem meinethalben vermessenen Willenstrieb entsprungen, die menschliche Seele für jede Art Kampf (mit sich selbst wie mit Gott und der Welt) zu stählen, sie im rührigsten Sinne schicksalswidrig zu machen, nötigenfalls auch im aufrührigsten.«[78] Dehmel war es auch, der 1912 Burte den Kleist-Preis verschaffte, und er bekennt: »Ich [...] habe überall Ihre wundersame Dichtung als eine Heilstat verkündet.«[79] Der Krieg bewährt diese Bedeutung des gerichteten Bewußtseins, er bringt nach Heinrich Krone »das Erlebnis der Notgemeinschaft«, das »Bewußtsein um den Volksgenossen«, »ein neues Volksgefühl«:

»Volk ist nicht Anhäufung von Individuen, deren Endsumme. Volk ist ein Organismus, der lebt, wächst, aber auch sterben kann. Wir sind Glieder in ihm, leben aus ihm, und unsere Individualität besteht darin, das Empfangene umzuprägen und weiterzuformen.« Krone, Beispiel der deutsch-ideologischen Kontinuität bis in unsere Gegenwart hinein, beschwört weiterhin »die Verpflichtung, die uns aus diesem Volksgefühl erwächst: die Verpflichtung des Ich vor dem Wir, der Wille zur Bereitschaft und zum Dienen«. Wie Posaunenrufe tönen solche Sätze: »Volk ist ein Lebenswert«, »Es geht um das Dritte Reich« usw.[80] Zu fast der gleichen Zeit (1928) schrieb Kurt Tucholsky sein Lied »Zehn Jahre deutsche ›Revolution‹«. Es endet so bitter wie treffend: »Wir haben die Firma gewechselt. Aber der Laden ist der alte geblieben.«

Der ideologiekritische Vergleich des offiziellen Gedenkbuchs der Republik, das von Hindenburg eingeleitet und von Theodor Heuss beschlossen wurde, mit dem ähnlich repräsentativen Sammelband von Heinz Kindermann *Des deutschen Dichters Sendung in der Gegenwart* (1933) gibt kaum prinzipielle Unterschiede an die Hand. Paul Fechter bestimmt darin als Aufgabe der deutschen Dichtung: »Sie wird die Rückwendung auch der dichterischen Welt vom Ich zum Wir, von der Vereinzelung zur Allgemeinheit zu vollziehen, die Stellung des Individuums und seine Tätigkeit im Bereich des Volksganzen neu zu orientieren haben.«[81] Rudolf Alexander Schröder, der Dichter des »Deutschen Lieds« (1914), faßt in seinem Beitrag die Tendenz der völkischen Literaturauffassung in die präzise Formel »Dichtung wird Wirklichkeit«,[82] ein Vorgang, der nicht nur einen Karl Kraus erschreckt hat.

VI

Wie sehr das Erlebnis des Weltkrieges Quellgrund, um es angemessen auszudrücken, der völkischen Dichtungen war und blieb, läßt sich an zwei Zeugnissen vergegenwärtigen, die beide hunderttausendfach ihr Publikum erreicht haben: Ernst Jüngers Tagebuch *In Stahlgewittern* (1920) und Hans Zöberleins Frontroman *Der Glaube an Deutschland* (1931). Zöberlein umschreibt die Bedeutung der Westfront folgendermaßen: »Dort, wo der Glaube an das alte Reich an Drahtverhauen und in Trommelfeuern zerbrach – und aus Trichterfeldern in Blut und Feuer, bei Hunger und Tod der neue Glaube an ein besseres Deutschland geboren wurde.« Die Ingredienzen dieses Glaubens sind aus Jüngers Buch ersichtlich, das ganz auf heroischen Mannesmut, die soldatische ›Haltung‹ gestellt ist. Es gibt das Erlebnis der Frontkämpfe mit vergleichsweise großer künstlerischer Kraft wieder, die gerade aus der Unangemessenheit zur Situation gewonnen wird. Jünger gestaltet den Krieg als Kampf und scheut sich dabei nicht, bei Homer in die Schule zu gehen. Die Gestalt des Landsknechts, jener verwegenen Burschen, denen der Krieg eben Spaß macht, findet die meiste Würdigung, übrigens auch auf seiten der Feinde. Das Kämpfen ist wie ein Rausch: »Im Vorgehen erfaßte uns ein berserkerhafter Grimm. Der übermächtige Wunsch zu töten beflügelte meine Schritte. Die Wut entpreßte mir bittere Tränen. – Der ungeheure Vernichtungswille, der über der Walstatt lastete, verdichtete sich in den Gehirnen und tauchte sie in rote Nebel ein. Wir riefen uns schluchzend und stammelnd abgerissene Sätze zu, und ein unbeteiligter Zuschauer

hätte vielleicht glauben können, daß wir von einem Übermaß an Glück ergriffen seien.«
Jüngers Schilderung darf nicht als krude Kriegsverherrlichung mißverstanden werden; deutlich hat er Gegenzeichen gesetzt. Und doch wird durch die ungemein intensive Darstellung der Kämpfe die Frage nach ihrem Sinn abgeschnitten: wie dazu im Kampf selber sich kaum eine Möglichkeit bot, so wird diese auch nun nicht in die (deshalb tagebuchartige?) Darstellung eingelassen. Am Schluß zählt Jünger seine Verwundungen und beschwört Reste schon vergangener Kriegsformen quasi als Verdienst: »In diesem Kriege, in dem bereits mehr Räume als einzelne Menschen unter Feuer genommen wurden, hatte ich es immerhin erreicht, daß elf von diesen Geschossen auf mich persönlich gezielt waren.«
Die Kritik an Jüngers Darstellung wird gern mit dem Hinweis auf deren Sachlichkeit abgewiesen. Doch ist diese Sachlichkeit scheinhaft; es ist impressionistische Oberflächengestaltung, wie gekonnt auch immer, die nicht als Realismus durchgehen kann, nur weil sie ›echtes‹ Erleben deckt. Das Buch von Marchwitza *Sturm auf Essen* führt die Gegenperspektive vor:
»›Im Kriege muß es doch schön gewesen sein!‹ sagte ein blonder Junge, ein Schlepper, der in Stoppenberg zum erstenmal ein Gewehr in die Hände bekommen hatte.
›Schön? –‹ sagte Murr darauf, ›jeder Krieg ist blutig und grausam! Es kommt nur darauf an, warum man einen Krieg führt!‹ Die Rotarmisten wandten ihre Gesichter dem Sprecher zu. Der fuhr fort: ›Wenn sich Arbeiter für eine kleine Schicht von Unterdrückern in die Schützengräben hetzen lassen, sich dafür gegenseitig die Bajonette in die Leiber rennen, dann ist es ein Krieg, der nur durch den Geldsack hervorgerufen wurde, Arbeiter krepieren läßt, ohne etwas an ihrer Not zu ändern!‹
›Jetzt führen wir doch auch einen Krieg!‹ rief der Schlepper über den Tisch hinüber.
›Diesmal ist es ein anderer Krieg! Es ist ein Krieg Klasse gegen Klasse, Unterdrückte gegen ihre Unterdrücker! Der Kampf geht um die Freiheit der schaffenden Hände, es ist ein ebenso grausamer, aber ein gerechter Krieg, Genosse! [...] Nichts haben wir von unserem mühseligen Schaffen behalten als den Haß gegen die Ordnung, die uns mit Pflichten überbürdet und uns kaum das tägliche Brot verdienen läßt! Was uns hinaustrieb, ist, dieser Ordnung ein Ende zu machen, eine gerechtere Ordnung zu erkämpfen!‹ [...]
›Also ist unser Krieg doch schön?‹ sagte der blonde Schlepper. Murr sah zu dem begeisterten Jungen hinüber: ›Unser Krieg ist gerecht, die Gerechtigkeit ist gut! Die Gerechtigkeit wird uns ein neues Leben geben, unser Denken wird gut und schön! Wir werden das, was man in uns während der harten Zeit der Unterdrückung nicht geachtet hat – Mensch!‹«
Zöberleins Buch ist programmatischer, direkter politisch als Jüngers; es gehört zur parteivölkischen Bewegung und trägt ein Geleitwort von Hitler, der es als »Vermächtnis der Front« anpreist: »Man hört das Herz der Front schlagen, den Quell jener Kraft, die unsere unvergänglichen Siege schuf.« Anders als Jüngers Buch wimmelt es von Haßtiraden und entsprechenden Darstellungen. So wird ein Engländer wahrgenommen und ›erledigt‹: »Ein Satz und ein Hieb mit meinem Pistolenschaft ins dreckstarrende, ausrasierte Genick der Gestalt, daß sie lallend und grunzend zusammensinkt.« (Passend heißt er »Sauhund« im nächsten Satz.) Ein anderer wird gefangen: »Ein verwundeter Engländer schaut mich zweifelnd mit

seinem Verbrechergesicht an und hält mir mit einer Hand ein blutbesudeltes Päckchen Zigaretten entgegen.« Das Zitat aus Marchwitza vermag, meine ich, doch deutlich zu machen, daß der Begriff ›Parteilichkeit‹, den beide Darstellungen für sich reklamieren, nicht formal auslegbar ist. Überhaupt wird man diskursive Passagen wie das Gespräch über den Krieg in *Sturm auf Essen* in der völkischen Literatur wenig finden (bestimmte Dramen machen eine Ausnahme); Hauptfunktion dieser Literatur ist ja, schon bereitliegende Urteile und Werthaltungen aufzurufen und zu übermitteln. Es handelt sich weitgehend um Literatur für ein ›in-group‹-Publikum, das sich im Grundsätzlichen schon verständigt weiß. Das erläutert die oftmals anspielend-abstrakte Darstellung, die auf Vorverständnis rechnet, z. B. bei den offen antidemokratischen Parolen, die Zöberleins Buch durchziehen, am Schluß in den Ruf nach dem Führer und in die aggressive Verurteilung der Weimarer Republik münden (»Saustall« ist noch eine der freundlicheren Vokabeln). Wie vorher die Kriegsgegner, so werden nun die politischen Gegner diffamiert, es ist alles »Geschmeiß«. Der volkstümlich unbeholfene Roman schließt mit dem Bekenntnis zum Fahneneid, noch fühlt sich Zöberlein nicht entlassen:

> »Der Krieg ist aus.
> Der Kampf um Deutschland geht weiter!
> Freiwillige vor die Front!
>
> – Denn – wir müssen ja das Licht in die dunkle Welt tragen – –«

Das imperialistische Sendungsbewußtsein, das in *Wiltfeber* verspätet/verfrüht, jedenfalls deplaziert aufgeklungen war, bekommt hier nun einen direkten Handlungsraum zugewiesen: die innenpolitischen Kämpfe in Deutschland. Die hilfreiche Rolle der durch konterrevolutionäre Studenten (vor allem aus München) verstärkten Freikorps bei dem blutigen Kampf der SPD gegen die deutschen Arbeiter ist bekannt. Und Zöberlein kann mit Recht darauf verweisen, daß der (Klassen-)Kampf noch nicht ausgekämpft ist. Hitlers Vorwort bescheinigt ihm das: »Das Buch hat allen etwas zu sagen: Dem Soldaten, dem Politiker, den schaffenden Deutschen aller Stände.«

Hanns Johsts Drama *Schlageter* (1933) führt gleich in der Eingangsszene die Aktualisierung jener völkischen Landsknechtsromantik vor: Soldatentum als unverlierbare Haltung.

»Leo Schlageter: Die Literaten faseln von Kriegserlebnis … die psychologischen Institute krabbeln schon wie die Maden in dergleichen Begriffen herum. Wenn aber die Literatur und die Hörsäle etwas zwischen den Zähnen haben, dann ist es schon faul, dann hat es historischen Hautgout … dann ist es Vergangenheit … Geschichte! [. . .]

Friedrich Thiemann: Wir waren draußen – Gottverdammich! – nicht auf Anstellung, sondern auf Stellung! Wir waren Freie und Willige, und wir waren gar nicht so saublöd, wie uns heute die Zivilisationsliteraten machen möchten! Und wer damals, die ganze, hübsche Zeit über, Soldat war, der ist es heute noch! Der ist es heute erst recht!!«

Jüngers Metaphysik des Kampfes zeigt hier Klauen und Zähne und die innenpolitische Verwendbarkeit:

»Friedrich Thiemann: Vielleicht ist der tiefste Sinn des Deutschen sein Kampf. Imperialismus, Katholizismus . . . alles erfuhr auf deutschem Boden seine Entscheidung! Und jetzt stehen alle Fragen auf einmal zur Diskussion: Marxismus, Liberalismus, Faschismus, Bolschewismus, Parlamentarismus . . . Wenn du ein Kerl bist, mußt du Konsequenzen ziehen! Farbe bekennen! Gerade stehen! Kämpfen!! Soldat sein!!!«
Ihren klassenkämpferischen Charakter verbirgt diese Haltung im Bekenntnis zur Volksgemeinschaft, das an die »Ideen von 1914« anschließt und deutlich Klassenherrschaft meint. So ist der Sohn des sozialdemokratischen Regierungspräsidenten in *Schlageter* in ein Korps eingetreten und findet »die Reaktionäre, die Barone, die Geheimräte [. . .] gar nicht so ohne«. Gegen die Klassenkampf-Parole des Vaters setzt er den Glauben »an das Dasein als ein Ganzes«: »Der einzelne ein Blutkörperchen in der Blutbahn seines Volkes.« Schlageter entschließt sich (nach dramaturgisch bedingtem Zögern, das alle Argumente für und wider freigibt), den Widerstand gegen die französische Besetzung des Rheinlandes mitzuorganisieren. Der völkische Sohn des Sozialdemokraten bekennt sich zu ihm: »Wir Jungen, die wir zu Schlageter stehen, wir stehen nicht zu ihm, weil er der letzte Soldat des Weltkrieges ist, sondern weil er der erste Soldat des Dritten Reiches ist!!«

VII

Für die völkische Dichtung ist der Zusammenhang mit organisierter politischer Praxis nicht der Regelfall, wenn sie auch zielbewußt von allem Anfang an (Burtes *Wiltfeber* ist dafür ein Beispiel) darauf hinstrebt. Front- und Kriegsdichtung vermag ihn noch am ehesten herzustellen: die darin stets auferstehende, in Wirklichkeit längst schon veraltete Ideologie des Krieges[83] wird gerade von sich radikalisierenden Randgruppen begierig aufgenommen. Doch verengt man den Blick unnötig und vorschnell entlastend, wenn man diese Produktion als Hauptteil der völkischen Literatur nimmt. Gemäß der These, daß die völkischen Ideen schließlich als das Credo fast des gesamten nichtsozialistischen Teils der Bevölkerung gelten können, wird man die repräsentative Literatur dieses Teils mit berücksichtigen müssen. Zum Beispiel die Romane Walter von Molos. Molo war 1928–30 Präsident der Preußischen Dichterakademie, Mitbegründer des Deutschen PEN-Clubs, Präsident des Schutzverbandes deutscher Schriftsteller und laut Kunisch-Lexikon Tröster, Heilsbringer und nobler Adliger aus Mähren. Vor allem seine Bobenmatz-Romane stellen sich direkt in die völkische Tradition. Der Titelheld in *Bobenmatz* (1925) entspricht ganz der Kontur Wiltfebers, ein Übermensch, den die Sterne und Weiber gleichermaßen segnen, ein irdischer Erlöser und neuer Christus, der langsam eine Gemeinde um sich versammelt. Ungestillte Sehnsucht treibt ihn, sie ist natürlich metaphysisch. Gott, Erde, eigener Wille werden in ihm identisch; sein Weg ist ganz als neue Passion und Erhöhung/Entrückung gezeichnet. Seine Botschaft zielt deutlich auf die zukunftsträchtige Verbindung von Führergedanken und Volksgemeinschaft: »Der Kosmos lebt anders als wir Menschen. Der Mensch kann nur glücklich sein, macht er sich wieder der Lenkung des Ganzen untertänig. Ich bin unschuldig daran, ich fühle die Schöpfung in mir! Ich versuchte die Blicke der Menschen zu

heben! Hie und da gelang es! Für einen Augenblick! Ich versuchte es immer wieder.«
Freilich ergibt sich für Molo das Problem, daß er diese Gestalt nur in ziemlicher Abstraktion durchhalten kann. Die für völkische Literatur ziemlich allgemein beobachtbare Tabuisierung gesellschaftlicher Verhältnisse und Probleme geht hier fast ins Komische über. Die gesellschaftlich-politische Wirklichkeit wird bei Molo ganz in Privatverhältnisse aufgelöst, der Roman rein episodisch aufgebaut. Um nun sein Heilsprogramm auch veranschaulichen zu können, muß der Held Bobenmatz in alle diese Privatverhältnisse, fast durchweg Liebes- und Eheverhältnisse, fortwährend eingreifen. Er wird zum Kuppler großen Stils: im Roman *Bobenmatz* bringt der Held allein 54 Begegnungen dieser Art hinter sich! Brechts Aufsatz »Die Horst-Wessel-Legende«[84] analysiert den Helden der Bewegung, der Zuhälter gewesen war, »von dem man sagen kann: an ihn denkend, denkt man sogleich an die Bewegung, und an die Bewegung denkend, denkt man sogleich an ihn.« – »Es ist natürlich nicht so, daß man fragte: Wo ist ein Zuhälter? Man fragte: Wo ist Sex-Appeal, Redegewandtheit, Mangel an Kenntnissen, Brutalität? Darauf meldete sich der Zuhälter.« Brechts Aufsatz pointiert diesen Ansatz, weil er Grundlinien einer Faschismusanalyse erkennbar machen kann:
»Tatsächlich gibt es kaum eine bessere Schule für den Nationalsozialismus als das Zuhältertum. Er ist politisches Zuhältertum. Er lebt davon, daß er der ausbeutenden Klasse die auszubeutende zutreibt. Der Vereinigung von Kapital und Arbeit, jener schrecklichen Vergewaltigung, verleiht er die Legalität und, totaler Staat, sorgt er dafür, daß die Legalität eben nichts enthält, was nicht dieser Vergewaltigung dient. Ausnutzend den nackten Hunger der besitzlosen Klasse und ausnutzend die Gier der besitzenden Klasse nach Profit, erhebt sich der große Parasit anscheinend über beide Klassen, allerdings dabei ganz und gar dem Geschäft der besitzenden Klasse dienend.«
Es ist nicht ungerecht, Molos Gestaltung der Satire Brechts preiszugeben. Die *Bobenmatz*-Fortsetzung *Im ewigen Licht* (1926) entfaltet vor allem das vierte Kriterium Brechts, die Brutalität. Jünger entwirft 1932 die Gestalt des »Arbeiters« und beschreibt als »die Haltung eines neuen Geschlechts« den »heroischen Realismus«,[85] dem als Forderung der »Akt einer totalen Mobilmachung« zugeordnet wird, »die an jede personelle und materielle Erscheinung die brutale Frage nach der Notwendigkeit zu stellen hat«. Auch Bobenmatz ist schon als Arbeiter und Führer zugleich gezeichnet, als Heilsgestalt, die außerhalb aller Gesetze steht. Er schießt in dem Roman von 1926 einen Kaufmann nieder, der nach seiner Meinung nicht »im ewigen Licht« stand, und wird freigesprochen; sein Bekenntnis zeigt deutlich die Umfunktionierung des verinnerlichten Imperialismus zur innenpolitisch brauchbaren Kampfhaltung: »Es wäre not, alle niederzuschießen, die das Streben zum Höchsten nicht laut werden lassen, die glauben, daß uns das herrliche Leben gegeben ist, damit wir es zerstören.« Das Motto des Romans bestätigt diese Haltung, die Traum und Tat unheimlich versöhnt: »Die Reinheit der Seele steht über Allem. Den Forderungen der Ewigkeit muß das Vergängliche weichen.«
Die Vergeblichkeit des Opfers macht dieses gerade groß. Auch Kolbenheyer entwickelt in seinem großangelegten Romanwerk *Paracelsus* (1917–25) diesen Passionsweg des deutschen Genies. (Das Werk schließt: ecce ingenium teutonicum.) »Eine

Unrast, von der er wußte, daß sie nicht gestillt sei, wenn er weiterzöge«, verzehrt den faustischen Helden; ein ›ewiger Deutscher‹ und ›Heimatsucher‹ ist er wie Wiltfeber. »Er pflügte Felsgrund, er warf das Herz gegen Mauern!« Daß hier, bei aller fast antiquarisch bemühten Detailausmalung, ein exemplarischer Aufbruch gestaltet werden soll, machen die mythischen Einleitungen deutlich. Odin, Siegel der deutschen Sehnsucht, umfängt dort Christus, der als verschmachtender Heiland nach Deutschland gekommen ist, um sich zu erkräftigen, und der nun im Arme Odins »das ungestüme Beben verhaltener Triebe, die von Blutwelle auf Blutwelle, von Kind auf Kind unerhört überkommen waren«, vernimmt. Die Mythisierung des Deutschen wird plan ausgesprochen: »Es ist kein Volk wie dieses, das keine Götter hat und ewig verlangt, den Gott zu schauen.«
Deutlicher noch läßt sich an Wilhelm Schäfer der Zusammenhang der biologischen Geschichtsdeutung mit der deutschen Lebensphilosophie wahrnehmen. Im ›Eingang‹ zu *Die dreizehn Bücher der deutschen Seele* (1922) heißt es, daß die Geschichtsforschung keine Heimat für die Seele des Deutschen bereiten kann, »weil die Schlacke des Gewesenen nur oben die dünne Ackerkrume deiner Gegenwart trägt«.
»Dies aber bedenke danach als das Wunder der Seele, wie alles in ihre Brunnentiefe versank, was je deine Gegenwart war; und nichts ging verloren, ob du es zehnmal vergaßest, weil dein Bewußtsein nur die blinkende Oberfläche ist, die Schaubilder der Welt zu spiegeln, aber die kreißenden Ströme des Lebens sind in der Tiefe.
Die kreißenden Ströme sind in der Tiefe, wo dein Lebensraum ist, darin alles versank, was deine Vergangenheit war, und alles vorbestimmt ist, was deine Zukunft sein wird.«
Schäfers Stil ist ein gutes Beispiel für den völkischen Versuch, die altgermanischen Dichtformen (und was man dafür hielt) zu erneuern. In rhythmischer Prosa, einer Mischung von germanischem Epos und Nietzsche, erzählt Schäfer die deutsche Geschichte in völkisch-heroischer Deutung. Die Nutzanwendung liegt auf der Hand: wie einst der klassische Idealismus, so hat nun der völkische eine Nation zu trösten, die ihre militärische Niederlage moralisch bewältigen muß (eben weil der Krieg mehr als ein militärisches Unternehmen gewesen ist). Der ›Ausgang‹ des Buches rechtfertigt eine vollständige Zitierung, weil er sich gut zu exemplarischer Interpretation eignet:

Ausgang

Deutscher, der du die bittere Gegenwart leidest, der du geschlagen, bedrückt und verachtet bist unter den Völkern, der du die wehrlosen Hände rachsüchtigen Feinden hinhalten mußt; Deutscher, dem Wohlstand und Wohlfahrt zerbrachen, dem aus Gewinn und Genuß hoffärtiger Tage Armut und Ärgernis, Not und Verzweiflung kamen;
Deutscher, den mehr als die Rachsucht der Feinde und mehr als die Not die Leichtfertigkeit schreckte, darin er sein Volk am Rand der Verkommenheit tanzen und Niedertracht über die Guten Gewalt haben sah;
Deutscher, bedenke die Herkunft! Bedenke, daß deine Gegenwart gefüllt mit dem Schicksal all deiner Vergangenheit ist!

Deutscher, laß ab von der Klage! Denn siehe, was dir geschah, geschieht deinen Vätern: deine Väter sind gegenwärtig in dir, weil dein Schicksal die Waage des Guten und Bösen aus ihrer Vergangenheit ist.

Deutscher, sei ehrfürchtig deinen Großen; ob sie ihr Werk nur mühsam vermochten gegen dein träges, törichtes Herz, ob sie hinrauschten wie Adler oder mit gläubiger Einfalt durch deine taube Genügsamkeit gingen: alle sind deine Väter, und alle sind gegenwärtig in dir!

Deutscher, sei deiner Vergangenheit trächtig, wie der Mittag von seinem Morgen gefüllt ist; Tracht und Trotz all ihrer Männer, Tat und Gedanken all ihres Schicksals bist du!

Deutscher, sei deiner Gegenwart tapfer, weil du der Erbhalter bist größerer Dinge, als die an dem Tag hängen: Gutes und Böses will werden, wie Unkraut und Saat wird, und der Acker bist du!

Deutscher, sei gläubig der Zukunft, der du die bittere Gegenwart leidest: Kinder und Kindeskinder, und alles, was über sie kommt, Stärke und Schwäche, Demut und Stolz, Hoffart und Kleinmut, alles, was einmal deutscher Lebenstag wird, alles bist du!

VIII

Die Lyrik spiegelt die beschriebene Tendenz der völkisch-bürgerlichen Dichtung, den Übergang von Traum zu Tat, von Idealismus zu ›Realidealismus‹ (wie die zeitgenössischen Ideologen sagen) so subtil, daß diese Tendenz (zumindest in ihrer Reichweite) ohne Vorüberlegungen kaum deutlich würde. Ich habe das andernorts an einem Gedicht von Hans Baumann (»Ausfahrt«) zu zeigen versucht.[86] Gerade angesichts der lyrischen Schöpfungen wäre die Überzeugung methodisch zu begründen, daß man von Literatur nicht handeln kann, indem man nur oder vornehmlich von Literatur handelt. Das soll nicht das beliebte banale Mißverständnis provozieren, als ob neuerdings von Literatur nur noch unter Ausschluß der Literatur zu sprechen versucht wird. Es verweist aber doch auf die Tatsache, daß über Literatur vieles im voraus ausgemacht ist: die sie selbst und ihre Wirkung fundierenden Prozesse und Bedingungen kann man der Literatur selbst nur selten ablesen. Also muß man als Wissenschaftler, dem ihre Erklärung (nicht bloß ein dilettierendes Verstehen und Nachgenießen) aufgegeben ist, auch über sie hinaus, vor sie zurück gehen. Das heißt zumindest, daß über Literaturbehandlung nicht von der Literatur (von den Texten) her entschieden werden kann. Der Gestus der ›Sachlichkeit‹, mit dem sich der hermeneutische Standpunkt oft vorträgt, ist nichts weiter als ein Haltmachen des Denkens. Gerade weil sich dieser methodische Anspruch in einem Aufsatz-Abschnitt nicht realisieren läßt, sei er doch prinzipiell angedeutet. Börries von Münchhausen hat einmal bemerkt, daß für die neuere Ballade die romantische Erklärung nicht mehr gilt, zur Ballade gehöre notwendig »das Hereinragen einer Geisterwelt in die diesseitige«.[87] Vielmehr kommt es nun zum Ausgleich von Wirklichkeit und Schein, was für die Darstellung hochpoetische Möglichkeiten, freilich auch Gefahren eröffnet. »Die Mär vom Ritter Manuel« von Agnes Miegel ist ein vollendetes Beispiel dafür: Traum und Leben, Schein und

Sein sind untrennbar vereinigt. Zwar ist die Haltung des Königs am Schluß Schrecken und banges Fragen zu Gott; aber der Übergang zur völkischen Identifizierung von Traum und Wirklichkeit ist doch flugs herstellbar, wie sich in Herbert Böhmes Auswahl zeigt (*Gedichte des Volkes. Vom Jahr 1 bis zum Jahr 5 des Dritten Reiches*, 1938). Gehalt und Formästhetik spätbürgerlicher Lyrik gehen so nahtlos und unproblematisch in die völkische Lyrik ein, daß der von politökonomischen und ideologiegeschichtlichen Analysen sich nährende Verdacht eines engen, ja unmittelbaren Zusammenhangs neu bekräftigt wird. Eine konkrete historische Bestimmung des poetischen Materials würde das noch deutlicher zeigen. Zugleich wird aber schon vorgefühlt und gestaltet, was die nationalsozialistische Deutschwissenschaft (Pongs, Linden z. B.) als Verwandlung von Idealismus in Realidealismus beschreiben wird, als Aufbruch vom Traum zur Tat. So dichtet etwa Ernst Stadler (»Betörung«):

> »Nun bist du, Seele, wieder deinem Traum
> Und deiner Sehnsucht selig hingegeben.
> [...]
> Und weißt doch: niemals wird Erfüllung sein
> Den Schwachen, die ihr Blut dem Traum verpfänden.«

Das sich in diesen Zeilen äußernde Bewußtsein des Lyrikers, gesellschaftlich am Rande zu stehen, ist der Bereitschaft, die Schwäche in Stärke zu verkehren, schon ganz nahe. Vor allem die deutsche Jugendbewegung suchte ihre romantische Sehnsucht nach Einheit als »Bild einer parteilosen Politik«, als »Überwindung der Parteien durch die Jugend« im Votum für die Volksgemeinschaft real zu machen.[88] Es ist eine sehr lyrische Weltanschauung, im Gefühl strömt alles zusammen, wie der »Feuerspruch« von C. M. Weber (»Gesprochen bei einer Sonnwendfeier im Thüringer Wald 1920«) zu zeigen vermag; darin heißt es:

> »Gelobet: wir wollen vergessen
> Gezänk und Gewinn und prahlerisch tönendes Hassen!
> Einstürzen starre Wände, verruchte Schranken der Klassen;
> Volk will und Mensch sein Herz aufzüngeln lassen
> Und flackerndes Blut mit dem breiten Strahl
> Dieser Fackel geben [...]
> [...]
> Erkennt ihn, den Geist,
> Der das Werdende speist.«

Einer der wenigen, die ihn erkannten, war Bertolt Brecht; in seinem Aufsatz »Was meint der Satz: Das wirtschaftliche Denken ist der Tod jedes völkischen Idealismus?« schreibt er: »Man muß sich klarmachen, daß das Wort ›Idealismus‹ hier nichts zu tun hat mit der großen und alten Lehre, welche die Abhängigkeit aller realen Dinge von ewigen geistigen Gesetzen zeigt und auch nichts mit jenem Verhalten, das durch eine Änderung von Bewußtseinsinhalten eine solche des realen Seins anstrebt, sondern daß das Wort ›Idealismus‹ hier in seinem vulgären, hauptsächlich von Kleinbürgern gebrauchten Sinn verstanden werden muß. Es bedeutet also Wille und Fähigkeit, gewisse materielle Interessen andern, meist als geistig

bezeichneten, jedenfalls ›höheren‹ unterzuordnen. [. . .] Kurz: ›Idealismus‹ meint hier Opferwille.«
Die Anfälligkeit der Lyrik, gerade auch der ›hohen‹ Lyrik, für deutsch-völkische Tendenzen und Ideen kommt nicht von ungefähr. Die Lyriker sind durch die »Kapitalisierung des Geistes« (Lukács), durch die Veränderung ihrer Produktions- und Rezeptionsbedingungen am direktesten betroffen. Aus repräsentativen Künstlern wurden Gelegenheitsarbeiter mit lächerlich schmalem Marktanteil. Nicht nur wird Lyrik so eine Angelegenheit der Erben auch im ökonomischen Sinne; die gesellschaftlich-ökonomische Randlage wirkt auch aufs Bewußtsein zurück und macht es Radikalisierungen geneigt, macht für konservativ-revolutionäre Parolen empfänglich. Das läßt sich sowohl an George, Rilke, Hofmannsthal[89] wie an den Barden der völkischen Bewegung studieren.
Die Bereitschaft, den Traum zu verlassen, äußert sich vor allem in den Texten, die ein ›ewiges‹ oder ›geheimes‹ oder ›bleibendes‹ Deutschland beschwören; ihrer sind Legion. Für den Anteil der deutschen Arbeiterdichtung am völkischen Bekenntnis ist vielleicht Karl Brögers »Bekenntnis. Von einem Arbeiter« (1915) kennzeichnend, dafür auch, daß die Opferbereitschaft auch die »ärmsten Söhne« nicht verschonte: »Unser blühendes Leben für deinen dürrsten Baum, Deutschland!« Und das »Bekenntnis« seines Kollegen Heinrich Lersch (1935) beginnt: »Ich glaub an Deutschland wie an Gott!« Richard Dehmel schreibt ein »Lied an alle« (1914), das die völkische Haltung unvergleichlich komprimiert:

> »Gläubig greifen wir zur Wehre,
> für den Geist in unserm Blut;
> Volk, tritt ein für deine Ehre,
> Mensch, dein Glück heißt Opfermut –«

R. A. Schröder schrieb ein »Deutsches Lied« (1914), Ina Seidel ein »Deutsches Gebet« (1917), Lulu von Strauß und Torney »Ewiges Deutschland« (1926), Stefan George »Geheimes Deutschland« (1928), Rilke seine »Fünf Gesänge« (1914), Agnes Miegel die »Deutsche Weihnachtskantate«. Die Reihe ließe sich lange fortsetzen,[90] ohne daß sich freilich alle Texte und Autoren in einen Topf werfen lassen; gemeinsam ist ihnen allen der ungebrochene Glaube an eine (die) deutsche Sendung. Noch ein Zyklus in den *Hymnen an Deutschland* (1932) von Gertrud von Le Fort ist »Die Sendung« überschrieben; als »Opfervolk des Erdteils« angesprochen, werden die Deutschen ihre Niederlage vielleicht verschmerzen. Karl Kraus ist, im »Lied des Alldeutschen«, weniger taktvoll; darin heißt es:

> »Von Idealen lebt der Deutsche!
> Für dies Prinzip, und es ist gut,
> schwimmt heute der Planet in Blut.
> Für Fertigware und Valuten
> muß heut die ganze Menschheit bluten.
> Nehmt Gift für Brot, gebt Gold für Eisen
> und laßt den deutschen Gott uns preisen!«

Es ist nicht leicht, der Verführung auszuweichen, durch Gegenüberstellungen die völkischen Texte zu ironisieren; Albrecht Schöne hat das weidlich ausgenutzt[91], ja, es ist fast Usus in der Behandlung dieser Literatur geworden. Gewöhnlich ist dabei die Perspektive leitend, die Kunst als Unkunst zu entlarven, den verfehlten Kunstanspruch aufzudecken. Das trifft aber nur halb. Der nach 1933, z. B. von Hellmuth Langenbucher, explizit eingenommene Standpunkt, wir ließen »mit dem Begriff der volkhaften Dichtung jede Beurteilung künstlerischer Erscheinungen, die sich nur mit dem Künstlerischen an sich befaßt, hinter uns«,[92] gilt natürlich schon für die volkhafte Produktion vor 1933, gilt besonders auch für die Lyriker. Wie ihr Fühlen abstrakt, oft durch die Tradition formiert bleibt, so nehmen sie die Form als ›heiliges Gefäß‹ und weichen Neuerungen mit grundsätzlichen Argumenten aus. Boeschenstein weist gelegentlich Georges auf den »aufgespannten heroisch-verehrenden Gefühlsrahmen« hin,[93] in den dann verschiedene Erlebnisse, sei's Maximin, sei's die ›Bewegung‹, das ›Reich‹, der ›Führer‹ (z. B. bei Anacker oder Schumann), eintreten konnten. Und das Volk ist mit Hilfe der Dichtung schließlich zu einer Idee geworden, die sich gegen das Volk verwenden läßt. Brecht macht diese falsche Dialektik in den »Drei Paragraphen der Weimarer Verfassung« (1931) kenntlich:

> »Paragraph I
>
> *Die Staatsgewalt geht vom Volke aus.*
> – Aber wo geht sie hin?
> Ja, wo geht sie wohl hin
> [. . .]
> Die Staatsgewalt sieht: da liegt was im Kot.
> Irgendwas liegt im Kot!
> Was liegt denn da im Kot?
> Irgendwas liegt doch im Kot.
> Da liegt etwas, das ist mausetot
> Aber das ist ja das Volk!
> Ist denn das wirklich das Volk?
> Ja, das ist wirklich das Volk.«

Helga Grebing weist ausführlich nach, wie zählebig der Gegensatz von Staatsgewalt und Volk in Deutschland ist, wie sehr die Vorstellung der Volkssouveränität ›sublimiert‹ werden muß, um die politisch-gesellschaftliche Realität der Bundesrepublik, zumal in der Restaurationsphase, zu erreichen. Kennzeichnend dafür ist etwa, daß eine Identität von Führern und Geführten (ein Definitionsmerkmal von Demokratie) als »nicht realisierbare Fiktion« verworfen wird; der mildernde Vorschlag ist dann, diese als eine »Verpflichtung der Herrschenden auf die Wertgrundlage« auszulegen, »die das Volk dem Staat nach seinem sittlichen Empfinden gibt«.[94] So hat, sieht man, die Kategorie des Völkischen noch lange nicht ausgedient; sie wird, und sei's mit neuen Namen (z. B. FDGO), den Feinden der Demokratie immer wieder dienen müssen, ihre Defensivideologie durch scheinhafte Dialektik annehmbarer zu machen.

Anmerkungen

Angesichts der sehr ausgebreiteten Literatur gebe ich keine Auswahlbibliographie; so wird nur die benutzte Literatur in den Anmerkungen nachgewiesen. Ausführlichere Literaturverzeichnisse finden sich vor allem in den neueren Arbeiten; für das in diesem Beitrag nicht behandelte völkische Drama sei auf folgende Arbeiten verwiesen, die auch reichlich Literatur angeben:
Uwe-Karsten Ketelsen: *Heroisches Theater*. Untersuchungen zur Dramentheorie des Dritten Reichs. Bonn 1968.
– *Von heroischem Sein und völkischem Tod*. Zur Dramatik des Dritten Reichs. Bonn 1970.
Klaus Sauer und German Werth: *Lorbeer und Palme*. Patriotismus in deutschen Festspielen. München 1971.
Klaus Vondung: *Magie und Manipulation*. Ideologischer Kult und politische Religion des National-sozialismus. Göttingen 1971.
– *Völkisch-nationale und nationalsozialistische Literaturtheorie*. München 1973.
Alle diese Untersuchungen gehen auf die völkische Tradition ein.

1. *Goethes Werke*. Hamburger Ausgabe. Bd. 8. S. 723.
2. Johann Gottfried Herder: *Sämtliche Werke*. Hrsg. von Bernhard Suphan. Bd. 25. S. 323.
3. Joseph Görres: *Die teutschen Volksbücher*. Gesammelte Schriften. Bd. 3. Köln 1926. S. 174.
4. Vgl. *Grundzüge der Geschichte*. Oberstufe. Quellenband II. Vom Zeitalter der Aufklärung bis zur Gegenwart. Frankfurt a. M. [4]1970. S. 65.
5. Joseph Freiherr von Eichendorff: *Neue Gesamtausgabe*. Hrsg. von Gerhard Baumann und Sieg-fried Grosse. Stuttgart 1957/58. Bd. 4. S. 333.
6. August Wilhelm Schlegel: »Bürger«. In: *Kritische Schriften*. Berlin 1828. Bd. 2. S. 13.
7. Novalis: *Schriften*. Die Werke Friedrich von Hardenbergs. Hrsg. von Paul Kluckhohn und Richard Samuel. Bd. 2. Stuttgart und Darmstadt [2]1965. S. 433.
8. Vgl. Alexander von Bormann: *Natura loquitur*. Naturpoesie und emblematische Formel bei Joseph von Eichendorff. Tübingen 1968. S. 59 ff.
9. Martin Greiffenhagen: *Das Dilemma des Konservativismus in Deutschland*. München 1971. S. 280.
10. *Handbuch der deutschen Gegenwartsliteratur*. Hrsg. von Hermann Kunisch. München 1965. S. 28. (Beitrag: »Die deutsche Gegenwartsdichtung«, Kapitel »Form als Welt«.)
11. Vgl. dazu Helmuth Plessner: *Die verspätete Nation*. Stuttgart 1959. S. 73 f.; bei Greiffenhagen a. a. O., S. 43.
12. Vgl. Karl Otto Conrady: »Deutsche Literaturwissenschaft und Drittes Reich«. In: *Germanistik – eine deutsche Wissenschaft*. Frankfurt a. M. 1967. S. 74.
13. ebd., S. 80 f.
14. Heinz Kindermann: *Dichtung und Volkheit*. Berlin 1937. S. VII.
15. Martin Greiffenhagen: *Das Dilemma des Konservativismus in Deutschland*. S. 279.
16. Hans Freyer: »Gegenwartsaufgaben der deutschen Soziologie«. In: *Zeitschrift für die gesamte Staatswissenschaft*, 95 (1935). S. 141.
17. Heinz Kindermann: *Dichtung und Volkheit*. S. VIII.
18. Hellmuth Langenbucher: *Volkhafte Dichtung der Zeit*. Berlin [6]1941. S. 41. ([1]1933.)
19. Rolf Geißler: *Dekadenz und Heroismus*. Zeitroman und völkisch-nationalsozialistische Literatur-kritik. Stuttgart 1964. S. 8 f. – Vgl. ders.: »Dichter und Dichtung des Nationalsozialismus«. In: *Handbuch der deutschen Gegenwartsliteratur*. S. 721. Geißlers Feststellung dort: »Eine national-sozialistische Dichtung hat es – wenn man von der Lyrik einiger junger Partei-Panegyriker ab-sieht – nicht gegeben«, schüttet nun freilich das Kind mit dem Bade aus. Sie orientiert sich formal und sieht vor allem von der Dramatik ab.
20. Vgl. die Darstellung der Funktion der völkischen Ideologie bei Lethen (Anm. 50), Grebing (Anm. 24) und Emmerich (Anm. 28).
21. Heinz Kindermann: *Dichtung und Volkheit*. S. 7.
22. ebd., S. 6 f.
23. Martin Greiffenhagen: *Das Dilemma des Konservativismus in Deutschland*. S. 66 ff., 69.
24. Helga Grebing: *Konservative gegen die Demokratie*. Konservative Kritik an der Demokratie in der Bundesrepublik nach 1945. Frankfurt a. M. 1971. S. 33.
25. ebd., S. 39.

26. Wolfgang Abendroth: »Das Unpolitische als Wesensmerkmal der deutschen Universität«. In: *Nationalsozialismus und deutsche Universität*. Berlin 1966. S. 189–208.
27. Wolfgang Fritz Haug: *Der hilflose Antifaschismus*. Frankfurt a. M. 1967. 2. überarbeitete und ergänzte Aufl. 1968.
28. Wolfgang Emmerich: *Zur Kritik der Volkstumsideologie*. Frankfurt a. M. 1971. S. 12 f. (Vgl. auch Klaus von See: *Deutsche Germanen-Ideologie*. Frankfurt a. M. 1970.)
29. Georg Lukács: *Deutsche Realisten des 19. Jahrhunderts*. Berlin [Ost] 1952. S. 60.
30. Friedrich Schiller: »Über naive und sentimentalische Dichtung«. In: *Sämtliche Werke*. Hrsg. von Gerhard Fricke und Herbert G. Göpfert. Bd. 5. München ⁴1967. S. 747.
31. Wolfgang Emmerich: *Zur Kritik der Volkstumsideologie*. S. 71. Nach Helmuth Plessner: *Die verspätete Nation*. S. 57.
32. Hans Freyer: *Revolution von rechts*. Jena 1931. S. 36; bei Emmerich, a. a. O., S. 78. – Vgl. dazu auch Karl Kraus: »Ein Kantianer und Kant«. In: *Weltgericht*. Frankfurt a. M. 1968. S. 121 f.
33. In: *Des deutschen Dichters Sendung in der Gegenwart*. Hrsg. von Heinz Kindermann. Leipzig 1933. S. 11 ff.
34. Vgl. zum Weiterwirken dieses Ansatzes in der Bundesrepublik Helga Grebing: *Konservative gegen die Demokratie*. S. 263 ff.
35. Erwin Guido Kolbenheyer: *Unser Befreiungskampf und die deutsche Dichtkunst*. München 1932. S. 18.
36. ebd., S. 17.
37. Hermann Stehr: »Dichter, Zeit und Ewigkeit« (Anm. 33). S. 18.
38. Vgl. dazu Martin Greiffenhagen: *Das Dilemma des Konservativismus in Deutschland*. S. 87 f.
39. Hermann Stehr: »Dichter, Zeit und Ewigkeit« (Anm. 33). S. 12.
40. Rezension: »Bekenntnis zu Hermann Stehrs *Heiligenhof*«. (Zeitungsausschnitt, eingeklebt in das *Heiligenhof*-Exemplar der UB Amsterdam. Mir nicht nachweisbar.)
41. Ernst Alker in: *Handbuch der deutschen Gegenwartsliteratur*. S. 562.
42. Vgl. Bertolt Brecht: *Gesammelte Werke*. Bd. 20. S. 174.
43. Georg Lukács: *Von Nietzsche zu Hitler oder Der Irrationalismus und die deutsche Politik*. Frankfurt a. M. 1966. S. 202. (Über Klages.)
44. Ludwig Klages: *Vom kosmogonischen Eros*. München ²1926. S. 65; bei Lukács, a. a. O., S. 203.
45. Vgl. Georg Lukács: *Von Nietzsche zu Hitler*. S. 96 ff. – Zur literarischen Wirkung vgl. den *Gantenbein*-Roman von Max Frisch und »Ihr glücklichen Augen« von Ingeborg Bachmann. In: I. B., *Simultan*. München 1972.
46. Paul Ernst: »Das deutsche Volk und der Dichter von heute«. In: *Des deutschen Dichters Sendung in der Gegenwart*. S. 19 f.
47. Ludwig Helbig: *Imperialismus – das deutsche Beispiel*. Frankfurt a. M. 1968. S. 83.
48. Wolfgang Horn: *Führerideologie und Parteiorganisation in der NSDAP. 1919–1933*. Düsseldorf 1972. S. 13.
49. Faktisch entspricht Fabers Haltung der offiziellen Gewerkschaftslinie in den Bergarbeiter-Massenstreiks von 1889 und 1905. Vgl. dazu Wolfgang Abendroth: *Sozialgeschichte der europäischen Arbeiterbewegung*. Frankfurt a. M. 1965. S. 71 f. – Vgl. auch die Gewerkschaftshaltung während der Märzkämpfe 1920 im Ruhrgebiet.
50. Helmut Lethen: *Neue Sachlichkeit 1924–1932. Studien zur Literatur des ›Weißen Sozialismus‹*. Stuttgart 1970. S. 60 f. – Vgl. auch: *Die sogenannten Zwanziger Jahre*. Hrsg. von Reinhold Grimm und Jost Hermand. Bad Homburg 1970.
51. Helmut Lethen: *Neue Sachlichkeit 1924–1932*. S. 20 ff. – Mit entgegengesetzter Perspektive Helmut Heiber: *Die Republik von Weimar*. München 1966. S. 152 ff.
52. Helmut Lethen: *Neue Sachlichkeit 1924–1932*. S. 20 ff.
53. Vgl. dazu Manfred Clemenz: *Gesellschaftliche Ursprünge des Faschismus*. Frankfurt a. M. 1972. S. 171.
54. Vgl. Wolfgang Abendroth: *Sozialgeschichte der europäischen Arbeiterbewegung*. S. 71 f., 87 ff.
55. Paul Alverdes: »Dichtung und Politik«. Zitiert bei Hans Grimm: »Von dem ›politischen‹ Amt der Dichtung«. In: *Des deutschen Dichters Sendung in der Gegenwart*. S. 51.
56. Richard Dehmel: *Zwischen Volk und Menschheit*. Zitiert in: *Deutsche Einheit – Deutsche Freiheit*. S. 115. (Vgl. Anm. 77.)
57. Stuttgart ¹⁵1960. S. 521; bei Helmut Lethen: *Neue Sachlichkeit 1924–1932*. S. 11.
58. ebd., S. 275 f.; bei Lethen, a. a. O., S. 11.

59. Karl Mannheim: *Ideologie und Utopie*. Bonn 1929. S. 243; bei Lethen, a. a. O., S. 15.
60. Vgl. Hermann Kunisch: *Handbuch der deutschen Gegenwartsliteratur*. S. 26.
61. Vgl. etwa Manfred Clemenz: *Gesellschaftliche Ursprünge des Faschismus*. S. 92 ff.
62. In: *Des deutschen Dichters Sendung in der Gegenwart*. S. 50.
63. Manfred Clemenz: *Gesellschaftliche Ursprünge des Faschismus*. S. 95 f.: »Ein-Mann-Unternehmer, deren Einkommen das Arbeitslohnniveau im Durchschnitt nicht übersteigt, sehr häufig dagegen niedriger liegt. Die Zahl der Erwerbstätigen dieser Gruppe lag bei 4,9 Mill. (davon 3,1 Mill. in der Landwirtschaft), die Zahl der Berufszugehörigen 7,9 Mill.«
64. In: *Des deutschen Dichters Sendung in der Gegenwart*. S. 52.
65. Vgl. dazu Rolf Geißler: *Dekadenz und Heroismus*. S. 149 f.
66. Helmut Lethen: *Neue Sachlichkeit 1924–1932*. S. 99.
67. Helga Grebing: *Konservative gegen die Demokratie*. S. 207.
68. Heide Gerstenberger: »Konservativismus in der Weimarer Republik«. In: *Rekonstruktion des Konservativismus*. Hrsg. von Gerd-Klaus Kaltenbrunner. Freiburg 1972. S. 338.
69. Vgl. Karl Dietrich Bracher: *Die deutsche Diktatur*. Entstehung, Struktur, Folgen des Nationalsozialismus. Köln und Berlin 1969. – Klaus Epstein: *The genesis of German conservativism*. Princeton, N. J., 1966. – Heide Gerstenberger: *Der revolutionäre Konservativismus*. Ein Beitrag zur Analyse des Liberalismus. Berlin 1969. – Klemens von Klemperer: *Konservative Bewegungen*. Zwischen Kaiserreich und Nationalsozialismus. München und Wien o. J. (Erstveröffentlichung: Princeton, N. J., 1957.) – Kurt Sontheimer: *Antidemokratisches Denken in der Weimarer Republik*. München 1962.
70. Heide Gerstenberger: »Konservativismus in der Weimarer Republik«. S. 339 f.
71. ebd., S. 332.
72. Vgl. Hermann Lübbe: *Politische Philosophie in Deutschland*. Basel und Stuttgart 1963. S. 173 ff.; bei Heide Gerstenberger, »Konservativismus in der Weimarer Republik«, S. 339.
73. Vgl. Ernst Jünger: *Der Kampf als inneres Erlebnis*. Berlin 1925. – Dazu Walter Benjamin: »Theorien des deutschen Faschismus«. In: *Das Argument* 30. 6. Jg. H. 3. Karlsruhe 1964. ⁵1970. S. 129–137.
74. Adolf Bartels: *Die deutsche Dichtung von Hebbel bis zur Gegenwart*. (Die Alten und die Jungen.) Ein Grundriß. Dritter Teil: *Die Jüngsten*. 10.–12. Aufl. Leipzig 1922. S. 200.
75. Erwin Guido Kolbenheyer: »Lebenswert und Lebenswirkung der Dichtkunst in einem Volke«. In: *Des deutschen Dichters Sendung in der Gegenwart*. S. 83.
76. Vgl. Heide Gerstenberger: »Konservativismus in der Weimarer Republik«. S. 334.
77. *Deutsche Einheit – Deutsche Freiheit*. Gedenkbuch der Reichsregierung zum 10. Verfassungstag 11. August 1929. Berlin 1929. S. 101 ff.
78. ebd., S. 115 f.
79. *Der Kleist-Preis 1912–1932*. Eine Dokumentation. Hrsg. von Helmut Sembdner. Berlin 1967. S. 45.
80. *Deutsche Einheit – Deutsche Freiheit*. S. 172 ff.
81. Paul Fechter: »Vom Ich zum Wir«. In: *Des deutschen Dichters Sendung in der Gegenwart*. S. 146.
82. Rudolf Alexander Schröder: »Dichtung wird Wirklichkeit«. In: *Des deutschen Dichters Sendung in der Gegenwart*. S. 124 ff.
83. Vgl. dazu Walter Benjamin: »Theorien des deutschen Faschismus«.
84. Bertolt Brecht: »Die Horst-Wessel-Legende«. 1935. In: *Gesammelte Werke*. Bd. 20. Frankfurt a. M. 1967. S. 209–219.
85. Ernst Jünger: *Der Arbeiter*. Herrschaft und Gestalt. Hamburg 1932. S. 79.
86. Alexander von Bormann: »Stählerne Romantik. Lyrik im Einsatz: Von der Deutschen Bewegung zum Nationalsozialismus«. In: *Text + Kritik*, Jg. 1973. Nr. 9/9a. S. 86–104.
87. Börries Frhr. von Münchhausen: *Meister-Balladen*. Ein Führer zur Freude. Stuttgart 1923. (Zitiert nach der Ausg. von 1924.) S. 107.
88. Vgl. Harald Schultz-Hencke: »Die Überwindung der Parteien durch die Jugend«. In: *Grundschriften der deutschen Jugendbewegung*. Hrsg. von Werner Kindt. Düsseldorf und Köln 1963. S. 351 ff.
89. Vgl. Gert Mattenklott: *Bilderdienst*. Ästhetische Opposition bei Beardsley und George. München 1970. – Egon Schwarz: *Das verschluckte Schluchzen*. Poesie und Politik bei Rainer Maria Rilke. Frankfurt a. M. 1972. – Peter Kaay: »Antiliberalismus und konservative Revolution. Zum kritischen Verständnis von Hugo von Hofmannsthals kulturpolitischer Tätigkeit«. In: *hefte. zeit-*

schrift für deutsche sprache und literatur. Amsterdam 1968. H. 2. S. 13–40. – Hermann Rudolph: *Kulturkritik und konservative Revolution.* Zum kulturell-politischen Denken Hofmannsthals und seinem problemgeschichtlichen Kontext. Tübingen 1971.

90. Die meisten Texte finden sich in dem Band *Deutschland Deutschland.* Politische Gedichte vom Vormärz bis zur Gegenwart. Hrsg. von Helmut Lamprecht. Bremen 1969.
91. Albrecht Schöne: *Über politische Lyrik im 20. Jahrhundert.* Göttingen 1969 ([2]1971).
92. Hellmuth Langenbucher: Volkhafte Dichtung der Zeit. S. 37.
93. Hermann Boeschenstein: *Deutsche Gefühlskultur.* Studien zu ihrer dichterischen Gestaltung. Bd. 2. 1830–1930. Bern 1966. S. 281.
94. Helga Grebing: *Konservative gegen die Demokratie.* S. 187.

HANS NORBERT FÜGEN

Der George-Kreis in der ›dritten Generation‹

Die I. Folge der *Blätter für die Kunst* stammt aus den Jahren 1892/93. Wortwahl, Metaphorik und Thematik der einzelnen Gedichte zeigen im Vergleich zu den späteren Folgen nur einen geringen Grad der Konformität. Die Anzahl der Mitarbeiter war klein und wurde durch Pseudonyme scheinbar vergrößert. Das meiste kam von Stefan George, dann von Carl August Klein, dem Herausgeber der Zeitschrift. Andere Dichter, vor allem Hugo von Hofmannsthal, Max Dauthendey und Fritz Koegel, widerstanden, wie wir heute wissen, der Absicht Georges und Kleins, sie zu einer geschlossenen Gruppe zu integrieren. So verschwanden ihre Namen später bald vom Titelblatt. Erst 1894 tauchten mit der zweiten Folge die Namen von Karl Wolfskehl und Ludwig Klages auf, die zusammen mit Paul Gérardy sich für einige Jahre an die Zeitschrift binden ließen. Im September des gleichen Jahres schrieb George an den französischen Freund Saint-Paul: »Notre petit groupe s'est formé.«[1]

Vieles spricht also dafür, die Entstehung des ›George-Kreises‹ auf das Jahr 1894 zu datieren. Als sich 1918 mit dem Ende des Krieges und dem Zusammenbruch der preußisch-deutschen Monarchie die Möglichkeit einer rapiden sozialen Umschichtung andeutete, die von den einen als Hoffnung, von den anderen als Bedrohung empfunden wurde, konnte der Kreis sich auf vierundzwanzig Jahre relativer innerer Stabilität stützen. Die Stabilität hatte sich gebildet und bewährt durch eine kämpferische Gemeinsamkeit nach außen und durch emotionale Bindungen und das Einschwören auf ein gemeinsames Normensystem im Innern der Gruppe.

1918 lag der weitaus größte Teil der poetischen Produktion Georges in ihrer endgültigen Fassung vor. Sieben Gedichtbände und ein Prosaband waren veröffentlicht worden, erst 1928 folgte ihnen ein weiterer Gedichtband unter dem Titel *Das Neue Reich*. Die *Blätter für die Kunst* waren in zehn Folgen erschienen, zuletzt 1914. 1919 schloß die Zeitschrift mit der einbändigen XI. und XII. Folge ab. Zwei schmale Sonderdrucke, von denen besonders das Gedicht »Der Krieg« (1917) eine große Resonanz fand,[2] kehren im *Neuen Reich* wieder. Konzentriert man die Aufmerksamkeit auf die Zeit zwischen 1918 und 1933, dann muß sie sich im Falle Georges vor allem auf *Das Neue Reich* richten und außerdem an die letzte *Blätter*-Folge halten. Von gleicher Bedeutung wie das poetische Werk sind aber der Kreis um George und die Wirkung auf eine breitere Öffentlichkeit. Deshalb wäre es falsch, die Dichtung Georges und die Interaktionsstruktur des Kreises auseinanderzuhalten. Das zeigt sich nicht allein an den zahllosen Stellen, wo eine Wechselbeziehung sichtbar wird, d. h. dort, wo das Werk sich ausdrücklich oder implizite auf den Kreis bezieht oder die Dichtung auf die Struktur des Kreises zurückwirkt. Beides, Kreis und Werk, sind Momente ein und derselben Ideologie, wenn man darunter die richtige oder falsche Reaktionsweise auf die soziale Realität versteht.

Um das eine im anderen zu erkennen, um zu sehen, wie in der Struktur des Kreises bereits intentional enthalten ist, was sich im poetischen Werk Georges artikuliert, scheint es angebracht, diese Struktur zumindest grob nachzuzeichnen. Dabei werden zunächst die statischen Elemente des Kreises sichtbar werden, also das, was nach Ablauf einer gewissen Anfangszeit trotz deutlicher Wandlungsprozesse als Handlungsschema bestehenblieb.

Da der absolute Führungsanspruch von George von Anfang an erhoben und bald von nahezu allen Kreiszugehörigen akzeptiert worden ist,[3] kann man von einer ›charismatischen Gruppe‹ sprechen. Diese Bezeichnung lehnt sich an die der Religionswissenschaft entnommene und zuerst von Max Weber soziologisch verwendete Beschreibung der charismatischen Herrschaft an.[4] Sie nimmt sich im Vokabular der modernen gruppen- und organisationssoziologischen Forschung antiquiert aus und erweist sich damit als dem Gegenstand in besonderer Weise angemessen. Denn der George-Kreis wollte sein und war die Negation alles dessen, was sich als rationale Organisation charakterisieren und in der ihr angemessenen Terminologie beschreiben ließe. Die Bezeichnung ›charismatische Gruppe‹ hält fest, was in den letzten Jahrzehnten als ›Great Man Theory‹ ad acta gelegt wurde: die willentliche Unterwerfung unter eine Person, welcher von ihren Anhängern außeralltägliche und in jedem Sinne vorbildliche Gaben als persönliche Qualität zuerkannt werden. Doch wird diese Anerkennung nicht als funktional notwendige Vorbedingung für die Führerschaft, sondern als Verpflichtung angesehen. Nicht ›der Meister‹ – wie die Anrede Georges im Kreis lautete – ist von den Jüngern erkoren, sondern die Jünger sind vom ›Meister‹ auserwählt. So steht in einem Brief zu einem jener Gedichte, mit denen George erstmals seine Superiorität auch dichterisch artikulierte: »Aber die forderung heißt: hinnahme und abnahme zuallererst, [...].«[5] Der rigorose Führungsanspruch brachte anfangs natürlich Schwierigkeiten, weil sich eine auf egalitärer Freundschaft und künstlerischer Kollegialität beruhende Gruppe nicht konfliktfrei autoritär hierarchisieren läßt. So war der Stabilitätsgrad im ersten Jahrzehnt niedrig und die Zahl der Renegaten groß: Von den sechzehn Kreiszugehörigen der Gründerjahre 1892-94 blieben nach 1906 nur noch zwei übrig. Dies änderte sich, als den Neulingen der Führungsstil des Kreises schon vor der Aufnahme bekannt war. Stefan George hatte seine Vorstellungen über Motivation, Auszeichnung und Opferbereitschaft der ›Jünger‹ bereits 1900 im *Teppich des Lebens* poetisch dargestellt. Das in einem Gedicht exemplifizierte Meister-Jünger-Verhältnis ist von den älteren Zugehörigen nur widerstrebend akzeptiert worden. Karl Wolfskehl schloß seine erste Gedichtsammlung aus dem Jahre 1903 noch mit dem Hinweis auf eine gewisse Gleichrangigkeit, wenn er dem ›Meister‹ die Worte in den Mund legte: »Euch danke ich mein WISSEN: mir danket den WEG!«[6] George scheint ihm diese Deutung unwillig abgenommen zu haben,[7] doch akzeptierte schließlich auch Wolfskehl die Rolle des Jüngers und bekannte sich dazu in einem Gedicht der *Blätter für die Kunst* von 1910: »Ich bin dein knecht ich will dein Petrus sein«.[8]

Die Zugehörigen der zweiten Generation, also diejenigen, die zwischen 1900 und 1914 zum Kreis kamen, scheinen sich mit der Jünger-Rolle voll identifiziert zu haben. Ernst Robert Curtius charakterisiert diese Haltung in einem Brief an Friedrich Gundolf in der Form eines Tadels für diejenigen, denen es an solcher Haltung mangelt: »Mir bestätigt sich immer mehr, dass die Fähigkeit und der Wille zu *ganzer* Hingabe und verehrender Ehrfurcht, zu Einsetzung des *ganzen* Menschen in frommem Dienst heute noch sehr selten ist, auch bei den besten. Sie beharren auf Reservatrechten, und so geht das Grosse an ihnen vorbei.«[9] Diese Generation lieferte mit Gundolfs »Gefolgschaft und Jüngertum« und Friedrich Wolters' »Herrschaft und Dienst« die ausformulierte Ideologie.[10]

Außerdem bildete sich nach wenigen Jahren eine der Integration günstige selektive Rekrutierungsprozedur heraus. Sie bestand darin, daß ältere Zugehörige, die damals vor allem als Habilitanden und Privatdozenten Kontakt zu Studienanfängern hatten, die von ihnen als potentielle Aspiranten Angesehenen durch distanzierte Beobachtung oder im Gespräch auf ihre Gruppeneignung hin prüften. Die wahrgenommenen positiven oder negativen Merkmale wurden meist schriftlich dem ›Meister‹ mitgeteilt. Der Merkmalskatalog ist im ganzen diffus. Er enthält gewöhnlich soziale Herkunft und Studienfach, oft tauchen die Adjektive »bildsam«, »substantiell«, »scheu«, »adelig«, »schön« auf. Die am häufigsten gebrauchte Charakterisierung ist »jung«, was auf einen Studienanfänger bezogen ein Pleonasmus wäre, sollte damit nicht Aufnahmebereitschaft und Prägsamkeit signalisiert werden.[11]

Eine große Zahl von Anwärtern kam über dieses Stadium der Vorselektion nicht hinaus. Bei anderen ließ der ›Meister‹ nach einiger Zeit die Bereitschaft zu einem Kontakt wissen, was dem Aspiranten in der Regel mitzuteilen war. Der Zeitpunkt der Vorstellung wurde meistens unbestimmt gehalten, manchmal erst kurz vorher bekanntgegeben, in einigen Fällen die Konfrontation ohne Vorankündigung plötzlich vollzogen. Die Folge war eine hochgradige Spannung, ausgefüllt durch eine intensive Vorbereitung auf das Treffen, ohne daß der Anwärter genau hätte wissen können, was man von ihm erwartete. Die meisten übten sich im Vorlesen von Gedichten, Robert Boehringer z. B. drei Jahre lang.[12] Wahrscheinlich ist also, daß die meisten die ästhetischen Normen und gruppeneigenen Wertvorstellungen, soweit sie sich in Georges Gedichten ausdrückten, bereits vor der Aufnahme internalisiert hatten. Nach den wenigen Berichten, die über die Initiation vorliegen, war die Prozedur nicht streng kanonisiert. Sie vollzog sich jedenfalls nicht nach dem Ritual, wie es George in seinem Gedicht »Die Aufnahme in den Orden« stilisiert wiedergibt.[13]

Doch weisen alle Dokumente eine Initiationsstrafe aus, die von der scharfen Abqualifikation bis zur gedämpften Mahnung reichen kann, die aber stets den Zweck erfüllt, deutlich zu machen, daß auch die Annäherung oder Zulassung nichts an der Beurteilungskompetenz und dem Sanktionsrecht des ›Meisters‹ ändert. Selbst bei Gundolf, den Salin den »ersten Jünger« nennt, dessen Annäherung an den ›Meister‹ sich zu einem großen Teil noch im Briefwechsel vollzog, fehlte der Initiationstadel nicht: Auf der Rückseite eines von jeder Mahnung freien Briefes findet sich der später unter die »Tafeln« des *Siebenten Ringes* (1907) aufgenommene Spruch, der das bisherige Tun tadelt und eine neue Verpflichtung auferlegen will:

> »Wozu so viel in fernen menschen forschen und in sagen lesen
> Wenn selber du ein wort erfinden kannst dass einst es heisse
> Auf kurzem pfad bin ich Dir das und du mir so gewesen
> Ist das nicht licht und lösung über allem fleisse.«[14]

Das Rekrutierungsfeld bildeten im wesentlichen Universitätsstädte, zuerst München, dann Heidelberg und Berlin, später Marburg. Die Anwerbung richtete sich gezielt auf junge Menschen, die im Wechsel von der Schule zur Hochschule einer Problematisierung ihres bisherigen Wertesystems ausgesetzt waren und die infolge der Trennung von der Familie nach Absicherung in der neuen komplexen Umwelt durch eine neue Gruppensolidarität suchten, sich also in jener Situation befanden, die Anselm Strauss als >cultural dislocation< beschreibt.[15] Darüber hinaus gewährleistete die Zielgruppe einen hohen Homogenitätsgrad nach Alter, Bildungsstand, persönlichen Interessen und, worauf noch eingegangen werden soll, nach sozialer Herkunft.

In der >charismatischen Gruppe< ist die Führungsposition absolut unangefochten. Auch im George-Kreis setzte der >Meister< in Gespräch und Dichtung die obersten Normen, entschied über Aufnahme und Ausschluß, über die Ziele und Formen der Interaktion. Das Zeitsetzungsprivileg sowohl für Beginn als für den Schluß der Interaktionen blieb ihm uneingeschränkt vorbehalten. Der Korrespondenz wie der Memoirenliteratur läßt sich entnehmen, daß er bei Besuchen von Jüngern exakte Pünktlichkeit erwartete. Umgekehrt kündigte der >Meister< die eigene Ankunft immer nur mit einer oft sich über Tage erstreckenden Zeittoleranz an, in der sich der Jünger in eine große Erwartungsspannung steigerte und in ständiger Empfangsbereitschaft verharrte. Tadelnde oder lobende Äußerungen des >Meisters< über das Verhalten von Gruppenmitgliedern waren jeder Kritik entzogen. Als ein Kreiszugehöriger nach dem Bruch zwischen George und Gundolf für diesen zum Guten redete, setzte er sich selbst der Gefahr des Ausschlusses aus.[16] Tendenziell beansprucht der charismatische Führer alle Jurisdiktion für sich und gestattet nicht einmal die Berufung auf Präzedenzfälle; er befindet sich stets, wie Max Weber sagt, im Stadium der >aktuellen Rechtsschöpfung<.[17] Selbstverständlich reicht das Recht des Charismatikers nicht weiter als seine Macht. Magische Tötung und Verfluchen sind die symbolischen Mittel, mit denen Dichtung psychologisch vollziehen will, was real unmöglich ist:

> »Türm ich für erinnerungen
> Spröder freuden die zersprungen
> Und für dich den scheiterhaufen.«

Die emotionale Trennung, so deuten diese Verse aus dem *Jahr der Seele* (1897) an, ist gleichbedeutend mit der Verbannung aus dem Umkreis und der sozialen Gemeinschaft der Gleichgesinnten. >Ausschluß< wäre für diesen Vorgang das falsche Wort, einer Alltagssprache entnommen, die bereits in relativ klaren und formalisierten sozialen Zuordnungen denkt. Die Zugehörigkeit zum Kreis war für George eine Seinskategorie, nicht die Funktion von irgend etwas. Selten läßt sich die Trennung auf einen bestimmten einzigen Grund zurückführen, und wo dies der Fall zu sein scheint, handelt es sich lediglich um den Anlaß, der einen langen Prozeß zum »mortalen Abschluß« bringt.[18] George sah darin eine möglicherweise auch für ihn selbst schmerzliche Notwendigkeit, und so wurde sie von ihm hingenommen: »Wenn ein Verhältnis erschöpft ist, so wendet sich ein aktiver Mensch einem neuen zu. Da hilft mir meine Natur.«[19] Auch die Trennung von Gundolf um 1920, die die Ära des George-Kreises einleitete, die hier besonders dargestellt werden soll, vollzog sich nicht schlagartig, sondern bereitete sich über Jahre hin vor. Im allgemeinen gab es jedoch Zeichen, die eine fortschreitende Entfremdung markierten: Auf eine Reduzierung der Kommunikation, ob Briefwechsel oder Treffen, folgte eine Phase, in der die Kontakte auf Mittelsmänner abgeschoben wurden: » – öfter mussten wir

Fragen, die uns wichtig waren, durch die Freunde stellen lassen, und auf dem gleichen Weg die Antwort entgegen nehmen.« Bei den spärlichen Kontakten wurde über Belangloses gesprochen oder lediglich der äußeren Konvention Genüge getan:»Aber weniger als sonst wurde von der Dichtung gesprochen, [...].«[20] Was Salin so aus eigener Erfahrung berichtet, vollzog sich bei Gundolf auf eine sehr ähnliche Weise: Die Briefe wurden inhaltlich kritischer, im ganzen seltener. Die XI./XII. Folge der *Blätter für die Kunst* brachte zwar noch Gedichte von Gundolf, doch wurde ihm, im Gegensatz zu früheren Bänden, keine Redaktionsarbeit mehr erlaubt. Schließlich endet die Korrespondenz mit der Kondolenzkarte zum Tod von Gundolfs Mutter. Gundolfs *Caesar*-Manuskript ging über die Vermittlung Landmanns an den Verlag nach Berlin, wo die 1. Auflage 1924 noch mit dem Signet der *Blätter,* die 2. Auflage 1925 jedoch unter der Firmierung des Verlages Bondi erschien.[21]

Trennung, Meidung waren also die schärfste Sanktion, die der ›Meister‹ verhängen konnte. Sie blieb, einmal vollzogen, in der Regel irreversibel. Natürlich hängt die Schwere, mit der die Meidung durch eine Gruppe vom Betroffenen empfunden wird, auch von der Chance ab, Verbindung zu anderen sozialen Gruppierungen zu finden. Aber gerade der Ausschließlichkeitsanspruch des Charismatikers stellt von vornherein Bedingungen her, die die Wirksamkeit dieser Sanktion außerordentlich erhöhen: die Zugehörigkeit zu einer charismatischen Gruppe schließt anderweitige enge Bindungen nahezu aus. Die Gruppenideologie schreibt meistens eine Trennung von der Familie vor. Diese Forderung gab es zumindest als Meinungsnorm auch im George-Kreis und wird in einem Gedicht im *Stern des Bundes* (1914) ausgedrückt:

»Neugestaltet umgeboren
wird hier jeder: ort der wiege
Heimat bleibt ein märchenklang.
Durch die sendung durch den segen
Tauscht ihr sippe stand und namen
Väter mütter sind nicht mehr . .«

Nicht immer vollzog sich die Trennung in der Form eines Eklats. Auch war nicht immer ein aktiver Verweis des ›Meisters‹ notwendig, sondern manche verschwanden stillschweigend. Die Kreis-Biographik sagt von ihnen gewöhnlich, daß sie andere Wege gingen. Doch selbst ein so versöhnliches Gedicht wie Saladin Schmitts »Den Entschwundenen« läßt keinen Zweifel an deren Qualitätsverlust und Schuld:

»Die so gegangen sind was ward aus ihnen?
Die einmal schwiegen und dann seltner schrieben
Und obenhin versöhnt dann einmal schienen
Und doch am ende wieder schweigend blieben.

Seis ihren rennern ihren rüden nach
Die so gegangen sind was ward aus ihnen?
Aus deren aug auf einmal fremdes sprach
Die eines tages trugen andere mienen

> Die unerwartet taumelten wie bienen
> Wahllos von einem zu dem anderen mund
> Die so gegangen sind was ward aus ihnen?
> In deren frühem blick solch los nicht stund.
>
> Die so verlegen von dem weg sich stahlen
> Als störten wir sie ihrem brauch zu dienen
> Und uns doch kannten von so vielen malen –
> Die so gegangen sind was ward aus ihnen?«[22]

Andererseits hielten oft gerade die ›Verworfenen‹ noch lange Zeit an den Gruppen-idealen fest. Dies trifft besonders für diejenigen zu, die zwischen 1918 und 1922 vom Wechsel von der zweiten zur dritten Generation betroffen wurden, vor allem also Friedrich Gundolf und die ihm Nahestehenden. Manche akzeptierten den Vorwurf des Versagens, wie beispielsweise Gundolf, wenn er in einem Brief an Ernst Morwitz schreibt: »[...] ich BIN wie ich nicht sein sollte .. und da kann mir kein Zuspruch, kein Blick aus schonenden Augen helfen [...] Ich will es als ein tröstliches Zeichen nehmen, dass [...] wieder von Ihnen die Mahnung kommt, wie damals [...]. Aber damals wusste ich mich selbst noch der Gnade wert, und heut seh ich deutlicher noch als damals das Heil, des Meisters Liebe und Grösse und unerbittliche Wahrheit, das Maass der Höhen und der Tiefen, und mich selbst ausser Stand meinem eignen Wunschbild zu genügen.«[23] Der letzte Brief Georges an Gundolf stammt aus dem März 1920, doch Gundolf versicherte noch im Juni 1926: »Von dir falle ich nicht ab, auch wenn du mich verwirfst.« Noch 1927 ließ er durch Morwitz ein Gedicht »An meinen Meister« gehen, das schließt: »Ich lebe weil ich leben muss / Durch Dich, für Dich in Deinem Zeichen.«[24]
Auch Gundolfs Freunde wurden von der Meidung betroffen, ohne die Gruppennorm in Zweifel zu ziehen. Edgar Salin litt nach seinen eigenen Worten noch nach fünf Jahren »unter dem Druck dieser erbarmungslosen Not«. Als »Ermunterung« und »einsamen Stern in der dunklen Nacht« empfand er die Abschiedsworte Georges: »Leben Sie wohl und verzagen Sie nicht. Dies kann gesühnt werden.«[25] Ein Brief Fine von Kahlers an Gundolf zeigt, daß selbst die nicht direkt zum Kreis zählenden Freunde der Freunde von der Meidung getroffen wurden und doch ihr Vertrauen zum ›Meister‹ behielten: »Der Meister hat nicht geantwortet, und das ist recht: denn dass ich besitzen dürfte, was ich niemandem danke als Dir, während es Dir selber sich verschliesst, das soll gewiss nicht sein. Besitzen: ich meine zeitlich. Denn im Ewigen ist es mir unverlierbar eigen, [...]«.[26] Von den im Kreis Verbleibenden hat George den Mitvollzug der Meidung nie verlangt, in seltenen Fällen allerdings nahegelegt.[27] Aber er verdeutlichte seine Haltung für alle: durch Totsagen oder Totschweigen, durch die Unterlassung erwarteter oder versprochener Dedikationen, die allmähliche Abwandlung der im kreisinternen Gebrauch üblichen auszeichnenden Benennung in einen Pejorativnamen, schließlich durch die Verweigerung der Druckerlaubnis. So hieß Max Kommerell zuerst »Maxim«, was durch die Anlehnung an den Namen des als Gott verehrten Maximin die allerhöchste Auszeichnung bedeutete, schließlich aber »Puck« und nach dem 1930 vollzogenen Bruch »Kröte«. Gleichzeitig wurde der Druck seiner Gedichte bei Bondi abgelehnt.[28]
An diesen Beispielen zeigt sich wie schon an früheren, daß die charismatische Gruppe

gekennzeichnet ist durch einen einzigen festen Bezugspunkt, den ›Meister‹, auf den alles andere sich hinordnet. »So wie mir ging es den anderen, und was sie zusammenhielt, war weder Satzung noch Schwur, sondern Liebe und Bewunderung für den einen Mann.«[29] Bei dieser durch und durch kephalen Orientierung bleibt kaum Platz für weitere Positionen und Rollenrelationen. Und doch läßt sich auch in einer charismatischen Gruppe nicht ganz vermeiden, daß die Delegation von Aufgaben oder eine der Verwirklichung des Gruppenzieles dienliche temporär verstärkte Kooperation mit dem ›Meister‹ – z. B. gemeinsame Übersetzungs- und Herausgeberarbeiten, stellvertretende Kommunikation – auf eine positionelle Verfestigung hin tendiert. Doch ist dem Charismatiker wie seinen überzeugten Jüngern eine solche Entwicklung verhaßt, und George war stets darauf bedacht, daß es höchstens zu Ad-hoc-Positionen kam, an die kein Anspruch auf dauerhafte Besetzung und die Gewährung von Pfründen geknüpft werden konnte. Selbst die unumgängliche Situation des Neulings gewinnt in der charismatischen Gruppe nicht die Dignität einer Rolle, in deren Definition sich die Veteranen Privilegien sichern könnten. In zahlreichen Gedichten auch des *Neuen Reiches* werden die Jüngsten des Kreises gefeiert und wird ihnen ein hoher Rang zuerkannt.

Eine vom ›Meister‹ regulierte Ranghöhe ist die einzige Differenzierung, die eine vorsichtige Analogie zur Positionsstruktur formal organisierter Gruppen zuläßt. Sie ist jedoch ohne jede funktionale Relevanz, ohne Voraussagbarkeit im Hinblick auf Dauer und Intensität, sondern der Ausdruck einer starken emotionalen Zuneigung, sozusagen das exemplarische Maximum der im Kreis praktizierten wechselseitigen affektiven Solidarität. Unterschiede des Ranges sind also im George-Kreis nicht zu vergleichen mit Karrierepositionen in organisierten Gruppen oder anderen hierarchisierten Gesellschaftsbereichen. Doch gab es auch hier Anlaß zu Rangkonkurrenzen. Wo diese sich der Harmonie-Ideologie zum Trotz in Konflikten manifestierten, schlichtete der ›Meister‹ durch ›salomonischen Schiedsspruch‹, dem sich alle Beteiligten zu fügen hatten.

Von der Superiorität Georges abgesehen bleibt vieles an der Interaktionsstruktur des George-Kreises unbestimmt und unbestimmbar. Zwar lassen sich retrospektiv einige Invarianten des Verhaltens nachzeichnen, doch zu fast jeder Regelmäßigkeit läßt sich die Ausnahme finden. Über allem liegt die Aura des Unergründbaren, vor allem über der Ranghöhe, deren Merkmale George im *Neuen Reich* nur delphisch umreißt:

> »Den ersten rang hat wem der Gott hinieden
> Erlaubt dass er die schwelle überspringt . .
> Viel mindren nicht wer des bewusst zufrieden
> Am platze dient den das gesetz beschieden.«

Ebenso sind Zugehörigkeitsdauer und Siebungskriterien unwägbar für jeden Einzelnen, Kommen und Gehen und der Aufenthalt des ›Meisters‹ oft unbekannt. Gründe als Fixpunkte des Raisonablen waren George verhaßt: »Warum das so ist, das lässt sich nicht sagen. Das ist grundlos. Und das ist noch Gottes Glück, dass es so ist. Wenn es das nicht gäb, würd ich extra was erfinden, was keinen Grund hat.«[30] Auch das Meiden von positionellen Verfestigungen in der Gruppenstruktur ist keineswegs das Ergebnis organisatorischer Unbekümmertheit oder gar Unfähigkeit, sondern der in Praxis umgesetzte Protest gegen die formal organisierte, maschinengerecht geordnete kapitalistisch-technische Umwelt. Die in Georges Werk artikulierte Feindschaft gegen die kapitalistisch-industrielle Produktionsweise hat also ihre Entsprechung in der alltäglichen Interaktionsstruktur des Kreises. George begnügte sich nicht mit einer voluntaristischen Verteufelung der menschenfeindlichen Umwelt, auch nicht mit deren Negation in einem pathetisch-poetischen Eskapismus, sondern forderte die Verwirklichung der im Werk genannten Normen in der Lebenswelt. Industrie und Produktion waren ihm nicht von anderen Lebensbereichen abtrennbare Teilgebiete, sondern bestimmendes Moment des Ganzen. Ebensowenig waren für ihn Dichtung und Leben zu trennen, oder Privates und den Kreis Betreffendes. So ist das Urteil des in den Fakten so unzuverlässigen, in der Gesinnung aber authentischen Friedrich Wolters richtig: »Da er selbst sich ganz und ohne Rückhalt einsetzt, so erkennt er auch keine ›innere Freiheit‹ noch ein privates Leben an, wo der Mensch ein ungebundener oder andrer als im Staate [d. h.: im Kreis] sein kann.«[31]

Wo mit einem solchen Totalanspruch und einem solchen vitalen Engagement gegen die vorherrschenden gesellschaftlichen Tendenzen Front gemacht wird, muß über die sozialpsychologischen Entstehungsgründe der Gruppe hinaus nach tieferliegenden und deshalb verborgenen gemeinsamen Interessen gefragt werden. Wahrscheinlich bieten einige Daten zur sozialen Herkunft der Kreiszugehörigen, zu ihrer Soziographie und zur eigenen sozialen Einordnung Aufschluß. Nach der Interpretation solcher Sozialdaten soll gefragt werden, inwieweit die daraus gefolgerte Interessenlage sich in der Dichtung artikuliert. Schließlich wird sich aus dem Umriß einer ideologischen Artikulation, wie sie sich vor allem im *Neuen Reich* findet, Wirkung und Erfolg der Georgeschen Dichtung in der Zeit der Weimarer Republik weitgehend erklären lassen.

Man kann allerdings bei einer Anzahl von ungefähr 85 Kreiszugehörigen innerhalb vierzig Jahren von Zahlen nur einen sehr vorsichtigen Gebrauch machen. Selten sind die ermittelbaren Werte im statistischen Sinne signifikant; trotzdem lassen sich gewisse Tendenzen eindeutig ablesen. Gleichzeitig gehörten dem Kreis oder dem ›Staat‹, um die auf Friedrich Wolters zurückgeführte und seit etwa 1907 übliche Selbstbezeichnung zu gebrauchen,[32] ungefähr 20 bis 40 Menschen an. In den ersten Jahren hielt sich die Zahl der durch regelmäßige Interaktion und Gruppensympathie Verbundenen zwischen 20 und 25 und erreichte zwischen 1910 und 1912 das Maximum (etwa 38). Später pendelte sich die Gesamtzahl bei ungefähr dreißig ein. Sehr hoch ist der Anteil von im Ausland oder in deutschen Grenzländern Geborenen (24), was sich von der zentripetalen Reichsidee des Kreises her erklären läßt. Mehr als die Hälfte stammt aus Großstädten, der um weniges kleinere Teil aus Mittelstädten oder vom Land. Auffällig ist noch der Anteil des (im wesentlichen süddeutschen) Hofadels und geadelter Bürgerlicher (16). Die Angaben über soziale Situation und Klassenlage der Herkunftsfamilie sind, wenn man von der detaillierten Biographie Georges selbst oder prominenter Kreiszugehöriger wie Karl Wolfskehl und Ludwig Klages absieht, spärlich. Vereinzelte Hinweise auf ein vermögendes Elternhaus sind nur aussagefähig, weil Andeutungen auf arme Ausgangsfamilien ganz fehlen. Zur Abgrenzung nach oben kann die Dichtung ein Dokument liefern. Einer Strophe aus dem *Siebenten Ring*, Henry von Heiseler gewidmet, läßt sich entnehmen, daß großer Reichtum die Integration in den Kreis erschwerte:

> »An Henry
> Das leben zog um dich den schönen zaun.
> So braucht dir nie vor schlucht und flut zu graun.
> Für viele zier gibst du dich keinem ganz
> Und fliehst mit leztem streit den lezten kranz.«

Von Heiseler antwortete zustimmend darauf, nachdem er mit der Revolution in Rußland das elterliche Vermögen eingebüßt und das Grauen der Deklassierung erfahren hatte:

> »In Trümmern liegt der Zaun, der dich gehemmt,
> Du bist nicht länger fern, nicht länger fremd.«[33]

Man wird also vor allem ein mittleres Bildungsbürgertum als Herkunftsschicht annehmen dürfen, zumal nahezu alle vorhandenen Berufsangaben die Universitätsausbildung der Väter (in mindestens 25 Fällen) belegen. Eine deutlichere Sprache spricht die Tatsache, daß sich bei mehr als drei Viertel (etwa 66) der Kreiszugehörigen Gymnasialabschluß nachweisen läßt. Mehr als die Hälfte der Kreiszugehörigen absolvierte ein geisteswissenschaftliches Universitätsstudium, etwa die Hälfte aller übte später einen Lehrberuf aus, ein Viertel wurde Universitätslehrer. Das letzte Faktum ist besonders interessant, weil es zeigt, daß sich, trotz des Spotts und der Verachtung, die George gegen diesen Berufsstand äußerte, auch im Kreis die damals in der mittelständisch-bildungsbürgerlichen Schicht vorherrschende Tendenz durchsetzte, der drohenden Deklassierung durch Hineindrängen in die als elitär angesehene Universitätskarriere zu entgehen.[34]

Im ganzen fühlte sich die Bildungsbourgeoisie allerdings zu Recht bedroht. Die der Wirtschaftskrise von 1873 nachfolgende Stagnation führte sowohl in der Industrie wie im Bankgewerbe zu einem ›Gesundschrumpfen‹, d. h. über die zunehmende Monopolisierung zur Kartellbildung. Das mittlere Bürgertum war zu finanzschwach, um am Machtzuwachs der Wirtschaft zu partizipieren; die »Verschmelzung von Großgrundbesitz, Offizierskorps, Regierungsbürokratie und industrieller Plutokratie«[35] durch die Bismarcksche Politik kam dem ostelbischen Junkertum zugute, nicht aber der durch napoleonische Maßnahmen kleinparzellierten linksrheinischen Landwirtschaft oder dem halbbäuerlichen ländlichen Handelsbürgertum, zu dem die Familie George zählte. Im *Neuen Reich* (»Der Brand des Tempels«) wird gerade das Handelspatriziat als vom neuen Herrscher besonders bedroht gezeigt, während »das stumpfe volk« sich am Untergang der bisher Herrschenden weidet:

> »Die handelsherrn
> Die um des satzes mildrung in ihn drangen
> Der ihr verderb beschleunige · entbot er:
> ›Wer unter mir nicht leben kann · muss sterben‹.«

Die antipreußische Haltung sowohl Stefan Georges als auch des Kreises läßt sich mehrfach belegen. George behauptete von sich: »Ich war seit meinem fünfzehnten Jahr Feind von Bismarck. Daher waren auch die Blätter preussenfeindlich. Da –

bei den Preussen – schien ein Geistiges mit den Mitteln bloßer Macht unterdrückt.«[36] Das Gedicht »Nordmenschen« aus dem *Siebenten Ring* charakterisiert die Preußen so:

> »Wol nehmt ihr jedes ziel mit sicherm trott
> Und zuckt der strahl: so klärt auch euch das schöne.
> Doch steht euch rausch nicht an – wer den verpöne
> War nie geeinigt mit dem Höchsten Gott.«

Ein Brief Gundolfs scheint dieses Gedicht zu kommentieren: »Den Preussen, die jetzt das Reich und die Macht und die Herrlichkeit haben, fehlt, bei aller unbestrittenen Tüchtigkeit, eines was zum vollendeten Menschtum gehört und unabhängig bleibt von aller persönlichen Begabung: die vom Leben selbst getragene Freudigkeit, der kosmische Hauch, die ›Rundheit‹ die allein universale Sinnbilder schafft. Halten Sie neben Bismarck auch nur Perikles oder Scipio, so fühlen Sie was ich meine. [...] Und da die Preussen jetzt die Herren sind, ist es gut, das innere Bild über ihren Erfolgen nicht zu vergessen und sie dran zu mahnen, was sie uns nicht geben können und wir dennoch brauchen ...«[37]
In der gleichen Zeit, zu der sich die Wirtschaftskonzentration vollzog, begann sich die Arbeiterschaft zu organisieren. So fühlte sich das mittelständische Bürgertum auch von dieser Seite her bedrängt. Deshalb nimmt in Georges Gedichten neben den zu Unrecht Herrschenden die ansprüchliche Masse einen breiten Raum ein. Wenn George Kapitalismus und Sozialismus als »das gleiche nur mit veränderten Vorzeichen« nennt,[38] dann ist daran nur richtig, daß sie seiner Ideologie gleich feind erscheinen mußten. Die durch den Umweltdruck erzeugte Deklassierungsangst kann die Situation nur ertragen, wenn sie sich in apokalyptischen Bildern und Prophetien des nahen Weltuntergangs versichert. Diesem Welt- und Zeitende wird dann jener Zustand folgen, in dem die jetzt verachteten, einzig echten Werte verwirklicht sein werden und denjenigen die Führungsaufgabe zufällt, die deren Durchsetzung seit langem anstreben und ihnen Geltung garantieren werden. Die Wiederbelebung einer griechisch-mediterranen Kultur, als deren Hüter sich die europäische Bildungselite seit der Renaissance verstand, ermöglicht eine hierarchische soziale Harmonie, die, von einer neuen Elite der Weisen sanft gelenkt, sich in Einklang weiß mit den geheimen Mächten von Natur und Kosmos. Weitab von jeder Massenproduktion und arbeitsteiligen Entfremdung sollen die Menschen ihre Erfüllung finden in der auf die Deckung des eigenen Bedarfs vorkapitalistisch organisierten Arbeit.
Zunächst, d. h. vor 1914, bestand die Deklassierungsgefahr vor allem im Ausschluß vom Aufstieg zur politischen und wirtschaftlichen Führungsspitze. Ein relativer Wohlstand blieb dieser bildungsbürgerlichen Schicht so lange erhalten, als er sich auf ein ererbtes Barvermögen stützen konnte. Diese Art der ›wirtschaftlichen Unabhängigkeit‹ meinte Max Weber, als er den George-Kreis als Beispiel für ›Rentnertum‹ anführte.[39] Ökonomisch prekär wurde die Situation erst, als die Frage nach der Verteilung der Kriegsfolgelasten beantwortet werden mußte. Das Regulativ der Inflation traf die bürgerliche Schicht mit mittlerem Vermögen schwer und erzwang bei vielen den gesellschaftlichen Abstieg. Die Großvermögen konzentrierten sich in den Händen weniger.[40]
Im George-Kreis selbst hatte sich, beschleunigt durch den Krieg und sein Ende, ein

deutlicher Wandel vollzogen. Er betraf weniger die Grundstruktur, die ungefähr so blieb, wie sie bereits skizziert worden ist. Doch wandelten sich der personale Bestand, die Altersstruktur und damit bestimmte Interaktionsschemata. Man kann, was auch die Memoirenliteratur öfters tut,[41] von drei Generationen des George-Kreises sprechen. Die Teilung nach Generationen ist besonders zutreffend, weil sie eher eine Gewichtung als ein abgezirkeltes Faktum verdeutlicht; außerdem fehlt ihr die nominalistische Willkür, sie hat empirische Berechtigung. So ist zwar auch die dritte Generation, die den Kreis im wesentlichen in der Zeit der Weimarer Republik bestimmte, nicht mit risikofreier Eindeutigkeit gegen die früheren abzugrenzen, doch lassen sich ihre Konturen anhand einiger Fakten aufzeigen. Der Generationswechsel geschah nicht abrupt, aber auch nicht chaotisch, sondern wurde vom ›Meister‹ stetig vorangetrieben. George nahm solche Dinge so ernst, daß sie bis in die geheimen Winkel seiner Metaphorik eindringen. In dem Maße, in dem er die Loslösung von der zweiten Generation vollzog und sich einer dritten zuwandte, deren Angehörige er ›Enkel‹ nennt, ergab sich auch eine Akzentverschiebung im Gebrauch der »enkel«-Metapher. Sie findet sich ohnehin nur im *Neuen Reich*, jedoch an Stellen, die aus weit auseinanderliegenden Zeiten stammen. In dem Gedicht »Goethes letzte Nacht in Italien« von 1908 bezeichnet »enkel« noch im Gegensatz zu »sohn« jene zu große Distanz, der das Wesentliche verlorengeht:

> »Euch betraf nicht beglückter stämme geschick
> Denen ein Seher erstand am beginn ihrer zeiten
> Der noch ein sohn war und nicht ein enkel der Gäa.«

Doch in »Hyperion« (1914) ist es gut, wenn der Schatz der Greise den Enkeln übertragen wird, und in »Der Krieg« (1917) stehen »söhn und enkel« gleichwertig nebeneinander. So allmählich wie diese Metapher umakzentuiert wurde, rekrutierte sich der Kreis neu. Zwischen 1910 und 1912 wurde noch die zweite Generation mit zwölf Neulingen bereichert, während sich von 1913 bis 1915 die Lösung von der ersten vollendet. Im gleichen Jahrdritt wurde schon die nächste, die dritte Generation vorsichtig an den Kreis gezogen – die Brüder Bernhard und Woldemar von Uxkull sowie Adalbert Cohrs –, um 1916 fest integriert. Die Trennung von der zweiten Generation erreichte zwischen 1919 und 1921 den Höhepunkt mit der Meidung Gundolfs und der zwischen 1910 und 1912 von ihm zum Kreis Gebrachten. Kurz danach wird das Rekrutierungsmaximum für die dritte Generation mit der Anwerbung der drei Brüder Stauffenberg erreicht. George wendete sich mit der ganzen Unerbittlichkeit seines pädagogischen Eros emotional den Jungen zu, die Älteren erhielten neue Aufgaben: Friedrich Wolters, der wie ein »Kirchenfürst«[42] der Marburger Sektion vorstand, schrieb an der lange geplanten Geschichte des Kreises, die eine Gruppenideologie werden sollte und auch wurde; Ernst Morwitz wirkte wie andere seiner Generation als Erzieher der Jüngeren, wie es sein Gedicht an Bernhard von Uxkull aussagt:

> »Ich bin bewahrer bis zur dritten stufe ·
> Blindlings dem Herzen folgend das mich treibt.
> Ich schütz dein blühn. Zu eigenstem behufe
> [...]

> Durch mich geformt erst treffen dich die rufe
> Die er erschütternd in die wolken schreibt«,

und auf die von Uxkull antwortete:

> »Empfing aus unserm bund auch jeder seinen
> Geliebten bruder durch der götter segen:
> Tritt manchmal doch uns einer noch entgegen
> Auf den wir jahre schon zu warten scheinen.
> [...]
> Schliesst uns in seinen arm und küsst uns lind
> Auf stirn und auge · wenn wir zweifelnd weinen..
> Auf den wir jahre schon zu warten scheinen
> Der kommt und nimmt uns wenn wir würdig sind.«[43]

So wird das Freundespaar für die dritte Generation bis in die zwanziger Jahre ein neues Strukturelement im Kreis. Mit dem Eingangsgedicht »Goethes lezte Nacht in Italien« stellt es George als Grundfiguration an den Anfang des *Neuen Reiches*. Offenbar war es als ein zusätzliches Integrationsmedium gedacht und mag in den meisten Fällen auch als solches gewirkt haben. In der Unterordnung unter die Ziele des Kreises wurde die Freundschaft gleichzeitig aber zu einem tragenden Moment der Kreisideologie. Die Widersprüchlichkeit dieser Freundschaftsauffassung ergibt sich nicht allein aus der Instrumentalisierung durch die Gruppe, sondern liegt schon dieser voraus in der Tatsache, daß die Gruppe, d. h. Isolation und gesamtgesellschaftliche Entfremdung die Bedingungen ihrer Möglichkeit darstellen. Dieser Widerspruch muß auf katastrophale Weise eklatant werden, sobald sich Freundschaft und Kreis nicht mehr emotional decken, sondern in Konflikt geraten. Dies war der Fall, als Max Kommerell den Bruch mit dem Kreis durchstand und dies durch eine Antrittsvorlesung über den von George verworfenen Hofmannsthal der Öffentlichkeit signalisierte. Der nicht abbaubaren Dissonanz zwischen der Bindung an den Kreis und der Bindung an Kommerell hielt die psychische Kraft des im Kreis zurückgebliebenen Freundes Hans Anton nicht stand: »Jetzt habe ich mich hierher geflüchtet. Was du auch immer hörst – denke daß ich schon im Gleiten war als alles geschah. Denke keinen Augenblick, daß ich dir recht gebe. Ich verstehe es nur nicht. [...] Das einzige was ich mir vorbehalten habe: dich nicht schlecht zu sehen. Was du auch immer hörst: ich teile keine der Positionen die du jetzt einnimmst. – Aber es ist schrecklich, dich immer weiter entschwinden zu sehen.«[44] Wenige Tage nach diesem Brief machte Hans Anton seinem Leben ein Ende. 1918 war schon einmal Ähnliches geschehen. Damals hatten sich beide Freunde – Adalbert Cohrs und Bernhard von Uxkull – umgebracht. George feierte im *Neuen Reich* den Tod der beiden als einen Sieg der im Kreis gehegten Freundschaft. Ideologisch wurde in Bestätigung umstilisiert, was die Tragfähigkeit der Ideologie des Kreises hätte in Zweifel ziehen können: »Dass so etwas möglich war, macht den Freundeskreis für immer existent. Die waren die Ersten, die ohne mein am-Leben-sein aus sich selbst das Eigentliche waren. Enkel sind das Meiste.«[45] Der bis in die physische Selbstvernichtung vorgetriebene Zweifel wird umgedeutet in die real gewordene Heilsgewißheit. Freudiger Glaube und Sieg sind identisch, wer trauert, den holt der Tod:

»Ich gäbe dir gern mehr zum abschied mit . .
Scheuch diese trauer unter deinen lidern
Sonst · reiter · ziehst du aus zum lezten ritt.«

Das war das Problem von vielen Deutschen nach 1918: trotz Kriegsverlauf und
Kriegsende auf der Seite der moralischen Sieger zu stehen. In den ersten Kriegsjahren äußerte sich George nicht öffentlich, vor allem nicht chauvinistisch.
Aber seine Jünger bezogen eindeutig Stellung.[46] Die meisten Kreiszugehörigen
gingen als Kriegsfreiwillige zur Armee, begleitet von Georges »guten Wünschen
und sein[em] Beifall«. Salin bezeugt, »dass wir Jüngsten fast ausnahmslos, doch
auch Gundolf und Wolters und sogar Wolfskehl, in den ersten Kriegsmonaten (und
manche [. . .] auch noch später) diesen ersten Weltkrieg für den geweissagten heiligen
Krieg hielten«.[47] Aber seit etwa 1916 verbreitete George Skepsis gegen die vor allem
von Gundolf verbreitete Auffassung, daß die Sache Deutschlands und die des
George-Kreises identisch seien. 1917 erschien der Sonderdruck des Gedichts »Der
Krieg«, das später ein Kernstück des *Neuen Reiches* bilden wird. George zeichnet
darin die Vorkriegsgesellschaft als Getier, das »fletschend sich zerriss« oder »lichtscheu« umhertrieb. Daß der Schauer am Beginn des Krieges den Hader vergessen
gemacht hat in einem »unbekannten einsgefühl«, wäre das einzige, was ihn auszeichnet. Darüber hinaus sind alle mit Blindheit geschlagen, und nur der Dichter
sieht. Er hält nicht die Symptome für die Wahrheit, nicht die Flammenzeichen für
die Kunde. Die übliche Auffassung von der »heimischen tugend« und der »welschen
tücke« erzeuge die falschen Fronten in einem falschen Streit, an dem der Dichter
nicht teilhat. Die Weinenden sind die am Tod der Jungen Schuldigen: »der graue
bart«, »der satte bürger«, »das weib das klagt«. Der Mord an Hunderttausenden
ist nichts anderes als die Fortsetzung des Mordes am Leben selbst. Dies war gewiß
auch 1917 noch ein waghalsiges Bekenntnis. Jedoch, wie alle Visionäre ist George
in Darstellung wie Kritik der gegenwärtigen und vergangenen Grundübel treff-
fender, konkreter als in der utopischen Antizipation. In der Charakteristik des
Zukünftigen ist die Unbestimmtheitstoleranz außerordentlich groß. Auch er erteilt
den in den Krieg ziehenden Jüngern den Segen. »Sie ziehn um keine namen – nein
um sich«, ist eine sehr leere Formulierung und wird denen, die wie Uxkull und
Cohrs in den schlimmsten Kriegssituationen litten, wenig Trost gegeben haben.
Kaum einer Interpretation zugänglich ist das, was George »das ärgste« nennt:
»blut-schmach« bleibt ein dunkles Wort, und George hat auf nachfassende Fragen
der Jünger keine klärende Antwort gegeben. Somit war der in anderen Gedichten
genährten Neigung zum Rassismus Tür und Tor geöffnet, wie die Interpretation
dieser Stelle durch die Jünger Wolters und Morwitz belegt.[48] Bleibt man im Kontext des Gedichtes selbst, so läßt sich eher auf die Anprangerung eines industrie-
gesellschaftlichen Übels schließen, auf jene »unform von blei und blech, gestäng und
rohr«, die sich, was George offenbar deutlicher empfand als viele Zeitgenossen, auf
dem Umweg über die scheinbar beherrschte Biozönose gegen die Menschen selbst
richtet.
Diese Auffassung führte gleichzeitig zur romantischen Stilisierung des Gegensatzes
von Stadt und Land, die sich nicht auf *Das neue Reich* beschränkt, hier aber sich
noch einmal voll artikuliert. Für die Stadt finden sich keine schmückenden, sondern

nur verunstaltende Beiwörter: Hindenburg kam aus »der fahlsten unsrer städte«, »Dunstiger städte betrieb« ist wohlwollend »der täler gewell« gegenübergestellt (»Burg Falkenstein«).

>»Wo hinter maassloser wände
>Hässlichen zellen ein irrsinn
>Grad erfand was schon morgen
>Weiteste weite vergiftet
>[...]
>In der Stadt wo an pfosten und mauereck
>Jed nichtig begebnis von allerwärts
>Für eiler und gaffer hing angeklebt:«
>(»Geheimes Deutschland«),

kann kein Heil erwachsen. Im Schein des Wohlergehens weiß dort keiner etwas von Bedrohung und Not, »versah sich keiner des grossen geschehns«, während vor den Toren »[...] bald geht mit leichten sohlen / Durch teure flur greifbar im glanz der Gott«. Diese Zeilen bilden den Schluß des Gedichtes »Hyperion« aus dem Jahr 1914, das nun im *Neuen Reich* als zweites Gedicht eingereiht erscheint, nachdem es bereits in der X. *Blätter*-Folge für den engeren Kreis gedruckt worden war. Die Epiphanie ist nirgends anders als in unversehrter Natur denkbar. Die Überlegenheit des Ländlichen drückt sich aber nicht nur in mehr oder weniger häufig wiederkehrenden klaren Aussagen aus, sondern steckt, wirksamer dort, weil unbewußt vom Gedichtleser aufgesogen, in Bild- und Wortwahl. Zeitmaße z. B., ganz gleich in welchem Zusammenhang, sind immer in den rhythmischen Schritten ausgedrückt, die die mehr naturabhängige Landarbeit bestimmen: Sommer und Winter, im Gedicht »Die Winke« sogar das ganz anachronistische ›Brache‹. In Übereinstimmung damit befindet sich das völlige Fehlen solcher Zeiteinheiten, die durch die industrielle Arbeitsteilung definiert sind.

Gleichzeitig klingt an dieser Stelle jener neue Ton auf, der das *Neue Reich*, außer in dem kaum integrierten »Lied«-Anhang, insgesamt durchzieht. Zwar schien George seit den Tagen des Maximilian Kronberger (1903/04) das ihm eigene Menschenbild nur in der Jugend realisierbar. Doch bedeutet die Hochstilisierung des nach den Vorstellungen Georges vollkommenen Maximilian in den Gott Maximin eine Distanzierung, eine Konservierung des eigenen Ideal- und Wunschbildes im Göttlichen, eine Vertagung des Wirklichwerdens aus dem Bereich des real Möglichen in die Sphäre des ewig Erhofften und nur im Wunder Realisierbaren. Im Vorbild ist nicht nur der Ansporn, sondern auch der Tadel für die Nacheiferer enthalten, und je göttlicher das Vorbild, um so hoffnungsloser erscheinen jene. Tatsächlich ist kurz vor dem Nennen Maximins im *Siebenten Ring* die Verzweiflung fast so groß wie in den Jugendgedichten und, bezieht man die »Gezeiten« und vor allem das »Spiegel«-Gedicht auf die Jünger, eine Chance der Verwirklichung des von George gehegten Ideals kaum zu erwarten:

>»Zu eines wassers blumenlosem tiegel
>Muss ich nach jeder meiner fahrten wanken.
>Schon immer führte ich zu diesem spiegel
>All meine träume wünsche und gedanken

> Auf daß sie endlich sich darin erkennten –
> Sie aber sahen stets sich blass und nächtig:
> ›Wir sind es nicht‹ so sprachen sie bedächtig
> Und weinten, wenn sie sich vom spiegel trennten.«

Jetzt aber, im *Neuen Reich*, erscheint die neue Generation hoffnungsträchtig, und noch zu ihrer Zeit, wenigstens im Kreis, ist zu verwirklichen, was vorher nur im Gottessymbol sichtbar wurde. Im ersten Gedicht, »Goethes lezte Nacht in Italien«, steht noch beides nebeneinander, der zum Gott erhobene Knabe neben den »Söhnen meines volkes«. In den hymnischen Gedichten wird die Umwandlung vom zarten Hoffnungsschimmer in Verheißung fast von Seite zu Seite vollzogen, und vor allem, sie wird inhaltlich konkreter, so daß nicht die Kreiszugehörigen allein, sondern darüber hinaus ein nicht bestimmbarer Teil der deutschen Jugend sich angesprochen fühlen kann. Der »Dichter in Zeiten der Wirren« vermag die Schar seiner Treuen »durch sturm und grausige signale« zu führen und mit ihnen das »Neue Reich« zu pflanzen, gleichzeitig gibt er damit auch dem »völkischen banner« den wahren Sinn:

> »[. . .] er holt aus büchern
> Der ahnen die verheissung die nicht trügt
> Dass die erkoren sind zum höchsten ziel
> Zuerst durch tiefste öden ziehn dass einst
> Des erdteils herz die welt erretten soll . .«

Zwar sind die Hymnen des *Neuen Reiches* noch voller apokalyptischer Bilder, und das uralte Schema der verkehrten Welt[49] kündigt an, daß die Trotzigsten ihren Nacken fügen und die heute Vernunftgläubigen sich »zur wildesten wundergeschichte« bekehren werden (»Goethes lezte Nacht in Italien«). Noch fiebern sich die »erkrankten welten zu ende« und stehen »viele untergänge ohne würde« bevor:

> »Noch härtre pflugschar muss die scholle furchen
> Noch dickre nebel muss die luft bedräun . .
> Der blassest blaue schein aus wolkenfinster
> Bricht auf die Heutigen erst herein wenn alles
> Was eine sprache spricht die hand sich reicht
> Um sich zu wappnen wider den verderb –«

Doch ist immerhin den »Heutigen« noch ein besseres Leben, »DAS ZWEITE ALTER«, in Aussicht gestellt. Und vor allem die jungen Deutschen, nach altem orientalisch-christlichem Muster durch Leiden geläutert, sind in der politischen Niederlage die moralischen Sieger und somit zur Führung legitimiert (»Einem jungen führer im ersten weltkrieg«):

> »Du aber tu es nicht gleich   unbedachtsamem schwarm
> Der was er gestern bejauchzt   heute zum kehricht bestimmt
> Der einen markstein zerhaut   dran er strauchelnd sich stiess . .
> Jähe erhebung und zug   bis an die pforte des siegs
> Sturz unter drückendes joch   bergen in sich einen sinn
> Sinn in dir selber.

Alles wozu du gediehst   rühmliches ringen hindurch
Bleibt dir untilgbar bewahrt   stärkt dich für künftig getös . .
Sieh · als aufschauend um rat   langsam du neben mir schrittst
Wurde vom abend der sank   um dein aufflatterndes haar
Um deinen scheitel der schein   erst von strahlen ein ring
Dann eine krone.«

Die Hymnen-Dichtung, die vielen den Untergang weissagt und wenigen Auser-
wählten das Heil, zu denen sich nun, nach 1918, der gebildete Teil der deutschen
Jugend zählen kann, hatte bereits einiges gemeinsam mit den »Sprüchen an die
Lebenden« und den »Sprüchen an die Toten«, die nach den Hymnen den Charakter des Bandes *Das Neue Reich* bestimmen: auch die Hymnen wandten sich
schon häufig an bestimmte, manchmal sogar in der Dedikation genannte Personen
des Kreises, und sie tun es in der Absicht, Normen und Zielrichtungen des Verhaltens zu bestimmen. Es ist also richtig, wenn Claude David zeigt,[50] daß in der Zeit
nach dem Krieg die erzieherische Intention des Dichters deutlich hervortritt. Trotzdem verliert, wie David meint, die Kunst für George nicht ihre Daseinsberechti-
gung, und keinesfalls bringt der Pädagoge den Dichter zum Schweigen. Diese falsche Meinung basiert auf einem Mißverstehen des jungen George; sieht man die
frühen Gedichte rein ästhetisch, geraten die späten als allzu realitätsbeladen in
Widerspruch zu ihnen. Die erzieherisch-praktische Intention Georges mag im Frühwerk formal nicht gleich ins Auge springen, doch war sie von Anfang an vorhanden. Man darf allerdings die frühere Esoterik nicht als resignatives Zurückweichen,
als den Eskapismus des L'art pour l'art sehen, sondern muß in ihnen die bewußte
Provokation der gesamtgesellschaftlich bestimmenden Kräfte erblicken, die sie
nicht nur verachtet, sondern die sie attackieren will. Da George mit der Gesellschaft seiner Zeit nicht übereinstimmen kann, weil sie Normen, Werte und Positionen bedroht, als deren Hüter er sich fühlt, ist er auch nicht mit der Elle der gesellschaftlich verbindlichen Ästhetik zu messen. Vor allem gilt für ihn nicht das
Postulat nachgoethescher Ästhetik, daß die lebensweltliche Erfahrung als Quelle und
Ziel der dichterischen Aussage bis zur Unkenntlichkeit ausgemerzt werden muß,
wenn mehr als partikulare Wahrheit zum Ausdruck kommen soll.
Gewiß gehen besonders die »Sprüche« aus dem gemeinsamen Leben des Kreises
hervor und sind direkt an Personen aus dem Kreis gerichtet, doch werden sie damit nicht »rätselhaft« (David) und stumpf für die Aufnehmenden außerhalb des
Kreises. Auch ohne die Einsicht in den konkreten Zusammenhang wird die Situation bildhaft und dadurch der exemplifizierten Norm nutzbar gemacht. Sowohl
für den Kreis wie für eine weitere Lesergemeinde will diese Dichtung Gebrauchs-
literatur sein in dem Sinne, daß sie direkte Anweisungen zum richtigen Leben enthält. Die Möglichkeit für beide, Kreis und breitere Leserschaft, sich mit den in der
Dichtung artikulierten Symbolfiguren zu identifizieren, liefert der dem Kreis wie
den Lesern gemeinsame Erfahrungs-, Deutungs- und Erwartungshorizont. Schon der
Siebente Ring hatte in dem Gedicht »Einem Pater« demokratisch gesonnene Politiker als die »gleichheit-lobenden verräter« diffamiert. Dem im Krieg schwer verwundeten und vom Tod gezeichneten Balduin von Waldhausen legte George mit einem
Gedicht, das bereits in den *Blättern* von 1919 stand, die Anklage in den Mund:

>»Dafür legten wir den holden mantel nieder
unsres leibes süsse bürde in die blumen
Dass ihr unsrer häuser stolze säulen stürztet
[...]
Dafür losch uns alles licht der demantkrone
Sank die nacht in unsre schimmernden gefässe
Dass ihr · meutrer · am lebendigen blute frevelt
Bettler schon · dem feinde leib und brut verschachert?
[...]
Ehrt uns nicht mit kränzen · kränkt uns nicht mit mälern
Holt die asche nicht zum boden den ihr schändet ·«

Diese Sprache war deutlich genug, um weit über den Kreis hinaus verstanden zu werden und Beifall zu finden. Allerdings muß eine solche durch den Vergleich zwischen Dichtung und politischem Klima zustande gekommene Vermutung empirisch gestützt werden. Drei Vermittlungsinstanzen können Auskunft geben über die Koinzidenz der dichterisch artikulierten Ideologie und den politischen Anschauungen eines maßgeblichen Teils der gesellschaftlich-staatlichen Öffentlichkeit: die Diffusionsinstitute und Multiplikatoren, die Preisverleiher und die Leserschaft.
Von Anfang an hat Stefan George die Presse als Teil der vom Bürgertum anerkannten »heuchlerischen Bildungsträger und Scheinwirklichkeiten«[51] gemieden. Die *Blätter für die Kunst* richteten sich an einen weiteren Freundeskreis, ohne sich des marktüblichen Vertriebsapparates zu bedienen. Wie einfach und mühselig es dabei zuging, schildert ein Brief Gundolfs an E. R. Curtius 1910: »Sie werden nächster Tage den Einzeichnungszettel für die IX Folge erhalten. Es sind Ihnen mehrere Zettel beigelegt worden damit Sie an Freunde, deren Adressen und Namen uns nicht bekannt sind nach Gutdünken verteilen.« Ähnlich vollzog sich während der Jahre 1910 bis 1912 die Verteilung des *Jahrbuchs für die geistige Bewegung*: »Wenn Sie Interessenten für das Jahrbuch wissen, so geben Sie mir bitte Adressen.« Darauf trafen innerhalb weniger Wochen zehn Anschriften ein, die Schlüsse auf den damaligen Leserkreis zulassen, weil zwei Professoren und vier Doktoren benannt wurden.[52] Bis 1905 ließ sich George manchmal von literarischen Gesellschaften zur Dichterlesung einladen, später las er nur noch im Freundeskreis vor. Obgleich Druck und Auslieferung seiner Werke durch einen Verlag erfolgten, kann man doch dabei bleiben, daß George sich »unangetastet von dem geilen markt« *(Das Neue Reich)* hielt. Das änderte sich auch nicht, als nach 1919 die *Blätter* nicht mehr gedruckt wurden. Weniger puristisch verhielt sich nach Salins Bericht Friedrich Wolters: »Wolters hat [...] betont, dass jede Bewegung, um sich durchzusetzen, eine zweite äussere Schicht benötige, – jene Gruppe, die Gundolf die ›wortgläubigen eiferer‹ nenne, – und diese Sendboten heranzubilden, erscheine ihm als wichtige Aufgabe, [...].«[53] Hielt sich diese Form der Ausbreitung noch an die vom George-Kreis geschaffenen Mittel, so entwickelte sich um Gundolf ein ausgesprochener Starkult, der paradoxerweise sich in dem Maße blähte, in dem Gundolf sich vom Kreis entfernte. Bereits 1920, als Gundolf in Heidelberg gerade zum außerordentlichen Professor ernannt worden war, umwarb ihn der Unterstaatssekretär Becker im Namen des Berliner Ministeriums für Wissenschaft, Kunst und Volksbildung, übrigens gegen den Willen

der Fakultät: »Die Hauptsache ist, dass Sie kommen und dass die spezielle, von Ihnen vertretene Geistigkeit, diese Verbindung von Literaturgeschichte und künstlerischer Produktion, diese aufs Menschliche gerichtete, vertiefte Lebensauffassung« zu Wort käme. »Ich persönlich glaube, daß Sie hier ein Minimum zu erfüllen haben, und ich würde es als einen persönlichen Schmerz empfinden, wenn Sie sich der grossen Aufgabe entzögen, die sich für Sie als einem Vorkämpfer einer neuen Lebensanschauung hier in dem Zentrum des Reiches auftut.«[54]

Überhaupt war die Neigung zu einer Universitätsdozentur unter denjenigen Neulingen der dritten Generation, die einen Lehrberuf ergriffen, extrem groß (17:8:8; erste Generation: 42:4:2; zweite Generation: 26:23:12).[55] Doch die Einflußchancen Gundolfs gingen über die Mauern der Universität weit hinaus. Er war zunehmend in den zwanziger Jahren der Favorit der bürgerlichen literarischen Vereine und Zirkel. Das von ihm geforderte und ihm oft gewährte Honorar lag mit 500 RM (Monatsgehalt 850 RM) weit über dem üblichen Satz.[56] Ebenso verhielt es sich mit dem Entgelt für Zeitschriftenbeiträge; sowohl die *Zeitschrift für Deutschkunde* wie das *Jahrbuch des Freien Deutschen Hochstifts* baten, die Honorarabmachungen vertraulich zu behandeln.[57] Gundolf bediente sich aller möglichen Vervielfältigungsmedien: einem ›Wissenschaftlichen Korrespondenz-Büro Akademia‹ in Heidelberg gab er drei Aufsätze in Kommission, die Agentur ›Gesellschaft für deutsches Schrifttum e. V.‹ sicherte einem Aufsatz zu Georges 60. Geburtstag »weite Beachtung«. George äußerte sich dazu nicht öffentlich, doch hatte er darüber eine feste Meinung: »Man geht nicht ungestraft in den Sumpf.«[58] Indessen konnte sich Gundolf kaum des Ansturms seiner Verehrer erwehren. Mit einem unhöflichen Vordruck hielt er sich das Schlimmste fern: »p. p. Leider kann ich Ihren Wunsch nicht erfüllen. Hochachtungsvoll Friedrich Gundolf«.

Trotz seiner Sprödheit gegenüber dem literarischen Betrieb wurden George bedeutende literarische Auszeichnungen zuteil. Die erste Verleihung des Goethe-Preises der Stadt Frankfurt ging 1927 an ihn, den die Urkunde als den »Lehrer und Leiter einer Generation von Männern der Dichtung und der Wissenschaft« feierte.[59] Dies war der Auftakt zur Feier des 60. Geburtstages, wie sie das Jahr 1928 hindurch der ›literarische Betrieb‹ veranstaltete: *Die Literarische Welt*, die *Deutsche Allgemeine Zeitung*, die *Neue Zürcher Zeitung*, die *Revue d'Allemagne* brachten Sonderbeilagen oder Stefan George gewidmete Ausgaben. Schließlich verlieh ihm 1932 der Reichspräsident Hindenburg die Silberne Goethe-Medaille,[60] was die Memoirenliteratur nicht erwähnt.

Es ist schwer festzustellen, ob Ehrungen durch literarische und staatliche Institutionen die öffentliche Meinung bestimmen können oder ob sie umgekehrt bereits als deren Ausdruck gelten müssen; handelt es sich doch um eine wechselseitige Einflußnahme bei vorhandener gemeinsamer Aufnahmebereitschaft. Jedenfalls gab es bereits um 1914 eine breitere Leserschaft, deren Kunstsinn sich als der Georgeschen Ästhetik angenähert erwies, als erstmals innerhalb eines Jahres ein Gedichtband zweimal aufgelegt wurde (vgl. die Tabelle S. 352). 1918 zeichnete sich ein sehr rasch wachsender Zuspruch ab, wie die schnellen Auflagefolgen zeigen. Die Anzahl der Auflagen wird in ihrem Aussagewert unterstützt durch die Angaben, die Robert Boehringer über sämtliche nach 1919 ausgelieferten Bände von Georges Werk machte:[61]

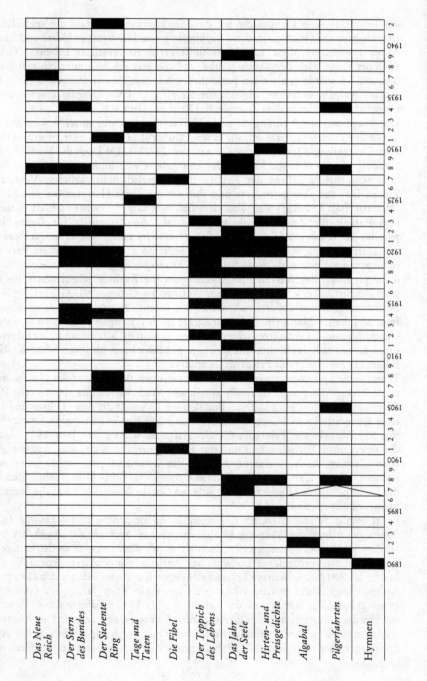

Stefan Georges Werke: Auflagefolge 1890–1942

1919		11 498 Exemplare
1920		12 851 Exemplare
1921		19 378 Exemplare
1924–27	ca.	6 000–9 000 Exemplare pro Jahr
1928		13 374 Exemplare
1928–33	ca.	6 000–9 000 Exemplare pro Jahr
1934		9 281 Exemplare
1935		8 585 Exemplare
1936		3 315 Exemplare
1937		4 149 Exemplare
1938		2 669 Exemplare
1939	ca.	4 000 Exemplare
1940	ca.	4 000 Exemplare
1941	ca.	1 000 Exemplare
1942	ca.	4 000 Exemplare
danach	ca.	1 000 und weniger Exemplare

Diese Aufstellung zeigt ferner, welchen Schwankungen die Neigung der Leser in der Zeit des Nationalsozialismus unterworfen war. Auch hierin ist ein Indiz für jene Ambivalenz zu sehen, die das Verhältnis zwischen George-Kreis und Nationalsozialismus bestimmte. Dieses Verhältnis ist im Hinblick auf gemeinsame Ursachen, scheinbare oder wirkliche Übereinstimmungen und Divergenzen so differenziert, daß es nur in einer längst fälligen Untersuchung geklärt werden kann. Fest steht einstweilen, daß George nichts auf die Weimarer Demokratie gab, daß er im Kreis die Meinung vertrat, » wie es nur noch lächerlich sei, wenn man, wie R[obert] B[oehringer], zu dieser Demokratie halte«,[62] daß einige prominente Kreiszugehörige wie Ernst Bertram, Woldemar von Uxkull und Ludwig Thormaehlen sich schnell auf die Seite des neuen Regimes schlugen.[63]

Entschiedenes Einstehen für die Demokratie der Weimarer Republik findet sich bei den zum George-Kreis Gehörenden noch seltener als eine erklärte Gegnerschaft. Soweit sich in ihren poetischen Werken und wissenschaftlichen Schriften unbewußt die Klage einer in eine sozial prekäre Situation gedrängten Schicht artikuliert, ist damit keine klare Vorstellung politisch aktueller Folgerungen ausgedrückt. Es scheint innerhalb des Kreises kaum Erörterungen zur historischen Entwicklung und sozialen Funktion demokratisch-parlamentarischer Einrichtungen gegeben zu haben. Man versprach sich nichts von ihnen, im wahrsten Sinn des Wortes, was im Interesse der eigenen Ziel- und Wertvorstellungen gelegen und eine Identifikation ermöglicht hätte. Zwar hat George um 1920 ein neues *Jahrbuch für die geistige Bewegung* geplant, und er war offenbar entschlossen, ihm eine auf das Politische gerichtete Einleitung zu geben. Doch ist es weder zu diesem *Jahrbuch* noch zu den politischen Aktivitäten gekommen, die George damals für möglich und aussichtsreich hielt,[64] so daß wir über deren Inhalt und Intention nichts wissen. Was George darüber hinaus in Gesprächen zu den Problemen der parlamentarischen Demokratie beitrug, klingt knapp und hilflos. Es gibt kein reflektiertes Argumentieren dafür oder dagegen, sondern nur emotional genährte Diffamierungen: Demokratie sei »Schwindel« und »Wahnsinn«. Oder es handelt sich um inhaltsleere, beliebig füll-

bare Worthülsen: »Wegen der Demokratisierung ist heute nur die sekundäre Leistung möglich. Deutschland aber ist der sekundären Leistung nicht fähig. Es bedarf der primären, und es ist daher durch die nur dem Sekundären Raum gebende Zeit viel tiefer geschädigt als die anderen Völker.«[65]
Die blinde Abwertung ist jene Form der Abwehr, die sich aus der dumpfen Angst vor dem Unbekannten ergibt. Hinter dem elitären Schleier des Kreises wird ein Moment der Übereinstimmung mit der Masse der deutschen Bevölkerung sichtbar. Doch sind die Dokumente hierzu dünn gesät, und ihr Inhalt ist immer vage. Wollte man das »antidemokratische Denken in der Weimarer Republik« allein in »Schriften, Aufsätzen, Pamphleten« suchen, wie es beispielsweise Kurt Sontheimer tut,[66] würde die durch den George-Kreis ausgelöste geistige Bewegung in ihrem politischen Charakter unerkannt bleiben. Denn die Opposition des George-Kreises vollzog sich nicht theoretisch-verbal, sondern durch und durch praktisch. Sie läßt sich klar aus der Struktur des Kreises ableiten, wo alles im tiefsten Sinne undemokratisch ist: die Unablösbarkeit und die absolute Immunität des ›Meisters‹ gegen Kritik, die Geheimniskrämerei, die Weigerung, Rechte und Pflichten der übrigen Gruppenzugehörigen klar zu definieren, die strenge Kontrolle von oben nach unten ohne die geringste Gegenläufigkeit, die Verbannung aus der Sozietät als schwerste, aber relativ schnell verhängte Sanktion, die weitgehende Entlastung von Entscheidungsdruck durch die Delegation aller Kompetenzen an die Gruppenspitze, die Anerkennung des zugewiesenen sozialen Status als unabänderlich. In seiner Struktur stellt der George-Kreis den Grundwiderspruch zur Weimarer Republik dar, denn er realisiert in allen Einzelheiten das Prinzip der persönlichen Moralität und stellt es dem bürgerlich-demokratischen Prinzip der institutionellen Legalität gegenüber. Dieser fundamentale Widerspruch schlägt noch durch, wo die staatliche Organisationsform scheinbar als irrelevant angesehen wird, wie in einer Äußerung Gundolfs: »Von der Entfaltung dieses Geistes und dieser Kräfte kann sich niemand was versprechen, der Augen im Kopf hat, aber nicht wegen der ›Demokratie‹ (gegen die kein Mensch was hat, da es auf die Menschen und nicht auf die Institutionen ankommt) [...].«[67] Dem Charismatiker wie seinen Gläubigen, dem ›Meister‹ wie dem Jünger hängt alle geschichtliche Realität ab von dem Willen einer als autonom gedachten Persönlichkeit. Im Dogma von der universalen Gültigkeit der kreiseigenen Qualitätsnormen wurzelt die praktizierte Opposition gegen die Weimarer Demokratie, aber auch der Grund des eigenen Scheiterns. Denn man könnte Hegels Vorwurf gegen das Christentum mit mehr Recht auf den George-Kreis anwenden, daß nämlich »seine Grundsätze eigentlich nur für die Bildung einzelner Menschen paßten« und fälschlich, was nur für eine kleine Gruppe möglich ist, »auf die bürgerliche Gesellschaft ausgedehnt« werden sollte.[68]

Anmerkungen

1. Robert Boehringer: *Mein Bild von Stefan George*. Düsseldorf und München ²1968. S. 222.
2. Der andere Sonderdruck enthält *Drei Gesänge* (Berlin 1921) und ist »dem Andenken des Grafen Bernhard Uxkull« gewidmet.
3. Vgl. dazu »Zur Genesis charismatischer Führung. Ein Beispiel aus der Geschichte des George-

Kreises«. In: Hans Norbert Fügen, *Dichtung in der bürgerlichen Gesellschaft*. Bonn 1972. S. 65 bis 77.

4. Max Weber: *Wirtschaft und Gesellschaft*. Tübingen ⁴1956. S. 110, 140, 155, 551–558, 662–695.
5. Robert Boehringer: *Mein Bild von Stefan George*. S. 39.
6. Karl Wolfskehl: *Gesammelte Dichtungen*. Berlin 1963.
7. Siehe Edgar Salin: *Um Stefan George*. München und Düsseldorf ²1954. S. 169.
8. S. 53 in dem Gedicht »Berufung«.
9. Friedrich Gundolf: *Briefwechsel mit Herbert Steiner und Ernst Robert Curtius*. Hrsg. von Lothar Helbing und Claus Victor Bock. Amsterdam 1963. S. 144.
10. *Blätter für die Kunst*, VIII (1909). S. 106–112 und 133–138.
11. Belege lassen sich in der einschlägigen Memoiren- und Briefliteratur in großer Zahl finden. Hier sei nur verwiesen auf Stefan George – Friedrich Gundolf: *Briefwechsel*. München und Düsseldorf 1962. S. 226, 227, 232, 242. – Edgar Salin: *Um Stefan George*. S. 54.
12. Robert Boehringer: *Mein Bild von Stefan George*. S. 7. – Edith Landmann: *Gespräche mit Stefan George*. Düsseldorf und München 1963. S. 12.
13. Stefan George: *Schlußband*. – Die eindringlichste Schilderung der Initiation findet sich bei Edgar Salin: *Um Stefan George*. S. 15–20.
14. Das Gedicht wurde im Druck an zwei Stellen leicht geändert. – Edgar Salin: *Um Stefan George*. S. 169. – Erich Kahler: *Stefan George*. Pfullingen 1964. S. 17.
15. Anselm Strauss: »Transformation of Identity«. In: A. Rose [Hrsg.], *Human Behavior and Social Processes*. Boston 1962. S. 67–71.
16. nach einem unveröffentlichten Brief vom 12. November 1928 der Frau E. Eckhardt an die Frau Gundolfs. Gundolf-Archiv, London.
17. Max Weber. *Wirtschaft und Gesellschaft*. S. 141.
18. ein Ausdruck Georges nach Stefan George – Friedrich Gundolf: *Briefwechsel*. S. 172.
19. Robert Boehringer: *Mein Bild von Stefan George*. S. 81.
20. Edgar Salin: *Um Stefan George*. S. 57.
21. Vgl. Edgar Salin: *Um Stefan George*. S. 57, S. 88. – Stefan George – Friedrich Gundolf: *Briefwechsel*. Bes. S. 356 und 367.
22. *Blätter für die Kunst*, X. Folge (1914). S. 152.
23. Stefan George – Friedrich Gundolf: *Briefwechsel*. S. 334 f.
24. ebd., S. 340, 372, 381.
25. Edgar Salin: *Um Stefan George*. S. 58.
26. Stefan George – Friedrich Gundolf: *Briefwechsel*. S. 334.
27. Edgar Salin: *Um Stefan George*. S. 221.
28. Robert Boehringer: *Mein Bild von Stefan George*. S. 176. – Edgar Salin: *Um Stefan George*. S. 240. – Max Kommerell: *Briefe und Aufzeichnungen 1919–1944*. Hrsg. von Inge Jens. Olten und Freiburg i. Br. 1967. S. 205.
29. Robert Boehringer: *Mein Bild von Stefan George*. S. 129. – Das Bekenntnis zur »Liebe« als Regulativ des Handelns hat den Kreis bis einer libidinös frustrierten Öffentlichkeit schnell in den durch nichts zu stützenden Verdacht homosexueller Beziehungen gebracht. Wer sich für solche Dinge überhaupt interessiert, würde eher auf einige Anzeichen heterosexueller Promiskuität stoßen.
30. Edith Landmann: *Gespräche mit Stefan George*. S. 160.
31. Friedrich Wolters: *Stefan George und die Blätter für die Kunst*. Berlin 1930. S. 548.
32. Vgl. Robert Boehringer: *Mein Bild von Stefan George*. S. 129. – Friedrich Wolters: *Stefan George und die Blätter für die Kunst*. S. 389. – In der Korrespondenz taucht die Bezeichnung zuerst in einem Brief Gundolfs an Wolfskehl vom 3. Juni 1909, dann in einem Brief Gundolfs an George vom 15. September 1909 auf (Stefan George – Friedrich Gundolf: *Briefwechsel*. S. 197 f.). 1914 enthalten die *Blätter für die Kunst*, X, S. 44–51, vier »Staatsgedichte« von Gundolf. Der Ausdruck »Staatsstützen« für die Kreiszugehörigen ist 1919 so geläufig, daß George sich in einem Brief an Gundolf auf die Abkürzung »Stst« beschränken kann (S. 323).
33. Bernt von Heiseler: *Lebenswege der Dichter*. Gütersloh 1958. S. 202. Als Industrielle können nur Ernst und Robert Boehringer genannt werden. Robert Boehringers Fabrikbesitz scheint nach Edith Landmann, *Gespräche mit Stefan George*, S. 138, bei dem von 1919 bis 1925 anhaltenden Zwist eine Rolle gespielt zu haben.

34. Vgl. Wolfgang Zapf: *Wandlungen der deutschen Elite*. Ein Zirkulationsmodell deutscher Führungsgruppen 1919–1961. München ²1966. S. 42–48.
35. Hier wie zu dem gesamten Komplex der wirtschaftlichen Entwicklung vgl. Helmut Böhme: *Prolegomena zu einer Sozial- und Wirtschaftsgeschichte Deutschlands im 19. und 20. Jahrhundert*. Frankfurt a. M. ⁴1972. S. 70–122. Das Zitat S. 79.
36. Edith Landmann: *Gespräche mit Stefan George*. S. 193.
37. am 10. September 1909 an Gustav Roethe. In: Gundolf, *Briefe*. Neue Folge. Amsterdam 1965. S. 54 f. – Robert Boehringer: *Mein Bild von Stefan George*, S. 83, bezieht das Gedicht ebenfalls auf die Preußen. Siehe auch S. 82 das Gedicht »Der Preusse«, das von George selbst nicht veröffentlicht wurde.
38. Friedrich Wolters: *Stefan George und die Blätter für die Kunst*. S. 343.
39. Max Weber: *Wirtschaft und Gesellschaft*. S. 142.
40. Siehe Wolfgang Zapf: *Wandlungen der deutschen Elite*. S. 49. Vermögensverlust durch Inflation läßt sich innerhalb des Kreises belegen für George selbst und für Karl Wolfskehl in: Edgar Salin, *Um Stefan George*. S. 341 und 217. Für Wolfskehl außerdem in: *Wolfskehl und Verwey*. Hrsg. von Mea Nijland-Verwey. Heidelberg 1968. S. 160 und 168.
41. vor allem bei Robert Boehringer: *Mein Bild von Stefan George*. S. 121. – Weitere Belegstellen folgen im Kontext.
42. Robert Boehringer: *Mein Bild von Stefan George*. S. 129.
43. Bernhard Victor von Uxkull-Gyllenband: *Gedichte*. Hrsg. von Ernst Morwitz. Düsseldorf und München 1964. S. 18 und 29 f. Vgl. auch Edgar Salin: *Um Stefan George*. S. 32: »Nach Wolfgangs und Norberts Tod sei dem hinterbliebenen Freund die Aufgabe gestellt, sich jüngere Freunde heranzubilden.«
44. Brief vom 25. Februar 1931 in: Max Kommerell, *Briefe und Aufzeichnungen 1919–1944*. S. 207.
45. Robert Boehringer: *Mein Bild von Stefan George*. S. 158.
46. Siehe Friedrich Gundolf: »Tat und Wort im Krieg«. In: *Frankfurter Zeitung*, 11. Oktober 1914. – Berthold Vallentin: »Deutschlands Berufung«. In: *Frankfurter Zeitung*, 30. Oktober 1914.
47. Edgar Salin: *Um Stefan George*. S. 26 und 306.
48. Ernst Morwitz. *Kommentar zu dem Werk Stefan Georges*. Düsseldorf und München ²1969. S. 419 f. – Noch in Benns Rede zur geplanten, dann aber abgesagten Trauerfeier der Deutschen Akademie der Dichtung für George spielte dieses Wort eine wichtige Rolle. Siehe Gottfried Benn: »Rede auf George«. In: *Reden*. München 1955. Früher erschienen in: *Die Literatur*, XXXVI (1934). Nr. 7. S. 377–382.
49. Wilhelm Emil Mühlmann: *Chiliasmus und Nativismus*. Berlin 1964. S. 307–311.
50. Claude David: *Stefan George*. München 1967. S. 338.
51. Friedrich Wolters: *Stefan George und die Blätter für die Kunst*. S. 385.
52. Friedrich Gundolf: *Briefwechsel mit Herbert Steiner und Ernst Robert Curtius*. S. 143–148.
53. Edgar Salin: *Um Stefan George*. S. 140.
54. Brief vom 17. April 1920. Gundolf-Archiv, London. Bisher unveröffentlicht.
55. Rolf von Hoerschelmann: *Leben ohne Alltag*. Berlin 1947. S. 120: »An jedem Kulturort bildete sich allmählich eine Zelle, die diesen Geist pflegte, an jeder Universität lehrte schließlich ein Hochschullehrer einen Kreis der Jugend solche Ideale.«
56. nach unveröffentlichten Dokumenten des Gundolf-Archivs, London. Die Löns-Gedächtnisstiftung nennt, weil ihr die Forderung Gundolfs zu hoch erschien, Vergleichshonorare: Walter von Molo 300 RM, Stefan Zweig 300 RM, Rudolf Binding 300 RM, Georg von der Vring weniger als 300 RM.
57. *Zeitschrift für Deutschkunde*: Brentano-Aufsatz 1929. – *Jahrbuch des Freien Deutschen Hochstifts:* Brief Ernst Beutlers vom 5. Januar 1929. Gundolf-Archiv, London.
58. Edith Landmann: *Gespräche mit Stefan George*. S. 143.
59. Georg Peter Landmann: *Stefan George und sein Kreis*. Eine Bibliographie. Hamburg 1960. S. 140 f.
60. Annemarie Tilger: »Das Elternhaus Stefan Georges«. In: *Stefan George*. Hrsg. vom Stefan-George-Gymnasium Bingen 1968. S. 49.
61. Robert Boehringer: *Stefan George*. Feier in der Hessischen Landesbibliothek zu Darmstadt am 12. Juli 1958. Rede. O. O. und o. J. S. 16.
62. Edith Landmann: *Gespräche mit Stefan George*. S. 207.
63. Vgl. dazu: *Thomas Mann an Ernst Bertram*. Hrsg. von Inge Jens. Pfullingen 1960. S. 173–198. –

Woldemar Graf Uxkull-Gyllenband: *Das revolutionäre Ethos bei Stefan George.* Tübingen 1933.
– Zu Ludwig Thormaehlen und Ernst Bertram s. Hans Brasch: »Die Verstreuten«. In: *Castrum Peregrini*, LX (1963). S. 36.
64. Berthold Vallentin: »Gespräche mit Stefan George«. 1902–1931. In: *Castrum Peregrini*, XLIV bis XLV (1960). S. 47 f.
65. Edith Landmann: *Gespräche mit Stefan George.* S. 64, 66, 90.
66. Kurt Sontheimer: »Antidemokratisches Denken in der Weimarer Republik«. In: *Der Weg in die Diktatur 1918 bis 1933.* München 1962. S. 67.
67. Friedrich Gundolf: *Briefwechsel mit Herbert Steiner und Ernst Robert Curtius.* S. 264.
68. Georg Wilhelm Friedrich Hegel: *Frühe Schriften.* Werke 1. Frankfurt a. M. 1971. S. 62 f.

Literaturhinweise

Blätter für die Kunst. Begründet von Stefan George. Hrsg. von Carl August Klein. 1892–1919. Abgelichteter Neudruck: Düsseldorf und München 1968.
Claus Victor Bock: *Wort-Konkordanz zur Dichtung Stefan Georges.* Amsterdam 1964.
Robert Boehringer: *Mein Bild von Stefan George.* Düsseldorf und München ²1968.
Georg Bondi: *Erinnerungen an Stefan George.* Berlin 1934.
Briefwechsel zwischen George und Hofmannsthal. 2. ergänzte Aufl. München und Düsseldorf 1953.
Claude David: *Stefan George.* Sein dichterisches Werk. München 1967.
Erinnerung an Frank. Ein Lebenszeugnis. Hrsg. von Michael Stettler. 2. ergänzte Aufl. Düsseldorf und München 1970.
Stefan George: *Gesamtausgabe der Werke.* Endgültige Fassung. 18 in 15 Bänden. Berlin 1927–34.
– *Werke.* Ausgabe in zwei Bänden. München und Düsseldorf 1958.
Stefan George. Lehrzeit und Meisterschaft. Hrsg. vom Stefan-George-Gymnasium Bingen. 1968.
Stefan George – Friedrich Gundolf: *Briefwechsel.* Hrsg. von Robert Boehringer mit Georg Peter Landmann. München und Düsseldorf 1962.
Der George-Kreis. Eine Auswahl aus seinen Schriften. Hrsg. von Georg Peter Landmann. Köln und Berlin 1965.
Ernst Glöckner: *Begegnung mit Stefan George.* Auszüge aus Briefen und Tagebüchern 1913–1934. Heidelberg 1972.
Elisabeth Gundolf: *Stefan George.* Amsterdam 1965.
Friedrich Gundolf: *Briefwechsel mit Herbert Steiner und Ernst Robert Curtius.* Hrsg. von Lothar Helbing und Claus Victor Bock. Amsterdam 1963.
– *Briefe.* Neue Folge. Amsterdam 1965.
Eckhard Heftrich: *Stefan George.* Frankfurt a. M. 1968.
Kurt Hildebrandt: *Das Werk Stefan Georges.* Hamburg 1960.
– *Erinnerungen an Stefan George und seinen Kreis.* Bonn 1965.
Gerhard Klussmann: *Stefan George.* Zum Selbstverständnis der Kunst und des Dichters in der Moderne. Bonn 1961.
Max Kommerell: *Briefe und Aufzeichnungen 1919–1944.* Aus dem Nachlaß hrsg. von Inge Jens. Olten und Freiburg i. Br. 1967.
Edith Landmann: *Gespräche mit Stefan George.* Düsseldorf und München 1963.
Georg Peter Landmann: *Stefan George und sein Kreis.* Eine Bibliographie. Hamburg 1960.
Sabine Lepsius: *Stefan George.* Geschichte einer Freundschaft. Berlin 1935.
Hansjürgen Linke: *Das Kultische in der Dichtung Stefan Georges und seiner Schule.* 2 Bde. München und Düsseldorf 1960.
Ernst Morwitz: *Kommentar zu dem Werk Stefan Georges.* Düsseldorf und München. ²1969.
Peter Pawlowsky: *Helmut Küpper vormals Georg Bondi 1815–1970.* Düsseldorf und München 1970.
Edgar Salin: *Um Stefan George.* München ²1963.
Victor A. Schmitz: *Gundolf.* Eine Einführung in sein Werk. Düsseldorf und München 1965.
H. Stefan Schultz: *Studien zur Dichtung Stefan Georges.* Heidelberg 1967.
Michael Stettler: *Begegnungen mit dem Meister.* Erinnerungen an Stefan George. Düsseldorf und München 1970.
– *George-Triptychon.* Düsseldorf und München 1972.

Ludwig Thormaehlen: *Erinnerung an Stefan George*. Hamburg 1962.

Albert Verwey en Stefan George. De documenten van hun vriendschap. Bijeengebracht en toegelicht door Mea Nijland-Verwey. Amsterdam 1965.

Karl Wolfskehl: *Gesammelte Dichtungen*. Berlin 1963.

Wolfskehl und Verwey. Die Dokumente ihrer Freundschaft 1897–1946. Hrsg. von Mea Nijland-Verwey. Heidelberg 1968.

Friedrich Wolters: *Stefan George und die Blätter für die Kunst*. Deutsche Geistesgeschichte seit 1890. Berlin 1930.

HANS DIETER SCHÄFER

Naturdichtung und Neue Sachlichkeit

Selten ist das Ende eines Zeitstils so einheitlich konstatiert worden wie nach dem Zusammenbruch der expressionistischen Phase. Die Beteiligten waren sich rasch einig, daß mit der Revolution und der Ausrufung der Republik auch das ›revolutionäre Pathos‹ ausgespielt habe. Kasimir Edschmid machte in seiner Rede zur Eröffnung der 1. Expressionisten-Ausstellung in Darmstadt 1920 neben der Popularisierung und dem daraus resultierenden ästhetischen Abnutzungsprozeß ausdrücklich politische Ereignisse wie den Weltkrieg und die Bürgerschlachten für eine Neuorientierung verantwortlich.[1] Die dämonischen Visionen der Frühexpressionisten waren Wirklichkeit geworden. Während man vor 1914 schockierend die Ruhe des Wilhelminischen Kaiserreiches als Schein zu entlarven trachtete, galt in der Nachkriegszeit eher das Gegenteil: die verlorengegangene Ruhe sollte – zumindest als Schein – wiederhergestellt werden. Edschmids Bekenntnis »Nun kommt die stille Arbeit« wurde zu einem der zahlreichen Schlagworte, mit denen man die Unsicherheit der Nachkriegszeit überwinden wollte. Doch auch »tiefste Resignation«[2] führte zur Skepsis gegenüber einer esoterischen und antigeschichtlichen Kunst, die mit ihrer utopischen Intention gescheitert war und zu keiner Veränderung der gesellschaftlichen Strukturen geführt hatte.[3] Obgleich der Expressionismus vor allem auf dem Theater (Georg Kaiser, Bertolt Brecht) noch beachtliche Leistungen hervorbrachte, war die Ablehnung durch die Künstler derart vehement, daß Hermann Kesser 1928 in der *Neuen Bücherschau* erklären konnte, daß das Wort Expressionismus »in der üblichen ästhetischen Umgangssprache fast nur mehr im entwertenden Sinne gebraucht wird«.[4] Nicht nur die Rechte propagierte »Pflege der Tradition, neues Betonen der positiven Ergebnisse der Vorkriegsjahre, Freude an der Idylle, an Heimat, Volksverbundenheit, an kultivierter Form«,[5] auch die liberalen Kräfte suchten im Strudel der Ereignisse nach stabilen Sicherheiten und setzten sich für eine »Zucht der Sprache«[6] ein.

Die gesellschaftliche Restauration erfuhr in einer formgeschichtlichen ihre Entsprechung. Im Laufe der zwanziger Jahre kam es zu einer deutlichen Aufwertung der Zweckformen wie Lehrstück, Dokumentartheater, Reportage, historischer Roman, Satire, Feuilleton, Biographie, Memoiren usw. Der Zug zum Authentischen war bei Konservativen wie Fortschrittlichen allgemein. Das empirisch gesammelte Wissen erschien als das verläßlichste, da es auf subjektive Deutung nicht angewiesen war und dem neuerwachten Wirklichkeitskult und Wirklichkeitsbezug entgegenkam. Horst Denkler hat kürzlich darauf hingewiesen, wie auffällig rasch die Künstler während der Weimarer Zeit ihr Selbstverständnis nach diesem Bedürfnis ausrichteten.[7] An die Stelle des Sehers und Propheten trat der »geistige Arbeiter« (Hiller) und der »Zeitgenosse des Ingenieurs« (Wolfradt). Döblin formulierte 1928: »Die Dichtung setzt voraus ein übernormal scharfes Sehen und Sinn für die Wahrheit der Wissenschaft«, Gottfried Benn bekannte sich zur »Kälte des Denkens, Nüchternheit, letzte[n] Schärfe des Begriffs«, Bertolt Brecht proklamierte 1928,

das Theater müsse »auf das Niveau der Wissenschaft« gebracht werden, und Hermann Broch setzte sich für die Integration der »wissenschaftlichen Denkweise« in den künstlerischen Schaffensprozeß ein. Es paßt sehr gut in das restaurative Klima der Zeit, daß diese Definitionen nicht nur äußerst Heterogenes und ganz und gar ›Unwissenschaftliches‹ bezeichnen, sondern daß es sich um eine betonte Wiederherstellung des vorexpressionistischen Dichterbildes handelt. Erinnert sei an die naturalistischen Programme – etwa an Bölsches *Die naturwissenschaftlichen Grundlagen der Poesie* (1887) und an Karl Bleibtreus Aufsatz über »Realismus und Naturwissenschaft« (1888) –, in denen von der Dichtung exakte Beobachtung und Analyse gefordert wurde.[8] Die zögernde Hinwendung zum Empirismus, die man nach 1918 in der Literatur und bildenden Kunst beobachten kann, erneuerte lediglich gewisse Tendenzen, die sich vor 1900 bereits herausgebildet hatten und die dann durch den extremen Antirealismus von Jugendstil und Expressionismus überspielt wurden.
Die Anknüpfung an den Naturalismus vollzog sich spätestens seit der Mitte der zwanziger Jahre auf breiter Basis. 1927 widmete *Die Neue Bücherschau* Emile Zola zu seinem 25. Todestag ein Sonderheft, in dem Heinrich Mann, Joseph Roth und viele andere ein Bekenntnis zu dem französischen Dichter ablegten. Joseph Roths Sentenz »Nur durch eine minuziöse Beobachtung der Wirklichkeit kommt man zur Wahrheit«[9] ist eine wörtliche Paraphrase der vorexpressionistischen Manifeste. Doch schon 1920 hatte Alfred Döblin in der Zeitschrift *Das Tagebuch* ein »Bekenntnis zum Naturalismus« abgelegt: »In der Dichtung wird seit einer Anzahl Jahren das ›Beschreiben‹, ›Schildern‹ als kunstfeindlich perhorresziert. Es wird in eine Linie gestellt mit dem ›Abmalen‹ in der Malerei. Die Ablehnung des ›Beschreibens‹ stammt aus dem allgemeinen Gefühl, daß die Vergeistigung zurzeit der wichtigste elementarste Antrieb der Künste ist.« Döblin bekannte sich in der Folge ausdrücklich zu dieser »Vergeistigung«, doch Empirie und Öde seien nicht notwendigerweise identisch. Er forderte eine Synthese von expressionistischer Abstraktion und naturalistischer Beschreibungsliteratur. »Um es stark, herausfordernd auszudrücken: ich bekenne mich zum Naturalismus. Ich will nicht mich, sondern die Welt erobern. Mich an ihr bereichern, Bresche schlagen in ihre Geheimnisse: darin unterscheide ich mich nicht vom Wissenschaftler.«[10] Döblins Plädoyer für eine Erneuerung der vorexpressionistischen Moderne ist vor allem deshalb aufschlußreich, weil hier der Expressionismus nicht von vornherein abgelehnt wird. ›Abstrakte‹ Tendenzen haben die Kunst der zwanziger Jahre mit konstituiert. Ihr spezifischer Eigenwert ist die Mischung.
Scharf unterscheiden muß man Döblins ›geistesrevolutionären‹ Empirismus, der ihn mit Autoren wie Jahnn, Loerke und Lehmann verbindet, von einer reinen Beschreibungsliteratur, die oft im bloßen Genre steckenbleibt. Diese Art von Kunst wurde von den Zeitgenossen zu Recht als »Rückgriff«[11] und »Reaktion«[12] verstanden, »als Auftrag zur Ruhe und Ordnung [...] schlechthin«.[13] 1923 versandte G. F. Hartlaub, Direktor der Städtischen Kunsthalle Mannheim, ein Rundschreiben, um Zeugnisse derjenigen Maler zusammenzutragen, »die der positiven greifbaren Wirklichkeit mit einem bekennerischen Zuge treu geblieben sind«.[14] Der Titel der Ausstellung »Neue Sachlichkeit«, die im Sommer 1925 in Mannheim gezeigt wurde, weist deutlich und nicht ohne Zufall auf Altes, Vergessenes. Fritz Schmalenbach hat schon früh die Zusammenhänge zwischen Sachlichkeits-Ethos der Jahrhundertwende und

Bauhaus-Ideologie der zwanziger Jahre geklärt.[15] Der Anspruch auf größte ›sachliche‹ Detailgenauigkeit, der die literarische Beschreibung mit der wissenschaftlichen verbindet, wurde ebenfalls vor 1900 mit der Entwicklung neuer optischer Geräte begründet. Bleibtreu sprach von der »Gabe des technischen Sehens«[16] und Arno Holz notierte: »Man kannte zwar schon das Fernrohr, aber noch nicht das Mikroskop.«[17] Peter Altenberg polemisierte gemeinsam mit dem Architekten Adolf Loos gegen Ornamentik und Dekoration. »Die größte Künstlerin vor allem ist die Natur«, formulierte er in der Vorrede zu der von ihm redigierten Zeitschrift *Kunst* (1903), »und mit einem Kodak in einer wirklich menschlich-zärtlichen Hand erwirbt man mühelos ihre Schätze.«[18] Die sich rasch entwickelnden technischen Erfindungen aus dem Bereich der Photographie und des Films haben entscheidend die Sehweise der Maler und Schriftsteller beeinflußt und bedeutenden Anteil an der Wiederentdeckung der Objektwelt. So betonte Franz Roh in seinem Buch *Nach-Expressionismus* (1925) ausdrücklich den »Eigencharakter der Natur« gegenüber der im Expressionismus herrschenden Meinung, »daß die Natur erst ausdrucksfähig werde, wenn sie durch die Darstellung des Menschen hindurchgegangen« sei.[19] Für die Zukunft forderte er, »den Fotoapparat nicht nur als Sammler eines Motivschatzes anzusehen«, sondern den abgelichteten Naturausschnitt als »Untergrund der Malerei« zu benutzen, der dann mit Hilfe der Retouche verändert werden müsse.[20] Die Retouche erzeugt freilich nicht nur den Effekt der Verklärung, sondern häufig auch den der Dämonisierung. Das vorgefundene Material wurde stets durch leichte kubistische Verformungen, Überschärfe der Details, Geometrisierungen und dergleichen zusätzlich verödet, doch den »gewaltigen Unterschied zwischen dem Bilde, das das Leben stellt, und dem Bilde, das die Kunst stellt« (Fontane),[21] betonte man im Kampf mit den antirealistischen Tendenzen des Expressionismus selbstverständlich weniger als die neuerworbene ›alte‹ Lebensnähe.

In einer tabellarischen Übersicht versuchte Franz Roh damals die Unterschiede von Expressionismus und Nachexpressionismus in der bildenden Kunst aufzuzeigen. Er fand u. a. zu folgenden Gegensatzpaaren: Objekt unterdrückend – Objekt verdeutlichend, dynamisch – statisch, monumental – miniaturartig.[22] Diese Definitionen lassen sich nun auf Arbeiten mit ganz unterschiedlichen Wirkungen übertragen. Hartlaubs Trennung zwischen einem sozial engagierten Flügel (Dix, Grosz) und einem magisch-realistischen (Schrimpf, Kanoldt) reicht gewiß nicht aus. Nicht die Inhalte wie Großstadt- und Naturmotive, sondern ihre künstlerische Behandlung entscheiden über die Ausstrahlung. Ernst Blochs Verdikt trifft nur auf einen Teil der neusachlichen Miniaturmaler zu: »Im ganzen verdeckt sich hier das Bürgertum das Bewußtsein seiner vulkanischen Lage, es übermalt, auch im Naturbild, die dialektisch-konkrete Frucht seines gekommenen Nullpunkts. Rein formale Klarheit verbindet sich mit einer Scheinobjekthaftigkeit an sich, abstrakt genug, sich mit idyllisch gemachten Maschinen und Großstädten, exakt gemachten Stilleben oder Landschaften beliebig zu füllen.«[23] Unter der gelackten Oberfläche der anti-expressionistischen Bilder kann jedoch auch durchaus Unidyllisches wetterleuchten wie etwa in Gustav Wunderwalds Gemälde »An der Landsbergerstraße« (1928). Vor den überdimensionierten Flächen der Reklametafeln, die durch den Bildrand segmentiert werden, wirken die Menschen wie Puppen. Es herrscht eine geradezu tote Ruhe, deren Ursache nicht zuletzt in dem krassen Mißverhältnis von großen Werbetafeln und den

zu winzigen Gegenständen erstarrten Käufern zu suchen ist.[24] Eine ähnlich beunruhigende Wirkung findet man u. a. bei den Landschafts- und Städtebildern Radziwills, den Stilleben Oelzes und den Figurengruppen Räderscheidts, wo durch die Isolation der Objekte bzw. durch leichte perspektivische Verzerrungen das Statische unheilvoll in Bewegung gebracht wird.[25]
Der Zug zur Idylle war in der Literatur jener Jahre weit verbreitet. Gerade bei den Werken, die von der zeitgenössischen Kritik als besonders ›sachlich‹ gerühmt wurden, ist eine ausgesprochen genrehafte Überformung zu beobachten. Das gilt sowohl für Arbeiten aus der Produktionssphäre und für die Stadtgedichte Erich Kästners wie für die Romane Hans Falladas und Karl Jakob Hirschs. Es ist interessant, daß auch die Satire eher der von Bloch gerügten Übermalung der ›vulkanischen Lage‹ als ihrer Aufdeckung dient, wobei die zeitliche Entfernung von den Novemberereignissen nicht ohne Bedeutung ist. George Grosz verlor Ende der zwanziger Jahre seine frühere Brillanz und Schärfe und wurde zum »beinahe harmlosen Illustrator«[25a]. Auch Erich Kästners auffällige Vorliebe für die Kindheitswelt »dicht beim Paradies«[26] und für idyllische Ruhepunkte wie Parkbänke, Großstadtgärtnereien und Vorstadtstraßen deutet auf eine starke regressive Unterströmung dieser ›sachlichen‹ Texte, weniger auf Angriff. Kästner kombinierte die Objekte niemals futuristisch miteinander wie etwa Heartfield, sondern verband sie stets mit dem Gefühlsbereich. Der vor dem Coupéfenster auftauchende Baum assoziiert Verse wie: »Man hat vergessen, daß es Gärten gibt. / Und kleine Vögel drin, die abends flöten. / Und blaue Veilchen, die die Mutter liebt . . .« Das Genrebild wird verfremdet, allerdings durch Gefällig-Pikantes: »Und während sich die Dame näherschiebt, / greift man gefaßt zu weiteren Schinkenbrötchen.«[27] Das Sachliche erscheint so nicht als Montageobjekt, sondern als Fassade, hinter der – wie »in verstaubten Sammetherzen« – die alten Gefühle lagern.[28] Ein Gedicht wie »Besagter Lenz ist da« gerät schließlich in Analogie zu manchen Gemälden August Wilhelm Dresslers[29] und Werner Hofmanns[30] nachgerade zu einer Schrebergartenidylle (»Die Gärten sind nur noch zum Scheine kahl«), die den Frühling als »dieselbe Sache« angeblich unverbraucht dem kleinen Mann zum Konsum anbietet.[31]
Eine ähnliche ›Perspektive von unten‹ herrscht in Hans Falladas Erfolgsroman *Kleiner Mann – was nun?* (1932), wo – trotz breiter Ausmalung des Sozialelends – die Proletarisierung eines Angestellten durch die Macht naturhafter Liebe versöhnt wird. Der arbeitslose Pinneberg kehrt wie »ein verwundetes Tier« nach Hause zurück, um in der individuellen Geborgenheit der Familie Trost wegen des verlorenen Existenzkampfes zu finden. In einer Vermischung von Liebes- und Naturbildern wie sanfte grüne Woge, Sterne und nächtlicher Strand ist »plötzlich die Kälte weg«. Pinnebergs Frau – mit dem charakteristischen Namen »Lämmchen« – erscheint als Inbegriff des Mütterlichen und Naturhaften, in deren Nähe die materielle Deklassierung geheilt wird, denn »wir ändern nichts, es ist wie eine Wand, gegen die man anläuft. Es wird nichts anders.«
Die um 1930 allgemein zu beobachtende Hinwendung zur Natur steht in Verbindung mit einem tiefen Fatalismus und einer ausgesprochenen Scheu vor der parteipolitischen Solidarisierung. Der kollektive Widerstand – den sowohl die roten wie auch die braunen Trupps propagierten – führte zu einem betonten Rückzug auf die ›kleine überschaubare Welt‹ der Familie. Auch Karl Jakob Hirschs[32] Roman *Kaiser-*

wetter (1932), in dem scharfgezeichnete Miniaturen aus der Belle Epoque stations-
artig aneinandergereiht werden, mündet mit seinem erklärten Haß »gegen alles
Pathetische und Verlogene« ins Apolitische. Die Ursache des Versagens der Gesellschaft vor 1914 sucht Hirsch nicht in einer ökonomischen Analyse, sondern er demonstriert am Beispiel von zwei Familien unterschiedlicher Klassenherkunft den
moralischen Verfall. Genußsucht, sexuelle Zügellosigkeit und Geldgier werden von
Hirsch auf dem Höhepunkt der Weltwirtschaftskrise als Erklärung für den Verfall des Kaiserreichs angeboten. Der Roman schließt mit dem Tag des Kriegsaus-
bruchs, doch keineswegs mit einer Apokalypse, sondern mit einem Blick der »unschuldig Liebenden« auf die niederdeutsche Landschaft mit den »Birkenalleen und
Kanälen«.

Rückblickend hat Horst Lange im Juni 1933 in V. O. Stomps' Zeitschrift *Der weiße
Rabe* diese Harmonisierungstendenzen begründet: »Wohin sollte die Jugend sehen,
wonach sollte sie sich während des demokratischen Interregnums, in das ihre Wendung zur Selbständigkeit fiel, richten? Nichts, – außer der Natur: den Zeichen, die
die Jahreszeiten auf die Erde schreiben, der unabänderlichen Wiederkehr des Gleichen in der Landschaft schien noch beständig zu sein [...]. So kam es, daß im jungen
deutschen Schrifttum eine starke Fronde sich bemerkbar machte, die in bewußter
Abkehr von allen ›literarischen Tagesinteressen‹ das Einfache und das Unwandel-
bare: die Felder, die Äcker, die Teiche und Flüsse besang.«[33] Die Fronde, auf die
Lange anspielt, grenzte sich zwar scharf von der faschistischen Heimatkunst ab,[34]
doch der Rückgriff auf Naturthemen geriet vor allem im Gedicht häufig zu einer
privaten Genremalerei ohne Verweisungscharakter. Es ist nicht verwunderlich, daß
der Kampf gegen die Idyllendichtung um 1930 in eine grundsätzliche Kritik der
lyrischen Gattung mündete, deren gesellschaftliche Funktion man in Zweifel zog.[35]
Diese Kritik muß jedoch auf dem Hintergrund der formalen Krise gesehen werden,
in welcher sich die junge Lyrik damals befand. Trotz sachlicher Programme[36] gerieten Autoren von Kästner bis Friedrich Schnack nicht aus dem Bann der ver-
brauchten Gefühls- und Erlebnislyrik heraus. Erinnert sei an die erste *Anthologie
jüngster Lyrik* (1927) von Willi R. Fehse und Klaus Mann, mit der Gerhart Pohl
in seiner scharfen Kritik »Klingklanggloribusch« zu Recht einen Rückfall hinter
Expressionismus und Symbolismus erkannte: »Georges Sprachgewalt und Rilkes
Tongebärden sind hier gelöst, zersplittert, verbraucht, übrig bleibt [...] gereimtes
Feuilleton.«[37]

Man sieht: Nicht das Naturthema stieß auf Kritik, sondern seine ästhetische Behandlung. Auch Bertolt Brechts Provokation, mit der er 1926 als Preisrichter der
Literarischen Welt auf 400 Einsendungen junger Lyriker reagierte, richtete sich vor
allem gegen den Widerspruch von Tiefe und Innigkeit des Gefühls und mangelnder substantieller Fundierung. Das angeblich dokumentarische Radsportgedicht von
Hannes Küpper,[38] das Brecht abdrucken ließ, um damit gegen die Sentimentalität
und Weltfremdheit der Einsender zu protestieren, offenbart sich allerdings selbst
als unsachliche Mythisierung und deutet darauf hin, daß auch die »Ingenieurs-
Romantik«[39] jener Jahre unter dem Eindruck der Formkrise stand.

Am Beispiel Brechts wird deutlich, daß der Gegensatz von Natur- und Stadtlitera-
tur in den zwanziger Jahren abgebaut wurde.[40] Texte über Boxweltmeister und
Automobile, mit denen Brecht der zeittypischen Begeisterung am Amerikanismus

und an technischen Objekten huldigte, stehen Arbeiten gegenüber, in denen das
Naturthema erneut aufgegriffen wurde. Im Unterschied zu den meisten Autoren
der zwanziger Jahre fand er in seinen beiden Frühjahrsgedichten von 1928 und
1931 zu einer neuen Form. Brecht versuchte darüber hinaus, die gesellschaftlichen
Ursachen für die Entfremdung der Städtebewohner von der Natur aufzuzeigen.
Er ist zu nüchtern, um noch von der Schönheit der Bäume und Pflanzen zu schwärmen, und doch sieht er im gestörten Verhältnis zur Welt draußen vor den Toren
der Stadt einen deutlichen Mangel:

Über das Frühjahr

Lange bevor
Wir uns stürzten auf Erdöl, Eisen und Ammoniak
Gab es in jedem Jahr
Die Zeit der unaufhaltsam und heftig grünenden Bäume.
Wir alle erinnern uns
Verlängerter Tage
Helleren Himmels
Änderung der Luft
Des gewiß kommenden Frühjahrs.
Noch lesen wir in Büchern
Von dieser gefeierten Jahreszeit
Und doch sind schon lange
Nicht mehr gesichtet worden über unseren Städten
Die berühmten Schwärme der Vögel.
Am ehesten noch sitzend in Eisenbahnen
Fällt dem Volk das Frühjahr auf.
Die Ebenen zeigen es
In alter Deutlichkeit.
In großer Höhe freilich
Scheinen Stürme zu gehen:
Sie berühren nur mehr
Unsere Antennen.[41]

Technik (Eisenbahnen, Antennen) und Bücher vermitteln nur noch ›zufällig‹ einen
Eindruck der Landschaft, die zu einem bloßen ökonomischen Potential herabge-
sunken ist. Die Vogelschwärme scheuen die Städtebewohner, denen nur noch die
Erinnerung bleibt. Dennoch stellt sich kein nostalgisches Gefühl ein. Man bemerkt,
daß Brecht die Naturdinge aufruft, um die Künstlichkeit der modernen Gesellschaft zu markieren. Indem er am Ende auf den Sturm hinweist, verdeutlicht er –
ähnlich wie in seiner »Ballade vom armen B. B.« – die Instabilität der Stadtwelt. In
seinem Gedicht »Das Frühjahr« (1931) kam Brecht noch einmal auf dieses Thema
zurück, betonte jedoch stärker die Gegenwärtigkeit der Natur. Das »Wachstum der
Bäume und Gräser« weist freilich nicht auf einen ontologischen Raum, sondern ist
eng mit den Menschen verbunden, die als »Liebende« am Eingang des Gedichts aufgerufen werden. Keine Idylle erscheint, sondern das Gefühl der Bedrohung, wenn
es am Ende heißt: »Und es gebiert die Erde das Neue / Ohne Vorsicht.«[42] Brecht

hat geschickt Anregungen der amerikanischen Imagisten und der chinesischen Lyrik verarbeitet und – im Unterschied zu Kästner – durch eine kurze und schmucklose Diktion zu einer Sachlichkeit gefunden, die das Naturmotiv noch einmal glaubhaft zur Sprache brachte. Die Verse auf das Frühjahr sind Vorspiele zahlreicher Naturgedichte des Exils (»Svendborger Gedichte«) und der Nachkriegszeit (»Buckower Elegien«), in denen sich Brecht den kleinen Dingen des Lebens zuwandte, dem Sprengen des Rasens, den Apfelbäumen und dem »rauchenden Haus« am See. Diese fernöstlich arrangierten Sujets freilich sind auch hier stets Kurzchiffren für gesellschaftliche Prozesse, die den Eindruck des Dekorativ-Gefälligen zu keiner Zeit aufkommen lassen.

Bei Alfred Döblin findet sich in den zwanziger Jahren ebenfalls ein Nebeneinander von Großstadt- und Naturdichtung. Ähnlich wie Brecht opponierte er gegen die »Disposition für das kleine Glück«.[43] Nicht Genredichtung und eine Restauration der Familie schwebte ihm vor, sondern eine ›bessere Welt‹, die hinter der empirischen liegt. Diese irrationale Komponente führte zu einem eigentümlichen Schwanken von Großstadtfaszination und -ablehnung. So weist Sengle darauf hin, daß die »scheinbare ›neue Sachlichkeit‹« in dem Roman *Berlin Alexanderplatz* (1929) nicht verhindere, »daß die negativen Aspekte der Großstadt überbetont werden«.[44] Erinnert sei an das Leitmotiv der Hure Babylon, das freilich stärker die subjektive Sehweise des von der Republik enttäuschten Biberkopf interpretiert und nicht ausschließlich auf eine vollständige Verdammung der Großstadt deutet.[45] Dennoch liegt der von Döblin ausgesparte Satz aus dem 17. Kapitel der Apokalypse wie ein Schatten über dem Buch: »Und das Weib, das du gesehen hast, ist die große Stadt, die das Reich hat über die Könige auf Erden« (Offb. 17,18). Vor *Berlin Alexanderplatz* und auch später im Exil (*Babylonische Wandrung oder Hochmut kommt vor dem Fall*, 1934) hat Döblin immer wieder dichterische Gegen-Utopien entworfen, um aus der Suggestion der Stadt-Herrschaft herauszugelangen, denn »es kann geschehen, daß man in den Riesenstädten viel arbeitet, aber an der Menschheit vorbeiarbeitet«.[46] Bald nach der November-Revolution und ihrer Niederschlagung beschäftigte sich Döblin intensiv mit empirischer Naturwissenschaft und den Schriften Lao-tses. In seinen »Bemerkungen zu ›Berge, Meere und Giganten‹« (1924) notierte er: »Inzwischen hatte ich am Ostseestrand 1921 einige Steine gesehen, gewöhnliches Geröll, das mich rührte [...]. Zum ersten Mal, wirklich zum ersten Mal ging ich unsicher, nein ungern nach Berlin zurück, in die Stadt der Häuser, Maschinen, Menschenmassen, an denen ich sonst fest, ganz fest hing. Ich hatte den Wunsch, noch länger in der freien Natur zu sein und einmal diese, diese Dinge um mich herumlaufen zu lassen.«[47] Indem die Versprechen einer tiefen gesellschaftlichen Erneuerung durch die Allianz von Sozialdemokratie und kaiserlichem Militär widerrufen wurden,[48] entstand bei Döblin eine Ernüchterung, die sich in der Suche nach einer neuen Solidarität äußerte, die er weniger in den marschierenden proletarischen Kolonnen als in der Welt der Tiere, Pflanzen und Minerale sah. 1921 erklärte er in seiner Betrachtung »Buddho und die Natur«: »Reinigung der Gesellschaft wäre nötig [...] im Umgang mit Steinen, Blumen, fließendem Wasser.«[49] Ähnlich äußerte sich damals auch Oskar Loerke, der noch 1937 angesichts der faschistischen Gewaltherrschaft in einem Brief an Wilhelm Lehmann rückblickend das Gemeinsame dieser Haltung hervorhob.[50]

Döblins vom *Tao-te-king* beeinflußte Überlegungen fanden in dem Roman *Berge, Meere und Giganten* ihre dichterische Gestaltung. Der Niederschrift waren nicht nur Studien jeder verfügbaren Fachliteratur über Grönland und Island vorausgegangen, sondern auch die Lektüre wissenschaftlicher Aufsätze über biochemische Experimente sowie die Betrachtung von Fototafeln und mikroskopischen Objekten. Subtil beschreibende Partien wechseln in dem Roman mit bildhaft-wuchernden ab. Wohl kein Buch Döblins ist so scharf als »resignierter Rückzug«[51] verurteilt worden wie dieser utopische Roman, der ursprünglich als »Hymne auf die Stadt« konzipiert war.[52] Doch während der Arbeit kehrte sich die Tendenz um. Der Drang des Menschen, mit Hilfe der Technik die Naturdetermination zu überwinden, enthüllt sich als Selbstüberschätzung. Die technischen Errungenschaften dienen lediglich einer kleinen kapitalistischen Gruppe, einem »neuen Adel«. Die Enteisung Grönlands durch Sprengung isländischer Vulkane führt zum Verlust der Naturbeherrschung. Zwar bedeckt bald eine üppige Vegetation das Territorium, doch es kommt zum tödlichen Kampf kreidezeitlicher Drachen mit Menschentürmen, zu denen sich die Anführer gesteigert haben. Am Ende des »kaleidoskopischen Verwandlungsgedränges« (Bloch) versuchen sich die Überlebenden demutsvoll den Gesetzen der Natur unterzuordnen: »Neu fühlte man sich in das Gewitter ein, in den Regen, den Erdboden, die Bewegungen der Sonne und Sterne.« Das Buch mündet nicht in eine blinde Starre, sondern hält sich für konkrete Veränderungen offen. Die Zerstörung des technischen Potentials und damit der staatlichen Organe steht in Verbindung mit Döblins anarchistischen Attacken gegen den neodynastischen Parlamentarismus von Weimar.[53] November-Anarchie und Tao schließen – ähnlich wie bei Brecht – einander nicht aus. Den politischen Parabelcharakter hat Döblin in der zweiten Fassung seines Romans (1932) noch stärker herausgearbeitet. Die Fabel erfährt eine utopisch-dynamische Erweiterung (»Wacht auf, ihr lieben Menschen, wir sind in Fahrt«), doch das Ziel bleibt ausgespart, denn staatliche Herrschaft und Ordnung sind überflüssig. Döblins Giganten-Roman ist symptomatisch für einen Typ der Problemlösung in der damaligen Literatur. Der Dynamismus konzentriert sich um das ›große Gesetz‹, eine stereotype Formel, die um 1930 allenthalben auftauchte.

Hans Henny Jahnns Drama *Straßenecke. Ein Ort, eine Handlung* (1931), das erst 1965 zur Aufführung gelangte, endet mit einem Protestchor von Negern und Proletariern gegen die organisierte Gewalt und den Rassenhaß: Auch uns hat »berufen / wie jeden Gesetz. / Wir atmen und stehen. / Wir stehen und warnen: / Laßt ab!« Jahnn bringt in einer Montage von zum Teil irreal-pantomimischen Szenen Beispiele für die Inhumanität der Menschen, welche die natürliche Sexualität als Teufelswerk verdammen. Der Neger James – dessen Bild in zahlreichen Folter- und Prügelszenen erscheint – solidarisiert sich wie Perrudja in dem gleichnamigen Roman (1929) mit der gequälten Kreatur, die nicht vom moralischen Verfall der Menschheit bedroht ist. Die Aufforderung, etwas ›Nützliches‹ für die Befreiung zu tun und gegen die kapitalistische Ausbeutung zu kämpfen, beantwortet James lapidar: »Ich besitze einen Kopf. Ich muß etwas für die gerechte Sache der Elche und Wale tun.« Dieser scheinbar absichtslose Anarchismus, der nach der »Fischgerechtigkeit« fragt,[54] aber paradoxerweise im Sinne des Humanen wirken will, ist eine zweite, tiefere Variante des Widerstandes, mit dem man in der Republik auf die Herausforderungen der organisierten Linken und Rechten reagierte. Der »Zug ins Kollektivierende«[55] beherrschte die Literatur zwischen 1925 und 1932 derart stark, daß sich sogar die Einzelgänger zu Gruppen zusammenschlossen. Eines der aufschlußreichsten Blätter ist die *Kolonne*, die im Dezember 1929 als »Zeitung der jungen Gruppe Dresden« gegründet wurde und bis zum Ende der Republik erschien. Neben Martin Raschke arbeiteten u. a. Günter Eich, Peter Huchel, Georg Britting, Elisabeth Langgässer und Gertrud Kolmar an der Zeitschrift mit. Die *Kolonne* schuf einen ersten Kommunikationsraum für zahlreiche naturmagische Lyriker, die erst nach 1945 einer breiteren Öffentlichkeit bekannt wurden. Schon im Vorspruch zur ersten Nummer grenzte sich die Gruppe scharf von einer Sachlichkeit ab, »die den Dichter zum Reporter erniedrigte«. Die Zeitschrift ist darüber hinaus ein wichtiges Dokument für die literarischen Debatten, die gegen Ende der Republik geführt wurden. Fast alle liefen auf die Frage zu, ob sich der Autor in den Dienst eines politischen Programms stellen solle. Zum großen Teil handelte es sich zwar um dieselben Argumente, die anläßlich der Auseinandersetzung der *Neuen Bücherschau* um Gottfried Benn (1929) schon vorgebracht wurden,[56] doch aufschlußreich ist, wie stark Benns Poetik damals gewirkt hatte.[57] »Gedichte haben keinen Nutzwert«, bekannte Günter Eich 1932 lakonisch, eine Skepsis, die er zeitlebens beibehielt.[58] Ausgelöst wurde Eichs Bekenntnis zur Autonomie der Kunst durch einen Aufruf von Bernhard Diebold »An die jungen Lyriker«, nicht mehr »Natur-Arrangements« und »Privat-Ichs« auszubreiten, sondern die »Sprache der Bedürftigkeit« zu sprechen, denn »selbst das Land hat sich verstädtert. Die Bogenlampe ist dem Menschen gegenwärtiger als der ewige Mond«.[59] Eich erwiderte, daß das Wesentliche der Zeit nicht in ihren äußeren Erscheinungsformen wie Flugzeuge und Dynamos zu suchen sei, sondern in der Veränderung, die der Mensch durch sie erfahre. Das Ziel der Entwicklung freilich läge im Dunkeln, doch wenn man fordere, »die Lyrik solle sich zu ihrer Zeit bekennen, so verlangt man damit höchstens, sie solle sich zum Marxismus oder zur Anthroposophie oder zur Psychoanalyse bekennen, denn wir wissen gar nicht, welche Denk- oder Lebenssysteme unsere Zeit universell repräsentieren, wir wissen nur, daß das jede Richtung oder Bewegung von sich behauptet«.[60] Noch deutlicher warnte Martin Raschke (unter dem Pseudonym Otto Merz) vor einer reinen parteipolitischen Dichtung, wobei er – ähnlich wie die Literaturdiskussion nach 1945 – den rechten und linken Totalitarismus in eins setzte. Während der kommunistische Autor zum »Reklamefachmann der jeweiligen Staatsideologie« degradiert werde, diene für die Nationalsozialisten das »klassische oder romantische Bild des Dichters« lediglich als Tarnung des »mechanisch-funktionalen«.[61]

Fragt man nun nach den Vorbildern, welche die *Kolonne* den aktivistischen Herausforderungen entgegenstellte, so trifft man – was nicht verwunderlich ist – immer wieder auf extreme Individualisten mit anarchischen Zügen. Eich fühlte sich zu Villon und Rimbaud hingezogen, zum Triebhaften, »das oft mit dem Kriminellen identisch ist«,[62] und Peter Huchel identifizierte sich mit Reinhold Michael Lenz. In seinem lyrischen Porträt »Lenz« kontrastierte er die »reine Naturwelt« aus Nymphen, Knospen und Teichen mit der kalten Kammer und der Armut des Dichters.[63] In einem anderen Poem beklagte er, daß die christliche Verheißung, »die

Erde [...] gerecht« aufzuteilen, nicht eingelöst wurde.[64] Die mürben, im Spind duftenden Birnen werden in dem Gedicht »Herkunft« zum erinnerungsauslösenden Moment für Figuren wie der »zigeunerische« Kesselflicker, Magd und Knecht, mit denen sich das lyrische Ich solidarisiert: »Wenn es auf die Steine schneit, / hör ich euern Schritt.«[65] Huchel selbst avancierte für die Gruppe mit seinen anspruchslos strukturierten, z. T. im Ton von volkstümlich-religiösen Kalendersprüchen gehaltenen Arbeiten zum Dichter-Vorbild. 1932 zeichnete ihn die Jury, zu der u. a. Emil Belzner und Edlef Köppen zählten, mit ihrem Lyrikpreis aus. Das soziale Element freilich wurde in der Laudatio Martin Raschkes wegretuschiert. Huchel erscheint als Autor, der mit »Begriffen einer Welt dichtet, die – äußerlich gesehen – nicht mehr die seine ist: Kalmus, Magd, Petroleumlicht [...]. Die Worte öffnen sich wie Fächer, und es entfällt ihnen die verlorene Zeit. Mit ihnen schlägt er an die verschlossene Höhle der Kindheit, Sesam tu dich auf, und die Pforte öffnet sich.«[66] Raschke hat trotz seiner starken Nähe zur Poetik Benns eine wichtige Beobachtung getroffen, die typisch für einen großen Teil der damaligen Schriftsteller ist. Landschafts- und Kindheitsmotive erfahren eine tiefe Durchdringung. Das retardierende Moment, das im Naturthema liegt, bekommt durch farbige Kindheitsbilder einen authentischen Glanz. Man griff zurück hinter Krieg und Revolution und suchte »nach den verlorenen Zusammenhängen, einem Lebensganzen, Urbildern, nach Naivität«,[67] aber auch nach vorausdeutenden Sprüngen und Brüchen. Dietrich Bode konnte im Hinblick auf diese Kindheitsdarstellungen von einer »postrevolutionären Mode« sprechen,[67] in deren Umkreis so unterschiedliche konservative und fortschrittliche Autoren wie Ernst Bloch, Walter Benjamin, Georg Britting, Hans Carossa, Karl Jakob Hirsch, Elisabeth Langgässer, Theodor Lessing, Oskar Loerke, Klaus Mann und viele andere gehören. In der neusachlichen Malerei gibt es auffällig viele Parallelen. So porträtierte Otto Dix seine Tochter in Anknüpfung an Runges Bild »Die Hülsenbeckschen Kinder« (1806) in einem wildwuchernden Blumenstück, wobei die Pflanzen an Eigenmächtigkeit dem Kind zumindest gleichgestellt werden.[68] Christian Schad malte ein »Kind im Gras« (1930); einzelne Halme sind altmeisterlich wie kleine Schwerter ausziseliert.[69] Zumeist setzte man das Kind jedoch puppenhaft in ein statisches Spielzeugarrangement wie bei Davringhausen (»Renate«, 1929)[70] und Greta Overbeck-Schenk (»Spielendes Kind«, 1927)[71]. Die Objekte – Bauklötze und Gummibälle – sind überdimensioniert und dem Subjekt gleichgestellt, das von der »Stoffwelt eingeschlossen«[72] um Atem zu ringen scheint. Diese Verdinglichung interpretiert die bürgerliche Kindheitswelt keineswegs als heil, sondern auch als quälend. Die Konzentration auf die Objekte offenbart eine tiefe Verstörung, die Theodor Lessing in seiner doppeldeutig betitelten Autobiographie *Einmal und nie wieder* (1935) stellvertretend für seine Generationsgefährten ausgedrückt hat: »Die Mutter liebte mich in ihrer Art, so wie man eine Puppe liebt. Das große Liebesbedürfnis des Kindes verknüpfte mich weniger mit den Eltern als mit vertrauten Gegenständen oder Spielzeug. Da gab es Bauklötzchen, Zinnsoldaten, Fische und Frösche aus Blech und Zelluloid, da waren Figuren an Springbrunnen, bestimmte Mauerstellen und Steine, an denen ich zärtlich teilnahm und denen ich auch mein Leid zubringen konnte.«[73] Auf dem Hintergrund einer ähnlichen Vereinzelung entwarf Walter Benjamin seine unheilvoll-zärtlichen Miniaturen, die er zu einem Teil kurz vor der Machtergreifung Hitlers in der *Frankfurter Zeitung* publizieren konnte und die später unter dem Titel *Berliner Kindheit um Neunzehnhundert* erschienen. Die mit staunendem Blick zum erstenmal erfaßten Dinge – Gasstrumpf, Klebebild und Pfefferkuchen – werden von Benjamin aus dem Bestimmungskontext gelöst und erhalten in ihrer statischen Segmentierung geradezu den Eindruck des Zeitverfallenen. Das Verhältnis des Autors zur Geborgenheit durch die patinierten Dinge ist ambivalent, zuweilen überwiegt wehmütige Sehnsucht. Doch im Unterschied zu Huchel richtet sich sein Interesse nicht auf das Ungeschichtliche, »sondern gerade auf das zeitlich Bestimmteste, Unumkehrbare«. Daher auch das Interesse an den Interieurs, an den Porzellan- und Teppichblumen, nicht an denen draußen vor dem Fenster. »Mit Natur hängen die Benjaminschen Bilder nicht als Momente einer sich selbst gleichbleibenden Ontologie zusammen, sondern im Namen des Todes, der Vergängnis als der obersten Kategorie des natürlichen Daseins«, bemerkte Adorno. Und im selben Zusammenhang: »Wie für Baudelaire wird ihm alles zur Allegorie.«[74] Das Motto von Benjamins Sammlung belegt diese Deutung prägnant. Der Satz »O braungebackne Siegessäule / mit Winterzucker aus den Kindertagen«[75] verbindet durch die Nennung von Pfefferkuchen und Siegessäule Kindheit und historische Zeit und deutet auf Verlorenes schlechthin. Die Allegorie der geflügelten Viktoria stellt sich unausgesprochen ein und enthüllt sich durch das vom Leser eingebrachte Wissen als Trugbild.

Wie die Interieurdichtungen Benjamins trotz der Integration von Bratapfel und Schaumgoldengel nicht ein neobiedermeierliches Wohnstubenglück widerspiegeln, so stellt sich der Eindruck des verlorenen Paradieses und des ›goldenen Zeitalters‹ der Idylle bei den Naturmagikern jener Jahre nur selten ein. Brittings ›kleine Welt‹ ist oft von tödlicher Lockung eingedunkelt; die Szenerie »grünschwarzer Tümpel, von Weiden überhangen, von Wasserjungfern übersurrt«,[76] taugt wenig für heitere Knabenspiele und weist folgerichtig auf den im Titel der Erzählung angekündigten »Brudermord im Altwasser«. Wilhelm Lehmann prägte für jenen neuen poetischen Typus den Begriff ›böse Idylle‹, nicht ohne in seinem gleichnamigen von der *Frankfurter Zeitung* 1928 publizierten Prosastück die nachexpressionistische Naturdämonisierung mit den Fragen »Wo war Sicherheit? Wo war Hilfe?« zu akzentuieren.[77] Auch im Pflanzenarrangement dieser Schülergeschichte regiert wie bei Benjamin das Gefühl der Entfremdung, mit dem zentralen Unterschied allerdings, daß der Absurdität des menschlichen Geschichtsprozesses die Natur als metaphysisches Prinzip gegenübergestellt wird. »Das Gras, der Käfer, der Vogel, die Wolke und der Mensch stehen unter demselben Gesetz«, notierte Moritz Heimann über die Dichtungen Lehmanns.[78] Nicht die Idee, sondern die mikroskopische Optik und ein betont »unkommunikatives Element«[79] verbinden Benjamin mit einem Teil der Naturmagiker, vor allem mit Wilhelm Lehmann, der damals zu seinen eifrigsten Lesern zählte. Trotz aller Unterschiede resultiert die Intensität ihrer poetischen Arbeiten aus der Benutzung verwandter Kunstgriffe wie Anhalten von Bewegungen, menschenleerer Präsenz der Objekte, exakter Detailnähe usw. Das Heimholen der Dinge in eine miniaturartige »Märchenphotographie« (Adorno) widersetzt sich einer stilkonservativen Harmonisierung. Die Texte von Britting, Huchel, Loerke u. a. verfügen daher noch über gewisse frühexpressionistische ›krasse‹ Bildreste. Auch etliche Arbeiten der neusachlichen Maler sind von kubistischer Würfelung und perspektivischer Verzerrung nicht frei. Die Verbindung von »eingeeistem« Experiment und Realitätsgebundenheit erzeugte gerade jene »Bizarrisierung«, die Willi Wolfradt als das Neue des Stils rühmte.[80] Das Einzelobjekt erscheint oft derart vergrößert, daß das »Unheimliche« der Sachen, das »Magische« und »Geheimnisvolle« bloßgelegt wird.[81] Das empirische Element war in jenen Jahren derart stark, daß manche Gedichte wie in Sprache umgesetzte Bilder wirken. »Statik, Sachschärfe, taktile Härte, Regungslosigkeit der Figuration und geometrische Spannung«, mit denen Franz Roh einen Teil der neusachlichen Maler charakterisierte,[82] treffen in prägnanter Weise z. B. auf Brittings »Raubritter« zu:

> »Zwischen Kraut und grünen Stangen
> Jungen Schilfes steht der Hecht,
> Mit Unholdsaugen im Kopf, den langen,
> Der Herr der Fische und Wasserschlangen,
> Mit Kiefern, gewaltig wie Eisenzangen,
> Gestachelt die Flossen: Raubtiergeschlecht.
>
> Unbeweglich, uralt, aus Metall,
> Grünspanig von tausend Jahren.
> Ein Steinwurf! Wasserspritzen und Schwall:
> Er ist blitzend davongefahren.
>
> Butterblume, Sumpfdotterblume, feurig, gelblich rot,
> Schaukelt auf den Wasserringen wie ein Seeräuberboot.«[83]

Das Gedicht nähert sich beschreibend dem starren Objekt. Der Blick gleitet von Kraut und Schilfstengeln auf den langen Kopf, die Kiefern und stachligen Flossen. Die Optik freilich ist eine bewußt naive, es ist die des Kindes, das schließlich auch mit Wendungen wie ›Unholdsaugen‹, ›Herr der Fische‹, ›gewaltig wie Eisenzangen‹, ›Raubtiergeschlecht‹ den Hecht märchenhaft umkleidet und ihm eine zeitlos schimmernde Statik verleiht. Auch nach der Bildauflösung in der zweiten Strophe wahrt Britting mit dem ›Steinwurf‹ und der ›Seeräuberboot‹-Metapher den kindlichen Blick, der das freisetzende Abenteuer erwartet. Die im engen Bildausschnitt »zwischen Kraut und grünen Stangen« erzeugte fabelhafte Nähe wird durch die scheinbar unproportionierten Schlußzeilen und die Komposita intensiviert. Zweifellos liegt hier in dem derb-grotesken Sujet eine gewisse Nähe zu volkstümlichen Hinterglasbildern und naiven Bauernmalereien, auf deren Vorbildcharakter Horst Lange damals hingewiesen hatte.[84]
Überhaupt hängt die Faszination durch die Kindheitswelt bei etlichen Künstlern weniger mit einer resignativen Sehnsucht in die verlorene Idylle zusammen als mit der frischen Perspektive, durch die man auch dem unscheinbarsten Gegenstand einen abenteuerlichen Glanz verleihen konnte. »[...] alles war übertrieben oder wurde gänzlich still«, notierte Ernst Bloch in der Betrachtung »Der Lebensgott« über seine Jugendzeit. »[...] Wir Burschen am Ufer fühlten leibhaftig Nymphen, Baumgötter an sonderbaren Abenden, wenn die Rheinwellen wie Glas standen. Die grünen und roten Lichter an Backbord und Steuerbord der Schiffe, wenn sie Grün und Rot durchs Wasser zogen und sonst nichts mehr war. Fabelhaft nahe, wie eingebrannt stand der Orion am Winterhimmel [...]; das ›Gleiche‹ war magisch geworden, mit langem Blick fühlte man sich in das Sternbild versetzt.«[85] Nicht nur in solchen Kind-

heitsbildern, sondern auch in Reisefeuilletons wie »Berlin aus der Landschaft gesehen«, »Erstaunen am Rheinfall« und »Ausgrabung des Brocken«, die damals von der *Frankfurter Zeitung* veröffentlicht wurden, bemühte sich Bloch um ein neues Verhältnis zur Natur und den in ihr wirkenden »zigeunerischen Dingen«[86], deren Beschreibung er im Unterschied zu Lukács[87] keineswegs als Fahnenflucht vor dem Humanum betrachtete, sondern als optische Reizung, aus dem gewohnten Sehen auszubrechen und das Künftige draußen in »kleinen wetterhaltigen Chiffren«[88] zu entdecken.

Kein anderer Autor hatte damals die Naturbeschreibung extremer entwickelt als Wilhelm Lehmann. In geringen Abständen veröffentlichte er von 1927 bis 1932 in der *Grünen Post* Ehm Welks kleine Betrachtungen, die im Stil der ›country notes‹ englischer Zeitungen tagebuchartig das jahreszeitlich bestimmte Naturgeschehen schildern. Handlung, überhaupt der menschliche Lebensbereich, werden in zunehmendem Maße zurückgedrängt; streckenweise wirken die Betrachtungen wie Passagen eines Botanikbuches. Die von Döblin geforderte Restauration der Beschreibungsliteratur hat hier einen ihrer Höhepunkte erreicht. Wie bei Stifter spielt die visuelle Sphäre eine zentrale Rolle, weniger die anderen Sinneswahrnehmungen. Lehmann wollte wie fast alle seine Zeitgenossen wirken, lehren. Nicht ohne Zufall wählte er für seine Beschreibungen ein auflagenstarkes Publikationsorgan, das – nach den Worten Ehm Welks – helfen wollte, »die Kluft zwischen Stadt und Land zu überbrücken«.[89] Die Bedeutung, die Lehmann der Erziehung zum bewußten Sehen beimaß, zeigt sich besonders an der häufigen Integration optischer Geräte wie Fernrohr und Mikroskop. Unter dem Datum des 17. Dezember 1928 heißt es: »[...] ich wünsche dir die Gabe des Sehens, und dazu die Fähigkeit, gleichzeitig zu sehen, zu träumen, zu denken«.[90] Die Notiz beweist, daß es Lehmann nicht um eine bloße »Schule des Sehens« ging. Die Häufung der beschriebenen Dinge, ihre stereotype Wiederholung weisen auf das »Wunder der Schöpfung«. Je detaillierter die Beschreibung der Naturerscheinungen und -vorgänge, der Landschaftsausschnitte, der einzelnen Tiere und Pflanzen bis hin zum mikroskopisch erfaßten Samengehäuse, desto stärker stellt sich der Eindruck der Entstofflichung und Vergeistigung ein. Lehmann zielte letztlich auf einen metaphysischen Bereich, der sich hinter dem Begrenzt-Überschaubaren öffnet, denn »der Mensch braucht das Überflüssige, das Darüberhinaus«.[90] Die Notizen, die 1948 unter dem Titel *Bukolisches Tagebuch* veröffentlicht wurden, sind Dokumente der Empirie und gleichzeitig Vorstufen der Gedichte.

Das 1931 von der *Literarischen Welt* gedruckte Poem »Altjahrsabend« geht auf unmittelbare, in den Aufzeichnungen festgehaltene Eindrücke zurück, wobei durch die Kurzform – trotz charakterisierender Attribute und Verben – der Eindruck des Miniaturhaft-Gedrängten noch verstärkt wird.

> »Aus der durchhöhlten Rübe springt die Maus.
> Der steife Wind zwingt das Holunderblatt zu tagelangem Purzelbaum –
> Die leere Rübenbacke klafft,
> Die Tauben peitscht der Wind ans Haus.
>
> Den Bauernpferden wächst das Haar wie Moos so dicht.
> Das Jahr geht hin. Kein Anfang ist und Ende nicht.

Die Eichel fällt – die Einsamkeit erschrickt, und Öde schluckt den Ton.
Sie schluckt auch meiner Sohle Lärmen, sie vergaß mich schon.«[91]

Ein Bildschnitt durch die ersten fünf Zeilen legt eine dichte Kette von Einzelheiten
frei: Rübe – Maus, Wind – Holunderblatt, Rübenbacke, Tauben – Wind – Haus,
Bauernpferde – Haar – Moos. Die Kontrastierung von Leerem und Vollem, Klei-
nem und Großem erzeugt eine überrealistische Wirkung wie im Volksmärchen,
das ebenfalls, ohne die menschlichen Maßstäbe zu berücksichtigen, Phänomene unterschiedlichster Größe wie Ei und Schwert, Baum und Tierhaar, Bär und Zaun-
könig in Beziehung zueinander setzt. Der Mensch bleibt vom Spiel der Dinge aus-
gesperrt, eine märchenhafte Welt öffnet sich in Lehmanns Gedicht, das Ernst Bloch
zu seiner in der *Frankfurter Zeitung* 1932 abgedruckten Meditation »Die Landschaft zwischen Silvester und Neujahr« anregte. Für ihn sind die Verse Lehmanns
kein totes Stilleben, sondern »Gespräch«, das sich nach dem richtet, »was man in
der Jugend zwischen den Zeilen gesehen hat, im Nebel und Glanz«. Durch einen
Riß blicke der »Stadtmensch« auf diese Weise in Erinnerungen »fast archaischer,
mindest lang nicht mehr gewohnter Art, die vielmehr utopisch sind, in ein Kalender-
bild ohne noch gewordenen Raum«.[92] Das Gedicht erscheint Bloch als Beispiel des
Noch-Nicht, als Ausdruck der künftigen »Wende«, in der die uneingemeindeten
Dinge »reden«. Bloch spürte Lehmanns Distanz zur Genremalerei. Beide plädierten – trotz aller Unterschiede – für »Bewegung« und wandten sich gegen die Sachlichkeit der Epoche, in der – nach Bloch – die Naturdinge »menschlich« auftreten,
die Menschen aber verdinglicht durch die »entfremdende Wirtschaft«, die den »Naturmythos [...] entzaubert und mechanisch entfernt« habe.[93]
Auf dem Hintergrund dieser Entfremdung erscheint auch der Griff nach mythischen
Bildern verständlich, der damals weit verbreitet war und sowohl betont reaktionäre wie fortschrittliche Autoren verband. Der »Hunger nach Mythos«[94] aus »Angst
vor einer Hypertrophie der Apparate«[95] brauchte nicht notgedrungen in reaktionären Mißbrauch einzumünden. Mag auch die negative Abwehrreaktion überwiegen, so hat gerade die naturmagische Dichtung Lehmanns und Loerkes gegen die
parteipolitische Verwertung Schutzwälle errichtet und den Mythos durch die Integration entlegener Naturdetails erneut inhaltlich gebunden. Während etwa Benn
mit allgemeinen Wendungen – in seinem Gesamtwerk kommt »Blut« 74mal und
»Erde« 49mal vor[96] – die Erwartung des Lesers auf ein Einströmen des faschistischen Mythos geradezu provozierte, muß man bei den Naturmagikern eine Gegenbewegung konstatieren. Noch einmal mag Lehmann ein Beispiel geben, an dem das
Problem des Naturmythos aufgezeigt werden kann:

Mond im Januar

Ich spreche Mond. Da schwebt er,
Glänzt über dem Krähennest.
Einsame Pfütze schaudert
Und hält ihn fest.

Der Wasserhahnenfuß erstarrt,
Der Teich friert zu.

Auf eisiger Vitrine
Gleitet mein Schuh.

Von Bretterwand blitzt Schneckenspur.
Die Sterblichen schlafen schon –
Diana öffnet ihren Schoß
Endymion.[97]

Mythos schafft Sinnentsprechung, ordnet zu. So verfuhr auch Lehmann in diesem Wintergedicht, wenn er Fernes und Nahes miteinander in Berührung brachte. Der Mythos von Diana und Endymion schließlich veranschaulicht die verbindungstiftende Kraft des Dichters. Wie der sterbliche Endymion mit seinen Reizen die Göttin an sich band, so gelingt es auch dem lyrischen Ich, den Mond erneut ins Gedicht zu ziehen und wieder erfahrbar zu machen. Auch die erste Zeile ist ein Mythoszitat, freilich ein verhülltes: Die Kraft, den Mond in das Geäst eines Baumes zu singen, wird Wäinnämöinen aus dem finnischen Kalevala-Epos zugeschrieben, mit dem sich Lehmann damals beschäftigte.[98] Das Gedicht »Mond im Januar« vermittelt wie die Tagebuchnotizen den Eindruck des Sammelns und Ordnens. Die Metapher der Vitrine weist darauf hin, doch durch den darübergleitenden Schlittschuh erhält das Bild sogleich eine Verschiebung ins Irreale. Es verwundert nicht, daß Lehmann sehr gern auf Karl Philipp Moritz' *Götterlehre* (1791) zurückgriff,[99] die die mythologische Dichtung primär als »Sprache der Phantasie« verstand, als geglückten Versuch, Unsichtbares sichtbar zu machen. »Sie scheut den Begriff einer metaphysischen Unendlichkeit und Unumschränktheit am allermeisten, weil ihre zarten Schöpfungen, wie in einer öden Wüste, sich plötzlich darin verlieren würden.« An Moritz' pietistisch gefärbten Klassizismus knüpfte Lehmann an, vor allem jedoch an die Vorstellung, daß sich im Mythos alles spielerisch verwandeln kann: »Bäume werden Menschen, Menschen Bäume.«[100] Die handschriftlichen Varianten des Gedichts zeigen, daß Lehmann zu immer schlüssigeren Zuordnungen fand, bis zu der Assoziation »blitzende Schneckenspur – Dianas Schoß« und der reimenden Nennung der Namen. Im Zug zum Lakonismus liegt ein weiterer Grund für die Vorliebe zum Mythos, da er in »anschaulicher Kürze komplexe Erscheinungen vermittelt«,[101] nicht nur Zeugung, sondern auch Erstarrung, Todesschlaf: »Unter dem schönen Sinnbilde vom schlummernden Endymion ließ ein zartes Gefühl die Alten den Tod darstellen«, heißt es bei Moritz. Der aus dem sachlichen Objekt entwickelte Mythos und die extreme Ausspartechnik verbinden den norddeutschen Lyriker weniger mit dem mythischen Pathos der Weimarer Republik als mit den schwebenden Bildern der amerikanischen ›Imagisten‹ Ezra Pound und William Carlos Williams, mit deren Werken Lehmann schon früh vertraut war.[102]

Wie wenig diese Dichtung einer Periode entsprach, in der mit den Worten Benns die »ganze menschliche Gemeinschaft« aufgerufen wurde, sich immer wieder an den »unauflösbaren mythischen Rest ihrer Rasse« zu erinnern,[103] zeigt das Unverständnis, auf das Lehmann damals stieß. Die *Vossische Zeitung* lehnte den Abdruck des Gedichts »Mond im Januar« mit der Begründung ab, der Text sei unverständlich.[104] Als der Lyriker 1930 auf Einladung der Preußischen Akademie in Berlin aus seinem Werk las, schrieb der *Berliner Börsen-Courier*: »Seine Arbeit liegt ganz abseits, eng umgrenzt, und die Auswirkungen sind daher äußerst gering. Den Proben, die man in der Akademie hörte, konnte man daher kein Interesse abgewinnen.«[105] Dieses »Engumgrenzte«, das sich gegen die Erwartungen der Zeit sperrte, fesselte nicht zufällig Geister mit utopisch-anarchischen Intentionen wie Alfred Döblin, Ernst Bloch und nicht zuletzt Alexander Mitscherlich und Ernst Niekisch, die Lehmanns Gedichte unter dem Titel *Antwort des Schweigens* – bereits unter der Diktatur 1935 – in ihren Widerstandsverlag aufnahmen.

Auch die Dichtungen Oskar Loerkes erreichten nur einen kleinen Leserkreis. Obgleich der Lyriker seit 1917 Lektor des S. Fischer Verlages war, mußte er mit seinem Verleger um die Publikation fast jedes seiner Bände kämpfen. Während Lehmann der Zivilisationswelt mit wenigen Ausnahmen nur in seinen Romanen Einlaß gewährte,[106] versuchte Loerke in breitem Maße, auch die Stadtlandschaft in seine Gedichte zu integrieren. Neben Döblin hat er unter den Naturmagikern wohl am stärksten expressionistische Stilelemente bewahrt; krasse Motive und ein dynamischer Verbalismus verlieren sich nur zögernd. Doch schon früh gibt es den Wechsel zwischen rein beschreibenden Partien und visionär-ekstatischen, wie etwa in dem Gedicht »Das Regenkarussell« aus dem Band *Die heimliche Stadt* (1921). Durch ein Hinterhoffenster erblickt das lyrische Ich in den gegenüberliegenden Zimmern Genrehaftes: »Steingut, gereiht, bemalt mit blauen Mühlen«, Tücher, die über Stühle geschlagen sind, Schüsseln, Fische, siedendes Wasser. Doch ruckartig wie bei einer Laterna magica gerät ein anderes Fenster ins Blickfeld, hinter dem »verborgen [...] abgeschiedne Zwergenfrauen« tanzen. Statt der Musik windet sich stygisches Gewimmer aus dem Grammophontrichter, der durch den Vergleich mit einem geblähten Pfauenschweif eine bizarre Note erhält. Die nächste Strophe setzt wieder beschreibend ein. Fast so umständlich wie Brockes in seinem *Irdischen Vergnügen in Gott* (1721–48) versuchte Loerke, die im Hof aufspringenden Regentropfen durch einen Vergleich mit Grashalmen optisch nachzuahmen:

> »Und kurze, gläsern spröde Halme sprießen
> Zu bleichen Wiesen aus dem Stein, vom Wind geregt,
> Sie hüpfen, zappeln, sinken rasch und fließen
> Und sind schon heulend in den Rost gefegt.«[107]

Der gleichmäßige Aufprall des Regens – ins Visuelle transponiert – bereitet ein südliches Gegenbild vor, das Loerke dem grauen Stadttag zuordnete: »[...] die grelle Nähe wird schon leise.« In zahlreichen anderen Gedichten findet man ebenfalls diese zum Teil stockwerkartige Architektur von Berliner Hinterhaus, Unterwelt und südlicher Landschaft. Der Dichter selbst prägte die Formel vom »Doppelbewußtsein der Nähe und Ferne«, das seine Dichtung konstituiert.[108] Berlin kann ebenso in Pompeji ein Spiegelbild erfahren wie in der Tier- und Pflanzenwelt, denn »in nächster Nachbarschaft der Stadt liegt unser ganzer Erdball«. Ferne und Nähe werden von Loerke oft kunstvoll im ›magischen Reimwort‹ zusammengeschlossen wie in dem Gedicht »Winterlicher Abend«, das um 1930 geschrieben wurde:

> »Häuser, trübe Tafeln, beschmiert mit brennender Schrift,
> Die zuckend ruft und bettelnd beteuert.

Sterne sind in Wolken auf der Trift,
Der blaue Lein des Sommers ist längst eingescheuert.
Nackte Bäume wie Besen der Arbeitslosen.
Darüber streunt der freie Wind.
Ein Hauch von Süden macht das Auge blind:
Weit reicht der Dufthof der Mimosen.«[109]

Die Häuserwände Berlins scheinen nicht in »hemmungslosem Funkeln« (Kracauer)[110] den Fortschritt anzukündigen, sondern wirken durch die Werbung lädiert, auch der die Sterne verhüllende Wolkenhimmel, den Loerke mit abgenutztem Leinen vergleicht, dem Tuch der Arbeiter, deren Besen wiederum auf die nackten Bäume weisen. Wie im »Regenkarussell« durchdringen sich auch hier die Bereiche Norden und Süden, Nähe und Ferne. Der südliche Dufthof reicht bis in die Stadt mit seinen Hinterhöfen. Der Reim Arbeitslosen - Mimosen symbolisiert – ähnlich wie am Ende von Lehmanns Mondgedicht – die Vereinigung des Entfremdeten. Er ist die »magische Musik«, die heilt.[111] Doch der Gleichklang, das »Schweben« ist durch Erblindung erkauft. Das Negativum, das den therapeutischen Wert ausmacht, wird durch die gesehenen Stadt-Objekte freilich selbst dialektisch aufgehoben. Wie kaum einem Dichter in den zwanziger Jahren ist Loerke der Ausgleich von Zivilisationswelt und Natur gelungen, eine Versöhnung, die freilich durch die »Gemütsinfektion« der faschistischen Heimatidyllik und Heldenverehrung[112] kaum zur Wirkung kam.
Die populäre Naturbewegung der zwanziger Jahre – am Zeltlagerkult oder an den Tierbüchern Bengt Bergs und Paul Eippers ablesbar – ist die Wiederholung einer Sehnsucht, die sich vor der Jahrhundertwende zum erstenmal in einer ähnlichen Breitenwirkung geäußert hatte. Die literarische Behandlung dieses Lebensgefühls schwankte vom sachlichen Genre bis zur reaktionären Heimatkunst. Nur wenigen Autoren gelang eine eigenständige Gestaltung mit humanen Verweisungstendenzen. Den gesellschaftlichen Naturchiffren Brechts stehen u. a. Arbeiten Döblins, Jahnns, Lehmanns und Loerkes gegenüber, welche den naturalistischen Beschreibungsempirismus mit utopisch-expressionistischen Elementen verbanden. Sie wichen mit ihren Arbeiten von der Norm ab. Ihr geringer Erfolg – Döblins *Berlin Alexanderplatz* einmal ausgenommen – ist Indiz dafür. Nicht ohne Zufall handelt es sich zumeist um Kurzprosa und Lyrik; bei Döblins Giganten-Roman und Jahnns Drama kann man von einer herkömmlichen Handlung kaum sprechen. Die beschreibende Methode führte zur Errichtung einer Dingwelt. Je deutlicher beschrieben wurde, desto stärker geriet der Eindruck des Magisch-Unerklärlichen.[112a]
Die Frage drängt sich allerdings auf, ob ein solches ontologisches Naturverhältnis nicht bereits um 1930 historisch überholt war. Reaktion und Restauration sind jedoch Kennzeichen der gesamten nachexpressionistischen Periode und bestimmen die Literatur noch bis tief in die fünfziger Jahre. Angesichts der »vernickelten Leere«[113] der Bauhaus-Sachlichkeit und der drohenden Vergesellschaftung der Privatsphäre war die »Kriegserklärung an die entsetzliche Entsinnlichung der modernen Welt«[114] der Versuch eines Ausgleichs. Es gibt darüber hinaus eine dialektische Verbindung von technisch-kollektiver Ideologie und individualistisch-esoterischer Reaktion. Die Naturmagiker reagierten auf Ernüchterung und Gruppendenken,

auf die Favorisierung von Subkultur und Publizistik mit einem Blick in die »Kammern des Welthauses«,[115] auf das ursprüngliche Detail, wobei sie die Utopie als expressionistisches Erbe frisch hielten.

Anmerkungen

1. »Stand des Expressionismus«. Rede, gehalten zur Eröffnung der ersten deutschen Expressionisten-Ausstellung in Darmstadt am 10. Juni 1920. In: *Expressionismus. Der Kampf um eine literarische Bewegung.* Hrsg. von Paul Raabe. München 1965. S. 173.
2. Carl Georg Heise: »Die Forderung des Tages«. In: *1925. Ein Almanach für Kunst und Dichtung aus dem Kurt Wolff Verlag.* Leipzig 1925. S. 5.
3. Vgl. Ivan Goll: »Der Expressionismus stirbt«. In: *Expressionismus. Der Kampf um eine literarische Bewegung.* S. 180.
4. *Die Neue Bücherschau,* 6 (1928). H. 11. S. 550.
5. Martin Rockenbach: *Rückkehr nach Orplid.* Essen 1924. S. 8.
6. Max Krell: »Neue deutsche Romane und Novellen«. In: *Die Neue Bücherschau,* 4 (1925). H. 3. S. 112.
7. Horst Denkler: »Die Literaturtheorie der zwanziger Jahre: Zum Selbstverständnis des literarischen Nachexpressionismus in Deutschland«. In: *Monatshefte für deutschen Unterricht,* 59 (1967). S. 305–319. – Ders.: »Sache und Stil«. In: *Wirkendes Wort,* 18 (1968). H. 3. S. 167–185.
8. Vgl. *Literarische Manifeste des Naturalismus 1880–1892.* Hrsg. von Erich Ruprecht. Stuttgart 1962. S. 85–102.
9. *Die Neue Bücherschau,* 7 (1927). H. 3. S. 100.
10. *Das Tagebuch,* 1 (1920). S. 1599 f.
11. Franz Roh: *Nach-Expressionismus.* Leipzig 1925. S. 97–106. – Vgl. dazu Carl-Wolfgang Schumann: »Rückgriffe auf die alte Kunst«. In: *Realismus 1918–1933.* Hrsg. vom Württembergischen Kunstverein. Stuttgart 1971. S. 21–24.
12. Alfred Kuhn: »Die bildende Kunst in Deutschland 1924/25«. In: *Das Pantheon.* Hrsg. von Hanns Martin Elster. Berlin 1925. S. 401.
13. Ernst Bloch: »Über Naturbilder seit Anfang des 19. Jahrhunderts« [1928]. In: *Gesamtausgabe,* Bd. 9. Frankfurt a. M. 1965. S. 458.
14. zitiert nach Wieland Schmied: *Neue Sachlichkeit und Magischer Realismus in Deutschland 1918–1933.* Hannover 1969. S. 7.
15. »Jugendstil und Neue Sachlichkeit« [1937]. In: *Jugendstil.* Hrsg. von Jost Hermand. Darmstadt 1971. S. 65–77. – Vgl. dort die Forderung Hermann Muthesius' von 1902, der neue Stil könne »nur in der Richtung des streng Sachlichen, der Beseitigung von lediglich angehefteten Schmuckformen und der Bildung nach den jedesmaligen Erfordernissen des Zweckes gesucht werden« (S. 70).
16. »Revolution der Literatur«. In: *Literarische Manifeste des Naturalismus.* S. 83.
17. *Das Werk von Arno Holz.* Bd. 10. Berlin 1924/25. S. 252.
18. *Das Altenbergbuch.* Hrsg. von Egon Friedell. Leipzig, Wien und Zürich 1921. S. 299.
19. Franz Roh: *Nach-Expressionismus.* S. 43.
20. ebd., S. 47.
21. Theodor Fontane: *Gesammelte Werke.* Zweite Serie. Bd. 8. Berlin 1905–10. S. 316.
22. Franz Roh: *Nach-Expressionismus.* S. 119 f.
23. Ernst Bloch: »Über Naturbilder seit Anfang des 19. Jahrhunderts« [1928]. In: *Gesamtausgabe,* Bd. 9. S. 457 f.
24. Abb. bei Wieland Schmied: *Neue Sachlichkeit und Magischer Realismus in Deutschland 1918–1933.* Farbtafel XI.
25. Abb. ebd., Tafeln 100–106 (Radziwill), 12–17 (Räderscheidt), 111/112 (Oelze). – Vgl. ferner die Blumenstücke von Wilhelm Heise (Abb. in: *Gedächtnisausstellung Wilhelm Heise.* Städelsches Kunstinstitut. Frankfurt a. M. 1972).
25a. Günther Maschke: »Das Böse ist häßlich. Zu Neuausgaben der Zeichnungen von George Grosz«. In: *FAZ* 215 (15. 9. 1973) Ereignisse und Gestalten.

26. »Jardin du Luxembourg«. In: Erich Kästner, *Gesammelte Schriften für Erwachsene.* Bd. 1. München und Zürich 1969. S. 91.
27. »Ein Baum läßt grüßen«. Ebd., S. 57.
28. Walter Benjamin: »Linke Melancholie«. In: W. B., *Gesammelte Schriften.* Bd. 3. Frankfurt a. M. 1972. S. 281.
29. Abb. bei Wieland Schmied: *Neue Sachlichkeit* . . . Tafel 144 (»Altes Liebespaar«, 1927).
30. Abb. ebd., S. 285 (»Kleine Gärtnerei«, 1932/33).
31. »Besagter Lenz ist da«. In: Erich Kästner, *Gesammelte Schriften für Erwachsene.* Bd. 1. S. 60.
32. Hirsch begann als Maler und gehörte der Berliner ›Novembergruppe‹ an. In einem Rückblick bekannte er 1928 enttäuscht: »Heroischer Versuch von vielen, in die Massen einzudringen, mißlang [. . .]. Der Künstler geriet als erster wieder in die staubigen Winkel mit den leeren Kochtöpfen, aus denen er gekommen war.« Zitiert nach Wieland Schmied: *Neue Sachlichkeit* . . . S. 251.
33. »Landschaftliche Dichtung«. In: *Der weiße Rabe,* 2 (1933). H. 5/6. S. 23.
34. Martin Raschke: »Man trägt wieder Erde«. In: *Die Kolonne,* 2 (1931). H. 4. S. 47 f. – Neudruck in: *Hinweis auf Martin Raschke.* Hrsg. von Dieter Hoffmann. Heidelberg und Darmstadt 1963. S. 37–42.
35. Vgl. Stefan Zweigs Geleitwort zur ersten *Anthologie jüngster Lyrik.* Hamburg 1927. S. 2: »Nie [. . .] fand eine lyrische Jugend in Deutschland mehr Stummheit und abweisende Indifferenz als die gegenwärtige. Sie hat keine Verleger. Sie hat keine Zeitschriften. Sie hat keine Förderung durch Preise wie die jungen Dramatiker. Sie hat keine materielle Möglichkeit. Und sie hat – dies am schmerzlichsten! – kein Publikum.« – Oskar Loerke wies in seinem Universitäts-Vortrag »Formprobleme der Lyrik« (1928) auf Ähnliches hin: »Flach wie den Begriff des Zeitgemäßen und Wirklichen faßt man den Begriff des Sachlichen. Erschüttert stellen wir fest, daß auch er als Ersatz für das Leben das Auffällige empfiehlt! Sträuben wir uns, aus diesem unbrauchbaren Stoff den Inhalt unserer Verse zu ziehen, so ruft man zu unserer Ausrottung auf. Ich übertreibe nicht! In einer unserer größten Tageszeitungen stand noch 1928 wörtlich zu lesen: ›Wäre die Lyrik nicht aus sich selbst heraus für die Sterbesakramente reif geworden, sie würde heute wie eine gemeine Verbrecherin hingerichtet werden.‹« (Unter dem Titel »Das Wagnis des Gedichts« in: *Gedichte und Prosa.* Bd. 1. Frankfurt a. M. 1958. S. 696). – Vgl. ferner Martin Raschkes Polemik in der *Kolonne,* 1 (1930). H. 7/8. S. 58 gegen einen in der *BZ* (Berliner Zeitung) unter dem Titel »Tod der Lyrik« abgedruckten Aufsatz, der mit der Wendung schließt: »Die Lyrik *muß* sterben, damit der Fortschritt leben kann.« – Die Kritik an der lyrischen Gattung, die in der zweiten Hälfte der sechziger Jahre wieder aufflammte und in ein Plädoyer für die konsequente Abschaffung des Ästhetischen einmündete (vgl. Hans Magnus Enzensberger: »Gemeinplätze, die Neueste Literatur betreffend«, in: *Kursbuch 15* [1968]. S. 187 f.), hatte es schon im Vormärz gegeben (Ruge, Mundt). Siehe dazu Friedrich Sengle: *Biedermeierzeit.* Bd. 1. Stuttgart 1970. S. 201–220. Bd. 2. Stuttgart 1972. S. 467–470.
36. Im Fischer-Almanach 1926 bekannte W. E. Süskind, der mit einigen Proben in der ersten *Anthologie jüngster Lyrik* (1927) vertreten ist: »Neue Sachlichkeit [. . .] bedeutet: ein anderes Sehen, eine veränderte Wirklichkeitsskala den Eindrücken gegenüber. ›Neu‹ ist diese Sachlichkeit insofern, als sie dienender, unpersönlicher ist als jede frühere Realistik.« Sie sei »ungeheuer, weil in Wirklichkeit die ›Sachen‹ sich selber dichten«. Zitiert nach Peter de Mendelssohn: *S. Fischer und sein Verlag.* Frankfurt a. M. 1970. S. 1091.
37. *Die Neue Bücherschau,* 7 (1927). H. 1. S. 31 f.
38. abgedruckt bei Horst Denkler: »Sache und Stil«. In: *Wirkendes Wort,* 18 (1968). S. 182. Dort auch eine knappe Charakteristik.
39. Der Begriff geht zurück auf Friedrich Sieburgs Essay »Anbetung der Fahrstühle«: »Welche Weltfremdheit spricht doch aus dieser Ingenieur-Romantik, die nicht versteht, wie ein Vergaser arbeitet und deshalb aus dem Pochen von sechs Zylindern den Atem unserer Zeit heraushört.« In: *Die Literarische Welt,* 2 (1926). H. 30. S. 8. – Die Verurteilung des Technikkultes ging durch konservative wie progressive Gruppen. Vgl. Brechts satirisches Gedicht »700 Intellektuelle beten einen Öltank an« (1929), mit dem er sich von seiner eigenen Amerika-Faszination distanzierte und wo es heißt: »Du Häßlicher / Du bist der Schönste! / Tue uns Gewalt an / Du Sachlicher / Lösche aus unser Ich! / Mache uns kollektiv!« In: *Gesammelte Werke.* Bd. 4. Frankfurt a. M. 1967. S. 316 f.
40. Über die Zivilisationsfeindlichkeit in der deutschen Literatur vom 18. bis 20. Jahrhundert vgl.

Friedrich Sengle: »Wunschbild Land und Schreckbild Stadt«. In: *Studium Generale*, 16 (1963). H. 10. S. 619–631. – Gegen die Anti-Stadt-Literatur der Heimatkunst polemisierte wiederholt Martin Raschke, der sich gegen ein Denken wandte, »das Bauernromane ohne Einschränkung aus einem ›erdhaften‹ Fühlen geboren meint und ihre Verfasser gegen die sogenannte ›städtische Literatur‹ auszuspielen beliebt«. In: *Die Kolonne*, 2 (1931). H. 4. S. 47. – Vgl. ferner Carl Zuckmayers Feuilleton »Hamburg, Hafen, Hagenbeck« in: *Vossische Zeitung*, 19. März 1930, in welchem er das »Wunder des Elbtunnels« als ein Stück Natur begreift, »fast so toll [. . .] wie einen Biberbau oder das Netz eines Webervogels«.

41. *Gesammelte Werke*. Bd. 4. Frankfurt a. M. 1967. S. 314.

42. ebd., S. 367 f.

43. Alfred Döblin: »Großstadt und Großstädter«. In: *Minotaurus*. Hrsg. von A. D., Heidelberg und Darmstadt 1953. S. 240.

44. Friedrich Sengle: »Wunschbild Land und Schreckbild Stadt«. S. 628.

45. Vgl. dazu Klaus Müller-Salget: *Alfred Döblin*. Bonn 1972. S. 331 f.

46. Alfred Döblin: »Großstadt und Großstädter«. S. 225.

47. *Aufsätze zur Literatur*. Olten und Freiburg i. Br. 1963. S. 345–347.

48. Vgl. Alfred Döblin: »Republik«. In: *Die Neue Rundschau*, 31 (1920). S. 73 ff.

49. In: *Die Neue Rundschau*, 32 (1921). S. 1199.

50. Loerke bekannte, »daß wir [. . .] ohne Ahnung des Künftigen wie auf Schicksalswegen auch zu außerhumanen Bindungen getrieben waren, unsentimentaler als die Poeten früherer Läufte, und daß es uns freute zu sehen, daß das Erdreich immer sauber blieb, nur daß jene Sauberkeit nicht den gleichen Hüter behielt. Auch der Stein kann solch ein Hüter sein [. . .].« (Brief vom 9. Januar 1937. Loerke-Archiv. Schiller-Nationalmuseum, Marbach.)

51. So noch Matthias Prangel: *Alfred Döblin*. Stuttgart 1973. S. 41.

52. »Bemerkungen zu Berge, Meere und Giganten«. In: *Aufsätze zur Literatur*. S. 348. – Eine ausführliche Darstellung der Entstehungsgeschichte und der späteren Neufassung bei Leo Kreutzer: *Alfred Döblin*. Stuttgart 1970. S. 90–100.

53. »Es muß auf Lockerung des Staatsgefüges gehen, wenn man auf Freiheit dringt.« In: »Republik«. S. 76.

54. Günter Eich: »Ungewohntes Wort«. In: *Zu den Akten*. Frankfurt a. M. 1964. S. 49. Das späte Gedicht ist eine Entsprechung zu Döblins und Jahnns Naturauffassung.

55. Jost Hermand: »Ödipus lost«. In: *Die sogenannten Zwanziger Jahre*. Hrsg. von Reinhold Grimm und Jost Hermand. S. 215.

56. *Benn – Wirkung wider Willen*. Hrsg. von Peter Uwe Hohendahl. Frankfurt a. M. 1971. S. 36 f., 128–137.

57. Vgl. zusätzlich zu den Dokumenten Hohendahls Carl Werkshagen: »Spätzeitlyrik«. In: *Der Fischzug*, 1 (1926). H. 4. S. 15 f. – Herbert Fritzsche: »Drei Dichter, deren Werke du besitzen mußt«. In: *Der Taugenichts*, 1 (1930). S. 8. – Martin Raschke: »Gottfried Benn«. In: *Die Kolonne*, 1 (1929/30). H. 4/5. S. 35 f. – Ders.: »Das Unaufhörliche«. In: *Die Kolonne*, 2 (1931). H. 6. S. 61–63.

58. *Die Kolonne*, 3 (1932). H. 1. S. 3. Weitere poetologische Äußerungen von Eich in der *Kolonne*, 1 (1930). H. 2. S. 1, ferner – gegen Johannes R. Becher – *Kolonne*, 2 (1931). H. 6. S. 70 f. Über die Kontinuität zur späten Lyrik vgl. Hans Dieter Schäfer: Die Interpretation »Nach Seumes Papieren« in: *Neue Deutsche Hefte*, 137 (1973). S. 45–55.

59. *Die Kolonne*, 3 (1932). H. 1. Unpaginiert.

60. ebd., S. 3.

61. ebd., 2 (1931). H. 6. Unpaginiert.

62. ebd., 1 (1930). H. 9. S. 65.

63. *Die Sternenreuse*. München 1967. S. 46–48.

64. »Hirtenstrophe«. In: *Die Sternenreuse*. S. 33 f.

65. *Die Sternenreuse*. S. 9 f.

66. »Zu den Gedichten Peter Huchels«. In: *Die Kolonne*, 3 (1932). H. 1. S. 4.

67. Dietrich Bode: *Georg Britting*. Stuttgart 1962. S. 21.

68. Abb. in: Franz Roh, *Nach-Expressionismus*. Unpaginiert.

69. Abb. in: *Christian Schad*. Katalog der Galleria del Levante. München 1970. Tafel 65.

70. Abb. in: *Heinrich Maria Davringhausen*. Katalog des Museumsvereins Aachen 1972.

71. Abb. in: Wieland Schmied, *Neue Sachlichkeit* . . . Tafel 78.

72. Walter Benjamin: »Kindheit um Neunzehnhundert«. In: W. B., *Gesammelte Schriften*. Bd. 4,1. Frankfurt a. M. 1972. S. 253.
73. zitiert nach der Neuausgabe: Gütersloh 1969. S. 85.
74. Theodor W. Adorno: *Über Walter Benjamin.* Frankfurt a. M. 1970. S. 42.
75. Walter Benjamin: »Kindheit um Neunzehnhundert«. S. 236.
76. Georg Britting: *Gesamtausgabe.* Bd. 3: *Erzählungen 1920–1936.* München 1958. S. 84. – Vgl. dazu Dietrich Bode: *Georg Britting.* S. 23 f. – Günter Eichs frühe Erzählung »Morgen an der Oder« (*Die Kolonne*, 2 [1931]. H. 3. S. 25–27) arbeitet mit einer ähnlichen Dämonisierung der Flußlandschaft.
77. Neudruck in: Wilhelm Lehmann, *Sämtliche Werke.* Bd. 2. Gütersloh 1962. S. 36.
78. *Die Lebenden*, 2 (1923). S. 3.
79. Theodor W. Adorno: *Über Walter Benjamin.* S. 47.
80. *Der Querschnitt*, 7 (1927). S. 464.
81. Emil Utitz: *Die Überwindung des Expressionismus.* Stuttgart 1927. S. 141.
82. Franz Roh: *Nach-Expressionismus.* S. 100 f.
83. Georg Britting: *Gesamtausgabe.* Bd. 1: *Gedichte 1919–1939.* München 1957. S. 43.
84. »Landschaftliche Dichtung«. In: *Der weiße Rabe*, 2 (1933). H. 5/6. S. 25.
85. Ernst Bloch: *Spuren.* Frankfurt a. M. 1959. S. 87.
86. Ernst Bloch: »Landschaft um Silvester und Neujahr«. In: *Frankfurter Zeitung.* 3. Januar 1932. S. 10.
87. »Erzählen oder Beschreiben?« (1936). In: Georg Lukács, *Werke.* Bd. 4. Neuwied und Berlin 1971. S. 220: »Die beschreibende Methode ist unmenschlich.« Vgl. dazu Hans Christoph Buch: *Ut Pictura Poesis.* München 1972. S. 190–221.
88. Ernst Bloch: »Landschaft um Silvester und Neujahr«.
89. Brief Ehm Welks vom 15. Januar 1965. Vollständig abgedruckt in: Hans Dieter Schäfer, *Wilhelm Lehmann.* Bonn 1969. S. 293.
90. *Sämtliche Werke.* Bd. 2. S. 505.
91. *Sämtliche Werke.* Bd. 3. S. 441.
92. Ernst Bloch: »Landschaft um Silvester und Neujahr«. – In der Fassung der Gesamtausgabe, Bd. 9, S. 538–543, ist die sich auf das Gedicht beziehende Passage gestrichen.
93. Ernst Bloch: *Gesamtausgabe.* Bd. 9. S. 542 f.
94. Theodore Ziolkowski: »Hunger nach Mythos«. In: *Die sogenannten Zwanziger Jahre.* S. 169 bis 201.
95. Ernst Bloch: *Gesamtausgabe.* Bd. 9. S. 543.
96. James K. Lyon und Craig Inglis: *Konkordanz zur Lyrik Gottfried Benns.* Hildesheim und New York 1971. S. 513 f.
97. Wilhelm Lehmann: *Sämtliche Werke.* Bd. 3. S. 449.
98. Vgl. dazu: »Kalewala, heiles Land«. In: *Sämtliche Werke.* Bd. 3. S. 293–296.
99. Zwei Exemplare befinden sich im Lehmann-Archiv, Schiller-Nationalmuseum, Marbach.
100. »Eroberung des lyrischen Gedichts«. In: *Sämtliche Werke.* Bd. 3. S. 403.
101. Walther Killy: *Elemente der Lyrik.* München 1972. S. 69.
102. Vgl. den Brief Lehmanns an Efraim Frisch vom 3. Juli 1921 über das Auslands-Sonderheft des *Neuen Merkur*, in dem er »den begabtesten und aufreizendsten Schriftsteller Amerikas: Ezra Pound« vermißt. (Frisch-Archiv 7/122, Leo Baeck Institute, New York.)
103. Einleitung zu dem Oratorium »Das Unaufhörliche« (1931). In: *Gesammelte Werke.* Bd. 3. Wiesbaden 1960. S. 599 f.
104. Brief vom 17. Februar 1931. (Lehmann-Archiv, Schiller-Nationalmuseum, Marbach.)
105. *Berliner Börsen-Courier*, 8. Mai 1930. S. 6.
106. Vor allem der Roman *Der Überläufer* (1927) verfügt im ersten Teil mit den auf Tagebucheintragungen zurückgehenden Kriegskapiteln über starke veristische Partien. Der Roman blieb ungedruckt, weil sich Lehmann nicht entschließen konnte, den naturmythischen zweiten Teil fallenzulassen.
107. Oskar Loerke: *Gedichte und Prosa.* Bd. 1. Frankfurt a. M. 1958. S. 197.
108. »Das Wagnis des Gedichts«. In: *Gedichte und Prosa.* Bd. 1. S. 704. Das folgende Zitat S. 706.
109. Gedichte und Prosa. Bd. 1. S. 441 f.
110. »Ansichtspostkarte« (1930). In: Siegfried Kracauer, *Straßen in Berlin und anderswo.* Frankfurt a. M. 1964. S. 47.

111. »Vom Reimen«. In: *Gedichte und Prosa.* Bd. 1. S. 713–730.
112. Ernst Kállai: »Das Dritte Reich im Bild«. In: *Die Weltbühne,* 27 (1931). S. 852.
112a. Die Konzentration auf kleinste Gegenstände, der emotionslose Blick sowie die Zurückdrängung von Handlungselementen zugunsten der Beschreibung präfigurieren zweifellos gewisse Tendenzen des ›Neuen Realismus‹ der sechziger Jahre (Handke, R. D. Brinkmann u. a.), ohne daß dieser die romantisch-metaphysische Haltung der Nachexpressionisten übernimmt. Im Unterschied zu kunstgeschichtlichen Forschungen (vgl. Peter Sager: »Neue Sachlichkeit – Neuer Realismus«. In: P. S., *Neue Formen des Realismus.* Kunst zwischen Illusion und Wirklichkeit. Köln 1973. S. 27–29) hat sich die Literaturwissenschaft die Frage nach der Kontinuität des neusachlichen Realismus noch nicht gestellt.
113. Ernst Bloch: »Sachlichkeit, mittelbar«. In: *Gesamtausgabe.* Bd. 4. Frankfurt a. M. 1962. S. 216.
114. Oskar Loerke: *Der Bücherkarren.* Hrsg. von Hermann Kasack. Heidelberg und Darmstadt 1965. S. 327.
115. Ernst Bloch: »Viele Kammern im Welthaus« (1928). In: *Gesamtausgabe.* Bd. 4. S. 387.

Literaturhinweise

Zum Begriff ›Neue Sachlichkeit‹

Alois Bauer: »Vorläufiges zur Neuen Sachlichkeit«. In: *Zeitschrift für Deutschkunde,* 44 (1930). S. 73 bis 80.
Emilio Bertonati: *Il Realismo in Germania.* Nuova Oggettivitá – Realismo Magico. Mailand 1969.
Ernst Bloch: *Erbschaft dieser Zeit.* Gesamtausgabe. Bd. 4. Frankfurt a. M. 1962. S. 212–229.
Horst Denkler: »Die Literaturtheorie der zwanziger Jahre. Zum Selbstverständnis des literarischen Nachexpressionismus«. In: *Monatshefte für deutschen Unterricht,* 59 (1967). S. 305–319.
– »Sache und Stil«. Die Theorie der Neuen Sachlichkeit und ihre Auswirkungen auf Kunst und Dichtung«. In: *Wirkendes Wort,* 18 (1968). S. 167–185.
Reinhold Grimm und Jost Hermand: Vorwort zu: *Die sogenannten Zwanziger Jahre.* Homburg v. d. H., Berlin und Zürich 1970. S. 5–11.
Alfred Heuer: »Ausdruckskunst und Neue Sachlichkeit«. In: *Zeitschrift für Deutschkunde,* 44 (1930). S. 325–332.
Heinz Kindermann: »Vom Wesen der ›Neuen Sachlichkeit‹«. In: *Jahrbuch des Freien Deutschen Hochstifts.* Frankfurt a. M. (1930). S. 354–386.
Herbert Kraft: »Jenseits des Expressionismus«. In: H. K., *Kunst und Wirklichkeit im Expressionismus.* Bebenhausen 1972. S. 26 f.
Helmut Lethen: *Neue Sachlichkeit 1924–1932.* Studien zur Literatur des »Weißen Sozialismus«. Stuttgart 1970.
Günther Müller: »Neue Sachlichkeit in der Dichtung«. In: *Schweizer Rundschau,* 29 (1929). S. 706 bis 715.
Karl Prümm: »Neue Sachlichkeit. Anmerkungen zum Gebrauch des Begriffs in neueren literaturwissenschaftlichen Publikationen«. In: *Zeitschrift für deutsche Philologie,* 91 (1972). S. 606–616.
Franz Roh: *Nach-Expressionismus.* Magischer Realismus. Probleme der neuesten europäischen Malerei. Leipzig 1925.
Fritz Schmalenbach: »Jugendstil und Neue Sachlichkeit«. In: *Jugendstil.* Hrsg. von Jost Hermand. Darmstadt 1971. S. 65–77.
Wieland Schmied: *Neue Sachlichkeit und Magischer Realismus in Deutschland 1918–1933.* Hannover 1969.
Emil Utitz: *Die Überwindung des Expressionismus.* Charakterologische Studien zur Gegenwart. Stuttgart 1927.
Gerhard Voigt: »Sachlichkeit und Industrie«. In: *Das Argument,* 14 (1972). H. 3–4. S. 243–257.
B. Witte: »Neue Sachlichkeit. Zur Literatur der späten zwanziger Jahre in Deutschland«. In: *Etudes Germaniques,* 27,1 (1972). S. 92–99.

Zu einzelnen Autoren

Zu Walter Benjamin: Theodor W. Adorno: *Über Walter Benjamin*. Frankfurt a. M. 1970.

Zu Bertolt Brecht: Reinhold Grimm: *Bertolt Brecht*. Stuttgart ³1970.

Klaus Schumann: *Der Lyriker Bertolt Brecht 1913–1933*. Berlin 1964.

Zu Georg Britting: Dietrich Bode: *Georg Britting*. Geschichte seines Werkes. Stuttgart 1962.

Zu Alfred Döblin: Leo Kreutzer: *Alfred Döblin*. Sein Werk bis 1933. Stuttgart 1970.

Klaus Müller-Salget: *Alfred Döblin*. Werk und Entwicklung. Bonn 1972.

Matthias Prangel: *Alfred Döblin*. Stuttgart 1973.

Zu Hans Fallada: Helmut Lethen: *Neue Sachlichkeit 1924–1932*. Stuttgart 1970. S. 156–167.

Jürgen Manthey: *Hans Fallada*. Hamburg 1963.

Zu Karl Jakob Hirsch: Paul Raabe: Nachwort zu *Kaiserwetter*. Frankfurt a. M. 1971. S. 251–261.

Hans Heinz Stuckenschmidt: »Über Karl Jakob Hirsch«. In: *Karl Jakob Hirsch*. [Ausstellungskatalog der Akademie der Künste West-Berlin.] Berlin 1967. S. 7–13.

Zu Peter Huchel: Fritz J. Raddatz: *Traditionen und Tendenzen*. Materialien zur Literatur der DDR. Frankfurt a. M. 1972. S. 123–132.

Zu Hans Henny Jahnn: Klaus Mann: »Ein führender Roman der Jüngeren«. In: K. M., *Prüfungen*. Schriften zur Literatur. Hrsg. von Martin Gregor-Dellin. München 1968. S. 162–167.

Walter Muschg: »Hans Henny Jahnn«. In: W. M., *Von Trakl zu Brecht*. München 1961. S. 264–334.

Zu Erich Kästner: Walter Benjamin: »Linke Melancholie«. In: W. B., *Gesammelte Schriften*. Bd. 3. Frankfurt a. M. 1972. S. 278–283.

Egon Schwarz: »Die strampelnde Seele«. In: *Die sogenannten Zwanziger Jahre*. Hrsg. von Reinhold Grimm und Jost Hermand. Homburg v. d. H., Berlin und Zürich 1970. S. 109–141.

Zu Wilhelm Lehmann: Hans Dieter Schäfer: *Wilhelm Lehmann*. Studien zu seinem Leben und Werk. Bonn 1969.

Zu Oskar Loerke: Walter Gebhard: *Oskar Loerkes Poetologie*. München 1968.

Edith Rotermund: *Bild und Magie in der Lyrik Oskar Loerkes*. Münster 1962.

Literarisches Kabarett und Rollengedicht.
Anmerkungen zu einem lyrischen Typus in der deutschen Literatur nach dem Ersten Weltkrieg

Zu den Anfängen der Dada-Bewegung in der Schweiz, die in die letzten Jahre des Ersten Weltkriegs fallen, erinnert Walter Mehring in seiner *Verlorenen Bibliothek* (1952): »[...] ihr Stifter war der Deutsche Hugo Ball, katholischer Essayist und Hagiograph, eine stille, bleiche, hohe Erscheinung. In einem Berliner Tingeltangel hatte er sich in eine Schleswiger Chansonette, Emmy Hennings, verliebt, sie zu seiner Frau und Jüngerin erhoben und für sie das Züricher ›Cabaret Voltaire‹ eingerichtet.« Dort trug er – »in einem flügelartigen Mantel aus Pappe und mit blau und weiß gestreiftem Schamanenhut« – seine Lautgedichte vor, bis seine Stimme, »der kein anderer Ausweg blieb, die uralten Kadenzen der priesterlichen Lamentationen annahm« und er »schweißgebadet als ein magischer Bischof« vom Podium getragen werden mußte.[1]

»Für einen Freischoppen am Abend, dann für zwei Mark, wovon er aber einen Schoppen selbst bezahlen mußte, und schließlich für zwei Mark und einen Schoppen«[2] debütierte – nach unsteten Wanderjahren – Joachim Ringelnatz 1909 als »Hausdichter« im München-Schwabinger Künstlerlokal ›Simpl‹. Hierher kehrte er nach dem Ersten Weltkrieg, an dem er als Marineleutnant teilnahm, zurück; etwa gleichzeitig entdeckte ihn Hans von Wolzogen für die Berliner Kleinkunstbühne ›Schall und Rauch‹, der er mit parodistisch-satirischen *Turngedichten* (1920) und bänkelsängerischen Liedern aus *Kuttel Daddeldu* (1920) rasch populäre Programmnummern lieferte. Anders als die Züricher Dadaisten ist Ringelnatz in seiner literarischen Rollenfindung stark von der Entwicklung des literarischen Kabaretts seit der Jahrhundertwende und damit – im weiteren Sinn – von der literarischen Boheme im Vorkriegsdeutschland abhängig. Konkret wirken Frank Wedekind und Christian Morgenstern als mittelbare und unmittelbare Vorbilder auf ihn ein. Die fiktive Gestalt des stets trunkenen, verqueren Schicksalen ausgelieferten Kuttel Daddeldu, in der Ringelnatz viel eigene Biographie verarbeiten konnte, ist eine moderne Kontrafaktur des altfranzösischen Vaganten François Villon. Mit seiner ›Poesie des Prosaischen‹, gemischt aus krudem Abenteuer und offener Desillusion, von sanfter Melancholie und makabrem Witz durchschossen, trifft Ringelnatz – nicht anders als der frühe Bertolt Brecht oder Erich Kästner – Lebensgefühl und Gefühlslage der jungen, ernüchtert aus dem Krieg entlassenen Generation. Das antidadaistische Moment bestätigt Kurt Wolff, indem er als Verleger anmerkt: »Da verlegte ich lieber Kuddeldaddeldu und Turngedichte von Ringelnatz. Alle Dada-Manifeste, alles Dadagelall wog nicht eine einzige Ringelnatzstrophe auf und gewiß kein Galgenlied von Morgenstern.«[3]

Aus dem ›Sturm‹-Kreis und geradewegs aus dem von Kurt Wolff abgetanen Berliner Dadaismus kommt hingegen Walter Mehring, hier nicht als Chronist, sondern

als einer der Hauptvertreter des literarischen Kabaretts der zwanziger Jahre angesprochen. 1920 gründet er sein eigenes ›Politisches Cabaret‹; den gleichen Titel führt sein erster Gedichtband von 1919, bei dessen Erscheinen Kurt Tucholsky notierte: »Er hat ein neues Lebensgefühl, einen neuen Rhythmus, eine neue Technik [...] – wenn die neue Zeit einen neuen Dichter hervorgebracht hat: hier ist er.«[4] An die Stelle der Trivialpoesie, die Wedekind in seinen Bänkelliedern und Moritaten aufgriff, tritt bei Mehring die triviale Wirklichkeit selbst. In seiner »Conférence provocative« zur Eröffnung des ›Schall und Rauch‹ verkündet er: »Dem deklarierten Notstand zum Trotz mangelt es nicht an Motiven, an ›mauvais sujets‹; Ausschweifungen in den Preislagen jeder Geschmacklosigkeit; Hochstapelei in Sach- und Ewigkeitswerten; Schmalz und Weltanschauung; Pornographie, Vaterlandsliebe und Hurrahsozialismus; Lust- und Fememord; Landsknechtstum im Solde jeder Demagogie.« Auch er läßt den Verweis auf Villon nicht aus: »Der ganze Troß der Apokalyptischen Reiter, er ist zu haben so harlekinesk in unserem grauen Alltag wie im finstersten Mittelalter; zu Lebzeiten unseres Schutzpatrons, des Pauvre François Villon und seiner saufenden, raufenden, hurenden, dichtenden Spießgesellen: ›Rire, jouer, mignonner et baiser ... / Il n'est trésor que de vivre à son aise –‹ (Nichts ist von Wert als nur: sein Leben zu genießen).«[5] Mit frühen Versen wie »Die Reklame bemächtigt sich des Lebens«, »Sensation«, »Salto mortale« oder »Heimat Berlin« gilt Mehring als der Erfinder der sogenannten Reportageballade; als einer der ersten hat er Schlagerelemente, Rhythmen und Synkopen des Jazz in die moderne Gebrauchslyrik eingebracht. Der Wirrwarr der Großstadt mit seinem Durcheinander an Plakatgeschrei, Kauflockung, Straßenlärm, Lautfetzen, Zeitungssensation usw. wird zum satirischen Thema. In den Gedichten der »Weißen Messe« sind es Partikel aus Kirchengesang, Gebet und liturgischem Ritual, aus denen das zeitkritische aggressive Chanson sich konstituiert. Mehring benutzt die religiösen Formeln, um zu den ›antichristlichen‹ Tugenden der Undemut und der Revolte aufzurufen, zur radikalen Freiheit des Einzelnen; die Attacke richtet sich gegen Bigotterie und Machtanbetung im Politisch-Gesellschaftlichen. Bezeichnend für die Richtung des Protests sind bekenntnishafte Sätze wie: »Jeder Staat ist eine legalisierte Interessengemeinschaft, die sich gegen das Individuum verschworen hat«, oder: »Ich deklariere das Ich-Selbst als einzigen Real-Wert«.[6]
Ich belasse es bei diesen drei Statements. Sie machen deutlich, um welchen komplexen und doch zugleich splittrigen Gegenstand es sich handelt, wenn man von literarischem Kabarett und der Kabarettpoesie zwischen den beiden Weltkriegen spricht. Bei allerlei Gleichlauf im Detail bezeichnen doch Begriff und Etikett verhältnismäßig unterschiedliche Institutionen und Intentionen; im Bereich der Texte reicht die Spanne vom abstrakten Lautgedicht zum politischen Couplet, von dunkler Schamanerei zur offenen Satire oder von bloß humoriger Unterhaltung zur blanken Agitation. Eine soziologische Analyse des literarischen Mediums ›Kabarett‹ hätte hier einzusetzen. Ausgehend von den diversen Bewegungen im Medium selbst, etwa in Richtung Avantgardespektakel, Bohemeklamauk, Künstlervarieté oder Theaterdependence, mit je eigenem gesellschaftlichen Symptomwert, wäre dabei zur Kennzeichnung der Literaten und ihrer Produktionen aufzusteigen; literarhistorisch müßten die Fragen nach Homogenität bzw. Inhomogenität des Mediums mit denen nach Zusammenhang und Kontrast zwischen Nachkriegskaba-

rett und Anfängen der Kabarettbewegung um die Jahrhundertwende, manifest geworden in Gestalt der ›Elf Scharfrichter‹ oder des ›Überbrettl‹, verbunden werden.

Ich unternehme im folgenden den umgekehrten Versuch und schließe von den literarischen Produkten auf die Institution zurück. Dabei halte ich mich nicht nur an solche Texte, die auch tatsächlich für das Kabarett konzipiert wurden und dort zum Vortrag gekommen sind, sondern ziehe auch solche Stücke bei, die ihrer äußeren Machart und inneren Gestik nach im weiteren Sinn als Kabarettpoesie anzusprechen sind. Unter der Vielzahl von Texttypen, die das literarische Kabarett hervorgebracht, stabilisiert und popularisiert hat, beschränke ich mich auf den des Rollengedichts und hier wiederum auf den der lyrischen Biographie.

Nach der von Alfred Kerr angezettelten Plagiat-Affäre um die Songs der *Dreigroschenoper* sorgte Brecht für eine Neuauflage der vor dem Ersten Weltkrieg erschienenen Klammerschen Villon-Übersetzung und leitete sie mit einem eigenen Sonett ein. »Um den Plagiatsprozeß um die Ammersche Übersetzung ›ad absurdum‹ zu führen, fügte Brecht einigen Songs der *Dreigroschenoper*, die durchaus eigener Erfindung waren, die Anmerkung ›Nach Kipling‹ bei.«[7] Darauf spielt Kurt Tucholsky in seiner Brecht-*Mahagonny*-Parodie aus den frühen dreißiger Jahren an, Motto: »Damn! / Rudyard Brecht« –

> »Ramm! – Pamm!
> Ramm – pammpammpamm!
> Wir stammen vom Mahagonny-Stamm!
> Wir sind so fern und sind so nah!
> Wir stammen aus Bayrisch-Amerika.
> Ahoi geschrien!
> Wir sind keine Wilden – wir tun nur so!
> Wir haben Halbfranz auf dem Popo!
> Und wir sind auch nicht trocken – gar keine Spur, ah . . .!
> In Estremadura!
> In Estremadura!
> In Estremadura –!«

»Ramm – pammpammpamm! / Exotik als Literaturprogramm«, heißt es in der zweiten Strophe, und weiter:

> »Das ist bequem und macht keinen naß
> und tut keinem Kapitalisten was.
> Remington backbord!
> Wir sind bald lyrisch und sind bald roh.
> Wir fluchen am Kreuz und beten im Klo.
> Und jeder von uns singt so schön wie Kiepura!
> In Estremadura!
> In Estremadura!
> In Estremadura –!«

Das Ganze endet:

»Wir sind und bleiben allzumal
ein geronnenes Großstadt-Ideal!
Berittene Bürger. Ein dreifaches Huhra!«[8]

Die Hinweise auf Villon und Kipling wie Tucholskys satirische Invektive öffnen
unserem Thema wichtige Perspektiven. Weil er einen falschen Begriff von Eigen-
tum falsch ins Literarische überträgt, verkennt Kerr, daß Nachahmen und Zitieren seit jeher ein Constituens aller Literatur sind. In unserem Fall ermöglicht – wie
etwa bei Wedekind der Rekurs auf die Moritat – die Berufung auf Villon ein gut
Stück literarischer Rollenfindung in der politischen und gesellschaftlichen Szenerie
der zwanziger Jahre. Nicht anders als Mehring in seiner »Conférence provocative«
identifiziert sich beispielsweise auch Bertolt Brecht mit dem spätmittelalterlichen
Vagantendichter und versteht sich mit ihm als einer, der trotz aller Widerwärtig-
keit der Welt das Leben zu genießen, ihm diesen oder jenen Geschmack abzuge-
winnen weiß:

> »Drum lud er ein, daß man am Arsch ihm leckte
> Wenn er beim Fressen war und es ihm schmeckte.
>
> [...]
>
> Als er die Viere streckte und verreckte
> Da fand er spät und schwer, daß ihm dies Strecken schmeckte.«[9]

Tucholskys parodistischer Ausfall hingegen gibt uns Möglichkeiten an die Hand,
solches und ähnliches Rollenspiel kritisch zu durchschauen und seiner Signifikanz
nach zu bewerten. Indem er in der Rolle die Pose herausarbeitet, hebt er auf den
Spielcharakter solcher Poesien ab und decouvriert ihn als gespielt. Der Standort
des Kritikers ist dabei der des antikapitalistischen politischen Dichters, als welcher
Tucholsky zu diesem Zeitpunkt – auch über die engere literarische Öffentlichkeit
hinaus – längst ein fester Begriff geworden ist.
Villon-Kostüm und Mahagonny-Maskerade finden speziell in der Kabarett-Lyrik
und auf der ›Brettl‹-Bühne mannigfache Entsprechung. Den Kern des Gedichtbandes *Kuttel Daddeldu oder Das schlüpfrige Leid*, zugleich Säulen des Vortragspro-
gramms, mit dem Joachim Ringelnatz in den zwanziger und frühen dreißiger Jahren quer durch Deutschland tingelte, machen moritatenhafte Seemannslieder aus,
in denen der Titelheld – »im Parlando der Verse die Form zerbrechend«[10] – von
wilden Seefahrten und nicht weniger chaotischen Binnenlandaufenthalten in Ha-
fenkneipen, Bordells, bei der festen Braut Marie, die aus Bayern stammt, und Kindern in aller Herren Ländern Bericht gibt. Exotische Erzählung drapiert sich als
Lügenmärchen; umgekehrt beansprucht die Seemannsphilosophie mit Bezug auf
die Zeitsituation, in der Ringelnatz steht und für die er schreibt, durchaus Realitäts-
gehalt. Der Ansammlung kurioser und widersprüchlichster Souvenirs, die der
schwankende Seebär mit sich schleppt, um sie bei erster Gelegenheit zu versetzen,
leichter Hand zu verschenken oder einfach zu verlieren, entsprechen frappierende
Gefühlssimultaneitäten, in denen seelischer Aufschwung ständig in entleerten zwi-
schenmenschlichen Bezug umschlägt. Die Moral, die sich auf diese Welt ziehen läßt,
ist banal und nüchtern, zuweilen zynisch und brutal:

»Du mußt die Leute in die Fresse knacken.
[...]
Und wenn du siegst: so sollst du traurig gehen,
Mit einem Witz. Und sie nicht wiedersehen.«[11]

Voll in den schwarzen Humor geht die groteske Liebesballade »Seemannstreue«. Sie ein- und ausgrabend, verweilt Kuttel Daddeldu »parallel« zu seiner toten Braut, bis sie zu »leuchten« anfängt und schließlich »ganz anders« und schon »ganz flüssig« war.[12] Daneben finden sich, der Seemannsthematik lose verbunden, absurde Stücke in der Art des bereits 1912 publizierten Gedichtbandes *Die Schnupftabaksdose*, die vor allem aus dem Sprachwitz schöpfen und Unsinnserhellung à la Morgenstern betreiben. Von Ringelnatz selbst in zahlreichen Vorträgen als eines der zentralen Gedichte herausgestellt, enthält die »Ansprache eines Fremden an eine Geschminkte vor dem Wilberforcemonument« noch einmal alle aufgeführten Elemente und mischt sie; die oft zitierten Schlußverse mit der Anspielung auf den Kosenamen seiner Frau Lona Pieper –

»Das ist nun kein richtiger Scherz.
Ich bin auch nicht richtig froh.
Ich habe auch kein richtiges Herz.
Ich bin nur ein kleiner, unanständiger Schalk.
Mein richtiges Herz. Das ist anderwärts, irgendwo
Im Muschelkalk.«[13]

– lassen hinter Bitternis, Clownerie und harter Schale eine ›zarte Weltseele‹ durchscheinen und leiten so zur markanten Tendenz der späten, in den Gedichtbänden *Allerdings* (1928), *Gedichte dreier Jahre* (1932) und *Gedichte, Gedichte* (1934) versammelten Lyrik über.
Ich hebe deshalb auf Ringelnatz ab, weil sich bei ihm besonders deutlich beobachten läßt, daß und in welcher Weise der Vortragsort den literarischen Vortrag stimuliert und die Erfindung der Rolle ventiliert. Die Nähe zur Bühne, die das ›Brettl‹ von Natur aus hat, läßt den Autor quasi als Klein-Dramatiker agieren. Das Publikum erwartet und akzeptiert ein Stück Verkleidungskunst, mehr in Worten freilich als tatsächlich in Kostümen. Über die ersten Erfolge weg wurde Kuttel Daddeldu für Ringelnatz so etwas wie ein literarischer Markenartikel. Sein Diktat ist, daß zu bekannten Repertoirestücken stets neue Programmnummern mit überraschenden Varianten dazugeschaffen werden müssen: in der ständigen Innovation des Typus läßt sich das Interesse an der einmal installierten kabarettistischen Handelsware kalkulierbar prolongieren.
Kommunikationstheoretisch bedeutet das Rollengedicht eine Ablenkung von direkter Kommunikation. Der Dichter bindet die Zuhörer an ein zwischengeschaltetes Agens. Vom Vorkriegskabarett bieten sich dafür die Standardtypen der Moritat und des Bänkelsangs an, Dirnen, Outlaws, Verbrecher usw. oder auch nur seltsame Käuze, Landstreicher, Penner und sonstige bohemehafte Marginalerscheinungen. Sie alle verbindet ein außerbürgerliches, mitunter antibürgerliches Moment, das jedoch nur dort voll zum Tragen kommt, wo die bürgerliche Vorstellungswelt herausgefordert, inkommodiert, durch Schocks irritiert und so realiter überschritten

wird. Wo all dies nicht der Fall ist, verliert sich möglicher Protest an bloße Unterhaltung, dient der Rollenakt lediglich dem Eskapismus, der Flucht in den Spaß und
ins Absonderliche. Darauf spielt der Aufsatz von Colin Butler über »Ringelnatz
und seine Zeit« an. Zum Wechselspiel von tiefem Pessimismus, Humor und leichter
Ironie, die im Sentiment der Kuttel-Daddeldu-Figur vorherrschen und das weltanschauliche Substrat der Seemannsverse bilden, heißt es dort, Ringelnatz besitze den
»beachtlichen Vorzug, auf eine entwaffnende Weise ›ehrlich‹ und doch harmlos auf-
zutreten. Sein Humor und seine ausweichende Art sind stets eine Garantie dafür,
daß die etablierten Sitten und Gebräuche nicht rücksichtslos in Frage gestellt werden, während seine Aufrichtigkeit gerade so weit geht, um die Illusion zu erwecken, daß hier doch etwas in Zweifel gezogen wird.« Ähnliche Gründe werden
für die Beliebtheit der Rollenfigur Kuttel Daddeldu angeführt: ihr Reiz liege nicht
in der Art und Weise, in der sie mit den Problemen des Lebens fertig wird, sondern
wie sie diese Probleme durch naive und anspruchslose Surrogate ersetzt, die mit
ihren simplifizierten und vorgeformten Werten auf das Paradox einer unbeteilig-
ten Teilnahme hinauslaufen; »obendrein hat Daddeldu auch einen gewissen exotischen Reiz, wodurch er zu einer Kontrastfigur wird, die seine in bürgerlichen
Zwangsjacken steckenden Leser sicher zu schätzen wußten. Was seine philosophischen Spekulationen betrifft, so könnte man ihnen zugute halten, daß wir neben
der Unermeßlichkeit des Universums alle wie bloße Narren wirken. Wenn also
Ringelnatz sich in aller Öffentlichkeit wie ein Clown gebärdet und diesem narren-
haften Treiben zugleich den Schein der Weisheit verleiht, so soll man sich nicht
wundern, daß er dabei Unmengen an Sympathie einsammelt.«[14]
Ein ähnliches Verfahren, wie es den ausgesprochenen Rollengedichten gegenüber
einzuschlagen ist, läßt sich nun aber auch auf solche Gedichte anwenden, die – so
scheint es – gerade nicht mit Rollen operieren, sondern als Ich-Gedichte auftreten.
Die sogenannte lyrische Biographie, auf die ich anspiele, findet sich – in der Literatur zwischen den beiden Weltkriegen – an ausgeprägter Stelle im lyrischen Werk
Bertolt Brechts und Erich Kästners. In der expressionistischen Avantgardeliteratur
vor dem Ersten Weltkrieg präsentiert sich der Typus in einem Gedicht wie Alfred
Lichtensteins »Im Volkston«; die erste Strophe als Beispiel:

>»So lebt man nun sein Leben hin
>In grauem Alltagskleid.
>Und trachtet nur nach Geldgewinn
>Und bringt es doch nicht weit . . .
>Nur's Nötigste, wenn viel gelingt,
>Man grade noch erwirbt.
>Man trinkt und ißt und trinkt
>Und lebt und strebt und stirbt.«

Die Langeweile, die sich bei Lichtenstein in desolaten Wendungen niederschlägt wie:
»Trübselig fließt mein Dasein fort / In ewgem Einerlei . . .«[15], verschärft sich bei
Brecht und Kästner zu radikaler Gefühlsskepsis, die als Gleichgültigkeit und Ge-
fühlskälte an den Tag dringt. Brechts »Ballade vom armen B. B.«, die die *Hauspostille* (1927) beschließt, und Kästners »Kurzgefaßter Lebenslauf« aus dem Gedichtband *Ein Mann gibt Auskunft* (1930) stellen ebenfalls den Versuch dar, Le-

bensrückblick zu halten und in Versen eine Summe zu ziehen; formal macht sich besonders bei Brecht der Einfluß der Villonschen »Testamente« geltend. Alle drei genannten Texte zeigen überraschende Übereinstimmung in ihrer Motivik, ihrer spezifischen Deutung individuellen Schicksals und im Zeitbewußtsein, das sich in ihnen formuliert. Dem desillusionierten Lebensprozeß steht eine desillusionierte, entzauberte Welt gegenüber; idealistische Aufschwünge, Aufschwünge ins Abenteuer fehlen, die lyrische Sprache ist unpathetisch-sachlich. Verharrt Lichtenstein mit seinen 1908 entstandenen Versen noch mehr in einer allgemeinen, ein wenig konturlosen Weltschmerzpoesie, die erst in späteren Texten voll eskaliert, so setzen Brecht und Kästner die Ernüchterung, die das Schlagwort abgibt, ausdrücklich in unmittelbaren Zusammenhang mit dem vergangenen Krieg, dessen Erlebnis beide Dichter in jungen Jahren überfiel und ihre geistige Haltung entscheidend bestimmt hat. »Wir sind gesessen ein leichtes Geschlechte / In Häusern, die für unzerstörbare galten«,[16] schreibt Brecht; in etwa korrespondierend, aber mit ausgeprägterem biographischen Bezug heißt es bei Kästner:

> »Dann gab es Weltkrieg, statt der großen Ferien.
> Ich trieb es mit der Fußartillerie.
> Dem Globus lief das Blut aus den Arterien.
> Ich lebte weiter. Fragen Sie nicht, wie.«[17]

Was angesichts der drohenden, noch größeren Katastrophen bleibt, sind keine weitausladenden pathetischen Gesten, sondern eine paradoxe Beharrlichkeit, die kleine, unsentimentale Konzentration auf das Nah- und Nächstliegende.

Im Anti-Sentiment und in den Haltungen der Desillusion treffen sich Brecht und Kästner mit Ringelnatz; sieht man von der jeweils unverwechselbaren Diktion einmal ab, kreuzen sich die Formulierungen sogar. Brecht-Verse wie

> »In meine leeren Schaukelstühle vormittags
> Setze ich mir mitunter ein paar Frauen
> Und ich betrachte sie sorglos und sage ihnen:
> In mir habt ihr einen, auf den könnt ihr nicht bauen«

könnten so oder ähnlich auch von Kuttel Daddeldu gesprochen sein. Eine erhebliche Differenz liegt lediglich darin, daß bei Brecht statt des exotischen Milieus, das dem Seefahrer offensteht, die näher liegende Szenerie der Großstadt Berlin angedeutet wird. Dem entspricht eine starke Tendenz zum realistischen Detail und zur realen Zeit. Gegenüber den frühen Gedichten begreift Brecht die Gestalten seiner Verse – hier in der ›lyrischen Biographie‹ sich selbst – nicht mehr nur als rein daseinsproblematische, sondern als gesellschaftsproblematische Figuren: die versagte Transzendenz wird nun zum Leid in der Welt, in und an der Zeit. Bezeichnend dafür sind Wendungen wie »versehen mit jedem Sterbsakrament: / Mit Zeitungen. Und Tabak. Und Branntwein«, die so nirgends in den frühen Gedichten zu finden sind. Der Eingang der Ballade »Vom armen B. B.« erinnert an die erste Strophe des »Chorals vom Manne Baal«, zitiert also die frühe Rollenfigur. Wenn Brecht von den Menschen sagt, sie seien »ganz besonders riechende Tiere«, meint er zwar immer noch die Todesverfallenheit, die die menschliche Kreatur mit dem Tier teilt, mehr noch aber trifft er jetzt eine zwischenmenschliche Feststellung: »Und ich sage: es macht nichts, ich bin es auch.« An die Stelle des vergeblichen Aufbäumens gegen das von Natur aus Unabwendbare tritt jetzt ein eindeutig gegen Welt und Gesellschaft gerichteter Protest, der sich als Pessimismus niederschlägt:

> »Gegen abends versammle ich um mich Männer
> Wir reden uns da mit ›Gentleman‹ an.
> Sie haben ihre Füße auf meinen Tischen
> Und sagen: es wird besser mit uns. Und ich frage nicht: wann.«

Oder an anderem Ort:

> »Fröhlich machet das Haus den Esser: er leert es.
> Wir wissen, daß wir Vorläufige sind
> Und nach uns wird kommen: nichts Nennenswertes.«

Kästner klappt nach; er glättet den Befund nur und bereitet ihn so für die ›leichte Muse‹, zu der Brecht kein eigentliches Verhältnis hatte, auf: »Ich gehe durch die Gärten der Gefühle, / die tot sind, und bepflanze sie mit Witzen.« Die Schlußzeile, das Resümee des »Kurzgefaßten Lebenslaufes«, lautet: »Ich kam zur Welt und lebe trotzdem weiter.«

In seiner Rezension der Brechtschen *Hauspostille* nimmt Kurt Tucholsky die Einwände gegen *Mahagonny*, wie er sie in seiner späteren Parodie vorbringt, vorweg und setzt sie auf den Nenner: »Was das Land ›Mahagonny‹ angeht, so ist es ein gut bürgerliches Land, es blüht daselbst der Nußbaum und die gute Eiche, aus der man die Bücherregale macht.« »Dies vorweggenommen«, fährt er fort, »hat man freilich den Hut abzunehmen.« – »Im Abgesang ›Vom armen B. B.‹«, schließt die Besprechung, »ist noch einmal alles enthalten, was dieses Buch uns wert macht und auch das, was drum herumhängt: Pose, Verzweiflung, echter Schmerz, eine gemachte Kälte, die Wärme zu sein vorgibt, wo echte Kälte ist, und eine herrliche lyrische Diktion. [...] Brecht ist ein Gehauter – und ich habe fast Furcht, mich an ihn zu verlieren. Er zwinkert – hat er uns hineingelegt? Ich glaube, er hat es ein paar Mal versucht, er ist wohl böse von Natur und ein bißchen tüksch und kann es nicht lassen. Aber mag er böse sein. Er kann nicht nur viel, er ist nicht nur ein Sprachmeister; er hat, um einen berliner Ausdruck zu gebrauchen, ›er hat was drin‹.«[18]

Man sieht: der Kritiker hält, zumindest als Teilmoment, auch dem Ich-Gedicht, der lyrischen Biographie gegenüber am Rollencharakter des literarischen Produkts fest; er spricht von »Pose« und fragt sich, ob er »hineingelegt« worden sei. Man kann also auch hier von Rollengedichten sprechen. Darin bestärken uns die zahlreichen Parallelen, die sich einerseits zum dezidierten Kabarett-Typus des Rollengedichts, andererseits innerhalb der Beispielkette von Lichtenstein über Brecht zu Kästner ergeben. Im Unterschied jedoch zu den Kuttel-Daddeldu-Liedern des Ringelnatz verändert sich der Charakter der Rolle, und zwar in Richtung einer stärkeren gesellschaftssymptomatischen Repräsentanz der sprechenden Figur oder hin auf ein Kollektiverlebnis, in dem zumindest jener Teil des Publikums sich in seiner eigenen Problematik wiederfinden kann, der um die spezifisch bürgerlichen Widersprüche in der Gesellschaft weiß, sich aber außerstande sieht, die gesetzte Grenze zu überschreiten, und so in eine Art Desperadohaltung zurückgebunden bleibt. Brecht selbst nimmt darauf Bezug, wenn er, aus dem Jahre 1939 rückblickend auf die frühe

Lyrik, in seinem Aufsatz »Über reimlose Lyrik mit unregelmäßigen Rhythmen« notiert: »Mein politisches Wissen war damals beschämend gering; jedoch war ich mir großer Unstimmigkeiten im gesellschaftlichen Leben der Menschen bewußt, und hielt es nicht für meine Aufgabe, all die Disharmonien und Interferenzen, die ich stark empfand, formal zu neutralisieren.« Wie es sich im Formalen um einen Protest gegen die »Glätte und Harmonie des konventionellen Verses« handelt, so im Inhaltlichen um den Versuch, »die Vorgänge zwischen den Menschen als widerspruchsvolle, kampfdurchtobte, gewalttätige zu zeigen«.[19]

In den lyrischen Biographien Brechts und Kästners objektiviert sich, setzt sich frei, was bei Ringelnatz lediglich ein Ferment abgibt und noch dazu als solches immer wieder ironisch relativiert und so entschärft wird. Man darf demnach beim Schritt von Ringelnatz zu Brecht und Kästner von einer Wendung der apolitischen in die politische Rolle sprechen. Die Hinwendung zum ›Ich‹ und ›Wir‹ ist dafür ebenso Indiz wie die aus der Realität aufgenommenen Elemente des Textes, die sich zu einer Kontur der Zeitsituation zusammenfügen. Seine Einschränkung erfährt der Begriff von Politik freilich durch das oben wiedergegebene Brecht-Zitat, in welchem ja gerade vom beschämend geringen politischen Wissen des Autors, das allenfalls durch ein starkes Empfinden ausgeglichen wird, die Rede ist. Die politisch-gesellschaftliche Einsicht, die sich einstellt, geht übers bloße Konstatieren von Antagonismen und eine passive Haltung nicht hinaus. Der gekennzeichnete Zustand des Individuums in der Gesellschaft ist desolat; Kräfte der Veränderung geraten nicht ins Blickfeld, tätiges Agieren, das auf ein Ziel hinführte, ist so gut wie ausgeschlossen.

Eine Einschränkung von anderer Seite her ergibt sich, wenn man von eskaliert politischer Kabarett-Lyrik ausgeht und aus ihr Kontrastbeispiele gewinnt. Zum direkten Vergleich bieten sich die Landstreicherpoesien in der Zeitrevue *Europäische Nächte* (1924) an, mit denen Walter Mehring zum Erfinder und Popularisator der ›Songballade‹ oder des ›Balladensongs‹ wurde. »Auf der Landstraße« bzw. »Die Vier auf der Walze« ist eine Partie dieses szenischen Satirikums überschrieben:

> »Den Himmel hoch, Europa untern Füßen,
> Wir wandern, keinem Menschen untertan,
> Um bald als Freund den ew'gen Jud zu grüßen,
> Bald den Zigeuner auf dem Wiesenplan
> Uns kann kein Seemann von Sedyk beflunkern
> Uns kann kein Pfaff vom Bayerland bekehrn –
> Uns wird kein General mit Ordensklunkern
> Den süßen Tod fürs Vaterland beschern!
> Was nützt es, daß Ihr ewig hetzt und schreit:
> Wir komm'n zurecht –
> Der Weg ist weit – Wir haben Zeit!
> Halléluja! Wir Kinder der Chausseen,
> Wir ziehn fürbaß und nehmen stets fürlieb!
> Wir fragen nicht, wohin die Wege gehen,
> Und segnen das Geschick, das uns vertrieb.
> Ob sich die Völker in den Haaren liegen,

> Ob die Philister oder Kaffern siegen:
> Wir stehn nicht stramm und schreien nicht Hurra
> Hallélu-ja! Hallélu-ja!
> Hallélu-ja!«

Die weiteren Strophen variieren das Thema, akzentuieren es, weiten es aus:

> »Wir brauchen keinen Staat. Und zum Minister
> Ernennen eine Vogelscheuche wir! –
> Uns kennt kein Vater, kein Geburtsregister,
> Wir wandern als die Namenlosen Vier!«

»Wir wolln dahinten keine Flügel kriegen«, spottet der Schluß:

> »Und eh als Englein wir im Himmel fliegen:
> Beschlafen wir des Teufels Großmama
> Halléluja! Halléluja!
> Halléluja!«[20]

Wie aus den Zitatmotti hervorgeht, die er verwendet, kannte Mehring Hans Ostwalds dreibändige Sammlung der *Lieder aus dem Rinnstein*. Zwischen 1903 und 1905 veröffentlicht, bringen die Bändchen Huren-, Zuhälter- und Landstreicherlieder, die der Herausgeber im Zusammenhang mit seinen Studien zum Dirnen- und Vagabundenwesen unmittelbar auf der Straße aufgelesen hat und nun anthologistisch mit literarischen Beispielen verquickt. Indem er – ähnlich wie Lichtenstein in seinen Dirnenliedern – die hier gebotenen subliterarischen Muster aufgreift und als Kabarett-Typus entwickelt, ordnet sich Mehring in die von uns gezogene Perspektive ein. Schon aus der Herleitung des Rollengedichts geht hervor, daß Mehring nicht gewillt ist, in ihm lediglich ein Exotikum aufzurichten. Anders als Ringelnatz begreift er den Typus instrumentell und gibt ihm weltanschaulich einen faßbaren Drall ins Antibürgerliche. Dabei schließt sich der Autor jenem kämpferischen Anarchismus an, wie er unmittelbar nach dem Ersten Weltkrieg in der politisierten jungen bürgerlichen Intelligenz grassierte und – das zeigen die Beispiele Erich Mühsam, Franz Jung oder der Berliner Dadaismus – gerade auch in der Literatur heftig rezipiert wurde. Stilistisch gesehen, kippt der bei Ringelnatz vorwaltende Humor in scharfen Witz um, verliert sich die Ambivalenz der Ironie in die gezielte Satire. Ähnlich wie bei Brecht und Kästner wird das Sentiment politisch konkret, sind Partikel der politisch-gesellschaftlichen Realität in den Text eingeschlossen, tritt die Rolle im Rollen-›Wir‹ auf den Hörer oder Leser zu, wobei allerdings auch hier Unterschiede festzuhalten sind. So ist der Konnex zum Publikum hin nicht über eine nihilistische und pessimistische Auffassung von ›Ich‹ und Wirklichkeit ventiliert, sondern läuft auf Revolte, präzis gefaßte Verweigerungen und eine im Anarchismus scheinbar gewährleistete neue Freiheit hinaus. In ihnen wiederum gründet – formal – der mitreißende Elan der Songlyrik: die Inhalte der Rolle sind in ihm rhythmisch vermittelt und im Sinn dessen, was programmatisch gefordert wird, agitatorisch aufbereitet. Der appellative Charakter der Verse findet in zahlreichen imperativischen Wendungen und vor allem in der Kunst des Refrains seinen sichtbarsten Niederschlag.

Die vorgenommene Typisierung – von Ringelnatz über Bertolt Brecht und Erich Kästner zu Walter Mehring – führt die Spannweite vor, in der sich die deutsche Kabarettlyrik der zwanziger Jahre in etwa bewegt. Nimmt man den einleitenden Reflex aufs dadaistische Lautgedicht hinzu, wobei nachzutragen ist, daß die interessante literarische Novität auch noch andere Ausprägungen erfahren hat, als sie Mehring nach Hugo Balls eigenen Äußerungen fixiert,[21] ergeben sich vier klare Richtungen. Die äußersten Pole bilden das literarische Experiment auf der einen, Versuche in politischer und ansatzhaft agitatorischer Lyrik auf der anderen Seite. Direkt und über Zwischenglieder stehen die Extrempositionen in mannigfacher Verbindung und Verschränkung. Ich weise nur darauf hin, daß »die uralten Kadenzen der priesterlichen Lamentationen«, in die Ball beim Vortrag seiner Lautgedichte verfällt, in den zeitbezogenen ›Lamentationen‹ bei Kästner und Brecht oder in den ketzerisch-parodistischen Gegengesängen der ›Weißen‹ und ›Schwarzen Messe‹ bei Mehring durchaus Entsprechungen finden, während umgekehrt anarchistischer Protest gegen Fremdbestimmung, wie er sich in den Mehringschen Landstreicherliedern artikuliert, wohl auch der Kunstrevolte des Dadaismus zugrunde liegt oder aber – wenn auch durch die zitierten Texte weniger belegt – als revoltierende Möglichkeit jenes Nihilismus und Pessimismus anzusetzen ist, die in den lyrischen Biographien Brechts und Kästners zum Vorschein kamen. In solchen und ähnlichen Interdependenzen erhält die literarische Institution ›Kabarett‹ etwas von jener Geschlossenheit zurück, die sie für das zeitgenössische Publikum, das sie ansprach und ansprechen wollte, bei aller Differenz im Detail und allen Richtungsunterschieden in der inneren und äußeren Gestik zweifellos hatte: ein nicht unwesentlicher Reiz lag eben gerade in der Mischung unterschiedlicher inhaltlicher und formaler Ansätze und in der Verquickung unterschiedlicher Grade des Bewußtseins. Unter diesem Blickwinkel sind Mehrings Landstreicherpoesien – und selbst Tucholskys politische Chansons, die mehr aus der Verfremdung der kabarettistischen Rolle als aus ihren Imitationszwängen leben – nur Programmnummern unter Programmnummern, sprengen den insgesamt bürgerlichen Charakter des Mediums nicht, führen es allenfalls an jene Grenze, an der ein echt klassenüberschreitendes Interesse ansetzen konnte.

Bertolt Brecht hat den Typus der ›lyrischen Biographie‹ verschiedentlich aufgegriffen und weiterentwickelt: wie er den Pessimismus der frühen Lyrik überwindet, zeigt eine Gegenüberstellung der Ballade »Vom armen B. B.« mit dem Gedicht »An die Nachgeborenen«. Die Welt wird nun als veränderbar aufgefaßt; dem ›Ich‹ wird die Aufgabe gestellt, an dieser Veränderung mitzuwirken und das eigene Leben am Ziel zu messen, das erreicht werden soll, weil es erreicht werden kann. Der relative Pessimismus, der noch immer Raum hat, zweifelt allenfalls am eigenen Vermögen, das gering ist, zweifelt an den Kräften, die aufzubringen sind, bedenkt das Ausmaß und die Dauer der Aufgabe, für die ein einzelnes Leben nicht auszureichen scheinen:

> »Die Kräfte waren gering. Das Ziel
> Lag in großer Ferne.
> Es war deutlich sichtbar, wenn auch für mich
> Kaum zu erreichen.

So verging meine Zeit,
Die auf Erden mir gegeben war.«[22]

Von Brechts »Legende vom toten Soldaten«, dem aggressivsten und politischsten Stück der *Hauspostille*, das deshalb in einer Sonderstellung steht, konnte Tucholsky sagen, daß sie beginne, in den Kreisen junger Kommunisten populär zu werden.[23] Aufs Ganze gesehen, hatte das literarische Kabarett der zwanziger Jahre keine vergleichbare Wirkung: mitunter ehrlich in seiner Bestandsaufnahme, zuweilen liederlich und frech, in seinen besten Augenblicken tagespolitisch agil, war es – trotz aller Auflockerung des literarischen Akts – zu exklusiv, zu sehr auf die Problematik des spätbürgerlichen Individuums konzentriert und zu einseitig auf eine Mobilisierung allein der kritischen Kräfte im Bürgertum aus, um eine wirklich revolutionäre Rolle spielen zu können. Eine solche grundlegende Veränderung des Mediums selbst war mit den Mitteln, die dem literarischen Kabarett zur Verfügung standen, nicht zu bewerkstelligen; sie mußte deshalb von außen kommen. – Dazu der abschließende Hinweis!

Der systematisierende Ansatz vom kabarettistischen Rollengedicht her bringt zwar wesentliche Trends im engeren literarischen Feld, nicht aber die Relation zur Masse der Produktionen im kommerziellen Bereich und deren Trends in den Griff. Schon Mitte der zwanziger Jahre verlor sich die Kabarettbewegung in großem Stil ans reine Amüsement und wucherte zu einem riesigen Geschäft in Sachen Revuerummel, erotisches Spektakel und Schlager aus; man vergleiche dazu das Kapitel »Berliner Revue« in Heinz Greuls Kulturgeschichte des Kabaretts *Bretter, die die Zeit bedeuten.*[24] Gerade hier setzte Erwin Piscator mit seiner ›Revue Roter Rummel‹ ein, Versuch einer dezidiert »politisch-proletarischen Revue«. Erklärtermaßen wollte er keine Revue schaffen, »wie sie damals Haller, Charell und Klein brachten, mit aus Amerika und Paris importierten Shows«. Die »positive Herkunft« sieht Piscator in den ›Bunten Abenden‹, die er schon zuvor in Zusammenarbeit mit der Internationalen Arbeiterhilfe veranstaltet hatte. Den unmittelbaren Anlaß gaben die Reichstagswahlen von 1924: »Die Kommunistische Partei verlangte eine Veranstaltung.« Intendiert sind »Direktheit der Darbietung«, »propagandistische Wirkung« und speziell nicht das »Abgleiten ins Psychologisieren« des Theaters, das »immer wieder eine Mauer zwischen Bühne und Zuschauerraum« aufrichtet. »Vieles war nur roh zusammengehauen«, heißt es, »der Text völlig unprätentiös, aber das gerade erlaubte bis zum letzten Augenblick die Einschaltung der Aktualität. [...] Nichts durfte unklar, zweideutig und somit wirkungslos bleiben, überall mußte die politische Beziehung zum Tage hergestellt werden. Die ›politische Diskussion‹, zur Zeit der Wahlen Werkstatt, Fabrik und Straße beherrschend, mußte selbst zum szenischen Element werden.« Als unmittelbare Folge ist das Auftauchen proletarischer Spielgemeinschaften anzusehen: »Die *Rote Revue* wurde zu einem ständigen Begriff des Agitationsarsenals und ist bis heute nicht aus der Bewegung verschwunden.« Es ist hier nicht der Ort, im einzelnen auf die ›Revue Roter Rummel‹ einzugehen. So viel wird jedoch durch die Zitate klar, daß Piscators Anti-Kabarett nicht nur eine revolutionäre Antwort auf das Kommerzkabarett um 1925 darstellt, sondern auch eine echte Grenzüberschreitung des literarischen Kabaretts der Zeit

bedeutet. Sie wird – auch als Grenzüberschreitung des kabarettistischen Rollengedichts – nirgends deutlicher als dort, wo Piscator von der Möglichkeit zu »›direkter
Aktion‹ im Theater« und von der Aufgabe spricht, Pädagogisches in Szenisches ab-
zuwandeln, um auf diese Weise unter den Zuschauern das Bewußtsein der Solidarität und des aktiven Widerstands zu erzeugen: »Ceterum censeo, societatem civilem
esse delendam.«[25]

Anmerkungen

1. Walter Mehring: *Die verlorene Bibliothek.* Autobiographie einer Kultur. München 1972. S. 149.
   – Vgl. unterm 23. Juni 1916 Hugo Balls *Flucht aus der Zeit.*
2. Helmut Kreuzer: *Die Boheme.* Analyse und Dokumentation der intellektuellen Subkultur vom
   19. Jahrhundert bis zur Gegenwart. Stuttgart 1971. S. 267.
3. Kurt Wolff: *Autoren, Bücher, Abenteuer.* Betrachtungen und Erinnerungen eines Verlegers. Berlin
   o. J. S. 21.
4. Kurt Tucholsky: *Gesammelte Werke.* Hrsg. von Mary Gerold-Tucholsky und Fritz J. Raddatz.
   Hamburg 1961. Bd. 1. S. 766–768.
5. Walter Mehring: *Neues Ketzerbrevier.* Balladen und Songs. Köln und Berlin 1962. S. 21 f.
6. ebd., S. 12 und 131.
7. Marianne Kesting: *Bertolt Brecht in Selbstzeugnissen und Bilddokumenten.* Hamburg 1959. S. 47.
8. Kurt Tucholsky: *Gesammelte Werke.* Bd. 3. S. 544 f.
9. Bertolt Brecht: *Hauspostille.* Frankfurt a. M. 1963. S. 36.
10. Albert Soergel und Curt Hohoff: *Dichtung und Dichter der Zeit.* Düsseldorf 1963. Bd. 2. S. 755.
11. Joachim Ringelnatz: *und auf einmal steht es neben dir.* Gesammelte Gedichte. Berlin 1953. S. 103.
12. ebd., S. 74 f.
13. ebd., S. 94 f.
14. Colin Butler: »Ringelnatz und seine Zeit«. In: *Die sogenannten zwanziger Jahre.* Hrsg. von
    Reinhold Grimm und Jost Hermand. Bad Homburg, Berlin und Zürich 1970. S. 165 f.
15. Alfred Lichtenstein: *Gesammelte Gedichte.* Hrsg. von Klaus Kanzog. Zürich 1962. S. 10.
16. Bertolt Brecht: *Hauspostille.* S. 148–150.
17. Erich Kästner: *Ein Mann gibt Auskunft.* Berlin o. J. S. 45 f.
18. Kurt Tucholsky: *Gesammelte Werke.* Bd. 2. S. 1062–1064.
19. Bertolt Brecht: *»Über reimlose Lyrik mit unregelmäßigen Rhythmen«.* In: B. B., *Versuche.*
    Heft 12. Berlin 1953. S. 143.
20. Walter Mehring: *Die Gedichte, Lieder und Chansons.* Berlin 1929. S. 181–184.
21. z. B. Raoul Hausmann: *Am Anfang war Dada.* Hrsg. von Karl Riha und G. Kämpf. Steinbach
    1972. S. 35–37.
22. Bertolt Brecht: *Hundert Gedichte.* Berlin 1951. S. 303–305.
23. Siehe Anm. 18.
24. Heinz Greul: *Bretter, die die Zeit bedeuten.* Die Kulturgeschichte des Kabaretts. München 1971.
    Bd. 1. S. 216–228.
25. Erwin Piscator: *Das politische Theater.* Hamburg 1963. S. 65–68.

Literaturhinweise

Klaus Budzinski: *Die Muse mit der scharfen Zunge.* München 1962.
Heinz Greul: *Bretter, die die Zeit bedeuten.* Die Kulturgeschichte des Kabaretts. Köln 1967.
Bernhard Grun: *Die leichte Muse.* Kulturgeschichte der leichten Muse. München 1968.
Jürgen Henningsen: *Theorie des Kabaretts.* Ratingen 1967.

Rudolf Hösch: *Kabarett von gestern, Kabarett von heute.* Berlin 1972.
Helmut Kreuzer: *Die Bohème.* Stuttgart 1968.
Henriette Mandl: »Literary Cabaret«. In: *Modern Austrian Literature* 2/1969, Nr. 3.
Karl Riha: *Moritat, Song, Bänkelsang.* Zur Geschichte der modernen Ballade. Göttingen 1965.
Wolfgang Victor Ruttkowski: *Das literarische Chanson in Deutschland.* Bern 1966.
Reinhard Schatter: *Die Geschichte des Chansons.* München 1969.
Georg Zivier und Helmut Kotschenreuther: *50 Jahre Kleinkunst, 1920–1970.* Berlin 1972.

FRITZ J. RADDATZ

Lied und Gedicht der proletarisch-revolutionären Literatur

Vorab ist dies zu sagen: ›Neuere deutsche Literaturwissenschaft‹, das heißt heute und hier noch immer kartographieren; also weiße Flecken auf der Landkarte ausmachen, schraffieren. Wer sich mit unserem Thema in der Bundesrepublik beschäftigen will, stößt auf ein nahezu totales Informationsvakuum; keine Universitätsbibliothek, kein germanistisches Seminar besitzt die Bücher der hier zur Debatte stehenden Autoren, gar Sekundärliteratur. Gäbe es nicht die Hilfsmittel aus der DDR, gäbe es gar keine.[1]

Um was geht es?

In den Jahren 1918–1933 entwickelte sich in der deutschen Lyrik eine spezifische Form des politischen Gedichts. ›Form‹ nicht im exakt zu definierenden Sinne; vielmehr sind ständige Überschneidung, auslappende Ränder gleichsam, festzustellen: mit Traditionen der deutschen Literatur ebenso wie mit gleichzeitig produzierter Literatur. Formal im literarisch-ästhetischen Sinne findet sich alles: Rufgedicht, Klage, sonetthafte Ehrerbietung und satirischer Song; formal im Sinne des Selbstverständnisses der Autoren, des Funktionalen also, begriffen bereits als ›Gebrauchswert des Gedichts‹, findet sich eines: Man will über das »Auflösen der Um-Wirklichkeit zur Unwirklichkeit«[2] hinausgehen. Diese Autoren wollten mehr, als Zeichen einer Realität – also Sprache – revolutionieren, sie wollten als *Sprachmeister* die Realität revolutionieren. Kurt Pinthus beschrieb die Ausgangslage: »Doch schon fühlten die gereizten und überempfindlichen Nerven und Seelen dieser Dichter deutlich auf der einen Seite das dumpfe Heranrücken der liebe- und freudeberaubten proletarischen Massen, von der anderen Seite den heranrollenden Zusammenbruch einer Menschheit, die ebenso hochmütig wie gleichgültig war. [...] Die Glut dieser Generation hatte sich aus Opposition gegen das Gewesene, Verwesende entzündet und konnte für Augenblicke in die Zukunft leuchten, aber nicht die Menschheit zur großen Tat oder zum großen Gefühl entflammen.«[3]

Es war die *Ausgangslage,* und die war keineswegs allen gemeinsam; daß Johannes R. Bechers »Hymne auf Rosa Luxemburg« und Rudolf Leonhards »Der tote Liebknecht« in der Pinthus-Anthologie bereits Aufnahme fanden, zeigt eben das Unhermetische dieser politischen Lyrik: ihr Impuls war die Antikriegsleidenschaft (insofern Nachfahr der *vor* dem Krieg aufgebrochenen Expressionisten), ihre Zielvorstellung anfangs menschheitlich-vage, der biographische Impetus vorerst ›weg vom Bürgertum‹. Die Arbeiten des Jahrzehnte später in der DDR in tiefer Resignation verstorbenen Rudolf Leonhard[4] sind in diesem Zusammenhang besonders aufschlußreich: Gleich vielen seiner Kombattanten aus dem saturierten Bürgertum stammend, ungleich vielen aber anfangs den Krieg als »große Zeit, und für das Ganze eine gute« bejubelnd, ja sich stolz als Kriegsfreiwilliger meldend und einer Freundin prahlerisch vermeldend, er habe »eine ganze Menge Kriegsgedichte gemacht«[5], erlebt er doch durch eben diesen Krieg seine große Bekehrung. Sein erster politischer Artikel galt bezeichnenderweise jener »Zabernaffäre«, über die auch Ossietzky und

Mühsam empört schrieben;[6] die Wende kommt bereits 1914: Von dieser Silvesternacht, verbracht mit Walter Hasenclever, Ernst Rowohlt und Martin Buber, offenbar eine vierundzwanzigstündige Marathondiskussion über Sinn und Ursachen und Hersteller des Krieges, datiert sein immer militanter werdender Pazifismus, der sich rasch sozialistischen Vorstellungen nähert. Noch während des Krieges erscheinen, unter seinem abgekürzten Vornamen Olf, Glossen in der *Schaubühne* (der späteren *Weltbühne*), an der Revolution nimmt er in Berlin bewaffnet teil, einen Aufmarschplan der Militärs, der ihm am 8. November in die Hände fällt, übergibt er dem Spartakusbund; zehn Tage später erscheint sein erster Artikel in der von Rosa Luxemburg und Karl Liebknecht herausgegebenen *Roten Fahne*. Hier findet sich auch, Weihnachten 1919, das erste der »Spartakus-Sonette«, die 1921 als Buch die Widmung trugen: »Der russischen Sowjetrepublik – der Dritten Internationale – dem deutschen Proletariat«. Es findet sich aber in dieser politischen Lyrik vorherrschend ein revolutionär gewendetes O-Mensch-Pathos; jetzt heißt es »O Zeitungsfrau«.[7] Es ist, noch immer, das Herz, das »rast, weint und flucht«.[8] Leonhards Gedichte regulieren sich aus dem Gestus des Aufrufs, des Hymnischen, ja des Heldischen: »O nehmt auch ihn«,[9] »Ihr Kinder [...] o Mädchen«,[10] »Du Knabe! Mann! Aus Generationen! Spartakuserbe! Dich ersehnt das Land, und Schwestern wachsen auf, Dich zu belohnen.«[11] Der Kämpfer ist gar ein »Heiliger hinter dem Maschinengewehre«,[12] und Spartakus selber, nun ja keineswegs mehr als bloße historische Reminiszens berufen, gerät sonderbar feierlich:

> »Spartakus! Sklavenfürst! Rebellenerster!
> Aristokrat des Leidens! Aus den Massen
> Herausgewachsner Du! Zu Deinem Hassen
> wuchs Deine Liebe auf, zu der Du, Hehrster
>
> der schwer Geschlagenen standest. Allen Klassen
> Entrungner Du, Emporgetragner, schwerster
> Aufgabe zugesprossen: was Du lehrst, er,
> der wie Du leidet, soll Dich ganz erfassen.«[13]

Dieser nahezu religiöse Zug ist kein Zufall, übrigens bei Leonhard nicht einmal unbeabsichtigt; in einem literaturpolitischen Dialog zwischen ihm und Walter Hasenclever, den Radio Köln am 8. März 1929 ausstrahlte (und der gelegentlich an den berühmten Disput zwischen Becher und Benn 1930 erinnert), heißt es: »Wir sind in der Tat, lieber Hasenclever, am metaphysischen Grunde. Aber gerade aus ihm möchte ich jede Lebensäußerung, also auch jede politische und jede künstlerische herleiten. Die Kunst hat so viel und so wenig Zweck wie jedes Phänomen dieser Welt; sie hat so viel und so wenig Zweck wie das Leben selbst. Du magst mich nun, wenn ich sogar jedem geistigen Geschehn einen sinnvollen Zweck, ein Ziel gesetzt sehe, einen Theologen nennen. Ich gebe also auch den von Dir zitierten Theologen wie allen andern Recht, ihre Meinungen tendenziös in Kunstwerken zu formulieren. Siegen wird die beßre Lehre im beßren Kunstwerk.«[14] Schon ein Jahrzehnt zuvor findet sich, wenn auch säkular begriffen, dies religiöseschatologische Element, nämlich in jenem Gedicht auf den toten Karl Liebknecht, das schon Pinthus abdruckte:

>»Und mit einem Schimmer
auf hellen
starren Zähnen
beginnt seine Leiche
zu lächeln.«[15]

Wir haben zu konstatieren: Eine Literatur, die sich primär realitätsbezogen (bis hin
zum tagespolitischen Ereignis) versteht, verharrte gleichzeitig im Gestus des Ir-
realismus; man kann sagen, daß dieses Element des Utopisch-Illusionären, dieses
Setzen einer Überwirklichkeit gegen den schlechten Alltag, durchgängig zu finden
ist. Edwin Hoernles Gedicht »Der Mord von Mechterstädt« endet: »Noch sind
unsere Toten nicht tot«,[16] sein »Karl Liebknecht« schließt mit einem Wunsch, der
der Realität nicht entsprach: »Tausend Liebknechte hat Deutschland«.[17] Johannes
R. Bechers inkriminierte Zeile aus der DDR-Nationalhymne »und die Sonne, schön
wie nie, über Deutschland scheint«[18] verdankt sich dieser Haltung der Heilserwartung ebenso wie Kubas »Thälmann ist niemals gefallen«.[19] Es geht um ein Beschwö-
rungsritual, um beides: Suggestion und Autosuggestion. Ein Gedicht Oskar Kanehls
gibt das gesamte verfügbare Wortmaterial für diese Revolutions-Zeremonie – heilig, Schwur, fromm, Bruder, Glaube, Eid, Heil:

>»Uns heiligt Klassenhaß und Klassenliebe.
Durch freien Willen bindet uns ein Schwur:
Wir glauben an den Sieg der roten Fahne.
Wir kämpfen für die Proletarierdiktatur.

>Wir fechten fromm. Wir schießen gut.
Und ob ihr Kerkergitter oder Ketten schweißt.
Für uns nicht mehr. Wir rütteln dran.
Der Sturm der Brüder naht, der sie zerreißt.

>Von Haß und Glauben flammen unsre Barrikaden.
Wir breiten nackte Brüste sieg- und todbereit.
General und Bürger. Fürsten und Pfaffen.
Wir nehmen sie auf unsern Fahneneid.

>Proleten aller Länder. Einigt euch.
Zum letzten Schlag. Das Heil ist nah.
Wir stehn bereit. Wir treten an.
Heraus die Klingen. Wir sind da.«[20]

Suggestion und Autosuggestion, Drohung und Beschwörung: wir sind da. Es ist
der Wunsch nach dem Eingehen in eine neue Kollektivität, in ein ›wir‹; und es ist
der Wunsch, daß dieses ›wir‹ sich bewegen möge. Das Hymnische der meisten Ar-
beiterlieder entspringt dieser Grundstruktur, dem Konzept, der lyrische Held sei
das Kollektiv. Der entlaufene Bürger Becher sagt das am deutlichsten: »›Genosse‹:
Wort, das uns alle verbindet, / Unlösbarer als ›Du‹.«[21]
Das steht durchaus in einer Tradition. Der Band *Mit Gesang wird gekämpft –
Lieder der Arbeiterbewegung* des Ostberliner Dietz-Verlages beginnt nicht zufällig

mit Freiligraths »Reveille«, der »Warschawjanka« und dem Lied »Die rote Fahne« des polnischen Dichters Boleslaw Czerwienski aus dem Jahre 1881, das Rosa Luxemburg übersetzte und dem die Musik des Pariser Kommune-Lieds »Le Drapeau Rouge« zugrunde liegt. Alles Orientierungshilfen; denn sowohl jenes Wunsch-Wir als auch das Moment des Operativen finden sich hier bereits. Die proletarische Lyrik, das revolutionäre Gedicht – in der Essenz handelt es sich um *Lieder*. Deren Substanz gründet auf dreierlei Elemente: das Kollektive – also Chorische; das Utopische – also Hymnische; das Pädagogische – also Revolutionäre. Jedes dieser Elemente läßt sich an exemplarischen Beispielen analysieren.

Einer der wichtigen proletarisch-revolutionären Dichter und Lieder-Schreiber ist Edwin Hoernle – Pädagoge fast mehr noch denn Schriftsteller.[22] Des Pastoren-Vaters wütendes Verdikt gegen den aufsässigen Sohn »Aus Dir wird einmal ein ganz Roter« wurde offenbar zum Marschbefehl: 1909, nach Theologiestudium und dreimonatiger Vikarszeit, endet diese erste ›Lehrer‹-Laufbahn. »Er begründet dies damit, daß seine religiösen Anschauungen sich von unserer Glaubenslehre sehr entfernt haben«, heißt es im Landeskirchlichen Archiv.[23] 1910 ist er Mitglied der SPD; 1912 – auf Clara Zetkins Vorschlag – Redakteur der *Schwäbischen Tagwacht*; 1913 publiziert er in Clara Zetkins Zeitschrift *Gleichheit* und Lenins bevorzugter, von Julian Borchardt geleiteter marxistischer Zeitschrift *Lichtstrahlen*; seit 1915 erscheinen hier seine Oculi-Fabeln (nach seinem damaligen Pseudonym benannt), im selben Jahr tritt er der von Rosa Luxemburg, Karl Liebknecht, Franz Mehring gegründeten Gruppe ›Internationale‹ bei, die ab 1916 ›Spartakus‹ heißt: 1918 gehört er zu den ersten Mitarbeitern der *Roten Fahne*. Kommunist der ersten Stunde, proletarischer Dichter, Fachmann für Agrarwirtschaft und Pädagoge, ist sein Lebenslauf – Gefängnis, Illegalität, sowjetisches Exil, Kopf der Bodenreform in der damaligen Sowjetischen Besatzungszone Deutschlands – nahezu obligat, jedenfalls exemplarisch. Nicht nur der unabwendbare Otto Gotsche, sondern Walter Ulbricht selber leitete die offizielle Biographie ein: »Edwin Hoernle war ein Mensch von hohem Bildungsgrad, mit vielseitigen Anlagen und Neigungen, der bis in sein hohes Alter hinein ein lebhaftes Interesse für alle die Jugend angehenden Fragen bewahrte. Er hatte wesentlichen Einfluß auf die Herausbildung der Schul- und Erziehungspolitik der KPD, er machte sich um die marxistisch-leninistische Bildungsarbeit der Partei verdient und hatte nicht zuletzt auch einen bedeutenden Anteil an der sich in den zwanziger Jahren entfaltenden proletarischen Literatur in Deutschland. Seine Gedichte, Kampflieder, seine Fabeln und Erzählungen sind als wichtiger Bestandteil in die Literatur der deutschen Arbeiterklasse eingegangen.«[24]

Hoernles Gedichte sind deutlich keine Selbstfindungsprozesse, sondern Lenkungsversuche eines Menschen, der den Weg schon kennt und ihn anderen (den »Kindern«!) zeigen will. Zeilen wie Wieland Herzfeldes:

> »So trüb das Land, so müd und wund,
> Der Himmel tränenblind.
> Und Nebel tun mir schweigend kund,
> Daß wir verloren sind.«[25]

oder des frühen Johannes R. Becher:

> »Vier Tage, vier Nächte im Stacheldraht
> Schrie einer. Wir hörten nicht hin.
> Als es November 18 war
> Da wußte ich, wer ich bin.«[26]

solche Verse der zögernden Selbstsuche – wenn man so will: des Monologs – werden sich bei Edwin Hoernle schwerlich finden. Seine Gedichte sind Anrede, Belehrung, »Du nicht von Gott«-Protest auch:

> »Ich habe fremden Acker nur gepflügt
> Und nur gesät mit fremdem Samen,
> Mein müdes Weib war dienstbar müßigen Damen,
> Mein hungernd Kind hat Herrenkind gewiegt.
>
> Die Ernte führte ich in fremde Scheunen –
> Verdammt! Ich trag' nicht länger dieses Joch!
> Ich bin es doch,
> Der Brot geschafft – doch nicht den Meinen.
>
> Genug! Mein Schweiß schuf euch den Segen,
> Vergeltung schafft des Ackerknechtes Zorn!
> Auf! Drisch, o Faust, lebendig Korn –
> Wir Knechte werden jetzt die Tenne fegen!«[27]

Hoernles revolutionäres Wunschdenken soll nicht besinnlich, sondern begehrlich machen, er will nicht aufklären, sondern Besitz neu verteilen:

> »Das Gold der Freiheit wird durch deine Hände rinnen –
> Du reckst die ungebrochnen Glieder,
> Und krachend stürzen diese Kerkerzinnen.«[28]

Dieses Aktionsgebot hat oft die Simplizität des Lehrer-Schüler-Verhältnisses; einer weiß hier immer, wie alles gemacht werden muß. Walter Benjamin hat schon früh in seiner Rezension von Hoernles *Grundfragen proletarischer Erziehung* auf die Gefahr aufmerksam gemacht, die in einer Übertragung so simpler Belehr-Haltung liegt: »Trotzdem ist es nicht leicht, Hoernles Formulierung, daß die Erziehung der Kinder sich in nichts Wesentlichem von der erwachsener Massen unterscheide, ohne Vorbehalt hinzunehmen. So gewagte Erkenntnisse bringen es zum Bewußtsein, wie wünschenswert, ja nötig es gewesen wäre, das politische Exposé, das hier vorliegt, durch ein philosophisches zu ergänzen. Aber freilich: alle Vorarbeiten zu einer marxistischen, dialektischen Anthropologie des proletarischen Kindes fehlen. (Wie denn auch das Studium des erwachsenen Proletariers seit Marx nichts Wesentliches gewonnen hat.)«[29]

Hochinteressant, daß genau diese Mischung aus pädagogisch und revolutionär, dieses Strapazieren eines noch nicht vorhandenen ›wir‹ sich in den Arbeiten bürgerlicher ›linker‹ Autoren findet, gelegentlich bis zu wörtlichen Entsprechungen. Hans Lorbeers »Du Kamerad – warst du dabei?«[30] erinnert durchaus an Tucholskys »Bist du sein guter Kamerad und stehst an seiner Seite –?«.[31] Es ist der Ruf aus Jan Petersens »Genossen, wir rufen euch!«.[32] Und es ist jenes ›wir‹, das in der Realität nicht

da ist; so nimmt es nicht wunder, daß sich Verse von Gerhard Rieger nahezu weltfremd ansehen (so weltfremd übrigens wie die Gedichte Karl Liebknechts[33]):

> »Da haben wir beschlossen,
> Wir Proleten von Straße und Fabrik:
> Verbietet! Beschlagnahmt! Schießt!
> Wir lassen uns nicht verbieten!
> Wir sind nicht zu verbieten, Genossen!
> Wir haben das Recht auf die Straße.
> Wir halten die stählerne Front
> Der roten Heere geschlossen,
> Und werden uns die Straße erzwingen,
> Erzwingen! – –
> Genossen!«[34]

Sie lassen sich beispielsweise solchen des Anarchorebellen Erich Mühsam zur Seite
stellen, dessen »Fanal« gesellschaftlich und politisch ebensowenig abgesichert war:

> »Sklaven aller Länder, Knechte,
> Ausgebeutete der Welt!
> England kämpft um euere Rechte!
> Euer aller Würfel fällt!
> Helft die britischen Ketten brechen!
> Sperrt der Kohle den Kanal!
> Legt die Gruben still, die Zechen!
> Nieder mit dem Kapital!«[35]

Die KPD hatte 1930, also zu einer Zeit, als infolge der Arbeitslosigkeit und generellen Not viele Menschen sich ›radikalisierten‹, eine Mitgliederzahl von 136 000
im ganzen Reich (nach der Beitragsrechnung).[36] Die Stimmenzahl von mehreren Millionen bei Reichstagswahlen und der vergleichsweise große Propagandaapparat der
KPD legen den – falschen – Schluß nahe, es habe sich um eine organisatorisch oder
auch nur numerisch starke Partei gehandelt. Tatsächlich waren KP-Mitglieder in
den wichtigsten Produktionszentren kaum vorhanden, der ständige Ruf nach den
›Massen‹ ist wesentlich Appell; gelegentlich scheint die KP-Führung Opfer ihrer
eigenen optimistisch verfälschenden Propaganda gewesen zu sein. Auch die Version,
die KPD habe sich deswegen vor allem aus dem Heer der Arbeitslosen rekrutiert,
weil ihre Mitglieder in Krisenzeiten zuerst entlassen wurden, hält einer Überprüfung nicht stand; 1925, also auf dem Höhepunkt der Stabilisierungsphase und kei-
neswegs zu einer Krisenzeit, sieht eine Statistik für Berlin so aus:
Kleinbetriebe bis 50 Beschäftigte auf 6 Arbeiter 1 Kommunist
Kleinbetriebe von 50–100 Beschäftigte auf 24 Arbeiter 1 Kommunist
Mittelbetriebe von 100–500 Beschäftigte auf 49 Arbeiter 1 Kommunist
Mittelbetriebe von 500–1000 Beschäftigte auf 58 Arbeiter 1 Kommunist
Großbetriebe 1000–5000 Beschäftigte auf 137 Arbeiter 1 Kommunist
Großbetriebe 5000–10 000 Beschäftigte auf 189 Arbeiter 1 Kommunist[37]
Wilhelm Koenen gab auf einer Mitgliederversammlung 1931 in Halle dieses Bild:
»Im Leunawerk müßte bei den 11 000 bis 12 000 beschäftigten Arbeitern mindestens

eine Zelle von 600 bis 700 Kommunisten bestehen. Das wäre das mindeste. Aber wir haben nicht einmal dieses. Man schämt sich, es offen auszusprechen, wir haben im Leunawerk Null komma nischt.«[38] Und der sowjetische Spitzenfunktionär der Kommunistischen Internationale, Pjatnitzki, zog 1933 schließlich die kritische Bilanz aus der falschen Politik der vergangenen Jahre: »Man kann schätzungsweise annehmen, daß bis zum Hitlerumsturz die Zahl der in den Betrieben, und zwar nicht in den größten Betrieben, beschäftigten Kommunisten nicht mehr als elf Prozent der Gesamtzahl der Parteimitglieder ausmachte [. . .]. Der Partei ist es bis auf den heutigen Tag nicht gelungen, sich in den Betrieben Stützpunkte zu schaffen [. . .].«[39]

Diese Situation hat wesentlich auch mit den kulturpolitischen Bestrebungen der KPD zu tun, die sich ursprünglich auf Agitation beschränkte und Propaganda, gar literaturtheoretische Fragestellungen, ignorierte. Die Gründung des Bundes proletarisch-revolutionärer Schriftsteller – von Johannes R. Becher bezeichnenderweise mit sowjetischer Hilfe einer anfangs zögernden KP-Führung eher aufgenötigt – kann nur in diesem Zusammenhang richtig verstanden werden.[40]

Das betonte Bemühen, nun eine genuine proletarische Literatur nicht nur auszurufen, sondern inhaltlich zu definieren, die aggressive Abgrenzung gegen Literatur und Literaten des links-bürgerlichen Lagers (wie Tucholsky, Toller u. a.) ist Literatur*politik* im striktesten Sinne. Die vielzitierte Umfrage von Willy Haas' *Literarischer Welt* aus dem Jahre 1929 – »Was ist proletarische Literatur?« – ist signifikant für die Differenz etwa zwischen sozialdemokratischen ›Arbeiterdichtern‹ wie Bröger und einem kommunistischen proletarischen Lyriker wie Ginkel: »Karl Bröger schrieb: ›Meine parteipolitische Betätigung hat mit dem Dichter herzlich wenig zu tun. Gewiß: Ich scheue nicht zurück, wenn es gilt, die mir am Herzen liegende Tendenz zu verherrlichen. Dabei bin ich mir aber bewußt, daß diese Art von Dichtung recht selten „Dichtung" ist.‹ Emil Ginkel dagegen, dessen erster Gedichtband *Pause am Lufthammer* gerade in diesem Jahr 1929 erschien, antwortete der Redaktion: ›Neben meiner Arbeit in der Fabrik schreibe ich Agitation. Bei dem ernsthaften Versuch, damit dem anderen recht nahezukommen, habe ich heute eine Form gefunden, von der neuerdings Kritiker die Behauptung aufstellen, mein Werbematerial wäre zu einem dichterischen Ereignis geworden. Ich selbst weiß darum nicht. Somit kann ich mich auch nicht jenseits meiner parteipolitischen Bestätigung als proletarischer Dichter fühlen.‹«[41]

Dieses Konzept des Autors als Parteiarbeiters – mit gleicher Betonung auf beiden Wortgliedern – wird besonders deutlich in der Entwicklung der Arbeiterkorrespondentenbewegung: der Arbeiterkorrespondent sollte ja beides sein, Agitator im Betrieb, Kern der Zelle *und* Nachrichtengeber über Betriebsereignisse für eine zu mobilisierende Öffentlichkeit. Er verstand sich als der ideologische Transmissionsriemen einer übergeordneten Kollektivität, Initiator eines großen ›Wir‹, aber bereits schöpfend aus Gemeinsamkeit. Die von Becher wesentlich mitbestimmte *Linkskurve*, Organ des BPRS, förderte diese Betriebsliteratur – ob Lyrik, Prosa oder Reportagen – anfangs besonders stark; dieses Eingehen in die und gleichzeitige Hervorkommen des Individuums aus der Gemeinschaft war Prototyp der neuen Literatur.

Eine sonderbar künstliche, pathetische Beziehung zu jenem Wunschziel-›Wir‹, eine bemühte Dialoghaltung, findet sich allenthalben bei Becher. In seinem berühmten ersten Gruß-Gedicht an die junge Sowjetunion sagt er noch ›ihr‹:

> »Ihr werdet hart sein! Und sehr unerbittlich.
> Und nicht vergessen! Wahret euer Recht.
> Wälzt um! Befreit! Und dann erst –: wahrhaft friedlich
> Erhöbe sich das göttliche Geschlecht.«[42]

Bald wird das jedoch schon zum Jubelruf des ›Wir‹: »Wir sind es, wir. Das Proletariat! / [. . .] / Masse ist Macht!«[43]

Jenes zweite Element, von dem als Substanz der proletarischen liedhaften Lyrik die Rede war – das Utopisch-Hymnische –, findet sich bei Becher besonders klar ausgeprägt; es ist die Hymnik der Revolution, Eschatologie; und es ist die Utopie vom Eingehen des Individuums ins ›namenlose‹ Kollektiv.[44] Das nun findet in verquerer Dialektik eine spiegelverkehrte Entsprechung bei jenen Mitstreitern Bechers, die er im BPRS förderte bzw. als Dichter neuer Qualität feierte. Genauere Betrachtung legt nämlich unter der scheinbar revolutionären Haltung dieser Lyrik privatistische Züge frei; wie in der Prosa von Bredel, Marchwitza oder Schönstedt, so ist auch in den Kampfliedern dieser proletarischen Schriftsteller eher eine Weg-Bewegung als eine Hin-Bewegung zu beobachten: weg von Fabrik und Arbeitswelt, hin zur Kleinzelle Liebe und Familie, zur Natur. Der hymnische Idylliker Becher verrät sich sofort, wenn er genauer auf proletarische Literatur eingeht. Walter Bauers in zahlreichen Anthologien nachgedrucktes Gedicht »Arbeiter zieht ein reines Hemd an«[45] wird von ihm so analysiert:
»Das Erlebnis von der Schönheit des reinen Hemds durchdringt das ganze Gedicht und macht es selbst schön und rein und gibt auch manchem die Freude wieder, wenn er sie vergessen haben sollte, an der Schönheit eines reinen Hemdes. Das Gedicht läßt uns den Arbeiter sehen auf seiner Heimfahrt mit seinem kleinen Licht am Rade und der am Band klappernden Kaffeeflasche. Ja, das Nebelhorn hat seinen Schrekken verloren, er hört es nur noch ganz fern, von Müdigkeit umspült, und ohne Angst und Bangen tritt er in die Pedale: die Schicht ist aus, es geht ihn nichts mehr an. Und nun erwärmt ihn die Geborgenheit der Stube, wo ihm die gute Frau alles, wie er es gewohnt ist, hingestellt hat und ihm die Müdigkeit erhellt mit Wasser, Seife, Tuch. Das Hemd, das ganz schwarz geworden ist, wird abgestreift, und er wäscht sich ganz, und er glaubt, ›soviel Blut und zäher Dreck geht auch mit scharfer Seife nicht mehr gänzlich weg, sitzt schwer am Herzen fest‹. Und jetzt hat im Sonnabend schon der Sonntag begonnen (im Heute das Morgen), indem er ein reines Hemd anzieht. Und der Dichter zeigt uns, wie der Mann es zuknöpft, sorgsam es in die Hosen hineinstopft, und dann fühlt er den Stoff an seinem Leib. Er ist ganz rein, er ist vollkommen rein. Nun sitzt er schon am Tisch, auf dem das Essen steht. Er stützt die Arme auf, es ist schön und still um ihn her, und diese Schönheit und Stille um ihn her breitet der schöne, saubere Stoff aus, den er jetzt als Hemd am Leibe trägt. Die ganze Stube, das Essen und seine Frau, sie spüren es mit, während er jetzt langsam ißt: sein Hemd ist rein.«[46]
Statt Bauern-Breughel ein Menzel-Bild, statt gesteiltes O-Mensch-Pathos aus Anti-

kriegsemotion eine nahezu sittsame Kollwitz-Lithographie – eine »Ballade von gesellschaftlicher Produktion und individueller Aneignung« (wie der Titel eines Gedichts von Stefan Faber heißt)[47] wird hier nicht gesungen. Tatsächlich dominieren
zwei nur scheinbar widerläufige, realiter sich aber bedingende ›Handlungsstränge‹
viele proletarische Gedichte. Klage, Wut und Vorwurf gegen den geldscheffelnden,
genußsüchtigen Unternehmer – und Rückzug ins Private. Max Zimmerings »Das
Fließband« etwa, das 1930 den Lyrikpreis der *Linkskurve* erhielt, begnügt sich mit
der Deklamation: »Der Herr steckt Dividenden ein / [...] / Der Reiche schluckt die
Rente«, das Fließband, heißt es bezeichnenderweise, »nimmt uns Kraft und Willen«.[48] Emil Ginkels bekanntes »Fitschgetau« (ein dem Geräusch des Bandstuhls
nachgeahmtes Wort) hat als emotionale Hauptachse den Satz »Denk an die Kinder,
denk an die Frau«.[49] Zahlreiche Gedichte, Wilhelm Tkaczyks »Ich weiß«, Helmut
Weiß' »Bauernlied«, ja auch Friedrich Wolfs »Arbeiternot ist Bauerntod«[50], geben
diese Haltung des Aufmuckens – mehr nicht. Gelegentlich liest sich diese revolutionäre Lyrik wie Vor-Vormärz-Literatur, die einzig progressive Bewegung ihrer Autoren scheint das – Schreiben zu sein. Trotz des so oft betonten »meine Dichtungen
sind Nebenprodukte kommunistischer Parteiarbeit«[51] scheinen viele Autoren sich
eher aus ihrer Realität ›heraus‹zuschreiben. In einem Gedicht Hans Marchwitzas
heißt es:

> »Ich höre nicht –
> Ich schreibe!
> [...]
> Ich fühle nicht –
> Ich schreibe.«[52]

Hans Lorbeer hat Jahrzehnte später, in einem Interview zu seinem 70. Geburtstag,
ganz offen zugegeben, daß er die Arbeiter nicht mehr kennt.[53] Gerade seine Arbeiten zeigen die sozialen Bezüge eher als Applikation denn als strukturgesetzlichen
Bestandteil, ob Lorbeer das nun als »soziales Wandern« retten will oder es für
keinen Zufall hält, »daß sich bei mir die Landschaft, das Leben der Natur eng mit
den sozialen Problemen verflechten, die mir am Herzen liegen. Im Grunde verstehe ich meine ganze Entwicklung als Ausdruck dafür, wie Menschen geformt werden durch die Veränderungen, die die Landschaft erfährt, in der sie und mit der sie
leben. Das scheint mir ein Problem zu sein, mit dem wir uns viel zu wenig beschäftigen.« Was er gibt, ist knapp Aufruf; eher »Zuspruch«:

> »Doch wenn du leben willst, mein Kind,
> dann pfeife auf die Rederei vom Leben!
> Das Leben selbst wird dir viel bessere Dinge geben,
> die nicht vereinsamend, die stärkend sind: –
> Erleben, Kampf, Wald, Wolken, Licht und Wind.«[54]

Die kommunistische Kritikerin Frida Rubiner hat, auch wenn es von ihr positiv gedeutet wurde, schon 1929 diesen Zug zum Lyristischen bei Lorbeer erkannt: »Der
junge Hans Lorbeer ist ein Dichter. Schildert er, Prolet und Revolutionär, den
dunklen Hof der Fabrik mit den überragenden Schloten, so zeigt er noch ein Stückchen Himmel dazu; durch das Dröhnen der Maschinen im Fabriksaal hört er noch

das Rauschen des Windes, und in der größten Not und Pein seiner ›Helden‹ kann er nicht das Schreien der Vögel und das Glühen des Abendrots vergessen. Auch von den Menschen weiß er nicht allein das zu erzählen, was sie tun und lassen, sondern immer schwingt da ein Unterton von Seelenregung mit, ein kleines bißchen Lyrik schiebt der Erzähler selbst dort noch unter, wo die Wirklichkeit grau in grau ist.«[55] Daß Lorbeer aus seinem Autorendilemma den – bezeichnenderweise von Becher angeratenen – Ausweg in die Historie fand, ist gewissermaßen konsequent; der konzipierte Roman über Luther (nicht Münzer!) umfaßt gleichsam beides – Familie als Volk, Natur als Geschichte.

Trotz der stark deklamatorischen Züge bleibt vieles an dieser Lyrik inhaltlich unspezifisch. Formuliert wird die Freiheit *von* etwas (von Ausbeutung, Entrechtung), kaum je die Freiheit *zu* etwas; Arbeit bleibt Last, nicht neue Möglichkeit eines neuen Menschen. Dieses gewisse inhaltliche Vakuum, die Reduktion auf erlebte Herr-und-Knecht-Wirklichkeit ohne Reflexion mag auch Erklärung dafür sein, daß verschiedene der ›Arbeiterdichter‹, meist Mitglieder der SPD, gelegentlich gar Funktionäre, extremen politischen Wandlungen offen waren. Schon 1914 ertranken einige – wie Karl Bröger, Gerrit Engelke, Heinrich Lersch – im Wilhelminischen Patriotismus; ›Deutschlands ärmster Sohn‹ sollte nun auch sein ›getreuester‹ sein. Das Überlaufen Max Barthels zu den Nazis war dann lediglich die Konsequenz aus emotionalem, nicht rationalem Engagement.[56]

Das inhaltlich Vage bei aller vorgeblichen Konkretheit hat aber noch einen anderen Effekt. Der Autor dieser proletarisch-revolutionären Lyrik sieht sich ja mehr als Stellvertreter denn als Individuum. So löst er den missionarischen, agitatorischen, aktivierenden Impetus häufig auf ins Kollektive. Ins Formale übersetzt heißt das: ins Chorische. Nun zeigt sich aber eines, übrigens bis ins musikalische Detail: Immer da, wo die Balance Individuum–Kollektiv gänzlich außer acht gelassen bleibt, entsteht proletarisches Schunkellied; immer da, wo das Subjekt vorhanden ist, eingegliedert, aber wahrnehmbar als einzelnes innerhalb eines Ganzen, entsteht revolutionäres Volkslied. Was diesen Ärgerniskern, diese Widerstandsgräte des einen nicht hat, greift nicht nur schwer nach allen, sondern ist auch leicht umzustöpseln. So manches ›revolutionäre‹ Lied wurde mühelos von der SA adaptiert, der berühmte (anonym verfaßte) »Kleine Trompeter«[57] wurde schnell vom »Lustigen Rotgardistenblut« zum »Lustigen Arbeiterblut« – und war schon konsumierbar. Mehr noch, das Bemühen um Entindividualisierung geht so weit, daß der später so unrühmlich obligate ›unbekannte Dichter‹ schon in der revolutionären Arbeiterbewegung auftaucht – Walter Bauers »Leuna-Lied« erhält noch 1967 in einer Ostberliner Sammlung das Kennzeichen: »Worte: unbekannt.«[58]

Das signalisiert nicht bloß Austauschbarkeit. Es stellt auch die Frage nach dem literarischen, damit politischen Konzept. Die Frage heißt: Brecht oder Weinert.

Erich Weinert, ursprünglich Zeichenlehrer und kurz nach dem Krieg mit frechen Chansons Debütant im Künstler-Kaffee von Berlins Budapester Straße – dem KüKa –, schrieb bald in mehr als vierzig Blättern unter wechselnden Pseudonymen (wie Pius oder Erhard Winzer)[59] und trat in Tausenden von Arbeiterversammlungen als Rezitator eigener Texte auf[60] – der »revolutionäre Sprechdichter« der Nation.[61] Weinert denunzierte expressis verbis den traditionellen Begriff des Autors, wollte am liebsten seine Arbeiten überhaupt nicht drucken lassen (außer auf Flugblättern, keineswegs in Büchern),[62] suchte nicht Leser, sondern Resonanz. Weinert wollte nicht etwas sich von der Seele schreiben, sondern wollte aus den Herzen aller sprechen. Das macht Würde und Schwäche seiner Arbeiten aus; jene Balance ist wohl durchweg vernachlässigt – der Autor als Membrane:

»Den Anspruch, Kunst zu sein, haben die meisten meiner Gedichte gar nicht gemacht; sie genügten, wenn sie aufklärten, überzeugten und dem Schwankenden Richtung gaben. Wenn sie beim Vortrag die stürmische Zustimmung: So ist es! fanden, so hatten sie ihre politische Mission erfüllt. Nicht selten trug ich ein Gedicht nur ein- bis zweimal vor, dann war sein Anlaß bereits von neuen Geschehnissen überschattet.

Hätte ich alles, was ich geschrieben und vorgetragen habe, in der nötigen Muße ausreifen lassen können, damit es als Kunstkristall vor den ›Akademikern‹ bestehen könne, so würde ich mich um tausend aktuelle, unmittelbare Wirkungen gebracht haben. Und auf diese kam es ja an, weit mehr als darauf, den Hörern Kunstwerke zu präsentieren.«[63]

Das ist richtig und falsch zugleich. Richtig, wenn man die Weinertsche Vers-Wochenrechnung, den Propagandavers, die Losung, den gereimten Kommentar zum Tagesereignis sui generis nimmt. Der enorme Erfolg seiner Veranstaltungen, ob in bekannten Szenenfolgen wie der »Roten Revue« (1924) oder in Sälen und auf Massenveranstaltungen, spricht für sich. Das Gedicht als kürzere Formel für die Stimmung des Tages, die leicht verständliche Reimparole statt des langweiligen Referats, das waren zweifellos wirksame Agitationsformen. Literaturtaktik sozusagen – nicht Literaturpolitik.

Über diesen Anspruch hinaus nämlich greifen diese Arbeiten nicht. Selbst die berühmt gewordenen Wortspiele vom »Antisemeeting« oder von der »Duisbourgeoisie« verkalauern mit der Zeit. (Kein Zufall, daß die zehnbändige Ostberliner Weinert-Ausgabe fast jedes Gedicht mit einem Zeitkommentar versieht – ohne den Zeitbezug, als dessen aggressive Erläuterung sich die Verse ja verstehen, ist kaum eine Arbeit von Weinert verständlich.) Paraphrasen wie »Alle Redner stehen still, wenn der liebe Gott es will« klingen arg bemüht. Daß sie, und hier liegt die Crux, doch Produkt eines *Kunstwollens* sind, zeigt die lange Überlegung gerade zu diesem Herwegh-Vers.[64] Es ist nämlich, trotz der bekannten Tatsache, daß Weinert Formulierungen seiner Verse während des Vortrags änderte, den Text kürzte oder Verszeilen improvisierte,[65] ein Mißverständnis, in Weinert ein ungebildetes Rauh-Rotkehlchen zu sehen. Seine Tagebücher zeigen Überlegungen sensibelster Intelligenz, etwa zu Herders Gedanken über die Sprache oder über »das Wiedereinführen veralteter Worte« in Lessings »Über Logau«.[66]

Die Integrität des politischen Kämpfers Erich Weinert, in der sowjetischen Emigration Gründer des Nationalkomitees Freies Deutschland und noch in den schlammigen Eislöchern vor Stalingrad mit dem Megaphon zu jenen hinüberargumentierend, die er ja schon einmal nicht erreicht hatte – die Lauterkeit steht außer Frage; nach der Artistik seiner Verse zu fragen, heißt vielleicht die falsche Frage stellen.

Sie waren vielleicht in jenem Sinne volkstümlich, den Brecht einer Anekdote zufolge meinte, als er sagte, »das Volk ist nicht tümlich«. Brechts Annäherungen ans Kollektiv-Chorische, mögen sie nun Song, Ballade oder Lied heißen, unterscheiden sich durch eine spezifische Härte. Die klingt sogar noch in seiner spöttischen Selbstpersiflage, der »Ballade vom Reichstagsbrand«, an:

> »Als der Trommler dreizehn Jahre
> Aller Welt verkündet hat
> Die Verbrechen der Kommune
> Fand noch immer keines statt.«[67]

Aber auch in den anderen unvergeßlichen Liedern Brechts sind Härte-Sätze, die sich wohl deshalb so einprägen, weil sie aus Verletzlichkeit kommen. »Wessen Welt ist die Welt?«, der letzte Satz des »Solidaritätslieds«,[68] braucht keinen Kommentar, das gilt bis Vietnam, das wuchert im Hörer. »Und weil der Mensch ein Mensch ist, drum braucht er was zum essen, bitte sehr«, die erste Zeile des »Einheitsfrontlieds«,[69] ist Bitte wie Forderung, damit so spröde wie reich. Das Unbestimmte ist das Konkrete.

Anmerkungen

1. Ein zusammenfassendes Standardwerk zum Thema existiert auch in der DDR nicht. An der Deutschen Akademie der Künste (Ost-Berlin) arbeitet seit Jahren eine »Forschungsgruppe proletarische Literatur« unter Leitung von Alfred Klein. Als Vorarbeiten bzw. Teilresultate können wohl folgende Publikationen gewertet werden: *Zur Geschichte der sozialistischen Literatur 1918 bis 1933*. Berlin 1963; *Literatur der Arbeiterklasse*. Aufsätze über die Herausbildung der deutschen sozialistischen Literatur 1918–1933. Berlin 1971. (Erweiterte Fassung des erstgenannten Titels.); Friedrich Albrecht: *Deutsche Schriftsteller in der Entscheidung*. Berlin und Weimar 1970; *Proletarisch-revolutionäre Literatur 1918–1933*. Berlin 1962; *Skizze zur Geschichte der deutschen Nationalliteratur von den Anfängen der deutschen Arbeiterbewegung bis zur Gegenwart. Weimarer Beiträge*, H. 5. 1964; *Zur Tradition der sozialistischen Literatur in Deutschland*. Eine Auswahl von Dokumenten. Berlin und Weimar ²1967; *Aktionen, Bekenntnisse, Perspektiven*. Berichte und Dokumente vom Kampf um die Freiheit des literarischen Schaffens in der Weimarer Republik. Berlin und Weimar 1966; *Wir sind die Rote Garde*. Sozialistische Literatur 1914–1935. Hrsg. von Edith Zenker. 2 Bde. Leipzig 1967.
2. Kurt Pinthus: »Zuvor«. Einleitung zu *Menschheitsdämmerung*. Ein Dokument des Expressionismus. Neuausgabe: Hamburg 1959. S. 26.
3. ebd., S. 26 und 34.
4. Siehe Rudolf Leonhard: *Der Weg und das Ziel*. Prosaschriften. Berlin [Ost] 1970. S. 138.
5. ebd., S. 30. Allerdings gab er schon 1914 diesen Gedichten den Vorspruch: »Im Taumel der ersten Wochen geschrieben – / Der Rauch ist verdunstet, die Kraft geblieben – / Wir werden uns wieder besinnen und lieben –«. Auch lehnt Leonhard die Teilnahme an einem Offizierskursus ab. Vgl. ebd., S. 11.
6. Vgl. *Erich Mühsam Sammlung*. Berlin 1928. S. 217. – Auch Carl von Ossietzky nahm zu dem Vorgang im März 1913 empört Stellung. Siehe seinen Artikel »Das Erfurter Urteil«. In: *Das freie Volk*, 5. Juli 1913. Neudruck in: *Schriften I*. Berlin und Weimar 1966. S. 26.
7. Vgl. »Hymne an eine Zeitungsverkäuferin« und »Arbeiter und Arbeiterinnen«. Beide in: Rudolf Leonhard, *Ein Leben im Gedicht*. Berlin [Ost] 1964. S. 53 und S. 104.
8. »Aus den Schlachten«. Ebd., S. 25.
9. »Die Einzelnen«. Ebd., S. 106.
10. »Rettet die Kinder!« Ebd., S. 107.
11. »An den Matrosen«. Ebd., S. 114.
12. »An einen aus der Besatzung der Zeitungsgebäude«. Ebd., S. 113.
13. »An Spartakus«. Ebd., S. 93.
14. »Der Weg und das Ziel«. Ebd., S. 68.
15. »Der tote Liebknecht«. Ebd., S. 48.

16. *Proletarisch-revolutionäre Literatur 1918–1933.* S. 28.
17. *Wir sind die Rote Garde.* Bd. 1. S. 65.
18. Vgl. Hans Mayer: »Die Literatur der DDR und ihre Widersprüche«. In: *Zur deutschen Literatur der Zeit.* Reinbek 1967. S. 384. »Die Nationalhymne malt einen Zustand aus, wo ›die Sonne, schön wie nie, über Deutschland scheint‹. Man ist wieder bei den Visionen des Gedichts von Preißler vom schöneren Gesang der Stare in einer nicht mehr antagonistischen Gesellschaft. Die Zukunft hat Märchencharakter angenommen: auch bei Becher. Die Natur befindet sich in einem neuen Zustand der Harmonie. Die sozialistische Gesellschaft als das neue Arkadien.«
19. »Thälmann-Lied«. In: *Mit Gesang wird gekämpft.* Lieder der Arbeiterbewegung. Berlin [Ost] 1967. S. 132. Am 14. Juni 1956 druckte die [Ost]»Berliner Zeitung« dazu folgenden Kommentar: »Der Dichter des Thälmann-Liedes, dessen Kehrreim ›Stimme und Faust der Nation‹ ich für unangemessen erachte, ist mir persönlich nur von einigen flüchtigen Begegnungen im größeren Kreise her bekannt. Er hat hohe Ehren genossen und genießt weites Ansehen. Sein ›Thälmann-Lied‹ wird bei uns von Millionen junger Menschen gesungen. Gerade darum bedarf es des Einspruches. Denn da heißt es: ›Deutsch unsere Flure und Auen‹ / Bald strömt der Rhein wieder frei. / Brechen den Feinden die Klauen, / Thälmann ist immer dabei.‹ Nein, nein und nochmals nein! Stimme und Faust bedeuten Ausreden für Marktschreier, Demagogen und Schläger, ehrwürdige Vorkämpfer des Sozialismus sind anderes und mehr. Sie sind Fürsprech, Mahner, Gewissen ihres Volkes. Will man denn nicht endlich zur Kenntnis nehmen, daß Form und Inhalt einander bedingen, daß man sozialistischen Inhalt nicht mit dem Wortschatz der SA-Horden zum Ausdruck bringen kann, daß schlechte Wortbilder (Metaphern) schiefem Denken entsprechen, daß großsprecherischer Schwulst nicht männliche Entschlossenheit bedeutet, sondern Unfähigkeit, einen Gedanken in unserer schönen deutschen Sprache zu formen?« (Zitiert nach Alfred Kantorowicz: *Deutsches Tagebuch.* Bd. 2. München 1961. S. 665. Kantorowicz zitiert eine frühere Fassung des Liedes.)
20. »Fahneneid der Roten Soldaten«. In: *Wir sind die Rote Garde.* Bd. 1. S. 313.
21. »Genossen!« Ebd., S. 317.
22. Bezeichnenderweise taucht der Pädagoge Hoernle auch gelegentlich in bundesrepublikanischen Publikationen auf, natürlich in Walter Benjamins »Kritiken«-Band (Frankfurt a. M. 1972), aber auch als Beiträger des Bandes *Sozialistische Erziehung* (Hamburg 1972). Schließlich existiert ein Nachdruck seines Hauptwerkes *Grundfragen proletarischer Erziehung* (Darmstadt 1968).
23. Unveröffentlichter Lebenslauf Edwin Hoernles. Zitiert nach: *Edwin Hoernle, ein Leben für die Bauernbefreiung.* Berlin [Ost] 1965. S. 14.
24. ebd., S. 6.
25. »Brief aus Flandern«. In: *Wir sind die Rote Garde.* Bd. 1. S. 60.
26. »Chronik«. Ebd., Bd. 1. S. 15.
27. »Landarbeiter im Streik«. Ebd., Bd. 1. S. 385.
28. »Der Morgen«. Ebd., Bd. 1. S. 148.
29. »Eine kommunistische Pädagogik«. Neudruck in: *Gesammelte Schriften.* Bd. 3. Kritiken und Rezensionen. Frankfurt a. M. 1972. S. 208 f.
30. »Zehn Jahre Kommunistische Partei«. In: *Wir sind die Rote Garde.* Bd. 2. S. 18.
31. »Fragen an eine Arbeiterfrau«. In: *Gesammelte Werke.* Bd. 2. Reinbek 1960. S. 1123.
32. *Wir sind die Rote Garde.* Bd. 2. S. 165.
33. Vgl. z. B. sein Gedicht »Sturm«. Ebd., Bd. 1. S. 66 und S. 67.
34. »Das Recht auf die Straße«. Ebd., Bd. 2. S. 34.
35. »Generalstreik«. Ebd., Bd. 1. S. 468.
36. Siehe *Geschichte der deutschen Arbeiterbewegung.* Bd. 4. Berlin [Ost] 1966. S. 310.
37. Hans Dieter Heilmann und Bernd Rabehl: »Die Legende von der ›Bolschewisierung‹ der KPD II«. In: *Sozialistische Politik*, H. 10. Februar 1971. S. 26.
38. ebd., S. 28.
39. ebd.
40. Zu diesem Themenkomplex liegt inzwischen umfangreiche Literatur vor. Vgl. vor allem Helga Gallas: *Marxistische Literaturtheorie.* Neuwied 1971.
41. zitiert nach Klaus Kändler, Nachwort zu: *Wir sind die Rote Garde.* Bd. 2. S. 260.
42. »Gruß des deutschen Dichters an Russische Föderative Sowjet-Republik«. Ebd., Bd. 1. S. 72.
43. »Massen«. Ebd., Bd. 2. S. 19 f.
44. »Als namenloses Lied durchs Volk zu gehen«: Vorstellungen dieser Art durchziehen Bechers

Werk. *Auswahl in sechs Bänden.* Dichtung. 2. Teil. Berlin 1952. S. 222. – »Dem Volk ein Lied geben – was kann es Höheres geben für einen Dichter. Als Namenloser ins Volk eingehen und von ihm als Lied weitergetragen werden: das ist wahrer Ruhm und das ist Unsterblichkeit.« In: »Tagebuch 1950. Auf andere Art so große Hoffnung.« Ebd., Bd. 6. S. 120.

45. In: Walter Bauer, *Stimme aus dem Leunawerk.* Berlin 1930. S. 137.
46. Johannes R. Becher: *Das poetische Prinzip.* Berlin [Ost] 1957. S. 117.
47. *Wir sind die Rote Garde.* Bd. 1. S. 335.
48. ebd., S. 342.
49. ebd., S. 339.
50. ebd., S. 336, 367, 385.
51. Edwin Hoernle. Zitiert nach: *Proletarisch-revolutionäre Literatur 1918–1933.* S. 58.
52. *Wir sind die Rote Garde.* Bd. 1. S. 487.
53. Dieter Heinemann: »Interview mit Hans Lorbeer«. In: *Weimarer Beiträge,* H. 12. 1971. S. 62 f. Die folgenden Zitate auf S. 66 und 65.
54. *Chronik in Versen.* Gedichte I. Halle 1971. S. 40.
55. *Weimarer Beiträge,* H. 12. 1971. S. 64.
56. Max Barthel veröffentlichte im Mai 1933 im *Angriff* einen »Brief an Freunde, die über die Grenze gingen«. Alexander Abusch antwortete ihm in einem – zuerst illegal zirkulierenden – Offenen Brief, den die Basler Zeitschrift *Unsere Zeit* am 15. Juli 1933 publizierte. Neudruck in: *Wir sind die Rote Garde.* Bd. 2. S. 191 f.
57. abgedruckt in: *Mit Gesang wird gekämpft.* S. 52.
58. ebd., S. 41.
59. Vgl. Erich Weinert: *Prosa, Szenen, Kleinigkeiten,* Berlin [Ost] 1960, S. 8, und *Das Zwischenspiel,* Berlin [Ost] 1953, S. XX.
60. Vgl. Erich Weinert: *Ein Dichter unserer Zeit.* Berlin [Ost] 1960. S. 17 f.
61. Weinert nannte sich selber so. Vgl. »Zehn Jahre an der Rampe«. Ebd., S. 9.
62. Vgl. sein Vorwort »Gedichte als Partisanen« zu dem Band: *Rufe in die Nacht.* Gedichte aus der Fremde 1933–1943. Berlin [Ost] 1947. S. 5 f.
63. »Zehn Jahre an der Rampe«. In: *Ein Dichter unserer Zeit.* S. 20.
64. *Ein Dichter unserer Zeit.* S. 53 f.
65. Vgl. *Proletarisch-revolutionäre Literatur 1918 bis 1933.* S. 47.
66. *Erich Weinert. Dichter und Tribun 1890–1953.* Berlin und Weimar 1965. S. 109 und S. 111 ff.
67. zitiert nach: *Wir sind die Rote Garde.* Bd. 2. S. 185.
68. Bertolt Brecht: *Gedichte 1930–1933.* Frankfurt a. M. 1961. S. 222.
69. Bertolt Brecht: *Gedichte 1934–1941.* Frankfurt a. M. 1961. S. 37.

Literaturhinweise

Zitierte Werke

Johannes R. Becher: *Auswahl in 6 Bänden.* Berlin [Ost] 1952.
– *Lyrik Prosa Dokumente.* Eine Auswahl. Wiesbaden 1965.
Edwin Hoernle: *Ein Leben für die Bauernbefreiung.* Berlin [Ost] 1965.
Rudolf Leonhard: *Der Weg und das Ziel.* Prosaschriften. Berlin [Ost] 1970.
– *Ein Leben im Gedicht.* Berlin [Ost] 1964.
Hans Lorbeer: *Gesammelte Werke in Einzelausgaben.* Hrsg. von Gerd Noglik. Halle 1971.
Mit Gesang wird gekämpft. Lieder der Arbeiterbewegung. Berlin [Ost] 1967.
Wilhelm Tkaczyk: *Der Tag ist groß.* Dichtungen und Nachdichtungen. Halle 1972.
Erich Weinert: *Gesammelte Werke.* Hrsg. im Auftrage der Deutschen Akademie der Künste von Li Weinert unter Mitarbeit von Alfred Kantorowicz. Berlin [Ost] 1955. (Die einzelnen Bände der 9bändigen Ausgabe sind nicht numeriert. Ab 1957 änderte sich das Impressum: Hrsg. im Auftrag der Deutschen Akademie der Künste zu Berlin von Li Weinert unter Mitarbeit von Ursula Münchow.)
Wir sind die Rote Garde. Sozialistische Literatur 1914–1933. Hrsg. von Edith Zenker. 2 Bde. Leipzig 1967.

Quellen und Forschungsliteratur

Aktionen Bekenntnisse Perspektiven. Berichte und Dokumente vom Kampf um die Freiheit des literarischen Schaffens in der Weimarer Republik. Berlin und Weimar 1966.

Friedrich Albrecht: *Deutsche Schriftsteller in der Entscheidung.* Berlin und Weimar 1970.

Anklage und Botschaft. Die lyrische Aussage der Arbeiter seit 1900. Hrsg. von Friedrich G. Kürbisch. Hannover 1969.

Johannes R. Becher: Primär- und Sekundär-Bibliographie in: *Sinn und Form.* 1. und 2. Sonderheft Johannes R. Becher. o. J.

Erobert die Literatur! Proletarisch-revolutionäre Literaturtheorie und -debatte in der Linkskurve 1929–1932. Hrsg. von Frank Rainer Scheck. Köln 1973. (pocket 49.)

Dieter Heinemann: »Interview mit Hans Lorbeer«. In: *Weimarer Beiträge,* H. 12. 1971.

Alfred Klein: *Im Auftrag ihrer Klasse.* Weg und Leistung der deutschen Arbeiterschriftsteller. Berlin [Ost] 1972.

Literatur der Arbeiterklasse. Aufsätze über die Herausbildung der deutschen sozialistischen Literatur 1918–1933. Berlin [Ost] 1971. (Es handelt sich hier um eine erweiterte Fassung von: *Aktionen Bekenntnisse Perspektiven.*)

Kurt Pinthus: »Zuvor«. Einleitung zu: *Menschheitsdämmerung. Ein Dokument des Expressionismus.* Hamburg 1959.

Proletarisch-revolutionäre Literatur. Berlin [Ost] 1962.

Skizze zur Geschichte der deutschen Nationalliteratur von den Anfängen der deutschen Arbeiterbewegung bis zur Gegenwart. In: *Weimarer Beiträge,* H. 5. 1964.

Texte der proletarisch-revolutionären Literatur Deutschlands 1919–1933. Hrsg. von Günter Heintz. Stuttgart 1974. (Reclams Universal-Bibliothek Nr. 9707–11.)

Erich Weinert: *Dichter und Tribun 1890–1953.* Berlin und Weimar 1965.

Zur Geschichte der sozialistischen Literatur 1918–1933. Berlin [Ost] 1963.

Zur Tradition der sozialistischen Literatur in Deutschland. Eine Auswahl von Dokumenten. Berlin und Weimar ²1967.

CHRISTOPH RÜLCKER

Proletarische Dichtung ohne Klassenbewußtsein. Zu Anspruch und Struktur sozialdemokratischer Arbeiterliteratur 1918–1933

Im Zusammenhang mit der sich entwickelnden bürgerlichen Literatur ist schon relativ früh darauf hingewiesen worden, daß ihre Produzenten im allgemeinen »in allem was zu den Arbeiten der niedern Klassen gehört, unwissend« und nicht in der Lage sind, deren Probleme zutreffend darzustellen.[1] Nimmt man hinzu, daß andererseits die unteren Schichten ihren Erfahrungen gegenüber zumeist literarisch stumm sind und nur selten Zugang zum etablierten Kulturbetrieb erlangen, so wundert es nicht, wenn in der bürgerlich-literarischen Tradition Charaktere der mittleren und oberen Schichten vorherrschen, während die besonderen Lebensumstände der sozial unterprivilegierten Klassen, der Arbeiter also, dagegen weitestgehend fehlen.

Allerdings kann nicht übersehen werden, daß sich in Deutschland seit den vierziger Jahren des 19. Jahrhunderts doch eine Arbeiterdichtung im weitesten Sinne entwickelt hat. Zu ihr rechnen einmal so durchaus bürgerliche Autoren wie Georg Weerth, Ferdinand Freiligrath, Georg Herwegh, Gerhart Hauptmann und Richard Dehmel, soweit sich ihre Werke thematisch wie stofflich an der Welt der Arbeiter orientieren. Zum zweiten sind hier aber auch jene Literaturprodukte einzuordnen, die – in der Bundesrepublik kaum mehr bekannt – im Bereich der DDR betont als das eigene Kulturerbe der Arbeiterklasse rezipiert werden. Es handelt sich dabei in erster Linie um die revolutionären Arbeitervolkslieder (z. B. »Weberlied«, »Lied von Robert Blum«), »die von den arbeitenden Menschen selbst verfaßt wurden und – vielfach als Flugblatt gedruckt – große Verbreitung fanden.«[2] Daneben ist in diesem Zusammenhang auch an die Parteilieder der entstehenden organisierten Arbeiterbewegung zu denken (z. B. »Arbeiter-Marseillaise«, »Wer schafft das Gold zutage«, »Sozialistenmarsch«).

I

Aus diesem Gesamtkomplex eines sich auf das Proletariat beziehenden Schrifttums gliederte sich freilich mit Beginn des Ersten Weltkrieges eine gesonderte literarische Strömung aus, die im engeren Sinne als Arbeiterdichtung bezeichnet und unter diesem Namen zugleich auch dezidiert von anderen Erscheinungsweisen sozialistischer Literaturproduktion abgehoben wurde. Zwischen 1914 und 1918 wurden manche ihrer Autoren der Öffentlichkeit mit bekenntnishaften, dem ›Burgfrieden‹ verpflichteten Versen und mit einer Kriegslyrik vorgestellt, die zum Teil durchaus aggressive und chauvinistische Züge trugen. Während der Weimarer Jahre dann erlebte die Arbeiterdichtung ihren entscheidenden Aufschwung. Sie gewann in dieser Zeit eine beachtliche personelle Breite und erschloß sich für ihr umfangreiches Œuvre ein relativ weites Rezeptionsfeld. So fand die Arbeiterdichtung besonders durch die

Werke von Max Barthel, Karl Bröger, Heinrich Lersch und Gerrit Engelke Förderung seitens bürgerlicher Literaten und Verleger. Sie führte schon in den frühen zwanziger Jahren zur Aufnahme von Arbeiterdichtungen in Lesebücher und Anthologien. Gleichzeitig wurde diesen Autoren auch von der akademischen Literaturgeschichtsschreibung eine gewisse Anerkennung zuteil.

Auf der anderen Seite hat die Arbeiterdichtung mit Namen wie Emil Ginkel, Kurt Kläber und zeitweilig Max Barthel selbst in der KPD einige Zustimmung gefunden. Gleichwohl gilt zu betonen, daß hier andere Formen der Arbeiterliteratur bevorzugt wurden. Die kommunistische Literaturkritik lehnt jedenfalls die Arbeiterdichtung aufs ganze gesehen energisch ab. Ihre profiliertesten Vertreter bezeichnet man als ›Klassiker des Sozialfaschismus‹ und rechnet ihre Aussagesysteme eher der sozialdemokratischen als der eigenen Ideologie zu.

Die entscheidende Rolle aber spielte für die Arbeiterdichtung – wie von der KPD richtig erkannt wurde – die Weimarer Sozialdemokratie (MSPD-SPD). Davon abgesehen, daß wohl die meisten ihrer Autoren politisch der SPD nahestanden und – z. T. in ihren Funktionärsapparat eingegliedert – hier auch als Redakteure, Lektoren u. ä. tätig waren, erwies sich das kulturelle Leben der Weimarer Sozialdemokratie als der Ort, an dem Arbeiterdichtung mit der entschieden größten Intensität verbreitet, besprochen und empfohlen wurde. Zugleich beschränkte sich die Rezeption nicht, wie in den anderen Gruppen, nur auf einige wenige ihrer Produzenten. Außer den schon erwähnten Barthel, Bröger, Engelke, Lersch, Ginkel und Kläber waren es – neben vielen anderen – insbesondere Schriftsteller wie Jürgen Brand, Hermann Claudius, Max Dortu, Erich Grisar, Karl Henckell, Otto Krille, Alfons Petzold, Ernst Preczang, Walter Schenk, Bruno Schönlank, Alfred Thieme, Hermann Thurrow und Julius Zerfaß, die im Einflußbereich der SPD zahlreiche Möglichkeiten fanden, sich und ihr Werk darzustellen, und zwar auf drei Ebenen.

Einmal im Rahmen der sozialdemokratischen Buchproduktion. Hier wurden durch Verlage, wie dem der Arbeiterjugend, Arbeiterdichter mit billigen Ausgaben von Lyrikbänden und Romanen vorgestellt. Zugleich fanden ihre Gedichte und Erzählungen Eingang in zahlreiche Anthologien, Kalender, Liederbücher, Arbeitshefte usw. Zieht man jedoch in Betracht, daß die Neigung gerade der Arbeiter, sich überhaupt Bücher zu kaufen, im allgemeinen nur wenig entwickelt war, so gewinnt der Sachverhalt an Bedeutung, daß – zweitens – die der Sozialdemokratie zugehörige Presse sich intensiv um die Popularisierung der Arbeiterdichter bemühte. In dieser wurden sowohl häufig einzelne ihrer Arbeiten abgedruckt wie auch ihr Gesamtwerk und alle Neuerscheinungen mit einiger Regelmäßigkeit besprochen. Eine Analyse der Arbeiterdichtung muß deshalb gerade auf dieses Material zurückgreifen.

Drittens schließlich spielte für die Verbreitung von Arbeiterdichtung im proletarischen Milieu die Tatsache eine wichtige Rolle, daß sie bei der Ausgestaltung sozialdemokratischer Großveranstaltungen – etwa dem Jugendtag der Arbeiterjugend in Weimar – ebenso in Erscheinung trat wie bei den zahlreichen kleineren und über das gesamte Jahr verteilten politischen oder festlichen Versammlungen (z. B. Dehmelfeiern, Engelsfeiern, Beethovenfeiern, Weihnachtsfeiern, Herbstfeiern, Mädchenabenden, Sonnenwendfeiern, Wahlveranstaltungen) örtlicher Parteiorganisationen. An Arbeiterdichter wurden Auftragsdichtungen vergeben, und sie wurden zu Lesungen aus ihren Werken eingeladen, die in ihrem Ablauf oft einen esoterischen Charakter annahmen: »Abseits, in einem stillen grünen Winkel, liegt, sitzt am Fuße eines grauen Baumriesen eine kleine andächtige Gemeinde. Karl Bröger steht vor ihr und liest aus seinen Werken. Gedankentief, durchglüht von der großen Liebe zur Menschheit, so fügt seine Kunst Bande von Herz zu Herz. Durch die Wipfel geht leise der Wind wie ein tiefes Atmen. Einige von den Mädchen haben die heißen Wangen an die kühlen Baumwurzeln gepreßt, schauen zum Dichter auf, zum hellen Himmel. In den Augen blinkt es kristallen klar. Bröger schaut in unsichtbare Fernen. Es ist in ihm wie Ausruhen. Er breitet Schätze aus, die er auf hartem Boden mit nimmermüdem Geist gegraben hat.«[3] Aber auch dort, wo die Autoren nicht selbst anwesend waren, wurden ihre Werke vielfach in den Veranstaltungsverlauf eingeflochten und von Einzelnen oder Gruppen (z. B. Sprechchorwerke) vorgetragen und vorgespielt.

Diese hier nur kurz skizzierte Aufgeschlossenheit der Arbeiterdichtung gegenüber kam jedoch nicht zufällig zustande, sondern wurde von dem Verständnis getragen, daß es sich bei ihr um eine Art ›Parteiliteratur‹ handelte, ja um »die deutsche proletarische Literatur« schlechthin.[4] Allerdings bleibt der Begründungszusammenhang für solche Einschätzungen vage, fehlte doch in der SPD jeder ernsthafte Versuch, systematisch die ästhetisch-politischen Bedingungen einer Arbeiterdichtung zu diskutieren. Trotzdem aber lassen sich aus der Vielzahl der den Gegenstand betreffenden Kritiken einige Elemente herausheben, die in ihrem Bereich als konstitutiv für eine proletarische Literatur gehalten werden. Dabei scheint es, daß in diesem Zusammenhang durchaus Aspekte jener Literaturdiskussion erinnert werden, die vor 1914 in der Partei geführt wurde. Ging es in ihr auch vordringlich um die Frage der Rezeption bürgerlicher Dichtung, so wurde doch schon angesprochen, daß eine progressive Auswahl aus jener allein nicht genügen könne, weil eine Kunst, »die auch vom Proletariat akzeptiert werde, [...] aus diesem selbst entstehen« müsse.[5] Nur dann könne sie auch zu einem ›Spiegelbild‹ der Lebenserfahrung der Arbeiterklasse werden.

Diese Ansicht hängt damit zusammen, daß, wie die Naturalismusdebatte andeutet, gegen die zeitgenössische bürgerliche ›Sozialdichtung‹ insofern Skepsis angebracht schien, als ihr Weltbild für zutiefst pessimistisch gehalten wurde. Sie »vermöge nur ›das Vergehende‹, nicht aber ›das Entstehende‹ zu schildern«.[6] Sie sei damit nicht geeignet, die an und für sich optimistische Grundhaltung des Proletariats zum Ausdruck zu bringen und könne deshalb auch nicht den Idealismus in ihren Lesern entfalten, der für den Klassenkampf nun einmal als notwendig galt. Proletarische Kunst und Kunstrezeption dürfe deshalb letztlich gerade nicht bei der Gegenwartskunst ansetzen. »Bei aller Würdigung der künstlerischen Anregungen und Ausdrucksmittel, um welche die zeitgenössischen Kunstströmungen das künstlerische Erbe bereichern, wird darum die Kunst der Zukunft für ihre Wegweiser über sie hinweg zur klassischen Kunst des Bürgertums greifen.«[7]

In diesem Verständnis setzt die Entwicklung einer proletarischen Kultur im allgemeinen aber noch immer die revolutionäre Umwälzung der bestehenden gesellschaftlichen Verhältnisse voraus. Jedoch faßte im Zusammenhang mit dem Revisionismus mehr und mehr die Ansicht Fuß, daß wie im wirtschaftlichen so auch im geistigen Bereich die gegenwärtige Welt langsam in die der Zukunftsgesellschaft hineinwachse. Die Arbeiter werden, so hoffte man, durch ihre zunehmende Integration in die bestehende Wirtschafts- und Sozialordnung gleichfalls zunehmend Anteil an der Gestaltung des Überbaus nehmen.

Diese These des proletarischen Hineinwachsens in das kulturelle Leben der Gegenwart hängt eng mit der Auffassung zusammen, daß die Arbeiter bürgerlicher Kunstproduktion längst nicht mehr unversöhnlich gegenüberstehen. Und zwar u. a. deshalb, weil, wie man der Ansicht war, auf der einen Seite bürgerliche Literaten, sofern sie echte Künstler sind, in ihren Werken die Grenzen ihrer Klasse überschreiten. Auf der anderen Seite hinwiederum ist auch der proletarische Literat, sofern sein Werk sich als Kunst erweisen soll, nicht länger »in erster Linie Klassenkämpfer und Sozialdemokrat, sondern – Dichter!«.[8] Mit anderen Worten: Es gilt, zwischen politischem und ästhetischem Urteil sorgfältig zu scheiden. Während auf der Ebene der Politik Beurteilungsmaßstäbe noch immer von der materialistischen Geschichtsauffassung oder doch zumindest von parteipolitischen Gesichtspunkten bestimmt waren, wird auf der Ebene der Literatur behauptet, daß sie »ihre eigene, gesellschaftlich nicht vermittelte Geschichte habe«. »Politik und Literatur seien getrennte Bereiche. Ein sozialistischer Agitator könne Literatur genießen, auch wenn diese keine sozialistische Kunst sei.«[9] Es kommt dabei lediglich darauf an, daß sie formal-ästhetischen Gesichtspunkten genügt und zugleich auch der Ausdruck einer vermeintlichen, dem proletarischen Empfinden entsprechenden, allgemeinen menschlichen Gesinnung ist.

Freilich, das Zugeständnis, daß selbst bürgerliche Dichtung dem Arbeiter gefallen könne, hing sicher eng mit dem Sachverhalt zusammen, daß vor 1914 die Entwicklung einer konkurrenzfähigen proletarischen Literatur noch für unmöglich gehalten wurde, weil der soziale und politische Kampf der Arbeiterbewegung für den Augenblick noch alle vorhandenen Kräfte zu absorbieren schien.

II

Nach Meinung vieler Sozialdemokraten änderte sich jedoch mit Ausbruch des Krieges die Stellung der Arbeiter beträchtlich. Zwar hielt die zu Kriegsbeginn aufgestellte These, daß der Krieg die Einigung des deutschen Volkes brachte, der gesellschaftlichen Entwicklung der Folgezeit nicht stand. Die Klassenscheidung zwischen Privateigentümern und Eigentumslosen blieb auch für die Weimarer Jahre ein aktuelles Problem. Aber in der SPD setzte sich mehr und mehr die Meinung durch, daß die Position der Arbeiterschaft sich durch das Engagement für den Staat, die Konstituierung einer Republik und die – freilich schon früh gescheiterten – Versuche der Arbeitsgemeinschaft mit den Unternehmern derart verbessert habe, daß nun von einem echten Anteil an der Gestaltung der politisch-ökonomischen Welt die Rede sein könne. Ihm entspreche ein zunehmendes kulturelles Selbstbewußtsein der Arbeiter. Es zeigte sich nach Auffassung vieler Sozialdemokraten darin, daß die in den Vorkriegsjahren nur antizipierte Vorstellung einer von Proletariern zu schaffenden Literatur sich jetzt realisiert habe, und zwar in der Arbeiterdichtung. Sie sei durch »Söhne des Volkes, der namenlosen Menge«, durch Arbeiter selbst also, geschaffen, und nun sei »die Kunst eine Angelegenheit des ganzen Volkes und nicht mehr das Vorrecht einer dünnen Oberschicht«.[10]

Neben diesem – übrigens von der bürgerlichen Literaturgeschichte der Arbeiterdichtung gleichfalls zugeschriebenen – Anspruch, ›Dichtung von Arbeitern‹ zu sein,
spielte in der Literaturkritik der SPD die Ansicht eine Rolle, daß die Arbeiterdichtung durchaus der klassisch-bürgerlichen Tradition zuzurechnen sei. Häufig kehren
deshalb in ihr Wendungen wieder, die an den Autoren »Beethoven'sche Wucht«
rühmen, ihnen eine Ruhe nachsagen, die an Hölderlin erinnert, und davon reden,
daß die Werke an »Goethe'scher Menschheitsvertiefung« gereift seien. Auffällig
ist jedoch, daß in diesem Zusammenhang kaum die sehr viel aktuelleren Beziehungen angesprochen werden, die die Arbeiterdichtung zum Expressionismus hatte.
Wichtiger freilich ist, daß die sozialdemokratische Literaturkritik der Arbeiterdichtung gegenüber betont an der Trennung von ästhetischem und politischem Urteil
festhielt. Dabei richtete sie ihr Augenmerk vorwiegend auf den ersteren Aspekt,
ist doch der Tenor der meisten Rezensionen der, daß es nicht die politischen Ansichten der Autoren sind, die interessieren. Es ist vielmehr allein ihr ›künstlerisches
Können‹, das einer kritischen Betrachtung für würdig gehalten wird. »Die betonte
politische Aufmachung verflüchtigt sich jedenfalls rasch beim Lesen; nur die rein
künstlerische Wirkung bleibt übrig. Die aber ist, so ziemlich vom Anfang bis zum
Schluß, gleich fesselnd, sich tief in die Sinne einwühlend und eigenartig.«[11]
Diese Prädominanz des ästhetischen Aspektes hängt sicher mit einem Menschenbild
zusammen, das die Individuen in ihren konkreten Erscheinungsformen als Arbeiter
und Bürger nicht länger als Klassenzugehörige begreift. Es geht davon aus, daß es
jenseits dieser ökonomischen Trennungslinien eine Vielzahl von Handlungszusammenhängen gibt, in denen die Menschen quasi parteilos und unabhängig von ihrer
sozialen Stellung agieren. Diesen Handlungszusammenhängen gegenüber, so meint
man, besteht auch eine ›klassenneutrale Kunst‹. »Der Mensch ist ja nicht nur Klas-
senangehöriger. Er ist auch Liebhaber, Geschlechtswesen, Gefühlserlebnisträger, Fa-
milienmitglied, Naturwesen und vieles andere. Und in jeder seiner Eigenschaften
kann er Kunst hervorbringen. So sind Liebeslieder, Naturgemälde, auch viele Bild-
nisse, fast die ganze Musik und manche andere Kunstzweige weder bürgerlich noch
revolutionär.«[12] Das heißt mit anderen Worten, daß der politische Gehalt von Kunst
generell partikulär und nur an einen mehr oder weniger begrenzten inhaltlichen
Bereich gebunden scheint; in der Arbeiterdichtung etwa nur an die revolutionären
Gedichte Barthels, die Karl Liebknecht und Rosa Luxemburg gewidmet sind und
von der Revolution von 1918 handeln, an die republikanischen Hymnen und Ban-
nerlieder Brögers sowie an die verhältnismäßig kleine Zahl von Gedichten, die mit
dem 1. Mai, mit roten Fahnen, Streik u. ä. im engeren Sinne politische Symbole
und Geschehnisse zum Gegenstand haben.
Vor dem Hintergrund eines so auf nur wenige Aspekte des sozialen Lebens reduzierten Verständnisses vom Politischen nimmt es nicht wunder, wenn der Sozialdemokratie ein differenziertes, analytisches Instrumentarium zu einer unter diesem
Gesichtspunkt durchgeführten Bewertung von Literatur fehlte. Zweifelsohne aber
fließt in ihren Begriff von Arbeiterdichtung politisches Urteil mit ein. Hält sie jene
doch im allgemeinen für sozialistisch. Das heißt aus diesem Blickwinkel jedoch
nichts anderes, als daß die Aussagesysteme der Arbeiterdichtung für einen Ausdruck
sozialdemokratischer und gewerkschaftlicher Denk- und Vorstellungsmuster gehalten werden, die hier ohne tendenziösen oder gar agitatorischen Zungenschlag

dargestellt würden. Und in der Tat, so scheint uns, wurde von den Arbeiterdichtern auch nur ausnahmsweise Provokatorisches zu Papier gebracht. So etwa beim Barthel der Revolutionsjahre, der sich zu dieser Zeit in seinen Versen polemisch gegen Noske wendet: »Herr Noske träumt so schweren Traum, / Aus seinem Mund bricht weißer Schaum«, und für Spartakus eintritt:

> »Proletarier marschieren. Den Himmel zerklüftet Geschrei.
> Auf einer roten Fahne in Goldschrift brennt: ›Spartakus!‹
> Zusammenstoß! Schuß … Schuß … Schuß …
> Die Idee wird Gewalt: Maschinengewehr, Haubitze, Flammenwerfer, Blei.«[13]

Doch wie gesagt sind solche Texte für die Arbeiterdichtung atypisch. Sie beeinflußten deshalb auch kaum die kritische Beurteilung derjenigen Gedichte, Erzählungen und Romane, die sich mit der politisch-öffentlichen Sphäre befassen. Deren Aussagen wurden im Bereich der Sozialdemokratie sehr viel neutraler als ›Zeitdokumente‹ bewertet. Ihnen wurde vielfach ein hohes Maß an Realismus zugeschrieben. »Auch die Schatten des Lebens fallen reichlich und dunkel in dieses Jugendsonnenland: Not und Arbeitslosigkeit, Hoffnungslosigkeit, Hunger, getäuschte Erwartungen. Aber diese photographische, in keiner Weise retuschierte Lebenstreue macht diesen Abschnitt des Buches für jeden Jugendlichen besonders interessant und lesenswert. – Und lebenstreu gezeichnet ist der Inhalt des Buches in allen seinen Einzelheiten.«[14]
Zum anderen aber verwies die sozialdemokratische Literaturkritik darauf, daß zwar in Arbeiterdichtung über die dokumentarische Abbildung der Lage der Arbeiter hinaus auch der »Trotz der ohnmächtig gebeugten, in Fron gefesselten Menschen und die Empörerwut des endlich erwachten, um seine Menschenrechte kämpfenden Proletariats« dargestellt werden soll, jedoch »künstlerisch gebändigt und geformt«.[15]
Das bedeutet aber, daß das Milieu der Arbeiter, ihre Erfahrungen, Vorstellungen und Gefühle, als Material und Basis von Arbeiterdichtung in Erscheinung tritt. Kennzeichnend für sie soll es jedoch sein, daß sie ihren Gegenstand gerade nicht polemisch-klassenkämpferisch verarbeitet. Literatur als Waffe in der Tagespolitik galt als Mißverständnis von Kunst. Will sie als Dichtung anerkannt werden, darf sie auf keinen Fall nur *einer* Klasse und *einer* politischen Tendenz genügen. Sie muß vielmehr »dem Lebensgefühl einer Zeitidee, dem Kulturwillen einer Volkheit« Ausdruck verleihen.[16] Der wahre Künstler ist nach sozialdemokratischer Auffassung eben kein Parteigänger; er ist »immer nur Mensch, Proletarier schlechthin«.[17] In einer Epoche, die auch sozialdemokratisches Problembewußtsein verbreitet für unschöpferisch, pessimistisch, materialistisch und nur der Ratio verpflichtet hielt, sah man es als den Vorzug von Arbeiterdichtung an, daß sie an ewige menschliche Werte – die auch die eigentlichen Werte der Arbeiterbewegung seien – erinnert.
»Wie Hammerschläge dröhnt es durch die Strophen. Jauchzende Hymnen auf das Leben sind es, allem Tode Trotz bietend. Durch die Verheißung und Erlösung der Zeit ist die Menschheit zur Erfüllung geschritten. Alles Dumpfe und Lastende fiel. Der Wille zur Freiheit besiegte die letzten Hemmungen der im Kriege versinkenden alten Macht. Ein Hauch von Jugend wittert um alles Zeitgeschehen.«[18] Der optimistische und auf vermeintlich allgemein menschliche Motivationen und Gefühle ausgerichtete Grundton reicht allerdings für sich alleine noch nicht aus, um Literatur schon »in Beziehung zu einer lebenskräftigen Dichtung zu setzen«, muß doch dann

zugleich auch »das sichtbare Werk ein Gekonntes sein«.[19] Die sozialdemokratische Textkritik der Arbeiterdichtung wird deshalb nicht müde, wieder und wieder auf die hohe sprachliche Kunstfertigkeit der Autoren hinzuweisen. In immer gleichen Wendungen betont sie deren ›sprachschöpferische Kraft‹. Sie spricht von ›formvollendeten‹ Werken und von dem ›Wohlklang‹, der ›Schönheit‹, ›Harmonie‹ und ›Feierlichkeit‹, die sie zum Ausdruck bringen. »Wer die im Sozialismus der Gegenwart drängenden Triebkräfte zu erkennen streben will, wer sich ein paar Feierstunden mit der Weihe einer reinen und hohen Kunst umgolden will, der lasse diese Verse auf sich wirken.«[20] Kleinbürgerlichen Vorstellungen ähnlich wird Dichtung dem Leben entfremdet zum unverbindlichen Genuß, der ein paar schöne Stunden bietet.

Fassen wir das bisher Gesagte kurz zusammen, so zeigt sich, daß die Sozialdemokratie das zentrale Rezeptionsfeld der Arbeiterdichtung war. In ihr wurde der Begriff dieser Literatur auf vier – ihrem Ursprung nach der Literaturdiskussion der Vorkriegsjahre zumindest oberflächlich verpflichtete – Bestimmungselemente zurückgeführt.

Erstens: Arbeiterdichtung ist soziologisch gesehen Literatur, die von Arbeitern produziert wird.

Zweitens: Arbeiterdichtung ist Kunst. Sie soll deshalb sprachschöpferisch, harmonisch, schön und festlich sein. Damit, so meinte man, sei sie der bürgerlich-klassischen Tradition verbunden.

Drittens ist Arbeiterdichtung ihrer Grundhaltung nach sozialistisch im Sinne der Sozialdemokratie. Trotzdem ist sie nicht parteiisch.

Viertens sind das Ausgangsmaterial der Arbeiterdichtung im wesentlichen das proletarische Milieu und die Lebenserfahrung, die Wünsche und Hoffnungen von Arbeitern. Sie sollen in ihr realistisch dokumentiert werden.

III

Die Frage, die sich stellt und der im folgenden nachgegangen werden soll, lautet, ob und inwieweit die hier in Betracht kommende Literatur den an sie herangetragenen oder in der kritischen Auseinandersetzung mit ihr entwickelten Kennzeichen einer Arbeiterdichtung im engeren Sinne auch tatsächlich genügt.

Wenden wir uns zunächst der These zu, daß es sich bei ihr um eine Literatur handelt, die von Arbeitern produziert wird. Sie beinhaltet ohne Zweifel, daß es sich bei den Autoren um Literaten handelt, die nicht haupt-, sondern neben- oder teilberuflich als Wortproduzenten tätig sind. Neben dem ›Dichten‹ gehen sie noch einem anderen Beruf – nämlich dem des Arbeiters – nach. Allerdings zeigt ein nur flüchtiger Blick auf das Leben der meisten Arbeiterdichter, daß sie tatsächlich die Schriftstellerei nur nebenbei ausübten. Sie verdienten große Teile ihres Lebensunterhaltes in anderen Berufen, nur freilich kaum in Fabriken und an Maschinen. Sie waren vielmehr während der Weimarer Jahre in ihrer Mehrzahl Redakteure, Lektoren, Funktionäre in der Arbeiterjugendbewegung, Volksschullehrer, Strafanstaltsleiter u. ä. m. und unterschieden sich damit in ihrem beruflichen Status recht erheblich vom Arbeiter. Wenn sie trotzdem soziologisch dem Proletariat – und nicht wie näherliegend dem Bürgertum oder Mittelstand – zugerechnet wurden, so deshalb, weil man glaubte, von ihrer augenblicklichen beruflichen Position abstrahieren zu können. In der Einleitung seine Anthologie *Das proletarische Schicksal* (1929) schrieb Hans Mühle: »Dabei macht es nichts aus, wenn manche um ihrer dichterischen Sendung willen nicht mehr an sausenden Maschinen und glühenden Hochöfen stehen. Ihre dichterische Empfängnis erlebten sie im proletarischen Lebensraume und das ist entscheidend. Aus Millionen ihrer Brüder und Genossen wurden sie von einem heißen Drang herausgerissen, um zu *rufen* und *anzuklagen*. So werden sie aus dem Alltag ihrer Umwelt herausgehoben.«

Arbeiter sein hängt, mit anderen Worten, nicht mit dem konkreten ökonomischen Status zusammen, sondern erweist sich als eine – sozialer Mobilität gegenüber stabile – charakterologische Grundqualität, die in früheren proletarischen Phasen ein für allemal erworben wurde. Ist auch die Fragwürdigkeit solcher von der aktuellen Sozialerfahrung absehender Vorstellung vom Arbeiter augenfällig, so verlohnt es sich in unserem Zusammenhang doch nicht, im einzelnen der Frage nachzugehen, ob und in welcher Art sozialer Aufstieg und die damit verbundene Entfremdung von den spezifischen Lebens- und Arbeitsbedingungen des Proletariats auch das Bewußtsein der davon Betroffenen beeinflußte. Scheint es doch, als ob sich auch die Hilfsannahme empirisch kaum verifizieren läßt, daß Arbeiterdichter, wenn schon nicht während der Weimarer Jahre, so auf jeden Fall während ihrer Kindheit und Jugend durch Elternhaus und eigene berufliche Tätigkeit dem proletarischen Milieu verwurzelt waren.

Mag das auch im Einzelfall zutreffen, so gilt es ganz sicher nicht generell. Werden doch heute der Arbeiterdichtung auch Autoren zugerechnet, deren Kurzbiographie sich etwa wie folgt liest: »Lessen, Ludwig (d. i. Louis Salomon) (17. 9. 1873 Lessen/ Westpreußen – 11. 2. 1943 Müllrose/Mark). Besuchte das Gymnasium in Berlin, wollte Maschinenbauer werden. Ein zweijähriges Praktikum in Modelltischlereien, Eisengießereien und mechanischen Werkstätten ließ ihn mit sozialistischen Arbeitern zusammenkommen und den Weg zur Sozialdemokratischen Partei finden. Er begann zu schreiben, gab seine Berufsabsichten auf und studierte Geschichte, Philosophie und Literatur.«[21] Dieser Lebenslauf, der sicher einige Ähnlichkeiten mit den Lebensläufen von Autoren wie Schönlank, Diederich, Henckell hat, ist insofern untypisch, als die für die Arbeiterdichtung zentralen Figuren, nämlich Barthel, Bröger, Lersch und Petzold, von diesem Schema doch recht abweichende Entwicklungsgänge durchlaufen haben. Zwar sind auffallenderweise ihre Väter der beruflichen Ausbildung und/oder ihrer sozialen Stellung nach zunächst als kleinere Unternehmer und selbständige Handwerker anzusprechen und so dem alten Mittelstand zuzurechnen. Jedoch schon vor bzw. während der Kinder- und Jugendjahre der späteren Arbeiterdichter gerieten sie mit ihren Betrieben in ökonomische Schwierigkeiten, die sie rasch verarmen ließen. Sie verloren ihre berufliche Unabhängigkeit (z. B. bei Lersch) oder überlebten, wie die Väter von Barthel und Petzold, den Prozeß ihrer sozialen Deklassierung nur kurz.

Wurde auch unter dem von Barthels Mutter ausgesprochenen Leitgedanken »Junge, du mußt uns wieder hocharbeiten«[22] manches versucht, um den Kindern eine solide handwerkliche (z. B. Petzold, Lersch) oder schulische (z. B. Bröger) Ausbildung zukommen zu lassen, so scheiterten diese Versuche doch zumeist und leiteten in eine Lebensphase über, in der die Repräsentanten der Arbeiterdichtung in der Tat auch

als Fabrikarbeiter in Erscheinung traten. Nur läßt sich eben nicht übersehen, daß diese Lebensphase einen eher episodisch-zwischenspielhaften Charakter hatte. Schon in den Vorkriegs- und Kriegsjahren wurde der Grundstein für die Überwindung des ›sozialen Tiefs‹ gelegt und die Rückkehr in mittelständische berufliche Positionen eingeleitet. Dazu kommt, daß zumindest Barthel, Bröger und Lersch in dieser proletarischen Periode bewußt der Integration in die Arbeiterklasse auswichen. Sie neigten entweder, wie Bröger, kurzfristig überhaupt zur Arbeitsscheu und griffen anstelle einer geregelten beruflichen Tätigkeit auf Verhaltensweisen zurück, die sie mit dem Gesetz in Konflikt brachten. Oder sie waren – wie die Biographien andeuten – eher als Gelegenheitsarbeiter anzusprechen, die, an handwerklichen Traditionen orientiert, oft auf ›Wanderschaft‹ gingen. Sie wechselten ihre Arbeitsstätten relativ häufig, bereisten als ›Tramp‹ viele europäische Länder und schlossen sich, wie Lersch betonte, von der organisierten Arbeiterschaft ab: »Ich bin der letzte Christ, und wenn ihr mich totschlagt, ich unterschreibe alles, die Revolution und den bewaffneten Umsturz, die Trennung von Staat und Kirche – alles, was mit Fabriken und Arbeiterschaft zu tun hat, aber die Eintrittserklärung für die Gewerkschaft, die nur Etappe zur Partei ist, unterschreibe ich nicht. Ein Christ kann nicht Sozialist sein, weil er Christus verleugnen muß.«[23]
Das alles bedeutet jedoch, daß die Autoren der hier zur Diskussion stehenden Literatur soziologisch im allgemeinen nicht als Arbeiter bezeichnet werden können. Sie sind eher mittelständische Existenzen. Wenn ihnen gegenüber trotzdem die zeitgenössische Kritik der Sozialdemokratie gerade auf dem Arbeitersein bestand, so liegt der Verdacht nahe, daß dabei ideologische und nicht sachliche Motive eine zentrale Rolle spielten. Einmal können die Aussagesysteme der Arbeiterdichtung – die ja denen der SPD entsprechen sollen – dort als ein massenhafter Beweis für die Richtigkeit sozialdemokratischer Politik verstanden werden, wo ihre Autoren als legitime Vertreter der Arbeiter in Erscheinung treten. Sie bringen dann dem Anschein nach plebiszitär zum Ausdruck, daß zwischen der literarischen »Grundstimmung von Millionen von Arbeitern« und den Konzepten der SPD eine grundsätzliche Übereinstimmung besteht.[24] Zum anderen aber bestätigt das beständige Vorzeigen einer ›wirklichen‹ proletarischen Literatur, daß die Integration der Arbeiter auch in den Überbau der Gesellschaft deutliche Fortschritte gemacht hat. Darüber hinaus dokumentiert die vermeintliche proletarische Schöpferkraft im Bereich der Kultur, daß die ökonomisch bedingte geistige Verelendung der Arbeiter gleichfalls ihren Höhepunkt überschritt. Wenn in der alten Sozialdemokratie von einer zukünftigen Gesellschaft erwartet wurde, daß sie »Gelehrte und Künstler jeder Art in ungezählter Menge besitzen, aber jeder derselben wird einen Teil des Tages physisch arbeiten«,[25] so ist im Bilde des Arbeiters als Teilzeitliteraten diese Forderung schon in der Gegenwart, den Nachkriegsjahren, auf breiter Basis verwirklicht. Das bedeutet dann aber scheinbar, daß in ihr bereits die ›sozialistische‹ Zukunft begonnen hat. Und zwar gerade auch deshalb, weil es sich, wie schon erwähnt, bei der Arbeiterdichtung nicht bloß um tendenziöse und dem Augenblick verhaftete Literaturprodukte handeln soll, sondern um solche, die aufgrund ihrer formalen wie sprachlichen Ausdrucks- und Schöpferkraft der Sphäre der Kunst, des ›ästhetischen Genießens‹ zuzurechnen sind. Sie seien auf die Dauer angelegt, die ihnen über den Augenblick hinaus einen festen Platz in der Kulturgeschichte Deutschlands sichern wird.

Mögen jedoch solche Ansichten über die ästhetisch-literarische Qualität hier und dort zutreffen, so bleibt doch festzuhalten, daß Arbeiterdichtung aufs ganze gesehen den an sie gestellten Anspruch einer aktiven Sprach- und Formbeherrschung, die Altes sprengt und meisterhafte »Bilder [. . .] von überwältigender Kühnheit, von trunkener Schönheit« hervorbringt,[26] nicht gerecht wird. Dieses Urteil resultiert nicht bloß aus dem Sachverhalt, daß ihren Autoren »trotz der großen dichterischen Gewandtheit [. . .] hier und da ein unreiner Reim«[27] oder ein ähnlich verzeihlicher Fehler unterläuft. Vielmehr hängt es u. a. damit zusammen, daß zwischen den eigentlichen Wortführern der Arbeiterdichtung – insbesondere Barthel, Bröger, Lersch, Petzold und Engelke – und der breiten Masse der zwischen 1928 und 1933 zu dieser Literaturbewegung zählenden Autoren erhebliche qualitative Unterschiede bestehen. Die Lyrik der letzteren wirkt im allgemeinen wenig professionell und erinnert mit Versen wie »Heute woll'n wir Sonne sehn, / Heute woll'n wir stürmen gehn«[28] an Stammtisch- und Gelegenheitsdichtungen. Es werden zwar poetische Formen verwendet, sie sind aber nicht bewußt als Stil- und Ausdrucksmittel eingesetzt. Ihre Bilder bleiben deshalb farblos und sind im allgemeinen gängigen Stereotypen und Klischees verhaftet. Z. B. Ludwig Lessen:

> »Laß deine lieben Hände rasten,
> sie haben lang genug geschafft!
> Sie schleppten schwer die Lebenslasten
> und blieben unentwegt voll Kraft!
>
> Und trotz des Mühens und des Strebens
> vermochten sie noch still und fein
> ins graue Einerlei des Lebens
> ein Blümlein Glück zu pflanzen ein!«[29]

Bedeutsamer jedoch ist, daß sich auch das Werk der Repräsentanten der Arbeiterdichtung im Hinblick auf die hier in Frage stehenden formal-ästhetischen Probleme recht uneinheitlich darstellt. Sind es doch nicht nur Ausnahmen, wenn mit Versen wie

> »Auf Sappenwache am heiligen Christ
> unser lieber Kamerad gefallen ist.
> Die Kugel traf ihn so gut, so gut.
> In purpurnen Röslein erblühte sein Blut.
> Wir haben leise gesummt und gesungen. . .
> ›Es ist ein Ros' entsprungen - - - ‹«[30]

Arbeiterdichtung unmittelbar zum Kitsch gerät. Allerdings muß zugestanden werden, daß die Autoren in der Mehrzahl ihrer ›Dichtungen‹ ernsthaft darum bemüht sind, sich über die Ebene solcher farb- und anspruchslosen Trivialitäten zu erheben. Nur fallen auch diese Versuche im allgemeinen recht unbefriedigend aus. Die verwendeten Formen und Reime sind oft konventionell, ja abgenutzt (z. B. Mädchenträume – Räume; Tier – Gier; Stunde – Wunde; Lohn – Fron; Hand in Hand – Stadt und Land), das sprachliche Differenzierungsvermögen bleibt gering und die Bildwahl stereotyp. So werden, um nur wenige Beispiele zu nennen, die Floskeln von der

Stadt als Titan oder Moloch, von der Maschine als Tier, von der Arbeit, die hämmert, der Natur, die blüht, usw. unzählige Male wiederholt. Dazu kommt, daß den Autoren ihr oft pathetischer Tonfall vielfach zu unfreiwilliger Komik gerät. Barthel dichtet etwa:

> »Ich gebe dich [die Geliebte] nie und nimmer los!
> Gott läßt
> Voll heiligem Grausen
> In deinen duftenden Schoß
> Seine Blitze sausen.«[31]

Damit soll nicht bestritten werden, daß den Repräsentanten der Arbeiterdichtung auch eindrucksvolle Verse gelungen sind, wie hier nur durch zwei Auszüge aus Barthels »Volksversammlung« und Lerschs »Ich hatt' ein heimliches Liebchen« angedeutet werden kann:

> »Du gehst mißmutig zur Versammlung.
> Du sagst: Nützen die Reden etwas?
> Da lauschest du auf! Ein Schlag hat dich getroffen.
> Du fühlst, wie Glut in dir wächst
> und bist der Gläubigen einer.«

Und:

> »Ich hatt' ein heimliches Liebchen. Zum Feierabend sprang
> ich frisch gewaschen, in reinblauer Bluse den Weg in den Wald,
> fand das Liebchen, am Brunnen im Garten, am Wiesenhang,
> da war kein Werktag so wild, kein Nachtwind so kalt.«[32]

Aber worauf es ankommt ist, daß solche Ansätze eines eigenen Ausdrucks- und Formwillens wohl von keinem der Arbeiterdichter durchgehalten und weiterentwickelt wurden. Sie haben deshalb nur den Charakter des Zufälligen. Damit freilich erweist sich die konkrete Arbeiterdichtung auch ihrem formal-ästhetischen Bestimmungselement nicht gewachsen. Es muß deshalb dort, wo – wie in der Mehrzahl der zeitgenössischen Kritiken – gerade auf ihm bestanden wurde, die Ursache dafür wiederum weniger in der Sache selbst, als vielmehr in anderen Motiven gesucht werden. Es handelt sich dabei um Vorstellungsmuster, die schon im Zusammenhang mit dem soziologischen Zuordnungsmerkmal von Bedeutung waren. Sie gehen davon aus, daß seit der Revolution von 1918/19 die Arbeiter auch in den kulturellen Lebensprozeß integriert seien. »Das Proletariat ist von jetzt ab nicht mehr Material künstlerischen Gestaltens. Seine Kraft ist gewaltig gewachsen. Es ist zum kulturellen Selbstbewußtsein erwacht [...]. Nun ist Kunst eine Angelegenheit des gesamten Volkes und nicht mehr das Vorrecht einer dünnen Oberschicht [...].«[33] Aber daran läßt sich eben nur glauben, wenn auch die Praxis verbreitet konkurrenzfähige und eigenständige proletarische Künstler ausweist.

Zugleich aber gewinnen über die formal-ästhetische Bewertung die Aussagesysteme der Arbeiterdichter scheinbar auch ein größeres Gewicht. Der der Arbeiterdichtung zugeschriebene sozialistische Gehalt und die durch sie geleistete realistische Dokumentation des proletarischen Alltags bleiben als künstlerisch in ihrer Wirkung nicht auf eine bestimmte Klasse und auf besondere Formen der Rezeption (Agitation, Streik, Aufmärsche, Maifeiern usf.) beschränkt, sondern werden, von spezifischen politischen Verwertungssituationen unabhängig, für alle literarisch Interessierten allgemein. Der Sozialismus erschließt sich dadurch über den ästhetischen Genuß eine sehr viel breitere Wirkungsbasis, als ihm bislang zur Verfügung stand.

IV

Wie unzureichend aber nun auch immer in der Praxis der Arbeiterdichtung die formal-ästhetischen Probleme gelöst wurden, die Kritik verweist gerade durch die Hervorhebung dieses Aspektes darauf, daß in der Arbeiterdichtung eine Tendenz zur kulinarischen Verbrämung ihres Ausgangsmaterials vorhanden war. Diese Tendenz schlug sich auf gewisse Art und Weise gleichfalls in der Stoff- und Themenwahl der Autoren nieder. Erinnern wir zunächst noch einmal daran, daß als Basis der hier in Frage kommenden Literatur die Existenzbedingungen, Lebenserfahrungen, Denk- und Vorstellungsmuster der Arbeiter gelten. Diese werden nach Ansicht ihrer sozialdemokratischen Rezensenten in der Arbeiterdichtung sachlich, wahrhaftig und glaubwürdig dargestellt sowie in großer Breite und Ausführlichkeit abgehandelt. Daß hierbei die politischen und wirtschaftlichen Wandlungserscheinungen »mit ihren tausenderlei Veränderungen in Haus, Fabrik, Maschine, Verkehr und Großstadt immer wiederkehrendes Element der Arbeiterdichtung bildet, wird ohne weiteres einleuchten«.[34]
Jedoch auch im Hinblick auf das dokumentarisch-realistische Bestimmungsmerkmal klafft in den Schriften der Arbeiterdichter eine beträchtliche Lücke zwischen Anspruch und dem, was dort letztlich geschrieben steht. Zwar ist nicht zu übersehen, daß die Autoren ihrem Vokabular nach tatsächlich das proletarische Milieu anvisieren, reden sie doch zumeist von Arbeitern, Werkleuten, Meistern, Gesellen, von armen Leuten und ihren rauhen Händen, von Fabriken, Werksälen, den dazugehörigen Maschinen, Essen, Feuern und von der Stadt, den Vorstadtstraßen u. ä. m. Entscheidend jedoch ist, daß diese Terminologie vordergründig bleibt und sich keinesfalls zu einem Bild verdichtet, aus dem sich einigermaßen zutreffend ein Überblick über die charakteristischen Alltagserfahrungen der Arbeiter jener Jahre gewinnen läßt. Auch die ökonomischen, politischen und sozialen Determinanten, die diesen Erfahrungen zugrunde liegen, bleiben unausgesprochen. Selbst wenn man berücksichtigt, daß Literatur ganz allgemein und Lyrik im besonderen immer nur begrenzte Objektbereiche thematisiert und gewiß wenig darauf aus ist, gesellschaftliche Institutionen und Ereignisse exakt abzuspiegeln, fällt auf, daß in der Arbeiterdichtung trotz deren beträchtlichen quantitativen Umfanges weite Bereiche des öffentlichen Lebens konstant ausgespart bleiben. Nur selten und am Rande spricht sie von den Organisationen der Arbeiterschaft (z. B. Gewerkschaft, Partei), von Arbeitslosigkeit und ihren Ursachen, von Streik und von politisch-wirtschaftlichen Geschehnissen wie Kapitulation, Revolution, Inflation, Wirtschaftskrise, der Auseinandersetzung mit dem aufkommenden Nationalsozialismus usw. In ihrem Bilde konstituiert sich die Lage der arbeitenden Klassen vielmehr abseits von solchen – auf manifeste Konflikte des öffentlichen Lebens hindeutenden – Erscheinungsfor-

men des gesellschaftlichen Reproduktionsprozesses. Sie scheint ausschließlich bestimmt von Aspekten betrieblicher Arbeitserfahrung und von Einflüssen, die dem
als privat verstandenen Bereich der Freizeit entstammen. Dabei fällt ins Auge, daß
nach Ansicht der Arbeiterdichter diese beiden Sphären deutlich voneinander geschieden, ja einander entgegengesetzt sind. Walter Schenk:

> »Nun im Dämmern des Abends der lärmende Alltag verrauschen will,
> hält unser hämmerndes Herz in beseligter Stunde den Atem still,
> und wir trinken begierig und schweigend die feiernde Nacht in uns ein,
> freuen uns tief und inbrünstig, nun frei, frei des grausamen Tages zu sein.
> Frei des Alltags, der heiligstes Sehnen des Glaubens im Hohn erstickt,
> frei nun des schändlichen Fluchs, der die strebende Kraft mit Ketten umstrickt!«[35]

Nun ist sicher richtig, daß beim Verlassen der Fabrik auch ein Rollenwechsel stattfindet. Doch geht es dabei nicht um so große Dinge wie Unfreiheit und Freiheit, um
Knecht- und Menschsein, sondern um die sehr viel bescheideneren Differenzierun-
gen zwischen Anspannung und Erholung, zwischen dem Arbeiter als Produzenten
und dem Arbeiter als Biertrinker, Familienvater, Ehemann, Kleingärtner, Angehörigen einer Organisation der Arbeiterbewegung und was sonst noch alles. Jedoch
sind es solche realistischen Unterscheidungen nicht, die der Arbeiterdichtung als Vorwurf dienen. Vielmehr abstrahiert sie von dem Sachverhalt, daß sich die Zwänge
des Arbeitsprozesses auch jenseits der Fabriktore als bestimmend für die Lebenschancen der Individuen durchsetzen. Ein Arbeiterfest, ein Sonntag, eine Wande-
rung oder auch bloß das so notwendige Ausspannen in den eigenen vier Wänden –
und der Arbeiter ist in ihren Darstellungen »Mensch« und »frei«[36] und damit dem
Anschein nach aller Sorgen ledig. Dieses idyllische Bild gelingt freilich nur, weil
die Arbeiterdichter im Zusammenhang mit ihren nicht an der Produktion orientierten Erzählungen und Gedichten Probleme wie Wohnungsnot, Lebenshaltung, Aus-
bildungsmöglichkeiten, Krankheit usw. im allgemeinen vernachlässigen und dazu
neigen, ihre Helden nach Arbeitsschluß ganz aus der industriell-städtischen Sphäre
herauszulösen. Freizeit heißt für sie draußen in der Natur sein, und diese – symbolisiert durch Himmel, Wiesen, Felder, Bäume, Blumen, Wind – wird alternativ zu
»der Städte Qualm, des Alltags Leid«[37] als ein Bezirk verstanden, der unberührt
von gesellschaftlichem Druck geblieben ist. Anders als die industrielle Umwelt legt
Natur deshalb der menschlichen Entfaltung keine Hemmnisse in den Weg. Barthels
»Lob auf die Landschaft« beginnt mit den Versen:

> »In der Stadt bist du ein wildes Tier,
> Voll Hast und Hunger, List und Gier,
> Bist lauernd hinter Gitterstangen
> In dir gebunden und gefangen.
>
> Geh aber leicht im Wandergang,
> Da bist du voller Überschwang,
> In Wind und Wolke und Gelächter
> Schmilzt um der alte Weltverächter.«[38]

Was in der rauhen Wirklichkeit der Nachkriegszeit gemeinhin nichts anderes sein konnte als eine Kompensation der Belastungen des Arbeitsalltags und die notwendige körperliche Erholung für neue Leistungen im Produktionsprozeß, ist in der Arbeiterdichtung zur Aufhebung menschlicher Entfremdung stilisiert. Sie wird in ihr durch Bilder von Jugend, Frühling und Sommer gekennzeichnet: es sind ganz allgemein die Triebkräfte ›jungen Blutes‹, denen die mystische Qualität zugeschrieben wird, die Menschen aus dem Alltäglichen herauszuheben und zu erlösen. Das bedeutet jedoch, daß die Emanzipation der Arbeiter nicht länger als ein gesellschaftlicher Prozeß verstanden wird, der durch gezielte politische Aktionen der Arbeiterklasse eingeleitet und vorangetrieben werden muß. Vielmehr wird hier davon ausgegangen, daß schon die Gegenwart ›Freiräume‹ menschlicher Entfaltung und Selbstverwirklichung anbietet, auf welche die als natürlich verstandenen Antriebskräfte der Menschen oder die Natur selbst hindrängen. Mit dem Feierabend, den Wochenenden und dem Urlaub stehen – so meint man – für jeden auch genügend Möglichkeiten offen, sich dieser ›Freiräume‹ zu bedienen. Die arbeitsfreie Zeit muß nur richtig genutzt werden.

Der einseitigen, individualisierenden und die erholsamen Aspekte der Freizeit betont idealisierenden Darstellungsweise der nicht vom unmittelbaren Produktionsprozeß bestimmten Lebenserfahrungen der Arbeiter ähnelt die Art und Weise, in der das zweite zentrale Gegenstandsfeld der Arbeiterdichtung – der vom Produktionsprozeß direkt bestimmte Erfahrungsbereich der Arbeiter – sich darbietet.

In diesem Zusammenhang zeigen zeitgenössische Untersuchungen wie Hendrik de Mans – methodisch und ideologisch sicher nicht unumstrittenes – Buch *Der Kampf um die Arbeitsfreude,* daß in eine zutreffende Dokumentation der betrieblichen Alltagserfahrung der Arbeiter ganz offensichtlich die folgenden Problemkreise einzugehen hätten: Erstens der Sachverhalt eines relativ häufigen Arbeitsplatzwechsels und die damit im allgemeinen verbundene Arbeitslosigkeit. Zweitens müßte die Rede sein von der formellen und informellen Betriebsordnung und insbesondere von den Spannungen und Konflikten, die sich zwischen Arbeitern und ihren Vorgesetzten bzw. der Betriebsleitung sowie zwischen den Arbeitern untereinander ergeben. Drittens wären die sozialen Bedingungen zu thematisieren, die den Arbeitsprozeß charakterisieren, also das Lohnsystem, die Arbeitszeit-, Pausen- und Urlaubsregelungen, die Kündigungsfristen u. ä. m. Viertens müßte die Aufmerksamkeit auf die mehr allgemeinen Arbeitsbedingungen und das Betriebsklima gerichtet werden. Es geht dabei um die spezifischen Belastungsfaktoren industrieller Produktionsweisen, um Lärm, Staub, Hitze, ungenügende Lichtverhältnisse, monotone Arbeitsabläufe, gesundheitsgefährdende Arbeitsabläufe usw. Schließlich sind auch noch die mehr speziellen Arbeitsbedingungen von Bedeutung, das verwendete Arbeitsmaterial und -gerät, der technische Ausrüstungsstand am Arbeitsplatz, das geforderte Qualifikationsniveau und die Handlungsabläufe, die den konkreten Arbeitsvorgang charakterisieren.

Aus diesem Problemfeld klammern die Arbeiterdichter mit den ersten drei Bereichen freilich diejenigen Aspekte des proletarischen Arbeitsalltags aus, die allzu offensichtlich auf Herrschaft, Ausbeutung von Menschen durch Menschen und soziale Konflikte hindeuten. Sie legen thematisch das Schwergewicht auf die Bereiche der allgemeinen und speziellen Arbeitsbedingungen. Dabei unterscheidet die Arbeiter-

dichtung auch in diesem Zusammenhang wieder strikt zwischen zwei dem Anschein nach entgegengesetzten Sphären, einer industriell-städtischen und einer, die
als bäuerlich-handwerklich bezeichnet werden kann. Die Häufigkeit, mit der von
beiden gesprochen wird, erweckt beim Leser den Eindruck, als wären sie ihrem Umfang nach für den proletarischen Alltag von etwa gleicher Bedeutung. Dieser Eindruck ist insofern bedeutsam, als diese Sphären in den Aussagesystemen der Arbeiterdichter für die Menschen sehr unterschiedliche Lebenschancen eröffnen. Obgleich zumindest einzelne der Verfasser (z. B. Lersch und Petzold) am eigenen Leibe
erfahren mußten, daß viele Handwerke schon längst keinen goldenen Boden mehr
hatten und die Arbeitsatmosphäre in den ökonomisch zum Untergang verurteilten
Kleinbetrieben gespannt, hektisch und von extremen Anforderungen an Zeit und
Physis der dort Arbeitenden gekennzeichnet war, findet diese Problematik in ihrem Werk abseits der Autobiographien keine entsprechende Behandlung. Herrschen doch im allgemeinen da, wo handwerklich-bäuerliche Akteure (Meister, Ge-
selle, Sämann, Bauer), Arbeitsplätze (kleine Werkstatt, Schmiede, Feld) und -geräte
(Hammer, Blasebalg, Meißel, Säge, Pflug) vorgestellt werden, Harmonie, Ruhe und
Zufriedenheit vor. Heinrich Lersch in »Freude am Werkfeuer«:

> »Wir schmieden.
> Der junge Geselle und ich.
> [...]
> Der Junge und ich sehen in die Flamme hinein. Sehen nicht um uns, nicht neben
> uns, bis er den Kopf wendet und in mein Gesicht blickt.
> Ich sehe auch ihn an. Wir sagen nichts und lächeln. Denn jeder fühlt eine Freude
> aufsteigen.«[39]

Dem Anschein nach noch nicht von Entfremdungsprozessen ergriffen, stellt der
mittelständische Produktionsprozeß eine Art von Gegenmilieu zum industriell bestimmten Arbeitsalltag dar. In ihm kann sich der Mensch ähnlich wie im Bereich
der Natur verwirklichen. Es ist deshalb nur konsequent, wenn in Arbeiter-Fest-
spielen wie E. R. Müllers *Flammende Zeit* gerade Brögers ausschließlich handwerkliche Arbeitsweisen beschwörendes »Wer den wuchtigen Hammer schwingt – Wer
im Felde mäht die Ähren«[40] als Symbol für ›befreite Arbeit‹ im Heute und in der
Zukunft steht.

Der illusionären Ansicht, daß im mittelständischen Produktionsprozeß sich huma-
nere Verhaltensweisen bewahrt hätten, die Zukunft verheißen, steht die Auffassung
gegenüber, daß Arbeit und Erleben in Fabriken und an Maschinen allemal fremd-
bestimmt sind. Dementsprechend wird der industrielle Produktionsprozeß nicht
ganz zu Unrecht als sinn- und seelenlos charakterisiert, beispielsweise von Bröger:

> »Von der gleichen Mühe stets umgeben,
> gehn die Tage grau an mir vorbei.
> Nennt es, wie ihr wollt, nur nennt's nicht Leben,
> dieses stumpfe, öde Einerlei.«[41]

Allerdings haben die physischen und psychischen Belastungs- und Verschleißerschei-
nungen des industriellen Arbeitsalltags, auf die verbreitet mit Worten und Stereotypen wie müde Gestalten, rauhe Hände, armselige Kluft, Tage voller Nebel, Lärm,

Rauch, Fron, Alltagspein, Qual, Mühe usw. verwiesen wird, im Bilde der Arbeiterdichtung ihren Ursprung nicht in gesellschaftlichen Verhältnissen. Anstelle etwa der Eigentumsordnung, der betrieblichen oder gesellschaftlichen Herrschaftsstrukturen, politischer und ökonomischer Krisen wird für die Autoren die ›Technik‹ zum Grund für die von ihnen geschilderten unbefriedigenden Arbeitsbedingungen. Sie soll es sein, die in ihren Erscheinungsformen (Stadt, Fabrik, Maschine) die Menschen – ungebändigter Naturgewalt gleich – zu verschlingen droht. Erich Grisar:

> »Hingeduckt wie ein Tier,
> das sein Opfer belauert,
> liegt die Fabrik
> und tatzt mit Riesenfängen in den Himmel,
> den sie zerfetzt,
> [...]
> Und ein Maul hat das Untier,
> riesengroß.
> Das frißt und schlingt
> dreimal im Tag:
> Menschen,
> [...].«[42]

Das heißt aber, daß in der Arbeiterdichtung die wirtschaftlich-sozialen Zeitprobleme auf die vereinfachende Formel Mensch contra Technik reduziert werden, wobei die Technik in ihren konkreten Erscheinungsformen nicht als ein Produkt menschlicher Arbeit vorgestellt wird, sondern als dämonisierte Natur. Fabrik und Maschine werden als Moloch, Untier, Urwelttier, Ungeheuer, Götze, Dämon bezeichnet und sollen als solche eine ernste Gefahr für die Menschheit darstellen. Gegen sie gilt es im Arbeitsprozeß anzukämpfen. Er wird deshalb auch von manchen der Autoren als eine ›Schlacht‹ angesprochen, in der es weniger um Produktion als vielmehr um die Abwehr einer der ganzen Gesellschaft geltenden äußeren, schicksalhaften Bedrohung geht. Nicht an ihren politischen Entscheidungen und nicht an der Art, wie sie ihre sozialen Ordnungen konzipiert, sondern an naturalisierter Technik wird die »Menschheit verkommen« (Dortu)[43], werden menschliche Gemeinschaft oder Solidarität, werden menschliches ›Glück‹ und soziale Zufriedenheit zuschanden.

V

Die hier nur kurz skizzierte Darstellungsweise sozialer Umwelt und Erfahrung zeigt, daß sich die Arbeiterdichtung im allgemeinen unhistorisch gibt. Sie ist thematisch von nur geringer sozialer Spannweite. In ihr treten an die Stelle konkreter Sozialbezüge die Idylle von Wanderschaft und Handwerk oder eine die technischen Bedingungen des Arbeitsprozesses personalisierende und naturalisierende Art der Abbildung gesellschaftlicher Prozesse. Vor diesem Hintergrund bleibt nun allerdings nicht nur die These fragwürdig, daß Arbeiterdichtung das Zeitgeschehen realistisch dokumentiert. Auch die Ansicht, daß es sich bei ihr um sozialistische Literatur handele, gerät von hier aus ins Zwielicht. Verbindet man doch gemeinhin mit dem Begriff sozialistisch ein Denken und Handeln, das auf die ökonomischen Verhältnisse als Basis für die Erscheinungsformen sozialer Erfahrungen rekurriert; ein Denken und Handeln also, das davon ausgeht, daß die Klassenlage von Menschen all ihre Interaktionen beeinflußt, das die Eigentums- und Herrschaftsverhältnisse in den Mittelpunkt seiner Überlegungen stellt, den Konflikt zwischen Kapital und Arbeit als zentral für eine Gesellschaft wie die Weimarer Republik hält und deshalb nicht daran glaubt, daß Arbeiter in eine solche Gesellschaft wirklich integriert werden können.

Jedoch gilt anzumerken, daß der Maßstab solcher allgemeinen Vorstellungen der Arbeiterdichtung gegenüber insofern ungerecht erscheint, als ja der Bezugspunkt ihrer Definition als sozialistisch eben nicht solche Vorstellungen, sondern das Problembewußtsein der Sozialdemokratie der Weimarer Republik war. Dieses Problembewußtsein ist es, das nach der Meinung vieler Zeitgenossen in der Arbeiterdichtung seinen lyrischen Ausdruck findet. Sie wird sozialistisch genannt, weil man ihre Denkmuster für sozialdemokratisch hält. Und ohne Zweifel läßt sich unter Zugrundelegung der gewiß sehr problematischen Gleichung von sozialistisch und sozialdemokratisch davon reden, daß zwischen den Vorstellungen eines so interpretierten Sozialismus und dem Gehalt der Arbeiterdichtung in Teilbereichen eine gewisse Affinität sichtbar wird. So bekannten sich, um hier nur auf einige Aspekte solcher Verwandtschaft hinzuweisen, die meisten Arbeiterdichter verbal eindeutig zur politischen Grundordnung ihrer Zeit. »Deutsche Republik, wir alle schwören: / Letzter Tropfen Blut soll dir gehören!« reimte Karl Bröger.[44] Sie verstanden die Konstituierung dieser Republik als einen tatsächlichen Neuanfang, in ihrem Vokabular als eine »Geburt« und einen »frischen Sturm«, der das Alte hinwegweht. Dem entsprach die sozialdemokratische Ansicht, daß sich mit der Ausrufung der Republik ihr eigentliches Ziel der Vorkriegsjahre – nämlich die politische Demokratie und die staatsbürgerliche Gleichheit aller – verwirklicht hat.

Des weiteren berührten sich die Aussagesysteme von Arbeiterdichtung und Sozialdemokratie in der Überzeugung, daß »kraft der Bedeutung, die unter demokratischen Verfassungen der großen Zahl zukommt«, die Arbeiterschaft es sei, die nun »nach außen und innen die Souveränität des Nationalstaates aufrecht erhält«;[45] damit also ist sie in die bestehende Ordnung integriert und trägt zu ihrer Stabilisierung bei. Poetisch sprach man von dem Arbeiter als einem ›bestellten Wächter‹ des Volkes. Es sind in erster Linie seine Aktionen, die die Entwicklung Deutschlands vorantreiben. Karl Bröger:

> »Nichts kann uns rauben
> Liebe und Glauben
> zu diesem Land.
> Es zu erhalten
> und zu gestalten,
> sind wir gesandt.«[46]

Drittens zeigt sich, daß angesichts der wirtschaftlichen Misere der ersten Nachkriegsjahre sowohl in der Arbeiterdichtung als auch in der Sozialdemokratie verbreitet die Auffassung vertreten wurde, es müsse das oberste Ziel aller proletarischen Aktivitäten sein, die Wirtschaft wieder in Gang zu bringen und auszubauen. Dazu hilft aber kein ›Klassenkrieg‹, denn die Produktion läßt sich nicht durch Gewalt, sondern allein durch Leistung fördern. Max Dortu schrieb die Verse:

> »Tretet beiseite, laßt uns vor:
> Wir haben nicht Zeit zum Schwätzen:
> Wir müssen schaffen und schöpfen! –
> [...]
> Ernstlich nützen die Zeit –«.[47]

Streik verliert vor diesem Prinzip seinen Charakter als das wohl wichtigste proletarische Kampfmittel. Er wird vielmehr als ein Verhalten betrachtet, das Schaden stiftet und den Arbeitern selbst nur noch »größere Not« beschert.[48]
Viertens stimmen die Denkmuster beider Gruppen dort überein, wo Sozialismus nur mehr als »Gestalt eines ewigen Dranges nach sittlicher Gesellschaftsordnung« (de Man) verstanden wird.[49] »Wissen kann mit jeder Masse in ein gewisses Verhältnis gebracht werden, woraus manches Nützliche, niemals aber das Entscheidende zu gewinnen ist für den Sozialismus. Gewissen kann aus einer Masse nur steigen in religiöser Form, in gar keiner anderen. Diese Form für uns zu finden, ist das letztlich bewegende Streben unserer Zeit, wie es das Bestreben aller Zeiten war und sein wird« (Bröger).[50]
Schließlich neigt die Arbeiterdichtung ähnlich der Sozialdemokratie zu einer abstrakten Norm vom Menschen, die mit Aussagen wie »der produktiv tätige Mensch [ist] zuerst eine Persönlichkeit und dann erst Arbeiter«[51] dem Proletarier gleichgesetzt bzw. vorgeordnet wird. Auch ohne eine zureichende Absicherung durch die Realität kann er sich, so meint man, seiner Menschenwürde durch Bildung versichern, einer Bildung allerdings, die angesichts der fehlenden materiellen Basis zur bloßen Kultivierung von Körper und Seele gerät. Nochmals Dortu:

> »Unsere Töchter sollen in Sport und Spiel
> vorbereiten das große Ziel:
> Eine neue Menschheit, gesund im Geist,
> deren Körper – Göttlichkeit heißt!«[52]

Es bleibt jedoch selbst vor dem Hintergrund dieser und ähnlicher Entsprechungen der Eindruck bestehen, daß sich das Aussagesystem der Arbeiterdichtung auf einer anderen Argumentationsebene befindet, als das selbst konservativer sozialdemokratischer Theoretiker. Letztere hielten, um nur auf die wichtigsten Unterschiede hinzuweisen, daran fest, daß der Mensch am Abend das sei, was er am Tage geworden ist. Das heißt, daß für sie die Erfahrungen innerhalb und außerhalb des Betriebes von den nämlichen sozialen Bedingungen (Eigentumsordnung, Gegensatz Kapital – Arbeit) bestimmt sind und sich deshalb ähneln. Die Arbeiterdichtung stellte dagegen Berufs- und Freizeiterfahrung als qualitativ verschieden dar. Des weiteren galt für das sozialdemokratische Problembewußtsein das Handwerk schon längst als »eine ziemlich seltene Kuriosität«.[53] Arbeitserfahrungen, die in technischer Hinsicht als handwerklich einzuschätzen sind, spielen nach ihm für die Industriearbeiterschaft nur mehr eine untergeordnete Rolle. Das gerade von den Arbeiterdichtern so häufig beschworene Bild des Proletariers, der seinen Hammer wuchtig schwingt, wurde deshalb hier als in einem ›peinlichen‹ Widerspruch zur Wirklichkeit stehend empfunden. In gleichem Zusammenhang ist von Bedeutung, daß sozialdemokratische Theorienbildung ganz entschieden für eine weitere Entwicklung der organisatorisch-technischen Schöpfungen des Kapitalismus eintrat und ›Maschinenfeindschaft‹ für eine in der Geschichte der Arbeiterbewegung längst überholte Entwicklungsphase hielt. Sind es doch nach ihrem Verständnis gerade die sich mehr und mehr verbessernden technischen Apparaturen, die den Arbeitsprozeß erleichtern und damit zu einer spürbaren Verbesserung der Lage der Arbeiter beitragen.

Das Bild der Zukunft konkretisierte sich deshalb in der SPD – sofern überhaupt – in Erwartung eines kontinuierlichen Ausbaus der technischen Gestalt des Produktionsprozesses sowie in der Hoffnung auf so hohe Löhne und so kurze Arbeitszeiten, daß Verelendung und Überanstrengung nicht länger das Leben der Arbeiter bedrohen könnten. Dazu gesellte sich die Forderung nach einer demokratischen Ordnung der Betriebe, der aber nur dann eine Chance eingeräumt wird, wenn zugleich die kapitalistischen Eigentumsverhältnisse inhaltlich ausgehöhlt werden. Das aber ist Aufgabe des Proletariats. Der Arbeiter müsse politisch aktiv sein, weil sicher scheint, »daß niemand die Freiheit für ihn erkämpft, wenn er es nicht selbst tut«.[54] In der Arbeiterdichtung dagegen bleibt die Antizipation der Zukunft vage und ohne jeden gesellschaftlichen Bezug. »Nicht Geld und Macht und Waffen«, heißt es bei Fritz Woike, »bannen die Not. / Nicht unsre Hände schaffen das Morgenrot.«[55] Wichtiger jedoch ist, daß das, was mit Metaphern wie Maienglück der Erde, Morgenrot, Sonnentag, frischer Sturm u. ä. m. beschworen wird, sich dort, wo man es über solche Formeln hinaus entfaltet, wenig zukunftsträchtig zeigt. Der negativen Einschätzung industriell-städtischen Milieus entsprechend, richtet sich allzuoft Hoffnung auf einen – quasi durch gigantische Naturkatastrophen verursachten – ›Sturz der Fabriken‹. Bröger:

> »Langsam schluckt sie der Schlund, über eine Nacht
> sind die Fabriken der flachen Erde gleich gemacht.
> Grüßt der Mensch die Sonne und ihren jüngsten Tag,
> klingt in den Gruß aus der Tiefe herauf ein letzter Hammerschlag.«[56]

Ihm entspricht zugleich der Wunsch nach Rückkehr zu den – so positiv verzerrt dargestellten – vorindustriell-handwerklichen Produktionsverhältnissen:

> »Um den blühenden Hammer, Hand in Hand,
> stehn die schaffenden Brüder aus Stadt und Land.
> Sie kommen alle, das Wunder zu sehn,
> und jubelnd hört man die Kunde gehn:
>
> ›Jetzt blüht der Hammer in unsrer Hand!
> Frei herrscht die Arbeit im freien Land.‹«[57]

VI

Diese wenigen Hinweise, die sicher nicht in aller Breite das ambivalente Verhältnis von Arbeiterdichtung und sozialdemokratischem Problembewußtsein erhellen, sollen hier genügen. Wird doch an ihnen schon deutlich, daß diese Literatur auch vor dem Bestimmungsmerkmal ›sozialistisch‹ versagt. In einzelnen Zügen zwar sozialdemokratischer Theorienbildung kongruent, verstecken sich hinter der Arbeiterdichtung doch häufig Vorstellungsmuster, die dieser Theorienbildung – selbst in der konservativeren Form eines de Man – entgegengesetzt sind. Orientiert sie sich doch bloß an jenen Denkstrukturen, die auf die Stabilisierung des Status quo gerichtet sind. Gesellschaftskritische und dynamische Aspekte dagegen werden in der Arbeiterdichtung durch antirationale Vorstellungsmuster, durch Anklänge an den Blut- und-Boden-Mythos und durch die Tendenz zur Naturalisierung sozialer Prozesse ersetzt. In dieser Mischung aber wirkt sie als Träger bürgerlich-mittelständischer Ideologie.

Interessant bleibt freilich, daß das vorliegende Schrifttum trotzdem, und ohne den an eine Arbeiterdichtung gestellten Ansprüchen gerecht zu werden, im Einflußbereich der SPD über lange Jahre hinweg ungebrochenes Ansehen genoß. Sicher spielen dabei Motive eine Rolle wie die schon erwähnte Neigung, an der Arbeiterdichtung die scheinbare Integration der Arbeiter auch im Bereich des Überbaus zu dokumentieren. Der Hauptgrund liegt freilich in einer indolenten und passiven Haltung der Kunst gegenüber. Indem die SPD schon vor 1914 »die Kunst dem Bereich des Politischen fernhielt« und darauf verzichtete, »Literatur zur Parteisache zu machen und sie als Waffe im Klassenkampf zu verwenden«,[58] fehlte nach 1918 eine tragfähige Literaturtheorie, die, durch Kritik operationalisiert, zu konkreten Bewertungsmaßstäben für eine proletarische Literatur hätte führen können. Ohne sie aber ließ sich das bürgerliche Monopol im kulturellen Bereich nicht unterlaufen. Was als proletarische Literatur abgesteckt wurde, konnte ideologisch und personell ein Spielfeld für zwar gutmeinende, nichtsdestoweniger aber kleinbürgerliche Literaten bleiben. Auf sozialdemokratischer Seite bestand kein analytisches Instrumentarium, um in konkreten Analysen von Werk und Leben der Arbeiterdichter diesen Sachverhalt aufzudecken.

So nimmt es nicht wunder, wenn die sozialdemokratische ›Parteiliteratur‹ sich schließlich nach 1933 gegenüber der Kulturpolitik der NSDAP als nur wenig widerstandsfähig erwies. Gewiß, viele ihrer Autoren gerieten in dieser Zeit in Vergessenheit, verloren ihre Publikationsmöglichkeiten oder emigrierten ins Ausland wie Schönlank, Preczang, Kläber und Krille. Andere wie Ginkel oder Lessen erhielten Berufsverbote. Wieder andere, insbesondere Barthel und Lersch, zeigten dagegen auch persönlich Sympathien mit den neuen Machthabern. »Die Nationalsozialisten«, so schrieb Barthel, »eroberten die Macht, sie *gebrauchen* die Macht, und darin unterscheiden sie sich wesentlich von unseren gemeinsamen Freunden, die mit der Macht *nichts anzufangen* wußten. – Die Sieger von heute waren *großmütig* und nicht rachsüchtig. Sie gaben die Hand jedem, der mitarbeiten wollte. Und nun bist du erbittert, daß ich *mitarbeite* da, wo ich mitarbeiten kann? *Hier* wird unser Schicksal und das unserer Kinder entschieden und *nicht in der Emigration* in Zürich, Prag, Wien oder Paris. Die *über die Grenze gegangen sind, haben das Recht ver-*

wirkt, über Deutschland zu reden und zu schreiben. – Sie sind viel zu schnell über die Grenzen gegangen, den meisten wäre kein Haar gekrümmt worden, wie ihren Kameraden kein Haar gekrümmt wurde, die hiergeblieben sind. Natürlich gibt es *Konzentrationslager,* aber, siehe oben: *eine Revolution wird nicht mit Rosenwasser gemacht.*«[59]

Wichtiger als solche gewiß aufschlußreichen Texte ist allerdings, daß von den Nationalsozialisten Werke der Arbeiterdichter – z. B. von Bröger, Barthel, Lersch, Brand, Petzold, Claudius – vielfach nachgedruckt und verwendet wurden und daß ihre Literaturwissenschaft sie durchaus positiv würdigte, ohne daß hier von einem Mißbrauch oder einem Mißverstehen gesprochen werden kann. War doch der Anspruch der Arbeiterdichtung, proletarisch und eigenständig zu sein, nicht mehr als der Irrtum einer sozialdemokratischen Literaturtheorie ohne politisches Konzept.

Anmerkungen

1. Christian Garve: »Betrachtungen einiger Verschiedenheiten in den Werken der ältesten und neueren Schriftsteller, insbesondere der Dichter«. In: *Romantheorie.* Dokumentation ihrer Geschichte in Deutschland 1620–1880. Hrsg. von Eberhard Lämmert u. a. Köln und Berlin 1971. S. 138.
2. Inge Lammel: *Das deutsche Arbeiterlied.* Leipzig, Jena und Berlin 1962. S. 13 f.
3. *Das Weimar der arbeitenden Jugend.* Bearbeitet von E. R. Müller. Hrsg. vom Hauptvorstand des Verbandes der Arbeiterjugendvereine Deutschlands, Berlin. Niederschrift und Bilder vom ersten Reichsjugendtag der Arbeiterjugend vom 28.–30. August 1920 in Weimar. S. 38.
4. Martin Andersen Nexö: »Ernst Preczang 60 Jahre«. In: *Kulturwille.* Monatshefte für Kultur der Arbeiterschaft, 1930. S. 11.
5. Georg Fülberth: *Proletarische Partei und bürgerliche Literatur.* Neuwied und Berlin 1972. S. 103.
6. ebd., S. 90.
7. Clara Zetkin: *Über Literatur und Kunst.* Berlin 1955. S. 122.
8. Heinrich Ströbel: »Humor«. In: *Vorwärts.* 27. Jg. Nr. 293 (15. Dezember 1910). In: Georg Fülberth, *Proletarische Partei und bürgerliche Literatur.* S. 131.
9. Georg Fülberth: *Proletarische Partei und bürgerliche Literatur.* S. 58 und 59.
10. Albert Horlitz: »Proletarische Feierstunden«. In: *Arbeiterjugend.* Monatszeitschrift des Verbandes der sozialistischen Arbeiterjugend Deutschlands, 1924. S. 309 f.
11. Rezension von Max Barthels *Utopia.* In: *Die Neue Zeit.* Wochenschrift der Deutschen Sozialdemokratie, 38 (1919/20). Bd. 1. S. 590.
12. Wolfgang Schumann: »Kunst und Klasse«. In: *Kulturwille,* 1927. S. 244.
13. Max Barthel: *Revolutionäre Gedichte.* Stuttgart 1919. S. 18 (»Noske träumt«) und S. 14 (»Spartakus«).
14. Rezension von Alfons Petzolds *Von meiner Straße.* In: *Arbeiterjugend,* 1918. S. 127.
15. Rezension von Max Barthels *Botschaft und Befehl.* In: *Kulturwille,* 1927. S. 42.
16. Werner Goldberg: »Kunst und Proletariat«. In: *Jungsozialistische Blätter,* 1924. S. 112.
17. Richard Oechsle: »Max Barthel«. In: *Jungsozialistische Blätter,* 1925. S. 340.
18. Ludwig Lessen: »Weg und Kampfgenossen der Jugend (Neue Bücher zweier Arbeiterdichter)«. In: *Arbeiterjugend,* 1920. S. 203.
19. Walther G. Oschilewski: »Gerrit Engelke und die deutsche Arbeiterdichtung«. In: *Jungsozialistische Blätter,* 1926. S. 114.
20. Ludwig Lessen: »Neue Gaben zweier Arbeiterdichter«. In: *Die Neue Zeit,* 38 (1919/20). Bd. 2. S. 474.
21. *Lexikon sozialistischer Literatur von den Anfängen bis 1945.* Halle 1963. S. 327.
22. Heinrich Lersch: »Kindheit und Jugend eines Dichters«. In: *Max Barthel.* Hrsg. von Fritz Hüser. Dortmund 1959. S. 15.
23. Heinrich Lersch: *Hammerschläge.* Berlin 1930. S. 206 f.

24. *Dem Andenken ihres großen Sohnes des Arbeiterdichters Karl Bröger zu seinem 75. Geburtstag am 10. März 1961.* Hrsg. von Walther G. Oschilewski im Auftrag der Stadt Nürnberg. S. 8.
25. August Bebel: *Die Frau und der Sozialismus.* Berlin ⁶¹1964. S. 440.
26. Rezension von Max Barthels *Utopia.* S. 590.
27. Rezension von Bruno Schönlanks *Gesänge der Zeit.* In: *Die Neue Zeit,* 40 (1921/22). Bd. 1. S. 288.
28. Max Dortu: »Der Schritt der Bergleute«. In: *Kulturwille,* 1929. S. 100.
29. Ludwig Lessen: »Frauenhände«. In: *Das proletarische Schicksal.* Hrsg. von Hans Mühle. Gotha 1929. S. 120.
30. Karl Bröger: *Soldaten der Erde.* 3.–4. Tsd., Jena 1918. S. 26.
31. Max Barthel: *Arbeiterseele.* Jena 1920. S. 104.
32. Vgl. *Das proletarische Schicksal.* S. 163 und 106.
33. Albert Horlitz: »Proletarische Feierstunden«. S. 309.
34. Alfred Thieme: »Wer ist Arbeiterdichter?« In: *Arbeiterjugend,* 1926. S. 21.
35. Walter Schenk: *Kampfjugend.* Berlin ³1927. S. 21.
36. Julius Zerfaß: »Arbeiterfest«. In: *Das proletarische Schicksal.* S. 97 f.
37. Bruno Schönlank: »Sonntag«. In: *Das proletarische Schicksal.* S. 89.
38. Max Barthel: *Botschaft und Befehl.* Berlin und Leipzig 1926. S. 58.
39. Heinrich Lersch: »Freude am Werkfeuer«. In: *Das proletarische Schicksal.* S. 36.
40. Vgl. Johannes Kretzen: »Das Fest im See«. In: *Kulturwille,* 1929. S. 168 f.
41. Karl Bröger: *Der blühende Hammer.* Berlin 1926. S. 12.
42. Erich Grisar: »Die Fabrik«. In: *Das proletarische Schicksal.* S. 15.
43. Max Dortu: »Arbeiter«. In: *Das proletarische Schicksal.* S. 173.
44. Karl Bröger: *Der blühende Hammer.* S. 23.
45. Hendrik de Man: *Zur Psychologie des Sozialismus.* Jena 1927. S. 235 und 236.
46. Karl Bröger: *Deutsche Republik.* Berlin 1926. S. 48.
47. Max Dortu: »Arbeiter«. In: *Das proletarische Schicksal.* S. 173.
48. Erich Grisar: »Streik«. In: *Das proletarische Schicksal.* S. 156 f.
49. Hendrik de Man: *Zur Psychologie des Sozialismus.* S. 385.
50. Karl Bröger: *Deutsche Republik.* S. 25.
51. Franz Laufenkötter: »Die Psychotechnik und die Betriebsräte«. In: *Die Neue Zeit,* 40 (1921/22). Bd. 1. S. 11.
52. Max Dortu: »Unsere Töchter im Sport«. In: *Das proletarische Schicksal.* S. 100.
53. Hendrik de Man: *Zur Psychologie des Sozialismus.* S. 59.
54. Eduard Heimann: *Soziale Theorie des Kapitalismus.* Tübingen 1929. S. 111.
55. Fritz Woike: »Nicht Geld«. In: *Das proletarische Schicksal.* S. 197.
56. Karl Bröger: *Die Flamme.* Jena 1925. S. 95.
57. Karl Bröger: *Der blühende Hammer.* S. 8 f.
58. Georg Fülberth: *Proletarische Partei und bürgerliche Literatur.* S. 126.
59. Max Barthel: »Ein weiter Weg nach Deutschland« (geschrieben Juni 1933). In: *alternative.* Zeitschrift für Literatur und Diskussion, 1964. S. 50.

Literaturhinweise

Ausgewählte Werke

Max Barthel: *Revolutionäre Gedichte.* Stuttgart 1919.
– *Arbeiterseele.* Jena 1920.
– *Utopia.* Jena 1920.
– *Botschaft und Befehl.* Berlin und Leipzig 1926.
Jürgen Brand: *Wir sind jung . . .* Berlin 1924.
Karl Bröger: *Der Held im Schatten.* Jena 1919.
– *Flamme.* Jena 1925.
– *Der blühende Hammer.* Berlin 1926.
– *Sturz und Erhebung.* Jena 1943.

Hermann Claudius: *Lieder der Unruh*. 3. endgültige Aufl. 5.–8. Tsd. Berlin 1926.
Franz Diederich: *Jungfreudig Volk*. Berlin 1925.
Max Dortu: *Männer vom Steinbruch*. Leipzig und Wien 1925.
Gerrit Engelke: *Das Gesamtwerk*. *Rhythmus des neuen Europa*. München 1960.
Erich Grisar: *Das atmende All*. Leipzig 1925.
Karl Henckell: *An die neue Jugend*. Berlin 1924.
Kurt Kläber: *Neue Saat*. Jena ²1922.
Otto Krille: *Aufschrei und Einklang*. 1.–5. Tsd. Berlin 1925.
Heinrich Lersch: *Mensch im Eisen*. Gesänge von Volk und Werk. Stuttgart 1925.
– *Stern und Amboß*. 5.–7. Tsd. Berlin 1929.
– *Hammerschläge*. Berlin 1930.
– *Ausgewählte Werke*. Hrsg. von Johannes Klein. Düsseldorf und Köln 1965.
Ludwig Lessen: *Wir wollen werben, wir wollen wecken*. Berlin 1924.
Alfons Petzold: *Das rauhe Leben*. Berlin 1920.
Ernst Preczang: *Röte dich, junger Tag*. Berlin 1926.
Walter Schenk: *Kampfjugend*. 3. erweiterte Aufl. 5.–7. Tsd. Berlin 1927.
Bruno Schönlank: *Sei uns, du Erde*. Berlin 1925.
Alfred Thieme: *Hammer und Herz*. 1.–4. Tsd. Berlin 1926.
Hermann Thurrow: *Flug in die Welt*. Berlin 1928.
Julius Zerfaß: *Glühende Welt*. Berlin 1928.

Quellen und Forschungsliteratur

alternative. Zeitschrift für Literatur und Diskussion. Berlin 1964. Juni-Heft.
Arbeiterdichtung. Analysen – Bekenntnisse – Dokumentationen. Hrsg. von der Österreichischen Gesellschaft für Kulturpolitik. Wuppertal 1973.
Arbeiter-Jugend. Monatszeitschrift des Verbandes der Arbeiterjugend-Vereine. (Dieser Untertitel ab 1921). Berlin 1916–30.
Julius Bab: *Arbeiterdichtung*. Neue erweiterte Aufl. Berlin 1929.
Max Barthel. Hrsg. von Fritz Hüser. Dortmund 1959. (Dichter und Denker unserer Zeit. Folge 26.)
Deutsche Arbeiterdichtung 1910–1933. Hrsg. von Günter Heintz. Stuttgart 1974. (Reclams Universal-Bibliothek Nr. 9700–04.)
Gerrit Engelke. Arbeiter und Dichter. Hrsg. von Fritz Hüser. Dortmund 1958. (Dichter und Denker unserer Zeit. Folge 24.)
Hildegard Feidel-Mertz: *Zur Ideologie der Arbeiterbildung*. Frankfurt a. M. 1964.
Georg Fülberth: *Proletarische Partei und bürgerliche Literatur*. Neuwied und Berlin 1972.
Eduard Heimann: *Soziale Theorie des Kapitalismus*. Tübingen 1929.
Jungsozialistische Blätter. Nürnberg und Berlin 1922–27.
Kulturwille. Mitteilungsblatt des ABI / Organ für kulturelle Bestrebungen der Arbeiterschaft. (Ab 1925 Untertitel: Monatshefte für Kultur der Arbeiterschaft.) Leipzig 1924–30.
Inge Lammel: *Das deutsche Arbeiterlied*. Leipzig, Jena und Berlin 1962.
Heinrich Lersch. Kesselschmied und Dichter. Hrsg. von Fritz Hüser. Dortmund 1959. (Dichter und Denker unserer Zeit. Folge 26.)
Hendrik de Man: *Der Kampf um die Arbeitsfreude*. Jena 1927.
Die Neue Zeit. Wochenschrift der Deutschen Sozialdemokratie. Stuttgart 1914–24.
Das proletarische Schicksal. Hrsg. von Hans Mühle. Gotha 1929.
Christoph Rülcker: *Ideologie der Arbeiterdichtung 1914–1933*. Eine wissenssoziologische Untersuchung. Stuttgart 1970.
Sozialistische Monatshefte. Berlin 1918–24.
Gerald Stieg und Bernd Witte: *Abriß einer Geschichte der deutschen Arbeiterliteratur*. Stuttgart 1973. (Literaturwissenschaft – Gesellschaftswissenschaft. Materialien zur Literatursoziologie. Hrsg. von Theo Buck und Dietrich Steinbach.)
Texte der proletarisch-revolutionären Literatur Deutschlands 1919–1933. Hrsg. von Günter Heintz. Stuttgart 1974. (Reclams Universal-Bibliothek Nr. 9707–11.)
Clara Zetkin: *Über Literatur und Kunst*. Berlin 1955.

RALPH-RAINER WUTHENOW

Literaturkritik, Tradition und Politik.
Zum deutschen Essay in der Zeit der Weimarer Republik

Es ist leichter, wohl auch dankbarer, das Werk eines Essayisten darzustellen und zu charakterisieren als die zahlreichen essayistischen Publikationen eines wie auch immer eng umgrenzten Zeitabschnittes. Die Absicht, genau und gerecht zu sein, verführt nur allzurasch dazu, Namen von Autoren, Titel und Tendenzen aufzuführen, und in der Flut der Erwähnungen und Zitate verkehrt sich die Absicht bald in ihr Gegenteil. So ist es wohl gerechtfertigt, mehr exemplarische Dokumentation und Kommentar zu versuchen, als eine in solchen Zusammenhängen stets unzureichende Untersuchung vorzulegen. Nicht Wertungen und Interpretationen sind also zu leisten, sondern die Darstellung von Positionen und Verhältnissen. Eine erläuterte Auswahl der ›besten‹, oder besser: der wichtigsten Essays dieser Jahre, die allerdings noch immer aussteht, würde vielleicht doch anders aussehen, als sich aus der folgenden Übersicht ergibt. In jedem Falle würde die ›politische Publizistik‹ – Maximilian Harden wie Carl von Ossietzky – den gebührenden Raum finden, aber auch der wissenschaftliche Essay, nicht nur von Fritz Ernst oder Karl Vossler, sondern vor allem von Georg Lukács und Sigmund Freud, dessen *Unbehagen in der Kultur* im Jahre 1930 erscheint.

I

Keineswegs ist der Essay in Deutschland so unentwickelt, wie man oft sagt, keineswegs sind Essayisten hierzulande so selten, wie man behauptet. Aber ihre Wirkung war, das muß hinzugefügt werden, stets sehr viel eingeschränkter, minder stark und nachhaltig als in den Nachbarländern, in England und Frankreich vor allem, wo Essaysammlungen, die bei uns die Ausnahme sind, als selbstverständlich erscheinen. Ob das nun ein Indiz für das von Hofmannsthal wiederholt beklagte »kurze Gedächtnis«[1], die literarische Traditionslosigkeit der Deutschen ist, sei dahingestellt. Unzweifelhaft aber sind die Gründe hierfür weniger bei den Schriftstellern zu suchen als beim Publikum. Jene nämlich haben gerade in den Jahren nach dem Ersten Weltkrieg zur Erneuerung des Genres und weiter zur Wiederbelebung literarischer Traditionen, für die der Essay vor allem seit dem späten 19. Jahrhundert als paradigmatisch erscheint,[2] sehr viel beigetragen, und zwar zum einen in der Erwartung, den moralischen wie ideellen und materiellen Verlusten, die der Kriegsausgang – und eigentlich schon der Ausbruch – im Gefolge hatte, eine Art von geistiger Erneuerung und Bindung, jedenfalls ›geistigen Reichtum‹, der wandellos und dauerhaft zu sein schien, entgegensetzen zu können, zum anderen aber mit der Absicht, das, was durch den Kriegsausgang an Möglichkeiten sich zu eröffnen schien, zu befördern und programmatisch voranzutreiben. Damit werden sofort auch im scheinbar nur literarischen Bereich bisher meist verdeckte politische Positionen erkennbar. Dementsprechend sind dann auch die Traditionseinflüsse, die man zu aktualisieren sucht, verschiedenartig und widersprüchlich bis zum offenen Gegensatz. Die Gattung selbst erfährt noch keine entscheidenden Veränderungen, aber der Essay wird offen oder versteckt politisiert, wie es schon die Auseinandersetzung zwischen Heinrich Mann und seinem Bruder Thomas in den ersten Jahren des Weltkriegs gezeigt hatte. Man darf auch annehmen, daß damit der Versuch einherging, sich jetzt, von der Zensur unbelastet, einer breiteren Leserschicht vernehmbar zu machen; aber noch der Rückzug auf die ästhetischen Zirkel und in den rein literarischen Bereich ist als Absage an die Politisierung der Literatur, gar an die nahe politische Wirklichkeit, selbst wieder von politischer Bedeutung.

Eines der ersten Essaybücher, das nach dem Kriege erscheint, ist dezidiert politisch – »Der deutschen Republik« gewidmet – und schon durch den Titel so deklariert: *Macht und Mensch* von Heinrich Mann.[3] Hier hat der Verfasser die Essays mehrerer Jahre zusammengefaßt, einige seiner berühmtesten Arbeiten sind darunter: »Geist und Tat«, »Voltaire – Goethe«, »Zola«, »Die Bücher und die Taten«. Daneben stehen kürzere Prosastücke wie »Sinn und Idee der Revolution«, Gedenkworte für Kurt Eisner, dann »Kaiserreich und Republik«. Vorwürfe finden sich darin, die nicht von einem Monat zum anderen formuliert wurden, sondern die das Resultat von fast zwanzig Jahren schriftstellerischer Tätigkeit, d. h. auch literarisch-gesellschaftlicher Aufmerksamkeit sind. Jetzt las man neu, was 1910 schon geschrieben worden war, daß in Deutschland niemals die Kraft der Nation, die sich im Denken konzentrierte, gesammelt worden war, um Erkenntnisse in die Tat umzusetzen: »Die Abschaffung ungerechter Gewalt hat keine Hand bewegt. Man denkt weiter als irgendwer, man denkt bis ans Ende der reinen Vernunft, man denkt bis zum Nichts: und im Lande herrscht Gottes Gnade und die Faust. Wozu etwas ändern. Was anderswo geschaffen, hat man in Theorien schon überholt.« Der Verfasser wagt die herausfordernde Frage zu stellen, was dieses Volk, das selbst nicht groß ist, seine großen Männer eigentlich gekostet haben. Welche Nivellierung war der Preis solcher individuellen Errungenschaften, welche »Entfernung vom Menschlichen«, was für Leiden auch? Der ›große Mann‹ nimmt Tatkraft, Stolz und Abgründe seines Volkes in sich auf, das als gewöhnlicher Durchschnitt weit unter ihm bleibt. Und nun der Hieb: »Ein Volk von heute hat kein Recht auf so große Männer. Es hat kein Recht, sich von ihnen der Selbstbestimmung entheben, korrumpieren, gar anstecken zu lassen und sich, Wollwarenfabrikant oder Schmock, ein Übermenschentum einzureden, während noch sein Menschentum rückständig ist.«

Hofmannsthal hingegen publiziert zu eben dieser Zeit, als Thomas Mann seine *Betrachtungen eines Unpolitischen* überdenkt, umschreibt und in der Retrospektive als Rückzugsgefecht zu deuten sich entschließt, eine Zuschrift »An Henri Barbusse, Alexandre Mercereau und ihre Freunde«;[4] er sieht im Begriff Europa das einigende Moment über und gegen alle Formen des Chauvinismus. »Sei es ausgesprochen«, gesteht er, »daß eine Reue allein in uns immer lebendig war: die Reue, zur wahren wechselweisen Erkenntnis der Nationen zu wenig beigetragen zu haben.« Und er erkennt, wohl auch im Hinblick auf sich selbst und einen privatisierten Begriff von Bildung: »Die Mühe, die wir aufgewandt hatten, die Früchte Eures Geistes zu genießen, die Produkte dreier, glorreicher französischer Jahrhunderte uns zu eigen zu machen, die unlösbare Verkettung der Geistigkeiten zu erfassen, war

selbstsüchtig gewesen.« Selbstsucht steht hier gewiß nicht unüberlegt oder als vor-
getäuschte Selbstbezichtigung – sie steht synonym für Ästhetizismus. Und im Sinn
der Lösung von jener auf das Selbst fixierten ästhetizistischen Haltung betreibt er
Selbsterkenntnis, Selbstdeutung des nicht staatlichen, aber nationalen Kollektivs,
dem er angehört: »Wir sind ein zwiespältiges Volk, das sich selber immer neu entdecken muß und Mühe hat, sich selber zu begreifen. Dunkler Gast unter den Völkern der Erde, dem Nicht-Seienden und dem Daseienden wechselweise verknüpft,
müssen wir es tragen, wenn Mißtrauen die Welt erfüllt, auch dann, wenn wir auf-
richtig aber unerwartet handeln und wandeln.« Pessimistisch eher klingt der
Schlußabschnitt dieser Zuschrift und ist doch zugleich das Motto seiner künftigen
essayistischen Produktion: »Wir sind, als Geistige, in Frage gestellt von einer Welt,
die Chaos werden will, weil ihre Ideen erschüttert sind; unser Wert, als Individuen,
ist bescheiden und problematisch; das Ungeheure unserer Situation ist ohne Beispiel. Und es ist nur ein Anfang [. . .].«
Erst der Ausgang des Krieges – für ihn der Untergang der Habsburger-Monarchie
– zwingt ihn zu Einsichten, die bei Nietzsche vorweggenommen und vorformuliert
sind. Heinrich Mann hatte den Untergang der – deutschen – Monarchie vorausbe-
dacht und keine Erschütterungen zu verwinden. In den Stellungnahmen beider
Autoren, die im übrigen wenig voneinander hielten, sind die Gegensätze bezeichnet,
welche die Jahre der Weimarer Republik durchziehen und, ehe sie gelöst werden
konnten, durch die Machtübernahme der Faschisten beendet wurden. Es sind dies,
wie schon angedeutet, keine Gegensätze zwischen literarisch-politischen und unpo-
litisch-literarischen Schriftstellern oder Gruppen, sondern solche, die als politische
den literarischen Positionen zugrunde liegen, ihnen sogar zuweilen vorausgehen,
auch ohne sichtbar in die Arbeiten einzugehen. Das wird manchem nicht bewußt,
wird von manchem verschleiert, von manchem auch offen eingestanden. So erklärt
Rudolf Borchardt, er wolle als ein Mann des Tages auftreten, er sei der allgemeinen
Lage verpflichtet, dem Anlaß hingegeben, denn er weiß, »daß die Gesinnung, die
in der Welt schweigt, eine armselige Sache ist gegen die Gesinnung, die in die Welt
eingreift«.[5] Freilich muß auch er die Voraussetzungen solchen Unternehmens und
die Möglichkeiten seiner Wirkung mit Skepsis durchdenken. 1917 bereits stellte er
die rhetorische Frage: »Wofür soll der Deutsche sich plötzlich interessieren? Für
öffentliche Angelegenheiten. Wovor ist der Deutsche hundert Jahre lang mit flie-
genden Rockschößen davongerannt? Vor öffentlichen Angelegenheiten. Er war
durch Umstände, die ins historische Kolleg gehören und nicht hierher, zum Privat-
mann geworden [. . .].« Der Frage nach den Gründen aber weicht der Deutsche am
liebsten aus, und, muß Borchardt konzedieren, die Zensur ist nicht einmal schuld:
es gibt keinen öffentlichen Geist, der sich geknebelt fühlen könnte. Denn: »Wir
hatten und wir haben keinen öffentlichen, sondern einen geheimen Geist, keine
öffentliche Meinung, sondern geheime und getuschelte Meinungen, und daher keine
öffentlichen Angelegenheiten und keine öffentliche Gesellschaft. Stündlich ist es zu
lesen, die Politik sei in Deutschland eine Geheimwissenschaft geworden und müsse
aufhören das zu sein. Nur die Politik? War nicht unsere Literatur eine Geheimlite-
ratur und unsere Kunst eine Geheimkunst? Und lag nicht jede deutsche geistige und
äußere Lebensbetätigung genau so drachenartig eifersüchtig wie die Diplomatie, auf
den Geheimnissen ihrer Geschäftsführung, auf den Horten ihrer Privilegien?«[6]

Die Essayistik der Weimarer Zeit erscheint nicht zuletzt als ein verzweifelter Versuch, von sogenannter radikaler wie auch von oft eilfertig verdächtigter konservativer Seite unternommen, diesen Geist der Öffentlichkeit zu realisieren. Das Experiment wurde vorzeitig unterbunden, und mit den Folgen der gewaltsamen Unterbrechung haben wir noch heute zu tun.

II

Die sichtbare Politisierung des Genres, das für lange Zeit vor allem historisch-vermittelnd, kritisch-charakterisierend gewesen war, ist nur eine Seite und hängt aufs engste mit der Politisierung der Öffentlichkeit in der jungen, noch unsicheren Republik zusammen; die andere ist die der Wirkung durch das sich in dieser Lage neu entwickelnde Zeitungs- und Zeitschriftenwesen, zu dem wenig später schon der Rundfunk tritt, der in wachsendem Maße von den Schriftstellern als Publikationsmedium benutzt wird, neben der Druckveröffentlichung als Zeitschriftenbeitrag, dann in gesammelter Form als Buch und der noch immer praktizierten Form der Ansprache im kleinen Kreis, dem öffentlichen Vortrag. So spricht nicht nur Josef Hofmiller seinen Voltaire-Essay im Rundfunk; Heinrich Mann und Gottfried Benn, auch Walter Benjamin und Karl Wolfskehl arbeiten für den Funk, dessen Wirkungsmöglichkeiten allerdings noch sehr viel beschränkter waren als in unseren Tagen, weil der Besitz eines Empfängers durchaus noch nicht so selbstverständlich war wie heute der eines Fernsehapparates. Die hervorragende Rolle spielen noch immer die Zeitschriften, vor allem *Die Neue Rundschau* aus dem Hause Fischer, daneben Zeitschriften wie *Der Neue Merkur, Die Horen,* wichtiger allerdings noch die *Süddeutschen Monatshefte,* die P. N. Cossmann herausgibt und an denen Hofmiller mitarbeitet, dann natürlich die *Weltbühne,* die *Literarische Welt* von Willy Haas, *Die Fackel* von Karl Kraus, die fast von ihm allein geschrieben wird und vom polemischen Zitieren lebt, kurzfristig daneben Hofmannsthals *Neue Deutsche Beiträge,* später noch die *Corona* und schließlich auch die *Neue Schweizer Rundschau,* vormals *Wissen und Leben,* die der junge Max Rychner redigiert und die einer ihrer Mitarbeiter später wie folgt beurteilt: »Unter seiner Leitung war die *Neue Schweizer Rundschau* eine der fünf oder sechs besten Zeitschriften Europas [...].«[7]
Walter Benjamin, der auch die Möglichkeiten der modernen Medien schon reflektiert hat, charakterisiert die Intention einer von ihm geplanten Zeitschrift (auch das Nicht-Gewesene ist Teil der Epoche): »Die wahre Bestimmung einer Zeitschrift ist, den Geist ihrer Epoche zu bekunden. Dessen Aktualität gilt ihr mehr als selber seine Einheit oder Klarheit, und damit wäre sie – gleich der Zeitung – zur Wesenlosigkeit verurteilt, wenn nicht in ihr ein Leben sich gestaltete, mächtig genug, auch das Fragwürdige, weil es von ihr bejaht wird, noch zu retten. In der Tat: eine Zeitschrift, deren Aktualität ohne historischen Anspruch ist, besteht zu Unrecht.« Er nennt das *Athenäum* hier vorbildlich und als Beispiel, »wie für die wahre Aktualität der Maßstab ganz und gar nicht beim Publikum ruht. Jede Zeitschrift hätte, wie diese, unerbittlich im Denken, unbeirrbar im Sagen und unter gänzlicher Nichtachtung des Publikums, wenn es sein muß, sich an dasjenige zu halten, was als wahr-

haft Aktuelles unter der unfruchtbaren Oberfläche jenes Neuen oder Neuesten sich gestaltet, dessen Ausbeutung sie den Zeitungen überlassen soll.«[8] Eine solche Zeitschrift wird Organ der Dichtung, der Philosophie und der Kritik sein, einer Kritik, die nicht historisch vermittelt, sondern Rechenschaft ablegt von der Wahrheit des Kunstwerks. Das ist um so dringlicher, als eine, wie Benjamin in diesem Zusammenhang feststellt, gefährliche und entscheidende Zeit für die deutsche Dichtung mit dem neuen Jahrhundert begonnen hat. Daß die Zeitschrift nie erschienen ist, verschlägt hier nichts: die geäußerte Intention ist selbst schon Reflexion auf den allgemeinen Zustand.

Vorsichtig wird das Stichwort ›Krise‹ umschrieben. Ernst Robert Curtius erkennt (1924) an den Kunstwerken den Wandel des europäischen Lebensgefühls: »In den bisherigen Stilwandlungen der Kunst waren es nur die ästhetischen Gegenstände, welche wechselten. Neue Formen der Schönheit wurden entdeckt, aber durch diese Wandlung hindurch blieb das Verhältnis des Menschen zur Kunst dasselbe. Heute erleben wir eine viel radikalere Veränderung nicht nur der Gegenstände, sondern der subjektiven Einstellung gegenüber der Kunst. Die Kunst wird sozusagen nicht mehr ernst genommen«, beklagt er sich.[9]

Vom Verfall der Öffentlichkeit als der eigentlichen Krise ist nicht die Rede.

III

Die Veränderungen, die in den Publikationsmitteln und in der sichtbar gewordenen Politisierung der Essays sich ankündigen, sind von den Autoren selbst nur zum geringen Teil reflektiert worden. Heinrich Mann hatte vor Jahren (1910) schon in einer betont antiartistischen Wendung erklärt, das Genie müsse sich als der Bruder des letzten Reporters betrachten, »damit Presse und öffentliche Meinung, als populärste Erscheinungen des Geistes, über Nutzen und Stoff zu stehen kommen, Idee und Höhe erlangen«.[10] Nun, was durch solche Wendung impliziert wird, erfolgt in den Jahren der Weimarer Republik: eine Entfaltung der literarisch bedeutenden Reportage wie nie zuvor, und Joseph Roth ist nur ein Beispiel hierfür; dagegen aber behauptet Borchardt, den Anspruch auf Poesie nicht opfernd, einen anderen Standpunkt im Hinblick auf seine *Handlungen und Abhandlungen*: »Briefe, im wörtlichen Sinne, sind mehrere Hauptstücke des Bandes; Briefe im übertragenen, sind sie fast alle, Anreden oder Antworten; alle, ohne Ausnahme, sind zwischen den dringendsten und schwersten Arbeiten ganz schnell geschrieben, zum Teil diktiert, mit fliegender Feder gebannt; nichts von dem, was sie haben können, verdanken sie der Meditation und dem Werkzeugkasten der Muße.«[11]

Diese Bemerkung vor allem weist auf die Problematik des Essays, zwischen Literaturkritik, Philosophie und Wissenschaft nicht etwa ›angesiedelt‹, sondern, im Gegenteil, nicht eindeutig festgelegt. Hermann Hesse freilich gibt die Form nachdrücklich preis und macht aus seiner schriftstellerischen Not eine pädagogische Tugend, wenn er (1920) sagt: »Die hier mitgeteilten Gedanken in eine zusammenhängende und gefällige Form zu bringen, war mir nicht möglich. Es fehlt mir die Begabung dazu, und außerdem empfinde ich es als eine Art von Verlegenheit oder doch Anmaßung, wenn der Autor, wie so viele es tun, aus einigen Einfällen einen

Essay baut, der den Eindruck von Vollständigkeit und Folgerichtigkeit macht, während er doch nur zu einem kleinen Teil Gedanke, zum weitaus größeren Teil aber Füllsel ist.«[12]

E. R. Curtius betont in seinem Essay über T. S. Eliot (1927) den produktiven Zusammenhang von Intuition und Intelligenz für die Kritik, die längst Ingredienz der künstlerischen Hervorbringung geworden ist,[13] und rechtfertigt damit wenn nicht den Essay selbst, so doch seine Voraussetzungen; Fachlichkeit und Sachlichkeit der Deutschen steht der Entwicklung dieser romanischen Form produktiver Kritik hindernd im Wege. Das betrifft die essayistische Literatur als Medium der literarischen Kritik, der Vermittlung von zeitgenössischer Produktion und von literarischer Überlieferung, als das sich der Essay bald in stärkerem Maße wieder behaupten sollte, sofern er nicht, wie bei Heinrich Mann, Medium der Politisierung, der Herstellung nicht nur literarischer Öffentlichkeit diente.

Dagegen steht allerdings die Nachwirkung von Thomas Manns *Betrachtungen eines Unpolitischen*, einem der wichtigsten essayistischen Werke der ersten Jahrhunderthälfte, die von einem so klugen Traditionalisten wie Hofmiller im Nachwort zu seinem *Deutschen Lesebuch* wie folgt charakterisiert wurden: »Das Buch Thomas Manns scheint von Hamlet geschrieben: nicht für den süßen Mob, auch nicht für Shylock Brothers, sondern für Antonio und Fortinbras, die stumm hinter der Szene warten, auf der seit vielmal zwölf Monden ›viel Lärm um nichts‹ gemimt wird. Was der Zorn und Ekel von Tausenden seit langem heimlich stammelt, hier ist es ausgesprochen, von einem Meister. Was sich der erste deutsche Schriftsteller unserer Tage während der Revolutionsjahre von der Seele geschrieben hat, verdient, von jedem besonnenen und besorgten Deutschen gelesen zu werden. Man braucht nicht zu fürchten, daß nur von Politik darin die Rede sei; Thomas Mann müßte nicht er selbst sein, wenn sein Blickfeld nicht Leben und Kunst im weitesten Sinne umfaßte.«[14]

Ganz an die Tradition wird der Essay auch in Hofmillers gängiger und doch herausfordernder Bestimmung gebunden, die für ihn selbst freilich auch charakteristisch ist, unorthodox und mit Bildung spielend, zumal im Lob der »schönen Zwanglosigkeit« und im Beharren auf dem Kunstcharakter dieser Prosa: »Weil er keine wissenschaftliche Leistung ist, sondern ein Kunstwerk, gibt es für ihn auch keine Regeln: weder hinsichtlich seines Aufbaues, noch seines Umfangs, noch seiner Mittel. Er kann ein erweiterter Aphorismus sein. Er kann ein ganzes Buch sein.«[15] Konsequent heißt es von Herman Grimm, er sei das Gegenteil eines Fachmannes gewesen; »dauernde Werte«, so rühmt Hofmiller, vermittelte Grimm »in einer Zeit schamloser Inflation«.[16]

Politisierung in einem erweiterten Sinne strebt allerdings auch Hugo von Hofmannsthal an, wenn er die deutsche Situation als durch gefährlichen Traditionsverlust gekennzeichnet sieht; aber er meint es anders als die republikanische Wendung: »Wir stehen, wie immer wieder im geistigen Leben dieser geheimnisvollen Nation, der deutschen, vor einer abgebrochenen Tradition«, erklärt er 1920.[17] Das aber verändert den Essay nicht. Immer wieder ist es, aus der persönlich erlittenen Erschütterung über den Untergang der Habsburger-Monarchie entstanden, die wachsende Beunruhigung, die Hofmannsthal sich auf den Begriff Europa stärker als je zuvor zu fixieren zwingt. Das zeigen nicht zuletzt auch die Themen seiner

Essays aus jenen Jahren: Beethoven, Molière, Napoleon, Manzoni, Saint-John Perse – wie einzelne Abschnitte, die minder Reflexionen als Vergegenwärtigungen sind: »Die Kultur, die uns trägt, und an der, wie an den Planken eines alten Schiffes, der gewaltigste und anhaltendste Sturm seit einem Jahrtausend jetzt rüttelt, ist in den Grundfesten der Antike verankert. Aber auch diese Grundfesten selber sind kein Starres und kein Totes, sondern ein Lebendes. Wir werden nur bestehen, sofern wir uns eine neue Antike schaffen: und eine neue Antike entsteht in uns, indem wir die griechische Antike, auf der unser geistiges Dasein ruht, vom großen Orient aus neu anblicken.«[18]

Ist dies das Heilmittel? Doch hat Hofmannsthal genau genug gesehen, daß mit der Vergegenwärtigung historischen ›Besitzes‹ nicht genug getan ist, daß der Begriff Europa selbst seine Wandlung erfährt und daß es mit der Selbstgenügsamkeit Europas zu Ende ist, das seine Identität neu zu finden hat – nicht nur seine Antike.

Soweit aber sind weder veränderte Inhalte noch neue Formabwandlungen festzustellen: kritische Betrachtung gegenwärtiger europäischer Literatur, Deutung, Charakteristik, Vergegenwärtigung einer doch immer wieder als überzeitlich verstandenen Tradition kennzeichnen den Essay weitgehend. Es gilt dies auch, ja besonders, für die Arbeiten von Thomas Mann, dessen politische, d. h. jetzt republikanische Wende seit der Rede *Von deutscher Republik* (1923) unübersehbar geworden war, der jedoch als Essayist, und das wollte er gleichfalls sein, davon gewissermaßen unberührt bleibt, der in der Auseinandersetzung mit Goethe, Tolstoi, Fontane, Wagner, überhaupt in der Rückbeziehung auf das sonst oft verachtete 19. Jahrhundert, nur die eigenen Kunstprobleme, nicht selten weitschweifig, erörtert, insbesondere in der Beschäftigung mit der Décadence; wobei seinen essayistischen »Bemühungen« jener Jahre (*Rede und Antwort*, 1922; *Bemühungen*, 1925; *Die Forderung des Tages*, 1930) Prägnanz und Strenge abgehen, die fragende, zweifelnde Haltung, der Prozeßcharakter des essayistischen Verfahrens. Das Moment der Vergewisserung und Bestätigung ist immer schon vorgegeben, indes die Selbstdarstellung, die Mitteilung des bewußt Schreibenden, das Subjektive als Charakteristikum der Erzählweise in der immer wieder deutlich ironischen Abstandnahme, in Einschüben und Arabesken sichtbar gemacht wird, nicht aber als Reflexion und Skepsis. Daneben sind die Arbeiten zu zeitgenössischer Literatur, in denen er es sich versagen muß, beredt und gewählt zu plaudern, reine Gefälligkeitsprosa.

Anders bei Gottfried Benn, dem expressionistischen Lyriker und kühlen, doch pathetischen Naturwissenschaftler, der, wie viele aus seiner und der vorausgehenden Generation, wichtige Denkanstöße von Nietzsche, vorbildliche Kunsterfahrungen aber durch Heinrich Mann erfahren hatte. Hier wird auch formal, d. h. nicht in Aufbau und Prinzip des Essays, der polymorph ist und also vielfach charakterisierbar, daher von einem strengen Formgesetz nicht erst befreit werden mußte, sondern eher stilistisch in Evokationen, Ellipsen, rhetorischen Fragen, zuweilen gedrängt, dann wieder in absichtsvoll rhythmischer Formung, mit dem Widerstreit von Brüchigkeit und Gliederung gearbeitet – wie dies auch Heinrich Mann nicht selten tat. »Abfahrt! Was nun?« heißt es in der Rede *Das Moderne Ich* von 1918. Nichts von Tradition mehr, jeder Satz fast wird zum Angriff auf Geschichte, Gesellschaft, Zivilisationsvorstellung, Fortschrittsideologie: »Der zweite Tag Europas ist vergangen, war Glaube Schuld, wurde Erfahrung Zufall, es ist die Nachtwache zum dritten Tag. Gerädert von Determiniertheit, gehetzt von Ablauf, gesteinigt jeden Tag von neuem von einer Wirklichkeit, vor der es kein Entrinnen gab, sind wir erlegen. Sie dürfen sich erschaffen, Sie sind frei. Sahen Sie Timurs großen Brand oder Benkals trunkene Vision, sahen Sie Picassos Geige wie eine Axt gegen diese Wirklichkeit oder vielmehr die Splitter ausgeborstener Kosmen neu verbunden zu einer Geige aus Blut? Wohin gehen Sie, sich zu erschaffen?«[19]

Das Echo auf Nietzsche ist unverkennbar: »Es ist Mittag über dem Ich oder dem Sommer, es schweigt von Früchten, über allen Hügeln, es schweigt von Mohn. Es ruft; Echo ruft – das ist keine Stimme, keine Antwortstimme, kein Glück, kein Ruf.«[20] Der rebellische Anruf eines radikalen Individualismus will in schwermütigen Lyrismen ausklingen. Aber das sind nur Momente in dieser Prosa, die dazu angetan ist, Hofmannsthals Erwartungen, Thomas Manns Ansprachen, dem allgemeinen Kulturbegriff und der Hoffnung auf Wirksamkeit des sogenannten ›Geistigen‹ ins Gesicht zu schlagen. Wenn zuweilen selbstgenüßliche Verzweiflung laut wird, so führt sie Benn doch dazu, auch nach den materiellen Voraussetzungen der literarischen Existenz zu fragen. Und die Kulturlandschaft stellt sich anders dar, als die Allgemeinheit dies will, zumindest anders als in Festvorträgen: »Wenn man die sprachlichen Absonderungen von öffentlichen Persönlichkeiten sowie Badeprospekten liest, kommt man auf die Idee, Staat, Kommune, Gesellschaft, Zivilisation, Geschmack, Kultur und Kunst, das sei alles eins, ein internationales Glück.«[21]

Die Literatur zeigt hierzulande »mehr Orakel als Stil«, sie ist »unhistorisch und ejakulativ«, die Deutschen sind »politisch uneins, ohne Tradition und ohne Geschmack für das Innere der Tradition, eine etwas amorphe Masse, jahrhundertelang unter Kartoffelrittern. [...] Ein schmuckloses Volk; große Gedanken, aber das Ganze abnorm und hyperboreisch, [...].«[22] Auch das ist, mit Blick auf Frankreich gesehen, eine Konfrontation neben der, die Heinrich Mann, und jener berühmteren, die Hofmannsthal unternommen hat. Man sollte sie nicht verschweigen, nur weil Benn zwischendurch anders zu denken versuchte oder gar das Denken aufzugeben versucht war. Er stützt sich nicht auf Überlieferung und meint keine Tradition zu wahren: ihm zeigt die Geschichte nur den gleichbleibenden Widerspruch von Gesellschaft und produktivem Einzelnen. Und von daher stellt er die schon als Absage zu lesende, gefährliche Frage, ob künstlerische Größe überhaupt historisch wirksam sei, ob sie Einfluß nimmt auf den Prozeß des Werdens. »Ist der Künstler nicht vielleicht a priori geschichtlich unwirksam, rein seelisch phänomenal, muß man ihn nicht vielleicht allen historischen Kategorien entrücken, der Macht und ihrer Entfaltung, dem Gesellschaftlichen und Forensischen, den Begriffen der Entwicklung und des Fortschritts als einer rein naturalistischen Vorstellungsmethode, einer Sphäre rein empirisch, augenscheinlich, undialektisch, einer Kausalität von Fall zu Fall?«[23]

Den von Nietzsche neugestifteten Kunstverdacht erhält er aufrecht und wendet ihn dann positiv als Isolierung der ästhetischen Phänomene von der Welt geschichtlicher Wirklichkeit, als reine Vollendung jenseits der Stürze und Orgien historischer Entfaltungen. Was Nietzsche erkannt hatte, Künstlertum als Atavismus und daher Fragwürdigkeit des künstlerischen Daseins, wird zum Triumph stilisiert (als Revers der Verzweiflung nämlich), wird zum Aushalten auf ›verlorenem Posten‹. So bleibt dann nichts als der Einsame und seine Bilder. Benn kehrt zum späten Nietzsche zu-

rück; Geschichte ist Naturgeschehen, dem sich der Produktive, es erhöhend, entzieht – »dahinter das Undurchdringliche mit seinem grenzenlosen Nein«.[24]
Der Einspruch, der hier erfolgen mußte, blieb offenbar aus; die notwendige Warnung wurde nicht gegeben, und in das Recht, das Benn hier kühn behauptete, war seine, obschon nur kurze, spätere wortreiche Teilhabe am etablierten Unrecht schon verschlungen.

Eben das Vergessen, das solche Geschichtsabkehr impliziert, konnte für Hofmannsthal zu einem Vorgang werden, der ihn tief erschrecken ließ. So mußte Walter Benjamin 1932 in der Einleitung zu seiner Dokumentation *Vom Weltbürger zum Großbürger* provozierend darauf hinweisen, daß es mit der alten Art, Bücher zu lesen, nämlich um Bildungsmaterialien anzuhäufen, vorbei sei. Freilich:»Daß es eine neue Art gibt sie aufzuschlagen, haben wir im folgenden zu beweisen versucht.« Er fährt fort:»Die Erfahrung, von der wir hier Zeugnis ablegen, wird jeder Leser mit seinen Lieblingsbüchern selbst gemacht haben: ohne daß das Ganze zerfiele, heben sich aus solchen Büchern Stellen heraus, deren unmittelbarer, persönlicher, politischer, sozialer Lebenswert sich von selbst einprägt.«[25] Dem Erbaulichen und Schönen setzt er die Verwendbarkeit entgegen, die eben keine andere, neue Form des Erbaulichen ist, sondern darin liegt, daß die eigene Meinung und Erfahrung neu befragt, geklärt, geprüft, bestätigt wird. Dem Vergnügen wird ein Erkenntnisprozeß gegenübergestellt. So kann auch Benjamin, der hier für die Redaktion der *Literarischen Welt* spricht, ohne Vorbehalte das Wort Hofmannsthals vom »schlaffen Gedächtnis« des deutschen Volkes aufgreifen, das immer wieder verliert, was es besitzt. Sehr genau erläutert er:»Das ist mehr als ein bloßer Fehler. Wer die Erfahrungen der Jahrhunderte vergißt, bekommt niemals ein wahres historisches Selbstbewußtsein, das auf dem präsenten Bewußtsein historischer Erfahrungen, seinen Reflexen, seiner nie aussetzenden Kontrolle beruht.«[26]
Die historische Reflexion ist etwas anderes als die Beziehung auf bedeutende geschichtliche Phänomene, deren Dauer es zu befestigen gelten könnte. In Benjamins Essay »Zum Bilde Prousts« heißt es im ersten Abschnitt, dieses sei »der höchste physiognomische Ausdruck, den die unaufhaltsam wachsende Diskrepanz von Poesie und Leben gewinnen konnte. Das ist die Moral, die den Versuch rechtfertigt, es heraufzurufen.«[27] Daher wohl auch die verschärfte Aufmerksamkeit auf die bedeutenden Autoren der Moderne, Baudelaire und Proust nicht nur, sondern auch Gide, Karl Kraus, Brecht und insbesondere Kafka. Das heißt wiederum nicht, daß hier für Namen aus früheren Epochen kein Platz mehr bliebe: Goethe, Hebel, Keller, Leskow, das sind Gegenstände, die ihn mit so anders und wieder unter sich so verschieden gearteten Autoren wie Hofmannsthal, Thomas Mann, Hofmiller, Rychner verbinden, auch wo in dieser Verbindung der Abstand sichtbar wird.
Diese von Benjamin bezeichnete Art von Geschichtlichkeit wird zum Wirkungszusammenhang als der eigentlichen Geschichtlichkeit, als Legende eines Seins, das immer auch ein Werden ist, gesteigert bei Ernst Bloch erkennbar. Hat bei Hofmannsthal der Geist nur Gegenwart, so wird hier präzisiert, was, überhistorisch empfunden, nur halbrichtig sein konnte:»Nicht alle Tage sinken ganz dahin. Und auf einer Fahrt bleibt draußen alles verschieden zurück. Sträucher fliegen rasch vorbei, Felder langsamer, sie drehen sich schon nach uns. Berge dahinter bleiben lange, scheinen mitzugehen.« Was als Reisemeditation zu beginnen scheint, ist Allegorie,

die aber wird zum geschichtsphilosophischen Aperçu: »So verschieden, je nachdem, was sie sind, halten sich auch Menschen, denen wir begegnen. Erst recht Werke mit ihrem mehr oder minder raschen Verbrauch; von Sträuchern ist nicht zu reden, aber große Dinge bleiben Zeuge wie gebirgige Landschaft auf unserer Fahrt. Die Berge Mozart oder Bach stehen in sehr langsamem Umlauf vor vielen Geschlechtern. Sie ändern sich mehr in sich selbst als nur an uns, streifen ihre Zeit von sich ab und lassen sie zerfallen, werden dadurch immer ›wesentlicher‹ für das, was aus Vergänglichem schon fast gerettet ist« (1930).[28]

Damit ist aber nun ein neues Verhältnis zur Tradition gefunden, in dem jede Gefahr des Musealen, die man Hofmannsthal nur scheinbar zu Recht – und aus anderen Gründen – früh schon vorgeworfen hatte, abgewehrt ist; aber auch die selbstbezogene Ungeschichtlichkeit, die noch den besten essayistischen Arbeiten von Thomas Mann anhaftet, wird durch objektive Einsicht beiseite geschoben. Der unreflektiert vorausgesetzten Unmittelbarkeit gegenüber erscheint jetzt Geschichte selbst als das Medium, in dem allein Erkenntnis sich vollziehen kann.

IV

Daß der moderne Essay problematisch geworden ist, hatte Georg Lukács schon in seinem Frühwerk *Die Seele und die Formen* (1911) festgestellt; daß der Essay paradox ist, weil er, quasi unselbständig, an Vorgeformtem sich entfaltet, Anstöße benutzt und dabei doch zur Selbständigkeit der eigenen Aussage strebt, die Absicht also gleichsam ›verhütet‹, darin liegt noch nicht die Problematik, vielmehr darin, daß er, wie Lukács es nennt, den »Lebenshintergrund verloren« habe,[29] der noch bei Platon wie den Mystikern vorhanden gewesen, »und auch der naive Glaube an den Wert des Buches und was darüber zu sagen ist, ist ihm nicht mehr gegeben«. Daraus folge eine notwendige »Frivolität in Denken und Ausdruck«, die bei vielen Kritikern zur Lebensstimmung geworden sei. Die Konsequenz zieht Lukács auf seltsame Weise: »Jetzt muß der Essayist sich auf sich selbst besinnen, sich finden und aus Eigenem Eigenes bauen.« Aber es ist dies wohl keine besondere Problematik der Epoche, in der Lukács so schrieb; der Verlust naiven Glaubens ist, im Gegenteil, keine Bedrohung, sondern Voraussetzung des Essays, seiner skeptischen Erkundung, kritischen Überprüfung, ungebundenen und oft scheinbar nur spielerischen Prozeßführung. Soll diese Skepsis nur vor einem geschlossenen Hintergrund denkbar sein? Epochen dessen, was man Umbruch nennt, dürften solche Formen viel selbstverständlicher benutzen, denn hier wird die Haltung zur Form, die in ihrer Lockerheit der mangelnden Festigkeit und größeren Offenheit korrespondiert.

Die Form des Essays ist, wo sie nicht absichtsvoll preisgegeben oder in die strengere Untersuchung überführt wird (wie in dem von Benjamin im Trauerspielbuch entwickelten kunsttheoretischen Traktat), in zahllosen Spielarten lebendig: der Gedanke in der Abhängigkeit von der Form und also im Zusammenhang mit dem Inhalt. Gegen vielfache Anwürfe und Simplifizierungen reagiert Robert Musil spöttisch darauf, im »echten Essay« nur »Wissenschaft in Pantoffeln« sehen zu wollen – und gibt doch zu, daß der »reine Essay« eine Abstraktion ist.[30] Hier gilt nur ein Mehr oder Weniger. Und so erscheint es ihm wichtiger, Typen und Spielarten zu beobachten, als formale Bestimmungen zu liefern und Varianten leichtfertig schon als Auflösung der Form zu werten.

Der Essay, gestaltgewordenes Selbstbewußtsein der Literatur als gesellschaftlicher Erscheinung, im Grenzgebiet von Literaturkritik, Philosophie, Wissenschaft, in den Formen von Brief, Dialog, Selbstdarstellung, Reiseschilderung, Porträt und historischer Betrachtung wie der aktuellen Übersicht erscheinend, ist schlechthin nicht zu definieren. Doch kann man ihn charakterisieren, wie das immer wieder geschehen ist. Diese Charakterisierung wird bei einzelnen Autoren, je nach ihrem Selbstverständnis, verschieden ausfallen; sie wird auch, das zeigt die Geschichte, ihre Verschiedenheit in bestimmten Epochen finden. Wobei, genauer gesagt, nicht von einer allgemeingültigen Bestimmung, sondern von einem herrschenden Typus zu sprechen ist. Der philosophische und gesellige Essay des 18. Jahrhunderts ist ein anderes Phänomen als der bildungsbeschwerte und historisch geprägte Essay des 19. Jahrhunderts. Die deutliche Politisierung, kultur- und gesellschaftskritische Akzentuierung könnte als Charakteristikum des Essays im frühen 20. Jahrhundert angenommen werden, wobei wir den programmatischen Verzicht auf Politik und den Anschluß an die historisierende und Bildungstradition des vorhergehenden Jahrhunderts, wie etwa bei Thomas Mann oder Hofmiller, selbst wieder als politisch zu verstehen bereit sein müßten, was schon in der versuchten Kanonisierung sichtbar wird, im Bemühen um fortwirkende Klassizität.

Der Essay als Zeugnis der literarischen Kritik neigt zur Aktualität, die er als Kunstwerk wieder überwinden möchte. Er erstrebt keine Vollständigkeit und keine endgültigen Resultate, er ist keine wissenschaftliche Untersuchung, sondern Medium der geistigen Auseinandersetzung. Der Essayist will herausfordern, anregen, überzeugen, er begnügt sich also mit dem, was er für wesentlich erachtet: Kritik und Darstellung sind in ganz persönlicher, subjektiver Auffassungsweise gegründet. Verfahren und Stil sind meist wichtiger als das Ergebnis. Der Essay ist so vermittelnd, nicht aber belehrend, ist Darstellung und nicht Abhandlung.[31]

Im Essay erreicht die Kritik ihren Gipfel und wächst zugleich über sich hinaus. Eine neue, unorthodoxe Gattung entsteht, als Kunstprosa ausgezeichnet durch ihren Stil. Die Rezension ist dann Ausgangspunkt oder Vorstufe des Essays: Essays sind oftmals ›nur‹ erweiterte Kritiken, erweitert dem Umfange nach und bedeutend geworden durch die Darstellungsweise. Wenn Kritik und Feuilleton mehr sind als nur ›literarischer Aufsatz‹, so verdanken sie es weniger dem Gegenstande, von dem sie handeln, als vielmehr der besonderen Einsicht, der Eigenart des Autors, der scharfen Durchleuchtung und dem persönlichen Ton. Die Form des Essays ist bei aller Lockerheit bewußt gearbeitet. Die Prosakunst des Kritikers vollendet sich in Charakteristik und Essay. Aber die Auseinandersetzung mit den Gegenständen ist auch immer eine Form der Selbsterhellung, die mit der Aneignung und Auseinandersetzung verbunden ist. Und aus der künstlerischen Kritik erwächst in solchen Zusammenhängen das Bemühen um literarische Kontinuität und Tradition. Bewußte Vermittlung korrespondiert mit der als ›bildend‹ erkannten ästhetischen und denkerischen Erfahrung. Hier liegt das Problem des Prozeßcharakters, der wichtiger ist als Unterrichtung. So hängen Essayistik und Kritik zusammen wie Bildungsbegriff und Kunstauffassung.

V

Von den herrschenden Tendenzen und Gruppierungen, die durch gemeinsames Wirken, gemeinsame Voraussetzungen und dementsprechende Kollaboration an Zeitschriften kenntlich werden, hebt sich durch ihre Bedeutung eine Gruppe heraus, die man, zuweilen mißverständlich, unter dem Namen »Konservative Revolution«, womit zunächst ein antirevolutionärer Humanismus gemeint sein mochte, versucht hat zusammenzufassen.

Das Wort von der »Konservativen Revolution« fällt, wie es scheint, zum ersten Male 1921 in den *Süddeutschen Monatsheften*, als Thomas Mann die Einleitung zu einer Sammlung russischer Erzählungen publiziert und den Begriff gebraucht, um Nietzsche zu charakterisieren.[32] Für Hofmannsthal, der den Begriff dann in seiner Münchener Rede *Das Schrifttum als geistiger Raum der Nation* (1927) verwendet, wird er zur Bezeichnung eines Prozesses gegen romantisierende Anarchie und bildungsphilisterhafte Erstarrung, doch damit auch für eine literarisch vermittelte Gegenbewegung gegen die Umwälzungen des 16. Jahrhunderts, in deren Verlauf Deutschland geistig-religiös, schließlich auch politisch aufgespalten wurde. Dahinter steht natürlich die Auffassung, das einzige, was die Völker deutscher Sprache noch verbinde, sei die Literatur und nur sie verbürge ihnen eine Gemeinsamkeit, die über den Sprachgebrauch hinausgeht. Die Frage nach der Identität des Deutschen wird somit – zum wievielten Male seit Nietzsche? – neu gestellt.

Hofmannsthal hofft, die bedeutenden Individuen sich auf den Begriff einigen zu sehen, den er in anderer, gleichgerichteter Wendung den »der schöpferischen Restauration« nennt.[33] Es geht um das Erbe deutscher und europäischer Vergangenheit in einem Moment, da die allgemeine Bedrohung als Gewißheit vor ihm steht. Denn: »Nicht durch unser Wohnen auf dem Heimatboden, nicht durch unsere leibliche Berührung in Handel und Wandel, sondern durch ein geistiges Anhangen vor allem sind wir zur Gemeinschaft verbunden.«[34] Hofmannsthal richtet den Blick nach Frankreich, wo Teilhabe am nationalen Besitz soviel heißt wie einbegriffen sein in die »geistige Repräsentanz der Nation«. Dagegen bleibt für Deutschland charakteristisch die Widerlegung des Gesellschaftlichen. So beklagt Hofmannsthal, daß im deutschen Bereich kein Zusammenhang besteht, im Raum der Gegenwart so wenig wie in der Abfolge der Zeiten. Das Vorhandene und Geleistete bleibt ohne wahrhafte Wirkung. Was Frankreich zeigt, hat Deutschland erst noch zu lernen und zu gewinnen: einen Zustand, in dem nichts im politischen Leben der Nation zur Wirklichkeit wird, was nicht auch in der Literatur als Geist besteht. Hofmannsthals Appell beruht auf der kritischen Feststellung, die deutsche Literatur sei »nicht wahrhaft repräsentativ noch traditionsbildend«. Traditionsbildend zu wirken durch Vermittlung, ›geistigen Besitz‹ verbindlich zu machen für das allgemeine Bewußtsein, ist denn auch das Ziel der Hofmannsthalschen Essays jener Phase bis zu seinem Tode, wie auch der Arbeiten Borchardts, seiner Übersetzungen sogar, wie beider bedeutender Editionen im Verlag der ›Bremer Presse‹.

Die Vergangenheit in Frage zu stellen kommt Hofmannsthal nicht in den Sinn, wohl aber die Einsicht im Gegensinne, daß die Vergangenheit den zu prüfen in der Lage ist, der sich ihrer bemächtigen möchte. Andenken ist, so begriffen, nicht eine Form ästhetischen Genusses, sondern Herausforderung. Das aber wird schwer verstanden in einem Lande, dessen geistige Bedingungen weniger dauerhaft sind und in dem die Form weniger fest, die Physiognomie weniger ausgeprägt ist als etwa in Frankreich. So hat Deutschland, dem die gemeinsame große Geschichte fehlt, zwar seine Sprache und seine Literatur als Gemeinsames, ihnen aber fehlt die höhere Geselligkeit.[35]

Die vorhergehenden geistigen Verhältnisse aber, die zumeist nur aus Jacob Burckhardt und Friedrich Nietzsche abgelesen werden, schildert Rudolf Borchardt autobiographisch gefärbt in seinem »Eranos-Brief« (1924). Hier fällt denn auch, Jahre vor Hofmannsthals umstrittener Rede, das Wort von der restaurierenden Revolution, der revolutionären Reformation; es handelt sich dabei, wie Borchardt beglückt empfindet, um den »erstürmten Rückzug bergan in die unausgelebte Geschichte«.[36] Die dazugehörige Kritik steht in den Nachworten seiner Sammlungen und in seinen Reden; überall sucht er nach einer Gemeinsamkeit des Handelns, nach gemeinsamer Verantwortlichkeit. Aber er findet sie nirgends. An den öffentlichen Geist oder dessen Rudimente sich wendend, werbend um Teilnahme und Gespräch, hat er viele Jahre hindurch Verwirrtes geordnet, Verstümmeltes – oft gewaltsam – ergänzt und Vergessenes zur Gegenwart zu erheben versucht. Seine restaurierende Tätigkeit muß in Fortsetzung dessen verstanden werden, was seit Herder und der Romantik geleistet worden war, als Vermittlung und Interpretation des Mittelalters und des europäischen ›Erbes‹, das zu den Voraussetzungen auch der nationalen Überlieferung gehört.

Da aber einerseits ein Volks- und Nationbegriff ohne Vergangenheit, andererseits bewußte Vergangenheit ohne Kontinuität nicht zu konzipieren sind, muß Borchardt (1927) erklären: »Wir ergreifen die deutsche nationale Tradition [...] in der geistesgeschichtlichen Entwicklung des neunzehnten Jahrhunderts als einem Mandate der deutschen Poesie und setzen das Werk der Romantik schöpferisch an den Stellen fest, an denen sie es [...] den Wissenschaften überließ, die unter ihrem Anhauch erst entstanden. Wir sind die erste deutsche Generation, die das durch die wissenschaftliche Arbeit des neunzehnten Jahrhunderts erschlossene Mittelalter besitzt.« Da er es im Zusammenhang mit der deutschen Antike sieht, ist ihm der Gegensatz von Antike und Mittelalter, wie der andere von Klassizismus und Romantik, unwichtig geworden. Wunden sind zu heilen, erklärt er weiter; die restaurierende Arbeit aber soll nicht als Reaktion betrieben werden, sondern »als eine Reformation an Haupt und Gliedern«.[37]

Dieses Unternehmen, das Borchardt so entschieden begleitet, gehört zu Hofmannsthals essayistischem Gesamtwerk; der Übergang ist bereits vor dem Ersten Weltkrieg zu erkennen, so in der erbitterten Kritik der »Briefe des Zurückgekehrten« (1907) und dem Vorwort zur Anthologie *Deutsche Erzähler* (1912). Hier knüpft er nach 1918 wieder an. Dabei tauchen dann Begriffe auf, die neu sind oder neu verwendet werden: neu ist vor allem, außer der herausfordernden Konfrontation mit Frankreich, die analog und anders nur Heinrich Mann vorweggenommen hatte und auf die sich Hofmannsthal vielleicht indirekt doch bezieht, der Begriff des »literarischen Gewissens«, in dem Moralität und Bewußtsein mitschwingen. Teilnahme und Kontinuität, Verantwortung, »aufmerksame Bewunderung« und »genaue Ehrfurcht« sind Eigentümlichkeiten Frankreichs, indes wir dergleichen viel nötiger hätten, als ein Volk ohne Einheit, als Stämme ohne gemeinsame Geschichte; denn das Mittelalter, so wendet er gegen romantische Konzeptionen ein, liegt zu weit zurück, und »mit alten Märchen kann man eine Nation nicht zusammenbinden«.[38] Der Begriff des Nationalen, eigentlich schon metapolitisch gemeint, wird sofort aufgewogen durch den Europas. Weder in der Leugnung des Nationalen noch durch seine Beschneidung, durch Abstraktion so wenig wie durch Aufreihen äußerer Übereinstimmungen wird Europa sichtbar. In der jeweils würdigsten nationalen Ausprägung sieht er die Bürgschaft für die gemeinsame Idee: die Wirklichkeit jeder Nation. Die Vielfalt auf der gemeinsamen Grundlage soll das lebendige Ganze garantieren. Vergeistigtes Nationalbewußtsein und europäische Gesinnung stehen nicht im Widerspruch, sondern im spannungsvollen Gleichgewicht.

Die Frage nach der Eigentümlichkeit der so gestaltlosen Deutschen steht dahinter, die Hofmannsthal oft stellt, aber auch eine Ahnung von der Gewalt eines Geschichtsprozesses, der das scheinbar Selbstverständliche in Frage stellt, so daß sein Bemühen viel weniger zuversichtlich wirkt, als es sich bei Borchardt darstellt. So weist Hofmannsthal bedenkenvoll darauf hin, wie sehr uns der Grabenbruch des 19. Jahrhunderts von der jüngeren Vergangenheit unwiderruflich geschieden hat: der Geisteszustand des eigenen Volkes, der kaum mehr als ein Jahrhundert zurückliegt, sei uns bereits »zur Antike geworden«. Noch nie, heißt es weiter, war der Verfall so gefährlich wie der jetzige »bei scheinbar währendem Reichtum«.[39]

Die in dieser Situation entstandenen Schriften Hofmannsthals sind doch wohl mehr als nur ›schöne Anreden‹. In ihnen wird vielmehr deutlich, daß Literatur nicht bloß Dekor des öffentlichen Lebens ist, sondern eine seiner gültigen Ausprägungen, daß sie nicht unterhält, sondern unterhandelt, daß sie nicht Genuß ist, sondern Auftrag und Repräsentanz, nicht Beschwichtigung, sondern Bewußtsein und Kritik. Anders als der erste Augenschein meinen könnte, gilt diese – Hofmannsthals – Tätigkeit keiner verklärten Vergangenheit, sondern jener »beständigen Gegenwart«, die er als »das wahre Attribut des geistigen Geschehens« verstanden wissen wollte.

Aber die aus solchem Bewußtsein erwachsende Hoffnung wird wenig später schon von der politischen Realität furchtbar enttäuscht. Sie erscheint im nachhinein als idealistisch und illusionär. Heute stößt sie eher auf Achtung als auf Widerhall – wie ein Zeugnis aus längst versunkener Wirklichkeit.

Was hier an Literatur als sozialer Erscheinung verstanden wird, das hat unter anderen Vorzeichen Heinrich Mann erkannt, diese Einsicht hat seine Produktion geprägt. Auch ihm ist sie an der französischen Literatur deutlich geworden. Die Frage nach der Wirkung und Verantwortung des literarischen Werkes stellt und beantwortet sich für ihn in der Auseinandersetzung mit den bedeutenden Autoren Frankreichs, die zugleich die Suche des Erzählers nach seiner eigenen schriftstellerischen Identität bedeutete. Seine Franzosen-Essays sind deshalb mehr als die Studien eines Kenners und Liebhabers, der seinen Landsleuten bestimmte bedeutende Werke und Gestalten zu vermitteln trachtet. 1932 erinnert er sich seiner schriftstellerischen Anfänge und stellt fest, es habe sich um 1900 »bei den Denkenden die menschliche Teilnahme verringert. Man nennt sich dann gern unpolitisch. Was dafür eintrat, war Schönseligkeit – die nicht wertlos ist, sie hat auch große Werke ermöglicht, sie würde Kraft des Charakters nicht ausschließen. Gefährlich wurde eine Kombination, bestehend aus Ästhetizismus und der Bezweiflung der Vernunft. Die Vernunft hatte fast das ganze neunzehnte Jahrhundert hindurch zu groß dagestanden, noch länger wurde es einfach nicht ertragen.«[40]

Unter dem Gegensatzpaar ›Geist‹ und ›Tat‹ begreift er den deutsch-französischen Gegensatz, doch nicht so, daß er eines der Länder vereinfachend einem dieser Begriffe zuordnen möchte, sondern dergestalt, daß er für Frankreich die geglückte Synthese in Anspruch nimmt, die in Deutschland kaum versucht und meist gar nicht einmal entbehrt werden sollte. Dem entspricht die Gegenüberstellung Voltaire – Goethe. »Goethe inzwischen sieht aus der gespensterhaften Höhe, wo die deutschen Genien einander vielleicht verstehen, unentwegt auf sein unbewegtes Land hinab. Sein Werk, der Gedanke an ihn, sein Name haben in Deutschland nichts verändert, keine Unmenschlichkeit ausgemerzt, keinen Zoll Weges Bahn gebrochen in eine bessere Zeit.«[41]

Dies erweist sich als das eigentliche Geheimnis der deutschen Misere: daß noch die Größten nur im Sinne einer Individualkultur, im Sinne einer privaten menschlichen Vollendung, die früh genug zur humanistischen Schulbildung erstarrte, zu wirken vermochten, nicht aber historisch auf die ganze Nation, will sagen auf das öffentliche Dasein. In den Zusammenhang einer nationalen Gesamtheit vermochten sie nicht einzugreifen und bestätigten damit, sogar im Sinne des Goetheschen Wortes selbst, die Unmöglichkeit der Existenz wahrhaft klassischer Autoren und der Entfaltung einer klassischen Literatur.

Deshalb werden die großen Werke, wie man sie nennt, von Heinrich Mann auf ihren sozialen Gehalt hin überprüft, d. h. dann auch auf ihre Voraussetzungen, die er nicht mit denen der sozio-ökonomischen Realität gleichsetzt. Von Stendhal heißt es in solchem Zusammenhang: »Die Energie, sein wichtigster Gegenstand und seine ewige Forderung, kann modern und leicht verständlich aufgefaßt werden. Vielleicht war er nur, was auch heute wieder alle sind? Ein Sohn der gelockerten Gesellschaft und des Krieges, respektlos und entschlossen, durchzudringen, mit Gewalt und abenteuerlich oder dank den bürgerlichen Mitteln.«[42]

Heinrich Mann kritisiert auch die falsche Anwendung dessen, was er den »Hang zur Gemeinschaft im Geistigen« nennt: er nämlich sei schuld daran, daß ein Autor vom Range Stendhals als unsozial empfunden werden konnte. Das Mißverständnis wiederhole sich nun: »Es bedeutet nichts für einen Schriftsteller, Gemeinsinn haben: aber alles kommt für ihn und die Gesellschaft darauf an, ob man ihn später noch liest.«

Das widerspricht nur scheinbar den bislang vorgetragenen Thesen, es differenziert sie lediglich. Eben die Tatsache, daß ein Autor von kommenden Generationen gelesen wird, ist ein Vorgang von größter sozialer Tragweite: Generationen, die nichts voneinander wüßten, verstehen sich durch das Werk hindurch. Das vermag der ›Zeitroman‹ sehr wohl zu leisten, dieser wird implizit der Forderung nach Zeitlosigkeit entgegengesetzt; das aber darum, weil er eine überzeitliche Richtigkeit besitzen könnte: verwandte Epochen finden sich in ihm aufgrund der eingestandenen Korrespondenzen und der heimlichen Affinitäten. Der Zeitroman bleibt so, historisch verstanden, über die Epoche seines Entstehens hinaus – modern. Ergriffene, schwelgerische Bewunderung seiner Jugendjahre wird jetzt von Heinrich Mann präzisiert: er akzeptiert den Begriff der Tendenz. Es handelt sich um Werke, die in der Welt etwas ausrichten. Das ist sogar noch mehr, als der Zeitroman vermag:

»Wer seine Zeit darstellt, bringt Voraussetzungen und Absichten aller Art mit: Balzac katholische und legitimistische, Stendhal den Rationalismus und Napoleon. Flaubert vertrat literarisch den aristokratischen Intellektualismus, der eine politische Richtung ist. Die sozialistische Volkstümlichkeit der Misérables mußte ihn reizen – längst bevor er ihr Gesellschaftsbild ›falsch‹ fand. Ästhetische Streitigkeiten führen zuletzt immer nach verschiedenen politischen Richtungen. Die politische Richtung fällt zusammen mit dem Empfindungstyp. Nur wer nichts empfände, hätte ›reine Dichtung‹.«[43]

Längst ist an solchen Deutungen klargeworden, daß Heinrich Mann über Heinrich Mann schreibt; essayistische Behandlung wird Anlaß zur tendenziellen Selbstdarstellung.[44] Aber: Kontinuität wird ihm wie Hofmannsthal zum Wesenszug: »Das Gegenwärtige verdrängt in der Literatur Frankreichs niemals, was weniger oder mehr gegenwärtig ist; es bleibt vollkommen sichtbar. Der französische Roman ist eine Einheit ohne Lücken oder verschüttete Stellen. Man sagt Gide und blickt zurück bis auf die Princesse de Clèves oder Martin du Gard wird erwähnt, da tauchen alle je dargestellten Zusammenhänge der bürgerlichen Gesellschaft mit auf.«[45]

Unausgesprochen schwingt in der Bewunderung für französische Kontinuität des literarischen Lebens das Bedauern über deutsche Zusammenhanglosigkeit mit. Und Hofmannsthals unbestimmter Begriff des Sozialen, des Geselligen, wird genauer gefaßt – als die »dargestellten Zusammenhänge der bürgerlichen Gesellschaft«, die Heinrich Mann ihrem allmählichen Ende entgegengehen sieht.

Appellative Kraft und politischer Standort unterscheiden Heinrich Manns Deutung französischer Literaturphänomene von der distanzierteren Hofmannsthals. Beide Auffassungen bestimmen sich zwar durch den Begriff der Verantwortlichkeit der Geistigen und der damit verbundenen Wirkungsmöglichkeiten literarischer Werke auf das öffentliche Leben (das es in Deutschland noch gar nicht gab, weil einer verengten Vorstellung die Unter- wie die Überschätzung der literarischen Bildung als bloßer ›Bildung‹ entsprach), aber die Zielvorstellungen beider Autoren sind verschieden: republikanisch-egalitär bei Heinrich Mann, bei Hofmannsthal ständestaatlich-elitär.[46] Wo Hofmannsthals Prosa eindringlich-beschwörend wird, wird die Heinrich Manns in pointierter Weise sogar agitatorisch – dies offenbar, je weniger er die Möglichkeit sich realisieren sah, daß Literatur auch hierzulande zum Medium sozialen Bewußtseins werden könnte.

Wie sehr die Form des Essays fließend ist, zeigt sich nun gerade bei Heinrich Mann, der nur nebenbei und doch mit Leidenschaft Essayist war, der das Genre zur Selbsterhellung benutzte und in seiner politischen Absicht den Essay gewissermaßen radikalisierte. Immer schwieriger wird so die Abgrenzung gegen Polemik, Streitschrift, Feuilleton. Spielerische Elemente, das freie Phantasieren treten zurück, das kontemplative Element und die Vermittlungsabsichten weichen dem appellativen Moment, indes die skeptische Voraussetzung hier nicht lähmend, sondern eher anreizend wirkt. Sie ermutigt zu neuer Überprüfung und Aktivität, von dem Schreiben ein Teil sein kann, wenn man mit Heinrich Mann im Banne der französischen Tradition auf Veränderung aus ist. Damit treten auch gesellschaftskritische Momente stärker hervor, und der Essay nimmt Formen der advokatorischen und politischen Rede in sich auf. Der Essay drängt in die Nachbarschaft politischer Publizistik, ein breiteres Publikum soll angesprochen, ja geweckt werden, nicht mehr die wenigen ›glücklichen Leser‹, die, von gleicher Bildung und Sensibilität, zuvor die unsichtbar geladenen Partner eines Gesprächs über schöne und bedeutende Gegenstände waren. Für Heinrich Mann ist der Charakter des, sagen wir, repräsentativen kulturhistorischen und literaturkritischen Essays des 19. Jahrhunderts fragwürdig geworden; seine Absage an den Ästhetizismus, der seit *Die kleine Stadt* (1909) evident, aber schon vorher erkennbar geworden war, mußte auch die essayistischen Arbeiten prägen.

So meint er denn anderes als Hofmannsthal und Borchardt, wenn er vom »öffentlichen Leben« spricht und einen Essayband (1932) so betitelt. Er spricht darin nicht allein von den »großen Toten«, sondern auch von den Bedrängnissen der unbekannten Lebenden. Die »geistige Lage« wird hier behandelt, moderne Romane wie Probleme des Schutzverbandes der Schriftsteller; er bringt Ausschnitte – Reportagen – aus Berlin und Paris, Reisenotizen und Reflexionen; Kampfartikel und feuilletonistische Aufsätze bezeichnen den Übergang zur Tagespolitik. Das Aktuelle wird von ihm nicht gescheut, es ist Wirklichkeit, aber die Leistung der großen Toten, Lessing z. B., ist es auch – und dauerhafter. Am Primat des Bewußtseins und der intellektuellen Produktivität hält Heinrich Mann fest: »Bevor die Politik ihren Weg erkennt, sucht ihn die Literatur.«[47]

Minder leicht erkennbar und doch in Wirklichkeit noch stärker ist das Werk Walter Benjamins von den angedeuteten Veränderungen geprägt. Zwar ist der politische Charakter seiner essayistischen Arbeiten unterlagert vom philosophischen Impetus, so daß Kritik und Interpretation, Charakteristik und Kommentar in Benjamins Essays Erkenntnis werden. Scheinbar wiederholt sich dabei die Haltung des Sichanlehnens an schon Geformtes und Vorgegebenes, das im Essay erhellt, umspielt und umrankt wird, der also Anlaß zu eigenen Fragen und Erörterungen ist; in Wirklichkeit aber ist die Anlehnung ein überaus genaues Sicheinlassen auf den Gegenstand, Meditation sozusagen, luzides Ein- und Durchdringen. Darüber hinaus scheint es, als ob Benjamin nicht aus Anlaß und bei Gelegenheit von bestimmten Gegenständen – Büchern etwa – sich ausspricht, sondern sich ausgesuchter Gegenstände bemächtigt, sich bewußt an ihnen festbeißt, nicht um des Ganzen und des Zusammenhangs willen, in den sie gehören, sondern um ihrer Einzelheit und Eigentümlichkeit gerecht zu werden – oder der, zu der das Werk nicht hatte geführt werden können, so daß es gewissermaßen durch das kritische Verfahren Ergänzungen erfährt.

Ihn beschäftigt, wie er gesteht, der Gedanke, »wie Kunstwerke sich zum geschichtlichen Leben verhalten«. Weiter: »Dabei gilt mir als ausgemacht, daß es Kunstgeschichte nicht gibt. [...] Der Versuch das Kunstwerk in das geschichtliche Leben hineinzustellen eröffnet nicht Perspektiven, die in sein Innerstes führen, wie etwa der gleiche Versuch bei Völkern auf die Perspektive von Generationen und andere wesentliche Schichten führt.« Was er als die Geschichtlichkeit der Werke begreift, erschließt sich nur der jeweiligen Interpretation, nicht der Literatur- oder Kunstgeschichte, weil in der Interpretation Zusammenhänge von Kunstwerken sichtbar werden, »welche zeitlos und dennoch nicht ohne historischen Belang sind«. Kunstwerke sind ihm »definiert als Modelle einer Natur, welche keinen Tag also auch keinen Gerichtstag erwartet, als Modelle einer Natur, die nicht Schauplatz der Geschichte und nicht Wohnort der Menschen ist«. Kritik bestimmt er dementsprechend als die

»Mortifikation der Werke. Nicht Steigerung des Bewußtseins in ihnen (Romantisch!) sondern Ansiedlung des Wissens in ihnen.«[48]
Soweit Benjamins Forderung an die Kritik; das Wort Essay hat er im übrigen nur privat – in Briefen – und sparsam verwendet. Der wissenschaftliche Anspruch seiner Publikationen ist ein philosophischer, originell sind sie nicht in einer angestrebten oder hypostasierten Selbständigkeit, sondern in der Reflexion auf die Geschichtlichkeit der Gegenstände, wie natürlich auch in der Diktion. Die Arbeit über Literaturgeschichte und Literaturwissenschaft von 1931 ist als Kritik an der Wissenschaft auch die Behauptung des Rechtes, das der Philosoph als Essayist sich nimmt: die von Emil Ermatinger herausgegebene *Philosophie der Literaturwissenschaft*, eine Rechenschaft der deutschen Literaturhistoriker, »ruft für den, der in Dingen der Dichtung zu Hause ist, den unheimlichen Eindruck hervor, es käme in ihr schönes, festes Haus mit dem Vorgeben, seine Schätze und Herrlichkeiten bewundern zu wollen, mit schweren Schritten eine Kompanie von Söldnern hineinmarschiert, und im Augenblick wird es klar: die scheren sich den Teufel um die Ordnung und das Inventar des Hauses; die sind hier eingerückt, weil es so günstig liegt, und sich von ihm aus ein Brückenkopf oder eine Eisenbahnlinie beschießen läßt, deren Verteidigung im Bürgerkriege wichtig ist. So hat die Literaturgeschichte sichs hier im Haus der Dichtung eingerichtet, weil aus der Position des ›Schönen‹, der ›Erlebniswerte‹, des ›Ideellen‹ und ähnlicher Ochsenaugen in diesem Hause sich in der besten Deckung Feuer geben läßt.«[49] Gegen die museale, philologische und biographische Haltung der Literaturgeschichte stellt Benjamin die Forderung, den gesamten Lebens- und Wirkungskreis der Werke neben, ja vor ihre Entstehungsgeschichte zu rücken; d. h. ihr Nachbild, ihre »Legende« als ihr »Gelesenwerden« und das, was er ihr »Schicksal« nennt. »Denn es handelt sich ja nicht darum, die Werke des Schrifttums im Zusammenhang ihrer Zeit darzustellen, sondern in der Zeit, da sie entstanden, die Zeit, die sie erkennt – das ist die unsere – zur Darstellung zu bringen. Damit wird die Literatur ein Organon der Geschichte und sie dazu – nicht das Schrifttum zum Stoffgebiet der Historie zu machen ist die Aufgabe der Literaturgeschichte.«
Das hat Benjamin nicht nur gefordert, sondern auch versucht. Was man dabei als seine eigentümliche Metaphorik verstehen könnte, ist Teil der Verfahrensweise selbst, allegorisches Denken nämlich, in dem das (scheinbar) Selbstverständliche nicht mehr ist, was es sein sollte, und sich als das Gefährdete (oder gar Gefährliche) zu erkennen geben muß. Strenge und Verbindlichkeit, Anspruch und Reflexion geben den Essays Benjamins mehr Ernst als Geselligkeit, und noch ihr Witz ist minder erheiternd als entlarvend. In der Auseinandersetzung mit fragwürdig gewordener Vergangenheit, die zugleich eine fragwürdig gewordene Gegenwart deutet, wird der Essay hermetisch und durch den philosophischen Anspruch auch zuweilen traktathaft, wie schon der Essay über Goethes *Wahlverwandtschaften* es – vor dem Trauerspielbuch – ankündigte. Ohne Aufdringlichkeit insistiert Benjamin, er scheint zu erwarten, daß man sich als Leser auf sein Denken so einläßt wie er auf den Gegenstand; er wirbt so wenig um den idealen Gesprächsteilnehmer, daß man oft meinen könnte, es sei ihm gleich, ob er Zuhörer habe, und er sei durchaus willig, den Dialog als Selbstgespräch zu führen. Strenge ohne Pedanterie, Präzision ohne Starre gehören zu seiner ›essayistischen‹ Prosa wie die Umsicht des niemals eiligen Vor-

gehens. Er weiß mehr, als er ausspricht, und doch scheint er nichts zu verschweigen, spannt das Denken an, und was er an Erkenntnissen heraushebt und herausbricht, scheint doch erst im Moment gewonnen zu sein.

Er verzichtet auf Glanz der Überredung, nicht aber auf Strategie: so im Essay über Gottfried Keller, aus Anlaß des Erscheinens der Kritischen Gesamtausgabe verfaßt. Benjamin schrieb ihn nicht, um anhand von Keller eigenes Denken zu exemplifizieren, sondern anhand der neuen Edition die Position Kellers zu markieren. Zwischen einem ironisch verwendeten Motto und einer allegorisierenden Schlußpassage finden sich acht Abschnitte von wechselnder Länge. Ein anekdotischer Einsatz kontrastiert die »namenlose Süße des Kellerschen Stils und seine klingende Fülle«[50] mit der vorweggenommenen Thematik. Eine vorsichtige Wendung gegen Stifter verstärkt die Aufmerksamkeit auf die Keller-Rezeption: die »Sommer- und Winterstille« einer Stifter-Landschaft sei von der Musik Kellers nicht berührt worden, und das politische Element in Keller haben die Deutschen von sich gewiesen, die »edle Stiftersche Landschaft« aber war ihnen »mehr als Heilsstätte denn als Heimat« wichtig.

Der zweite Abschnitt setzt mit der Behauptung ein, Keller sei einer der drei, vier größten Prosaautoren der deutschen Sprache. Doch gibt er zu, daß diese Wahrheit nicht unangefochten ist. Wirkliche Einsicht in den Sachverhalt müßte eine Umwertung des 19. Jahrhunderts zur Folge haben. Kellers Werk warte demnach noch immer auf eine Betrachtung, »die den historischen Grund, auf dem es erbaut ist, für ihr Erbe erklären kann«. Die bürgerliche Literarhistorie vermag dies allerdings nicht. Kellers Atheismus und Materialismus stehen dem entgegen. Keller bewahrt schließlich das vorimperialistische Bürgertum auf, er war Repräsentant einer Klasse, »die, was sie mit dem handwerklichen Produktionsprozeß verband, noch nicht völlig durchschnitten hatte«. Seine vom Zürcher Patriziat unterstützte Ausbildung führte, und zwar in einer geschichtlichen Stunde, zum Staatsamt. Sein Werk erscheint, interpretiert Benjamin, als »Mole der bürgerlichen Geistesbewegung, vor der sie noch einmal zurückflutet und die Schätze ihrer und aller Vergangenheit hinterläßt, bevor sie als idealistische Sturmflut Europa zu verwüsten sich anschickt«. Von da her erläutert sich Kellers Geständnis, daß alles als ökonomisches Moment und Grundlage des Daseins Politik zu nennen sei.

Was er Kellers Liberalismus nennt, hat die »Maßstäbe des Gebotenen und Verwerflichen« streng beibehalten, die der bürgerlichen Rechtsverfassung. Doch ist solch einfache Festsetzung noch ungenügend: »Aber hier eben wölbt sich die Schwelle des ›bedenklichen‹ Grotten- und Höhlensystems, welches, je tiefer es in Keller selbst hineingeleitet, desto unmerklicher die Rhythmik des bürgerlichen Stimmen- und Meinungslärms verschränkt und endlich verdrängt mit den kosmischen Rhythmen, die es im Innern der Erde auffängt.« Den Namen für dieses Gewirr findet Benjamin im Humor, der als Ausdruck der Rechtsordnung zu verstehen sei – Verdikt und Gnade erscheinen im Gelächter. Das bedeutet auch Verzicht auf moralische Aburteilung; hier erkennt Benjamin eine »süße, herzstärkende Skepsis«, die aber ist »von der Vision des Glücks untrennbar, die diese Prosa realisiert hat«. So nennt Benjamin ihn nicht einen Novellisten, Erzähler, Romancier, sondern altertümelnd-richtig einen Epiker, »der allein das Glück mitteilbar macht«.

Als unromantisch, unsentimental erscheint ihm der Grund des Kellerschen Werkes wie die Einrichtung seiner Schauplätze. Antik ist ihr Charakter, weil Landschaft nur wirkend, nicht spiegelnd, in die Ökonomie des menschlichen Daseins eingreift. Doch ist diese Antike ›geschrumpft‹, weil alle Erfahrungen von Geschichte unter dem Gesetz solcher ›Schrumpfung‹ stehen. Deshalb heißt es: »In Kellers Weh nach seiner Schweizer Heimat tönt Zeitenferne mit.« So scheint die Bezeichnung als Schweizer Homer nicht nur auf Schrumpfung zu deuten: die Gründe sind angegeben, die in den Übereinstimmungen mit dem fernen Paradigma epischen Gestaltens liegen.

So spricht Benjamin vom 19. Jahrhundert der Antike, das Kellers Werk durchwaltet und erkennbar wird in der Sprache; Wortschatz und Wortgebrauch zeigen einen Einschlag vom Barock ins Bürgerliche. Frei schaltet Keller im Dialekt wie im Hochdeutschen und mit dem Fremdwort. Dialektbezogenheit erscheint als produktive Spannung. Aber: der darstellende Künstler ist nicht der redende Mensch. »Sinnenlust des Beschreibens«, die nicht die des Schauens ist, erfüllt die Bücher Kellers. Das Beschreiben, erläutert Benjamin, sei nämlich »Sinnenlust, weil in ihm der Gegenstand den Blick des Schauenden zurückgibt, und in jeder guten Beschreibung die Lust, mit der zwei Blicke, die sich suchen, aufeinander treffen, eingefangen ist«. So schießen hier das Erzählerische im engeren und das Dichterische im weiteren Sinne zusammen. Das Abbilden der Natur oder der Menschengeschicke geschieht also noch wie ein Naturvorgang; Kellers Schriften sind eine Spiegelwelt. Die Trauer, von Keller selbst eingestanden, erscheint dabei als die Brunnentiefe, in der Humor sich sammelt. Doppeldeutigkeit wird erkennbar; so, wie Männliches bei Keller ins Weibliche hinüberwechselt und umgekehrt, so die Melancholie ins Kauzig-Spaßhafte. Der Scherz grenzt an die Trauer. »Die Innenwelt, in welche der Betrachter, der Schweizer Bürger und Politiker auf Strömen guten Weins das Wirkliche verflößte, war kein besonntes Hieronymusstübchen, sondern ein Bannraum, wo von den beiden schleichenden Lebensströmen umkreist, immer wieder Gesichte sich bildeten.« Und die Schreibart, die seine Schriften zeigen, hat etwas Heraldisches, Worte sind oft »mit so barockem Trotz« gesetzt wie im »Wappen die Hälften der Dinge«. Was so entstanden ist, nennt Benjamin zusammenfassend im Gleichnis, nach einem Worte Kellers, die Bilderfibel der Freiheit. »Sie erschien zu einer Zeit, da man ihre Sprache zu verlernen begann und von demselben Amerika, das er so oft so romanhaft beschworen hatte, die Schweizertöchter, in denen sein Blick Helena und Lukretia zugleich fand, die Buchführung zu erlernen begannen.« Auch hier waltet in der Deutung und Charakterisierung die vergeistigte Sinnenlust des Beschreibens: der Gegenstand scheint den Blick des Schauenden zurückzugeben; im Angeblickt-Sein ist die Aura erneuert durch das Aufschlagen des Blicks. Diesen Vorgang spiegelt der Essay.

Doch fehlt diesem ›Zwiegespräch‹ oder dieser ›Blickfindung‹ der Charakter des Liebhaberischen und Privaten. Die Bewegung ist nicht intim, sondern exemplarisch: der Gegenstand ist verwandelte Geschichte und hält die geschichtliche Stunde fest, in der sich zugleich die abgelaufene Zeit mitbestimmt. Nur der Gegenstand ist wichtig, Benjamin verzichtet auf Parallelisierungen, und Vergleiche übt er nur dort, wo sie dazu dienen, die Besonderheit Kellers hervorzuheben. Von der Wirkung auf den Leser ist so wenig die Rede wie von der biographischen Person Kellers – kaum in knappen Nebenbemerkungen. Nur von *den* Eigentümlichkeiten des Autors wird gesprochen, die solche des Werkes sind, und von ihnen nur insofern, als sie geschichtlich bestimmbar sind. Werturteile werden vermieden, sie ergeben sich aus der Charakterisierung selbst, es geht um Qualitäten, insofern Geschichtliches ästhetisch vermittelt ist. Und deshalb haben auch Apologie und Affirmation hier keinen Platz. Das Wissen sollte wohl in Richtung auf die Öffentlichkeit, diese aber auch »mit der Richtung auf das Wissen in Bewegung« gesetzt werden.[51]

VI

Was sich der systematischen Darstellung von vornherein nicht unterstellt, wird nur zu oft als belletristische Verlegenheitsform abgetan, was sich dem Anspruch definierbarer Gattungen nicht fügen will, gilt nur zu rasch als formlos. Das setzt den Essay nicht selten dem Verdacht der Zunftvertreter aus. Im Essay aber wird der Leser nicht belehrt, sondern soll mitdenken, mitfinden, mitentscheiden. Der Essay benötigt keine Autorität, um zu bevormunden, das apodiktische Urteil erscheint, je nachdem, als Hinweis, Aufforderung, Vermutung oder als skeptisches Infragestellen; Anreiz und Provokation werden sichtbar im Medium der Auseinandersetzung und der Aneignung, wobei die formale Aktualisierung durch Anrede, Brief- oder Gesprächseinkleidung gewonnen wird.

Daß der Essay nicht mehr unbefragt im traditionellen Sinne weitergeführt werden konnte, deutet sich in jenen Jahren schon an – Sprachskepsis bei Hofmannsthal, Aktualisierung bei Heinrich Mann, Geschichtlichkeit bei Benjamin sind Hinweise darauf. Hinzu treten dann auch die neuartigen Themen: soziologische Fragen, Photographie, Filmtheorie, Reproduzierbarkeit des Kunstwerks und dadurch erfolgte Veränderung werden bei Benjamin wie auch bei Siegfried Kracauer thematisch. Der ›klassische‹ Essay hört allmählich auf, repräsentativ zu sein. Wer die alte Bedeutung retten möchte, verfällt nur zu leicht der Privatheit, d. h. der Repräsentation vor dem Spiegel, wiewohl mit einem allgemeinen Anspruch, was Thomas Mann (ungewollt) sichtbar macht. Die Denk-, Stil- und Bildungskonvention der Hillebrand, Gildemeister, Grimm, Hofmiller ist verlorengegangen. Kracauer hat dies für Benjamin deutlich gezeigt und damit einen Wandel der Gattung angedeutet: »Sein eigentlicher Stoff ist das Gewesene; aus den Trümmern erwächst ihm das Wissen. Hier wird also gar nicht die Rettung der lebendigen Welt in Angriff genommen; vielmehr der Meditierende rettet Bruchstücke der Vergangenheit.«[52] Wie die Kritik zur Forderung, wird der Essay zum geschichtsphilosophischen Versuch. Mehr und mehr verschwindet das Wort Essay aus den ›höheren Rängen‹, es sinkt ab. Gleichzeitig wird Literatur mehr und mehr zum Handwerk von Spezialisten. Die Öffentlichkeit wurde Fiktion, noch eh sie hat hergestellt werden können.

Anmerkungen

1. Siehe Hugo von Hofmannsthal: *Gesammelte Werke*. Hrsg. von Herbert Steiner. *Prosa III*. Frankfurt a. M. 1952. S. 429 f.: »Es liegt im deutschen Wesen, daß jede Sache immer wieder von vorne angefangen wird. Wir haben seit hundertundfünfzig Jahren eine neue dichterische Sprache,

viele große Dichter und einzelne große Schriftsteller, aber wir haben streng genommen nicht, was man eine Literatur nennen kann.« Hierzu s. ferner: *Prosa III*, S. 113, den Schlußabschnitt von *Deutsche Erzähler, Prosa IV*, Frankfurt a. M. 1955, *Deutsches Lesebuch* und *Das Schrifttum als geistiger Raum der Nation*.

2. Es gilt dies vor allem für Hillebrand, Grimm, Gildemeister, Homberger, auch für Jacob Burckhardt; der Essay, im 18. Jahrhundert von Sturz bis zu Forster und den jungen Brüdern Schlegel gesellschaftskritisch, philosophisch, literarisch, wird mehr und mehr zum kulturhistorischen Dokument und demonstriert einen Wandel, der mit dem seiner Leserschicht zusammenhängen dürfte.

3. *Macht und Mensch*. München 1919. Zum Folgenden s. S. 6–8.

4. *Prosa III*. S. 436–440.

5. Rudolf Borchardt: *Handlungen und Abhandlungen*. Berlin 1928. S. 8.

6. ebd., S. 221 und S. 228 f.

7. Ernst Robert Curtius: *Kritische Essays zur europäischen Literatur*. 2. erweiterte Aufl. Bern 1954. S. 10.

8. Walter Benjamin: »Ankündigung der Zeitschrift: Angelus Novus«. In: *Angelus Novus*. Ausgewählte Schriften. Bd. 2. Frankfurt a. M. 1966. S. 369.

9. Ernst Robert Curtius: *Kritische Essays zur europäischen Literatur*. S. 261 f.

10. Heinrich Mann: *Macht und Mensch*. S. 10.

11. Rudolf Borchardt: *Handlungen und Abhandlungen*. S. 8.

12. Hermann Hesse: »Die Brüder Karamasoff oder der Untergang Europas«. In: *Der Goldene Schnitt. Große Essayisten der Neuen Rundschau 1890–1960*. Hrsg. von Christoph Schwerin. Frankfurt a. M. 1960. S. 156. Bemerkenswert ist die wohl eher zufällige, doch auch in unserem Zusammenhang wichtige Reflexion S. 165: »Nein, die Zeit der Artisten ist jetzt nicht, sie ist abgeblüht.«

13. Ernst Robert Curtius: *Kritische Essays zur europäischen Literatur*. S. 317 sowie S. 258.

14. Josef Hofmiller: *Das deutsche Antlitz*. Ein Lesebuch. München o. J. S. 210.

15. Josef Hofmiller: *Über den Umgang mit Büchern*. München 1948. S. 27.

16. Josef Hofmiller: *Letzte Versuche*. Hrsg. von Hulda Hofmiller. München 1952. S. 47.

17. *Prosa III*. S. 486.

18. *Prosa IV*. S. 73.

19. Gottfried Benn: *Gesammelte Werke in acht Bänden*. Hrsg. von Dieter Wellershoff. Bd. 3. *Essays und Aufsätze*. Wiesbaden 1968. S. 577.

20. ebd., S. 583.

21. ebd., S. 606.

22. ebd., S. 625.

23. ebd., S. 634.

24. ebd., S. 644. Das Zitat S. 684.

25. Walter Benjamin: *Gesammelte Schriften*. Bd. IV, 2. Hrsg. von Tillman Rexroth. Frankfurt a. M. 1972. S. 815 f.

26. ebd., S. 819.

27. Walter Benjamin: *Schriften*. Hrsg. von Theodor W. Adorno und Gretel Adorno. Bd. II. Frankfurt a. M. 1955. S. 132.

28. Ernst Bloch: *Literarische Aufsätze*. Frankfurt a. M. 1965. S. 289.

29. Georg Lukács: *Die Seele und die Formen*. Neuwied und Berlin 1971. S. 27 f. (Neuausgabe: Sammlung Luchterhand, 21.)

30. Robert Musil: »Literat und Literatur«. In: *Der Goldene Schnitt*. S. 418.

31. Vgl. hierzu Ralph-Rainer Wuthenow: *Josef Hofmiller als Kritiker und Essayist*. Diss. Heidelberg 1953. [masch.] S. 8 f., 22.

32. Vgl. Ralph-Rainer Wuthenow: »Hugo von Hofmannsthal und die Konservative Revolution«. In: *Goethe-Jahrbuch*, 3. Tokyo 1961. S. 8–26.

33. *Prosa IV*. S. 243 unter dem Titel »Europa«.

34. ebd., S. 390–413.

35. Vgl. ebd., S. 433–440: »Wert und Ehre Deutscher Sprache«.

36. Rudolf Borchardt: *Handlungen und Abhandlungen*. S. 165.

37. Rudolf Borchardt: *Reden*. Hrsg. von Marie Luise Borchardt. Stuttgart o. J. S. 250–252.

38. Hugo von Hofmannsthal: *Prosa IV*. S. 132.

39. ebd., S. 147 f.

40. Der Aufsatz erschien im Dezember-Heft 1932 der *Neuen Rundschau* unter dem Titel »Bekenntnis zum Übernationalen«. Hier zitiert nach der erinnernden Erwähnung in: Heinrich Mann, *Ein Zeitalter wird besichtigt.* Berlin 1947. S. 202 f.
41. *Macht und Mensch.* S. 18.
42. Heinrich Mann: *Geist und Tat.* Franzosen 1780–1930. Neuausgabe: Weimar 1946. S. 34, dann S. 48.
43. ebd., S. 78.
44. So muß auch der Zola-Essay vor allem als Selbstdarstellung verstanden werden.
45. *Geist und Tat.* S. 144.
46. Unbestimmte Begriffe Hofmannsthals wie »geglaubte Ganzheit«, »nationaler Besitz«, auch »Bindung«, die Vorstellung von einer Gegenbewegung zur Entwicklung des 16. Jahrhunderts – Renaissance und Reformation – als Ziel dieser Konservativen Revolution weisen bereits in diese Richtung. Zur Kritik an diesen Erwartungen vgl. Thomas Mann nach 1933: *Politische Reden und Schriften.* Bd. 2. Frankfurt a. M. 1968. S. 276 f.
47. Heinrich Mann: *Das öffentliche Leben.* Berlin 1932. S. 157.
48. An Florens Christian Rang am 9. Dezember 1923. *Briefe I.* Hrsg. u. m. Anmerkungen vers. von Gershom Scholem und Theodor W. Adorno. Frankfurt a. M. 1966. S. 322 f.
49. Walter Benjamin: *Gesammelte Schriften.* Bd. III. Hrsg. von Hella Tiedemann-Bartels. Frankfurt a. M. 1972. S. 287. Das folgende Zitat S. 290.
50. *Schriften.* Bd. II. S. 284–296.
51. *Gesammelte Schriften.* Bd. IV, 2. S. 672. Benjamin fährt fort:
»Mit einem Wort: das wirklich volkstümliche Interesse ist immer aktiv, es verwandelt den Wissensstoff und wirkt in die Wissenschaft selber ein.
Je mehr Lebendigkeit die Form, in welcher solche Bildungsarbeit vor sich geht, beansprucht, desto unabdingbarer ist der Anspruch, daß sie wirklich lebendiges *Wissen*, nicht nur eine abstrakte, unnachprüfbare, allgemeine Lebendigkeit entfaltet.«
Was Benjamin hier allgemein formuliert und was so genau auf den Essay zuzutreffen scheint, gilt aber zunächst für eine literarische Form, die das Produkt neuer Techniken ist: das Hörspiel.
52. Siegfried Kracauer: *Das Ornament der Masse.* Neuausgabe: Frankfurt a. M. 1963. S. 254.

Literaturhinweise

Theodor W. Adorno: »Der Essay als Form«. In: *Noten zur Literatur, I.* Frankfurt a. M. 1958. S. 9 bis 49.

Dieter Bachmann: *Essay und Essayismus.* Stuttgart, Berlin, Köln und Mainz 1969.

Walter Benjamin: *Schriften I und II.* Hrsg. von Theodor W. Adorno. Frankfurt a. M. 1955.
– *Gesammelte Schriften.* Verschiedene Hrsg. Frankfurt a. M. 1972.
– *Illuminationen.* Ausgewählte Schriften. Hrsg. von Siegfried Unseld. Frankfurt a. M. 1961.
– *Angelus Novus.* Ausgewählte Schriften 2. Ohne Hrsg. Frankfurt a. M. 1966.

Gottfried Benn: *Gesammelte Werke in acht Bänden.* Hrsg. von Dieter Wellershoff. Bd. 3. *Essays und Aufsätze.* Wiesbaden 1968.

Max Bense: »Über den Essay und seine Prosa«. In: *Merkur,* 3. 1947. Wieder abgedruckt in *Plakatwelt.* Vier Essays. Stuttgart 1952. S. 23–37.

Bruno Berger: *Der Essay.* Form und Geschichte. Bern 1964.

Ernst Bloch: *Literarische Aufsätze.* Frankfurt a. M. 1965.

Rudolf Borchardt: *Handlungen und Abhandlungen.* Berlin 1928.
– *Reden.* Hrsg. von Marie Luise Borchardt. Stuttgart o. J.

Ernst Robert Curtius: *Kritische Essays zur europäischen Literatur.* 2. erweiterte Aufl. Bern 1954.

Deutsche Essays. Bd. 1–4. Ausgew., eingel. u. erl. von Ludwig Rohner. Neuwied und Berlin 1968.

Der Goldene Schnitt. Große Essayisten der Neuen Rundschau 1890–1960. Hrsg. von Christoph Schwerin. Frankfurt a. M. 1960.

Richard Exner: »Zum Problem einer Definition und einer Methodik des Essays als dichterischer Kunstform«. In: *Neophilologus,* 46. Januar 1962.

Gerhard Haas: *Studien zur Form des Essays und zu seinen Vorformen im Roman.* Studien zur deutschen Literatur, Bd. 1. Tübingen 1966.

Hans Hennecke: *Kritik.* Gesammelte Essays zur modernen Literatur. Gütersloh 1958.
Hugo von Hofmannsthal: *Gesammelte Werke.* Hrsg. von Herbert Steiner. *Prosa I–IV.* Frankfurt a. M. 1950–52.
Josef Hofmiller: *Über den Umgang mit Büchern.* München 1948.
– *Letzte Versuche.* Hrsg. von Hulda Hofmiller. München 1952.
Karl August Horst: »Das literarische Kuckucksei«. In: *Deutscher Geist zwischen Gestern und Morgen.* Stuttgart 1954.
– »Wandlungen des Essays«. In: *Jahresringe 1955/56.* Stuttgart 1955.
Klaus Günther Just: »Der Essay«. In: *Deutsche Philologie im Aufriß.* Hrsg. von Wolfgang Stammler. Berlin und Bielefeld ¹1954.
Siegfried Kracauer: *Das Ornament der Masse.* Neuausgabe: Frankfurt a. M. 1963.
Georg Lukács: *Die Seele und die Formen.* Neuausgabe: Neuwied und Berlin 1971. (Sammlung Luchterhand, 21.)
Heinrich Mann: *Gesammelte Werke.* Hamburg 1958 ff. Dort insbes.: *Henri Quatre I und II.* ³1962 und die Auswahl: *Essays.* 1960.
– *Ausgewählte Werke in Einzelausgaben.* Berlin [Ost] 1951 ff. Dort insbes.: *Essays.* Bände I, II und III.
– *Macht und Mensch.* Essays und Ansprachen. München 1919.
– *Sieben Jahre.* Chronik der Gedanken und Vorgänge. Berlin, Wien und Leipzig 1929.
– *Geist und Tat.* Franzosen 1780–1930. Essays. Berlin 1931.
– *Das öffentliche Leben.* Essays. Berlin, Wien und Leipzig 1931.
– *Der Haß.* Deutsche Zeitgeschichte. Amsterdam 1933.
– *Mut.* Essays. Paris 1939.
Thomas Mann: Werke. *Das essayistische Werk.* Taschenbuchausgabe in 8 Bänden. Frankfurt a. M. 1968. *Politische Schriften und Reden 1–3.* Bde. 16–18.
Ludwig Rohner: *Der deutsche Essay.* Materialien zur Geschichte und Ästhetik einer literarischen Gattung. Neuwied und Berlin 1966.
Hans Wolffheim: »Der Essay als Kunstform. Thesen zu einer neuen Forschungsaufgabe«. In: *Festgruß für Hans Pyritz.* Sonderheft des *Euphorion* 1955.
Ralph-Rainer Wuthenow: *Josef Hofmiller als Kritiker und Essayist.* Diss. Heidelberg 1953.

STEPHAN REINHARDT

»Eine Kompanie von Söldnern«? Anmerkungen zur deutschen Germanistik in der Weimarer Republik

Die Niederlage von 1918 verwies deutsche Geisteshelden auf Ordinarienthronen und Schulkathedern zurück in die Vergangenheit. Die ›politische Wiedergeburt‹, in den ersten Jahrzehnten des Bestehens deutscher Germanistik Absicht fortschrittlicher wie konservativer Kräfte, war erneut das Ziel der mit Versailles gedemütigten Bürger. Geblieben war als »letzter Gemeinbesitz aller Deutschen« wieder einmal nur die gemeinsame Sprache. Und: »Wo können führerlos wir besser leitende Kräfte hernehmen als aus der vaterländischen Geschichte und aus dem Nacherleben großer Persönlichkeiten unserer Vergangenheit? Wo können wir, verloren im materialistischen Chaos, besser uns selbst finden, als im Spiegel unserer Dichtung [...].«[1]
Dieses Zitat von Julius Petersen steht für viele. Zurückversetzt ins zweite Glied der Weltmächte, versetzte man sich zurück ins deutsche Wesen, fahndete nach Führergestalten in der Dichtung und baute sie zu Identifikationsmustern auf. Germanistik wurde Weltanschauung vom deutschen Wesen und regredierte in den 1925 erschienenen *Grundzügen der Deutschkunde* von Hofstaetter und Panzer zur Prinzipienlehre konservativer Grundgesinnung: Die Universitätslehrer verwiesen ihre Kollegen in den Schulen auf die Formen und Bedingungen ›völkischen Seins‹. Dem zur Deutschkunde umorientierten Deutschunterricht wurde als Klassenziel vorgegeben: »die natürliche Beschaffenheit des Bodens, auf dem unser Volk sich bildete und ausbreitete, die Kreise des Blutes, der Rasse, der Volksgemeinschaften, aus denen es sich löste und zusammenwuchs, die Formen und Schöpfungen seines staatlichen, rechtlichen, wirtschaftlichen und technischen Lebens und die Gestaltungen seiner politischen Entwicklungen, dazu alle seine geistigen Äußerungen, wie sie in seiner Sprache und ihren künstlerischen Schöpfungen, in seiner bildenden Kunst und Musik, seinem Glauben und seiner Sage, seiner Weltanschauung und Wissenschaft, seinen Erziehungseinrichtungen und seiner Sitte im weitesten Sinne des Wortes in Erscheinung treten.«[2]
Es war nur konsequent, daß Friedrich Panzer 1933 die Gesellschaft für deutsche Bildung (der 1912 gegründete Germanistenverband gab sich 1920 diesen Namen) und ihre ab 1925 erschienene *Zeitschrift für deutsche Bildung* den »ersten Kampfbund für deutsche Kultur« nannte. Und es war nicht verwunderlich, daß die »Deutschwissenschaft als Organ des deutschen Selbstverständnisses« (Viëtor) den 1922 von Gustav Roethe herbeigesehnten Führer im Jahre 1933 in ihrer großen Mehrzahl emphatisch begrüßte, mit ihren damals und zum Teil noch heute klangvollen Namen: Friedrich Panzer, Karl Viëtor, Julius Petersen, Ernst Bertram, Hans Naumann, Josef Nadler, Heinz Kindermann, Gerhard Fricke, Wolfgang Kayser, Herbert Cysarz, Hermann Pongs, Hermann August Korff, Karl J. Obenauer, Franz Koch, Henning Brinkmann, Fritz Martini usw.
Wer also über das Selbstverständnis einer Disziplin in der Weimarer Republik,

wer über die Germanistik 1918–1933 sich Gedanken macht, wird nicht über sie reden können, ohne im Blick zu behalten, was sie an wesentlicher Stelle mitbeförderte, nämlich die (von Lukács so genannte) »Zerstörung der Vernunft«. Deutlich wird, daß diese Disziplin in den ersten drei Jahrzehnten dieses Jahrhunderts Grundlagen schuf, teils willentlich, teils naiv, die sich bestens als Transportmittel für nationalsozialistische Ideologie ge- und mißbrauchen ließen.

Nähert man sich versuchsweise aus der Vogelperspektive dem, was sich in der Zeit von 1918 bis 1933 Germanistik nannte, und konzentriert sich dabei auf ihren Allgemeinzustand, auf einige repräsentative methodologische Richtungen, auf Absichten, Leistungen und wie sie beides aufgefaßt wissen wollte, so wird bestätigt, was Musils bemühter wie forscher General Stumm von Bordwehr einen »Sauhaufen« nannte, als er mit militärischer Akribie ein »Grundbuchblatt der modernen Kultur«, eine »Bestandsaufnahme des mitteleuropäischen Ideenvorrats« vergeblich versuchte. Eine Zeit vielfältiger, gleichwohl aber methodisch schwammiger, zum wenigsten originärer Planspiele hatte statt. Eine Wissenschaft, die im Grunde immer noch keine war, versuchte zu dominieren, indem sie, Religion und Philosophie als Bildungswissenschaft ablösend, andere umarmte. Sie verstand sich als Fluchtpunkt für alle jene Bildungsbürger, denen das von Petersen beschworene »materialistische Chaos« und die widerwärtige technisch-wissenschaftliche Umwelt die heile Welt bildungsverheißender bürgerlicher Introspektion – denn mehr als den Rekurs auf sie brachte man nicht mehr auf – versauerte. Enttäuscht durch den Ausgang des Ersten Weltkrieges und beunruhigt durch die rote Gefahr, erhoffte er sich eine Wiedergeburt deutscher Kraft, Stärke und Innerlichkeit durch die Renovation des deutschen Wesens. In einer ›unreinen‹, das heißt als materialistisch, areligiös, bildungsunwillig, von Massen und Durchschnittsmenschen geprägt verschrienen Umwelt strebte Germanistik »nach reinen Erkenntnissen« (Harry Maync in einer Rektoratsrede 1926)[3], wobei ›rein‹ nur sein konnte, was die ewigen Werte, die aus deutscher Wesensschau oder aus der Schau auf das Wesen deutscher Dichtung resultierten, fernab von den Niederungen der kruden Tagesläufe repräsentierte und sich – scheinbar – außerhalb gegenwärtiger Geschichte und ihrer sozialen, wirtschaftlichen Konditionen stellte. Zu schweigen davon, daß es Germanistik – wie zu größten Teilen auch heute noch – »grundsätzlich überhaupt nicht mit lebenden Dichtern [...], sondern nur mit solchen [zu tun hat], welche die Schwelle der Geschichte bereits überschritten haben« (Maync). Und ›rein‹ war, so läßt sich letztlich synthetisieren, führt man ihr subjektives Selbstverständnis, wie immer es sich im einzelnen gerastert haben mag, auf ihre weltanschaulichen Caissons zurück, was im Grunde Irrationalität rational verbrämte, geschichtliches Denken durch pseudogeschichtsphilosophische oder biologisch gemeinte Attitude desavouierte und was – in offener Fronde – Aufklärung für einen faulen Zauber und schließlich für die »Gesinnung des Westens« (Henning Brinkmann)[4] erklärte.

Die Germanistik zu Beginn dieses Jahrhunderts bewegte sich im Pendelschlag weg von literarischem Sansculottismus, von Parallelenjagd, Motivriecherei und geistlosem Faktenfetischismus der positivistischen Ära. Die sich willig den Naturwissenschaften beugende Germanistik hatte in der üblichen Ausformung des Positivismus kaum mehr den Blick vom Objekt erhoben, sich im Anschluß an Comte, Thomas Buckle, Taine und Darwin mit einem einfachen Kausalnexus begnügt, mit Bienenfleiß allerlei biographisches Material aufgearbeitet, Texte und Quellensammlungen ediert. Sie hatte den ursprünglichen geschichtsphilosophischen Ansatz, indem die Literaturgeschichte einem kausal bedingten Naturprozeß gleichgestellt wurde, in ihren Scherer-Adepten zum »Turmbau der bloßen Faktizität, der mit allem ausgestattet ist, nur nicht mit einer ideellen Struktur«, degenerieren lassen.[5] Kein Wunder, daß man sich bei so defizientem Wissenschaftsniveau spöttisch abwandte und auf die im Unterschied zum verhaßten technisch-wissenschaftlichen Zeitgeist ewigen Werte des Menschseins besann, mit Jauß gesprochen: »Die Geistesgeschichte bemächtigte sich der Literatur, setzte der kausalen Geschichtserklärung eine Ästhetik der irrationalen Schöpfung entgegen und suchte den Zusammenhang der Dichtung in der Wiederkehr überzeitlicher Ideen und Motive.«[6]

Was diese Disziplin bis zum »Sonnenwendjahr« 1933 (Bertram) zusammenschweißte, war ihr Affekt gegen positivistische Faktenhuberei; was sie leider nicht entscheidend auseinanderdividierte, war ihre durch nichts zu erschütternde Vorliebe für Sinnhuberei. Wie Harry Maync in seiner bereits zitierten Rektoratsrede selbstkritisch anmerkte: »Die Älteren [= Positivisten] ließen es an Synthese, die Jüngeren lassen es an Analyse fehlen; boten jene zu viel Substanz und zu wenig Geist, so steht es bei diesen umgekehrt.«[7] Daß freilich Geist, der ohne Substanz einhergeht, das Unding von Kopf ohne Bauch ist, entkräftete auch die Weimarer Germanistik nur sehr gelegentlich. Sie besann sich dagegen in neuidealistischem Impuls auf den »metaphysischen Grundcharakter der Geisteswissenschaft« (Ermatinger)[8] und ließ ihn schließlich in biologistischer Manier zu Blut-und-Boden-Metaphysik und Judenstern verkommen.

Daß Dichtung ein soziales Phänomen sein könnte, wurde selbst da nicht ernsthaft diskutiert, wo sich, wie bei Lublinski, Stoeßl, Hirsch und Merker, eine soziologische Methode vorsichtig andeutete. In Paul Merkers ›sozialliterarischer‹ Methode ging es letztlich darum, »die den Deutschen seit jeher angestammten seelischen Qualitäten zum Gegenstand der Forschung zu machen«, die »Lehre vom nationalen Seelenadel« zu befördern.[9] Gesellschaftlich am Bewußtsein deutscher Literaturwissenschaft war schließlich nur, was den Formenkreis und Vorstellungshorizont germanischer Elite gesellig machte.

Der wissenschaftstheoretische Stern, der mit Wilhelm Dilthey der deutschen Germanistik strahlte und den sie zu größten Teilen immer wieder fixierte, gab endlich die erhoffte Orientierung und das neue Selbstbewußtsein. Aber Diltheys Versuch, die methodische Differenz zwischen Natur- und Geisteswissenschaften zu markieren, war ebenso spektakulär und fruchtbar, wie er methodische Spekulation, ahistorische und antirationale Sinnhuberei begünstigte. Sein Ausgang von »Erleben, Verstehen und Lebenserfahrung« reproduziert einerseits wohl die erkenntnistheoretischen Prinzipien des hermeneutischen Verstehens, fördert aber in dem Maße Unschärfe und Begriffslosigkeit, wie seine Lebensphilosophie und Einfühlungstheorie das Leben zum ›Urphänomen‹ hochstilisierte. Nicht hermeneutische Abklärung des eigenen geschichtlichen Selbstverständnisses behauptete Dilthey endlich in seiner Einfühlungstheorie, sondern Selbstaufgabe dessen, was dem, der sich in etwas hineinversetzt, einmalig und besonders ist. Und nicht um kritische Wertung ging es, sondern um Auffindung von Typischem durch Versenkung in den zwar als Geschichte verlaufenden Lebensstrom, der gleichwohl aber, in der Möglichkeit nämlich, das Typische durch Versenkung in jeglicher Epoche auffinden zu können, eben deshalb ungeschichtlich konzipiert war.

Damit hat Dilthey, so richtig und verdienstvoll sein Ansatz war, mindestens ebensoviel an Negativem bewirkt wie an positiver methodologischer Grundbesinnung angeregt. Derjenigen unter den Germanisten, die sich Dilthey dankbar als Geistes- und Kulturgeschichtler in die Arme warfen, war Legion. Denn er bot die Möglichkeit, den Affekt humanistisch gebildeter Elite gegen das widrige positivistische, materialistische, naturwissenschaftliche Umfeld zu kaschieren und der Forderung proletarischer Masse im Selbstbewußtsein neuer methodologischer Potenz auszuweichen. Diese Potenz freilich, so notwendig sie in ihrer einfachen Form als Hermeneutik war, um von den banalen Auswüchsen positivistischer Faktenhuberei freizukommen, verstärkte sich zu »metaphysischer Verzauberung«[10] und regredierte damit in ein ahistorisches, antiaufklärerisches Konzept.

Man tut gut daran, sich über den Stand einer Disziplin am exemplarischen Beispiel dessen zu orientieren, der mit seinen Arbeiten ebenso erfolg- wie einflußreich war und den Neid seiner Kollegen auf sich ziehen mußte: Friedrich Gundolf. In seinem Goethebuch von 1916 (neben Ernst Bertrams *Nietzsche*) gipfelte der literaturwissenschaftliche Antihistorismus der George-Schule. Er war das Signum einer Entwicklung der bürgerlichen Gesellschaft, deren Bildungsbürger im scheinbaren Freiraum »machtgeschützter Innerlichkeit« sich ergötzten an den Klischees von Intuition, Urerlebnis, Legende, Mythos. Sie behaupteten unhistorisch ihren als non plus ultra aufgefaßten Geistesadel, weil sie eben anders als die andern waren. Ins Überpersönliche stilisiert Gundolf seinen Goethe – während er Kleist um so tiefer hinabdrückt –, weil ihm »Kunst nicht Gegenstand, Folge oder Zweck menschlichen Daseins bedeutet, sondern einen ursprünglichen Zustand des Menschtums«,[11] und nur »Banausen« könnten glauben, »der Künstler, der Dichter erlebe ungefähr dasselbe wie er und auf dieselbe Art, vielleicht ein bißchen abenteuerlicher und fremdartiger, nur habe er außerdem als ein zufälliges Akzidens die Gabe, diese Erlebnisse in Bildern, Gedichten, Musikstücken herausstellen zu können: das sogenannte ›Talent‹«.[12] Daher ist dem George-Jünger die Vollendung seines Verständnisses und Selbstverständnisses vom Geistesheroen der Olympier Goethe, »das Zentrum einer überpersönlichen Gewalt [...], Gottes, des Schicksals oder der Natur«, und Goethes »Wesen« hat nicht ein »Schicksal«, sondern ist es. Nicht »hinter [... die] Werke zu greifen«[13] gilt; sondern was einseitig die Brücke schlägt zwischen dem »gewöhnlichen Menschen« und dem »Genius«, sind »Ehrfurcht und Enthusiasmus«, »ist die ehrfürchtige Liebe die uns treibt uns in seine Äußerungen mit Fleiß, Ernst und Gewissen zu senken«.[14]

So entrückt zum in sich kreisenden absoluten Sein und hochgehoben auf den Schild des Unnahbaren, zu dem man nur ehrfürchtig aufblicken darf, gesteht Gundolf der Literaturwissenschaft zwar noch »die Freiheit des Blicks für die Tatbestände« zu, verwehrt ihr aber apodiktisch, jenes Postulat der Ehrfurcht und Demut in Frage zu stellen: »große Dichter sind keine Versuchskaninchen für methodische Zufallsexperimente.«[15] Zwar ist Gundolf insofern hermeneutisch-erkenntniskritisch gestimmt, als er erkennt, daß »auch der Trieb nach Erkenntnis nicht voraussetzungslos« ist, sondern daß vielmehr gefragt werden soll, »welches Erlebnis unser Erkennen in Bewegung setzt«.[16] Dieser Ansatz von Hermeneutik aber bleibt bloß restriktiv, weil er einerseits die Literaturwissenschaftler, die Gundolf, stringent im Sinne seiner Konzeption, als Bildungshistoriker begreift, und andererseits die ›Banausen‹ angesichts der omnipotenten Erlebnis- und Gestaltungsfülle des ›Genius‹ in eine demütige, ehrfurchtsvoll distanzierte Haltung zwingt.

Gundolfs L'art pour l'art enthob den Schriftsteller als Geistesheroen der Geschichte. Paul Rilla hat es am Beispiel von Gundolfs Goethebuch auf die Formel »Goethe als Mythos ohne Geschichte« gebracht und die Hintergründe der Faszination, die von diesem Buch ausging, angedeutet: »Denn Geschichte, Entwicklung, Fortschritt sollte es nicht mehr geben [...]. Aus dem luftleeren Raum des bloß noch zu seiner eigenen Unwirklichkeit entschlossenen Zeitgeistes erschuf Gundolf das Goethe-Bild, in dem ein Bildungsbürgertum, das längst von seiner eigenen Tradition abgefallen war und keine Geschichte mehr hatte, sich noch einmal als ästhetische Instanz bestätigt fühlen konnte.«[17]

Wie Gundolf sich aus der Geschichte hinauskatapultierte zu ästhetischer Heroenschau, so versteifte sich sein weniger glanzvoller Kollege Rudolf Unger in freilich nicht minder ungeschichtlicher Weise auf einen Literaturbegriff, in dem Literatur und ihre Geschichte als »gestaltende Deutung« der »elementaren Probleme des Menschenlebens«, der »großen, ewigen Rätsel- und Schicksalsfragen des Daseins« erschienen.[18] Eingeschworen auf den Standpunkt von Dilthey, Rickert und Windelband, auf den Dualismus des Idealismus, begegnete ihm »als das allgemeinste und ursprünglichste dieser Probleme des Menschseins [...] die Frage nach dem ›Schicksal‹, d. h. nach dem Verhältnis von Freiheit und Notwendigkeit, von Geist und Natur, von Sittlichkeit und Sinnlichkeit oder wie immer man diesen durch alles menschliche Dasein hindurchgreifenden Grundgegensatz bezeichnen mag, der zugleich den unaufhebbaren Dualismus in des Menschen eigener Seele in sich schließt«.[19] Ungers zweites ›Urproblem‹ ist das religiöse, denn: »Wie könnte auch die dichterische Lebensdeutung, der nichts Menschliches fremd bleiben darf, jemals der mit der Endlichkeit des Menschen, bei unaustilgbarem Streben seiner Seele nach dem Unendlichen und Ewigen, gesetzten großen Grundtatsache eines irgendwie gearteten Verhältnisses zu einem Unsichtbaren, Übersinnlichen und Übernatürlichen vergessen?«[20]

Unger vergewissert sich Diltheys zur Legitimation seiner geistes- und problemgeschichtlichen Methode, in die er noch als Probleme das Verhältnis des Menschen zu Natur, Liebe, Tod hineinbaut. Dilthey war Literatur, in der Formulierung Ungers, »die historische Entwicklung der nach den besonderen Bildungsgesetzen der Phantasie sich vollziehenden Lebensdeutungen schöpferisch begabter Dichter«.[21] Literatur und ihre Nachfolgespur problem- und geistesgeschichtlicher Analyse erweitert und vertieft das »Seelenleben der Menschheit«, der als Zielvorstellung aufgegeben sind: »die ethischen Gefühle und Triebe der Selbstschätzung, der Bewunderung fremder Größe, der handelnden Bestätigung des persönlichen Innenlebens, des Dranges zu sittlicher Vervollkommnung, die sich zu Bildern großen Wollens und Vollbringens verdichten und in Lebensidealen ihre Gestaltung finden«.[22] Unger neigte zwar dazu, sich keck gegen die in Gundolf repräsentierte Mythisierung von Literatur wie auch gegen die Liquidierung der Geschichte durch subjektivistische Lebensschau zu sperren, verfiel aber demselben Irrationalismus, den er angriff, indem er sich auf dessen religiöse Spielart einstellte. Sein Wunsch, Geistes- und Seelengeschichte der Menschheit mit der philosophie- und problemgeschichtlichen Wünschelrute voranzutreiben, ist geprägt von einem Dualismus, dessen undialektische Antithetik sich am Beispiel Hamanns nur durch mystisch-religiösen Monismus salvieren kann. Für Unger war »das Schicksal unserer gesamten geistigen Kultur aufs unlöslichste mit der Erneuerung der Religion verknüpft, die unserer und den kommenden Generationen als gewaltigste Aufgabe auf die Seele gelegt ist«.[23] Denn Ungers vorgebliche Attacke gegen den Subjektivismus seiner schöngeistig schwärmenden und von Intuitionen heimgesuchten Fachkollegen erfolgte nur deshalb, weil deren Irrationalismus, dem er sich verbündet wußte, leider nicht entsprechend religiös unterbaut war oder schien. In Wirklichkeit war Unger nicht weniger irrational als sie.

In das Prokrustesbett seiner Endabsicht, die Religion zu erneuern, legte er auch die Geschichte der Literatur. Und dieser Endzweck war es auch, der ihm sowohl seine Methode wie deren Inhalte und Ergebnisse aufzwang. Ungers 583 Seiten Hamann-Interpretation und stattlichen 395 Seiten Anmerkungen und Beilagen verschwenden den Schweiß des Gelehrten darauf, nachzuweisen, daß der Magus des Nordens, der religiöse Irrationalist, ein heftiger Gegner der Aufklärung und Geistesverwandter der Romantik gewesen war. Unger mißbrauchte ihn als Kronzeugen für sein ›erkenntnisleitendes‹ Interesse religiöser Erneuerung, der Synthese von Kultur und Religion. Dieses Interesse aber ließ ihn – wie viele seines Faches – abwerten, was als zu intellektuell oder zu rational erschien, und als intellektuell oder rational kam ihm vor, was der religiösen Krücke entbehrte. Ungers blinder Glaube an die Autorität der Religion sowie der in ihren Zuträgern Philosophie und Literatur ihm als ewig erscheinenden Werte und Probleme wird selten so klar ausgesprochen wie am Schluß seines Hauptwerkes: »Wer [...] der Überzeugung lebt, daß diese religiöse Erneuerung nicht sowohl von der theoretischen Wissenschaft oder der kirchlichen Politik, sondern nur vom ganzen Menschen und aus dem Innerlichsten seines Wesens gewirkt zu werden vermag, und daß sie nicht absichtsvoll wird gemacht werden können, sondern aus unbewußten seelischen Tiefen heranrufen muß und vielleicht schon gegenwärtig im Stillen heranreift: der wird auch an Recht und Zukunft des Besten, was uns der nordische Magus hinterlassen hat, nicht verzweifeln.«[24] Es ist kein Zufall, daß Henning Brinkmann 1934, als er »Die deutsche Berufung des Nationalsozialismus« skizzierte, sich gegen die Epoche der Aufklärung stellte. Denn entweder war bei seinen Weimarer Vorläufern die Geschichte der deutschen Literatur die Geschichte deutscher Wesensart oder nur überzeitlich zu greifender Schöpferpersönlichkeiten gewesen oder auch nur die Geschichte eines religiösen und wieder von der Religion abfallenden Geistes. Die Aufklärung war dieser Literaturwissenschaft so suspekt, wie ihr die Romantik lieb war. Es ist ebenfalls kein Zufall, daß sich Fritz Strich im Vorwort des 1949 in 4. Auflage erschienenen »Vergleichs« zwischen deutscher Klassik und Romantik mit der Vehemenz des gebrannten Kindes von seiner eigenen Deutung der Romantik abwandte: »Wenn es damals [1922] eine Aufgabe war, das eigene Recht der Romantik gegenüber der Klassik ins Licht zu stellen, so gestehe ich heute, daß mich die Entwicklung der Geschichte dazu geführt hat, in der deutschen Romantik eine der großen Gefahren zu erkennen, die dann wirklich zu dem über die Welt hereingebrochenen Unheil führten.«[25] Nicht allein von daher, daß sich ein deutscher Gelehrter in der Schweiz naturalisiert hatte, wo Romantik es zwar nicht als Naturvorwurf, aber als beliebtes Germanistenobjekt schwer hatte, läßt sich diese Absage eines Emigrierten verstehen, sondern viel eher in ihrer inhaltlichen Begründung. Denn das aus der Antike überkommene Erbe der Vernunft wurde in der Romantik eliminiert durch die »große Sehnsucht hinter die Antike zurück in die Urheimat des germanischen Geistes«[26]. Heinrich von Ofterdingen fand schließlich die blaue Blume, die Edda heißt.

Nicht allein, daß sich Strich in seiner 1922 erschienenen Studie um eine Aufwertung und Favorisierung der Romantik bemühte, die sich in Feindschaft gegen Aufklärung, Vernunft und Französische Revolution gestellt hatte – Strich steht zugleich auch exemplarisch für die von Heinrich Wölfflin mit seinen *Kunstgeschichtlichen Grundbegriffen* (1915) eingeleitete Typenbildung, die die Antithetik von Vollendung und Unendlichkeit, von naiv und sentimentalisch, von apollinisch und dionysisch usw. vorausgreifend postulierte. In dieser Methodenküche, die am Ende einen nur noch formalen Brei von allerlei Typenbildungen zusammenrührte, geriet Geschichte zur Antithetik von miteinander seit Urzeiten streitenden Grundbegriffen, zur metaphysisch verklärten Geschichte zerrissener Seelen. Im deutschen Menschen gab es da seit Urzeiten den heftigen Kampf zwischen apollinischer Vollendung und dionysischer Unendlichkeit, der Geschichte entrückte Urphänomene, »mit deren Metamorphosen in Zeiten, Völkern, Genien sich die Geschichte beschäftigt«.[27] Sehformen, Weltanschauungstypen jeglicher Provenienz wurden kreiert, handele es sich um »Geschlecht, Alter, Beruf, Völker, Rassen, Klassen, Stämme, Landschaften, Stil, Zeit, Kultur, Sprachen usw.«.[28] Fixpunkt dieser weitausgreifenden Fahndung nach dem Typischen war, überpersönliche Determinationen herauszufinden: sei es die durch die Gattung (Viëtor) oder durch das Wechselspiel von Gehalt und Gestalt (Walzel), sei es die Bestimmung des Geistigen aus dem Biologischen, aus Erde, Rasse und Blutmischung (Nadler). Adolf Bartels schließlich war darauf aus, allerorten die »Verjudung« aufzuspüren.

Wie Kurt Breysig in seiner *Geschichte der Seele* die Geschichte zum Pingpongspiel zwischen Ratio und Seele verfälschte, so auch Hermann August Korff, dessen *Geist der Goethezeit* als »Geist eines irrationalistischen Idealismus«[29] die schiere Verstandesdeutung von Wirklichkeit suspekt war; für Korff bestimmte sich das Profil der Geschichte aus dem ewigen Kampf von Ideen, im wesentlichen von Rationalismus und Irrationalismus.

Ob bei Gundolf, Unger, Strich, Korff, ob bei Walzel, Viëtor oder Nadler – und was es sonst noch an methodischem Eklektizismus allerlei Schattierung gab –, Dichtung und Literaturgeschichte waren jener geistes- und kulturgeschichtlichen Epoche deutscher Germanistik Offenbarung. Ihre Funktion war nicht Aufklärung und Rationalität, sondern, wie Walter Benjamin – neben Leo Löwenthal einer der ganz wenigen Zeitgenossen, die die Weimarer Germanistik radikal kritisierten – in seinem Aufsatz »Literaturgeschichte und Literaturwissenschaft« formulierte: »gewissen Schichten die Illusion einer Teilnahme an den Kulturgütern der schönen Literatur zu geben«.[30] Der Dichter wurde zum Führer, die Literaturgeschichte zur Heilsgeschichte der Deutschen: »Der Impuls nämlich, einzelnen großen Gestalten der Geschichte die Bewahrung und Erneuerung des Volksgeistes als höchste Leistung zuzumessen, verfestigt sich in der Stil- und Gattungs- so gut wie in der Problem-, Seelen- oder Kulturgeschichtsforschung zu einem methodischen Axiom: Allenthalben begegnen den Versuchen zu überpersönlicher Determination dichterischer Zeug-

nisse die Hervorkehrung großer Einzelpersönlichkeiten, in denen sich der Geist einer Epoche, der Seelengrund eines Stammes, der Adel deutschen Menschentums oder deutscher Geist schlechthin inkarnieren.«[31]
Die von Dilthey, Rickert und dem Neukantianismus eingeleitete notwendige methodologische Neubesinnung der Geisteswissenschaften wurde von der Weimarer Germanistik zum Kanon des Konservativismus kanalisiert. Da keine Einsicht in die sozialen und weltanschaulichen Konditionierungen vorhanden war, da Religion und Philosophie ihre Dominanz verloren hatten, wurden Ersatzfetische ontologisiert und gemäß der von Oskar Walzel ausgegebenen Parole »Synthese« bald synkretistisch zusammengeschweißt, bald – ohne philologisch ausreichenden Bezug auf die Texte – monomanisch verfolgt. Letzteres brachte Benjamin zu dem Bild: »Die ganze Unternehmung ruft für den, der in Dingen der Dichtung zu Hause ist, den unheimlichen Eindruck hervor, es käme in ihr schönes, festes Haus mit dem Vorgeben, seine Schätze und Herrlichkeiten bewundern zu wollen, mit schweren Schritten eine Kompanie von Söldnern hineinmarschiert, und im Augenblick wird es klar: die scheren sich den Teufel um die Ordnung und das Inventar des Hauses; die sind hier eingerückt, weil es so günstig liegt, und sich von ihm aus ein Brückenkopf oder eine Eisenbahnlinie beschießen läßt, deren Verteidigung im Bürgerkrieg wichtig ist.«[32]
Auch da, wo sich die Germanistik nicht als nach dem ›Völkischen‹ fahndender ›Kampfbund‹ begriff, war sie doch infolge ihrer konservativen Grundmuster, ihrer Vertreibung des Geschichtlichen in Grundmuster wie Einfühlung, Bewunderung, Verehrung, durch ihr Postulat überzeitlicher Werte, ihre Verachtung des kruden ›materialistischen Chaos‹, ihre sich selbst zuerkannte metaphysische Weihe, ein Wegbereiter dazu. Schließlich marschierte sie nahezu im Gleichklang mit.

Anmerkungen

1. Julius Petersen: »Literaturwissenschaft und Deutschkunde«. In: *Zeitschrift für Deutschkunde*, 38 (1924). S. 415.
2. *Grundzüge der Deutschkunde*. Hrsg. von W. Hofstaetter und F. Panzer. Bd. I. Leipzig und Berlin 1922. Vorwort.
3. Harry Maync: *Die Entwicklung der deutschen Literaturwissenschaft*. Bern 1927. S. 7.
4. Henning Brinkmann: *Die deutsche Berufung des Nationalsozialismus*. Jena 1934. S. 37.
5. Jost Hermand: *Synthetisches Interpretieren*. München 1968. S. 23.
6. Hans Robert Jauß: *Literaturgeschichte als Provokation*. Frankfurt a. M. 1970. S. 153.
7. Harry Maync: *Die Entwicklung der deutschen Literaturwissenschaft*. S. 29.
8. *Philosophie der Literaturwissenschaft*. Hrsg. von Emil Ermatinger. Berlin 1930. S. 352 f.
9. Eberhard Lämmert: *Germanistik – eine deutsche Wissenschaft*. Frankfurt a. M. 1967. S. 16 und 17.
10. Leo Löwenthal: »Das gesellschaftliche Bewußtsein in der Literaturwissenschaft«. In: *Erzählkunst und Gesellschaft*. Neuwied und Berlin 1971. S. 26.
11. Friedrich Gundolf: *Goethe*. Berlin [10]1922. S. 1.
12. ebd., S. 2.
13. ebd., S. 4.
14. ebd., S. 7.
15. ebd., S. 8.
16. ebd., S. 8.

17. Paul Rilla: *Goethe in der Literaturgeschichte.* Berlin [Ost] 1949. S. 30.
18. Rudolf Unger: *Aufsätze zur Prinzipienlehre der Literaturgeschichte.* Darin: »Literaturgeschichte als Problemgeschichte«. S. 155.
19. ebd., S. 155.
20. ebd., S. 156.
21. ebd., S. 164.
22. ebd., S. 165.
23. Rudolf Unger: *Hamann und die Aufklärung.* Studien zur Vorgeschichte des romantischen Geistes im 18. Jahrhundert. Jena 1911. S. 582 f.
24. ebd., S. 583.
25. Fritz Strich: *Klassik und Romantik.* Bern ⁴1949. S. 9.
26. ebd., S. 10.
27. ebd., S. 15.
28. Oscar Benda: *Der gegenwärtige Stand der deutschen Literaturwissenschaft.* Wien und Leipzig 1928. S. 29.
29. Hermann August Korff: *Geist der Goethezeit.* 1. Teil: Sturm und Drang. Leipzig 1923. S. 32.
30. Walter Benjamin: »Literaturgeschichte und Literaturwissenschaft«. In: *Angelus Novus.* Frankfurt a. M. 1966. S. 454.
31. Eberhard Lämmert: *Germanistik – eine deutsche Wissenschaft.* S. 15.
32. Walter Benjamin: »Literaturgeschichte und Literaturwissenschaft«. S. 453.

Literaturhinweise

Germanistik – eine deutsche Wissenschaft. Mit Beiträgen von Eberhard Lämmert, Walther Killy, Karl Otto Conrady u. a. Frankfurt a. M. 1967.

M. L. Gansberg u. P. G. Völker: *Methodenkritik der Germanistik.* Stuttgart 1971.

Franz Greß: *Germanistik und Politik.* Kritische Beiträge zur Geschichte einer nationalen Wissenschaft. Stuttgart 1971.

Jost Hermand: *Synthetisches Interpretieren.* München 1968.

Nationalismus in Germanistik und Dichtung. Dokumentation des Germanistentages in München, vom 17.–22. Oktober 1966. Hrsg. von Benno von Wiese und Rudolf Henß. Berlin 1967.

Max Preitz: »Die Tagungen des alten Deutschen Germanisten-Verbandes«. In: *Mitteilungen des Deutschen Germanisten-Verbands,* 1 (1954). H. 2; 2 (1955). H. 4.

Die Autoren der Beiträge

Alexander von Bormann

Geboren 1936. Studium der Germanistik, klassischen Philologie und Philosophie in Tübingen, Göttingen und Berlin (FU). Dr. phil. Dozent für Neuere deutsche Literaturgeschichte an der Universität von Amsterdam.

Publikationen:
Natura loquitur. Naturpoesie und emblematische Formel bei J. v. Eichendorff. Tübingen 1968. – Vom Laienurteil zum Kunstgeschmack. Texte zur deutschen Geschmacksdebatte im 18. Jh. (Hrsg.). Tübingen 1973. – Aufsätze, Rezensionen und Rundfunkbeiträge.

Horst Denkler

Geboren 1935. Studium der Germanistik, Geschichte und Philosophie. Dr. phil. Professor für Neuere deutsche Literatur an der Freien Universität Berlin.

Publikationen:
Drama des Expressionismus. Programm – Spieltext – Theater. München 1967. – Georg Kaiser: Die Bürger von Calais. Drama und Dramaturgie. München 1967. – Einakter und kleine Dramen des Expressionismus (Hrsg.). Stuttgart 1968. – Alfred Brust: Dramen 1917–1924 (Hrsg.). München 1971. – Der deutsche Michel. Revolutionskomödien der Achtundvierziger (Hrsg.). Stuttgart 1971. – Restauration und Revolution. Politische Tendenzen im deutschen Drama zwischen Wiener Kongreß und Märzrevolution. München 1973. – Aufsätze und Rezensionen.

Hans Norbert Fügen

Geboren 1925. Studium der Soziologie, Germanistik und Philosophie in Mainz. Dr. phil. Professor für Soziologie an der Universität Heidelberg.

Publikationen:
Die Hauptrichtungen der Literatursoziologie und ihre Methoden. Bonn 1964. – Wege der Literatursoziologie (Hrsg.). Neuwied und Berlin 1968. – Dichtung in der bürgerlichen Gesellschaft. Sechs literatursoziologische Studien. Bonn 1972. – Vergleichende Literaturwissenschaft (Hrsg.). Düsseldorf und Wien 1973. – Aufsätze und Rezensionen.

Thomas Koebner

Geboren 1941. Studium der Germanistik, Kunstgeschichte und Philosophie. Dr. phil. Professor für Germanistik und Allgemeine Literaturwissenschaft an der Universität Wuppertal.

Publikationen u. a.:
Hermann Broch. Bern und München 1965. – Tendenzen der deutschen Literatur seit 1945 (Hrsg.). Stuttgart 1971. – Literaturwissenschaftliche und literaturkritische, theater-, medienwissenschaftliche und musikkritische Aufsätze und Rezensionen.

Helmut F. Pfanner

Geboren 1933. Volks- und Hauptschullehrer. Studium der Pädagogik, Anglistik, Germanistik und Romanistik. Ph. D. Professor an der University of New Hampshire (Durham).
Publikationen:
Hanns Johst. Vom Expressionismus zum Nationalsozialismus. The Hague und Paris 1970. – Oskar Maria Graf. Eine kritische Bibliographie. (In Vorb.) – Aufsätze und Rezensionen.

Fritz J. Raddatz

Geboren 1931. Studium der Germanistik, Kunstgeschichte und Theaterwissenschaft. Dr. phil. Privatdozent an der Technischen Universität Hannover. Mitglied des PEN-Clubs. Vorsitzender der Kurt-Tucholsky-Stiftung.
Publikationen u. a.:
Kurt Tucholsky: Gesammelte Werke in 3 Bänden (Mithrsg.). Reinbek 1960/61. – Kurt Tucholsky. Biographie. München 1961. – Kurt Tucholsky: Ausgewählte Briefe 1913–1935 (Mithrsg.). Reinbek 1962. – Marxismus und Literatur. Eine Dokumentation in drei Bänden (Hrsg.). Reinbek 1969. – Traditionen und Tendenzen. Materialien zur Literatur der DDR. Frankfurt a. M. 1971. – Verwerfungen. Literarische Essays. Frankfurt a. M. 1972. – Erfolg oder Wirkung – Schicksale politischer Publizisten in Deutschland. München 1972. – Georg Lukács. Eine Monographie. Hamburg 1972. – 1951–59 Hrsg. der Rowohlt-Taschenbuchreihe »rororo aktuell«. – Veröffentlichungen in Zeitschriften und Anthologien sowie Fernsehbeiträge.

Stephan Reinhardt

Geboren 1940. Studium der Germanistik, Philosophie und Geschichte. Promotion mit einer Arbeit über Musils »Mann ohne Eigenschaften«. Lektor im Hermann Luchterhand Verlag, Darmstadt.

Karl Riha

Geboren 1935. Studium der Germanistik, Philosophie und Geschichte in Frankfurt a. M. Privatdozent für Deutsche Philologie an der Technischen Universität Berlin.
Publikationen u. a.:
Moritat, Song, Bänkelsang. Zur Geschichte der modernen Ballade. Göttingen 1965. – Die Beschreibung der ›Großen Stadt‹. Zur Entstehung des Großstadtmotivs in der deutschen Literatur. Bad Homburg, Zürich und Berlin 1970. – Zock, Roarr, Wumm. Zur Geschichte der Comics-Literatur. Steinbach b. Gießen 1970. – Editionsreihe Deutsche Satiren (Hrsg.). Steinbach b. Gießen 1970 ff. – Cross-reading und Cross-talking. Zitatcollagen als poetische und satirische Technik. Stuttgart 1971. – Raoul Hausmann: Am Anfang war Dada (Hrsg.). Steinbach b. Gießen 1972. – Veröffentlichungen in Sammelbänden und Zeitschriften.

Wolfgang Rothe

Geboren 1929. Studium der Germanistik, Soziologie und Philosophie in Marburg, Freiburg und Heidelberg. Dr. phil. Lebt in Heidelberg. Mitglied des PEN-Clubs.

Publikationen u. a.:
James Joyce. Wiesbaden 1957. – Der Roboter und der andere. Wiesbaden 1958. – Hermann Broch: Massenpsychologie (Hrsg.). Zürich 1959. – Schriftsteller und totalitäre Welt. Bern und München 1966. – Deutsche Literatur im 20. Jahrhundert (Mithrsg.). Bern und München ⁵1967. – Expressionismus als Literatur (Hrsg.). Bern und München 1969. – Deutsches Theater des Naturalismus (Hrsg.). München 1972. – Deutsche Großstadtlyrik vom Naturalismus bis zur Gegenwart (Hrsg.). Stuttgart 1973. – Einakter des Naturalismus (Hrsg.). Stuttgart 1973. – Aufsätze und Rundfunkessays.

Christoph Rülcker

Geboren 1936. Studium der Soziologie in Frankfurt a. M. und Marburg. Dr. phil. Akademischer Oberrat an der Gesamthochschule Duisburg.

Publikationen:
Zur Ideologie der Arbeiterdichtung 1914–1933. Eine wissenssoziologische Untersuchung. Stuttgart 1970. – Aufsätze, Mitarbeit an Lexika und Forschungsprojekten.

Hans Dieter Schäfer

Geboren 1939. Studium der Germanistik, Geschichte, Philosophie und Pädagogik in Wien und Kiel. Dr. phil. Assistent am Germanistischen Institut der Universität Münster.

Publikationen:
Peter Altenberg: Sonnenuntergang im Prater (Hrsg.). Stuttgart 1968. – Wilhelm Lehmann. Studien zu seinem Leben und Werk. Bonn 1969. – Literaturwissenschaftliche Aufsätze und literaturkritische Arbeiten.

Walter Schiffels

Geboren 1944. Studium der Germanistik, Philosophie, Erziehungswissenschaft und Geschichte an der Universität Saarbrücken. Magister. Assistent am Germanistischen Institut der Universität Saarbrücken.

Publikationen:
Historisches Erzählen von Scott bis Jurek Becker. (In Vorb.) – Typologie der Kriminalgeschichte. (In Vorb.)

Franz Schonauer

Geboren 1920. Studium der Germanistik, Geschichte und Philosophie in Bonn und Marburg. Dr. phil. Literaturkritiker. Wissenschaftlicher Mitarbeiter am Institut für Publizistik der Freien Universität Berlin. Mitglied des PEN-Clubs.

Publikationen:
Stefan George. Hamburg 1960. – Deutsche Literatur im Dritten Reich. Olten und Freiburg 1961. – Veröffentlichungen in Zeitungen und Zeitschriften.

Hans Schumacher

Geboren 1931. Studium der Germanistik, Philosophie und Geschichte in Bonn und Heidelberg. Dr. phil. Professor an der Freien Universität Berlin.

Publikationen:
Wesen und Form der aphoristischen Sprache und des Essays bei Ernst Jünger. Diss. Heidelberg 1957 [masch.]. – August von Kotzebue: Die deutschen Kleinstädter (Hrsg.). Berlin 1964. – Aufsätze.

Ernst Schürer

Geboren 1933. Studium der Germanistik, Philosophie, Geschichte und Archäologie an der University of Texas, der Freien Universität Berlin und der Yale University. Ph. D. Professor an der University of Florida (Gainesville).

Publikationen:
Lebendige Form. Interpretationen zur deutschen Literatur (Hrsg.). München 1970. – Georg Kaiser. New York 1971. – Georg Kaiser und Bertolt Brecht. Über Leben und Werk. Frankfurt a. M. 1971. – Aufsätze und Rezensionen zur deutschen Literatur.

Kurt Sontheimer

Geboren 1928. Studium der Soziologie, Geschichte und Politischen Wissenschaft in Freiburg i. Br., Erlangen, Kansas (USA) und Paris. Dr. phil. Professor für Politische Wissenschaft am Geschwister-Scholl-Institut der Universität München. Mitglied des PEN-Clubs.

Publikationen u. a.:
Thomas Mann und die Deutschen. München 1961. – Antidemokratisches Denken in der Weimarer Republik. München 1962. – Israel – Politik, Gesellschaft, Wirtschaft (Hrsg.). München 1968. – Handbuch des deutschen Parlamentarismus (Hrsg. mit H. H. Röhring). München 1970. – Grundzüge des politischen Systems der Bundesrepublik Deutschland. München 1971. – Deutschland zwischen Demokratie und Antidemokratie. München 1971. – Das politische System Großbritanniens. München 1972. – Die DDR – Politik, Gesellschaft, Wirtschaft (mit Wilhelm Bleek). Hamburg 1972. – Abschied vom Berufsbeamtentum? (mit Wilhelm Bleek). Hamburg 1973.

Jürgen C. Thöming

Studium der deutschen und französischen Literaturgeschichte, Philosophie, Theatergeschichte in Tübingen, Hamburg, Straßburg und Berlin. Dr. phil. Sprach- und Literaturlehrer in Bielefeld.

Publikationen:
Robert-Musil-Bibliographie. Homburg 1968. – Bibliographie Deutschunterricht (Mitverf.). Paderborn 1973. – Zur Rezeption von Musil- und Goethe-Texten. Ästhetische Vermittlung von sinnlicher Wahrnehmung und Gefühlserlebnissen. München 1974. – Aufsätze über Musil und Brecht.

Frank Trommler

Geboren 1939. Studium der Literaturwissenschaft und Kunstgeschichte in Berlin, Wien und München. Dr. phil. Professor an der University of Pennsylvania (Philadelphia).

Publikationen u. a.:
Roman und Wirklichkeit. Stuttgart 1966. – Aufsätze zur Literatur des 20. Jahrhunderts.

Wolfgang Wendler

Geboren 1929. Studium der Literaturwissenschaft, Germanistik, Philosophie, Romanistik in Marburg und Hamburg. Dr. phil. Leiter der Bibliothek des NDR Hamburg.

Publikationen:
Carl Sternheim. Weltvorstellung und Kunstprinzipien. Frankfurt a. M. und Bonn 1966. – Aufsätze, literaturkritische Arbeiten, Rezensionen.

Ralph-Rainer Wuthenow

Geboren 1928. Studium der Germanistik, Romanistik und Philosophie in Heidelberg und Lausanne. Dr. phil. Professor an der Universität Frankfurt a. M.

Publikationen u. a.:
Der Erzähler Jean Paul. Tokyo 1965. – Das fremde Kunstwerk. Aspekte der literarischen Übersetzung. Göttingen 1969. – Vernunft und Republik. Studien zu Georg Forsters Schriften. Bad Homburg v. d. H., Berlin und Zürich 1970. – Ausschnitte. Kritische Studien zu japanischer Literatur. Tokyo 1970. – Das erinnerte Ich. Europäische Autobiographien des 18. Jahrhunderts. München 1974. – Literaturkritische und literaturwissenschaftliche Aufsätze, Rezensionen, Editionen.

Namenregister

Schröder, Rudolf Alexander 320, 328, 332
Schroeter, Manfred 302
Schröter, Klaus 196, 208, 211
Schubert, Franz 179
Schueler, Heinz J. 251, 254
Schuler, Alfred 293
Schüller, Hermann 84, 88 f., 109, 165
Schulte-Sasse, Jochen 254
Schultz, Hans Stefan 357
Schultz-Hencke, Harald 332
Schumacher, Ernst 44, 113
Schumacher, Hans 281–303
Schumann, Carl-Wolfgang 376
Schumann, Gerhard 329
Schumann, Klaus 381
Schumann, Wolfgang 431
Schürer, Ernst 47–76
Schütte, Wolfram 193
Schwarz, Egon 332, 381
Schwarz, Hans 302
Schwarz, Herta 280
Schwarz, Otto 72
Schwerin, Christoph 455 f.
Schwiefert, Fritz 72
Scipio 343
Scott, Sir Walter 209
Scribe, Augustin-Eugène 50
See, Klaus von 331
Seeger, Lothar Georg 280
Seeler, Moritz 58
Seemann, Klaus-Dieter 109
Seghers, Anna (eig. Netty Radvanyi) 98, 115, 138, 197, 208
Seidel, Ina 328
Seifullina, Lydia 119
Seiwert, F. W. 165
Sembdner, Helmut 332
Semmer, Gert 109
Sengle, Friedrich 365, 377 f.
Sera, Manfred 280
Servaes, Franz 63
Seume, Johann Gottfried 378
Severing, Carl 141, 226, 314
Shakespeare, William 50, 105 f., 123
Shaw, George Bernard 24, 50, 63, 125
Sieburg, Friedrich 377
Simons, Elisabeth 139 f.
Sinclair, Upton 38, 88, 119, 152, 159
Sinowjew, Georg s. Sinowjew, Grigori Jewsejewitsch
Sinowjew, Grigori Jewsejewitsch 81, 125, 152
Slang (eig. Fritz Hampel) 93, 153
Soergel, Albert 210, 252, 254, 394
Sokrates 57, 283 f.
Sontheimer, Kurt 9–18, 302 f., 332, 354, 357
Sorel, Georges 298
Sorge, Reinhard Johannes 285 f., 301

Spalek, John M. 109
Spann, Othmar 15
Spartacus 397, 407
Spengler, Oswald 204, 210, 294, 299
Speyer, Wilhelm 26, 50
Spitz, Ernst 153
Stadelmann, Heinrich s. Xaver
Stadler, Ernst 327
Stalin, Josef Wissarionowitsch (eig. Dschugaschwili) 111
Stammler, Wolfgang 301, 457
Stauffenberg, Alexander Graf Schenk von 344
Stauffenberg, Berthold Graf Schenk von 344
Stauffenberg, Claus Graf Schenk von 344
Steffen, Hans 76
Stehr, Hermann 204, 210, 306, 310 f., 313 f., 331
Steinbach, Dietrich 433
Steiner, Herbert 355–357, 454, 457
Steinitz, Wolfgang 217
Steinweg, Rainer 113
Stendhal (eig. Marie-Henri Beyle) 177, 448 f.
Stern, Fritz 300 f., 303
Sternheim, Carl 25, 41, 49, 51–54, 62 f., 65, 73 f., 177 f., 191, 194
Stettler, Michael 357
Stieg, Gerald 433
Stifter, Adalbert 204, 371, 452
Stoeßl, Otto 460
Stomps, Victor Otto 363
Stössinger, Felix 278
Strauss, Anselm 337, 355
Strauß, Emil 178, 204, 210, 306
Strauss, Richard 25
Strauß und Torney, Lulu von 328
Stresemann, Gustav 12, 19
Strich, Fritz 301, 303, 463 f., 466
Strindberg, August 22, 125
Struve, Gleb 142
Strzelewicz, B. 81
Stuckenschmidt, Hans Heinz 381
Sturz, Helfrich Peter 455
Sudermann, Hermann, 50, 64
Suphan, Bernhard 330
Süskind, Wilhelm Emanuel 44, 377
Swarowsky, Heinz 254
Szondi, Peter 111

Tagore, Rabindranath 69, 125
Taine, Hippolyte 294, 459
Tairow, Alexander 90 f
Tappe, Walter 45
Tasiemka, Hans 44
Tau, Max 310 f.
Thalheimer, August 86, 107
Thälmann, Ernst 102 f., 111, 116, 127, 144, 218, 398, 408
Thieme, Alfred 412, 432 f.